KB151843

Orthopaedics for Medical Students

제4판

학생을 위한 정형의학

서울대학교 의과대학 정형외과학교실

Department of Orthopaedic Surgery
Seoul National University College of Medicine

학생을 위한 정형의학_4판

넷째판 1쇄 인쇄 | 2022년 02월 17일
넷째판 1쇄 발행 | 2022년 03월 10일

옮 긴 이 서울대학교 의과대학 정형외과학교실
발 행 인 장주연
출판기획 한수인
책임편집 이경은
표지디자인 신지원
편집디자인 유현숙
발 행 처 군자출판사
등록 제4-139호(1991.6.24)
(10881) 파주출판단지 경기도 파주시 회동길 338(서패동 474-1)
전화 (031)943-1888 팩스 (031)955-9545
www.koonja.co.kr

ISBN 979-11-5955-838-2
정가 60,000원

집필진

학생을 위한 정형의학
Orthopaedics for Medical Students

강승백 교수
공현식 교수
구경회 교수
김민범 교수
김세훈 교수
김용성 조교수
김지형 부교수
김태우 부교수
김한수 교수
김형민 교수
김호중 부교수
김홍석 조교수
노두현 조교수
박문석 교수
박상민 부교수

배기정 부교수
백구현 교수
성기혁 부교수
신창호 조교수
염진섭 교수
오주한 교수
유원준 교수
유정준 교수
윤강섭 교수
이경민 부교수
이동오 조교수
이동연 교수
이명철 교수
이승준 부교수
이영균 교수

이영호 교수
이요한 조교수
이용석 부교수
이재협 교수
이지호 교수
장문종 부교수
장봉순 교수
장삼열 조교수
장종범 교수
정현장 조교수
조민준 조교수
조태준 교수
조현철 교수
한일규 교수
한혁수 교수

넷째판

머리말

Orthopaedics for Medical Students

우리 교실에서 1998년 의과대학 학생들이 공부하는 교과서로서 국내 최초로 '학생을 위한 정형외과학'을 발간한지 어언 24년이 지났습니다. 그동안 두 번의 개정 작업으로 더욱 충실한 책이 되었으며, 이번에 세 번째 개정을 통해서 넷째 판을 발간하게 되었습니다. 정형외과는 수술만 하는 분야라는 잘못된 인식을 불식하고자 셋째 판부터는 '학생을 위한 정형의학'이라고 책의 이름도 수정하였습니다.

영어로는 Orthopaedics라고 할 수 있는 정형의학은 척추와 사지에 발생하는 다양한 질병과 외상에 대해서 수술적 치료뿐 아니라 물리적 치료와 약물 치료까지 포괄하는 폭넓은 학문 분야입니다. 이렇게 다양한 치료방법(treatment modality)을 가지고 접근함으로써 환자에게 가장 적절한 치료를 적절한 단계에서 구사할 수 있는 분야입니다. 비유를 하자면 문무를 겸비한 학자이자 장군이라고 할 수 있겠습니다. 척추와 사지라는 광범위한 신체 부위에 걸쳐서 다양한 크기의 근골격계 조직에 대한 연구와 진료를 하지만 이들의 공통점과 차이점을 모두 이해함으로써 어느 한 부위만 연구하는 것에 비해서 보다 수준 높은 질병에 대한 이해와 정확한 진단, 그리고 그에 따른 우수한 치료 성과를 얻을 수 있습니다.

이렇게 광범위한 분야에 대한 지식을 의과대학 학생 수준에서는 모두 섭렵하는 것이 불가능하기 때문에 일찍이 우리 교실에서는 학생들을 위한 교과서를 집필하게 된 것입니다. 따라서 이 책에 있는 내용은 의과대학 학생 수준에서 꼭 알아야 할 내용들을 정리한 것이므로 2주간의 임상실습 기간 동안 충분히 습득하기를 바라 마지않습니다.

이번 개정판을 집필하는 데에 정성과 노력을 아끼지 않은 서울대학교 의과대학 정형외과학교실 교수님들께 감사드리며, 특히 편집위원장 김한수 교수와 간사 장삼열 교수의 큰 노고에 박수를 보냅니다.

2022년 2월

서울대학교 의과대학 정형외과학교실
주임교수 조 태 준

셋째판 머리말

Orthopaedics for Medical Students

우리나라의 의과대학생을 대상으로 한 최초의 정형외과학 교과서는 '학생을 위한 정형외과학'으로 1998년에 초판이 발간되었다. 이 책은 서울대학교 의과대학은 물론 전국 여러 의과대학에서도 교재로 사용되었고, 교수진과 의대생 모두에게서 큰 호평을 받았다. 오랜 산고 끝에 2013년에 2판이 발간되었는데, 책명을 '학생을 위한 정형의학'으로 바꾸었다.

정형외과(Orthopaedic Surgery)는 사지, 척추 및 골반의 근골격계(musculoskeletal system) 질환과 외상을 수술적 그리고 비수술적으로 치료하는 학문이다. 2009년에 발표된 조사에 의하면 우리나라 65세 이상 인구 중 근골격계 통증 유병률은 목, 어깨, 팔 등 상지 통증이 62.7%, 무릎, 엉덩이, 다리 등 하지 통증이 45.7%, 그리고 요통이 72.6%이다. 이를 모두 합치면 181%에 달한다. 이는 65세 이상 어르신들은 상지, 하지 그리고 허리 중 한 곳만 아픈 것이 아니라 약 두 곳이 아파 고생하신다는 의미이다. 이처럼 흔한 근골격계 통증 환자 대부분은 비수술적 치료로 호전되며 수술적 치료가 필요한 경우는 극히 일부라 할 수 있다. 정형외과의 대부분 환자군이 비수술적 치료 대상임에도 불구하고, 단어가 갖는 의미 때문에 젊은 의학도나 일반인은 '정형외과'는 수술적 치료만을 대상으로 한다고 잘못 알고 있는 경우가 흔하다. 이러한 오해를 불식시키기 위해 근자에는 정형의학(Orthopaedics)이란 용어 사용이 점차 늘고 있다.

하루가 다르게 발전하는 IT 산업처럼, 정형의학을 포함한 현대의학도 진화 속도가 매우 빨라 질환에 대한 새로운 개념과 새로운 치료법이 수시로 소개되고 있다. 첨단 지식으로 무장한 교과서도 몇 년 후에는 낡은 지식의 전달체로 전락하는 일이 적지 않다. 2판이 나온 지 3년 만에 새롭게 개편된 3판을 출판하는 이유가 여기에 있다. 이 책은 의과대학생으로서 꼭 알아야 할 최신 내용을 수록하였으며, 2주간의 정형외과 실습 동안 마스터할 수 있도록 구성되었다. 치료방법보다는 질병과 외상에 대한 개념, 진찰법 및 진단 등에 중점을 두었고, 암기보다는 이해와 응용력 배양을 목표로 하였다.

이 책을 위하여 정성과 노력을 아끼지 않은 서울대학교 의과대학 정형외과학교실 전체 교수께 감사를 드리며, 특히 간사로 수고한 김세훈 교수의 노고에 박수를 보낸다. 그리고 이 책으로 공부한 많은 의학도가 고통받는 환자들에게 밝은 등불이 되기를 따뜻한 마음으로 기원한다.

2015년 11월

서울대학교 의과대학 정형외과학교실
주임교수 백 구 현

둘째판

머리말

Orthopaedics for Medical Students

정형외과학회가 세계 처음으로 설립된 곳은 미국으로, 1887년 6월의 일이다. 대한정형외과학회는 그로부터 69년 뒤인 1956년에 설립되었다. 국내에서 발간된 정형외과 교과서가 없던 당시에는 어렵게 구한 외국 서적을 筆寫하여 공부하였고, 많은 선배들께서 미국 등 선진국에서 배운 지식과 경험을 국내 젊은 후진들에게 전수하였다. 1982년에는 대한정형외과학회가 전공의를 대상으로 하는 "정형외과학"을 발간하였고, 1998년에는 국내 처음의 의과대학생을 대상으로 한 "학생을 위한 정형외과학"을 서울대학교 정형외과학 교실이 발간하였다. 이후 정형외과는 눈부신 발전을 거듭하여, 2009년에는 국제 학술지에 연간 출판된 논문 편수가 미국, 일본, 영국에 이어 세계 4위를 기록하였다. 최근 우리나라와 일본, 영국과의 격차가 급격히 줄고 있어 수년 내에 세계에서 1, 2등을 다툴 것으로 기대한다. 이러한 정형외과학을 비롯한 의학 전반의 발전은 방대한 지식을 축적하였고, 의과대학생이 공부해야 할 분량은 계속 늘어만 가고 있다.

고령화 사회 진입, 스포츠 인구의 증가, 교통 사고 및 재해 등으로 근골격계(musculoskeletal system) 질환은 날로 증가하고 있다. 2004년 미국 통계에 의하면, medical practice의 1/4 이상이 근골격계 관련 문제이다. 의사라면 누구나 전공 분야에 관련 없이 수많은 근골격계 환자를 접할 수밖에 없는 것이 현실이다.

이 책은 의과대학생으로서 꼭 알아야 할 내용을 수록하였으며, 2주간의 정형외과 실습 동안 마스터할 수 있도록 구성되었다. 암기보다는 이해와 응용력 배양을 목표로 하였고, 실제 환자를 볼 때 도움이 될 수 있도록 實用性에 중점을 두었다.

周易에는 君子以自强不息이란 문구가 있다. '군자는 스스로 엄격하여 쉬지 않는다'란 뜻으로, '군자는 스스로 心身을 단련하여 지혜와 인품을 닦는 데 끊임없이 힘써야 한다'는 의미로 의역될 수 있다. 훌륭한 의사가 되려면 쉼 없이 학문과 인격 수양에 매진해야 하며, 이는 우리들 모두의 사명이자 宿命이다.

2013년 3월

서울대학교 의과대학 정형외과학교실

주임교수 백 구 현

초판 머리말

Orthopaedics for Medical Students

일찍이 대한정형외과학회에서는 정형외과 전공의를 위한 '정형외과' 교과서를 발간하여, 정형외과 전공의뿐 아니라 의과대학생 및 일반 개업의의 정형외과 공부에 큰 도움을 주었음은 주지의 사실이다. 그러나 그 내용이 의과대학생 수준에는 다소 어렵다는 것이 중론이었다.

이 책은 정형외과에 처음 입문하는 의과대학생들을 위하여 쉬운 내용으로 학생들이 알아야 할 분야와 그 정도를 감안하여 쓰였다. 또한 학생들이 짧은 실습 기간에 다 읽을 수 있도록 책의 분량을 적게 하였다. 발생 빈도가 높은 질환일수록 자세히 설명하고, 방사선 사진, 의학 사진, 그림 등은 모두 우리나라 증례를 토대로 작성하였다. 또한 빠른 속도로 발전해 온 정형외과 분야의 학문적 변화에 발맞추어 최근에 정립된 견해도 기술하고자 노력하였다.

훌륭한 의사로 탄생할 후학들의 교육에 일조한다는 집필 목적에도 불구하고, 이 책은 부족한 점이 많을 것으로 생각된다. 향후 지속적인 개정판의 발행으로 이러한 미비점을 개선해 나가려고 하니 독자 제현의 따뜻한 도움을 바란다.

1998년 2월

서울대학교 의과대학 정형외과학교실
김 영 민

추천의 글

학생을 위한 정형의학

Orthopaedics for Medical Students

의과대학을 다닐 때, 정형외과학 교과서는 전공의를 대상으로 쓴 교과서여서 그런지 이해하기가 힘들고 사진의 해상도도 매우 낮아 학생으로서는 난해하기만 하였다. 서울대학교 의과대학 정형외과학교실에서는 1998년 국내 처음으로 '학생을 위한 정형외과학'을 발간한 이후로 꾸준히 업그레이드하여 금번에 제4판 '학생을 위한 정형의학'을 다시 출간하게 되었다. 의과대학생 시절 정형외과학교실은 '뼈대' 있는 교실이라는 농담이 있었는데, 의과대학생을 포함한 초심자들을 위한 교과서 출간에 정성을 쏟고 있는 것을 보면 서울대학교 의과대학 정형외과학교실은 정말 뼈대 있는 교실이라는 생각이 든다. 고령화, 스포츠 인구의 증가, 각종 사고와 재해로 인해 근골격계 질환이 늘어나고 있다. 따라서 3차 의료 기관은 물론 1차 의료 기관에서도 근골격계 질환에 대한 진료가 매우 중요하다. 외과 계열의 교과서가 수술을 포함한 치료를 경험해 보지 않은 초심자들에게는 딱딱하고 어려울 수 있으나, 꼭 필요한 부분만 교실의 증례를 중심으로 방사선 및 의학 사진, 그림 등을 통하여 쉽게 설명하고 있다. 더불어 책의 분량도 실습 시 학생들의 부담이 되지 않게 너무 많지 않게 정하였다.

이 책은 의과대학생은 물론 정형의학에 관심이 있고 처음 접하는 이들에게 서울대학교 의과대학 정형외과학교실의 여러 교수님들이 각자의 세부 전공 분야에서 얻은 풍부한 임상경험을 바탕으로 필수 지식뿐만 아니라 최신 지견까지도 균형 있게 저술하여 훌륭한 길라잡이 역할을 할 것으로 생각한다.

서울대학교 의과대학 학생들의 교육에 관심을 갖고 노력을 기울여 주신 서울대학교 의과대학 정형외과학교실 조태준 주임교수님과 여러 교수님들께 마음 깊이 감사드리며, '학생을 위한 정형의학'의 출간을 축하드린다.

2022년 2월
서울대학교 의과대학 학장
김 정 은

1 SECTION 총론

Chapter 1. 근골격계의 기초과학 ······ 3
1. 서론 ······ 3
2. 뼈 ······ 4
3. 연골 및 관절 ······ 10
4. 건 및 인대 ······ 14
5. 근육 ······ 15
6. 관절 ······ 18
7. 말초신경 ······ 20
8. 근골격계의 기초연구 ······ 21

Chapter 2. 근골격계 질병의 진단 ······ 27
1. 병력청취 ······ 27
2. 신체검사 ······ 28
3. 영상의학적 검사 ······ 32
4. 진단의학적 검사 ······ 35
5. 보행분석 ······ 36
6. 흔한 근골격계 문제들 ······ 38

Chapter 3. 근골격계 문제의 치료원칙 ······ 43
1. 비수술적 치료 ······ 43
2. 골절 고정 기구 ······ 48
3. 골 변형 교정술 ······ 51
4. 사지 길이 부동 ······ 54

5. 골이식술 및 골 대체재 ··· 61
6. 관절막 절개술과 활막 절제술 ··· 67
7. 관절경 수술 ··· 68
8. 관절 고정술 ··· 76
9. 관절 성형술 ··· 79
10. 연부 조직 결손의 치료 ··· 87
11. 사지 절단술과 의지 ··· 91
12. 물리 치료 ··· 94

Chapter 4. 선천성 및 발달성 질환 ··· 103

1. 총론 ··· 103
2. 상지의 선천성 이상 ··· 104
3. 선천성 근성 사경 ··· 110
4. 선천성 척추측만증 ··· 112
5. 선천성 경추 결합 ··· 115
6. 하부요추 골격 이상 ··· 116
7. 발달성 고관절 이형성증 ··· 117
8. 소아의 일과성 고관절 활액막염 ··· 123
9. Legg–Calvé–Perthes (LCP)병 ··· 124
10. 대퇴골두 골단분리증 ··· 128
11. 선천성 만곡족 ··· 131
12. 기타 족부 기형과 변형 ··· 132
13. 성장기 아동의 하지 각변형 ··· 134
14. 성장기 어린이의 하지 염전변형 ··· 135
15. 골연골증 ··· 139

Chapter 5. 전신적 질환 ··· 143

1. 골격계 유전성 질환/골 이형성증 ··· 143
2. 골다공증 ··· 157
3. 칼슘/인 대사 장애 질환 ··· 161

Chapter 6. 퇴행성 관절염 ········· 167

1. 발병기전 ········· 167
2. 임상 소견 ········· 171
3. 영상의학적 특성 ········· 175
4. 치료원칙 ········· 178

Chapter 7. 류마토이드 관절염과 기타 관절염 ········· 185

1. 류마토이드 관절염 ········· 185
2. 혈청음성 척추관절염 ········· 190
3. 연소기 특발성 관절염 ········· 194
4. 통풍 ········· 197

Chapter 8. 종양성 질환 ········· 203

1. 서론 ········· 203
2. 진단 과정 ········· 205
3. 생검 ········· 208
4. 치료 원칙 ········· 209
5. 양성 골 종양 ········· 211
6. 악성 골 종양 ········· 218
7. 연부조직 종양 ········· 222
8. 전이성 골종양 ········· 224

Chapter 9. 감염성 질환 ········· 229

1. 급성 혈행성 골수염 ········· 229
2. 봉와직염과 괴사성 근막염 ········· 232
3. 만성 골수염 ········· 236
4. 급성 세균성/화농성 관절염 ········· 239
5. 근골격계 결핵 ········· 245

Chapter 10. 신경과 근육 질환 ··· 249
1. 서론 ··· 249
2. 뇌성 마비 ··· 250
3. 척추 유합 부전 ··· 258
4. 근이영양증 ··· 260
5. 말초신경 손상 ··· 262

Chapter 11. 스포츠 의학 ··· 267
1. 손상 예방, 응급처치, 재활의 원칙 ··· 267
2. 팀주치의의 계획과 역할 ··· 271
3. 과사용 손상 ··· 274
4. 급성 손상 ··· 277

2 SECTION 국소적 문제

Chapter 12. Shoulder Joint의 병변 ··· 283
1. Shoulder joint의 특성 및 평가 ··· 283
2. 회전근 개 질환 ··· 291
3. Shoulder joint의 만성 불안정성 ··· 310

Chapter 13. Elbow의 병변 ··· 315
1. Elbow의 신체 검사 ··· 315
2. Epicondylitis and Bursitis ··· 321
3. 주관 증후군(cubital tunnel syndrome) ··· 324

Chapter 14. Hand와 Wrist의 병변 ··· 329

1. Hand와 Wrist의 신체 검사 ··· 329
2. 수근 관절의 병변 ··· 337
3. 수근관 증후군 ··· 343
4. 수부의 건막염 ··· 347
5. 결절종 ··· 349

Chapter 15. Spine의 병변 ··· 353

1. 척추의 임상해부학 ··· 353
2. 척추 질환의 신체 검진 ··· 361
3. 요추 염좌 ··· 364
4. 추간판 탈출증 ··· 365
5. 요추 척추관 협착증 ··· 370
6. 척추 전방전위증 ··· 375
7. 경추의 병변 ··· 378
8. 척추 변형 ··· 387

Chapter 16. Hip Joint의 병변 ··· 397

1. 고관절의 평가 ··· 397
2. 대퇴골두 골괴사 ··· 403
3. Hip joint 주위 연부조직 질환 ··· 408

Chapter 17. Knee Joint의 병변 ··· 415

1. 슬관절의 구조와 기능 ··· 415
2. 반월상 연골판(Meniscus) 병변 ··· 422
3. 건과 인대 병변 ··· 427
4. 연골 및 골연골 병변 ··· 435
5. 슬관절 관절염 ··· 439
6. 대퇴슬개 관절 병변 ··· 445

Chapter 18. Foot과 Ankle Joint의 병변 ········· 449

1. Foot과 Ankle joint의 평가 ········· 449
2. 발목 관절 염좌 ········· 453
3. 족부 변형 ········· 456
4. 당뇨발 ········· 461
5. 기타 족부 질환 ········· 463

3 SECTION 외상

Chapter 19. 외상의 개괄 ········· 471

1. 서론 ········· 471
2. Major injury에 대한 수술적 전략: 조기 확정 치료(Early total care) vs. Damage control surgery ········· 471

Chapter 20. 외상의 평가와 응급처치 ········· 475

1. 의식 상태가 정상이고, 활력징후가 안정적인 환자에 대한 초기 평가 및 처치 ········· 475
2. 의식 상태가 불량하거나 활력징후가 불안정한 환자에 대한 초기 평가 및 처치 ········· 476
3. 정형외과적 응급 처치 및 수술 ········· 477

Chapter 21. 골절의 치유기전 ········· 481

1. 장관골 골절의 치유 과정 ········· 481
2. 해면골 골절의 치유 과정 ········· 484
3. 관절 내 골절의 치유 과정 ········· 484
4. 골절 치유에 영향을 미치는 인자 ········· 484

Chapter 22. 장골 골절의 치료 ······ 489

1. 장골 골절의 일반적 특징 ······ 489
2. 장골 골절의 발생 기전 ······ 489
3. 진단 ······ 490
4. 치료 ······ 491
5. 합병증 ······ 493

Chapter 23. 관절내 골절의 치료 ······ 497

1. 관절내 골절의 특징 ······ 497
2. 관절내 골절의 손상 기전 및 치료 원칙 ······ 498
3. 관절내 골절의 수술적 치료 ······ 498

Chapter 24. 척추 골절의 치료 ······ 501

1. 신경학적 검사 ······ 501
2. 방사선 검사 ······ 504
3. 척추 불안정성 ······ 505
4. 치료 ······ 505

Chapter 25. 개방성 골절의 치료 ······ 509

1. 개방성 골절의 소개 ······ 509
2. 개방적 골절의 초기 및 잠정적 처치 ······ 510
3. 개방적 골절의 확정적 치료 ······ 512

Chapter 26. 소아 골절의 치료 ······ 515

1. 소아 골절의 특징 ······ 515
2. 상완골 과상부 골절 ······ 521

Chapter 27. 고령 환자의 골절 523

1. 고령 환자의 특징 523
2. 고령 환자에서 발생하는 골절의 특징 523
3. 고령 환자의 골절 예방 524
4. 고령 환자에서 발생하는 골절의 치료 524
5. 고령 환자의 수술 전후 관리 525

Chapter 28. 복합 손상 529

1. 다발성 손상 환자의 평가 및 치료 529
2. 다발성 손상 소아 환자의 평가 및 치료 532
3. 다발성 손상 노인 환자의 평가 및 치료 533

Chapter 29. 근육, 건, 인대 손상 535

1. 근육 535
2. 건 535
3. 인대 538
4. 말초 신경 538

총론

1. 근골격계의 기초과학
2. 근골격계 질병의 진단
3. 근골격계 문제의 치료원칙
4. 선천성 및 발달성 질환
5. 전신적 질환
6. 퇴행성 관절염
7. 류마토이드 관절염과 기타 관절염
8. 종양성 질환
9. 감염성 질환
10. 신경과 근육 질환
11. 스포츠 의학

CHAPTER 1

근골격계의 기초과학

Basic Science of Musculoskeletal System

1. 서론

정형외과학(orthopedic surgery) 또는 정형의학(orthopedics)은 인체의 근골격계에 발생하는 질환과 외상의 예방, 진단, 치료, 재활 그리고 이와 관련된 기초 연구를 수행하는 의학의 한 분야이다. 근골격계에는 사지와 척추의 근육과 뼈는 물론 관절, 건(tendon), 인대(ligament), 신경, 혈관 등이 포함된다. 정형외과적 치료에는, 약물 투여(medication), 국소 주사(local injection) 요법, 운동요법(exercise), 수술(surgery) 및 기타 치료 방법(other treatment plans) 등이 있다. 1741년 파리대학교 Nicholas Andry 교수가 그의 저서의 제목으로 처음 사용한 "orthopédie"가 지금 사용하는 "orthopedic surgery" 또는 "orthopedics"의 어원으로, 이는 그리스어 "orthos (straight, free from deformity)"와 "paidion (child)"의 합성어다. 이 당시에는 소아 마비나 결핵으로 인해 근골격계 소아 변형이 흔하였으며, 이 책의 서문에 나오는 그림은 당시 정형외과의 역할을 상징적으로 나타내고 있다(그림 1-1).

석기 시대부터 골절 치료로 부목을 사용한 흔적이나 사지 절단 유물 등이 발견될 정도로 정형외과의 역사는 깊다. 기원전 이집트와 고대의 바빌론 유적에서도 사지 외상에 대한 치료나 척추 수술에 대한 기록이 남아있고, 히포크라테스는 고대 그리스 시대에 어깨탈구(shoulder dislocation)의 정복법을 기술한 바 있다.

정형외과학은 사회와 과학의 발전과 더불

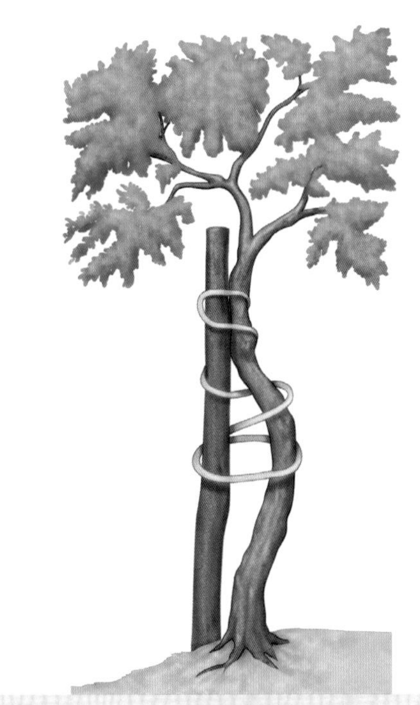

그림 1-1
Nicholas Andry의 책 「Orthopédie」 서문에 나오는 그림

어 세분화되기 시작하였다. 1946년 수부외과(hand surgery)가 미국에서 최초로 정형외과의 분과(subspecialty)로 인정된 이래, 소아정형외과(pediatric orthopedic surgery), 척추외과(spine surgery), 고관절외과(hip surgery), 슬관절외과(knee surgery), 견관절외과(shoulder surgery), 족부 및 족관절외과(foot and ankle surgery), 관절경외과(arthroscopic surgery), 정형외과 종양학(orthopedic oncology), 외상학 및 미세수술(traumatology and microsurgery) 등 10여 개로 세분되었다.

우리나라에서는 1948년에 '조선정형외과학회'가 최초로 창립되었지만 6.25 전쟁으로 활동이 중단되었다(그림 1-2). 6.25 전쟁 직후인 1956년 대한정형외과학회(Korean Orthopaedic Association)가 다시 발족된 이래로, 2021년 현재 26개의 분과 학회를 가질 정도로 왕성한 활동을 이어가고 있다.

정형외과학은 공학, 이학 등의 첨단 과학과 접목되어 급속히 발달하고 있다. 인공 관절의 개발, 미세 수술의 보편화, 관절경 등을 이용한 최소 침습 수술 발달, 로봇이나 3차원적 항법장치(navigation system)를 이용한 수술의 도입, 줄기 세포(stem cell)를 이용한 치료에 관한 연구 등이 대표적인 예이다. 이러한 과정은 현재 진행형이며, 정형외과학의 미래는 기초 연구적인 면, 임상적인 면 모두에서 무궁무진하다 할 수 있다.

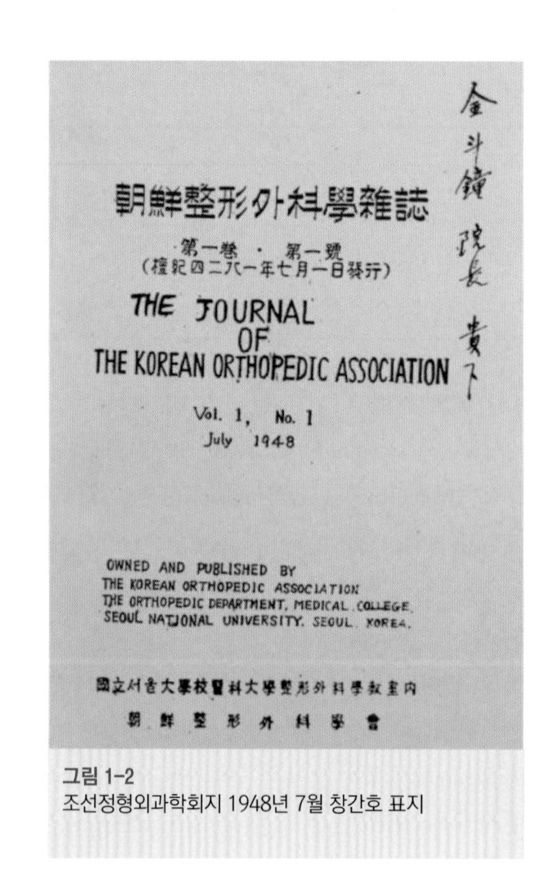
金斗鍾 院長 貴下

朝鮮整形外科學雜誌
第一卷・第一號
(檀紀四二八一年七月一日發行)
THE JOURNAL OF THE KOREAN ORTHOPEDIC ASSOCIATION
Vol. 1, No. 1
July 1948

OWNED AND PUBLISHED BY
THE KOREAN ORTHOPEDIC ASSOCIATION
THE ORTHOPEDIC DEPARTMENT, MEDICAL COLLEGE.
SEOUL NATIONAL UNIVERSITY, SEOUL, KOREA.

國立서울大學校醫科大學整形外科學敎室內
朝鮮整形外科學會

그림 1-2
조선정형외과학회지 1948년 7월 창간호 표지

2. 뼈

1) 뼈의 기능

뼈는 인체의 형태를 유지시키고 체중을 지탱하며, 관절을 통해 서로 연결되어 근육 수축 시에 관절을 움직일 수 있게 하여 운동 및 보행을 가능하게 한다. 그리고 뇌나 심장 등 중요 장기(vital organ)들을 보호하고, 골수(bone marrow)를 함유하고 있어 혈구세포를 생산하며, 칼슘을 포함한 무기 이온의 저장고 및 평형에 중요한 역할을 한다.

2) 뼈의 발생

뼈의 형성은 연골모형(cartilage model) 없이 직접 뼈를 형성하는 막내 골화(intramembranous ossification)나 연골모형을 형성한 후 골화되는 연골내 골화(enchondral ossification)에 의해 이루어진다.

(1) 막내 골화

간엽세포(mesenchymal cell)에서 분화된 골모세포(osteoblast)들이 유골(osteoid)을 분비하고, 유골이 석회화 되면서 골조직을 형성하는데 일부 골모세포는 석회화된 기질에 묻히면서 골세포(osteocyte)가 된다. 이때 석회화가 진행된 골소편을 골침(spicule)이라 하며 몇 개의 골침들이 서로 융합하여 해면구조(spongy structure)를 형성한다. Skull (두개골) 등의 편평골, clavicle (쇄골), maxilla (상악골) 및 mandible (하악골)의 발생 과정, 장관골(long tubular bone)의 두께 성장 및 신연 골형성술(distraction osteogenesis) 등에서 관찰되는 골화 과정이다.

(2) 연골내 골화

태생 6주에 초자연골(hyaline cartilage)로 된 연골모형을 형성하고 태생 8주에 연골모형 중간 부위에 있는 연골막(perichondrium)내에서 막내 골화를 통해 골테두리(bone collar)라고 불리는 골조직이 형성된다(그림 1-3). 중앙 부위의 연골 세포는 점차 최종 분화(terminal differentiation)를 하면서 비후되고(hypertrophy) 주변 연골기질에 칼슘이 침착되면서 자가 사멸(apoptosis)하게 되고 석회화(calcification)된 연골기질(cartilage matrix)의 중격(septa)만 남는다. 골테두리에 있는 파

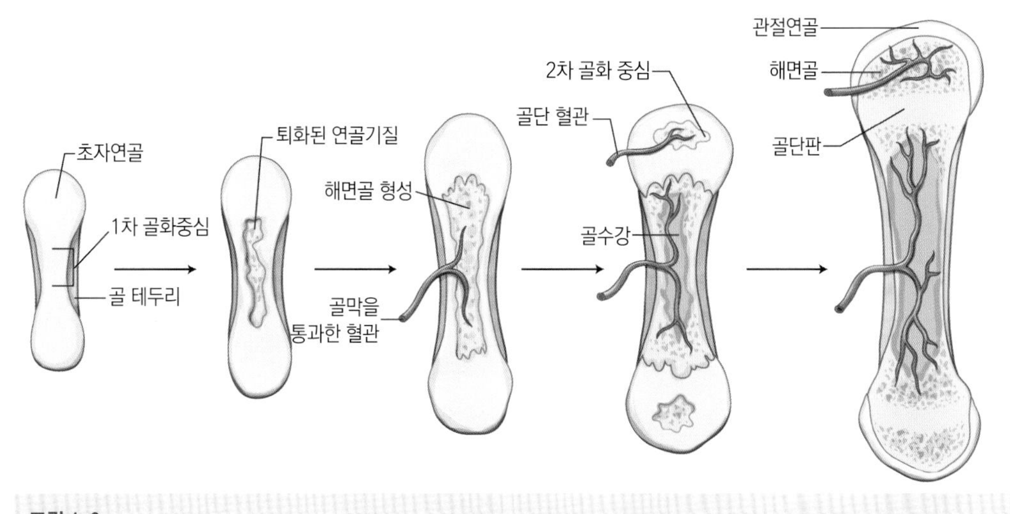

그림 1-3
연골내 골화

골세포(osteoclast)가 구멍을 내고 골조상세포(osteoprogenitor cell)와 모세혈관으로 구성된 골발생 싹(osteogenic bud)이 침투해서 골조상세포가 골모세포로 분화한 후 연골 기질 위에 골기질을 생성하고 조혈세포(hematopoietic cell)는 골수를 형성하면서 골화 중심(ossification center)을 형성한다. 이를 일차 골화 중심(primary ossification center)이라 하며 장관골의 diaphysis (골간)에 해당한다. 각 사지 골의 양쪽 끝부분인 epiphysis (골단)에서도 같은 기전으로 골화 중심이 나타나며 이를 이차 골화 중심(secondary ossification center)이라 한다. 이차 골화 중심과 일차 골화 중심에 의해 형성된 골 사이에 남아 있는 연골 부분을 골단판(physis, physeal plate) 또는 성장판(growth plate)이라 하며, 이 부위에서 골의 길이 성장이 이루어진다.

3) 뼈의 분류

뼈는 조직학적 성숙도에 따라 미숙골(immature bone)과 성숙골(mature bone)로 나뉜다. 미숙골은 직골(woven bone) 또는 무층골(nonlamellar bone)로 불리며, collagen fiber가 불규칙하게 짜여 있고, 세포수가 많고 크며, 무기질 함량이 적고 수분 함량이 많다. 이런 미숙골은 태아 발생 중이나 성장판에 의해 처음 만들어지거나, 골절 치유 중에 일시적으로 나타나며 후에 성숙골로 대치된다. 이에 비해, 성숙골은 층판골(lamellar bone)로 불리며, 골기질의 collagen fiber가 평행하게 또는 동심원 상으로 배열하고 있다.

뼈는 형태에 따라 femur (대퇴골)와 같은 장관골(long tubular bone), carpal bone (수근골)과 같은 단골(short bone), scapula (견갑골)와 같은 편평골(flat bone), 그리고 척추와 같은 불규칙골(irregular bone)로 나눌 수 있다.

4) 뼈의 구조

성숙골의 내부는 해면골(cancellous bone)로 되어 있고 외부는 피질골(cortical bone)으로 둘러 싸여 있다. 장관골은 위치에 따라 중간부를 diaphysis (골간), 양 끝부분을 epiphysis (골단)이라 부르며, diaphysis와 epiphysis의 이행 부위를 metaphysis (골간단)이라고 부른다 (그림 1-4A).

(1) 피질골(cortical bone)

뼈의 바깥쪽에 위치하며, 기본적인 뼈 단위인 하버시안계(Haversian system) 또는 골원(osteon)으로 알려진 원기둥 모양의 구조로 구성된다(그림 1-4B). 하버시안계는 피질골의 세로 방향으로 평행하게 위치하며, 중앙에 하버시안관(Haversian canal)이 있고 이 관 속에 혈관과 신경이 존재한다.

하버시안관의 주위로 석회화된 하버시안 층판(Haversian lamellae)이 동심원상으로 배열하고 있고, 이 속에 골세포가 들어 있는 소강(lacuna)이 존재한다. 소강은 다른 소강이나 하버시안관과 소관(canaliculus)이라 불리는 작은 관을 통해 연결되어 있다. 하버시안관과 골막의 혈관을 연결시키고 하버시안관 사이를 연결하기도 하며 골수 공간과도 교통하면

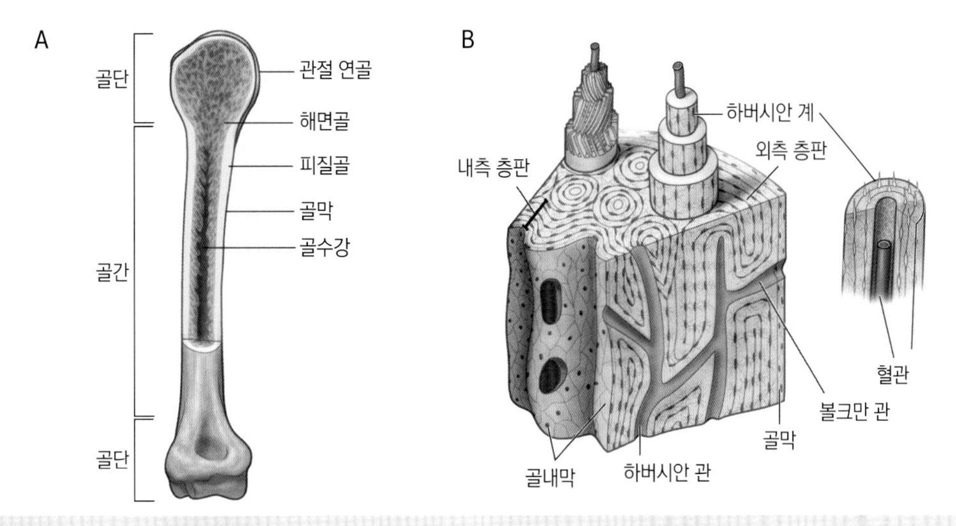

그림 1-4
뼈의 구조
A. 장관골의 구조, B. 피질골의 구조

서 하버시안관에 대해 90도 방향으로 배열한 관을 볼크만관(Volkmann's canal)이라고 한다. 하버시안계는 평생 동안 끊임없이 파골세포에 의해 파괴되고 골모세포에 의해 형성되는 과정을 지속한다.

(2) 해면골(cancellous bone)

해면골은 골수강 내에 지방조직이나 조혈조직 사이에 섞여서 존재하는 작은 기둥 모양의 골소주(trabecula)로 구성되어 있으며, 골소주는 서로 연결되어 있지만 동심성으로 배열되지 않고 느슨하게 배열되어 있기 때문에 피질골에 비해 압축 강도가 낮으며 해면골의 혈액 공급은 주변 모세 혈관으로부터의 확산에 의한다.

(3) 골막(periosteum)

뼈의 바깥 면을 덮고 있는 두껍고 치밀한 섬유성 막으로, 골절 치유 과정에서 매우 중요한 역할을 한다. 골막의 바깥쪽에 섬유층(fibrous layer)이 있고 안쪽에 캠비움층(cambium layer)이 있다. 섬유층은 두꺼운 섬유결합 조직층으로 관절막과 연결되어 다른 뼈나 건, 인대와 연결되기도 한다. 캠비움층은 골조상세포(osteoprogenitor cell)로 생각되는 미분화 세포가 배열되어 있고 혈관이 풍부하여 뼈의 흡수와 형성을 통해 신생골 형성 및 뼈의 부피 성장에 중요한 역할을 한다.

(4) 골내막(endoosteum)

피질골의 골수 공간, 하버시안 관과 해면골의 골 소주 표면을 덮고 있는 얇은 세포성 결합 조직층이다. 미분화 세포인 골조상세포가 위치하여 골형성과 골절 치유 과정에 골막의 골조상세포와 함께 중요하게 관여한다.

(5) 성장판(growth plate)

성장판은 주로 연골세포와 이들이 만들어 낸 기질로 구성되어 있고, 정교한 종적(longitudinal) 구역을 형성하고 있다. Epiphysis부터 metaphysis 방향으로 정지대(resting zone), 증식대(proliferative zone), 비후대(hypertrophic zone)가 존재한다(그림1-5). 정지대는 증식대로 연골세포를 공급하는 역할을 하고, 증식대에서는 활발한 세포분열이 일어나며, 세포들이 층을 이루며 배열한다. 비후대에서는 연골세포의 크기가 증가한다. 성장판 각 구역의 복잡한 유전적 조절에 의해 골의 길이성장이 일어나게 되며, 이에 이상이 발생하면 각종 변형이 발생한다.

5) 뼈의 구성 성분

뼈는 세포와 이들 세포 간에 존재하는 다량의 골기질(bone matrix)로 구성되어 있으며, 골기질은 대부분 교원섬유(collagen fiber)로 구성된 유기질 성분(뼈의 35%)과 주로 칼슘으로 구성된 무기질 성분(뼈의 45%), 그리고 수분(뼈의 20%)으로 이루어져 있다.

(1) 뼈의 세포

뼈에는 골조상세포(osteoprogenitor cell), 골모세포(osteoblast), 골세포(osteocyte), 골표면세포(bone-lining cell, surface osteocyte), 파골세포(osteoclast)가 있다(그림 1-6). 이들 중 파골

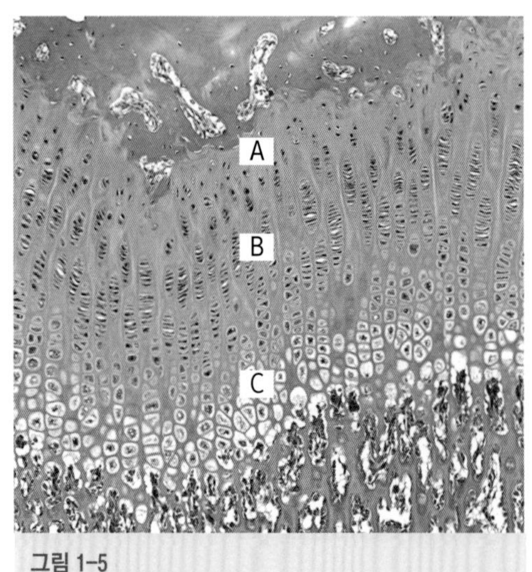

그림 1-5
골단판의 현미경적 구조
A. 정지대, B. 증식대, C. 비후대

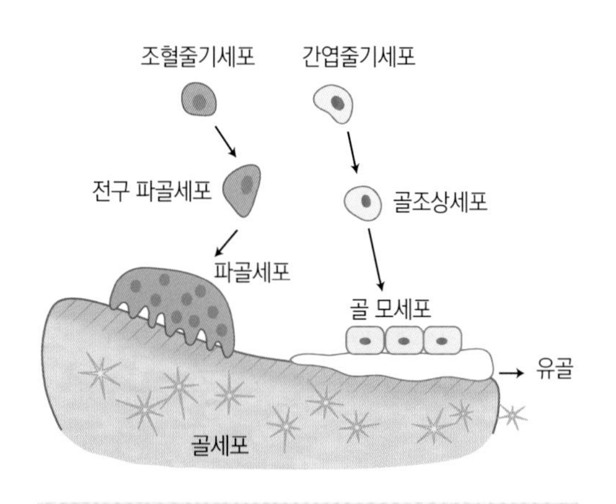

그림 1-6
뼈의 세포

세포는 조혈줄기세포(hematopoietic stem cell)에서 기원하여 골수(bone marrow)에 있는 단핵구의 전구 세포를 거쳐서 발생하고, 나머지 세포들은 간엽줄기세포(mesenchymal stem cell)에서 기원한다.

① 골조상세포(osteoprogenitor cell)

골모세포로 분화될 수 있으며, 골막 내층인 캠비윰층(cambium layer), 골내막(endosteum) 및 하버시안관의 내면 및 성장골의 골간단에 있는 골지주에 분포한다.

② 골모세포(osteoblast)

골조상세포로부터 분화한 세포로, 골모세포는 더 이상 분화하지 않으며 교원섬유(collagen fiber), 단백다당(proteoglycan), 당 단백질과 같은 유기물을 합성하고 분비한다. 골모세포는 석회화가 되기 전 단계인 유골(osteoid)이라는 기질층을 형성하는데, 유골층에 묻힌 후 유골에 석회화가 일어나서 뼈를 형성하게 되면 그 속에 묻힌 골모세포가 골세포가 된다.

③ 골세포(osteocyte)

완전히 발육된 뼈의 주된 세포로서, 분열능력이 없고 골소강 속에 들어 있으며 방사상으로 형성된 여러 개의 골소관을 통해 이웃 골소강 및 주변 세포와 혈액, 영양물질과 대사물질을 교환한다. 또한, 뼈로부터 칼슘을 유리시켜 혈액 내로 보내서 체액 내 칼슘 농도를 조절하는 기능도 한다.

④ 파골세포(osteoclast)

다핵 거대세포로 골흡수를 담당하며 골 표면을 침식시켜 만든 하우십소와(Howship's lacuna)라는 공간에 들어있다. 골흡수는 파골세포가 석회화 기질과 접하고 있는 면에 존재하는 주름테(ruffled border) 안에서 일어난다.

⑤ 골표면세포(surface osteocyte)

골표면에 위치한 길고 납작한 세포로, 파골세포에 의해 골이 흡수되면서 골수강에서 유리된 골세포가 골표면으로 밀려가서 휴식기에 들어간 골세포로 추정하고 있다. 적절한 자극에 의해 다시 골모세포가 되어 분비활동을 할 것이라 생각하고 있다.

(2) 뼈 기질(bone matrix)

뼈의 세포 사이 물질인 뼈 기질은 유기질 성분과 무기질 성분으로 구성된다. 유기질 성분의 90~95%가 제1형 교원섬유(type 1 collagen fiber)이며 뼈의 탄성과 강도를 높여 준다. 무기질 성분은 유기질 성분과 복합체를 형성하여 뼈의 경도(hardness)와 강직도(rigidity)를 결정하며, 칼슘(Ca)과 인(P)이 특히 많고 몸 전체의 칼슘 중 99%, 인의 약 90%가 뼈에 존재한다. 이들은 주로 hydroxyapatite $[Ca_{10}(PO_4)_6(OH)_2]$ 결정을 이룬다.

6) 뼈의 혈관과 신경

장관골은 영양동맥(nutrient artery), 골간단동맥(metaphyseal artery) 및 골막혈관(periosteal vessel)에 의하여 혈액을 공급받는다(그림 1-7).

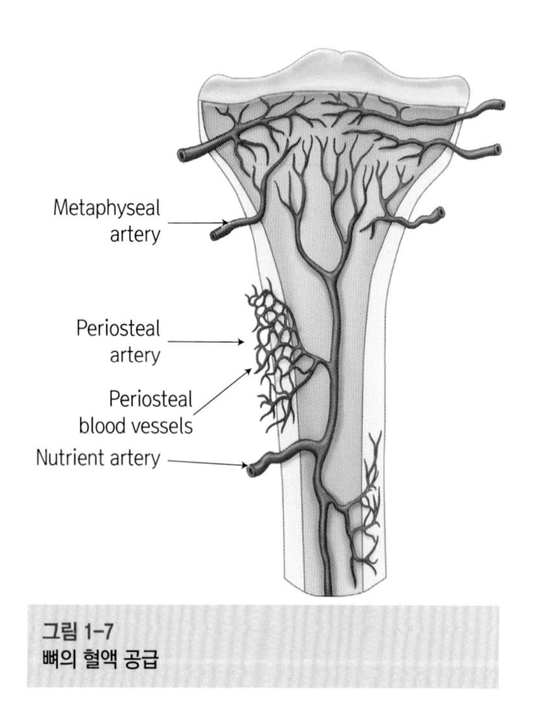

그림 1-7
뼈의 혈액 공급

성숙골은 여러 혈관들이 문합되어 있기 때문에 어느 한 혈관이 손상되더라도 뼈의 혈액공급은 유지된다. 신경 섬유다발은 영양관, 골간단공 및 골단공과 같은 구멍을 통해 골수에 이르며 볼크만관이나 하버시안관에도 자율 및 감각 신경 섬유들이 분포한다.

7) 뼈의 성장과 재형성

(1) 뼈의 성장

장관골의 길이 성장은 골단판에서의 연골 내 골화에 의하며, 두께 성장은 골막에서의 막내 골화에 의한다. 또한, 파골세포는 피질골의 안쪽에서 골을 흡수하면서 골수강은 연령이 증가할수록 넓어진다.

(2) 뼈의 재형성

피질골과 해면골 모두 형태는 다르지만 파골세포(osteoclast)에 의한 골흡수와 골모세포에 의한 골형성이 조화를 이루면서 뼈가 재형성된다. 이러한 재형성 과정은 평생 지속되며, 뼈의 구조와 형태가 일정하게 유지되기도 하지만 역학적 또는 생물학적 환경에 따라 형태와 구조가 변할 수 있다. 건강한 성인에서는 골의 흡수와 생성이 동적 평형(dynamic equilibrium)을 이루고 있으나 폐경 후 여성이나 노인에서는 골 생성이 흡수보다 적은 음성 골 평형을 이루면서 골다공증(osteoporosis)이 발생한다.

3. 연골 및 관절

1) 관절연골

(1) 구조 및 조성

관절 연골(articular cartilage)은 관절 표면을 이루고 있는 조직으로서, 일생 동안 마찰을 적게 해주고 활막관절이 무통성 관절운동을 할 수 있게 한다. 관절 연골은 특수하게 분화된 연골세포가 풍부한 연골기질 사이에 드물게 분포하고 있는 조직으로 이해할 수 있으며 혈관, 림프관 및 신경은 없다. 관절 연골의 대부분을 차지하는 연골 기질은 collagen matrix를 형성하고 그 사이에 물 분자를 많이 머금은 단백다당(proteoglycan)으로 존재하는 물질이다. 관절 연골은 깊이와 연골세포 및 기질의 형태에 따라서 관절면으로부터 연골하

골(subchondral bone)까지 표재층(superficial layer), 중간층(middle layer), 심층(deep layer), 및 석회화층(calcified cartilage layer) 등의 네 개의 층으로 구성되어 있다(그림 1-8).

각 층마다 연골 세포의 모양과 숫자, 교원질 섬유(collagen fibril)의 직경과 배열, 단백다당 및 물 함량이 다르며 각 층마다 대사(metabolism) 및 생합성(synthetic) 활동성 역시 다르다.

① 연골세포

연골세포(cartilage cell, chondrocyte)는 성인 관절 연골의 약 1% 정도를 차지하며 연골을 만들고 유지하는 역할을 한다. 연골기질의 부피에 비해서 세포의 수가 상대적으로 적으며 적은 세포로 연골조직의 항상성을 유지하기 위하여 연골세포의 대사율은 높게 유지된다. 연골세포는 일단 성장이 멈추면 정상적인 환경에서는 더 이상 분열하지 않는다.

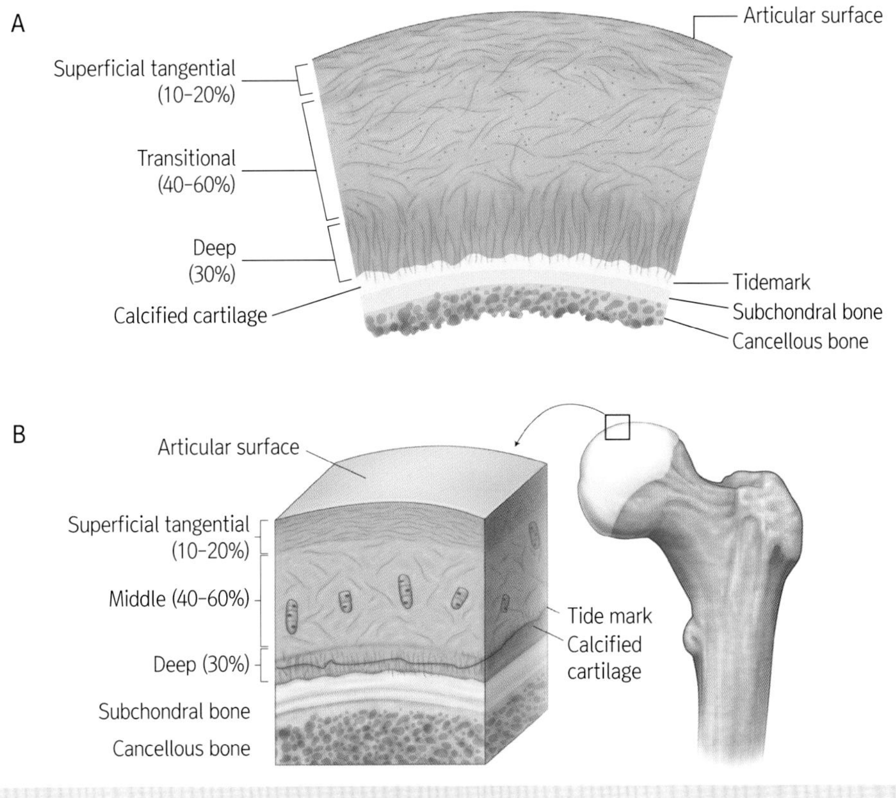

그림 1-8
A. 연골기질의 층별 특성, B. 연골세포의 층별 특성

② **연골기질(cartilage matrix)**

전체 관절 연골에서 연골세포가 차지하는 부분은 작은 부분이기에 연골 조성은 기질의 조성에 의해서 대체적으로 결정된다. 정상 관절 연골에서 기질의 가장 많은 성분은 물로서 연골 부피의 65~80%를 차지한다. 연골기질의 나머지는 주로 교원질(collagen)과 단백다당으로 구성되는데 이들은 관절면을 강하게 유지하고 변형력에 저항하는 특성에 기여한다.

교원질은 관절 연골의 주된 섬유성 단백질 성분으로 연골 건량(dry weight)의 약 60% 정도를 차지하며 연골의 장력 및 전단력 특성에 기여한다. 관절 연골을 구성하는 대부분의 교원질은 2형(type 2 collagen)으로 전체의 90~95%를 차지한다.

단백다당은 교원질을 제외한 관절 연골의 대부분을 차지하는 물질로서 관절 연골 건량의 20~30%를 차지하며, 압력에 저항하고 하중을 분산시키는 기능을 수행한다. 단백다당은 한줄의 중심단백질(core protein)에 여러 개의 glycosaminoglycan (GAG)가 붙어 있는 구조이다(그림 1-9). 황산 콘드로이틴(Chondroitin sulfate)은 관절 연골에서 가장 흔한 GAG로서 chondroitin 6-sulfate는 성숙 연골에, chondroitin 4-sulfate는 미성숙 연골에 더 많다.

상기한 성분 외에도 관절 연골에는 비교원 단백질(non-collagenous protein) 및 당단백(glycoprotein)이 존재하는데 이들은 관절 연골의 기계적 특성에 기여하지는 않지만 다른 성분에 붙어서 세포의 기능에 영향을 주는 것으로 알려져 있다.

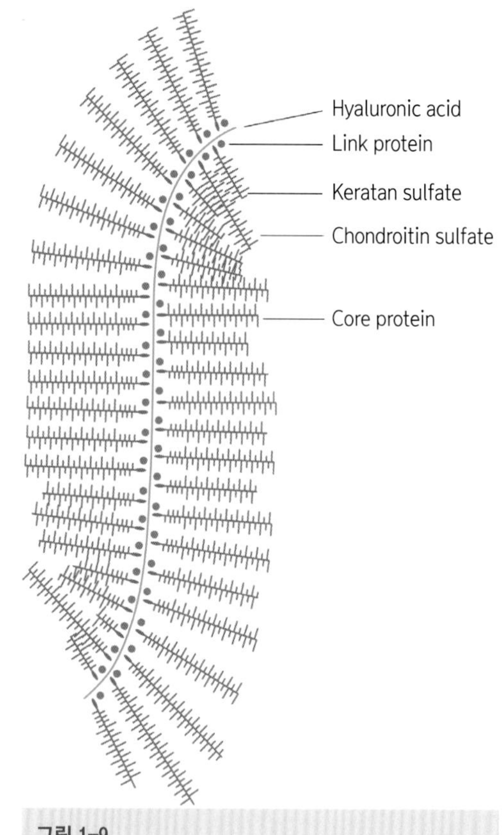

그림 1-9
단백다당(proteoglycan)의 구조

(2) 기능과 대사

① **기능**

관절의 접촉면을 이루는 관절 연골은 관절 운동의 종류에 따라 압박력(compressive force), 전단력(shearing force)을 포함한 다양한 외력에 장기간, 반복적으로 노출된다. 또한 많은 관절운동은 체중이 부하되는 상태에서 일어나기에 관절 연골의 마모를 최소화하기 위해서는 접촉이 이루어지는 두 관절면 사이의 마찰력이 낮게 유지되어야 한다.

상기한 관절 연골의 구조와 조성은 이렇게 연골에 요구되는 다양한 기능을 수행하기 위하여 적합하게 이루어져 있다. 관절 연골은 교원질에 의해서 형성된 정교하고 복잡한 망에 다량의 수분을 함유한 풍부한 단백다당이 분포하는 구조이다. 많은 수분을 품은 단백다당은 관절 연골에 가해지는 압박력에 대해서 연골의 변형을 최소화하는 효율적 기전을 제공한다. 압박력이 가해지면 수분이 단백다당에서 분리되어 나가고, 음전하를 띤 단백다당이 역시 음전하를 띤 인접 단백다당에 가까이 가게 되고 이는 서로에 반발력을 작용하여 압박력에 의한 변형을 최소화한다. 압박력이 사라지고 나면 다시 단백다당은 수분을 함유하게 된다. 이렇게 단백다당에 함유된 수분이 압박력에 따라 빠져나갔다가 다시 들어오는 기전은 정교하게 구성된 교원질의 망구조와 함께 관절 연골의 탄력성에 기여한다. 2형 교원질 망은 관절 연골에 가해지는 장력(tensile force)과 전단력에 효율적으로 대처하는 구조이다. 특히 관절면에 인접한 표재층에서 교원질 섬유는 관절면에 평행하게 배열되어 있어서 전단력에 효과적으로 대처할 수 있으며, 관절면에는 활액에 의한 윤활기전이 형성되어 마찰계수가 아주 낮게 유지된다.

② 관절 연골의 대사 및 노화

성장이 완료된 관절 연골에는 영양소를 공급하는 혈관이 없으므로 연골 세포는 그 영양소의 공급을 활액의 확산에 의지한다. 혈액에 존재하는 혈장성분 및 영양소는 활액막 모세혈관 벽을 통해서 활액으로 들어가고 활액에서 연골기질로 확산해서 연골세포에 공급되게 된다. 체중부하 및 관절운동에 의한 압박력이 활액막과 연골기질을 통한 혈장성분 및 영양소의 확산을 돕는다. 아직 성장이 끝나지 않는 연골에서는 영양소가 연골하골(subchondral bone)을 통과하는 혈관을 통해서 직접 전달되기도 한다.

연골은 나이가 들어감에 따라 여러 가지 조직학적, 대사적 변화가 나타난다. 연골세포의 숫자는 약 30세에 안정화되어 이후 일정하게 유지되지만 나이가 들면서 점차 감소한다. 감소된 연골 세포로 연골기질의 환경을 유지하기 위하여 남아있는 연골세포들은 대사가 더욱 활발하게 되고 교원질과 단백다당의 합성을 증가시킨다. 이런 과정에서 연골세포는 비후되고 증가된 대사 요구를 충족시키기 위해서 세포 내 소기관들이 더욱 현저하게 나타난다. 노화가 더욱 진행되면 연골세포가 단백다당을 합성할 수 있는 능력과 증식력이 점차 감소하게 된다. 한편, 연골기질도 노화에 따라서 다양한 변화가 나타난다. 관절 연골의 노화에 따라 단백다당에 대한 교원질의 비율이 감소한다. 이로 인해 연골의 탄성이 감소하여 손상되기 쉬운 구조로 변한다. 또한 나이가 들면서 단백다당의 숫자와 크기가 감소한다. 미성숙 연골에서는 GAG가 전체 건량에서 차지하는 비율이 약 22%를 차지하나 성인에서는 14% 정도로 감소한다.

4. 건 및 인대

건(tendon)과 인대(ligament)는 근골격계를 이루는 연부 조직으로 환자들에 의해 흔하게 혼용되어 사용되는 경향이 있다. 건과 인대는 유사한 형태를 지니고 있으나, 서로 다른 역할을 하는 구조물로 이에 대한 개념을 정확하게 정의해야 한다. 건은 근육의 말단부에 위치하는 구조물로 근육과 뼈를 연결하여 근육의 수축력을 뼈에 전달하여 관절을 움직이는 역할을 하고, 인대는 뼈와 뼈를 단순히 연결해주어 관절을 안정시키는 역할을 한다. 건과 인대는 별개의 구조물이지만 그 형태는 비슷하여 세포의 수가 적고 주로 교원섬유(collagen fiber)로 구성된 세포외기질(extracellular matrix, ECM)로 이루어져 있다는 공통점을 가지고 있다.

건과 인대에 존재하는 세포는 대부분 섬유세포(fibrocyte)이거나 더 활성화된 섬유모세포(fibroblast)로, 평행한 교원섬유 사이 공간에 배열되어 있으면서 세포외기질을 구성하는 collagen, glycosaminoglycan, elastin 등을 생성하는데, 건에 있는 세포를 tenocyte라고도 한다. 건과 인대의 세포외기질은 약 2/3 정도의 수분과 1/3 정도의 유기 물질로 구성되어 있다. 수분을 제외한 세포외기질의 대부분을 이루는 교원질(collagen)의 종류는 다양하나, polypeptide가 모여 triple helix 사슬을 이루는 공통적인 형태를 가지고 있다.

건의 세포외기질 중 수분을 제외한 건량(dry weight)의 약 65~80%는 교원질이 차지하고 있다. 교원질의 약 90% 정도는 type I collagen이 차지하고 있으며, type III collagen이 약 10% 정도로 두 번째로 흔하다. Proteoglycan은 건량의 약 1~5%로 건의 비섬유성 단백질(non-fibrous protein) 중 가장 많은 양을 차지하고 있다. Elastic fiber는 건의 세포외기질 건량의 1~10% 정도를 차지하고 있으며, 중심부에 elastin이 위치하고 fibrillin에 의해 둘러싸인 형태를 지닌다. 인대의 세포외기질의 구성은 건과 유사하나, 교원질의 양이 건보다 조금 적으면서(70%), elastin이 조금 더 많다. 인대의 교원질의 구성 또한 건과 유사하게 type I collagen이 대부분을 차지하고 있으나 건에 비해서는 상대적으로 type I collagen의 양이 적고, type III collagen의 양이 더 많은 양상을 보인다.

건과 인대는 유사한 해부학적 구조를 지닌다. 건과 인대의 겉 부분은 각기 건외막(epitenon), 인대외막(epiligament)이 감싸고 있다. 건외막의 주위로는 건주막(paratenon)이라는 성긴 지방조직이 싸는데, 손에서는 건주막이 활액막(synovial sheath)으로 대체되어 있다. 건과 인대는 각기 여러 개의 다발(fascicle)로 구성되어 있으며, 건의 다발들은 건내막(endotenon), 인대의 다발들은 인대내막(endoligament)라는 성긴 결합조직으로 둘러싸여 있는데, 교원질 다발(collagen fascicle)의 수평운동을 허용하고 혈관, 신경의 공급통로가 된다(**그림 1-10**). 각각의 다발 내에는 collagen fibril로 구성되어 있는 collagen fiber와 섬유모세포가 존재한다.

건이 근육으로 연결되는 부분은 myoten-

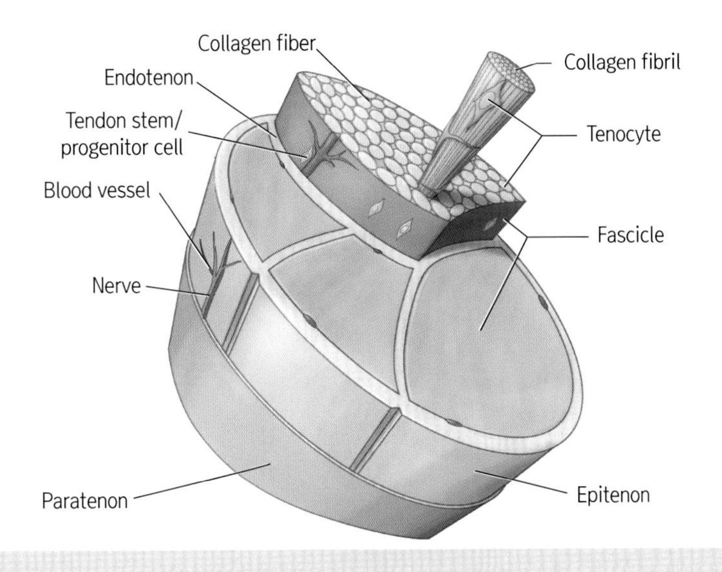

그림 1-10
건의 구조

dinous junction이라 부르며, 건이 뼈에 부착될 때는 점진적으로 섬유연골(fibrocartilage) 형태를 거쳐 Sharpey's fiber를 만들면서 뼈에 들어가게 된다. 인대가 뼈에 연결될 때도 비슷하게 인대에서 섬유연골과 무기질화 섬유성 연골(mineralized fibrocartilage)을 거쳐 뼈로 이행된다. 건은 근육의 수축하는 힘을 뼈에 전달하므로 특징적으로 인장력(tensile force)을 수행하며, 관절면을 싸는 건은 압축력(compressive stress)을 받는다. 건과 인대는 생역학적으로 생리적 부하(physiologic loading) 범위 내에서는 점탄성(viscoelasticity)을 보인다.

건이나 인대의 손상은 흔한 정형외과 치료의 대상으로 그 치유 과정도 뼈의 치유와 비슷하게 염증기(inflammatory phase), 증식기(proliferative phase), 재형성기(remodeling phase)를 거치게 된다.

5. 근육

근육은 골격근(skeletal muscle), 평활근(smooth muscle), 심근(myocardium)으로 나눌 수 있으며, 정형외과적 영역에서는 주로 골격근의 문제를 다루게 된다. 골격근은 건을 통해 뼈에 부착이 되어, 근육세포의 수축 및 이완을 통해 관절에 운동성을 주고, 체위를 유지할 수 있는 안정성을 주는 역할을 한다. 체위의 유지는 대부분 무의식적인 반사 작용에 의해 일어나지만, 의식적 조절을 통해 골격근의 움직임을 조절할 수 있으므로 수의근(voluntary muscle)에 해당된다.

골격근은 근섬유분절(sarcomere)이 평행하게 규칙적인 배열로 포장되어 있기 때문에 현미경하에서 가로 줄무늬가 관찰되어 횡문근(striated muscle)이라고 불리기도 한다. 골격근의 가장 기본적인 구조물은 근육세포이며, 매우 가늘고 길게 생겼기 때문에 근섬유(muscle fiber)라고도 한다. 근섬유의 세포막을 근세포막(sarcolemma)이라 부르며 각각의 근섬유는 근내막(endomysium)에 의해 둘러싸여 있다. 근내막은 교원섬유, 섬유모세포 등으로 구성되며, 근섬유에 분포하는 신경 및 혈관들이 통과하는 통로 역할을 할 뿐 아니라, 근섬유에 의해 생산된 힘을 기계적인 힘으로 전환하여 뼈로 전달하는 작용을 한다. 근섬유가 모여 근속(muscle bundle, fascicle)이 되며 이는 근주막(perimysium)이 싸고 있다. 근속들이 모여 근육이 되며 근육 전체를 싸고 있는 것을 근외막(epimysium, fascia)이라고 부른다(그림 1-11). 근외막은 근육의 종말부에서 교원질의 분율이 늘어나면서 더 두꺼워지고 근육과 건을 연결하는 역할을 한다.

근섬유는 다핵세포이며 원통형의 근원섬유(myofibril)들로 이루어져 있다. 각각의 근원섬유는 근섬유분절(sarcomere)이라 불리는 반복되는 분절로 이루어진다. 근섬유분절은 가느다란 근미세섬유(myofilament)인 액틴(actin)과 굵은 근미세섬유인 미오신(myosin)으로 이뤄진다. 휴식기에서나 수축기에서 모두 근미세섬유의 본래의 길이에는 변함이 없다. 휴식기에는 가는 근미세섬유와 굵은 근미세섬유의 일부가 중첩되어 있다가, 수축기에는 두 섬유간 중첩되는 부분이 많아진다. 이처럼 각각의 근미세섬유의 길이가 짧아지지 않고 액틴이 미오신 사이로 미끄러져 들어감으로써 수축이 일어나는 방법을 "활주미세섬유(sliding filament)이론"이라고 한다(그림 1-12).

하나의 근섬유는 하나의 축삭(axon)을 통해 하나의 전각세포(anterior horn cell)의 지배를 받는다. 전각세포 한 개는 여러 개의 근섬유에 축삭을 보내며 각 축삭은 다시 많은 가지를 분지하는데, 각각 신경 종말에 의해 각각의 근섬유를 수축시킨다. 전각세포, 축삭 그리고 이 신경이 지배하는 근섬유를 합하여 한 개의 운동 단위(motor unit)라고 한다. 자극된 근육에서 발생하는 수축력은 근육은 적당한 길이를 유지해야 수축력을 발휘할 수 있으며, 가장 큰 수축력을 발휘할 수 있는 길이를 정지 길이(resting length)라 하는데 이는 가장 길어질 때와 가장 짧을 때의 중간 정도이다.

인간 골격근 섬유는 생리적, 구조적, 조직생화학적 특성 등에 의해 다양한 방법으로 분류되나 주요한 근섬유 유형으로는 SO (느린 수축, 산화성: slow contracting, oxidative), FOG (빠른 수축, 산화성과 당분해: fast contracting, oxidative and glycolytic) 그리고 FG (빠른 수축, 당분해: fast contracting, glycolytic)를 꼽을 수 있다. 조직화학적 제1형 근섬유는 SO형에 해당하며, 미세 혈관의 밀집도가 높고 산소와 결합하는 myoglobin이 많이 분포하여 적색으로 보인다. 주로 산화적대사(oxidative metabolism)로 수축력을 얻게 되며, 운동 단위의 크기가 작아서 수축력이 약하고 수축 속

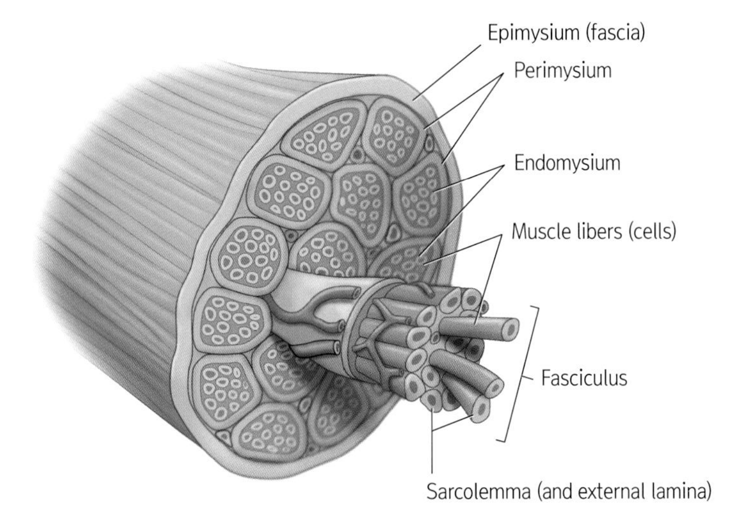

그림 1-11
근육의 구조

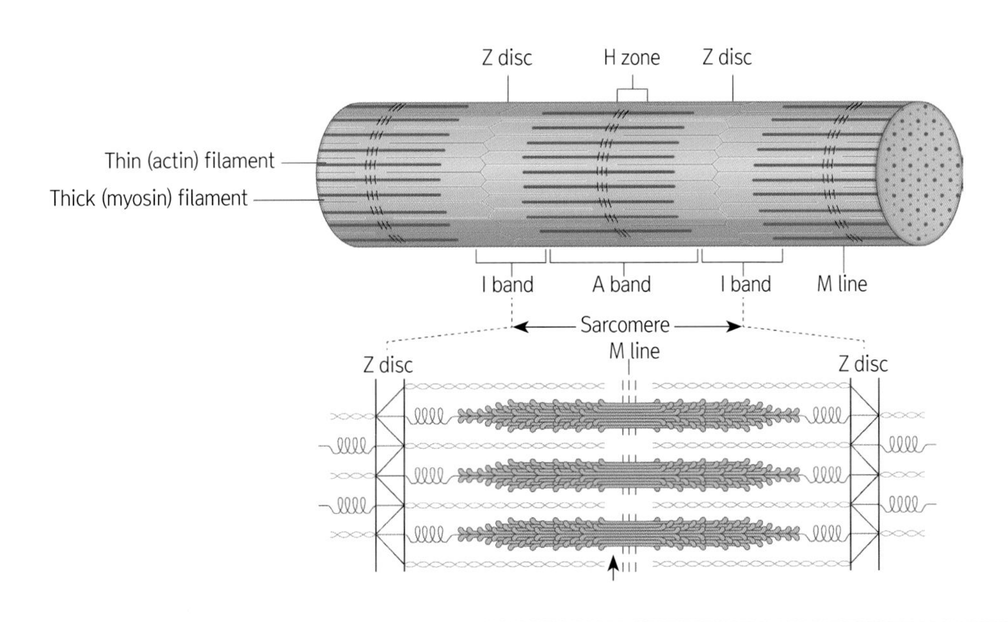

그림 1-12
근섬유분절(sarcomere)

도도 느린 반면 피로에 강하다는 장점을 가지고 있다. 조직화학적 제2형 근섬유에는 FOG형과 FG형이 포함되는데, FOG형은 제2A형, FG형은 제2B형으로 분류한다. 제2형 근섬유는 운동 단위의 크기가 크고 ATPase의 분포도가 높아 혐기성대사(anaerobic metabolism)에 기인한 아데노신삼인산(adenosine triphosphate, ATP)으로부터의 에너지 방출이 활발하게 이뤄져서 수축력이 크고 수축 속도가 빠르다는 장점을 가지고 있으나, 피로에 대한 저항성이 제1형에 비해서 약하다는 단점이 있다. 제2A형 근섬유는 제2B형 근섬유에 비해서 미세혈관 밀집도가 높고 상대적으로 유산소 용량이 커서 제2B형에 비해서 피로에 대한 저항성이 크며, 제2B형 근섬유는 제2A형 근섬유에 비해서 운동 단위의 크기가 크다.

6. 관절

1) 관절의 정의 및 분류

관절은 골과 골이 연결되는 부분을 의미하며, 운동성, 조직학적 특성, 기계적 특성에 따라 다양게 분류될 수 있다. 운동성 유무에 따라서 움직임이 거의 없는 부동관절(synarthrosis)과 움직임이 있는 가동관절(diarthrosis)로 나눌 수 있다. 부동관절에는 섬유결합(syndesmosis), 연골결합(synchondrosis), 골결합(synostosis) 등이 있고, 가동관절로는 활막관절(synovial joint) 등이 있다. 기계적 특성에 따라 평면관절(plane joint), 경첩관절(hinge joint), 만능관절(universal joint), 구형관절(ball & socket joint) 등으로 나눌 수 있고, spine disc, elbow joint, wrist joint, hip joint 등이 각각의 관절에 해당된다. 조직학적 특성에 따라서는 활막관절, 섬유관절(fibrous joint), 연골관절(cartilaginous joint) 등으로 나눌 수 있다.

2) 활막관절

활막관절(synovial joint)은 관절연골로 덮여 있는 양쪽 골과 그 사이의 공간을 둘러싸고 있는 관절낭(joint capsule), 이렇게 생성된 공간을 활액이 채우고 있는 관절이다(그림 1-13). 활막관절은 그 조직학적 특성과 기능이 관절의 기능에 맞도록 특수하게 분화되어 있어 마찰이 거의 없이 움직임이 일어날 수 있으며 사지 대부분의 관절을 차지한다.

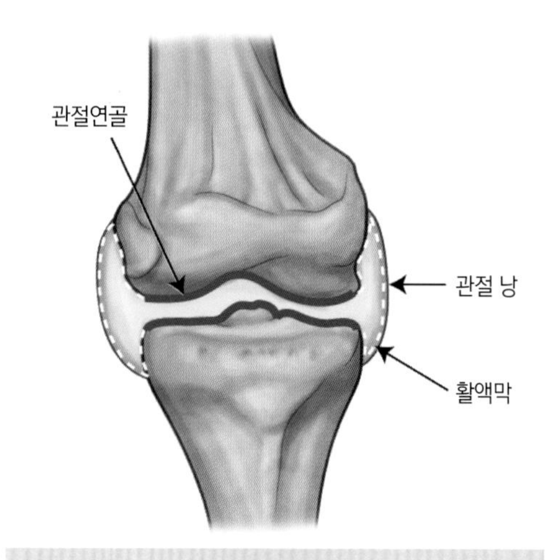

그림 1-13
활막 관절(synovial joint)의 구조

(1) 활액막

활액막(synovium)은 관절낭의 내막을 이루는 세포층으로서 활액을 형성하여 관절의 윤활기능과 관절 연골의 영양소 공급에 중요한 역할을 한다. 또한 활액막을 이루는 세포들은 관절의 면역계에 중요한 역할을 하며, 모세혈관 및 림프관을 통해서 대사물 및 이물질을 제거한다. 활액막의 신경은 유해 자극에 대한 반사 기능과 혈행을 조절하는 역할을 한다.

활액막에는 세 가지 종류의 세포가 있는데 A형 활액막세포는 거식세포이며 활액세포의 약 1/3을 차지하고 관절 내에 들어온 원하지 않는 물질들을 포획하여 제거할 수 있다. B형 활액막세포는 가장 흔한 세포로 활액을 생산하며 관절 내 전해질 및 용해질의 이동을 조절한다. C형 활액막세포는 A형 및 B형 세포의 특성을 모두 갖는 미분화 전구세포로 활액세포의 약 1%를 차지한다.

(2) 활액

활액은 가동 관절 내의 맑고, 점성이 있는 액체이다. 혈장(plasma)과 B형 활액막 세포 산물의 여과에 의해 만들어지며 활액막에서 생산되어 관절 내로 분비된다. 관절의 윤활기능과 연골 세포에 영양소를 공급하는데 중요한 역할을 한다. 활액은 액체 성분과 세포 성분으로 구성되는데 액체 성분에는 GAG (glycosaminoglycan), hyaluronic acid, lubricin 등이 있어서 활액의 점성을 결정짓는다. 활액의 단백질 농도는 혈장의 약 1/3이고, 포도당 농도는 혈장 농도의 약 2/3이다.

(3) 관절낭

관절낭(joint capsule)은 촘촘하게 엮인 섬유성 조직으로 이루어져 있으며, 관절을 이루는 양쪽 골을 연결하여 관절강(joint space)을 형성한다. 관절낭의 내측은 활액막으로 덮여 있고, 외측의 일부는 건이나 인대에 의해서 강화된다.

3) 섬유 관절

원위 경비간 관절(distal tibiofibular joint)에서 볼 수 있는, 연결 부위가 결합조직으로 구성된 섬유 결합(syndesmosis)이 대표적이다. 그 외, 두개 봉합(cranial suture)이 있는데, 소아에서는 섬유 결합이 되어 있으나, 성인이 되면 골결합(synostosis)을 형성한다.

4) 연골 관절

연골 관절(cartilaginous joint)에는 초자 연골(hyaline cartilage)로 연결되는 초자 연골 관절과 섬유 연골(fibrocartilage)로 연결된 섬유 연골 관절이 있다. 초자 연골 관절은 연골 결합(synchondrosis)이라고 불린다. 이 초자 연골은 태생 시 연골이 잔류한 것으로, 연결되어 있는 두 뼈의 양쪽 혹은 한 쪽에서 성장하는 부분을 형성하며, 성장이 완료되면 골질에 의해 대치되어, 골결합이 된다. 골단판(epiphyseal plate)은 그 대표적인 예이다. 섬유 연골 관절은 반관절(amphiarthrosis) 혹은 심피시스(symphysis)라고도 불린다. 뼈는 일정 기간 동안 섬유 연골로 연결되어 있고, 이 섬유 연골과 골 사이에는 얇은 초자 연골이 개재한다. 추간판(intervertebral disc)이나 치골 결합(symphysis pubis)이 여기에 속한다.

7. 말초신경

1) 말초신경계의 구성 요소

신경계(nervous system)는 중추신경계(central nervous system)와 말초신경계(peripheral nervous system)로 구분할 수 있으며, 말초신경계는 운동 및 감각 신경 세포, 축삭(axon), 신경근 연결부(neuromuscular junction), 그리고 말단 기관인 근육(muscle)과 수용체(receptor)를 모두 포함한다. 운동 신경의 세포인 전각 세포(anterior horn cell)는 척수 내에 위치하면서 말단으로 축삭을 내고 있고, 감각 신경의 세포는 척수가 아닌 후방 근 신경절(dorsal root ganglion)에 위치하면서 척수 쪽으로는 축삭을 내고 말단 쪽으로는 수상돌기(dendrite)를 내고 있다(그림 1-14).

2) 말초신경의 해부학

말초신경은 신경 전체를 둘러싸고 있는 비교적 강한 막인 신경외막(epineurium)과 신경섬유속(nerve fascicle)을 둘러싸고 있는 신경주막(perineurium) 그리고 각각의 축삭(axon)을 싸고 있는 신경내막(endoneurium)으로 구성된다(그림 1-15). 신경외막(epineurium)은 견인력에 대하여 신경을 보호하는 가장 중요한 구조에 해당되며, 신경주막은 각종 이온과 고분

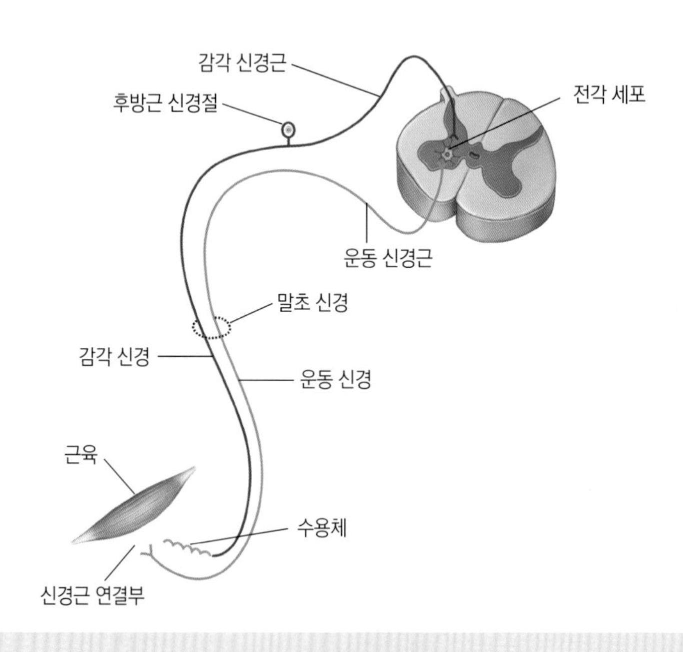

그림 1-14
말초 신경계의 구성 요소

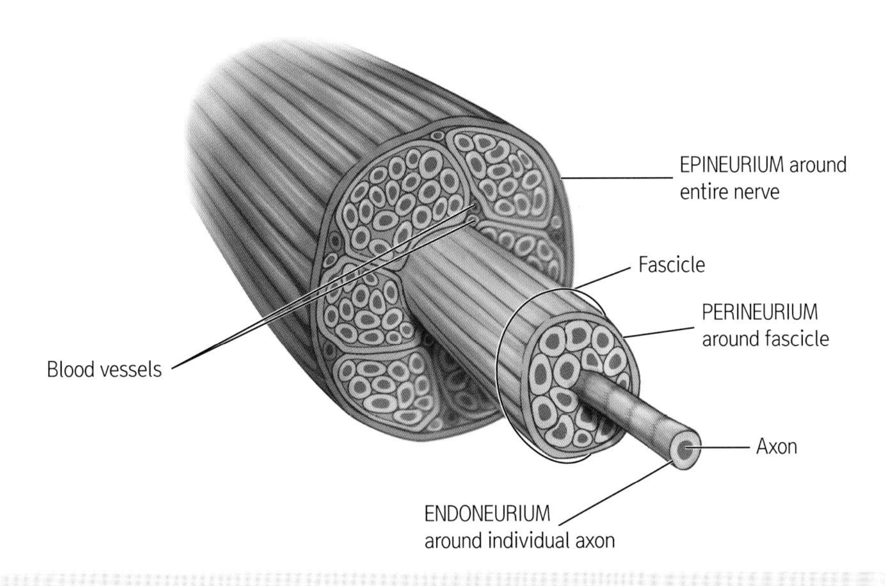

그림 1-15
말초신경의 미세구조

자 물질에 대하여 확산 장벽(diffusion barrier)으로 작용한다.

3) 말초신경의 혈액 및 영양 공급

말초신경의 혈액 순환은 신경 주위조직(adventitia)에 위치하는 외부 혈관계(external vascular system)와 신경외막, 신경주막 및 신경내막의 3개의 층에 각각 혈관망으로 형성되어 있으면서 서로 풍부한 문합으로 연결되어 있는 내부 혈관계(internal vascular system)에 의하여 이루어진다(그림 1-16). 말초신경의 영양은 신경 세포체로부터 축삭을 통해 받는 부분과, 인접한 슈반세포(Schwann cell)를 통하여 받는 부분으로 나누어져 있다. 말초신경계의 흥분과 전도를 위한 거의 모든 물질은 신경 세포의 대사 활동에 의해 만들어진다. 이러한 물질들은 신경 세포체에서 생산되어 축삭으로 이동되는데, 이러한 물질의 전달 과정을 축삭운반(axonal transport)이라고 부른다.

8. 근골격계의 기초연구

다른 분야와 마찬가지로 활발한 기초연구가 정형의학에서도 이루어지고 있으며, 이에 대하여 간략히 소개하고자 한다. 유전학적 연구에 대해서는 근골격계 유전성 질환 부분에서 다루어지므로 살펴보기 바란다.

1) 분자 세포 생물학

근골격계의 다양한 질환의 발생이나 치유 과정에 있어서 유전자와 성장인자, 사이토카

그림 1-16
말초신경의 혈액공급

인과 같은 신호 전달 물질, 세포외 기질, 세포의 작용 및 상호 반응에 대한 폭넓은 연구가 이루어지고 있다.

DNA와 RNA의 기능에 대한 분자생물학적 연구의 발전은 생물학 전체에 큰 영향을 미쳤으며, 유전자의 구조와 기능에 대한 이해를 통하여 질병의 원인을 규명하고, 나아가 진단 및 치료에 적용하고 있다. 한 예로 bone morphogenetic protein (BMP)은 이미 골절 치유나 유합술에 임상 적용을 하고 있다.

또한 분화된 조직 세포를 임상에 이용함에 여러 가지 한계가 있어 성체 간엽 줄기 세포(adult mesenchymal stem cells, MSCs), 배아 줄기 세포(embryonic stem cells, ESCs), 역분화 유도 세포(induced pluripotent stem cells, iPS cells) 등을 이용한 연구가 활발히 진행되고 있다.

(1) 세포 내 유전자 발현 조절

특정 유전자가 발현되어 단백질이 만들어지고 세포의 기능으로 이어지는 일련의 과정은 많은 단계를 거치게 되며 이러한 각 단계의 조절에 관여하는 많은 인자가 연구되고 있다. 대표적인 단계는 유전자의 활성화, 즉 RNA polymerase가 접근할 수 있게 되는 epigenetic process 과정, 이후 mRNA가 만들어지는 transcription과 이를 조절하는 transcriptional factors, mRNA로부터 protein이 만들어지는 translation과 이후 processing, degradation을 포함하는 protein의 기능을 조절하는 과정 등이 있다. 근골격계를 구성하는 기본 단백질인 collagen의 생성 및 분해, 연골 및 골의 중요한 조절 물질인 parathyroid hormone-related protein (PTHrP)의 생성 및 작용에 있어서도 관여하는 많은 유전자가 밝혀져 있다. 최근에는 transforming growth factor−beta (TGF−β)를 과발현하도록 조작한 chondrocyte를 이용한 골관절염 치료제가 개발되어 임상에 잠시 사용되었다.

(2) 세포 간 신호 전달 물질 (성장인자, 사이토카인, 호르몬)

세포에서 분비되어 다른 세포의 receptor에 결합하여 세포의 증식이나 분화에 영향을 주는 일련의 과정을 유도하는 국소적 단백질을 성장인자라 한다. 사이토카인은 성장인자와 유사하나 주로 hematopoietic immune system의 세포에서 주로 분비되고 작용하는 단백질을 일컫는다. 이러한 성장인자들은 개체의 성장이나 발생뿐 아니라 근골격계 여러 조직의 유지, 질병, 손상 후 회복 등에도 관여하며, 이를 조절하여 임상 치료에도 적용되고 있다.

근골격계 조직에서 가장 대표적인 성장 인자 중 하나인 TGF−β는 여러 개의 primary form과 BMPs 등의 관련 인자들과 함께 superfamily로 분류된다. 성체줄기세포의 연골세포로의 분화과정에 필수적인 역할을 하며, 뼈의 생성에도 중요하다. Insulin−like growth factors (IGFs), fibroblast growth factors (FGFs), vascular endothelial growth factor (VEGF), platelet−derived growth factors (PDGFs) 등도 근골격계 조직의 재생과 관련하여 많은 연구가 이루어지고 있다. Interleukin−1 (IL−1), IL−6, tumor necrosis factor−alpha (TNF−α) 등의 사이토카인은 류마티스관절염 등의 염증성 질환뿐 아니라 골관절염과 같은 퇴행성 질환에서도 중요한 역할을 하며 신약 개발의 타겟으로 연구되고 있다.

2) 조직 공학

근골격계 재생의학에서 조직 공학적 기술이 널리 이용되고 있으며, 다양한 생체 친화적 소재 개발, 3D printing과 같은 맞춤형 입체 구조 제작 기술이 최근 연구되고 있다. 조직 공학의 3대 요소로는 앞서 언급한 세포와 성장인자와 같은 bioactive factors, 그리고 biomaterial을 들 수 있다(그림1−17).

근골격계에 이용되고 있는 biomaterial은 크게 synthetic과 natural materials로 구분되며, 생체 내에서 inert하거나 resorption 혹은

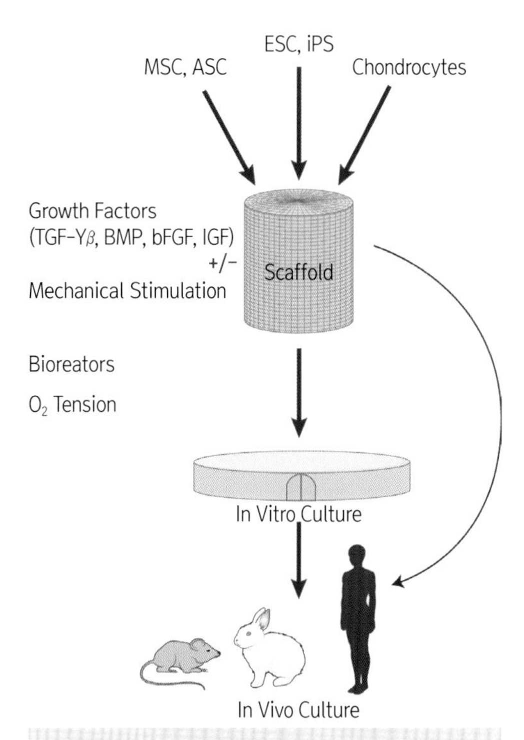

그림 1−17
세포 기반 조직 공학적 접근법

remodeling되는 생체 적합성을 가지고 있어야 한다. Synthetic material 중 대표적인 것은 인공관절이나 내고정물에 사용되는 metallic materials (stainless steel, cobalt alloys, titanium alloys)와 polymer (polymethylmethacrylate cement, ultra-high molecular weight polyethylene)가 있으며, 흡수성 나사나 스캐폴드 제작에 사용되는 biodegradable polymer로는 poly-D-lactic acid (PDLA)나 poly-L-lactic acid (PLLA), polyglycolic acid (PGA) 등 여러 가지가 인체에 적용되고 있다. 이외에 마모에 대한 저항성이 강하여 관절면에 사용되는 ceramic materials (alumina, zirconia)이 있다.

3) 생역학

역학은 크게 나누어 정역학(statics)과 동역학(dynamics)으로 나눌 수 있는데, 정역학은 물체의 평형 상태를, 동역학은 물체의 운동에 관한 분야이다. 동역학은 다시 운동학(kinematics)과 운동역학(kinetics)으로 나눌 수 있다. Kinematics는 어떤 물체에 운동을 일으키게 한 힘에 대해서는 생각하지 않고 그 물체의 운동만을 연구하는 학문 분야인데 비해 kinetics는 물체의 운동과 함께 운동을 일으킨 힘에 관한 학문이다. 흔히 dynamics는 이 kinetics만을 칭하기도 한다.

(1) 골절을 일으키는 힘

물체에 힘이 작용하는 양상에 따라 압축력, 인장력, 전단력, 비틀림력, 굽힘력으로 나누어 볼 수 있다(그림 1-18).

① 압축력(compressive force)

압축력에 의해 유발되는 골절로는 성인에서는 척추체의 압박골절과 tibia plateau의 압박 분쇄 골절, 소아의 torus fracture 등을 예로 들 수 있다.

② 인장력(tensile force)

인체에서는 인장력만의 작용에 의해 long bone diaphysis fracture는 일어나지 않는다. 왜냐하면 long bone diaphysis fracture보다 관절의 손상이 먼저 일어나기 때문이다. patella fracture나 olecranon fracture와 같은 손상이 많이 발생하는데 이것은 quadriceps femoris와 triceps의 인장력에 의한 것이다.

③ 전단력(shearing force)

크기가 같고 방향이 반대인 두 힘이 다른 작용선에서 한 물체에 작용할 때 그 힘을 전단력이라 한다. 이 힘은 물질의 두 층이 서로 밀리게 하여 사각형의 물체를 평행사변형으로 변형시킨다. 이 힘은 long bone의 transverse fracture를 일으킨다.

④ 비틀림력(torsional force)

이 힘은 long bone에서 spiral fracture를 일으킨다(그림 1-18A).

⑤ 굽힘력(bending force)

이 힘은 long bone의 한 쪽에 압축력을 가해 압축시키고, 그 반대쪽은 인장력을 가해 늘어나게 한다. 이 힘은 long bone에 butterfly

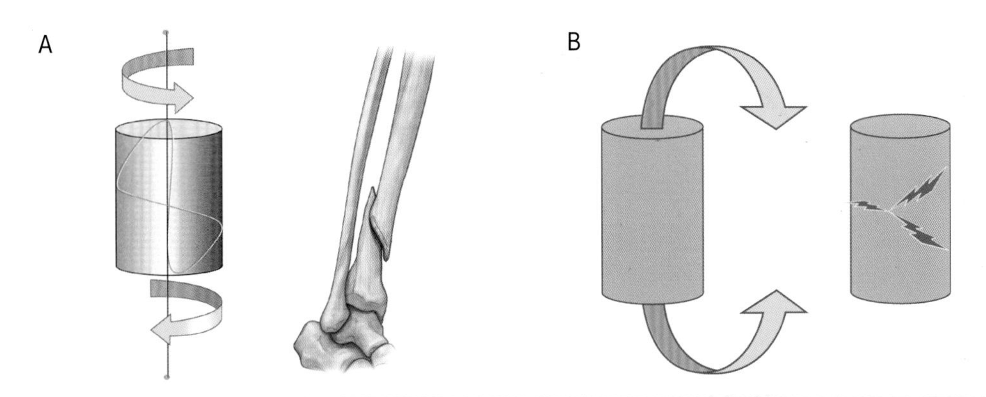

그림 1-18
A. 비틀림힘과 그에 의한 나선형(spiral) 골절
B. Bending force에 의한 골절

fracture라는 흔한 골절 양상을 일으킨다(그림 1-18B).

(2) 응력과 변형률

물체에 대해 단위 면적 당 작용한 힘을 응력(stress) 또는 변형력이라 하며, 형태의 변화율을 변형률이라 한다. 긴 뼈의 양 끝에 인장력이 작용하면 그 길이가 늘어나지만, 압축력이 작용하면 반대로 길이가 줄어든다. 물체에 힘이 작용할 때 길이나 모양이 변하는 것을 변형(deformation)이라고 한다. Stress는 힘이 작용하는 면에서 단위 면적 당 작용한 힘의 크기이다. 길이가 L0이고 단면적이 A인 막대기에 인장력 F가 작용하면 tensile stress σ는 σ=F/A와 같이 정의된다. 물체에 작용한 힘과 변형의 관계를 설명하기 위해서 일반적으로 stress와 strain의 관계를 보여주는 그래프를 이용한다(그림 1-19). 이런 그래프를 stress-strain graph라고 한다. 직선 부분을 특정 물체 또는 특정 물질의 비례한도(proportional limit)라고 한다. 어떤 물체에 stress가 작용된 뒤 제거되면 물체는 원상으로 회복되는 성질을 탄성(elasticity)이라고 한다. 이와는 달리 응력을 제거하여도 변형이 영구적으로 남게 되면 소성(plastic) 변형이 일어났다고 한다. 소성 변형이 일어나지 않은 영역을 탄성 영역이라고 하고 이 경계점을 항복점(yield point)이라고 한다. 이에 해당하는 응력을 항복 응력(yield stress)이라고 한다.

4) 컴퓨팅 사이언스

(1) 로봇 및 항법 수술

지난 30년 동안 컴퓨터 보조 정형외과 수술(computer assisted orthopedic surgery)은 발전과 쇠락을 거듭하였고, 최근에는 로봇을 이용한 수술이 크게 관심을 받고 있다. 단순 X-ray가 아닌 컴퓨터 단층 촬영, 자기 공명 영상 등의 보다 많은 정보를 이용하여 수술 전 simula-

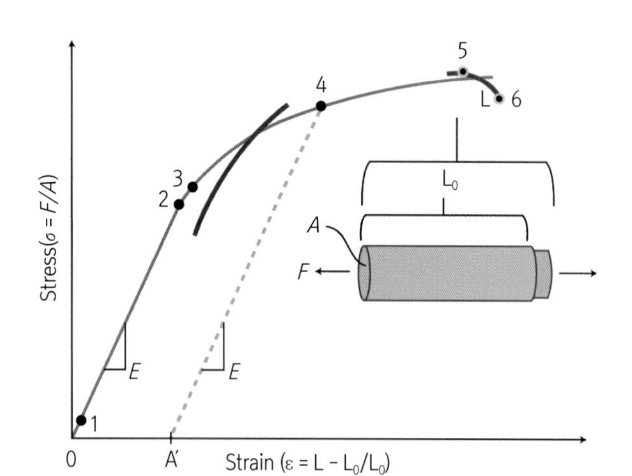

그림 1-19
대표적인 stress-strain curve

tion이 가능하고 수술 중 정보의 입력과 이에 따른 계획 변경이 보다 수월해지고, 로봇을 이용한 보다 정확한 절삭이 가능해짐에 따라 환자 개개인에 맞춘 정렬법의 적용 등 새로운 시도가 가능해지고 있다. 현재는 관절 치환술 분야에 주로 사용되고 있으나 향후 보다 다양한 수술 분야에 적용이 가능해질 것이다. 이러한 로봇 및 항법 수술을 위해서는 영상 및 광학 시스템, 로봇 구동장치 등 다양한 분야의 발전이 동반되어야 한다.

(2) 인공지능

최근 컴퓨팅 사이언스의 발전과 방대한 의료 빅데이터 구축이 이루어짐에 따라 머신 러닝이나 컴퓨터 비전과 같은 인공지능이 정형외과 영역에서도 연구되고 임상 적용이 시작되고 있다.

참고문헌

1. Little D, Thompson JW, Dubois LG, Ruch DS, Moseley MA, Guilak F. Proteomic differences between male and female anterior cruciate ligament and patellar tendon. PLoS One. 2014;9(5):e96526.
2. McKee TJ, Perlman G, Morris M, Komarova SV. Extracellular matrix composition of connective tissues: a systematic review and meta-analysis. Sci Rep. 2019;9(1):10542.
3. Sato N, Taniguchi T, Goda Y, et al. Proteomic Analysis of Human Tendon and Ligament: Solubilization and Analysis of Insoluble Extracellular Matrix in Connective Tissues. J Proteome Res. 2016;15(12):4709-21.
4. Thorpe CT, Screen HR. Tendon Structure and Composition. Adv Exp Med Biol. 2016;920:3-10.

근골격계 질병의 진단

Diagnosis of Musculoskeletal Diseases

1. 병력청취

정형외과에서 환자가 주로 호소하는 증상들에는 통증(pain), 관절이나 골의 변형(deformity), 자세의 이상, 관절의 움직임 제한, 보행장애(gait disturbance), 감각의 이상, 새롭게 발생한 종괴 등이 있다. 이러한 환자들의 증상 호소는 대부분 체계적이지 못하고, 포괄적이며, 모호한 경우가 많다. 정형외과 질환에 대한 폭넓은 지식과 이해는 이러한 환자들의 증상 호소를 체계화시키는데 필수적이다. 병력을 청취할 때에는 항상 체계화된 감별 진단을 염두에 두고, 언제부터 그 증상이 시작되었는지, 갑자기 혹은 천천히 생겼는지, 사고와 연관이 있는지, 어떤 경과를 보였는지, 증상이 악화되는 경우나 완화되는 경우는 언제인지 등을 물어야 한다. 병력을 청취하면서, 의사는 항상 감별 진단을 생각할 수 있어야 하며, 그 결과에 따라 적절한 영상, 기능 또는 검체 검사를 계획하여야 한다.

정형외과 영역에서 가장 흔하면서 중요한 주소는 통증이다. 근골격계에서 해당 부위의 통증은 그 부위의 염증반응을 의미하는 경우가 많다. 하지만, 신경이 이환된 경우에는 해당 신경의 지배 피부분절(dermatome)을 따라서 병변의 원위부로 나타나는 통증인 방사통(radiating pain)이 관찰될 수 있고, 추간판 탈출증은 그 흔한 예이다. 연관통(referred pain)의 경우에도 병변 이외의 부위에서 통증이 나타나기 때문에 감별에 주의를 요하는데, 대표적인 예로는 소아에서 고관절에 질환이 있을 때 슬관절의 통증을 호소하는 경우를 들 수 있다. 외상(trauma)에 동반되어 급격히 시작된 동통은 골절, 근염좌(strain), 인대염좌(sprain) 등을 의심할 수 있고, 국소열감(local heat)이나 전신적 발열 또는 오한이 동반되는 경우에는 골조직이나 연부 조직의 감염을 의심할 수 있다. 통증이 휴식 및 기계적 안정에도 불구하고 심하게 지속되는 경우에는 감염, 종양 등이 원인일 수 있으므로 감별을 요한다.

또한, 환자의 과거력도 현재의 증상과 연관지어서 꼭 생각해 보아야 한다. 환자의 선행 질환(previous illness), 선행 외상, 수술을 포함한 선행 치료에 대한 정보는 현재의 증상과 더불어 진단을 내리는 데 필수적이다. 예를 들어 환자가 당뇨병(diabetes)이 있는 경우 당뇨병성 신경병증(diabetic neuropathy)에 의한 증상 등을 항상 염두에 두어야 하고, 스테로이드를 장기 복용하고 있는 경우는 골다공증이나 대퇴골두 무혈성 괴사의 위험성을 고려해야 한다.

가족력 중, 혈우병, 악성종양, 선천성 기형, 유전질환의 유무 등은 반드시 확인되어야 한다. 이 외에도 환자의 직업, 경제 상태, 흡연 및 음주 여부, 사고와 관련된 배상 문제 등이 진단뿐만 아니라 치료방침의 결정에 중요하므로 파악을 요한다.

2. 신체검사

1) 시진

적절한 신체검사의 첫 번째 단계는 시진(inspection)이다. 환자의 전반적인 모습과 자세, 진료실에 들어올 때의 보행 등을 살피는 것이 진단에 많은 도움을 준다. 환자가 지팡이나 보행기에 의존하여 걷거나 휠체어에 의존하는 경우는 슬, 고관절염으로 인한 하지의 통증이나 근력 약화로 인한 것일 수도 있고, 경추 척수증 등으로 인한 균형 감각의 이상 때문일 수도 있다. 또한, 환자의 보행 시 절룩거림(limping)이 나타난다면 통증에 의한 것일 수도 있지만 다리 길이의 차이 때문일 수도 있다. 이환된 쪽의 하지로만 섰을 때, 반대편 골반이 지면으로 떨어지고 상체가 이환된 쪽으로 기울어지는 현상을 "Trendelenburg sign"이라고 한다. Trendelenburg sign은 고관절의 지렛대(hip lever arm)에 이상이 생겼을 때 발생하며, 고관절이 탈구되거나 중둔근(gluteus medius)이 약화되는 경우가 그 예이다. 정확하고 체계적인 시진을 위해서는 통증이 있는 부위를 포함하여 필요한 부위를 충분히 노출시켜야 한다. 신체 노출 전, 환자에게 신체검진의 필요성을 설명해야 하며, 진료실의 문을 닫거나 커튼을 치는 등 환자가 신체 노출로 인한 불편감을 느끼지 않도록 배려하는 것을 잊어서는 안 된다. 일반적으로 환부를 중심으로 최소한 위아래 관절까지는 진찰 대상에 포함시킨다. 즉 대퇴부(thigh)에 이상을 호소하는 경우 고관절 및 슬관절에 대해서도 이학적 검사를 시행하고, 고관절 부위에 이상을 호소하는 경우 요추 부위와 슬관절도 검사 대상에 포함시켜야 한다. 모든 경우에 환측뿐만 아니라 정상측을 함께 검사해서 비교해야 하며, 면밀한 관찰을 통해 피부의 발적(redness), 색소침착(pigmentation), 종창(swelling), 변형(deformity), 근육의 위축(atrophy)이나 비대(hypertrophy), 과거의 외상이나 수술에 의한 반흔(scar) 등이 있는지를 확인하여야 한다. 또한 경련이나 불수의적 연축이 발생하지는 않는지도 살피도록 한다. 환자가 관절을 움직일 때 소리가 나는지도 확인하여야 한다. Crepitus는 크게 삐걱거리는 소리부터 작은 소리까지 다양하게 나타날 수 있다. Snapping은 통증이 없는 소리가 날 때를 뜻하며 건이나 근막이 뼈 돌기를 건너갈 때 발생하는 소리로 병적인 경우는 드물다.

2) 촉진

촉진을 시행하기 전과 후에는 반드시 손 위생을 점검해야 한다. 필요시 흐르는 물에 손을 씻거나 손 소독제를 이용한다. 먼저 일반적인 환부의 촉진(palpation)을 통해 피부의 온도 변화, 맥박(pulsation), 압통(tenderness), 종창(swelling)의 양상, 종물(mass)의 단단한 정도나 주위조직과의 관계를 확인한다.

(1) 관절의 신체 검진

관절의 운동범위(range of motion, ROM) 및 종창의 유무, 불안정성(instability)의 확인을 포함하여 시행한다. 운동 범위의 경우, 환자의 근력에 의해서 움직이는 능동적 운동(active motion)과 검사자가 외부에서 힘을 가하여 움직이게 하여 운동 범위를 관찰하는 수동적 운동(passive motion)이 있다. 이를 통하여 움직임의 제한이나 과운동성(hypermobility)의 유무를 확인한다. 이 때문에 정형외과적 검진을 위해서는 각도기와 줄자를 상시 구비해야 한다. 관절의 운동범위는 중립위(0°)를 기준으로 굴곡(flexion), 신전(extension), 내전(adduction), 외전(abduction), 내회전(internal rotation), 외회전(external rotation) 등을 가능한 한 각도기를 이용하여 측정한다. 중립위(neutral position)는 각각의 관절마다 정해져 있으며, 대부분의 운동범위는 중립위로부터 움직인 각도를 굴곡 60°, 신전 30°, 요측 사위(radial deviation) 10°, 척측 사위(unlar deviation) 20°, 내회전 20°, 외회전 70°와 같은 식으로 표기하게 된다. 운동범위 이상소견의 예로서 굴곡 및 신전에 제한이 있어 30° 굴곡 상태에서 더 이상 신전되지 않고 그로부터 90° 굴곡까지만 가능한 경우는 "굴곡구축(굴곡된 상태에서의 구축, flexion contracture) 30°, 후속굴곡(further flexion) 90°" 라고 표기한다.

각 근육의 긴장상태(tone)는 작용하는 관절의 움직임으로 측정할 수 있다. 경직(spasticity, increased tone)은 뇌성 마비, 뇌경색과 같은 상위 운동 신경원 질환(upper motor neuron disease)의 특징이고, 이것은 관절 자체의 강직(rigidity)과는 다르다. 근무력(muscle flaccidity, decreased tone)은 소아마비와 같은 하위 운동 신경원 질환(lower motor neuron disease)에서 볼 수 있다. 근력의 감소는 상, 하위 운동 신경원 질환과 강직 모두에서 올 수 있다. 근력은 표 2-1과 같이 6등급으로 평가하는데, 정확한 근력 측정을 위해서는 다음과 같이 한다. 상지나 하지를 특정 위치에 놓고, 환자에게 저항이 있더라도 가능한 그 자세를 유지하라고 요구한다. 정상 측을 먼저 진찰한 후, 병변이 의심되는 부위를 검사한다. 근위축(muscle atrophy)의 정도는 사지의 둘레를 측정하여 비교하고(그림 2-1, 2), 하지의 길이는 전상장골극(anterior superior iliac spine, ASIS)에서 경골하 내과(medial malleolus)의 끝까지의 거리를, 상지의 길이는 견봉(acromion)의 끝에서 장지(3rd finger)의 끝까지의 거리를 측정한다(그림 2-3, 4).

표 2-1
근력 평가법

등급기준			상태
Grade 5	Normal	100%	정상
Grade 4	Good	75%	약간의 저항을 이겨내고 완전한 운동범위를 수행할 경우
Grade 3	Fair	50%	중력을 이겨내고 완전 운동 범위의 관절운동을 일으킬 수 있으나 약간의 저항을 이기지 못하는 경우
Grade 2	Poor	25%	중력을 받지 않는 방향으로는 관절 운동을 할 수 있는 정도의 근력
Grade 1	Trace	10%	관절운동은 없으나, 약간의 근수축이 있는 경우
Grade 0	Zero	0%	근육의 수축도 전혀 없는 경우

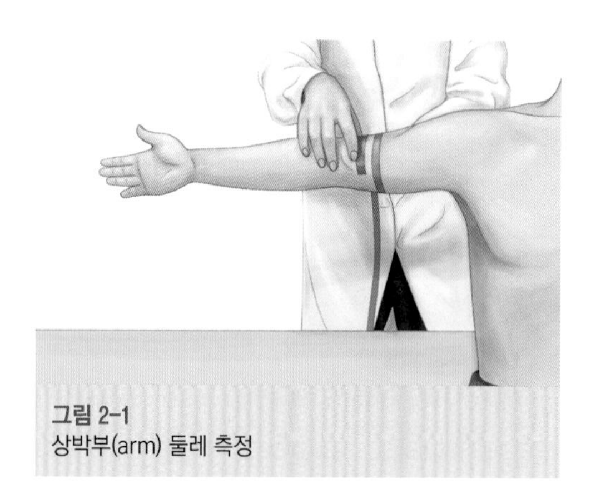
그림 2-1
상박부(arm) 둘레 측정

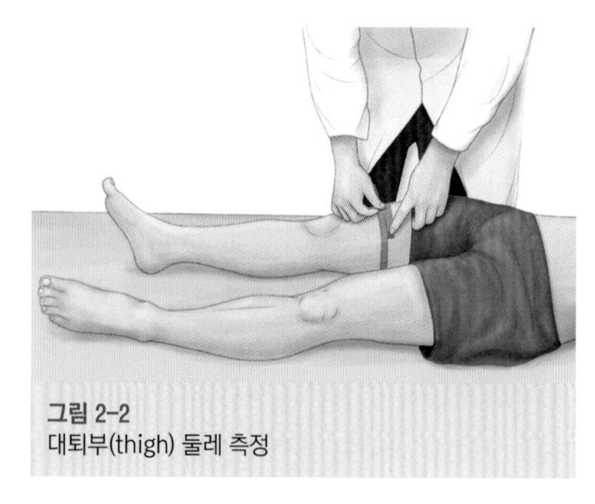
그림 2-2
대퇴부(thigh) 둘레 측정

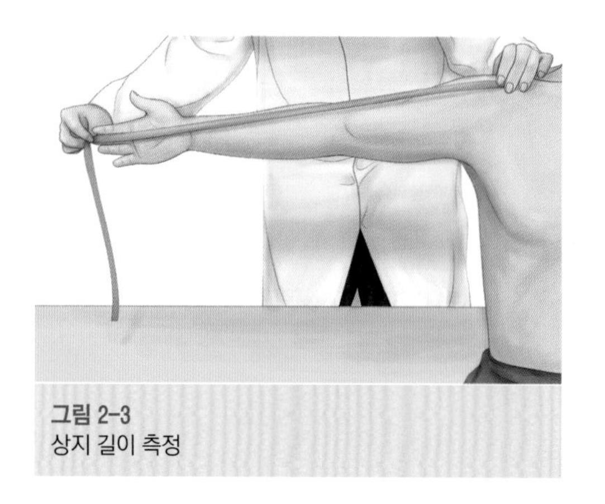
그림 2-3
상지 길이 측정

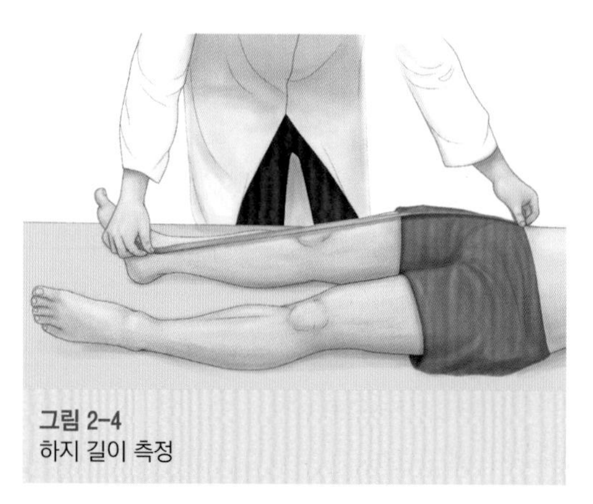
그림 2-4
하지 길이 측정

(2) 신경학적 검사

신경학적 검사를 위해서는 근력, 근위축뿐만 아니라, 정상 및 비정상 신경반사(neurologic reflex), 감각 이상 유무 등도 함께 검사한다. 상지 혹은 하지로의 방사통(radiating pain)이나 연관통 및 감각 이상 소견이 함께 있다면, 요추나 경추의 신경근을 압박하는 병변이 원인인 경우가 많음을 염두에 두어야 한다.

심부건반사(deep tendon reflex)는 운동 신경계(motor neuron system)의 이상 여부를 판단하는데 유용하게 사용될 수 있는 검사이다. 검사 결과에 따라 상위 및 하위 운동 신경(upper and lower motor neuron)의 이상 여부를 알아볼 수 있다. 심부건반사는 건(tendon)의 부착 지점 근처를 빠르게 잡아 늘이거나(stretching) 타진함으로써 유발된다. 건에 갑작스러운 두드림 자극을 가하면 심부건 반사가 잘 유발되지만, 종종 너무 센 힘으로 두드리면 오히려 반응이 줄어들어 인지하기 어렵게 된다는 점에 유의한다. 양측을 검사함으로써 그 차이를 비교하며, 검사자의 경험에 따른 정상치와의 비교도 숙련된 검사자의 경우에는 유용할 수 있다. 상지에서는 이두근 반사(biceps jerk), 삼두근 반사(triceps jerk), 상완요골근 반사(brachioradialis reflex)를 검사하고, 하지에서는 슬개건 반사(patellar tendon reflex, knee jerk)와 아킬레스건 반사(achilles tendon reflex, ankle jerk)를 검사한다. 이러한 건 반사는 단일분절 반사(mono-segmental reflex)이며, 반사 경로(reflex pathway)는 해당 분절의 척수와 신경근(nerve root), 말초 신경이므로 건반사의 감소 혹은 소실은 이 경로 중 어딘가에서 이상이 있음을 의미한다. 반면, 비정상적으로 항진된 반사는 상위 운동 신경원 질환의 특징이다.

표재반사(superficial reflex)는 특정 부위의 피부를 자극하는 것에 의해 유발되는 근육의 수축을 보는 반사로서, 상부 운동 신경이 관여하는 피질척수반사(corticospinal reflex)이다. 가장 잘 알려진 반사와 부위는 다음과 같다; 표재복벽반사(superficial abdominal reflex, T7-12), 고환올림근반사(cremasteric reflex, L1, 2), 항문반사(anal reflex, S4, 5). 이 반사의 소실은 해당 분절의 위 분절에서 발생한 상위 운동 신경원 질환을 시사한다. 발바닥에 가하는 강한 자극은 정상적으로는 발가락들을 굴곡시키는데, 발가락을 신전하고 벌리는 반응은 상위 운동 신경원 질환의 특징이며, 이것을 바빈스키 징후(Babinski sign)라 한다. 출생 직후부터 영아(infant)기에는 정상적으로 관찰되다가, 생후 18개월 이후 자연 소실된다.

통각과민(hyperalgesia), 이상감각(dysaesthesia), 감각저하(hypoesthesia), 무감각(anaesthesia) 등이 있다. 약한 접촉(light touch)과 핀 통각(pin prick)에 대한 감각이 어떤 특정한 신경 병변에 의하여 증가하면 통각과민(hyperalgesia)이라고 하고, 정상과는 상이한 느낌이면 이상감각(dysaesthesia)이라 한다. 감각이 감소되거나(hypoesthesia), 소실되는 경우(anaesthesia)는 더 흔한데, 이는 말초 신경, 신경근, 척수로 구성된 감각 기능 전달 경로에 문제가 있음을 의미한다. 감각 이상이 있다면, 이상 부위를 피부에 표시하여 해당 신경 분절의 지배 부위(dermatome)와 비교해야 한다. 이러한 과정은 병변의 위치를 파악하는 데 도움이 된다. 손상된 신경의 주행을 따라 타진을 하는 것은 신경 지배 부위 이하로 저린감을 발생시킨다(tinel sign). 저린감이 유발된 그 지점이 신경의 이상이 있는 지점을 의미하는 경우가 많다. 온도 교대검사(alternate hot and cold caloric examination)와 두점 식별검사(two point discrimination test) 또한 말초신경 병변의 평가에 도움이 될 수 있다.

(3) 부위별 신체검진

각각의 관절이나 질병에 따라 특별한 신체검진이 필요한 경우가 있다. 추간판 탈출증이 의심될 때 시행하는 하지 직거상 검사(straight leg raising test), 고관절의 굴곡구축을 확인하기 위한 토마스 검사(Thomas test), 고관절에 이상이 있을 때 통증을 호소하는 패트릭 검사(Patrick test), 고관절 외전근계(abductor muscles mechanism)의 이상을 확인하기 위한 트렌델렌 버그 검사(Trendelenburg test), 슬관절 반월상 연골판(meniscus)의 파열 여부를 확인하기 위한 맥머레이 검사(McMurray test), 슬관절 측부인대(collateral ligament)의 파열을 알기 위한 외반, 내반 긴장도 검사(valgus and varus stress test), 어깨의 회전근개 충돌 증후군(impingement syndrome of shoulder)을 의심할 때 시행하는 충돌 검사(impingement test)들이 있다.

위에 언급한 검사들은 대부분 환자를 직접 만지면서 수행해야 하는 검사이므로 때로는 환자를 불편하게 만들 수 있기 때문에 반드시 검사 시행 전에 환자에게 동의를 얻어야 한다. 또한 평가가 끝날 때는 환자에게 검사로 인해 통증이 발생하거나 일시적으로 심해질 수 있다는 것을 알려주는 것이 좋다.

3. 영상의학적 검사

1) 단순 방사선 사진

단순 방사선 사진(simple radiograph)은 시진의 연장이라 할 수 있다. 시진이나 다른 신체검진과 마찬가지로 양측을 비교하여 판단하는 것이 도움이 될 때가 있는데 주로 성장기 소아의 경우 골단(epiphysis)이나 골단판(epiphyseal plate)의 변화는 나이에 따라 또, 개개인에 따라 변이가 다양하므로 항상 양측의 사진을 같이 보고 비교하여야 혼동을 피할 수 있다. 일반적으로 전후면(anteroposterior view, AP view)과 측면(lateral view)을 촬영하여, 병변 또는 해부학적 구조의 투사상(projection image)을 보고 삼차원적 구조를 판독자가 머릿속으로 미루어 짐작하게 된다. 필요에 따라서는 사면상(oblique view)을 촬영하기도 하고 동적 촬영(dynamic view) 또는 부하상 촬영(stress view)을 하기도 한다. 척추에서 분절간 불안정성(segmental instability)을 확인하기 위하여 굴곡-신전 측면상(flexion-extension lateral view)을 보거나 슬관절의 측부인대 손상 유무를 보기 위하여 내반-외반 부하상

(varus–valgus stress view)을 촬영하는 것이 그 예이다. 한편 관절강 내 또는 척추강 내에 조영제를 주입하고 단순 방사선 사진, 투시사진(fluoroscopy), 전산화단층촬영(computed tomography, CT)이나 자기공명영상(magnetic resonance imaging, MRI)을 촬영하기도 한다.

정형외과적 단순 방사선 사진에서는 정렬(alignment), 형태의 변화(deformation), 골 실질의 변화[음영의 증가(경화, sclerosis) 혹은 감소(radiolucency) 등], 신생골 형성(new bone formation), 피질골의 연속성 상실(cortical breakage) 등 골격계통의 변화뿐만 아니라 관절낭, 근육 등의 연부조직 음영을 관찰하는 것도 진단을 내리는데 중요하다. 골 실질의 변화가 단순방사선 소견상 관찰되기 위해서는 골량(bone mass)의 25~30% 이상의 변화가 있어야 하므로 단순방사선 소견상 이상이 확인되는 경우는 이미 질환이 상당히 진행된 경우가 많다. 그리고 연부조직 음영은 부종(edema), 혈종(hematoma), 석회 침착(calcification), 연부조직 종괴(soft tissue mass) 등에 의한 변화를 관찰할 수 있으며 디지털 이미지의 경우 대조도/선예도(contrast/sharpness)를 변화시키면서 관찰하면 더욱 잘 확인할 수 있다.

2) 초음파 검사

정형외과 영역에서 초음파 촬영(ultrasonography, US)은 주로 관절 내 삼출액 유무나 관절순, 연골판, 건, 인대, 연부조직 종괴, 말초 신경 압박 등 연부 조직의 평가에 주로 사용된다. 영아(infant)의 선천성 고관절 탈구와 같이 골화가 충분하지 않아 단순 방사선 검사로 진단이 어려운 경우에도 초음파검사는 매우 유용하다. 초음파검사기기는 이동이 가능하여 응급실, 진료실, 병실, 수술실 등에서 언제든지 간편하게 시행할 수 있고, 연부 조직의 변화를 관찰하기 어려운 단순 방사선 검사의 약점을 보완할 수 있으며, 방사능 노출이 없는 장점이 있어 점점 활용도가 높아지고 있다. 신체 검진 소견만으로 평가가 곤란하지만 MRI 검사를 시행하기에는 비용과 시간적 부담이 있는 환자에서 근골격계 연부 조직 문제의 진단 정확도를 높이는데 큰 도움을 주고 있으며, 관절강 천자(arthrocentesis), 말초신경차단(peripheral nerve block), 척추 후지 내측지차단(medial branch block), 세침흡인조직검사(fine needle aspiration and biopsy), 건초염(tenosynovitis)이나 점액낭염(bursitis) 등의 주사 치료 등 근골격 및 말초신경계통의 각종 진단적 및 치료적 중재 시술(intervention)의 정확도를 높이기 위한 보조 도구로도 유용하다.

3) 컴퓨터단층촬영

근래의 컴퓨터단층촬영(computed tomography, CT) 검사는 축상면(axial plane)뿐만 아니라 시상면(sagittal plane), 관상면(coronal plane) 및 검사자가 원하는 임의의 단면을 재구성하여 이미지를 얻을 수가 있고(multiplanar reconstruction) 삼차원적 시각화(3–dimentional rendered image)가 가능해졌다.

그래서 단순방사선 사진상 병소가 불분명할 경우에도 유용한 정보를 얻을 수 있고 병변의 삼차원적 형태(3-D configuration)를 확인하는 데에도 도움이 된다. 또한 골반이나 척추 등 해부학적으로 복잡한 부위의 병변을 확인하거나 수술 전 계획을 세우는데 특히 유용하다. MRI에 비하여 골절의 양상을 보다 정확하게 관찰할 수 있고, 검사에 걸리는 시간이 현저히 짧아 시급을 요하는 환자의 평가에 유용하며, 혈관 조영술을 함께 시행할 수 있어 혈관의 평가가 동시에 필요한 경우에도 유용하다. 하지만 MRI에 비하여 연부조직 이미지의 해상도가 부족하며 방사능 노출에 따른 잠정적 위험이 있다는 문제가 있고, 신장 기능 등이 좋지 않은 환자에서는 조영제 사용에 제한이 있다. 연부 조직 해상도가 부족한 단점을 극복하기 위해 관찰하고자 하는 관절낭이나 척추강 내에 조영제를 주입하고 이미지를 얻기도 하나 최근에는 MRI 검사의 수월성으로 인해 점차 그 이용 빈도가 줄어 들고 있다.

4) 자기공명영상검사

자기공명영상검사(magnetic resonance imaging, MRI)는 골격 계통뿐만 아니라 연부조직에 대한 정보를 높은 해상도로 제공하고 병변에 동반되는 부종 등의 변화를 예민하게 반영하여 단순 방사선 사진상 변화가 나타날 정도로 병변이 진행하기 이전에 병변을 확인할 수 있는 장점이 있어, 뼈 및 연부조직의 종양, 척추 신경 및 척수, 근, 건, 인대, 연골 및 연골판, 성장판 등의 평가를 위해 광범위하게 사용되고 있다. 조영제를 이용하여 대조도를 더욱 높인 이미지를 얻기도 하며 혈관 조영술을 동시에 시행할 수도 있다. 방사능 노출에 의한 위험이 없는 장점이 있으나 검사 시간이 비교적 오래 걸리는 단점이 있다.

5) 핵의학적 검사

Technetium-99m을 이용한 뼈스캔(bone scan)은 골모세포(osteoblast)가 활성화되거나 국소 혈류량이 증가한 곳에서 hot uptake를 보이고 그 반대의 경우 cold spot으로 보이게 된다. 형태적 변화 이전의 기능적 또는 생리학적 변화를 반영하므로 단순 방사선 검사상 확인되기 이전의 병변을 확인하는데 유용하다. 원발성 또는 전이성 골종양, 무혈성 골괴사(avascular necrosis 또는 osteonecrosis), 골수염(osteomyelitis) 등의 진단에 이용되며 골절이 의심되지만 골절선이 단순 방사선에 확인되지 않는 경우, 가골 형성(callus formation)에 의한 뼈스캔 이미지상 hot uptake를 보고 골절이 있었음을 알 수도 있다. 삼상 뼈스캔(triphasic bone scan: 시간 차이를 두고 perfusion phase, blood pool phase, delayed phase의 이미지를 얻음)을 하면 연부조직의 변화를 함께 관찰할 수도 있다. Gallium을 이용한 백혈구 스캔(WBC scan)은 골수염 등 감염에 있어 뼈스캔보다 더 특이도가 높지만 민감도가 떨어지고 시간이 오래 걸린다. 단일광자방출단층촬영(bone SPECT) 검사는 뼈스캔과 같은 원리로 이루어지나 해상도를 높이기 위하여 여러 방향에서 이미지를 얻는다. PET (positron emission tomography, 양전자단층촬영)검사는 주로 악성 종양의 병기 판정(oncologic staging) 또는 재발을 확인하기 위해 사용되며, CT 검사와 함께 시행하여 해부학적 병변의 위치 판정에 도움을 받는 경우가 많다.

6) 기타 검사

그 외 특수한 형태의 영상의학적 검사로 골밀도 검사(bone densitometry)를 위해 DEXA (dual–energy X–ray absorptiometry) 등이 이용된다(그림 2-5). 말초혈관이나 신경 계통의 병변 평가나 감별 진단을 위해 혈류검사, 근전도 검사 등을 시행하기도 한다.

4. 진단의학적 검사

근골격계통/말초신경계 증상은 국소적 손상 및 퇴행성 변화가 주된 원인인 경우가 많으므로, 그 평가와 진단 과정에 있어서는 신체 검진과 영상 의학적 검사에 기초한 해부학적 진단이 주가 되는 특징이 있다. 하지만 대사성 질환, 염증성 질환(통풍), 자가면역질환(류마티스 관절염, 강직성 척추염 등), 감염성 질환(급성 화농성 관절염 등), 혈액종양질환 등도 역시 근골격계통 및 말초신경에 이환될 수 있으며 이런 질환의 감별에 있어서는 진단의학적 검사들이 중요한 역할을 한다. 또, 관절강 천자를 통해 얻은 활액의 세포계측, 화학적 분석, 세균 염색 및 배양, 편광 현미경 검사 등은 관절강 내 활액 증가 원인을 감염성, 염증성, 퇴행성 등으로 감별 진단하는 데

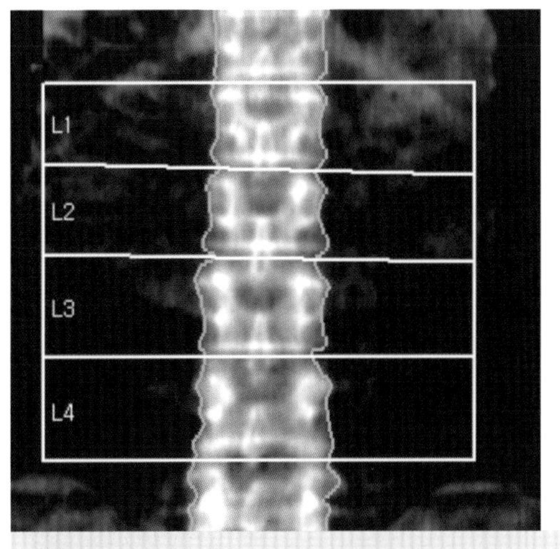

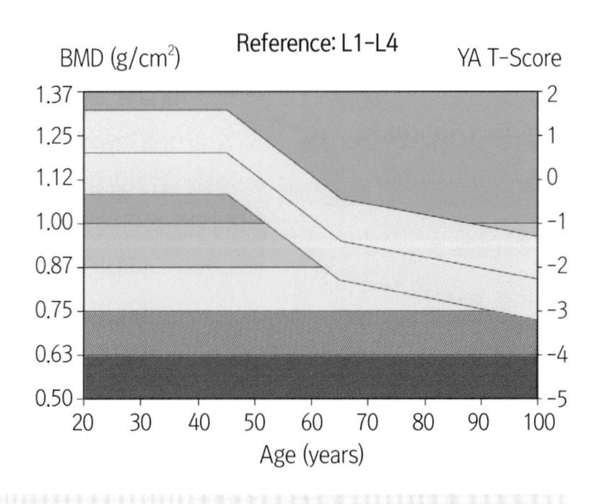

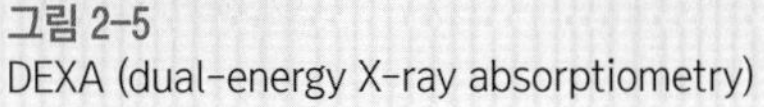
그림 2-5
DEXA (dual-energy X-ray absorptiometry)

도움을 준다(표 2-2). 세균, 진균, 결핵 등의 원인균에 의한 감염성 질환의 경우 미생물학적 진단 및 항생제 감수성 검사가 필수적이다. 결핵처럼 배양에 시간이 많이 소모되는 원인균의 경우 PCR (polymerase chain reaction)을 이용하는 검사가 유용하다.

5. 보행분석

보행 이상은 정형외과를 찾는 환자의 중요한 주소(chief complaint) 중 하나이다. 이에 대한 치료의 목표는 병적 보행을 기능적으로 정상에 가깝게 호전시키는 것이며 이러한 치료 목적을 달성하기 위해서는 환자의 병적 보행을 유발하는 원인에 대한 정확한 파악이 필수적이며, 이를 위해서는 정상 보행에 대한 정확한 이해가 선행되어야 한다. 또한 보행의 양상에 대한 의사소통을 위하여 용어를 정확히 구사하는 것이 필요하다.

1) 보행 주기

한 발이 지면에 접지할 때부터 시작하여 그 발이 다시 지면에 닿을 때까지가 하나의 보행 주기이다. 보행주기(gait cycle)는 입각기와 유각기로 나뉜다. 입각기는 발이 지면에 닿아 있을 때의 시기이며, 유각기는 발이 지면에 떨어져 있을 때의 시기이다. 보행 시 왼쪽

표 2-2
활액 검사 소견

	정상	비염증성	염증성	화농성	출혈성
양(ml, 슬관절)	3.5 이하	증가	증가	증가	증가
색	무색-담황	담황-황색	황색	탁한 황색-녹색	갈색(rusty)
점도	높음	높음	낮음	다양	다양
투명도	투명	투명	흐림	불투명	갈색(rusty)
백혈구수(mm^3)	200	200~2,000	2,000~75,000	10만 이상	다양
다형백혈구(%)	25% 이하	25% 이하	50% 이상	75% 이상	25% 이상
점액소 응고	단단함	단단함	무름	무름	다양
섬유소 응고	없음	소량	대량	대량	
당(% 혈당)	50-100	50-100	20-75	1-5	50-100
총 단백질		정상	상승	상승	
기타		관절연골 파편		배양 양성	

1. 비염증성: 골관절염, 박리성골연골염, 신경병증성, 골연골종
2. 염증성: 류마토이드 관절염, 전신성 홍반성루프스, 강직성 척추염, 통풍, 가성 통풍
3. 출혈성: 혈우병성, 외상성, 색소 융모 결절성활막염

과 오른쪽 다리가 모두 입각기인 시기가 있다. 이 시기를 양하지 지지기(double support)라고 한다. 양하지 지지기는 한 주기에 2번 있으며, 각각 보행 주기의 1/10 정도이다. 보행 속도가 증가하면 줄어든다. 달리기 즉 주행(running)을 하면 양하지 지지기가 없어진다. 보행과 주행의 차이를 양하지 지지기의 유무로 구별하기도 한다. 주행을 하면 양하지 지지기가 없어지는 것뿐만 아니라 양쪽 다리가 모두 접지하지 않는 양하지 유각기(double swing)가 생긴다(그림 2-6).

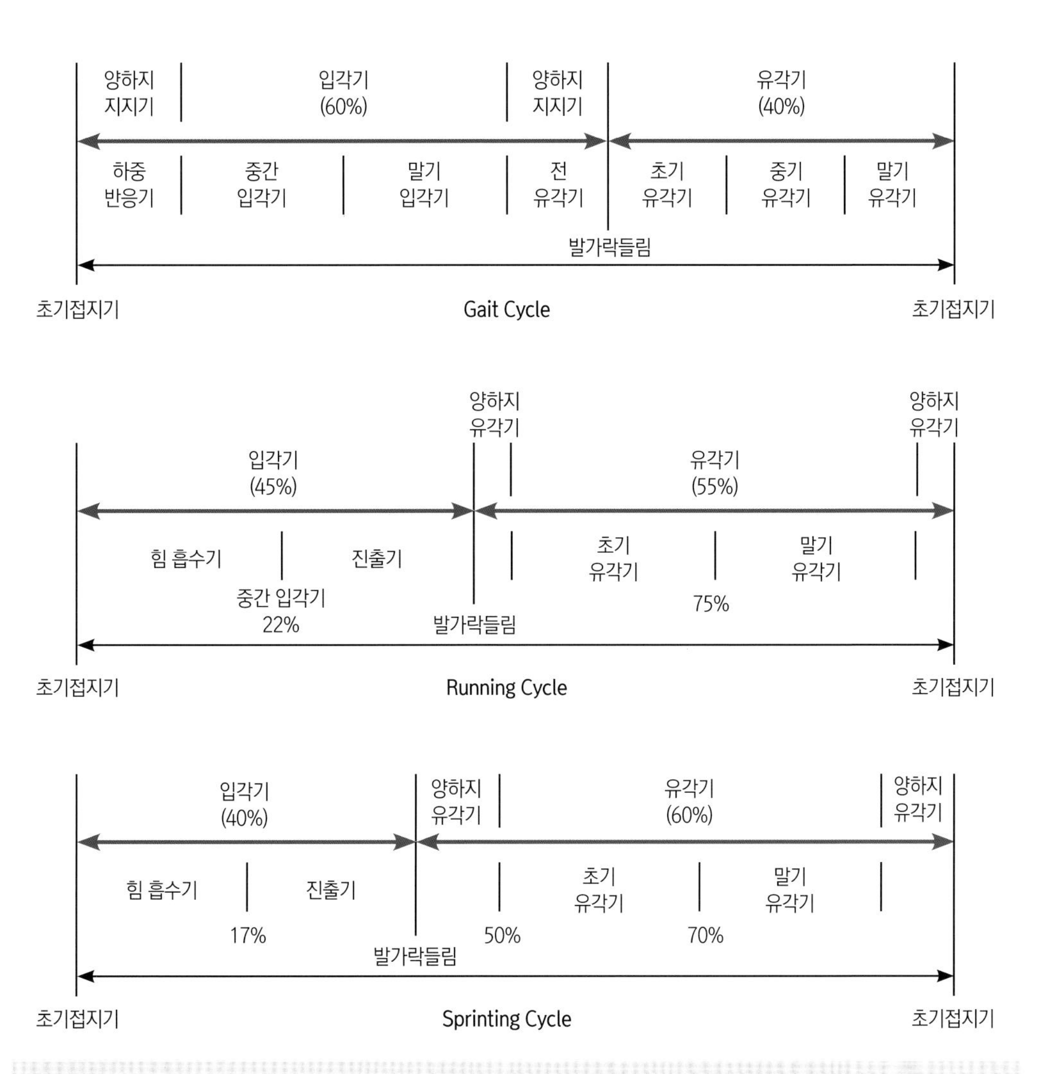

그림 2-6
보행 주기(gait cycle), 달리기 주기(running cycle)와 전력 질주(sprinting cycle)의 주기

2) 지면 반발력

지면 반발력(ground reaction force)은 접지점에서 무게 중심(center of mass, COM)으로 향하고 접지점에 가해지는 힘을 크기로 하는 벡터이다. 신체가 지면에 가하는 힘이지만, 방향만 반대로 한 개념이다. 관절의 수동적 모멘트(토크)를 설명하기 위해 많이 쓰인다. 개념상 발이 접지해 있을 때만 발생한다(그림 2-7).

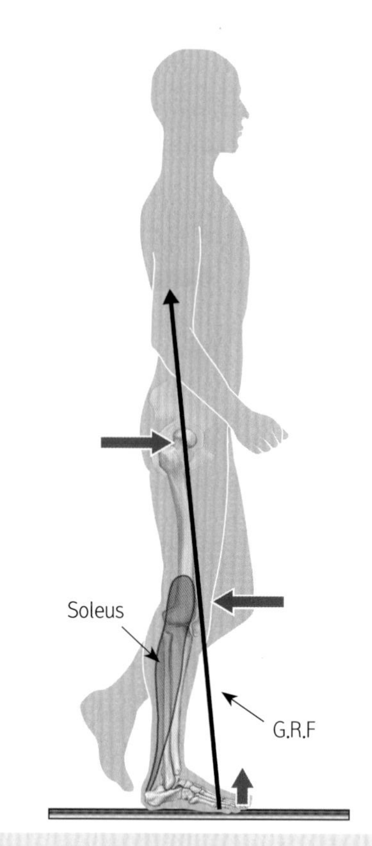

그림 2-7
지면 반발력은 정상 보행에서 중간입각기에 족근 관절 회전축의 앞, 슬관절 회전축의 앞, 고관절 회전축의 뒤에 위치한다.

3) 임상 보행 분석

임상 보행 분석(clinical gait analysis)은 외래에서 육안으로 보행을 확인하는 것으로부터 시작한다. 수술이나 중대한 치료 전에는 좀 더 객관적인 분석이 필요하다. 보행 분석실에서 비디오 촬영, 표지자를 이용한 삼차원 모델, 역동적 근전도 등을 이용하여 보행 분석을 하는 것을 흔히 삼차원 보행 분석 혹은 임상 보행 분석이라고 한다(그림 2-8).

6. 흔한 근골격계 문제들

정형외과 영역에서 환자가 의학적 도움을 청하게 되는 동기는 크게 통증(pain), 변형(deformity), 기능장애의 세 가지로 요약할 수 있다.

1) 통증

통증(pain)은 정형외과 환자의 가장 흔한 주소이다. 통증을 분석할 때는, 그 형태와 특성을

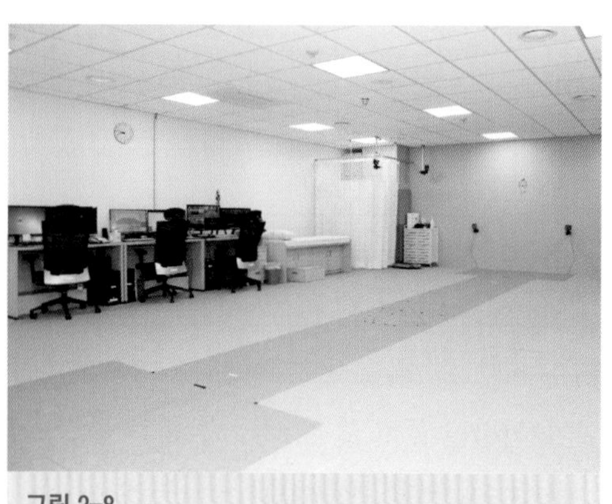

그림 2-8
임상 보행 분석을 위한 검사실

고려하여야 한다. 즉, 통증의 기간, 빈도, 정도, 양상, 야간통(night pain) 여부, 악화 혹은 경감 요인, 동반되는 증상, 방사통(radiating pain) 여부 등에 대해 고려해야 한다. 통증의 정확한 위치를 확인하는 것도 매우 중요하여, 환자에게 통증의 위치를 직접 손으로 가리키게 하여야 한다. 그러나 가끔은 환자가 통증을 호소하는 위치와 통증을 야기하는 병변의 위치가 일치하지 않는 경우도 있다. 통증의 원인이 피부이거나 피부에 근접한 경우에는 대체로 그 위치가 일치하지만, 심부에서 기원한 통증의 경우, 통증 분포 영역이 광범위하거나 발생 부위와 일치하지 않을 수 있다. 이러한 통증을 연관통(referred pain)이라 하는데, 대표적인 예로, 고관절 질환 시 환자는 동측의 슬관절 통증을 호소하는 경우가 많으며, 견관절에 병소를 갖고 있는 환자는 상완부 외측에 통증을 호소하는 경우가 많다.

방사통(radiating pain)은 척추 추간판 탈출에 의한 신경근 압박이나 또는 말초 신경의 압박에서 나타날 수 있다. 말초 신경에 압박이 있거나, 종양이 발생한 경우에는 가벼운 타진(percussion)에 의해 그 신경이 지배하는 영역에 저릿한 통증이 발생하기도 하는데 이를 프랑스 신경학자 Jules Tinel의 이름을 딴 티넬 징후(Tinel sign)라고 한다. 티넬 징후는 신경의 압박 여부를 확인하여 진단 목적으로 이용될 수 있는데 예로, 손목 관절부에서 정중신경을 두드릴 때 신경 지배 영역의 원위부에 저린 증상이 나타나면 수근관 증후군(carpal tunnel syndrome)을 의심할 수 있다. 반대의 경우로, 병변부를 두드릴 때 저린 증상이 나타나는 영역으로 병변이 발생한 신경을 추정할 수도 있다. 또한 신경초종이 존재하는 경우에도 환자는 티넬 징후를 보이는 경우가 많다.

차가운 환경에 노출되는 것이 통증을 유발하는 경우도 있는데, 추위에 노출된 사지의 혈관 수축으로 청색증(cyanosis)과 동통, 이상 감각이 동반되면 이를 레이노드 현상(Raynaud's phenomenon)이라 한다. 특정한 원인이 발견되지 않은 경우를 일차성 레이노드 현상(primary Raynaud's phenomenon) 또는 레이노드 병(Raynaud's disease)이라 하고 이차적으로 발생하는 것을 이차성 레이노드 현상 혹은 그냥 레이노드 현상이라고 한다. 이차성 레이노드 현상을 일으킬 수 있는 질환으로는 전신성 홍반성 낭창(SLE) 등과 같은 결합조직 질환, 동맥경화증이나 버거씨병과 같은 폐쇄성 혈관 질환, 수근관 증후군과 같은 말초 신경 압박 질환, 반사성 교감신경 이영양증, 사구체종, 악성종양 등에서 나타날 수 있다.

2) 변형

형태의 변화, 즉 변형(deformity)은 정형외과를 찾는 주요한 원인 중 하나이다. 탈구(dislocation)에 의한 관절 변형과 골절에 의한 각 변형, 그리고 절단과 같은 급성 변형은 통증을 동반하는 경우가 많다. 척추 측만증(scoliosis)이나 후만증(kyphosis)과 같은 척추의 변형을 주소로 정형외과를 찾는 경우도 있고, 사지의 위축(atrophy), 하지 부동(leg length discrepancy)을 주소로 하는 경우도 있다. 환자가 호소하는 변형 중에서는 정상의 변이(variations of the normal)이거나 유아기의 내반슬(genu varum)과 같이 성장과 더불어 자연히 소실되는 변형도 있다. 대부분의 변형은 눈에 쉽게 띄나, 변형이 양측성이고 대칭인 경우에는 간과되는 경우도 있다. 단신(shortness of stature)은 정상의 변이일 수도 있으나, 때로는 골의 전신 이환으로 나타날 수도 있다. 단신은 다시 팔다리의 길이와 몸통의 길이가 비례되는 균형 단신(proportionate shortness)과 사지와 몸통의 길이 비례가 깨어지는 불균형 단신(disproportionate shortness)으로 나눌 수 있다.

(1) 내반(varus)과 외반(valgus)

내반(varus)이라 함은 관심이 되는 변형의 원위부가 근위부에 대해 중심축으로 가까워지는 방향의 변형을 말하고, 외반(valgus)이라 함은 원위부가 중심축으로부터 멀어지는 변형을 말한다.

(2) 측만(scoliosis)

정상적인 척추의 만곡은 관상면에서는 일직선이며, 척추 측만증은 척추가 관상면에서 측방으로 만곡된 것을 말한다.

(3) 전만(lordosis)과 후만(kyphosis)

정상적인 척주는 측방에서 바라보았을 때, 경추부와 요추부는 전만곡(lordosis)을 흉추부와 천추부는 후만곡(kyphosis)을 나타내며 서 있는 자세에서 치돌기에서 내려뜨린 수선은 제7경추를 통과한 후 제1천추체 상연의 후방을 지난다. 그러나, 추체, 추간판 혹은 주위 근육의 이상으로 인해 이러한 척추의 시상면상 정상 굴곡이 소실되거나 과장되어 나타날 수 있다.

(4) 관절 구축과 과운동성

외상이나 감염에 의한 관절내 부종과 통증은 관절 운동 범위의 감소를 야기한다. 반면 전체 인구의 약 5%에서 generalized joint hypermobility를 보인다. 과운동을 보이는 관절(hypermobile joint)이 항상 불안정한 관절(unstable joint)을 의미하지는 않지만, 견관절이나 슬개골의 재발성 탈구(recurrent dislocation)를 유발하는 경향이 있다. 심한 관절 과운동성은 말판 증후군(Marfan's syndrome)이나 골형성부전증(osteogenesis imperfecta)의 한 증상으로도 나타날 수 있다.

(5) 사지부동(limb length discrepancy)

사지부동, 특히 하지 길이의 차이는 흔히 접하게 되는 정형외과적 문제 중 하나이다. 2 cm 이하의 부동은 환자가 느끼지 못하는 경우가 대부분으로 우연히 발견된다. 그러나 소아의 경우에는 성장에 따라 사지부동의 정도가 변하기 때문에 향후의 변화를 예측하는 것이 중요하겠다. 원인으로는 외상에 의한 부정유합 또는 외상이나 감염 등의 질병에 의한 성장판의 조기유합이 흔하고, 소아마비 등의 비대칭적 신경마비와 신경섬유종증과 혈관기형에 동반된 거인증, 특발성 편비대증 등이 있다.

(6) 종물(lump, tumor)

사지의 종물을 주소로 정형외과를 내원하는 경우, 골종양 혹은 연부조직 종양뿐만 아니라, 염증성 부종, 가골(callus) 형성 등도 종물의 원인일 수 있다. 종물의 최근 성장 여부, 성장 속도, 위치, 경도(consistency), 압통 여부 등을 확인하여 감별진단에 도움을 받을 수 있다.

3) 기능장애

외상에 의한 관절 내 손상이나 관절 주위 손상은 통증과 부종에 의해 관절운동 범위의 감소를 야기한다. 관절 내 골절의 부정 유합이나 치료 과정에서 장기간의 고정 및 부적절한 재활은 영구적인 관절운동 범위의 제한을 초래할 수 있다. 외상에 의한 관절 내 인대의 손상은 만성적인 관절 불안정성을 초래할 수 있다.

파행(limping gait)이란 비대칭적 보행을 말하며 원인으로는 통증, 근위축, 신경마비, 골격의 변형, 하지부동 등이 있을 수 있다. 통증에 의한 파행(antalgic gait)의 경우 원인이 되는 발의 접지 시간이 감소하고, 고관절 외전근의 약화에 의해 발생하는 Trendelenburg 보행의 경우 이환된 쪽으로 상체를 기울이는 보행을 한다.

정형외과 환자는 신경이나 근육의 완전 및 불완전 마비를 주소로 병원을 방문하기도 한다. 이 경우에는 마비의 발현 시기, 마비의 분포와 정도, 감각 소실의 유무, 영양 변화(trophic change), 방광이나 항문 괄약근 기능 이상의 유무 등을 고려해야 하며, 다른 증상과의 관계도 고려해야 한다. 근육의 마비가 관찰될 때는, 개개 근육 혹은 근육 그룹의 힘을 평가한다. 신경의 이상에 의한 감각을 검사할 때는 보편적으로 신경의 분포를 말하는 중간 영역(intermediate zone or dermatome)보다는 해당 단일 신경에 의해서만 지배되는 지각 고유영역(autonomous zone)을 검사해야 한다. 정중 신경(median nerve)의 지각 고유영역은 제2, 3수지 원위지절 이하 부위이다. 요골 신경(radial nerve)은 지각 고유 영역이 없으며, 단지 제1지간 간격(1st web space)의 후방에 감각 감소가 있을 뿐이다.

참고문헌

1. 정진엽, 박문석 동작분석입문, 1판, 서울: 영창출판사; 2019.
2. 최인호, 정진엽, 조태준, 유원준, 박문석, 소아정형외과학 4판, 군자출판사
3. Chiodo CP, Logan C, Blauwet CA. Aspiration and injection techniques of the lower extremity. JAAOS-Journal of the American Academy of Orthopaedic Surgeons, 2018, 26.15: e313-e320.
4. Chung CY, Wang KC, Bang MS, et al. Introduction to cerebral palsy, 1st ed. Seoul: Koonja; 2013.
5. Hartley KG, et al. MRI techniques: a review and update for the orthopaedic surgeon. JAAOS-Journal of the American Academy of Orthopaedic Surgeons, 2012, 20.12: 775-787.
6. Hippensteel KJ, et al. A comprehensive review of physical examination tests of the cervical spine, scapula, and rotator cuff. JAAOS-Journal of the American Academy of Orthopaedic Surgeons, 2019, 27.11: 385-394.

근골격계 문제의 치료원칙

Treatment Principle of Musculoskeletal Disorders

1. 비수술적 치료

최근 근골격계 질환 및 손상에 대한 수술적 방법이 발전하면서 비수술적 치료에 대한 의존도는 많이 감소하였지만, 여전히 정형외과적 치료에서 매우 중요한 의미를 가지고 있다. 이 단원에서는 대표적인 비수술적 치료법인 압박붕대, 부목 고정, 석고붕대(cast), 견인치료(traction) 및 보조기에 대하여 기술하고자 한다.

1) 압박붕대

압박붕대(compressing bandage, compressive dressing)는 솜 붕대 및 탄력붕대(elastic bandage)를 이용하여 사지 또는 몸통을 감싸주는 것을 통칭하는 것이다. 압박붕대의 목적은 소독한 부위의 드레싱의 위치를 유지하고, 손상 부위에 압력을 가하여 출혈을 조절하며, 손상 부위의 부종 및 움직임을 조절하여 통증을 완화하는 것이다.

솜을 감을 때에는 혈액 순환을 원활하게 하기 위하여 균등한 압력으로 너무 강하지 않게 실시하는 것이 중요하다. 심한 부종이 예상되는 경우에는 낮은 압력으로 여러 번 감고, 지혈을 위한 경우에는 30~40 mmHg 정도의 중등도의 압박을 가하여 감는데, 이때에는 2시간 이상 경과되면 원위부에 허혈을 초래할 수 있으므로 주의를 요한다. 부목이나 석고붕대를 적용할 예정인 경우에는 유지하고자 하는 관절의 자세를 유지한 상태에서 압박붕대를 실시하여야 하여 압력의 양상이 변하지 않도록 한다. 원위부의 수지나 족지는 가능하면 외부로 노출시켜 혈액 순환 및 신경 손상을 수시로 평가할 수 있도록 하며 상처가 있는 경우에는 솜이 직접 상처에 닿지 않도록 거즈 등으로 덮은 후 실시하도록 한다. 솜을 감은 이후에는 탄력붕대(elastic bandage)를 이용하여 솜을 고정한다. 이때, 탄력붕대로 추가적인 압력이 가해지지 않도록 주의한다.

2) 부목

부목(splint)은 사지손상 부위의 움직임을 방지하기 위하여 일시적 또는 궁극적인 고정 방법으로 사용되는 방법으로, 해당 사지 부분의 한쪽 면에 단단한 물체나 부목을 대고 붕대나 그 대용물로 고정하는 것이다. 야외에서 나뭇가지나 널빤지를 이용하는 것도 넓은 의미의 부목에 해당하나, 병원 환경에서는 무명천 두루마리에 황산 칼슘 가루를 흡착시킨 석고붕대(plastar of Paris) 또는 섬유유리붕대를 사지 부분에 대고 탄력붕대를 감아서 이들이 굳을 때까지 유지하여 제작한다. 섬유유리붕대는 가벼우면서 더 강도가 우수하고 물에 젖어도 녹지 않을 뿐 아니라 방사선 투과성이 좋아 널리 사용되고 있다(그림 3-1). 부목은 사지의 한 면에만 대기 때문에 cast에 비해 고정 강도는 낮으나 부종을 허용하는 정도는 높아 외상 혹은 수술 후 상당한 부종이 예상이 될 때 일시적인 고정을 목적으로 사용된다.

3) 석고붕대

석고붕대(cast)는 사지나 척추를 단단한 물체를 이용하여 둘레를 완전히 감싸 해당 부위를 고정하는 것을 의미한다. Cast는 외상에서 통증을 완화하고 치유를 촉진하기 위하여 사용하며, 이 외에 선천성 만곡족과 같이 관절의 변형을 교정하거나, 신경근육 이상이나 측만증에서 변형을 예방하기 위한 목적으로 사용되기도 하는데, 심한 부종이 예상되는 경우에는 실시하지 않는다. Cast는 충분한 고정이 이루어지도록 하면서, 인접 관절 운동을 허용하도록 실시하며, 장골을 고정하는 경우에는 위, 아래의 관절을 포함하여 고정하고, 관절을 고정하는 경우에는 위아래의 골을 고정한다. 상지에서는 상완 근위에서 중수지 관절 직상부까지 고정하여 팔꿈치 주위 골절, 전완부 골절등의 치료에 사용되는 장상지 석고

그림 3-1
Cast 및 Splint에 사용되는 재료들
좌측 상단에서부터 stockinet, 솜 붕대, 석고붕대, 섬유 유리 붕대, 하단은 상용화 된 섬유 유리 부목

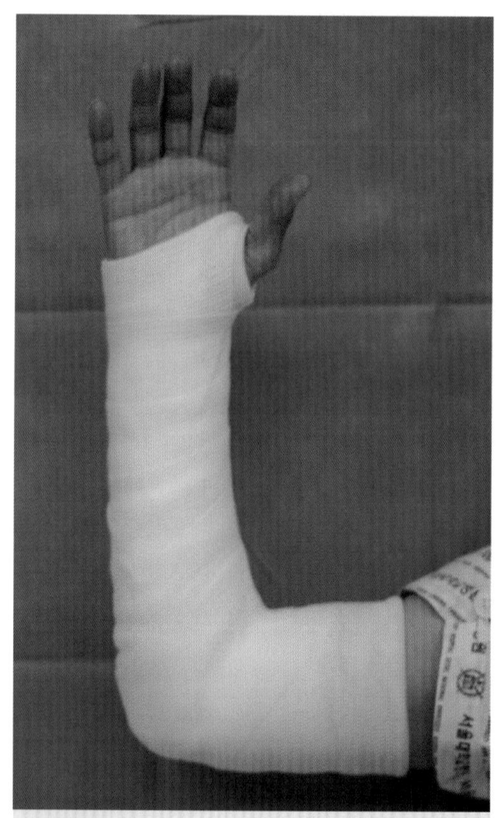

그림 3-2
Long arm cast
주관절 90° 굴곡, 전완부 중립위 회전, 수근관절 20~30° 신전 상태로 고정하나, 목적과 상황에 따라 주관절-수근관절의 고정 위치, 전완부 회내-회외 위치 등은 달라진다.

붕대(long arm cast)(그림 3-2), 전완 근위부에서 중수지 관절(metacarpophalangeal joint) 직상부까지 고정하여 원위 요골 및 척골 골절, 일부 수근골 골절 등에 사용되는 단상지 석고붕대(short arm cast)(그림 3-3), 단상지 석고붕대에서 엄지 손가락의 움직임을 제한하여 주상골 골절 및 무지 손상 치료 등에 사용되는 무지 수상 석고(thumb spica cast)(그림 3-4) 등이 사용된다. 하지에서는 대퇴근위부에서 발끝까지 고정하여 경골 간부 골절 및 슬관절 주위 골절 등의 치료에 사용되는 장하지 석고붕대(long leg cast)(그림 3-5), 하퇴부(또는 비골 골두 직하부)에서 발끝까지 고정하여 발목 골절 및 족부 손상 등의 치료에 사용되는 단하지 석고붕대(short leg cast)(그림 3-6), 대퇴과상부에서 발끝까지 포함하여 슬개골과 슬개건(patellar tendon) 모양을 따라 molding 하여 슬관절 굴곡-신전이 가능하고 체중부하가 허락되는 슬개건 부하 석고붕대(patellar tendon-bearing cast, PTB cast)(그림 3-7) 등이 있다.

Cast의 합병증으로 구획 증후군이 발생할 수 있으며, 하지의 석고붕대 적용 시 비골 신

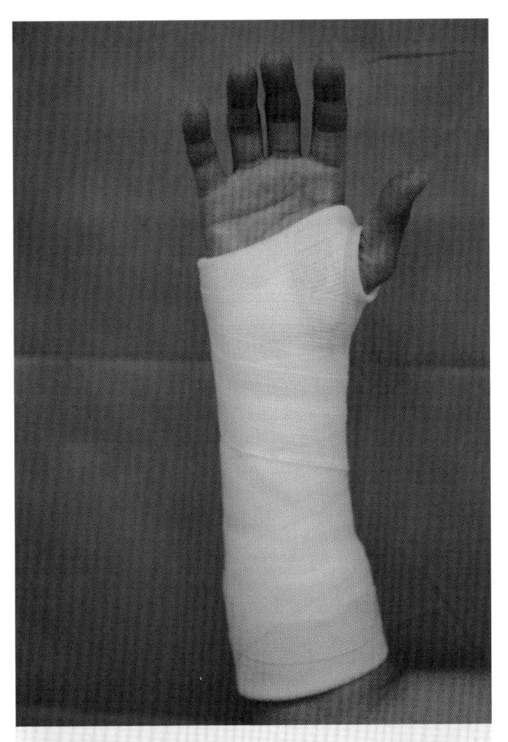

그림 3-3
Short arm cast
중수지 관절과 엄지 손가락의 움직임이 제한되지 않도록 고정해야 한다.

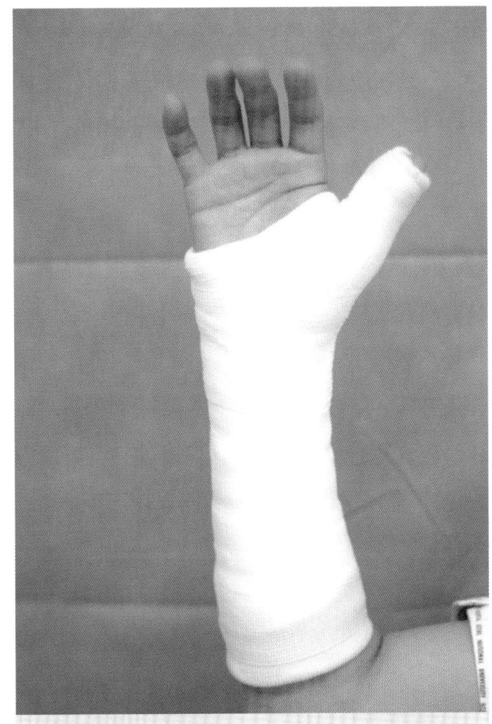

그림 3-4
Thumb spica cast
수근관절 20~30° 신전, 무지 외전 및 약간 굴곡 상태로 고정한다.

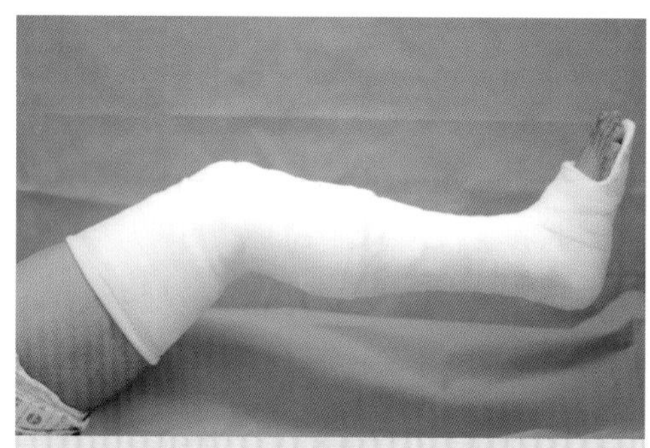

그림 3-5
Long leg cast
슬관절 30~40° 굴곡, 족근관절 90° 굴곡 내 · 외전 중립 상태로 고정한다.

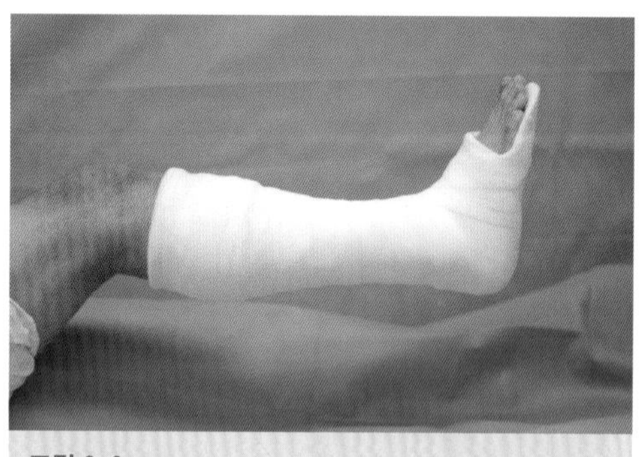

그림 3-6
Short leg cast

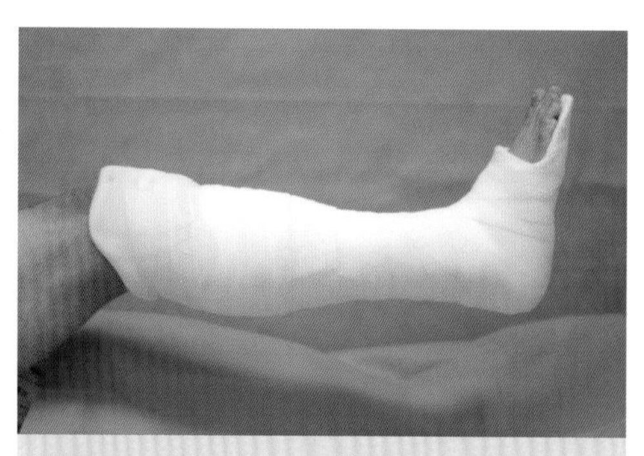

그림 3-7
PTB cast
주로 경골 간부 골절에서 수주간 long leg cast 사용 후나 수술 후 고정을 위해 사용한다.

경 마비 및 뒤꿈치 욕창에 특히 주의해야 한다. 비골 신경 마비는 엄지발가락의 신전 운동과 제1-2족지간 감각을 자주 확인하여 조기에 발견해야 한다. 환자가 뒤꿈치의 통증을 호소하는 경우에는 즉각적으로 뒤꿈치 부위에 창을 내주고 해당 부위의 피부 색깔을 확인하여 욕창을 예방하는 것이 필요하다.

4) 견인

견인(traction) 치료는 병변이 있는 사지 또는 척추에 장력을 가함으로써 환부의 움직임을 제한하고, 근육의 연축을 해소하고, 신경에 가해지는 압력을 낮추는 치료이다. 사지 골절에 대한 견인 치료는 최근 사용 빈도가 많이 감소하였으나, 경추 골절의 초기 치료로 여전히 많이 사용되고 있다.

(1) 사지에 대한 견인

고정 장치를 사지에 적용하는 방법에 따라 피부 견인(skin traction)과 골 견인(skeletal traction)으로 분류된다. 피부 견인은 점착성 끈(adhesive strap)을 피부에 고정시켜 실시하는 방법으로, 무거운 중량으로 견인을 하는 경우에는 피부 손상을 일으킬 수 있으므로, 10 파운드 이하의 무게를 사용하는 것이 원칙이다. 피부 견인은 소아 대퇴골 골절, Legg-Calve-Perthes (LCP), developmental dysplasia of hip (DDH) 등에 사용된다. 10파운드 이상의 무게가 요구되는 경우, 금속성 핀을 골에 관통시켜 견인하는 골 견인이 사용된다. 핀을 뚫을 때 신경혈관 손상이 일어날 수 있으므로 주의해야 하며, 관절이나 혈종이 있는 부분을 통과하는 경우에는 감염의 위험성이 높으므로 피해야 한다(그림 3-8).

(2) 척추에 대한 견인

① Halter 견인(halter traction)

하악골 및 후두골에 장력을 가하여 경추에 견인을 실시하는 방법으로, 경추성 신경병증(cervical radiculopathy)의 치료에 이용되는 방법이다. 견인기를 구입하여 가정에서도 실시할 수 있어 널리 사용되고 있으며, 통상적으로 앉아 있는 자세에서 15파운드 이하로 1~3시간 정도 실시한다.

② 경추 집게 견인(skull tong traction)

경추 골절이나 탈구 시의 정복을 위하여 사용되는 방법으로 고정 장치를 두개골에 두는 골 견인이다. Gardner-Wells tong을 이용하여 2개의 핀을 외이도 상방의 두개골에 고정하여 견인을 실시하며, 10~15파운드의 무게로 견인을 시작하여, 5파운드씩 견인의 무게를 늘려나가면서 골절 및 탈구의 정복을 얻는 방법으로, 무게 증량 시마다 경추의 측방 단순 방사선 영상에서 과신전이 관찰되거나 신경학적 상태가 악화되는 경우에는 견인을 중단한다.

5) 보조기

보조기는 몸의 일부를 적당한 위치로 유지시켜 주면서 원하는 만큼의 운동은 허용하며, 골과 관절을 어느 정도 보호하고 탈착이 가능하다는 점에서 부목이나 cast와 차이가 난다. 어느 정도의 치료가 진행되어 재활 과정에서 사지와 척추의 보호, 변형 예방 및 교정을 목적으로 한다.

(1) 사지보조기

영유아기 발달성 고관절 이형성증에 사

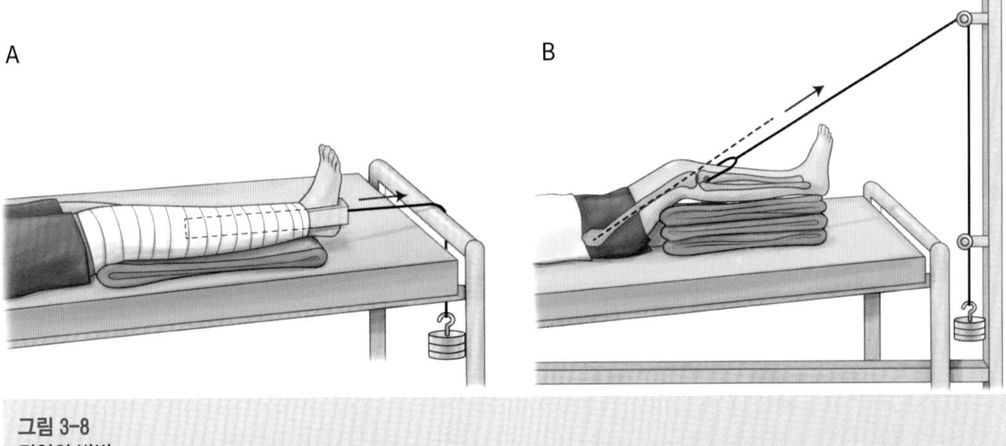

그림 3-8
견인의 방법
A. 피부 견인, B. 골견인

용되는 Pavlik 보장구(harness)는 동적 부목(dynamic splint)의 형태로 널리 사용되며, 선천성 만곡족 치료 과정 중에 사용되는 Dennis-Brown 부목도 흔히 사용되는 보조기의 예이다. 족관절 첨족변형에 대한 치료 후 보호 또는 재발 방지를 위해서 ankle-foot orthosis (AFO)도 널리 사용되고 있다. 슬관절 인대 손상에 사용하는 전방십자인대 보조기, 후방십자인대 보조기, 내측측부인대 보조기, 발목관절인대 손상 시 사용하는 보조기 등이 있다.

(2) 척추에서의 보조기

① 경추 보조기

표준 경추 보조기(standard neck collar)는 목 주위만을 둘러 보호하는 보조기로 정상 경추 운동의 80%까지 허용을 하며, 주로 위치 감각을 제공하여 환자가 지나치게 움직이는 것을 제한하는 것이 주된 기능이다. 경부의 경한 연부 조직 손상이나 편타성 손상(whiplash injury)의 치료를 위해 사용된다. 고위 경흉추 보조기(high cervicothoracic orthosis)는 후두-하악골과 흉곽 상부를 연결하는 보조기로 필라델피아 보조기가 가장 대표적인 예이며, 통상적인 collar보다는 운동의 제한이 많아 경추 염좌나 경추에 대한 수술 후 사용할 수 있다.

② 흉추 및 요추 보조기

흉요추 보조기는 몸통의 움직임을 제한하고, 근육의 활동을 억제하며, 복압을 증가시켜 척추에 가해지는 부담을 줄여주고, 척추의 움직임을 제한하는 역할을 한다. 요추 코르셋(lumbar corset)은 요추를 지지해 주는 역할을 하는 것으로 작용 기전은 neck collar와 마찬가지로 위치 감각을 이용하여 움직임을 제한하는 것이다. 주로 하부 요추의 통증을 완화하기 위하여 사용된다. 흉요추천추 보조기(thoracolumbosacral orthosis, TLSO)는 상당한 정도의 안정성을 제공하는 보조기로, 척추의 압박 골절 등에 주로 사용된다.

2. 골절 고정 기구

골절 고정을 위해 사용되는 기구에는 보존적 고정 기구와 수술 과정에서 사용되는 수술적 고정 기구가 있다. 이 챕터에는 수술에서 사용되는 골절 고정 기구에 대해 알아 보도록 한다. 수술적 골절 고정 기구에는 피부보다 깊이 위치하게 되는 내고정 기구와 밖에 위치하는 외고정 기구가 있다. 이들이 인체에 이용되기 위해서는 몇 가지 요건을 충족하여야 한다. Biocompatibility (인체에 쓰이는 것이므로 유해한 성분이 있어서는 안 됨), 생역학적 강도, 환자에게 최소한의 불편함을 줄 것 등이 있다.

1) 수술적 골절 고정 기구

골절을 고정하기 위해 다양한 기구들이 존재한다. 다양한 기구들을 적절히 사용하기 위해, 그들의 특성과 적용 가능한 골절 상황 등을 숙지하는 것이 골절 치료에 필수적이다 (그림 3-9).

(1) 핀(pin)

일반적으로 Kirschner wire (K-wire)가 흔히 쓰인다. 이보다 두꺼운 핀은 Steinnmann pin (S-pin)이라 한다. 직선의 강철선을 골절 부위를 가로질러 고정하는 방법이다. 피부를 열지 않고 피부 위에서 삽입하여 고정할 수 있어 손이나 발에서 흔히 쓰이는 방법이나, 고정력이 약해 4~6주 내외의 기간 이내에 제거해야 한다. 따라서, 골절 치유력이 좋은 소아나, 큰 고정력이 요구되지 않는 손가락, 발가락 주위 부위에 사용된다. 하지만 피부 위에 돌출되어 위치하기 때문에 환자가 불편하고, 석고 고정의 추가 고정이 필요하며, pin tract infection, 고정력 소실로 인한 불유합 가능성, pin loosening으로 인한 migration 등의 여러 가지 합병증 발생의 가능성이 있다.

(2) 금속줄(steel wire) 또는 케이블(cable)

강철선으로 골절 부위를 감아 조여 고정하는 방법이다. Oblique fracture나 tensile force가 가해져서 골절면 사이가 벌어지려고 하는 골절에서 주로 사용된다. 또한 쪼개어 벌어지려고 하는 원통형 뼈에서 사용하기도 한다. 회전력이나 굴곡력이 작용하는 골절 부위에서는 적절하지 않으며, 단순히 뼈의 표면에 감아서 고정하는 역할로는 한계가 있는 방법이다.

(3) 긴장대 강선 고정법(tension band wiring)

Tensile force가 작용하는 골절에서 표준적으로 사용되는 방법이다. 핀과 금속줄을 이용하여 고정하여 tensile force에 저항한다. Pin은 골절편 사이의 움직임과 wire의 migration을 억제한다. 흔히 olecranon fracture, patellar fracture 등에서 사용된다. 최근에는 핀에 고리를 붙여 거기로 steel wire를 통과시켜 고정하는 방법이 개발되었다. 이렇게 하면, wire가

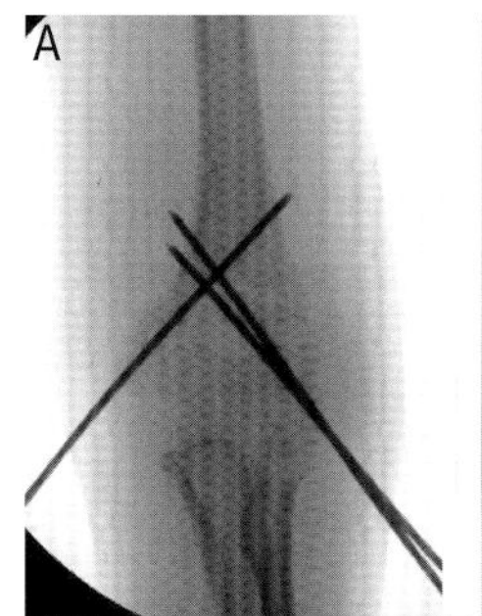

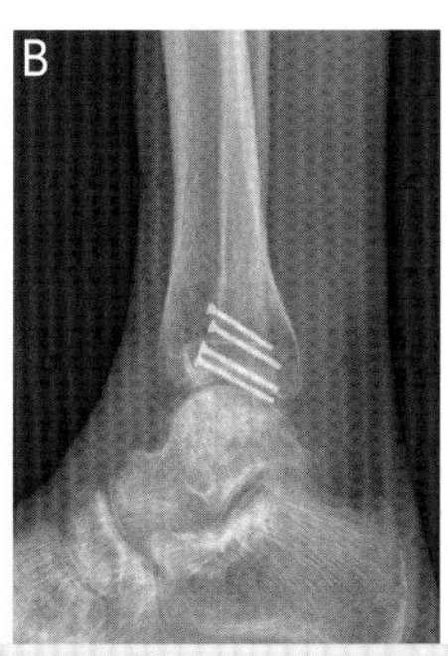

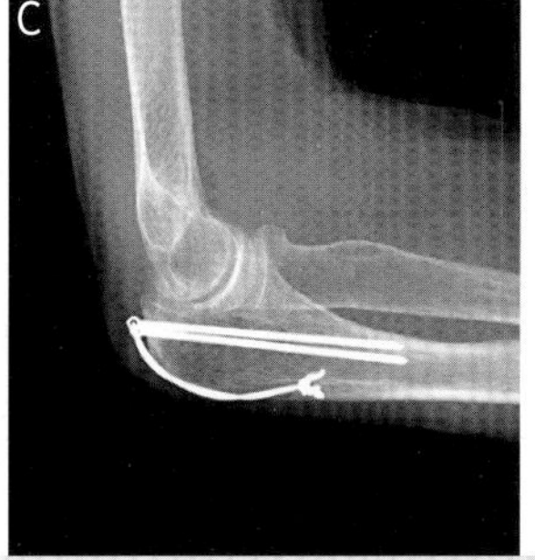

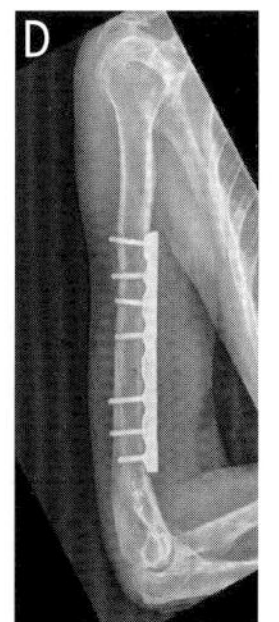

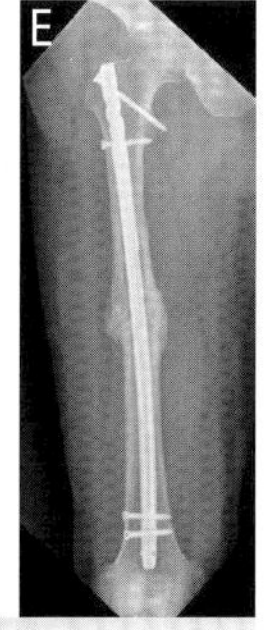

그림 3-9
골절 치료에 사용되는 내고정술의 종류
A. Pin fixation, B. Inter-fragmentary screw fixation, C. Tension band wiring, D. Plate and screws, E. Intramedullary nailing

핀 고리에 걸려 고정되기 때문에 wire와 pin의 이동으로 인한 고정력의 소실과 implant migration 등의 합병증 예방에 큰 도움이 된다(그림 3-9C).

(4) 나사

나사산(thread)와 뼈의 나사 홈 사이의 마찰력으로 고정된다. Oblique fracture에서 단독으로 사용될 수 있으나, 다양한 골절 상황에서 다른 고정 기구와 혼합하여 사용할 수 있다.

(5) 금속판과 나사 고정

골절부를 금속판으로 대고 금속판의 나사 구멍들에 나사를 삽입하여 뼈와 금속판을 서로 고정하는 방법이다(그림 3-10). 금속판의 나사 구멍이 매끄럽고, 비탈진 모양인 dynamic compression plate가 이전에는 많이 사용되었으나, 최근에는 금속판의 나사 구멍에 나사산을 만들어 나사 머리의 나사산과 서로 고정되어 잠그게 되는 locking plate가 주로 사용된다. 기존의 고정 방법은 나사와 금속판 사이의 고정은 screw head와 금속판 screw hole의 마찰력/밀착력으로 고정되었는데, 새로운 방법은 screw head와 plate hole이 나사산으로 서로 고정되기 때문에 안정적인 고정이 가능하게 된다. 따라서, bone quality가 떨어지는 골절, 여러 개의 골절 조각이 있는 분쇄 골절, 관절 주위에 생기는 골절 등의 고정하기 어려운 골절에서 좋은 치료 결과를 보인다.

(6) 골수강 내 정(intramedullary nail)

긴 원통형 뼈의 골절에서 많이 사용된다(그림

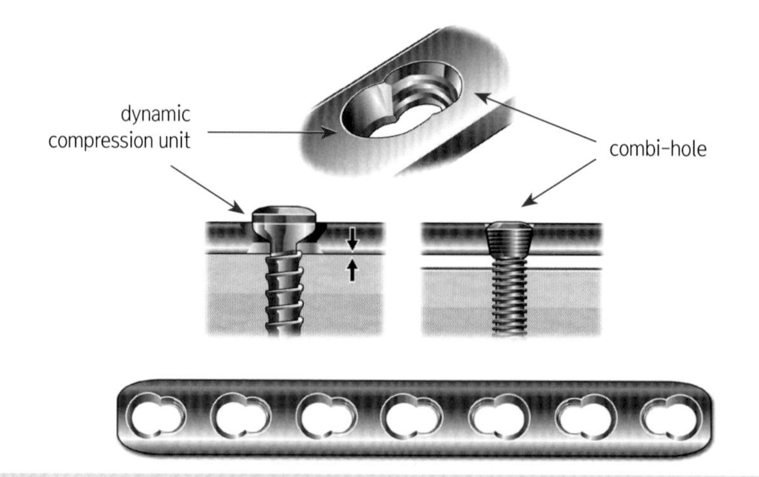

그림 3-10
Dynamic compression plate와 locking plate의 원리
두 가지 작동 방식의 나사 고정 방법을 설명한 그림. 좌측의 dynamic compression unit은 머리가 둥근 나사를 이용하여 금속판과 뼈 사이를 밀착되게 한다. 이 밀착력으로 골절을 안정되게 한다. 우측은 locking screw mechanism을 보여 준다. 금속판의 나사선과 원뿔 모양 나사 머리의 나사선이 서로 맞물려, 금속판과 나사가 잠긴다(locking). 금속판-나사 고정물이 뼈를 걸어 고정하게 된다. 그러므로 뼈와 금속판의 사이가 밀착될 필요가 없으며, 그림에서도 간격이 있다.

3-9E). 금속판 고정에 비해 골절 치유에 유리하고, 골수강 안으로 삽입되기 때문에 연부조직의 자극이 적어 수술 후 삽입물로 인한 문제가 적다는 장점이 있다. Nail의 rigidity에 따라 flexible nail과 rigid nail로 나눌 수 있다. ridid nail 삽입 후 고정물의 안정성을 높이기 위해 interlocking screw를 사용하여 뼈와 nail 사이의 고정력을 높이게 된다.

(7) 외고정기(external fixator)

피부를 뚫어 굵은 나사나 가는 핀들을 삽입하고 이들을 서로, 피부 위의 굵은 막대나 고리에 연결하여 고정하는 방법이다. 골절 주위 연부 조직 상태가 좋지 않아 내고정하기 어려울 때, 골절 분쇄가 심할 때 골절부를 고정하는 방법이다. Pin tract infection, 외고정기로 인해 활동의 제약, 이로 인한 인접 관절의 운동 방해, 개인 위생의 관리 등의 어려움이 있어 신중한 선택이 필요하다.

3. 골 변형 교정술

1) 골 변형

뼈의 비정상적인 형태를 통칭하여 골 변형(bone deformity)이라고 한다. 반면, 관절 변형(joint deformity or contracture)은 관절의 운동범위가 정상의 범위보다 축소되어 있는 경우를 지칭한다. 골 변형의 원인은 선천성, 발달성, 외상, 종양, 대사성 질환 등이 있을 수 있다. 발달성 변형은 골절이나 골 감염 등에 의한 성장판 손상에 의하거나, 유전성- 대사성 질환의 증상으로 나타나기도 한다.

골 변형은 그 성격에 따라서 단축/연장 변형, 전이 변형(translation deformity), 각 변형(angular deformity) 그리고 회전 변형(rotational deformity) 등으로 나눌 수 있다. 골 변형의 교정에서 보조기나 물리치료는 일반적으로 효과가 없다. 즉, 보조기 등으로 지속적인 외력을 가해도 골의 형태를 변화시킬 수는 없다. 예외로 유아기의 내반슬(genu varum)의 교정에는 보조기를 이용할 수 있다.

수술적으로 골 변형을 교정하는 방법은 점진적으로 교정하는 방법과 즉시 교정하는 방법으로 나눌 수 있다.

2) 점진적 교정

점진적 교정(gradual correction)에는 성장판의 성장을 억제하여 교정하는 방법과 신연 골형성술(distraction osteogenesis)을 이용하는 방법이 있다. 신연 골형성술은 다음 장에서 설명하기로 한다. 성장판의 성장 억제는 영구적 혹은 일시적으로 할 수 있다. 소파술(curettage)로 성장판을 영구적으로 파괴할 수도 있고, 스테이플(staple), 경피적 경성장판 나사못 고정술(percutaneous epiphysiodesis using transphyseal screw, PETS), 또는 인장대판(tension band plate) 등의 방법으로 일시적으로 성장판의 성장을 억제할 수도 있다. 한쪽 다리가 긴 경우, 즉 하지부동이 있는 경우, 긴 다리의 성장판 중 일부를 영구, 혹은 일시적으로 정지시켜 길이를 맞출 수 있다. 내반슬 혹은 외반슬 등 각 변형이 있는 경우는 성장판의 내측 또는 외측의 성장을 억제하여 각 변형을 교정할 수 있다(그림 3-11).

3) 급성 교정

즉시 골 변형을 교정(acute correction)하는 방법에는 절골술(osteotomy)이 있다. 절골술은 척추와 사지의 골을 자르고 원하는 형태로 변형시킨 후 고정하여 그 형태로 유합이 되도록 하는 술식을 총칭한다. 골 변형 자체를 교정하기 위해서 시행하는 경우가 대부분이나 골 변형으로 인한 관절의 질환을 치료할 목적으로 절골술을 하는 경우도 있다. 예를 들어, 슬관절 또는 고관절 퇴행성 관절염에서 체중 부하면을 바꾸어서 통증을 경감시키기 위하여 절골술을 시행할 수 있다. 발달성 고관절 이형성증의 경우, 관절의 안정성을 유지하기 위하여 절골술을 시행할 수 있으며, Legg-Calve-Perthes 병에서는 골두의 재형성을 돕기 위하여 절골술을 시행하기도 한다.

절골 후 유합될 때까지 고정하는 방법으로 금속 내고정물을 이용하는 경우가 가장 보편

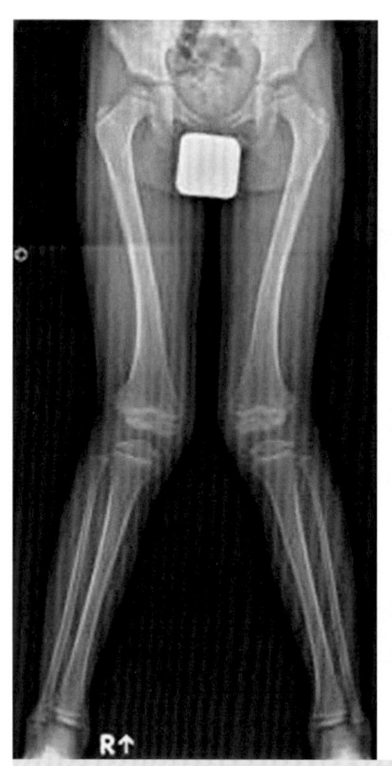

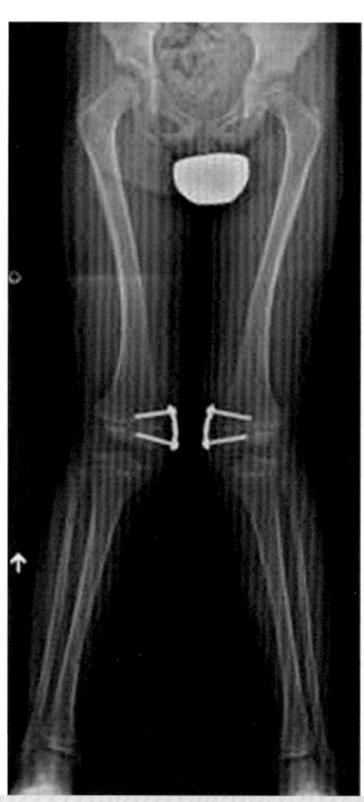
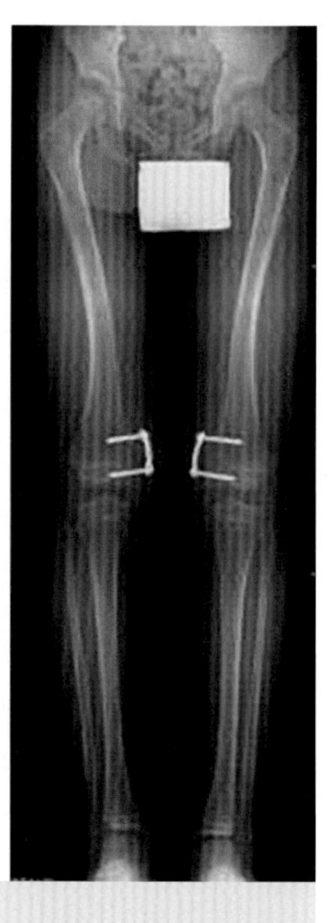

그림 3-11
다발성 골단 이형성증(multiple epiphyseal dysplasia) 환아의 외반슬(genu valgum) 변형에 대해서 원위 대퇴골의 내측 성장판을 억제하는 인장대판(tension band plate)으로 교정하였다.

적이지만 외고정 장치로 고정하는 경우도 있고, 석고붕대로만 유지하는 경우도 있다. 외고정 장치를 사용하면 유합 기간 중 외고정 장치를 장착하고 있는 것이 번거롭다는 단점이 있지만, 수술 중이나 수술 후에도 어느 정도의 추가 교정이 가능하다는 장점이 있다. 불완전 절골술을 하고 개방성 쐐기 절골술 기법으로 단단한 이식골을 삽입하면 그 자체로 상당한 안정성이 있기 때문에 석고붕대 고정만으로 유지하는 경우도 있다(그림 3-12).

4) 각 변형 교정과 각 회전 중심

각 변형을 치료하려 할 때 각 회전 중심(center of rotation of angulation, CORA)을 이해하는 것이 중요하다. 각 회전 중심이란 변형된 골의 근위부 종축과 원위부 종축이 서로 교차하는 교차점을 말한다. 각 회전 중심을 이루는 두 개의 축이 이루는 각도로 각 변형의 정도를 평가할 수 있다. 또한, 이를 이용하여 교정 절골술을 시행하기 전에 계획을 세울 수 있다.

이론적으로 각 회전 중심에서 절골을 하여 변형을 교정하면 가장 이상적이다. 그러나, 실제 상황에서 그렇게 하지 못하는 경우가 많다. 예를 들어, 절골은 향후 유합을 고려하여 골간단부에서 하는 것이 좋으며, 각 회전 중심이 관절 내에 위치하면 관절에 절골을 할 수 없으므로, 절골을 각 회전 중심과 다른 부위에서 할 수밖에 없다. 절골을 각 회전 중심과 다른 곳에서 하고, 변형의 교정도 그 부위에서 한다면 필연적으로 전이(translation)가 발생한다. 즉, 전이를 예방하기 위해서는 절골은 현실적인 부위에서 하고, 각 회전 중심에서 변형을 교정하여야 한다(그림 3-13).

절골술에는 폐쇄성 쐐기 절골술(closing wedge osteotomy), 개방성 쐐기 절골술(open wedge osteotomy), 돔형 절골술(dome osteotomy) 등

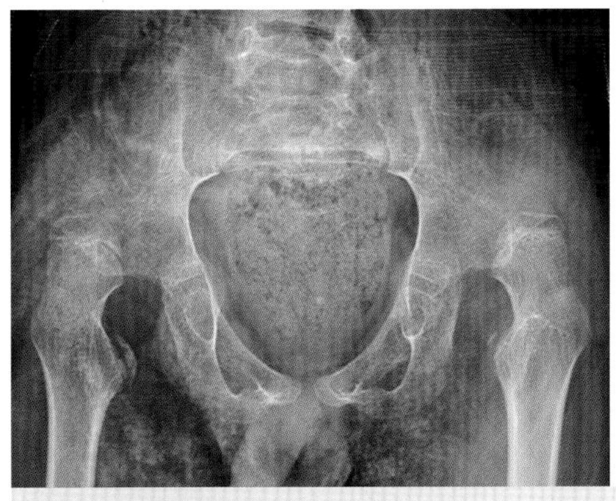

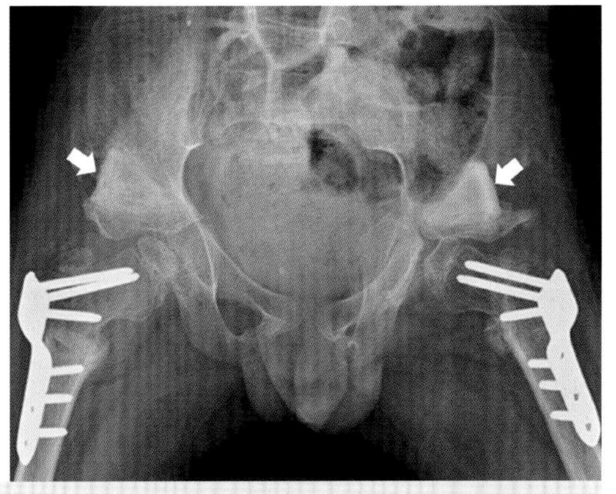

그림 3-12
8세 뇌성마비 남자아이의 양측 고관절 탈구 소견이 관찰된다.
대퇴골 절골술(femoral osteotomy)은 금속판과 나사못을 이용한 내고정을 하였고, 골반골에 시행한 Dega 절골술(white arrow)에서는 개방성 쐐기 절골술 후 이식골을 삽입하였다.

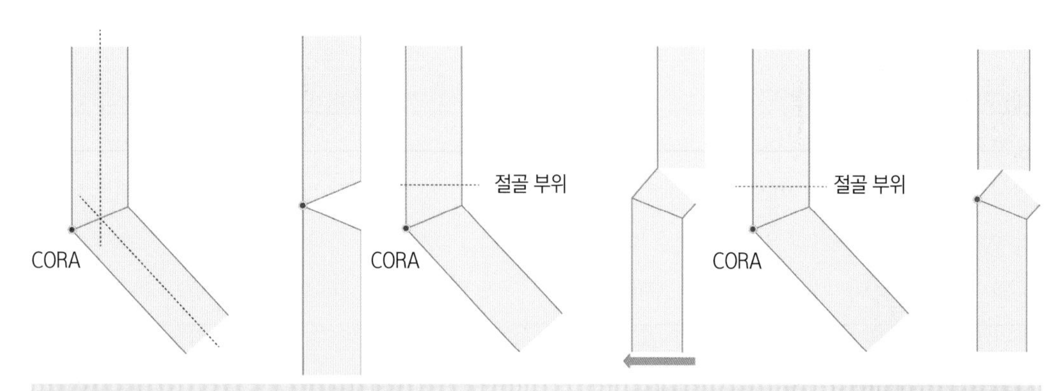

그림 3-13
각 회전 중심(center of rotation of angulation, CORA)
A. 근위부 종축과 원위부 종축이서로 만나 이루는 각을 이분하는 이분선 위에 변형의 각 회전 중심이 위치한다. 각 회전 중심에서 절골하고 각 변형을 교정하면, 전이(translation)가 되지 않는다.
B. 각 회전 중심 근위부에서 절골하고, 절골 부위에서 각 변형을 교정하게 되면 원위부 골편이 전이(translation)된다. 이는 새로운 변형을 일으키고, 모양이 뱀이 움직이는 것 같다고 해서, 사형 변형(serpentile deformity) 또는 지그재그 변형이라고 한다.
C. 절골을 근위부에서 하더라도, 각 회전 중심(CORA)에서 교정을 하면 전이가 되지 않는다.

다양한 형태의 술식이 있다. 절골술을 계획할 때는 각변형 교정뿐 아니라 전이(translation), 회전(axial rotation), 단축 또는 연장 등의 요소를 모두 고려하여야 한다(그림 3-14).

4. 사지 길이 부동

양측 사지의 길이가 다른 상태를 사지 길이 부동(limb length discrepancy)이라 한다. 상지는 아주 큰 차이가 나지 않으면 기능상의 장애가 없으며 미용상의 문제도 상당한 차이가 나야 눈에 뜨인다. 따라서, 아주 어린 나이에 상완골 근위부 성장판(proximal humeral physis)에 외상이나 감염에 의해서 상완골이 아주 짧아진 경우 이외에는 수술적으로 사지 연장술이 필요한 경우가 아주 드물다. 반면, 하지는 체중을 부하하고 보행을 하기 때문에 상지에 비해서 작은 차이에 의해서도 미용상 그리고 기능상 큰 장애를 초래할 수 있다. 하지 길이 부동(leg length discrepancy)은 성인 기준으로 약 2 cm까지는 본인이 느끼지 못하고 보행 양상에도 큰 이상이 없으며 근골격계 다른 부위에 나쁜 영향을 주지 않는 경우가 많으나, 개인 차이도 상당히 있을 수 있어 어떤 환자는 1 cm 정도의 차이도 불편하게 느끼기도 한다. 보통 2 cm 이상의 하지 부동은 본인이 불편하게 느끼면서 다리를 저는 것이 눈에 뜨이며, 좌우 길이 비대칭으로 인하여 척추와 하지의 일부에 부하가 편중되어 2차적인 변형과 관절의 조기 퇴행성 변화가 발생할 수 있다. 하지 부동은 일어선 자세에서 골반 경

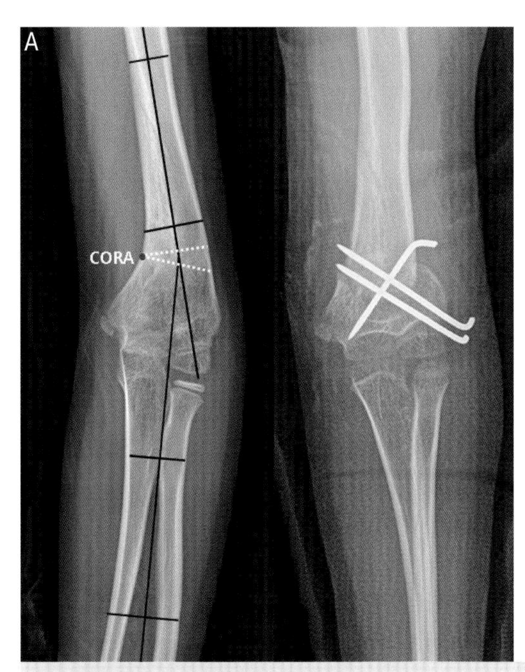

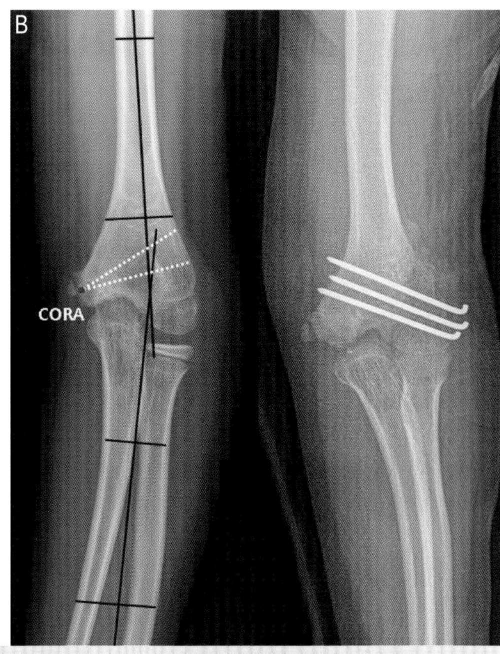

그림 3-14
A. 9세 남아가 좌측 원위 상완골 골절 5개월 후 내반주 변형이 발생하였다. 각 회전 중심(CORA)은 내측 피질골에 위치하고 있고, 이를 쐐기의 꼭지점으로 삼아 폐쇄 쐐기 절골술(closed wedge osteotomy)을 시행하였다.
B. 6세 남아 좌측 원위 상완골 내과 골절 1년 후 내반주 변형이 발생하였다. 각 회전 중심이 주관절에 위치하고 있어서, 폐쇄성 쐐기의 꼭지점을 가능한 주관절에 가깝게 하여, 전이를 최소화하려 노력하였다.

사(pelvic obliquity)를 유발하여 골반에 연결된 척추의 측만증(scoliosis)을 일으키며, 성장기부터 지속적으로 존재하는 경우에는 긴 쪽 하지의 고관절에 이형성증(dysplasia) 또는 아탈구(subluxation)를 초래할 수도 있다(그림 3-15). 하지 부동에 대한 대책으로는 첫째, 보장구를 이용하여 극복하는 방법, 둘째, 긴 하지를 줄이는 방법, 셋째, 짧은 하지를 늘이는 방법, 그리고 넷째, 위 세 가지를 복합적으로 사용하는 방법 등이 있다(그림 3-16). 어느 치료법을 선택하는 것이 좋은지에 대해서는 하지부동의 정도가 가장 중요한 결정 인자이나 환자의 키, 사회 복귀에 걸리는 시간, 골관절의 상태, 환자 개인의 선호 등을 모두 고려하여 결정하는 것이 바람직하다.

1) 보장구를 이용하여 극복하는 방법

약 2~3 cm 이내의 경한 하지 길이 부동은 신발에 깔창을 삽입하거나, 한쪽에 더 높은 굽이 있는 신발(shoe lift)을 착용하여 극복할 수 있다. 신발을 벗고 지내는 시간에는 효과가 없다는 단점이 있으나, 통상 신발을 벗고 있는 시간에는 서있거나 걷기보다는 대부분 앉아있거나 누워있기 때문에 하지 길이 부

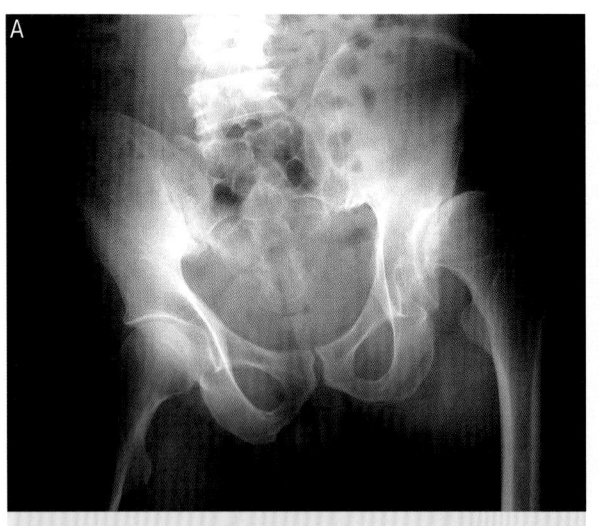

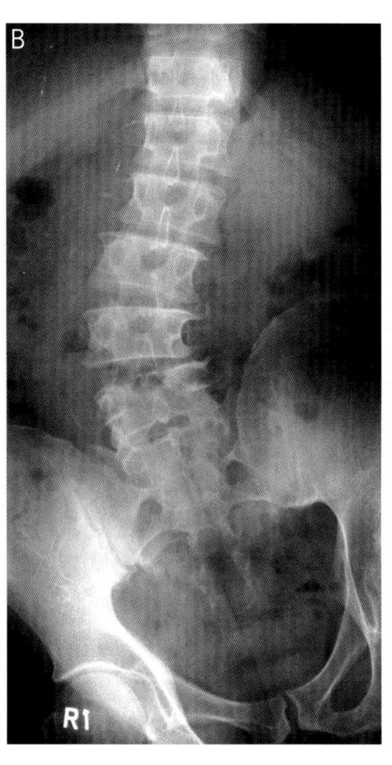

그림 3-15
5세에 슬관절 주변 골수염 후 우측 하지의 14 cm 단축이 발생한 49세 남자
A. 좌측 고관절 아탈구와 퇴행성 변화
B. 하지부동에 의한 척추측만증과 퇴행성 변화가 관찰된다.

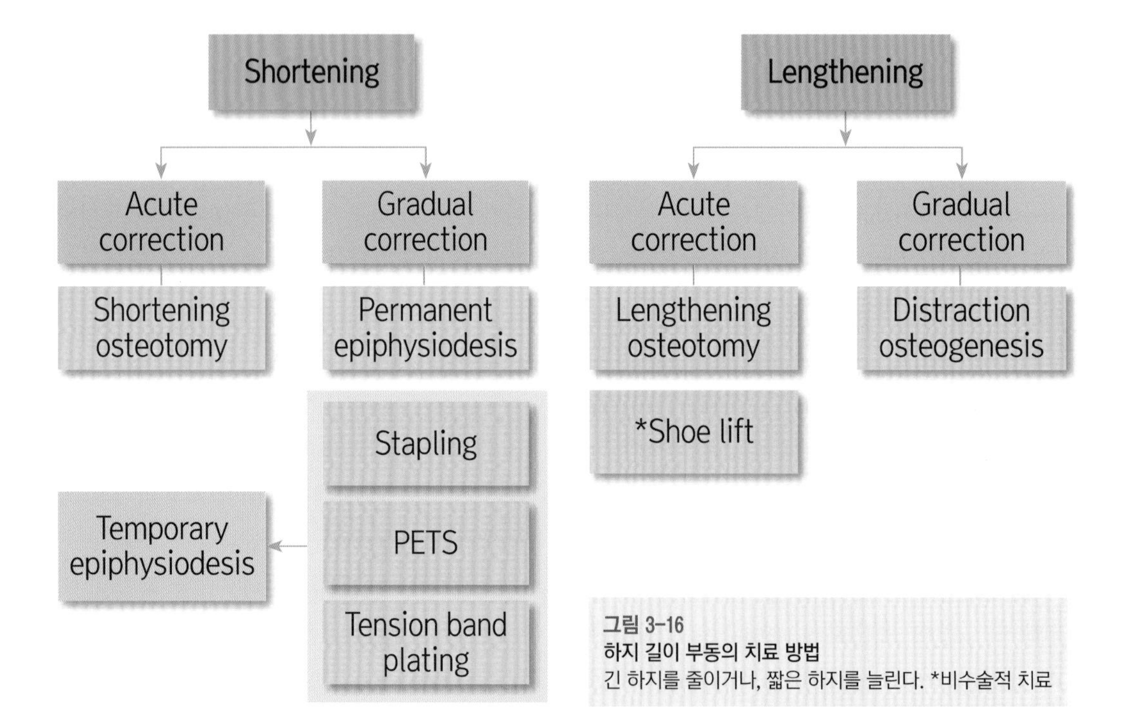

그림 3-16
하지 길이 부동의 치료 방법
긴 하지를 줄이거나, 짧은 하지를 늘린다. *비수술적 치료

동을 느껴서 불편한 경우가 아니면 큰 문제가 되지 않는다. 다만, 한국 사회에서는 신발을 벗고 생활하는 시간이 서양 사회에 비해서 길기 때문에 서양 사회의 기준으로 생각하는 것보다는 그 유용성이 떨어진다.

2) 긴 하지를 줄이는 방법

성장기 아동에서는 성장판에 외과적인 조작을 통해서 성장을 영구적으로 정지시키는 골단판 유합술(permanent epiphysiodesis), 또는 기기를 삽입하여 일정 기간 성장을 억제하는 골단판 억제술(temporary epiphysiodesis; physeal suppression; guided growth)을 이용하여 긴 하지의 성장을 줄임으로써 하지 길이 부동을 줄이거나 없앨 수 있다. 이러한 술식을 통해서 줄일 수 있는 하지 부동의 크기는 해당 성장판에서 앞으로 자랄 잔여성장분 이내이므로, 적절한 나이 또는 그 이전에 시행하여야 하지 부동을 충분히 줄일 수 있다.

영구적 골단판 유합술의 술식으로는 여러 가지가 소개되었는데, C-arm 하에 골단판의 연골조직을 소파(curettage)하여 골단과 골간단이 골 유합되도록 하는 방법이 현재 널리 사용되고 있다. 영구적 골단판 유합술은 한번 시행하면 돌이킬 수 없기 때문에, 현재의 하지 길이 부동, 앞으로 발생할 길이 부동, 골단판의 잔여 성장 정도를 정확하게 평가하지 못하면, 과교정(overcorrecion)되거나 저교정(undercorrection)될 위험성이 있다. 일시적 골단판 억제술에서는 내고정물이 삽입되어 있는 동안에만 가역적으로 골단판의 성장을 억제하므로 영구적 골단판 억제술에 비해 수술 시기를 충분히 일찍 할 수 있다는 장점이 있다. 하지만 내고정물을 너무 장기간 삽입해 놓으면 영구적인 성장판 정지가 발생하는 경우가 있고, 내고정물을 제거하는 추가 수술이 필요한 단점이 있다. 사용하는 내고정물은 골단판을 가로 질러 골단에서 골간단에 걸쳐 스테이플(staple)을 삽입하는 방법이 가장 먼저 사용되었으나 합병증이 흔하여 최근에는 덜 사용되고 있다. 골간단에서 골단까지 골단판을 통과하여 나사못을 삽입하는 경피적 골단판 통과 나사못 삽입술(percutaneous epiphysiodesis using transphyseal screws, PETS)은 최소 침습적인 술식으로 환자의 부담이 가장 적은 장점이 있으나 골단판을 직접 침범하기 때문에 골단판에 영구적인 손상을 줄 지 모른다는 우려가 있다. 장력대 금속판(tension-band plate) 술식은 특수하게 디자인된 금속판을 골단과 골간단 각각에 나사못을 삽입하여 장착하는 것으로 골단판을 직접적으로 침범하지 않는다는 장점이 있지만 수술 직후 통증과 운동제한이 골단판 통과 나사못보다 더 크다는 단점이 있다(그림 3-17). 골단판 억제술은 급성 골단축술이나 골 연장술에 비해서 수술이 간단하여 환자의 부담과 합병증의 가능성이 가장 적지만 일정 나이가 지나면 효과를 얻을 수 없기 때문에 적절한 시기를 놓치지 말고 시행하는 것이 필수적이다.

성인에서 긴 하지를 줄이고자 한다면 일정 길이의 골편을 절제하는 급성 골단축술(bone shortening)을 사용하여야 한다. 골편 절제 후

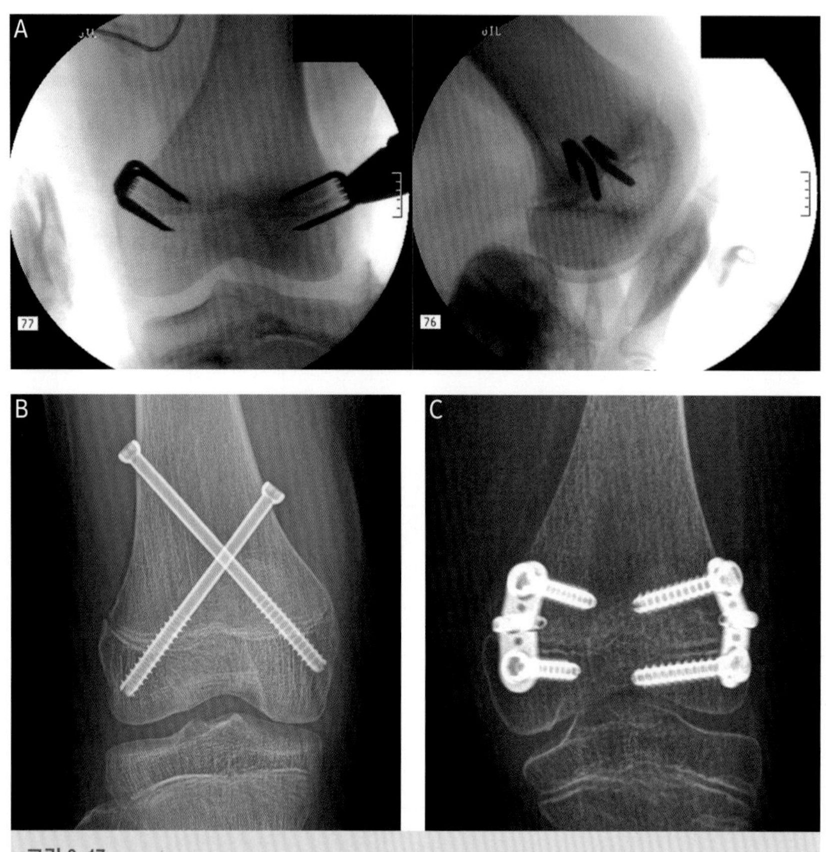

그림 3-17
A. 내외측 골단판 스테이플링으로 원위 대퇴골 성장을 억제한 예
B. 골단판 통과 나사못을 이용한 골단판 억제술
C. 장력대 금속판(tension-band plate)을 이용한 골단판 억제술

에는 골절에 준해서 내고정을 하여 유합시킨다(그림 3-18). 골 연장술에 비해서는 수술이 간단하고 수술 후 회복 시간이 짧으므로 키가 큰 경우거나, 긴 쪽 다리가 비정상인 경우에는 긴 다리를 단축하는 것이 더 선호된다. 골을 단축하면 근육이 상대적으로 길어지기 때문에 근력이 약해져 급속 골단축술을 시행할 수 있는 한계는 대퇴골에서 5~7.5 cm, 경골은 3~5 cm로 보고 있다.

3) 짧은 하지를 늘리는 방법

급성 연장술과 점진적 연장술로 대별할 수 있다. 급성 연장술은 골을 절단하고 골편을 벌린 후 이식골을 삽입하고 내고정하는 술식이다. 중수골이나 중족골에서는 사용되지만 장관골은 주위 조직 등의 부하가 크므로 사용하기 적절하지 않다. 대퇴골이나 경골과 같은 장관골의 길이를 늘리는 방법으로는 신연 골형성술(distraction osteogenesis)을 이용한 점진

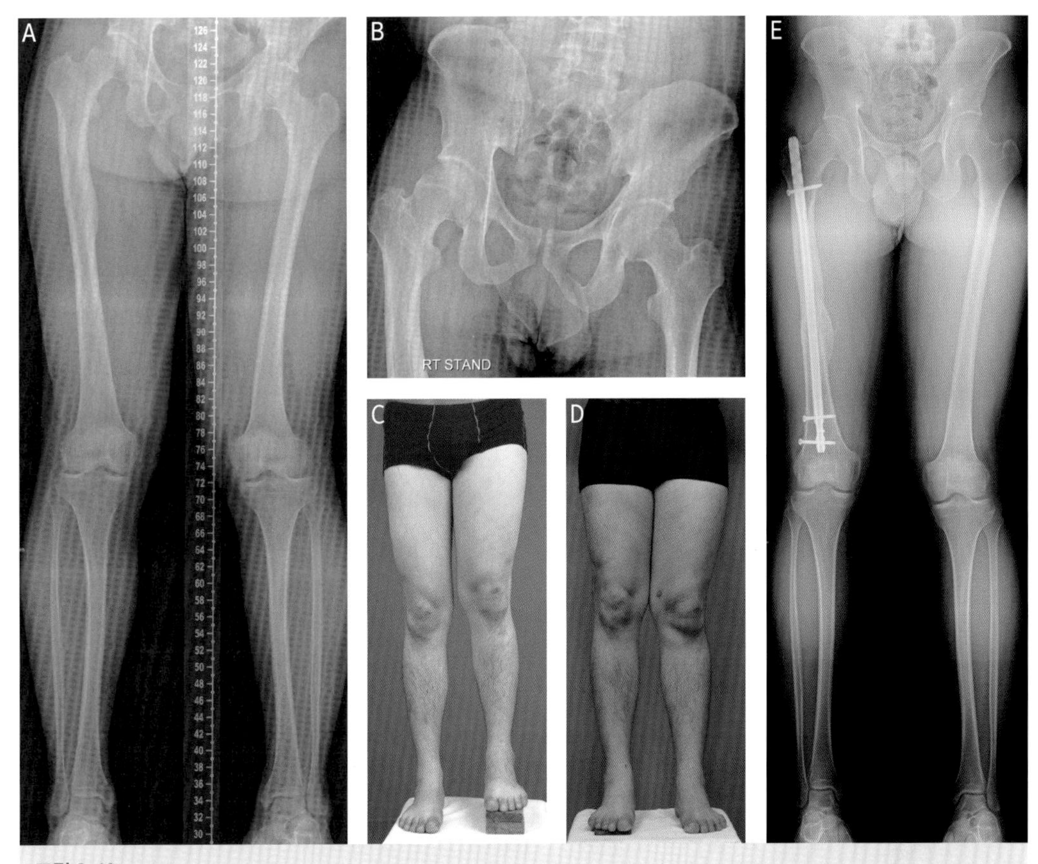

그림 3-18
A-C. 반복적인 우측 대퇴골 골절 후 과성장(overgrowth)으로 인해 56 mm의 하지 길이 부동이 발생한 25세 남자
D-E. 우측 대퇴골 급성 골단축술을 시행하였고, 환자가 편안하게 느끼는 5 mm의 하지 길이 부동은 남겨두었다.

적 연장술이 널리 사용되고 있다. 특수하게 고안된 외고정 장치를 골에 견고하게 장착한 후, 골막 등 연부조직을 최대한 보존하면서 골을 절단하고, 외고정 장치를 조작하여 일정한 속도로 골편을 신연 시키는 것이다. 수술 후 통상 7~10일간의 휴지기를 가진 후 하루에 0.5~1.0mm를 가급적 여러 번에 나누어서 신연한다. 신연된 골편 간격에 신생골이 형성되는데 그 정도를 주기적으로 평가하여 신연 속도를 조절한다. 계획된 만큼 신연한 후, 신생골이 성숙되고 재형성되어 충분한 강도를 확보하면 외고정 장치를 제거하여 술식을 종결한다. 이는 골 이식술(bone graft) 없이도 신생골이 생기도록 하여 골의 길이를 늘리거나 골 결손을 치유하는 획기적인 방법이다(그림 3-19). 신연 골형성술은 러시아의 Dr. Ilizarov에 의해서 개발되었기에 그의 이름을 따서 Ilizarov method라고도 불린다. 골편을 안정적

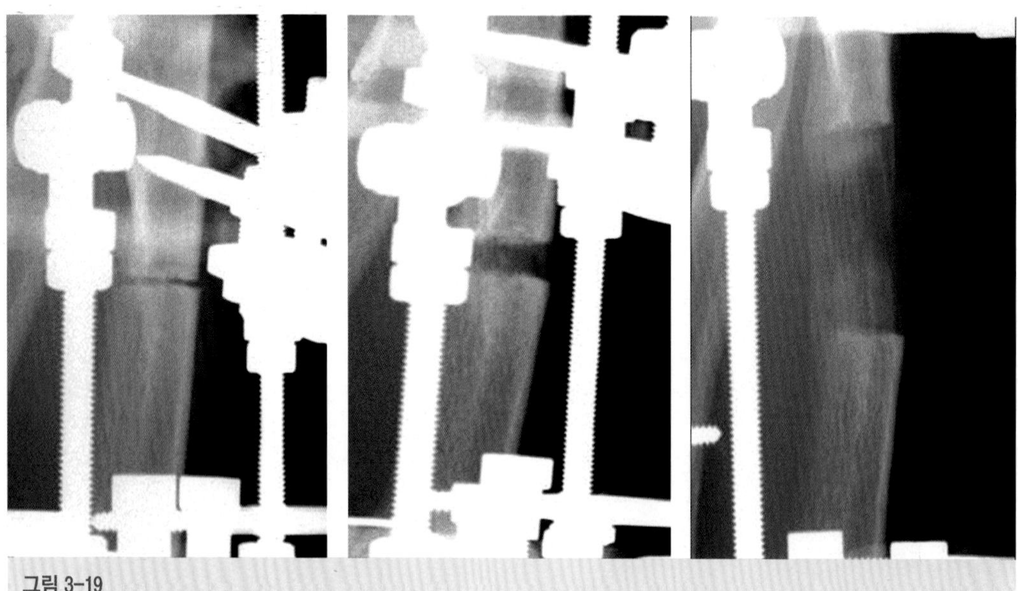

그림 3-19
신연 골형성술을 이용한 골 연장술
외고정 장치를 이용하여 골편을 적당한 속도로 신연하여 신생골 형성을 유도한다.

으로 고정하고 최적의 조건으로 신연하면 양측 골편에서 신연 중앙부로 골소주가 자라나는 양상으로 신생골이 형성되는데 거의 대부분 막내 골화(intramembranous ossification) 기전에 의하여 골 생성이 되고 최적 조건이 아닐 때에 일부 연골내 골화(endochondral ossification)가 관찰된다. 또, 신연 골형성술 중에는 해당 사지의 혈관 증식이 활발해지고, 혈액 순환이 최대 10배까지 증가한다.

수술을 시행한 후 외고정 장치를 뗄 때까지 시간을 신연한 길이로 나눈 값을 치유지수(healing index)라 하는데, 환자의 연령, 기저질환, 골의 병적 상태, 수술 및 수술 후 처치의 적절성 등에 따라서 차이가 나며, 통상 0.5~2.0 months/cm 범위에 있다. 신연 골형성술을 시행하면 해당 사지 마디의 골만 길이가 늘어나는 것이 아니고 근육, 신경, 혈관, 피부 등 모든 연부조직도 함께 길이가 늘어나야 하는데, 그 중 근육-힘줄이 상대적으로 길이가 잘 늘어나지 않기 때문에 인접 관절의 구축/아탈구/탈구, 관절연골에 과도한 압박으로 인한 관절 퇴행성 변화 또는 성장판에 대한 과도한 압박으로 길이 성장 저하 등의 부작용이 나타날 수 있으므로 유의하여야 한다.

외고정 장치를 조기에 제거하기 위해서 여러가지 응용 술식이 소개되어 있다. 신생골이 생성되는 신연 간격에 골 유도를 촉진하는 각종 성장인자(growth factor)를 주입하거나, 골모세포 또는 골모세포로 분화할 세포를 주입하는 등의 생물학적 골 형성 촉진 방법은 일

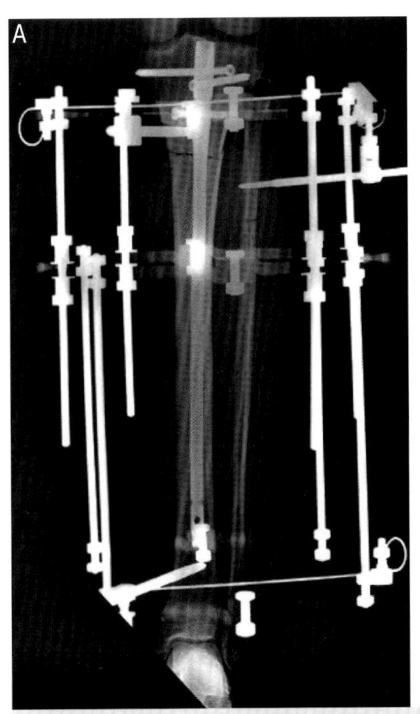

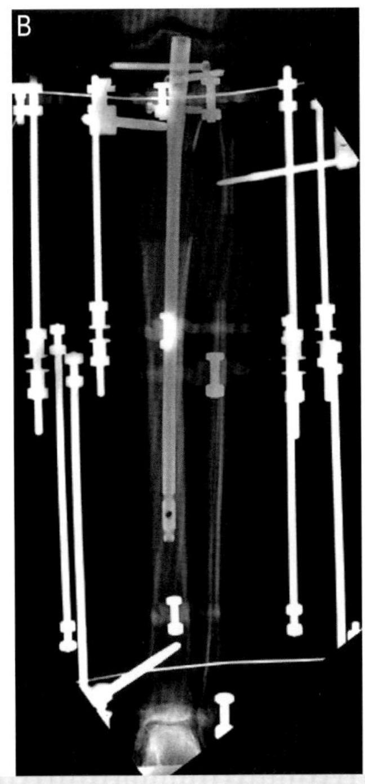

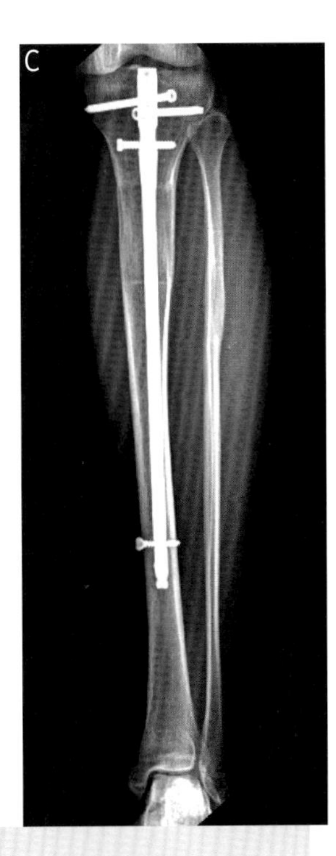

그림 3-20
골수강내 금속정과 외고정 장치를 이용한 경골 연장술
A. 골수강내 금속정을 근위 골편에만 고정하고 외고정 장치로 신연한 후
B. 원하는 길이의 신연이 얻어지면
C. 골수강내 금속정을 원위 골편에 고정하고 외고정 장치를 제거한다.

부 임상 적용을 하고 있으나 아직 전임상 실험 단계인 경우가 많다. 반면, 수술적 기법을 통해서 외고정 장치를 조기에 제거하는 방법은 더욱 널리 사용되고 있다. 골수강내 금속정 또는 금속판을 최초 수술 시 외고정 장치와 함께 장착하거나, 또는 신연이 끝난 후에 추가로 삽입하여서 골편이 신연된 상태를 유지하게 하고, 외고정 장치를 제거하는 방법이 현재 널리 사용되고 있다(그림 3-20).

그 외에 신연 골형성술을 구현할 수 있도록 특수하게 고안된 골수강내 금속정으로 골연장술을 할 수도 있는데, 점차 그 사용빈도가 증가하고 있다.

5. 골이식술 및 골 대체재

골은 다른 기관과는 달리 재형성(remodeling)이 가능하지만 정형외과 수술에는 골유합을 필요로 하는 경우가 많기 때문에 골이식은 광범위하게 사용되는 술식이다. 대표적으로, 골결손(bone defect), 분쇄골절(comminuted fracture), 골절 후 정상적인 유합이 되지 않은 지연유합(delayed union)이나 불유합(nonunion), 척추유합술(spinal fusion), 관절유합술(arthrodesis), 골병변에 대한 제거 수술 후 골이식이 필요하다. 골이식에는 자기 뼈를 이식하는 자가골 이식(autograft), 다른 사람의 뼈를 이식하는 동종골 이식(allograft), 다른 종의 뼈를 이식하는 이종골 이식(xenograft), 그리고 골 대체재(bone graft substitute) 이식이 있다.

자가골은 효능이 좋고 면역 거부 반응이 없기 때문에 오래 전부터 이용되어 왔으나 그 양이 한정되어 있고 골을 채취한 부위에서 발생할 수 있는 통증 및 합병증 때문에 동종골이나 골 대체재의 사용이 점차 증가하고 있는 추세이다. 동종골 이식이나 이종골 이식은 면역 거부 반응이 발생할 수 있으며, 동물을 이용한 이종 조직이나 교원질(collagen) 등을 이용해 만든 골 대체제에서도 면역 거부 반응이 발생할 수 있으며, 동종골이나 이종골은 이식 후 골유합에 대한 효능이 자가골에 비해 떨어진다. 세라믹 등을 이용한 인공골은 대량 생산이 가능하고 면역 거부 반응이 없지만 효능은 자가골보다 낮으며 골형성 단백질(bone morphogenetic protein, BMP)을 포함한 골대체재는 자가골과 유사하거나 자가골보다 높은 골유합 성적도 보고되고 있다.

1) 골이식재의 골형성 특성

골이식 시에는 골전도(osteoconduction), 골유도(osteoinduction) 및 골형성(osteogenesis)의 특성 중 하나 혹은 여러 개의 특성에 의해 신생골이 형성된다.

(1) 골전도

이식된 골이 이식 부위의 빈 공간을 메워주면서 주변에 있는 미세혈관(capillary), 혈관 주변조직(perivascular tissue), 골조상세포(osteoprogenitor) 등이 이식된 골 내부로 자라 들어올 수 있도록 3차원적인 구조를 제공하는 것이다. 인체의 해면골(cancellous bone)과 유사한 구조와 다공성을 가지는 것이 골전도면에서 유리하며, 자가골, 동종골 그리고 대부분의 골대체재는 골전도 성질을 가지고 있다.

(2) 골유도

이식된 부위의 간엽줄기세포(mesenchymal stem cells)나 골조상세포로부터 신생골 생성을 자극하는 과정으로서, 단백질(proteins), 펩타이드(peptide), 성장인자(growth factors), 싸이토카인(cytokine) 등이 골유도를 한다고 알려져 있다. 대표적으로 골형성 단백질(bone morphogenetic protein, BMP), 자가 해면골, 간엽줄기세포 등이 골유도 성질을 가지고 있다.

(3) 골형성

직접 골을 형성하는 과정으로 이식하는 골에 골모전구세포(osteoblast precursor)나 골모세포와 같은 골을 형성하는 세포가 존재하거나 위 세포로 분화할 수 있어야 하므로 살아있는 세포를 함유한 자가골과 간엽줄기세포가 골형성을 할 수 있다.

2) 자가골 이식

자신의 뼈를 채취하여 이식하는 방법이며 골전도, 골유도 및 골형성 특성을 모두 가지고 있어 효과가 좋으며 감염이나 종양 등 질병의 전파 가능성이 없다는 장점이 있다. 그러나, 채취할 수 있는 자가골의 양이 한정되어 있고 채취를 위해 추가적인 수술을 요하며, 공여부에 통증 및 수술 반흔뿐 아니라 감염, 출혈, 신경 손상, 골절 등의 합병증의 가능성이 있다.

(1) 자가 골수이식 (autologous bone marrow graft)

자가 골수는 주로 장골(ilium)에서 채취하며, 골수에 함유되어 있는 간엽 줄기세포가 골형성을 할 수 있기 때문에 골이식재로 이용된다. 그러나, 골수에 함유되어 있는 간엽 줄기세포의 수가 매우 적고 골전도 성질이 없으며 기계적 강도를 제공할 수 없고 원하는 위치에 거치시킬 수 없기 때문에 자가 골수를 단독으로 이식하기보다는 다른 골이식재나 골전도성 골 대체재에 혼합하여 이식하는 경우가 많다. 골낭종(cyst)이나 양성 골종양의 골결손, 장관골 등의 불유합에서 유합을 촉진하기 위해 사용된다.

(2) 자가 해면골 이식 (autologous cancellous bone graft)

자가 해면골은 다공성 구조를 가지고 있어 혈관 재형성이 쉽고 간엽줄기세포와 골모세포를 함유하고 있어 수여부의 골과 잘 유합되기 때문에 골유합을 얻는데 가장 좋은 골이식재이며, 골절, 불유합, 척추 유합술 등에서 가장 광범위하게 사용된다. 단단하게 충전할 경우 약간의 압축력을 제공하지만 압축강도가 약해서 하중을 지탱하는 데에는 한계가 있다. 자가 해면골은 대부분 장골(ilium)에서 채취하며 후상장골극(posterosuperior iliac spine)에서 채취 시 상둔신경(superior gluteal nerve) 및 상둔동맥(superior gluteal artery) 손상에 주의해야 하며 장골의 전방에서 채취 시 외측대퇴피신경(lateral femoral cutaneous nerve) 손상에 주의해야 한다(그림 3-21).

자가 해면골은 이식된 후 다섯 단계의 과정을 거치면서 유합되는 것으로 알려져 있다. 첫째, 출혈과 염증 반응이 생기고, 둘째, 이식된 해면골에 존재하는 골세포가 죽고 골표면에 존재하는 골모세포는 살아서 신생골을 형성한다. 셋째, 이식된 부위에서 혈관이 자라

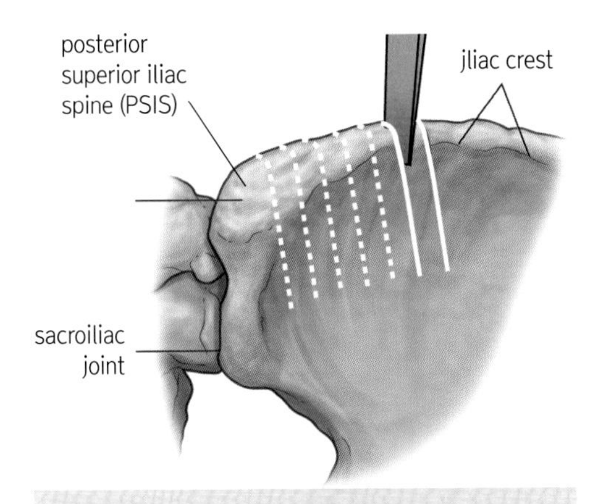

그림 3-21
자가 장골 채취술을 시행할 때에는 sacroiliac joint을 침범하지 않도록 주의해야 한다.

들어오고, 골모전구세포, 골모세포 등이 해면골에 붙는다. 넷째, 해면골에 붙은 골모세포는 유골을 형성하고 이식된 해면골의 주변을 에워싸면서 재형성이 된다. 다섯째, 이식된 해면골이 주변의 골과 구조적으로 합병된다.

(3) 자가 피질골 이식 (autologous cortical bone graft)

자가 피질골은 해면골에 비해 골모세포와 성장인자의 양 및 단위 질량 당 표면적의 크기가 작고 피질골 자체가 숙주골로부터 혈관 침윤의 장애물로 작용하고 재형성이 잘 되지 않기 때문에 생물학적인 활성은 떨어진다. 따라서, 초기 기계적인 안정성과 강도를 제공한다는 장점이 있지만 이식 후 2주 이내에 파골세포(osteoclast)에 의해 피질골의 흡수 및 골결손이 발생하면서 일시적으로 기계적인 강도가 낮아지다 시간이 경과하면서 회복된다.

내고정 장치가 발달되기 전에는 외재 피질골이식(onlay cortical graft)이나 내재 피질골이식(inlay cortical graft)이 어느 정도의 강도를 제공한다는 장점이 있어 불유합에 널리 사용되었으나 점차 그 사용이 감소하고 있다. 주로 자가 해면골과 함께 사용되면서 해면골의 양을 줄여주며 유합체의 기계적 강도를 증가시키는 역할을 한다.

(4) 자가 피질-해면골 이식(autologous cortico-cancellous bone graft)

해면골은 골유합에 적합하며 피질골은 어느 정도의 강도가 있어서 형태 유지와 하중을 지탱할 수 있는 장점이 있다(그림 3-22). 따라서, 골결손부위나 척추체 제거술 후 골유합을 위한 용도로 장골에서 자가 피질-해면골을 채취하여 이식하는 수술이 시행되고 있다. 하중이 걸리는 부위에 이식할 경우 임플란트를 이용한 내고정을 함께 시행하는 것이 권장된다.

그림 3-22
자가 피질-해면골 이식(autologous cortico-cancellous bone graft)

(5) 혈관부착 골이식 (vascularized bone graft)

혈관부착 골이식은 유리혈관 골이식(free vascularized bone graft)과 혈관경 골이식(vascular pedicle bone graft)이 있다. 유리혈관 골이식은 치료하기 힘든 불유합이나 골수염의 경우에 실시되며 혈관이 부착된 상태로 이식되기 때문에 살아있는 골세포가 그대로 이식되어 골절 치유와 같은 과정으로 신속하게 골유합이 이루어진다. 혈관경 골이식은 이식골에 혈관이 부착된 상태로 인근에 있는 골결손이나 불유합 부위에 이식하는 방법이다. 이와 같이 혈관부착 골이식은 유합을 기대하기 어려운 부위에서 좋은 결과를 기대할 수 있으나 미세 현미경 수술이므로 수술 시간이 장시간 소요되며, 공여부의 주요 혈관 손상이나 구획 증후군 등의 합병증이 발생할 수 있다.

3) 동종골 이식

동종골은 생존 기증자나 사체 기증자에게서 채취하며, 사체 기증자일 경우 기증자가 존재하는 한도 내에서 수나 양에 제한이 없이 원하는 모양을 얻을 수 있다는 장점이 있으나, 다른 개체에서 채취하여 이식하기 때문에 감염성 질환이나 종양 전파 가능성, 그리고 면역 거부 반응 등의 단점이 있다.

(1) 동종골의 보관

동종골의 보관은 동결-건조(freeze-drying) 보관이나 동결(freezing) 보관하는 방법이 있다. 무균 상태에서 -70℃로 동결하면 면역원성(immunogenicity)을 줄이고 무균성을 유지할 수 있으나 강도가 약화되며 동결-건조를 하는 경우에도 기계적 강도가 약화되는 단점이 있다.

(2) 동종골의 형태

동종골은 이식할 부위의 따라 분말형태, 알갱이 형태, 덩어리 형태, 전체 골 등 다양한 형태로 제조하여 사용된다. 알갱이 형태의 동종골은 골소파술 후 발생하는 공동(cavity)을 충진하는데 널리 사용되며 인공관절 재치환술 등에서 자가골이식이 부족한 경우에 추가적으로 이식하는 데에도 사용된다. 또한, 척추 유합술이나 불유합 등에서도 자가골 이식과 혼합하여 자가골 사용을 줄이는 데에도 사용된다. 종양 수술에서 광범위 절제술을 시행할 경우 골결손 정도가 커서 알갱이 형태나 덩어리 형태의 골이식으로 결손 부위의 회복을 기대할 수 없는 경우가 발생한다. 이럴 경우 결손 부위와 유사한 크기의 동종골을 전체 혹은 부분적으로 이식한 후 내고정 장치로 고정하여 유합을 얻는 경우도 있다. 이럴 경우 이식된 동종골이 자가골과 완전히 유합되어 재형성되는 데에는 수 년에서 수십 년이 걸리는 것으로 알려져 있다.

(3) 탈무기질 골기질 (demineralized bone matrix, DBM)

동종골을 분쇄하고 무기질을 제거한 후 동결-건조하여 탈무기질 골기질(demineralized bone matrix, DBM)을 제조하여 사용하기도 한다. 탈무기질 골기질에는 골형성 단백질(bone morphogenetic protein, BMP)을 포함한 성장인자(growth factor)가 미량 포함되어 있기 때문에 실험 동물을 이용한 전임상 실험에서 피하나 근육에 이식할 경우 이소성 골형성(ectopic bone formation)을 하는 것으로 보고되면서 골유도 특성이 일부 있는 골이식재로 분류되었다. 그러나, 탈무기질 골기질에 포함된 성장인자의 양이 미량이고 동종골 공여자의 상태, 제조 공정, 제조 회사 등에 따라 골

유도 능력에 큰 차이가 있으므로 골전도성 골 이식재에 가까우며, 임상에 사용할 때 이 점을 고려해야 한다.

4) 이종골 이식

이종골로 주로 이용되는 것은 송아지나 젊은 소의 뼈이며, 단백질 및 지방 등을 제거하기 위하여 화학 처리를 하고 감염원 제거를 위하여 방사선 조사를 한다. 이종골은 교원질 및 무기질 성분을 포함하지만 단백질이 제거되면서 골유도 특성도 함께 사라져서 어느 정도 구조적인 지지력이 있는 순수한 골전도 이식재로 사용된다. 단독으로 사용할 경우 불유합의 가능성이 높아서 최근에는 점차 사용이 감소하고 있다.

5) 골 대체재

골 대체재(bone graft substitute)는 자가골을 완전히 대체할 수 있는 골 이식재를 뜻하지만 현실적으로 이와 같은 이상적인 골 대체재는 아직 존재하지 않으며, 자가골 이식에 추가적으로 사용되면서 유합(fusion) 범위를 증가시킬 수 있는 골촉진재(bone graft enhancer)나 자가골 이식에 추가적으로 사용되면서 자가골 사용을 줄이고 자가골만 단독으로 사용한 경우와 유사한 효과를 보이는 골확장재(bone graft extender)를 모두 포함하는 의미로 사용된다. 현재 많이 사용되는 골 대체재는 황산칼슘(calcium sulfate), 인산칼슘(calcium phosphate)계 세라믹스, 생체활성 유리 세라믹스(bioactive glass ceramics), 그리고 골형성 단백질(bone morphogenetic protein, BMP) 등이 있다.

(1) 황산칼슘(calcium sulfate)

황산칼슘은 석고붕대의 주재료로도 사용되고 있으며, 흡수가 매우 빨리 되기 때문에 외상 후 발생한 골결손이나 종양 수술 후 발생한 골결손에 충진하여 사용한다. 임상적으로 사용되는 제품은 기공이 없어 주변의 골조직이 자라 들어갈 수 없으며 기계적 강도가 낮아 하중을 지탱하기 어려운 단점이 있다.

(2) 인산칼슘계 세라믹스 (calcium phosphate ceramics)

인산칼슘계 세라믹스는 대표적인 골확장재로서 수산화인회석(hydroxyapatite)과 삼인산칼슘(tricalcium phosphate) 그리고 수산화인회석과 삼인산칼슘을 일정한 비율로 혼합한 것이 주로 사용되고 있다. 수산화인회석은 산호를 이용한 것과 인공적으로 합성한 것이 있으며 골전도성이 매우 높지만 흡수가 잘 되지 않고 인장 강도가 낮다는 단점이 있다. 삼인산칼슘은 골전도성이 높고 생체흡수성은 수산화인회석보다 높으며 기계적 강도는 수산화인회석보다 낮다. 인산칼슘계 세라믹스는 해면골과 유사한 다공성 구조의 알갱이 형태로 만들어서 골결손부 충진이나 척추 유합술 등에 골확장재로 사용된다(그림 3-23). 인산칼슘계 세라믹스는 수술 중 원하는 모양으로 조작하기 어려운 단점이 있으며 자가골과 혼합하지 않고 단독으로 사용하여 성공적인 유합

그림 3-23
A. 자가 해면골로 다공성 구조로 되어 있고 간엽줄기세포와 골모세포를 포함하고 있다.
B. 하이드록시 아파타이트 인공골로 다공성 구조로 제조되었고 골전도성이 높다.

을 기대하기에는 한계가 있다.

(3) 생체활성 유리 세라믹스 (bioactive glass ceramics)

생체활성 유리 세라믹스는 골과 직접 화학적으로 결합하며 기계적 강도가 인삼칼슘계 세라믹스보다 높다는 장점이 있다. 하중을 지탱하는 인공 추간판 대체재나 골결손 부위의 충진용으로 사용되며 다양한 조성으로 물성을 조절할 수 있는 장점이 있다.

(4) 골형성 단백질 (bone morphogenetic protein)

골형성 단백질은 간엽 줄기세포, 골모 전구세포, 골모세포 등의 골분화를 유도하는 것으로 알려져 있으며, 현재 임상적으로 사용되는 골형성 단백질로는 BMP-2와 BMP-7이 있다. 골형성 단백질은 수용성이므로 단독으로 이식할 수 없으며 적절한 담체(carrier)가 필요하다. 골형성 단백질은 동물 실험결과 이소성 골형성을 유발하며 임상적으로도 척추유합술, 골절수술 및 불유합 등에서 유효성이 입증되었다. 그러나, 이소성 골형성(heterotopic bone formation), 골용해(osteolysis), 장액종(seroma), 신경근증(radiculopathy) 등의 합병증도 보고되고 있다.

6. 관절막 절개술과 활막 절제술

1) 관절막 절개술

관절막(joint capsule)은 잘 정렬된 교원질 섬유로 구성되며, 골과 골을 연결하여 활막관절을 감싸주는 역할을 한다. 대개 내측을 덮고 있는 활막과 비교적 혈관 분포가 적고 질긴 외측 섬유성막의 두 층으로 이루어져 있다. 활막은 관절액 생성 등 관절 내 환경을 형성하고 유지하는 반면, 외측 섬유막은 관절의 안정성을 부여한다. 섬유막 중 특히 두꺼워진 부분은 인대(ligament)로 이름을 붙이기도 한다. 관절막 절개술(capsulotomy)은 이와 같은 역할을 하는 관절막을 통하여, 관절 내 병변을 제거하는 술식으로 세균성 관절염의 관혈적 혹은 관절경적 세척술등에 널리 쓰인다. 또한, 견관절 또는 주관절에서 보이는 유착성 관절낭염(adhesive capsulitis)이나 강직의 경우, 비수술적인 치료가 실패하였을 때, 관절막을 절개하여 유착을 유발하는 병변을 제거할 수도 있다.

2) 활막절제술

활막(synovium)은 건강한 상태에서는 융모(villi)를 만들어 관절막과 관절면 사이에 유착을 방지하며, 활액을 형성하여 관절 연골면 사이의 마찰 계수를 유지하는 역할을 한다.

활막을 구성하는 여러 세포들은 관절의 면역계에 중요한 구성 성분으로 관절 내부의 외부 물질에 대한 방어 작용을 담당하게 된다. 이와 같은 정상적인 기능을 갖는 활막이지만, 류마티스 관절염과 같은 만성적, 전신적 자가 면역 질환에서는 다수의 관절에서 만성적인 염증성 활막염이 발생한다. 활막절제술(synovectomy)은 이와 같이 관절의 연골과 뼈는 비교적 정상이면서 활막에 국한된 증식성 활막염이 있을 때 시행할 수 있다. 즉 손상된 연골이나 관절로 인한 통증, 부종 등의 증상이 약물 치료에도 불구하고 해결되지 않을 때, 활막에 의한 이차적인 관절 손상을 지연 또는 감소시키기 위해 시행될 수 있다. 류마티스 관절염, 결핵성 관절염, 통풍성 관절염 등에서 흔히 시행되나 다른 질환으로 인해 발생한 이차성(secondary) 활막염에서도 적용될 수 있으며 대부분의 관절에서 사용될 수 있다. 활막절제술은 일반적으로 병변의 진행을 변화시키지는 못하지만 관절 연골의 파괴를 지연시키거나 일시적으로 방지할 수 있는 것으로 알려져 있으며, 대증치료에 해당한다고 볼 수 있다. 색소 융모 결절성 활액막염(pigmented villonodular synovitis, PVNS)에서는 가능한 한 철저하게 활막을 제거하여야 한다. 최근에는 관절경적 술기의 발달과 함께 관절경적 활막절제술이 널리 이용되고 있으며, 개방적 활막 제거술에 비해 수술 후 통증이 적고, 수술에 따른 관절 운동 범위의 감소도 적으며, 합병증도 거의 없고 회복이 빠르다.

7. 관절경 수술

1) 역사

관절경의 역사는 1918년 세계 최초로 일본의 Takagi가 방광경을 사용하여 사체의 슬관절을 관찰함으로써 시작하고, 그 후 1934년 Buman은 30명의 슬관절 관절염 환자에서 시행한 관절경의 경험을 보고하였다. 현대적인 관절경의 역사는 Watanabe가 1959년 Watanabe No.21의 관절경을 개발함으로써 시작되었다고 할 수 있으며, Jackson은 1972년

200례의 관절경 경험을 보고 하였고, 이후 여러 저자들이 관절경 검사를 통해 각종 질병에 대하여 90~98%의 높은 진단율을 발표하였다. 1975년 O'Connor는 수술용 관절경을 고안하여 진단과 더불어 관절경 수술의 새 지평을 열었으며, Johnson, McGinty, Metcalf, Gillquist 등의 여러 학자들에 의하여 관절경 수술 술기가 발전되고, 각종 관절경용 수술 기구가 개발되고 발전됨으로써 관절경 수술이 보편화되기 시작하였다.

2) 장비

관절경 수술은 여러 가지 장비를 이용하는 수술이므로, 모든 장비들이 들어갈 수 있는 크기의 수술실이 필요하다. 높이가 적절하게 조절될 수 있고 위아래 앞뒤의 기울임이 가능한 표준 수술 침대가 구비되어야 하며, 모니터를 보면서 하는 수술이므로 수술방의 조명도 단계별로 조절 가능하면 좋다. 수술에 참여하는 인원이 모두 쉽게 볼 수 있도록 여러 방향에 모니터가 구비되어야 한다(그림 3-24). 또한, 관절경이 관절 내에 들어가야 하므로, 관절을 벌리는 견인 기구(traction system)가 필요한 경우가 많으며, 특히 견관절, 완관절 및 족관절의 관절경 수술에 필수적이다(그림 3-25).

관절경의 장비는 조명 계통(illumination system)과 광학 계통(optic system) 및 수술적 치료에 필요한 장비 계통(instrument system) 및 그 부속 기구들로 나눌 수 있다(그림 3-26).

조명 계통은 관절의 외부에서 cold light source에서 발생하는 빛을 glass fiber를 통하여 관절 내를 비추는 계통이다. 빛을 발생시키는 light source와 이 빛을 관절경에 전달시키는 light cable이 이에 속한다. 광학 계통은 관절 속의 영상을 외부에서 볼 수 있게 하기 위

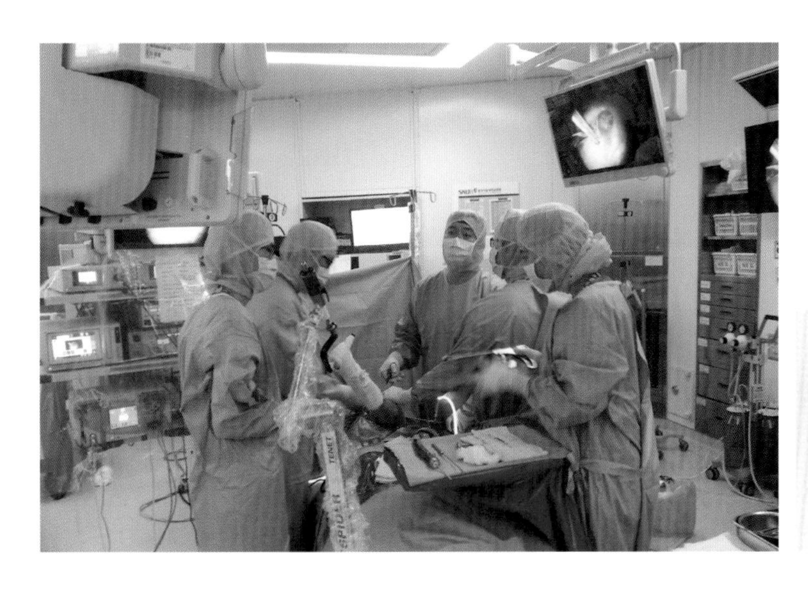

그림 3-24
관절경 수술을 시행하는 수술방
수술에 참여하는 수술자들이 여러 방향에 있는 모니터를 통하여 편리하게 수술 소견을 관찰할 수 있다.

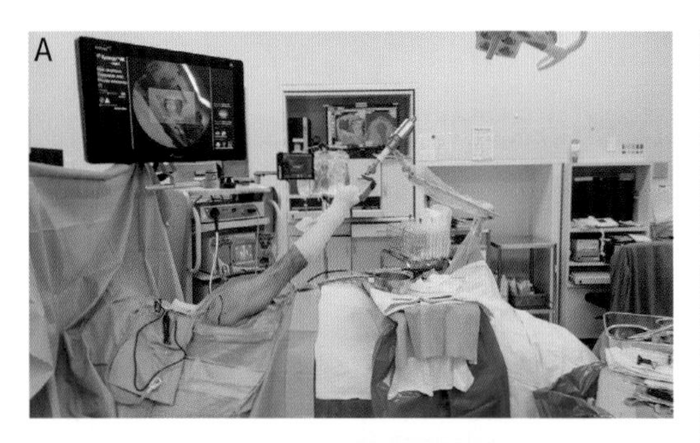

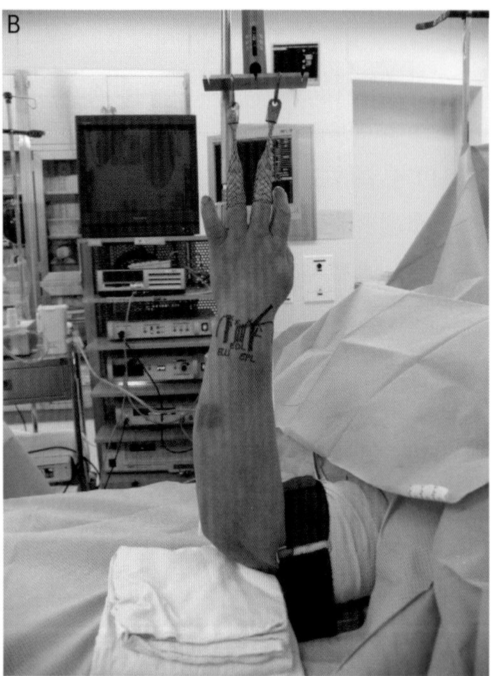

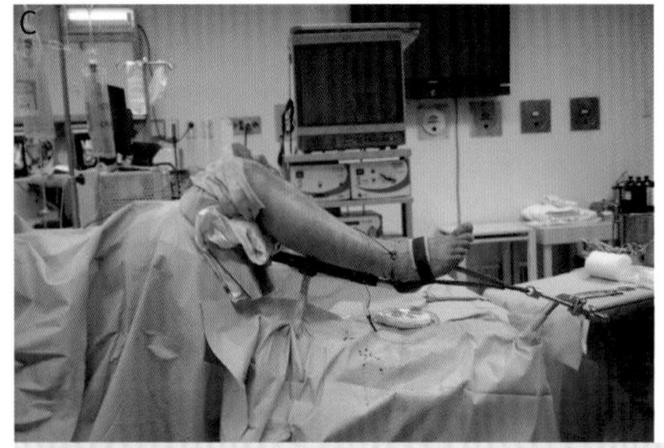

그림 3-25
관절경 수술에 필요한 견인 장치
A. Shoulder 견인 장치, B. Wrist 견인 장치, C. Ankle 견인 장치

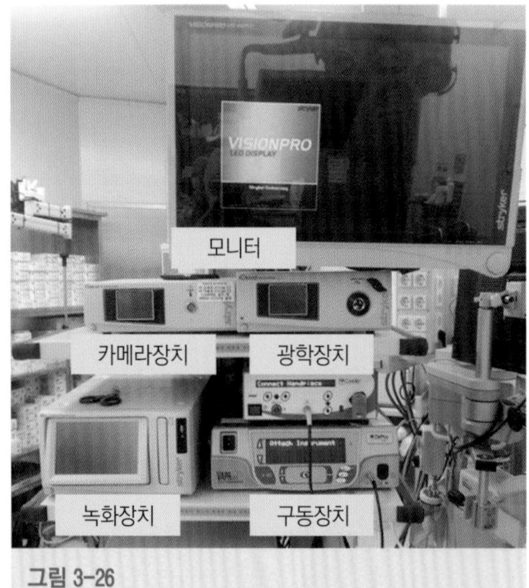

그림 3-26
관절경 장비

하여 둥근 금속 통에 렌즈를 여러 개 끼운 관절경인 rodlens system을 많이 사용하고 있다. 관절경의 끝부분이 0°, 30°, 70° 기울어져 있으며, 30°의 관절경을 360° 회전시키면 0°의 관절경보다 훨씬 넓은 시야를 볼 수 있어서 가장 많이 사용되고 있다(**그림 3-27**). 최근에는 고화질의 HD급의 관절경 카메라가 개발되어 보다 선명한 영상으로 수술을 시행할 수 있다.

장비 계통은 연부 조직을 연마(debridement)하는 절삭기(debrider)나 뼈를 깎아낼 수 있는 burr 등을 구동시키는 electrical instrument가 있고(**그림 3-28**), 지혈 작용이나 절제 작업을 시행할 수 있는 radiofrequency 장비들이 관절경

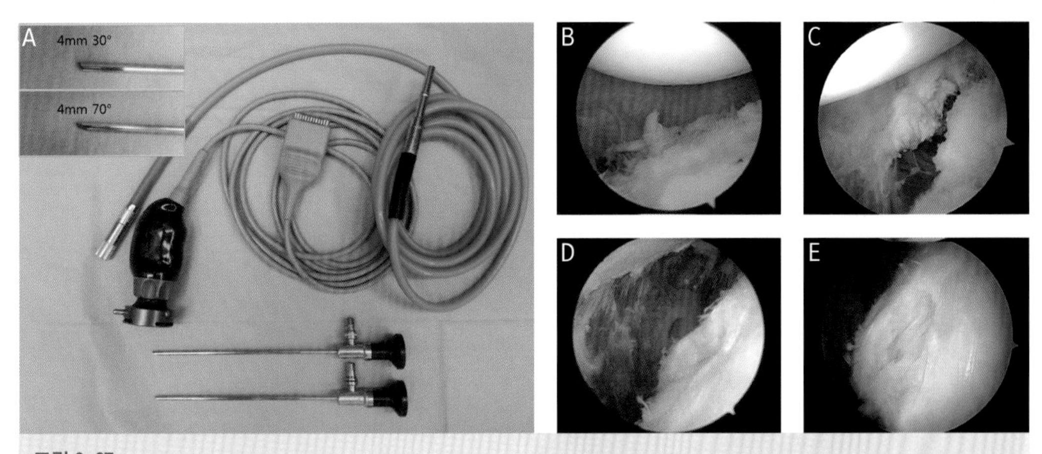

그림 3-27
A. 30°와 70° 관절경, B. 후방에서 관찰한 좌측 glenohumeral joint. 전방 관절순 파열(Bankart 병변)을 30° 및, C. 70° 관절경으로 관찰한 소견, D. 후방에서 관찰한 좌측 subacromial space. 대결절 부위에서 파열된 회전근 개를 30° 및, E. 70° 관절경으로 관찰한 소견

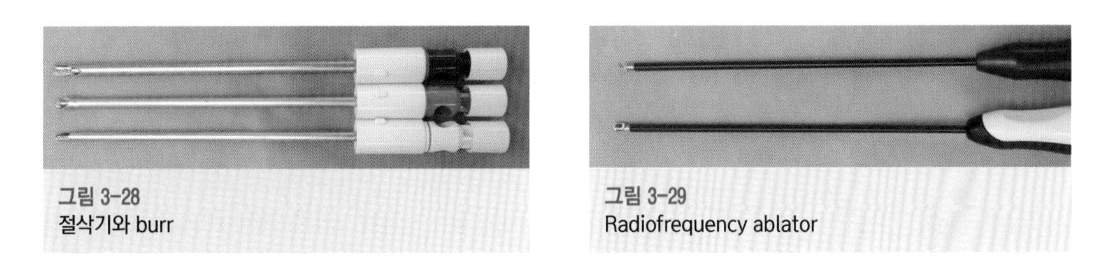

그림 3-28
절삭기와 burr

그림 3-29
Radiofrequency ablator

수술에 많이 사용된다(그림 3-29).

대개의 관절경 수술은 액체 매질이 지속적으로 들어가야 하는데 관절 연골 또는 순환계로의 흡수에 해로운 효과가 없는 생리 식염수가 보편적으로 가장 많이 사용되고 있으며, 이를 관절 내에 지속적으로 채우면서 시행을 하게 되는데, 이 식염수를 관절 내에 공급하는 pump system도 중요한 구성 장비이다(그림 3-30). 견관절의 경우에는 지혈대를 사용하여 수술을 할 수 없기 때문에, 적절한 압력을 조절할 수 있는 pump system은 필수적이라고 할 수 있다. 또한, 관절경 수술을 진행하게 되면 이 식염수가 수술방 바닥에 흐르게 되는데, 이를 흡수할 수 있는 깔창이나 액체 흡입기도 필요하다(그림 3-31). 아울러 관절경 수술 장면을 사진을 찍거나 녹화하는 recorder와 프린터, 관절경을 보호하고 관절내에 삽입하기 위한 기구들, 도관(canula), 탐침(probe) 및 각종 관절경용 수술 기구(scissor, knife, basket forcep, retriever, grasping clamp, rongeur, knot pusher, cutter, suture hook, penetrator 등)도 필요하다(그림 3-32).

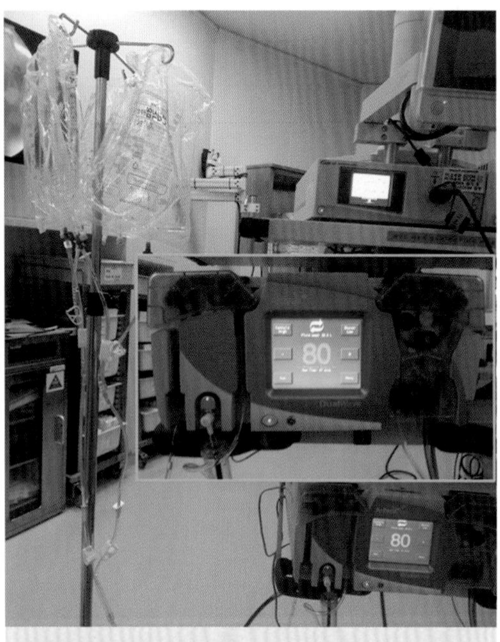

그림 3-30
식염수를 관절 내 공급하는 pump system

그림 3-31
수술 시 전기 장비로 인한 감전 사고를 줄이고, 미끄럼 사고를 방지하기 위해 사용한 액체 흡입기

최근에는 이러한 장비 이외에도 봉합 나사못(suture anchor)의 발달로 인하여 연부 조직을 뼈에 봉합하는 방법의 획기적인 발전을 이루었고, 회전근 개 봉합이나 관절순 봉합이 이러한 봉합 나사못을 이용하는 수술의 대표적인 예이다(그림 3-33).

3) 진단적 관절경

정확한 진단적 관절경(diagnostic arthroscopy)을 시행할 수 있어야 정교하고 적절한 관절경 수술을 시행할 수 있기 때문에 진단적 관절경 수술 수기는 매우 중요하다. 관절경으

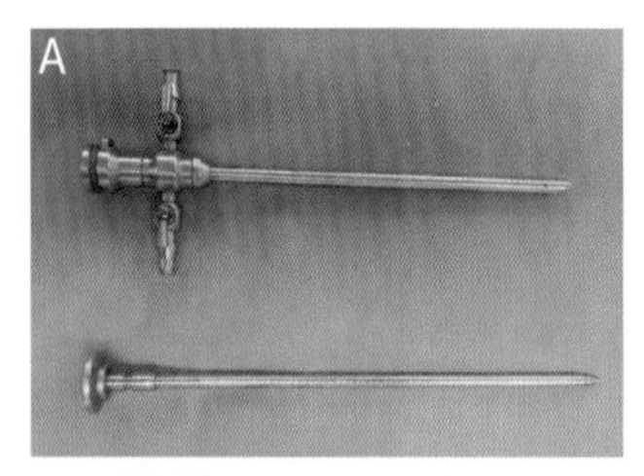

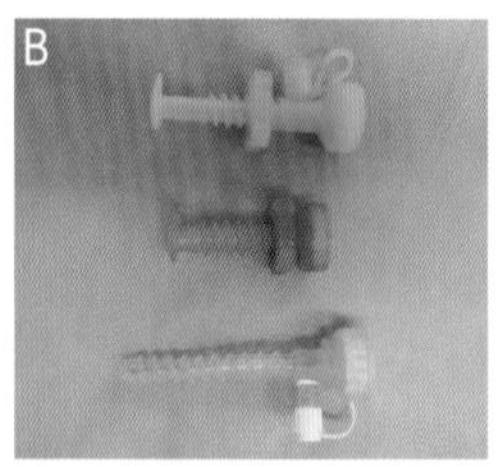

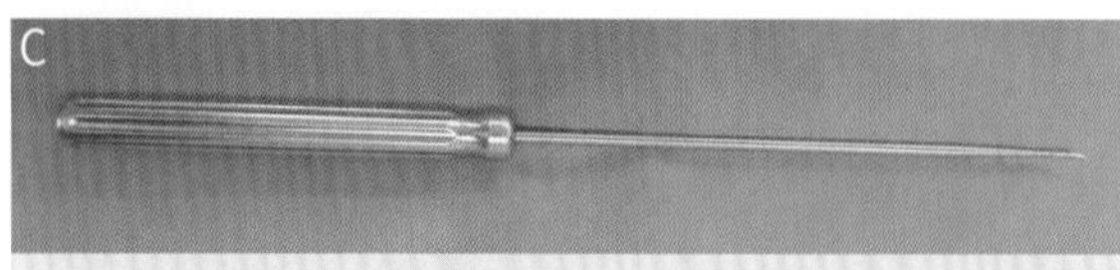

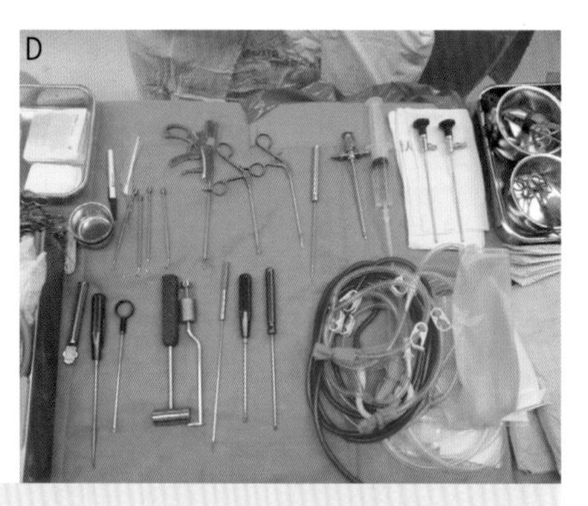

그림 3-32
A. 관절경을 보호하면서 관절경을 관절 내에 삽입하기 위한 기구, B. 도관(canula), C. 탐침(probe), D. 각종 관절경 기구들

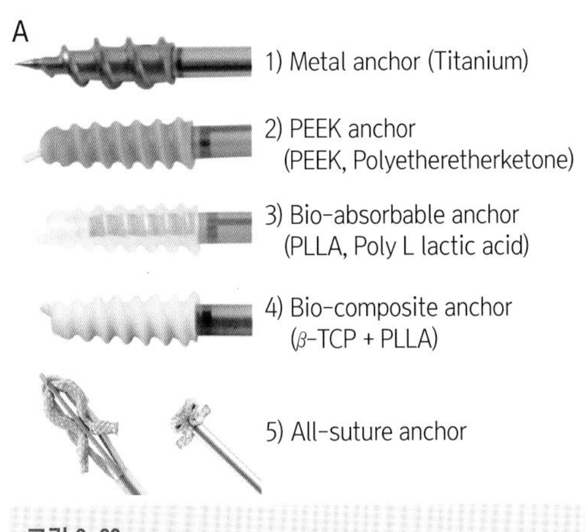

그림 3-33
A. 다양한 종류의 봉합 나사못(suture anchor)
B. 봉합 나사못을 이용한 회전근 개 파열의 봉합

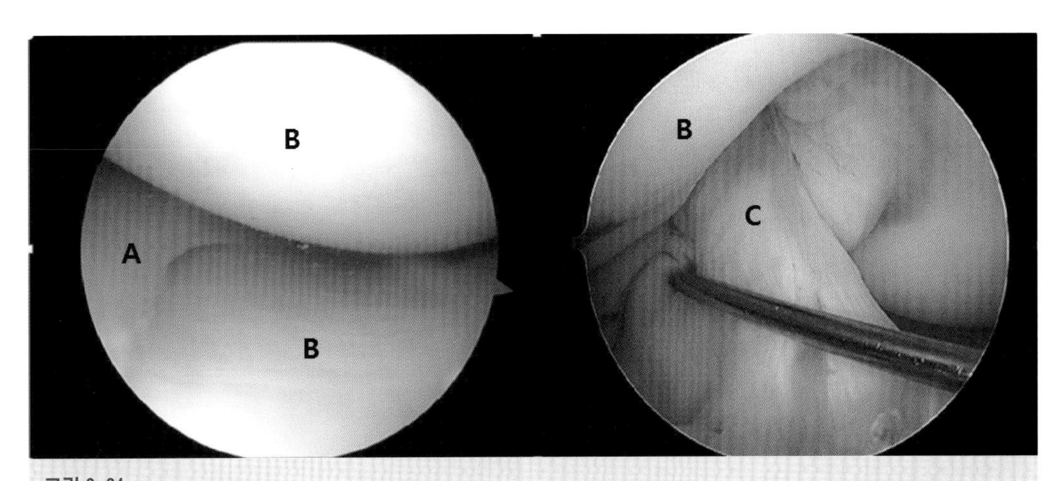

그림 3-34
정상 슬관절의 관절경 소견
A. 반월상 연골(meniscus)
B. 관절 연골
C. 전방 십자인대(anterior cruciate ligament, ACL)

로 관절 내의 활막(synovium)의 상태, 관절 연골의 상태, 반월판 연골이나 관절와 순 그리고 관절내 인대 등을 자세히 관찰한다. 슬관절의 경우에는 반월상 연골과 전후방 십자인대가 대표적인 구조물이다(그림 3-34). 견관절의 경우는 상완골 두와 관절와(glenoid)가 이루는 관절(glenohumeral joint, 그림 3-35), 그리고 견봉 하 공간(subacromial space, 그림 3-36)

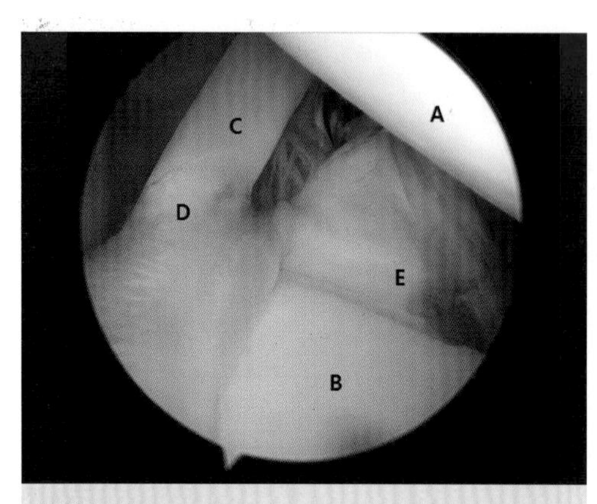

그림 3-35
정상 견관절(glenohumaral joint)의 관절경 소견
A. 상완골두(humeral head)
B. 관절와(glenoid)
C. 이두건 장두(long head of biceps brachii)
D. 상부 관절와순(superior labrum)
E. 전방 관절와순(anterior labrum)

에도 관절경을 삽입하여 견봉의 상태, 견봉-쇄골 관절, 회전근 개 등의 상태도 진단할 수 있다. 최근에는 고관절(그림 3-37), 주관절, 완관절의 질환에도 관절경적 진단이 많이 사용되므로, 정확한 병적 상태의 진단을 위해서는 정상 상태에 대한 소견을 명확히 알고 있어야 하며, 단순히 관절경적인 소견뿐만 아니라, 임상적인 정보, 신체 검진 그리고 영상 소견 등을 종합하여 최종 진단을 내릴 수 있다.

4) 관절경적 수술

관절경은 관절 병변의 진단에 필수적인 도구일 뿐만 아니라 관절경을 이용한 수술적 치료에 더 많이 이용되고 있다. 관절경 수술 수기와 기구의 발달로 우리 몸의 대부분의 관절내의 병변은 관절경적 수술(arthroscopic surgery)이 가능하다. 종전에는 관절의 수술을 위하여 관절 부위를 절개하였기 때문에 수술 후 상

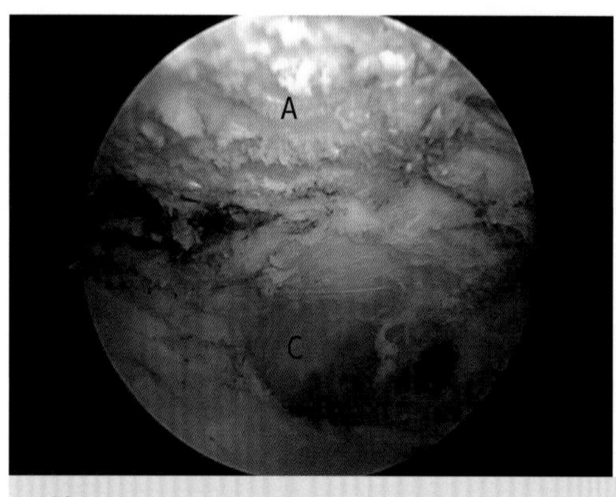

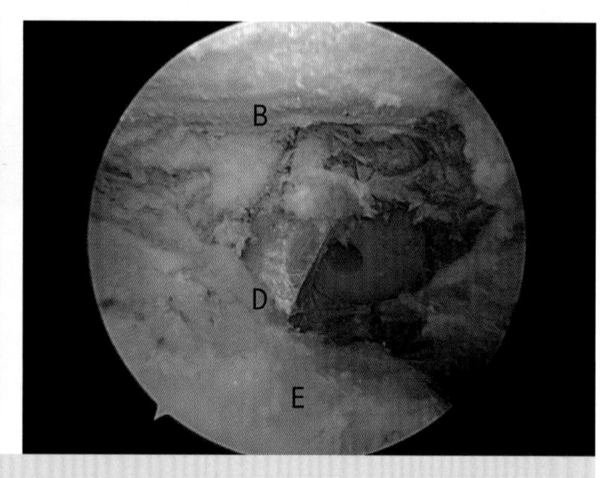

그림 3-36
견봉하 공간의 관절경 소견
A. 견봉 성형술을 시행하기 전 견봉의 밑면(acromial undersurface)
B. 견봉 성형술을 시행한 후 견봉의 밑면(acromial undersurface)
C. 절제하기 전의 오구견봉 인대(coracoacromial ligament)
D. 절제한 후의 오구견봉 인대(coracoacromial ligament)
E. 점액낭측 회전근 개(bursal side rotator cuff tendon)

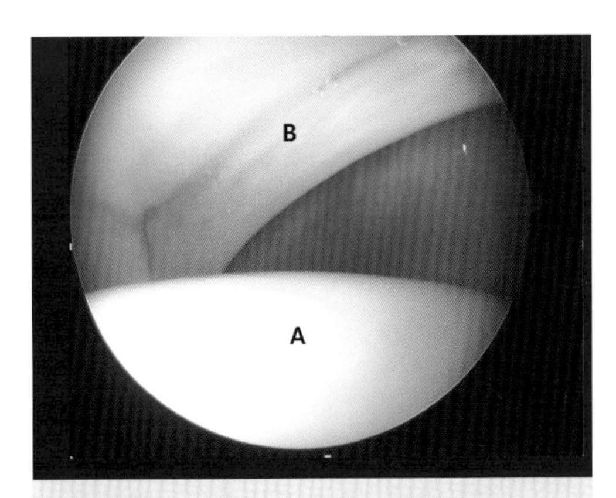

그림 3-37
고관절의 관절경 소견
A. 대퇴골두
B. 비구 관절순(acetabular labrum)

흔, 감염, 관절 강직 등 합병증이 흔히 초래되었으나, 관절경을 이용한 수술은 관절에 몇 개의 작은 구멍을 통하여 관절의 정상 부위에 손상을 주지 않고 확대된 시야에서 정교한 수술을 시행할 수 있으므로, 수술 후 통증이 감소하고, 회복이 빠르며, 재활 치료를 빨리 시작하거나 상당 부분 줄일 수 있고, 입원 기간이 줄어들어 치료비가 감소하게 되는 등 많은 장점이 있다. 하지만, 고도의 섬세한 수술 수기와 고가의 수술 장비 및 기구가 필요하며, 수술자는 수술 수기를 습득하기 위하여 많은 시간과 노력을 기울여야 한다.

일반적으로 활막 절제술(synovectomy), 유리체 제거술(removal of loose body), 관절내 구축의 유리, 관절내 골편의 정복 및 고정, 연골 박리 등의 고정, 절제, 천공술 등을 관절경으로 시행할 수 있으며 슬관절의 경우는 반월판 연골에 대한 수술(절제 및 봉합), 전후방 십자인대 재건술 등을 흔히 시행하고, 견관절의 경우는 관절와 순(labrum)에 대한 봉합(그림 3-38), 회전근 개 파열의 봉합(그림 3-39), 이두박근 절제 혹은 고정술, 견봉쇄골 관절에 대

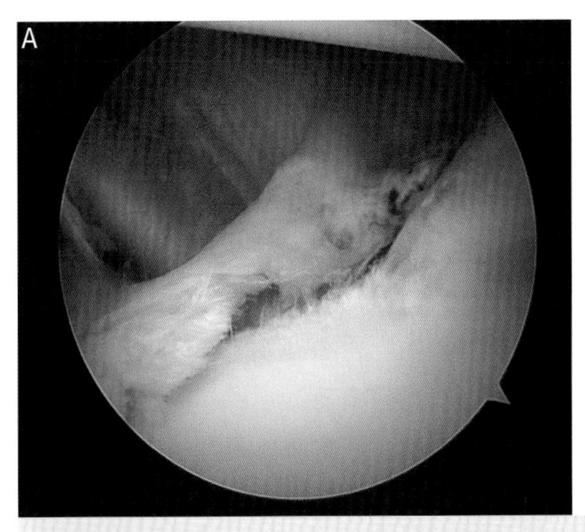

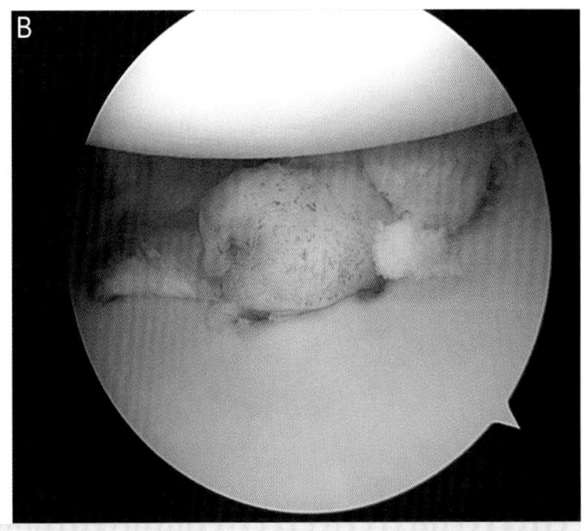

그림 3-38
A. 우측 견관절의 습관성 탈구 환자의 관절경 소견으로 2시부터 6시 방향으로 전방 관절순의 파열(Bankart 병변)이 관찰되며, B. 이를 관절경을 이용하여 봉합하였다.

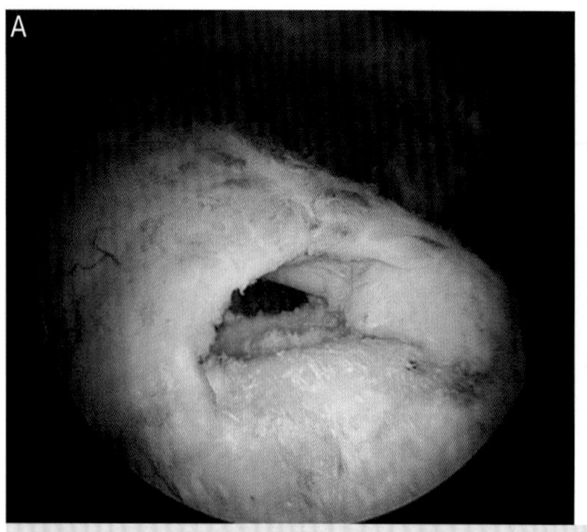

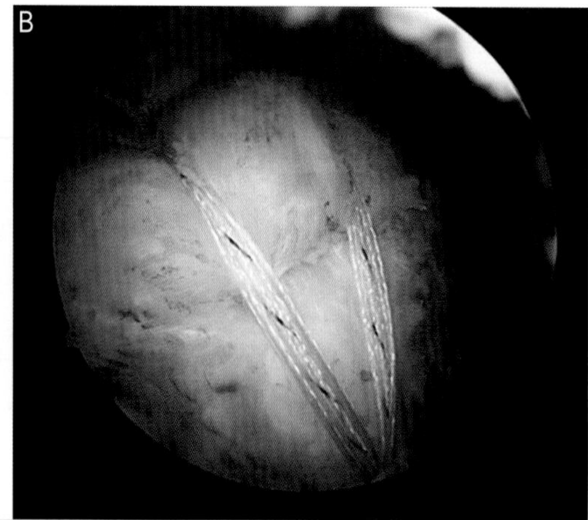

그림 3-39
A. 우측 견관절의 회전근 개 파열의 관절경 소견으로서
B. 나사못을 이용하여 봉합하였다.

한 절제 성형술, 견봉 성형술(acromioplasty) 및 견봉하 점액낭 절제술 등을 흔히 관절경으로 시행할 수 있다. 팔꿈치와 발목, 손목 관절 같은 소 관절도 골편 제거술, 삼각 연골 절제술, 다발성 천공술 등 최근에는 관절경적으로 접근하는 수술 방법이 늘어나고 있으며, 이는 최소 침습술로 발전하는 현대적인 수술적 치료의 경향에 발맞추어 더욱 더 가파르게 발전할 것으로 기대된다.

8. 관절 고정술

관절 고정술(arthrodesis)은 관절 주변의 골들을 유합시켜서 병적 상태의 관절을 없애고 강직화 시키는 방법으로, 관절 병변에 의한 동통의 소실과 관절의 안정성을 기대할 수 있다. 결핵성이나 화농성 관절염 및 그 후유증, 퇴행성 관절염, 관절 성형술(arthroplasty)에 실패한 경우, 그리고 신경병증(neuropathy), 소아마비, 상완 신경총 마비(brachial plexus paralysis) 등 마비성 질환에서 이환된 사지 기능의 향상을 위하여 사용되고 있다. 또한 척추에서도 퇴행성 질환의 일종인 척추관 협착증의 치료로, 척추 변형에 대하여도 변형의 교정과 변형 진행의 방지를 목적으로 널리 이용되고 있다. 그러나 움직이던 한 관절이 고정되면, 해당 사지 또는 척추의 운동 기능이 저하되고 특히 하지의 경우 정상보행을 위해 필요한 에너지 요구량이 증가하며 인접한 다른 관절에 통증과 퇴행성 변화가 생길 수 있다 (그림 3-40).

관절 유합술의 방법은 관절내 유합술(intraarticular arthrodesis)과 관절외 유합술

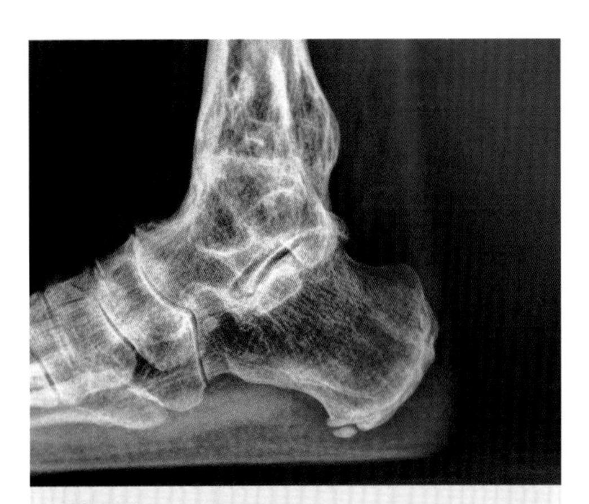

그림 3-40
30여 년 전 족관절 고정술을 받았던 60세 남자 환자로, 인접 관절인 거주상관절에 관절염이 발생했다.

(extraarticular arthrodesis) 및 이들의 혼합 방법이 있다. 관절 내 유합술은 관절 변형(joint deformity)의 교정 영역이 넓으며, 술식의 원칙은 관절 양쪽의 연골을 절제하고 고정면을 가능한 한 넓게 접촉시키는 것이다. 접촉면이 불충분할 때에는 자가골 이식으로 보충해야 하며 금속판이나 핀 및 골수강내 금속정을 사용하여 관절을 고정하는 것이 보통이다. 관절 외 유합술은 광범위한 골괴사가 있는 경우이거나 결핵과 같은 염증성 관절염에 적용되는데, 최근에는 골관절 결핵의 감소 추세로 적용 예가 드물다. 피부의 결함, 감염, 좋지 못한 연부조직 상태 등에서는 내고정 장치보다 외고정 장치를 이용하는 것이 바람직하며, 고정 부위에 압박이 가해지면 빠른 골 유합을 얻을 수 있다. 소아의 관절은 연골 비율이 높아서 관절 유합술의 성공률이 낮다. 또한 성장판이나 관절 연골 소실에 따른 해당 골 성장에 장애를 초래할 수 있으며 변형이 속발되는 경우가 흔하다. 따라서 관절 유합술은 가능하면 10~12세 이후로 연기하는 것이 바람직하다.

1) 관절의 고정 위치

관절의 고정 위치는 영구적이기 때문에 일상생활에 가장 편한 위치, 즉 기능적 위치(functional position)이어야 한다. 다만 해당하는 관절의 위치에 따라 권장되는 위치에 준하되, 해당 관절의 상태 또는 그 환자의 직업 등을 고려한 조정이 필요하다.

① 견관절(shoulder joint)

최적의 위치는 다소 논란의 여지가 있으나 외전 20°, 굴곡 30°, 내회전 40~50°가 권장되고 있으며 이 자세가 환자로 하여금 팔이 입으로, 허리로, 뒷주머니나 반대편 어깨까지 닿을 수 있게 한다. 기능면에서 내회전 범위가 가장 중요하고 외전 각도의 기준은 견갑골(scapula)보다 척추(spine)를 기준으로 하는 것이 타당하다.

② 주관절(elbow joint)

90° 굴곡위는 자신의 위생상 최선이고, 70° 굴곡위는 체외(extrapersonal) 활동에 적합하다. 따라서 한쪽일 때는 90°가 바람직하며, 양측 주관절(elbow joint)의 고정이 불가피할 때에는 각각 110°와 65°가 권장되고 있다.

③ 수근관절(wrist joint)

피로가 덜하고 악력이 강한 위치인 10~20°

신전위가 권장되며, 제3중수골(third metacarpal bone)과 요골(radius) 장축이 같은 선상에 있어야 하고, 전후면에서 중립위 혹은 5° 척골측 편향(ulna deviation)이 장려되고 있다. 양측 수근관절 고정이 필요할 때에는 환자 편의에 따라 정할 수 있으되 중립 위의 양측 수근관절이 최대의 기능을 보유하는 것으로 되어 있다.

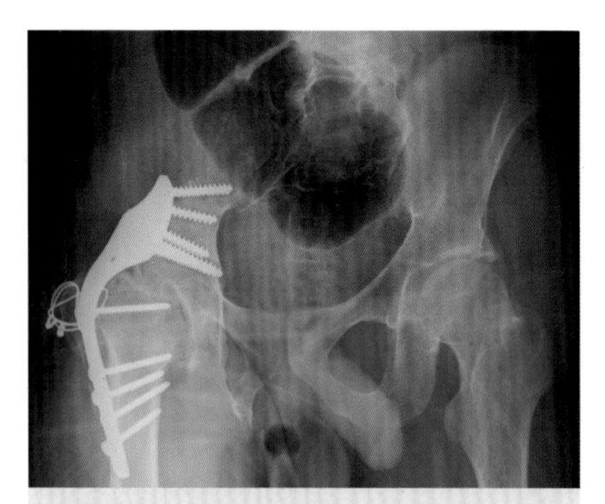

그림 3-41
외상성 뇌출혈로 인하여 생긴 사지마비 및 hip dislocation으로 hip arthrodesis를 시행한 29세 남자 환자

④ **고관절(hip joint)**

굴곡 30°, 내전 0~5°, 외회전 0~15°가 권장되고, 소아는 내전 2~5°, 완전한 신전, 회전은 중립위로 고정함이 좋다. 고관절의 고정은 주로 외상 후 관절염 및 화농성 관절염(septic arthritis)이 가장 많은 원인이며, 소아의 Legg-Calve-Perthes 병, 소아의 대퇴 골두 골단 분리(slipped capital femoral epiphysis), 대퇴골두 무혈성 괴사[avascular necrosis (AVN) of femoral head]의 후유증에 대해서도 실시하게 된다. 젊은 환자의 경우 고관절 고정술 시행 후 통증이 없어져 일상생활뿐 아니라 힘든 작업도 견딜 수 있게 한다. 다만 수술 후에 요추(lumbar spine), 반대측 고관절 및 동측 슬관절에 부담이 증가함으로 고관절 고정술은 주로 젊고 건강하며 반대측 고관절 및 동측 슬관절에 이상이 없는 사람에 한하여 적용함이 바람직하다(그림 3-41).

⑤ **슬관절(knee joint)**

굴곡 0~15°, 외전 5~8°, 외회전 10°를 권장하고 있다. 소아에서는 고정 후 굴곡 변형이 속발하는 경향이 있으므로, 완전 신전위가 권장되고 있다.

⑥ **족관절(ankle joint)**

족저굴곡은 중립위치(0°)가 권장되며, 외전 0~5°, 외회전 5~10° 및 경도의 거골 후방 전위를 첨가하여 고정함이 최선으로 되어 있다(그림 3-42). 족근 관절의 고정 후에는 동통 소실 효과는 뛰어나지만, 후족부의 운동 제한으로 평탄치 않은 지면에서는 보행이 어렵다. 이 경우 rocker-bottom shoe와 solid ankle cushion heel (SACH) 사용으로 도움을 얻을 수 있다.

⑦ **척추(spine)**

접근 방법 및 유합의 해부학적 위치에 따라 후방 유합술(posterior fusion), 후외측 유합술(posterolateral fusion), 추체간 유합술(interbody fusion) 등이 있다.

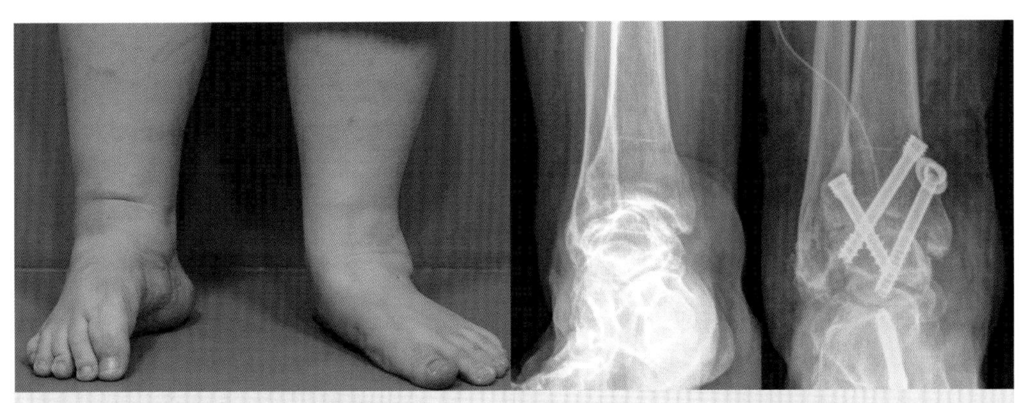

그림 3-42
뇌성마비 51세 여자 환자의 내반 변형을 동반한 족관절염과 마비로 ankle arthrodesis를 시행했다.

9. 관절 성형술

관절 성형술(arthroplasty)은 관절이 파괴되어 통증이 발생하고 정상적인 기능을 기대할 수 없을 때 통증 없이 기능을 발휘하도록 관절을 재건하는 술식을 일컫는다. 관절 성형술은 과거 초기 단계의 단순한 절제 성형술(resection arthroplasty)부터 현재 많이 시행되고 있는 인공관절을 이용한 관절 치환술(replacement arthroplasty)까지 많은 단계를 거쳐 발전해 왔다. 특히, 금속재질의 삽입물을 비롯하여 여러 생체재료가 복합적으로 적용되는 현재의 인공관절 치환술은 인간이 개발한 물질이 신체의 일부분을 대체하여 필요한 기능을 반영구적으로 수행하도록 해주는 좋은 성공 사례이다.

관절은 비교적 단순한 구조와 성분으로 구성되어 있으며 그 역할이 주로 체중을 부하하고 움직임이 일어나도록 하는 물리적인 것이어서 다른 어떤 장기보다도 일찍 인공 물질로 대체하려는 시도가 있었으며 역사적으로는 1920년대부터 시도되었으며 현대적인 의미의 인공관절 수술은 1960년대부터 본격적으로 사용되기 시작되었다. 현재는 주로 고관절과 슬관절에서 많이 시행되고 있으나 견관절, 주관절, 족관절 및 척추의 artificial disc까지 임상에서 사용되고 있는 실정이다. 그러나 인공 관절이 안전하게 임상에 적용되기까지는 수많은 연구와 발전이 필요하였으며 앞으로도 더욱 진화하여야 할 부분이 남아 있다.

소득 수준이 높아지고 평균 연령이 증가함에 따라 인공관절 치환술을 시행 받는 환자수는 계속 증가하고 있는데, 2011년 자료에 의하면 고관절과 슬관절을 합쳐서 약 8만 건의 인공관절 치환술이 국내에서 시행되었고 2013년에는 약 10만 건, 2016년에는 약 13만 건이 시행되어 그 수가 점점 증가하고 있다.

1) 목적과 적응증

관절 성형술의 목적은 통증이 없고 안정적이면서 정상적인 기능을 수행하고 가능한 한 오래 사용할 수 있는 관절을 제공하는 것이다. 일상생활에 큰 제한을 주는 극심한 통증을 없애는 것이 가장 중요한 목적이 되며, 수술 전에 그다지 통증이 심하지 않다면 인공관절 대신 다른 치료법을 우선적으로 고려해야 한다. 비교적 가벼운 통증이 심한 통증으로 발전하는 것을 예방하거나 미래에 발생할 통증을 사전에 방지하는 목적으로 시행하는 치료법은 아니다. 또, 대부분의 경우 다리를 절거나 관절 운동 제한이 있거나, 양측 다리 길이에 차이가 나는 것만으로는 인공관절 치환술의 이유가 될 수 없다. 각 관절은 고유의 기능을 가지고 있어, 고관절이나 슬관절의 경우에는 체중을 부하하여 설 수 있도록 하고 걷거나 뛰는 거동 기능을 수행한다. 견관절이나 주관절은 여러 작업을 수행할 수 있는 손이 몸체에 연결되도록 하면서 원활한 관절 운동 범위를 제공하여 삼차원 공간 상에서 원하는 위치에 손이 위치하도록 하는 역할을 한다. 이와 같은 관절의 고유 기능을 유지하고 개선하는 것이 관절 성형술의 목적이 된다. 또한 성형술 후 관절이 견고히 안정적으로 유지되어야 하는데 수술 후 인공관절 삽입물의 골 고정이 소실되는 이완(early loosening)이 발생하거나, 관절의 탈구(dislocation)가 반복적으로 발생한다면 수술의 목적이 달성되었다고 할 수 없다. 이 외에도 관절 성형술 후 새로 만들어진 관절은 가능한 한 오래 기능을 발휘하며 사용할 수 있어야 한다.

관절 성형술은 환자 고유의 관절을 인위적으로 제거 또는 부분 절제해야 하므로 가능하면 다른 모든 치료법을 먼저 다 시행한 후 마지막 단계로 고려되어야 한다. 관절의 변형이나 파괴가 충분히 진행된 말기 관절병증 환자에서 비수술적인 약물요법, 물리치료에 효과가 없고 관절을 보존할 수 있는 다른 수술로도 치료 효과를 기대할 수 없을 경우에 관절 성형술을 시행해야 한다.

대부분 말기 관절병증 환자에 관절 성형술을 시행할 수 있으나, 활동성 감염이 있는 관절, 신경병적 관절(neuropathic joint; Charcot joint), 관절 주위 근력이 약하여 관절 안정성을 도모할 수 없거나 수술 후 기능을 기대하기 어려운 경우, 관절 주위 골 소실이 극심하여 인공 삽입물을 견고히 고정할 수 없는 경우 등에는 인공 물질로 관절을 대체하는 관절 치환술이 불가능하며 이런 경우라면 절제 성형술 등 다른 치료법을 고려하는 것이 적절하다.

2) 종류

(1) 절제 성형술(resection arthroplasty)

초기 단계에 시행하였던 관절 성형술로서, 문제가 되는 관절을 이루는 양측 골 조직을 광범위하게 제거하고 의도적으로 불유합이 되도록 하여 운동성을 유지하는 술식이다. 통증의 원인이 되었던 관절이 없어지므로 통증 완화 효과는 기대할 수 있으나 관절 고유의 기능을 보존하기에는 한계가 있어 매우 제한된 경우에만 시행한다. 절제된 부분이 재생된 연부 조직으로 채워져서 어느 정도의 움직임은 가능하나 지렛대의 지주 역할을 하는 관절이 없어져서 정상적인 근력을 발휘할 수 없고 체중 부하를 하는 관절이라면 심한 파행(limping)을 피할 수 없다. 심한 관절 감염이나 극심한 골 소실이 동반된 관절병증에는 유일한 선택이 되기도 한다(그림 3-43).

(2) 개재 관절 성형술 (interpositional arthroplasty)

관절을 절제한 후 노출된 골 조직 사이에 관절낭, 근막, 근육, 지방 등과 같은 자기의 연부 조직을 채워 넣는 술식이다. Elbow joint, wrist joint나 finger joint에서는 간혹 시행되기도 하나, 체중을 지탱해야 하는 하지 관절에서는 내구성에 문제가 많아 많이 시행되지 않는다.

(3) 반치환 성형술(hemiarthroplasty)

관절을 이루는 구조물 중 한쪽만을 인공 삽입물(implant)로 교체하고 나머지는 자기의 연골로 덮인 관절을 그대로 살리는 술식이다. 관절을 이루는 구조 중 한쪽만 문제가 있으면서 환자의 나이가 많아 남은 여명이 그리 길지 않아서 관절의 내구성을 그다지 걱정할 필요가 적을 경우에는 좋은 적응증이 된다. Shoulder joint에서 humeral head가 분쇄 골절된 경우나 hip joint에서 femoral neck이 골절된 경우, humerus나 femur의 head만을 교체하는 것이 좋은 예이다(그림 3-44). 관절을 이루는 부분 중, 문제가 없는 부분은 치환하지 않는다는 점은 장점이 되겠으나 인공 물질과 정상 연골이 관절을 이루고 관절의 움직임으로 인하여 환자의 정상 연골이 인공관절 물질로 인하여 마모가 될 가능성이 높아 장기적인 내구성에는 한계가 있다는 단점이 있다.

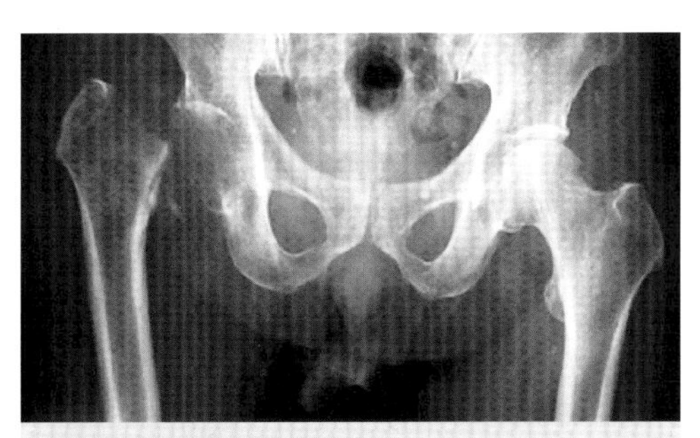

그림 3-43
감염으로 인하여 발생한 고관절 관절염에 시행된 우측 고관절 절제 성형술

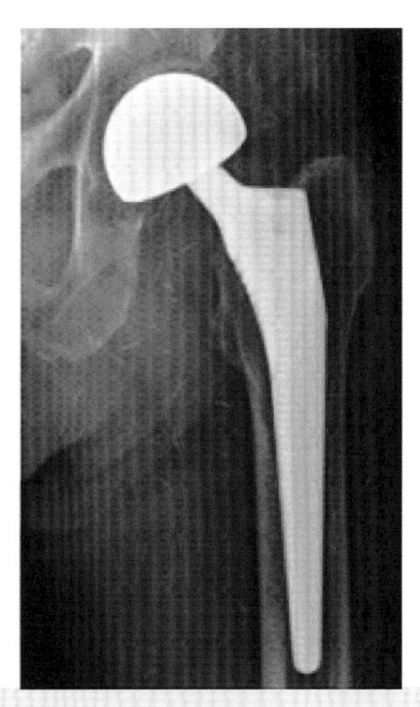

그림 3-44
대퇴 경부 골절에 대하여 시행된 좌측 고관절 반치환술

(4) 관절 전치환술(total arthroplasty)

관절을 이루는 2개 이상의 골 조직을 모두 인공 삽입물로 교체하는 술식이다. 문제가 되는 병소를 모두 제거하므로 수술 후 통증이 적어진다는 장점과 내구성이 길어진다는 장점이 있다. 그러나 부분치환술에 비하여 수술 시간이 길어지고 출혈량이 증가한다는 점은 단점이 있으며 고관절의 경우에는 부분치환술에 비하여 탈구의 가능성이 높다. 현재 각종 관절에서 전치환술이 활발히 시행되고 있다(그림 3-45).

3) 생체재료와 고정 방법

인공관절에 사용되는 물질은 골에 고정되는 삽입물과 관절면으로 나눌 수 있다. 현재 사용되는 인공관절 삽입물의 재질로는 titanium 합금(Ti-6Al-4V)이나 코발트-크롬 합금 등이 주로 사용된다. 움직임이 일어나는 관절면을 이루는 부품들은 주로 이전에는 금속인 코발트-크롬 합금과 폴리에틸렌 (polyethylene)이 주로 사용되었다. 이러한 관절면에는 필연적으로 마모(wear)가 일어나게 되는데 폴리에틸렌 마모입자(wear debri)의 경우 체내에서 macrophage 등에 의해 염증반응을 일으키고 궁극적으로 파골세포(osteoclast)를 활성화시켜서 골용해(osteolysis)를 유발하고 이로 인하여 고정된 삽입물의 해리(loosening)나 골절이 발생할 수 있어 인공관절이 실패하고 재치환술을 하게 되는 주요한 원인이 되었다. 이후 물질이 개선되어 마모에 강한 고도 교차결합 폴리에틸렌(highly cross-linked polyethylene)이 개발되어 인공관절의 수명이 크게 증가하였다. 또한 고관절의 경우 최근에는 알루미나(alumina) 또는 지르코니아(zirconia)와 같은

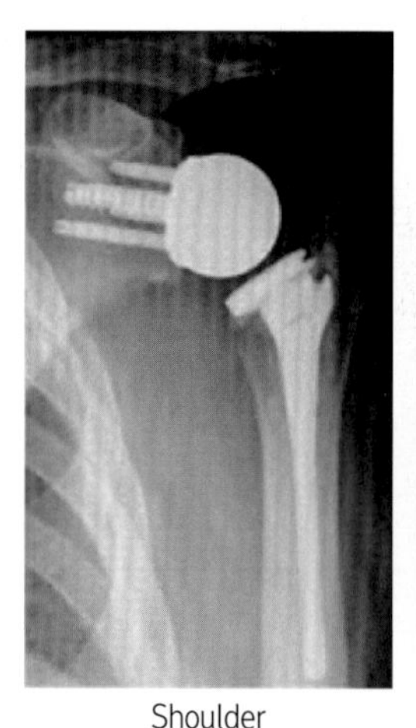
Shoulder

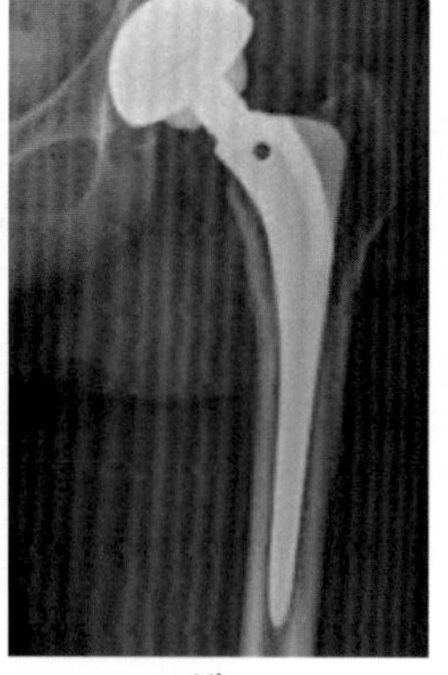
Hip

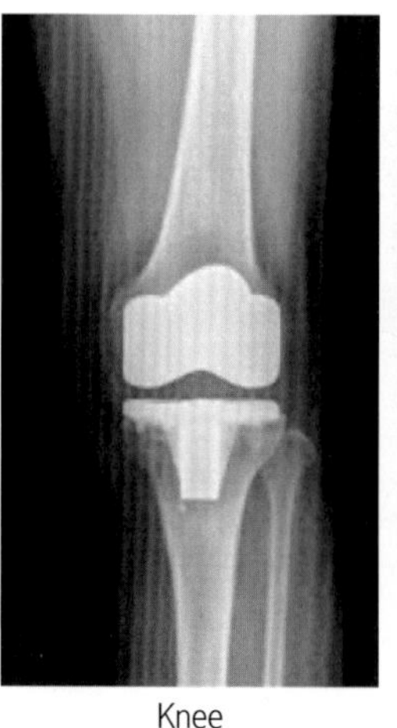
Knee

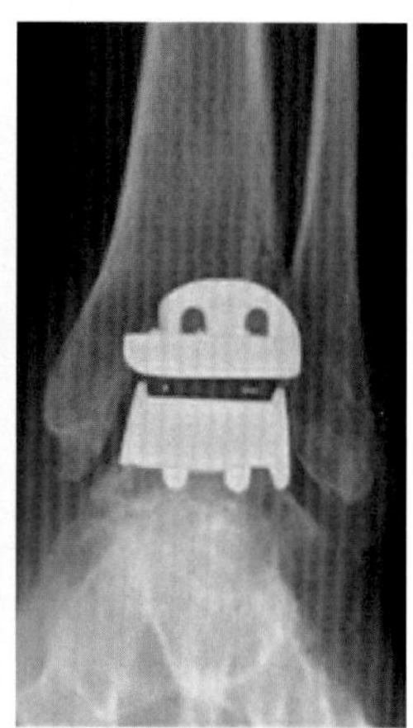
Ankle

그림 3-45
여러 관절의 관절 전치환술

세라믹(ceramic)도 활발히 사용되고 있는데 이러한 세라믹의 경우 금속에 비하여 관절면의 마모가 적은 것이 특징이다(그림 3-46).

인공관절 삽입물을 골 조직에 견고히 고정하는 방법은 크게 나누어 골 시멘트(bone cement; polymethylmethacrylate)를 사용하는 방법과 골 시멘트를 사용하지 않는 방법으로 나눌 수 있다. 전자는 John Charnley경이 1960년대 초부터 고관절 치환술에 사용한 이후로 60년대와 70년대에 널리 보편화되어 인공관절 고정의 기본이 되어 왔다. 그러나 1970년대 후반에 이르러 골 시멘트를 사용한 인공관절의 장기적인 결과가 만족스럽지 못함을 알게 되었고 여러 부작용이 인식되면서 현재 고관절에서는 골 시멘트를 사용하지 않는 고정 방법이 개발되었으며 최근에는 젊고 건강한 사람들 위주로 주로 사용되고 있다. 그러나 골 시멘트를 사용하는 고정법은 체중 부하를 일찍 할 수 있다는 장점이 있어 골다공증이 심한 고령 환자에서는 그 필요성이 여전하다. 슬관절 및 다른 관절의 경우에는 여전히 가장 중요한 고정 방법으로 거의 대부분 사용되고 있다.

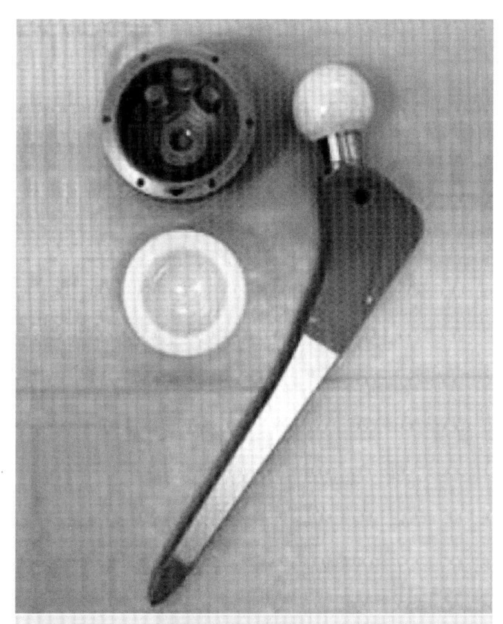

그림 3-46
고관절 전치환술에 사용되는 치환물
삽입물은 Titanium 합금으로, 관절면은 알루미나 세라믹으로 구성되어 있다.

골 시멘트를 사용하지 않고 인공 관절을 고정하는 방법은 1970년대에 시멘트 고정 인공 관절의 실패율이 높아지면서 발달하기 시작하였다. 이는 인공 관절 삽입물의 표면을 적당히 거칠게 처리하여 거친 표면 사이로 인체의 해면골 조직이 직접 자라 들어가 골 조직과 인공 관절이 단단히 결합하게 되는 일명 생물학적 고정 방법(biological fixation)이다. 이러한 방법은 골 시멘트로 인한 문제로부터 자유로우며 재치환술을 할 경우에도 골 시멘트를 제거할 필요가 없어 수술이 수월해지고 골 조직에 가해지는 손상이 적다는 장점이 있어서 현재는 비교적 젊은 연령층의 환자에게는 우선적으로 사용되고 있다. 그러나 골 조직이 자라서 인공 삽입물과 결합하는 3개월 가량의 기간 동안에는 무리한 힘이 가해질 경우 고정이 잘 되지 않을 수 있어 주의를 요한다.

4) 해부학적 부위에 따른 관절 성형술

(1) 고관절 치환술

고관절이 질환이나 외상으로 파괴되어 그 기능이 현저하게 장애를 받는 상황에서 약물요법이나 물리치료, 또는 관절을 보존할 수 있는 다른 수술로도 효과가 없어서 일상생활이 불가능할 때 시행하는 마지막 단계의 수술이다(그림 3-47). 이때, 고관절을 비구(acetabulum)와 대퇴 골두(femoral head)를 인공 삽입물로 교체하게 되는데, 앞서 설명한 바와 같이 두 가지를 다 교체하면 전치환술, 대퇴 골두만 교체하면 반치환술이라 한다.

과거에는 관절 운동이 일어나는 관절면 재질로 금속과 폴리에틸렌을 사용하였는데 장기간 사용하면서 관절면이 마모(wear)되어 마모편(wear debri)이 발생하였다. 이로 인해 인공관절 주변 골 조직이 반응성 연부조직으로 대치되는 골용해 현상이 빈번히 일어나 젊고 활동적인 환자들은 10년 이내에 재수술을 받아야 하는 일이 자주 발생하였다. 최근에는 이러한 문제를 줄이고자 젊은 환자의 경우 관절면의 마모가 거의 없는 세라믹-세라믹 관절면이 많이 사용되고 있으며 우수한 장기 성적을 보여주고 있다.

(2) 슬관절 치환술

슬관절은 국내에서 인공관절이 가장 많이 시행되는 부위이다. 슬관절이 질환이나 외상으로 인해 그 기능이 현저하게 저하된 상태에서 약물요법이나 물리치료 등의 보존적 치료

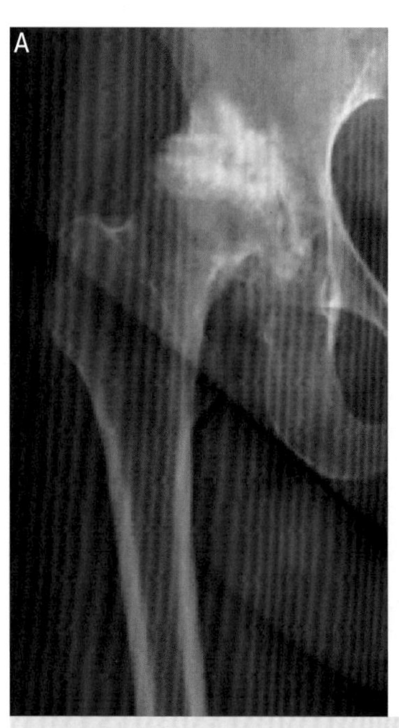

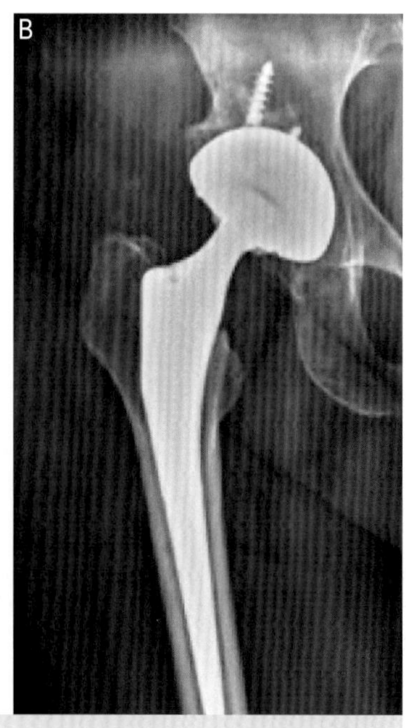

그림 3-47
A. 우측 대퇴골두 골괴사로 인한 심한 고관절 파괴 소견이 보이는 수술 전 방사선 영상
B. 고관절 전치환술 후 방사선 영상

로도 효과가 없어 일상생활이 불가능할 때, 수술로 관절을 절제하고 그 대신 인공으로 만든 관절을 삽입하는 수술로 퇴행성 관절염이 가장 흔한 적응증이다. 슬관절 치환 수술은 슬관절을 구성하는 원위 대퇴골(distal femur), 근위 경골(proximal tibia), 슬개골(patella)을 인공 삽입물로 치환한다(**그림 3-48**). 슬관절 치환술은 부분 치환술과 전치환술로 나눌 수 있다. 슬관절 퇴행성 관절염은 내측 분획(medial compartment)이 더 심하게 이환된 경우가 많은데, 전방 십자 인대(anterior cruciate ligament)를 포함한 다른 인대 구조가 건재하고, 다른 구획에 특별한 병소가 없다면 내측 분획에만 부분 치환술(unicompartmental knee replacement)을 시행할 수도 있다. 그러나 관절 전체에 퇴행성 변화가 있다면 내외측 구획(medial and lateral compartment)과 대퇴슬개관절(patello-femoral joint)까지 치환하는 전치환술을 시행하여야 한다. 단, 이때 patello-femoral joint의 병변이 심하지 않다면 슬개골의 관절면 보존하는 술식(patellar saving)을 시행하기도 한다.

최근의 보고에 의하면 슬관절 치환술의 10년 생존율이 약 95%에 이르는 것으로 보고되고 있어, 심한 퇴행성 관절염이 있는 고령의 환자에게는 최선의 치료 방법이라고 할 수 있다. 인공 슬관절의 수명은 10년에서 15년 정도로 생각되고 있었으나 최근 보고에서 25년 이상 생존율이 7~80%로 보고되어 관절 치환물의 디자인이 개선되고, 수술 술기가 발전함

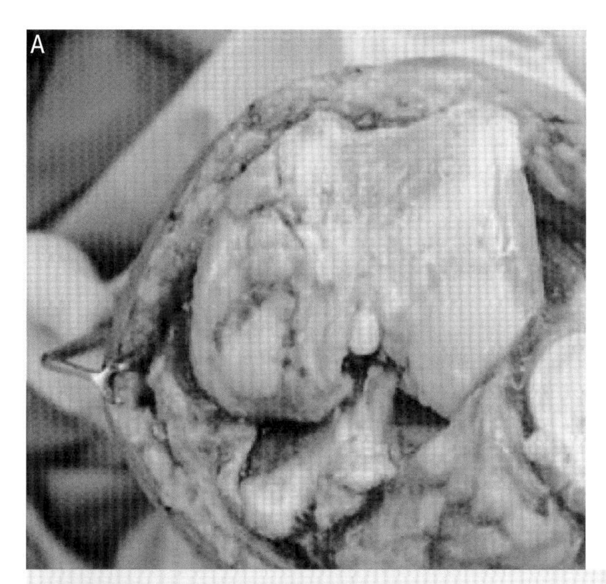

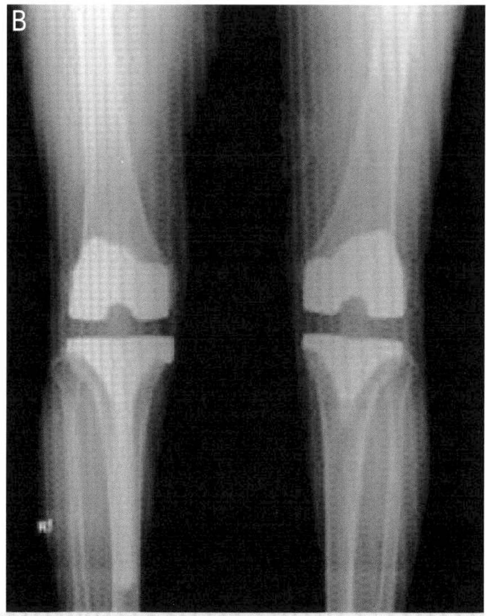

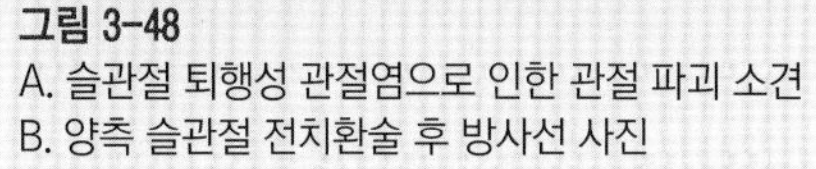

그림 3-48
A. 슬관절 퇴행성 관절염으로 인한 관절 파괴 소견
B. 양측 슬관절 전치환술 후 방사선 사진

에 따라 앞으로는 더욱 긴 수명을 보일 것으로 기대하고 있다.

5) 관절 치환술의 합병증

관절 치환술의 주요 합병증으로 일반적인 수술의 합병증인 출혈, 신경 및 혈관 손상과 같은 급성 합병증이 발생할 수 있어 주의를 기울여야 한다. 감염은 특히 인공관절수술에서 임상적으로 문제가 큰 합병증으로 관절 치환술 후 약 1% 내외의 발생률이 보고되고 있으나 주의를 소홀히 하면 그 이상의 발생이 가능하다. 인공 물질을 체내에 삽입하는 과정이므로 면밀히 주의를 기울이고 예방하지 않으면 수술 후 감염이 쉽게 발생한다. 수술 부위를 철저히 소독하고 수술에 임하는 사람들도 감염 예방 수칙을 준수해야 하며 피부 절개 1시간 이내에 예방적 정맥 항생제를 투여해야 한다. 급성 감염의 경우에는 창상 세척과 변연절제술만으로도 감염을 치료할 수 있으나 시기가 늦어지면 대개의 경우 관절 삽입물을 제거하고 수 주에서 수 개월의 장기간의 감염 치료 후에 2단계로 재치환 수술을 해야 할 수 있다. 그 사이 원인균 확인과 감수성이 있는 항생제 사용은 필수다.

관절 탈구(dislocation)는 고관절 치환술 후에 발생하는 가장 흔한 합병증이다. 연부조직의 긴장도를 불충분하게 맞추거나 삽입물의 위치가 부적절할 경우 발생이 증가한다. 관절 주위 연부조직이 재생되는 수술 후 3개월간은 무리한 관절 운동은 삼가도록 교육이 필요하다.

심부정맥 혈전증(deep vein thrombosis, DVT)은 관절 치환술 후 침상 안정하는 기간이 길어지면서 발생할 가능성이 있다. 대개의 경우는 증상이 없이 지나가나 다리가 붓거나 통증을 유발하기도 한다. 폐색전증(pulmonary embolism)으로 진행할 경우에는 급성 호흡곤란과 흉통을 일으키고 심한 경우 사망에 이르기도 하므로 조기에 진단하도록 주의가 필요하다. 환자의 위험도에 따라서 예방적으로 약물을 사용하는 경우도 있으며 가능한 한 조기에 거동을 하도록 해야 한다.

장기 합병증으로 인공 관절면의 마모로 발생한 마모편의 염증반응으로 인하여 골용해가 발생할 수 있고, 이로 인하여 삽입물이 주위 골 조직과의 고정력을 상실하여 삽입물이 헐거워지는 해리(loosening)가 발생할 수 있다. 관절면의 재질과 삽입물의 고정 방법이 발달하면서 발생 빈도가 감소하고 있으며 발생 시기도 늦어져 인공관절의 수명은 점점 연장되고 있다.

6) 인공 관절 치환술의 최신 기술

최근에는 의학 및 과학 기술의 발전에 힘입어 인공관절 치환술에 있어서도 많은 발전이 있어왔다. 최근 부상한 3D 프린터 기술이 대표적으로, 3D 프린터 기술을 이용하여 삽입물 표면을 처리하여 다공성(porous) 구조를 만들고 골형성이 잘 되게 하여 생물학적 고정을 유도하는 방법은 이미 상용화되어 많은 기구에서 사용되고 있다. 이외에도 재치환술 시

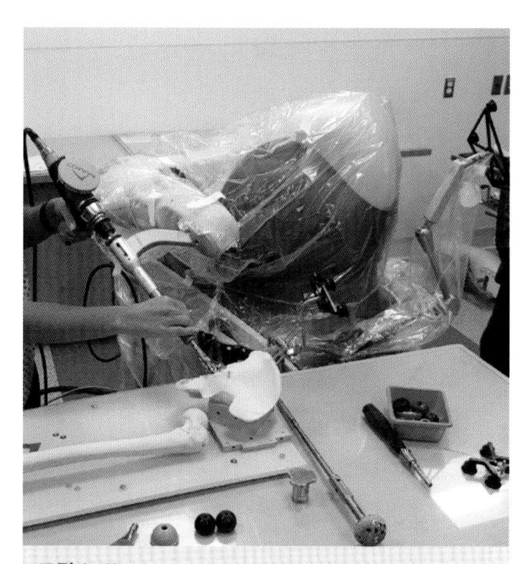

그림 3-49
인공관절 로봇을 이용하여 모형 골반골에 고관절 치환술 중 비구 확공을 시행하는 사진

골 결손 부위를 3D프린터를 이용하여 재건하는 방법도 시도 중이다. 이외에도 수술 중 navigation 장치를 이용하여 삽입물의 위치를 정확하게 파악하는 방법이 사용 중이며, 최근에는 Robot 기술을 이용하여 수술 중 삽입물의 위치를 분석하고 보다 정확한 위치에 삽입하고자 하는 치료법들이 사용되고 있다(그림 3-49).

이외에도 인공지능(artificial intelligence, AI) 기술을 사용하여 환자의 수술 전 및 수술 후 방사선 영상을 분석하고 이에 맞는 최적화된 기구를 사용하고자 하거나 수술 후 이상 징후를 파악하고자 하는 방법들도 개발되고 있다.

10. 연부 조직 결손의 치료

1) 초기 처치

교통사고나 추락사고 등 고에너지 외상에 의해 발생한 손상은 흔히 개방성 골절을 비롯하여 피부 및 연부조직 결손을 동반하게 된다. 이 경우 연부조직의 오염과 함께 손상도 심하여 적절한 치료가 이루어지지 않으면 감염의 위험성과 함께, 심한 경우 절단으로까지 이어지게 된다.

연부 조직이 결손된 근골격계의 손상은 골절 동반 여부에 따라 치료 방법 및 예후가 달라진다. 이런 손상의 초기 처치는 환자의 상태에 따라서 결정된다. 환자의 상태가 치명적이라면 우선 환자의 생명을 유지하는 치료가 우선이며, 그 과정 중에도 사지의 손상이 더이상 진행되지 않기 위한 주의를 기울여야 한다. 다발성 외상 환자에서 개방성 골절이나 사지의 연부 조직 손상은 주요 장기의 손상보다 우선권이 떨어지지만, 노출된 뼈와 연부조직이 마르지 않도록 창상을 생리 식염수와 희석시킨 멸균 용액으로 적신 거즈로 덮어 두는 것은 중요하다. 나아가 수상 시 오염된 상처가 감염의 원인이 될 수 있으나, 상처에 대한 치료 중 외부 환경의 노출에 의한 이차 세균 감염이 보다 많은 원인이므로 가능한 빨리 폐쇄성 상처로 전환시켜 주는 것이 좋다. 초기 처치에서 다음의 8가지 일반 원칙을 기억해야 한다(표 3-1).

표 3-1
골절과 연관된 연부 조직 손상 처치의 8가지 원칙

1. 추가 손상을 방지한다.
2. 손상 조직의 변연 절제술을 시행할 때, 종양을 치료할 때와 같이, 모든 괴사되고 죽은 조직들(뼈 포함)을 제거하는 것이 필수적이다.
3. 골 안정성을 유지한다.
4. 가능하면 초기에 드러난 골 부위를 덮는다.
5. 조기 골 부위 피복을 위해 필요시 이차적 재건술(secondary reconstruction)을 해야 한다.
6. 가능하면 손상된 조직은 비슷한 조직으로 대체한다.
7. 절단과 같은 구제술이 재건술보다 나은 방법일 수도 있다.
8. 주위의 도움과 조언을 받기를 주저하지 말 것

2) 변연 절제술

오염되거나 죽은 연부 조직을 철저히 제거하는 것이 가장 중요한 첫 번째 단계이다. 이물질과 괴사조직를 완전히 제거하여야 하지만, 신경과 혈관조직은 되도록 보존한다. 변연 절제술(debridement)의 목적은 괴사 조직의 제거, 이물의 제거, 세균 오염의 감소, 활성 창상면을 만듦으로써 감염 없이 치유를 촉진하는 것이다. 불충분한 변연 절제술은 창상 감염 발생, 수술적 치유 지연, 염증 반응의 약화 등을 초래하여 환자의 예후에 악영향을 미친다. 응급실은 부족한 조명 시설과 불충분한 마취 때문에 부적절한 변연 절제술이 될 가능성이 높기 때문에 반드시 수술실에서 상처를 탐색하여 변연 절제술과 세척을 실시해야 한다. 변연 절제술은 피부로부터 피하 조직 및 심부 조직의 순서로 차례차례 실시하는 것이 좋다. 농수산업이나 공장 관련 기계 손상은 더 광범위하고 심각한 오염을 유발한다. 이런 손상은 48시간의 간격으로 연속적 변연 절제술을 시행하여 모든 괴사 조직을 제거하도록 한다. 이후에 결손부에 대한 연부 조직 재건을 시행하여야 한다.

3) 변연 절제술의 보조 방법

변연 절제술을 여러 차례 시행해야 하는 경우 창상을 어떻게 관리하느냐의 방법에 대해서는 논란이 있다. 흔히 식염수를 적신 거즈를 창상에 채우는 방법이 흔히 쓰인다. 이 방법은 노출된 연부 조직이 마르지 않고, 빈 공간(dead space)을 채워주며, 드레싱의 교체를 통해 일정한 간격으로 창상의 상태를 관찰하게 해주는 장점이 있다. 그 밖에 vacuum-assisted closure(VAC)와 항생제 구슬(antibiotics bead)과 spacer를 이용하여 노출된 골 연부 조직 결손을 일시적으로 처치하게 하는 방법이 있다. 또한 산소 공급을 통한 조직 재생 능력을 키우기 위해 고압 산소 요법이 개발되기도 하였다.

4) 창상 피복의 방법

일단 창상이 깨끗하고 최종 치료 방법이 결정되면, 골 고정과 창상 피복이 진행된다. 피복 방법을 선택함에 있어 재건술 사다리(reconstructive ladder)란 개념이 소개되었다(그림 3-50). 이는 일차 봉합 같이 비교적 쉽고 간단한 수술로부터 재건을 시도하여, 단계적

그림 3-50
재건술 사다리(reconstructive ladder)개념
연부 조직의 결손을 치료하기 위한 다양한 방법들이 있지만, 적용 가능한 치료 방법을 사다리처럼 아래 단계부터 생각하자는 것이다.

으로 피부이식, 임의 피판, 자유 피판 등의 어렵고 복잡한 수술을 통한 재건을 고려하여야 한다는 개념이다.

(1) 피부 이식

피부의 가장 표면에 있는 표피(epidermis)와 진피(dermis)를 혈류가 재생될 수 있는 위치로 옮겨 주는 방법이다. 피부 이식은 혈관에 의한 혈액의 공급이 없으며, 수여부(recipient site)에서 확산에 의해 영양을 공급받는다. 이식된 피부의 두께에 따라 진피층보다 적은 두께의 부분층 피부 이식(split thickness skin graft, STSG)과 표피 및 진피층 전체를 포함하는 전층 피부이식(full thickness skin graft, FTSG)으로 구분된다. 이 방법은 감염이나 paratenon이 없는 힘줄, 뼈, 또는 연골에서 생존하기 어렵다. 피부이식 이식 후 수일 간 'serum imbibition'이라는 과정을 거쳐 생존하는데 보통 수술 후 4~5일 정도면 임상적으로 대부분의 피부 이식부는 수여부에 부착된다(그림 3- 51).

(2) 임의 피판(random flap)

진피하(subdermal)나 근막하면(subfascial-plane)에서 거상되어 진피하 혈관총을 통해 혈류가 순환한다(그림 3-52).

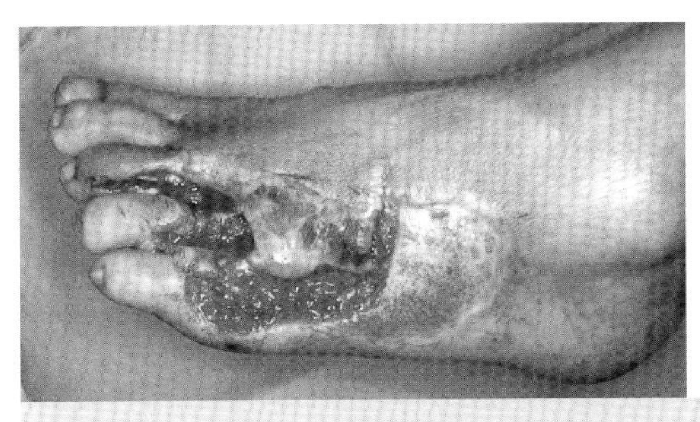

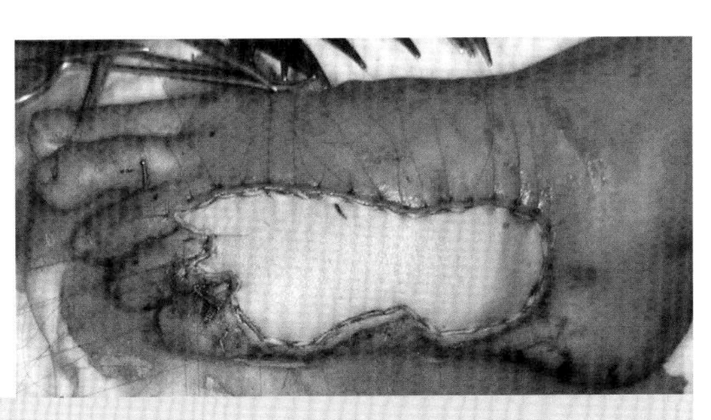

그림 3-51
피부 이식을 이용한 연부 조직 결손 피복
결손이 있더라도 granulation bed가 충분히 좋은 경우는 피부 이식만으로 coverage가 가능하다.

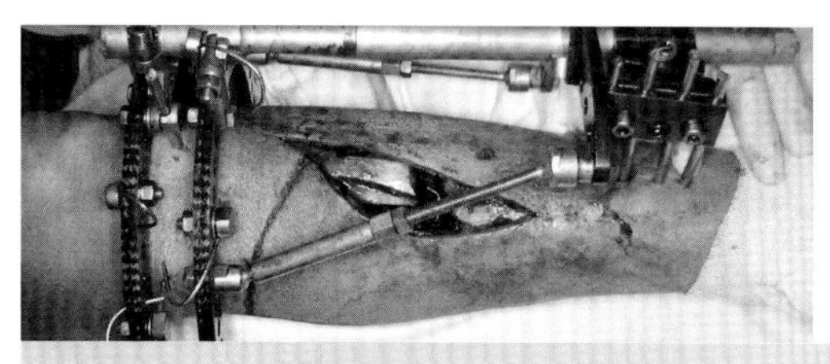

그림 3-52
국소 피판은 주위 연부 조직을 옮겨 결손을 덮을 수 있게 한다. 이동된 자리는 다시 피부 이식이 필요하다.

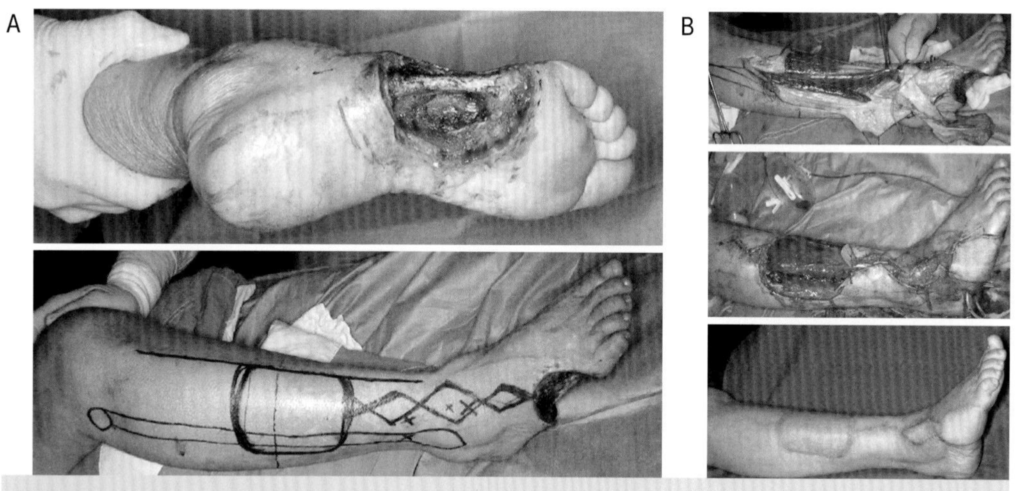

그림 3-53
Distally based fasciocutaneous flap
A. Lateral supramalleolar flap으로 족부의 연부 조직 결손을 덮으려는 계획을 세운다.
B. 피판을 옮기는 모습과 수술 후 사진

(3) 축성 피판(axial flap)

피판의 생존을 위한 명확한 혈관 조직을 가지고 있다. 이 혈관 줄기를 이용하여 비교적 먼 거리의 연부 조직 결손을 덮을 수 있는 방법이다(그림 3-53).

(4) 자유 피판(free flap)

축성 피판(axial flap)의 한 방법이지만, 혈관 줄기를 절단한 후 연부조직 결손 부위 주위로 자유롭게 옮길 수 있다. 피판 혈관 줄기와 결손부 주위의 혈관과 문합하여 생존하는 피복 방법이다. 수술자의 숙련된 기술, 비교적 고가의 기구와 장비 등이 필요한 복잡한 방법이며 다른 피복술의 선택이 제한될 때 고려될 수 있는 방법이다.

11. 사지 절단술과 의지

절단의 원인은 말초 혈관 질환, 외상, 종양, 감염, 선천성 기형 등이다. 항생제와 미세접합술 등의 의학적 발전으로 외상과 감염, 종양으로 인한 절단은 감소하는 경향이나, 노령화로 인하여 당뇨병과 말초 혈관 질환에 의한 절단은 증가하는 추세이다. 절단의 결과는 환자에 따라서는 다른 수술의 결과보다 기능적으로 우수할 수도 있다. 환자에게는 절단술이 치료의 실패라기보다는 새로운 재활의 시작으로 여기도록 설득이 필요하다.

1) 사지 절단술

뼈 부위에서 자르는 것을 절단(amputation)이라 하고 관절 부위에서 자르는 것을 관절이단(disarticulation)이라 한다. 수술 시 절단단(stump end)을 봉합하는 것을 폐쇄성(closed) 절단이라고 하고, 절단 부위에 잔존하는 감염 등을 치료하기 위하여 절단단을 한시적으로 열어 놓는 것을 개방성(open) 절단이라고 한다. 절단술을 시행할 때에는, 일반적으로 최소 부위를 희생하는 것이 원칙이지만 절단 후 의지 착용을 고려하여 절단 부위를 결정하여야 한다. 예를 들어, 하퇴 절단 시에 무관절과 절단단의 거리가 너무 짧으면 의지 장착이 불가능할 수 있으므로 기능적인 측면을 항상 고려하여야 한다.

(1) 상지 절단

상지의 절단은 환자의 지체(residual limb)를 길게 남겨 놓을수록 수술 후 기능이 좋다. 팔 길이가 많이 남을수록 운동 및 촉각, 위치에 대한 고유 감각 등이 보존되고, 의지 장착 후 굴신, 회전 및 기타 섬세한 운동이 가능하게 된다. 상지 절단은 절단 높이에 따라, 수지 및 수부 절단, 수근관절 이단(wrist disarticulation), 전완 절단(below elbow amputation), 주관절 이단(elbow disarticulation), 상완 절단(above elbow amputation), 견관절 이단, 견갑-흉곽간 절단(forequarter amputation)으로 구분하여 나눈다(그림 3-54). 수지 절단을 고려할 때 엄지손가락은 손의 기능에서 가장 중요하므로 가능한 희생되지 않도록 하거나 최대한 길이를 남기도록 노력하여야 한다.

(2) 하지 절단

하지 절단은 족부 절단(foot amputation), Syme 절단, 하퇴 절단(below knee amputation), 슬관절 이단(knee disarticulation), 대퇴 절단(above knee amputation), 고관절 이단, 장골-복부간 절단(hindquarter amputation)으로 나눈다(그림 3-55). 하퇴 절단은 가장 많이 시행되는 절단술로 남은 경골(tibia)의 길이가 12.5~17.5 cm가 이상적이다. 이보다 짧으면 짧은 하퇴 절단(short below knee amputation)이라고 하는데, 하퇴 의지를 착용하기 위해서는 최소한 3~5 cm의 절단단이 필요하다. 대퇴 절단은 가능한 한 길게 하지를 보존하는 것이 좋으나, 의지 장착 시 슬관절(knee joint)이 차지하는 길이가 있으므로 슬관절의 약 10 cm 상부에서 절단하는 것이 좋다. 대퇴골

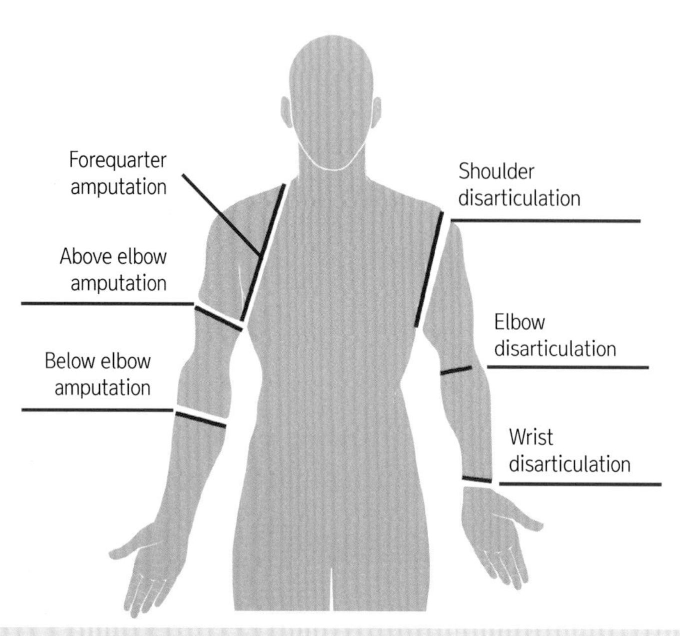

그림 3-54
위치에 따른 상지 절단

길이의 35% 이내를 남기는 절단을 짧은 대퇴 절단(short above knee amputation)이라고 하는데, 이 경우에도 최소한 소전자부(lessor trochanter)에서 5 cm 이상의 길이가 보존되어야 대퇴 의지의 소켓을 장착할 수 있다.

(3) 소아에서의 절단

소아에서의 절단은 성인에서의 절단 방법과 수술 술기에 있어서는 동일하지만 가능한 절단단을 길게 하여 성장기에 원위부 골단(epiphysis)의 소실로 인한 골성장 장애를 최소화하여야 한다. 또한 절단단의 과성장(terminal overgrowth)을 고려하여야 한다. 근위부 골단의 지속적인 성장은 절단단에 통증과 감염을 일으킬 수 있다. 이로 인하여 약 10%의 환자들에서 한 번 이상의 절단단 교정술(stump revision)이 필요한데, 비골(fibula)이 가장 흔히 문제되고, 경골(tibia), 상완골(humerus), 요골(radius) 순으로 발생한다.

(4) 절단의 합병증

절단 후 발생할 수 있는 합병증은 혈종, 감염, 괴사, 관절 구축, 신경종(neuroma), 환각지(phantom limb) 등이 있다. 혈종은 지혈이 불충분한 경우 생길 수 있다. 이는 흡입하고 압박고정하면 대부분 해결되나 지속될 경우 감염의 배양액이 되므로 주의하여야 한다. 감염이나 절단단의 괴사는 당뇨병이나 말초 혈관 질환에서 생길 수 있다. 배농과 세척을 시행하고 항생제를 사용하는데, 심한 경우에

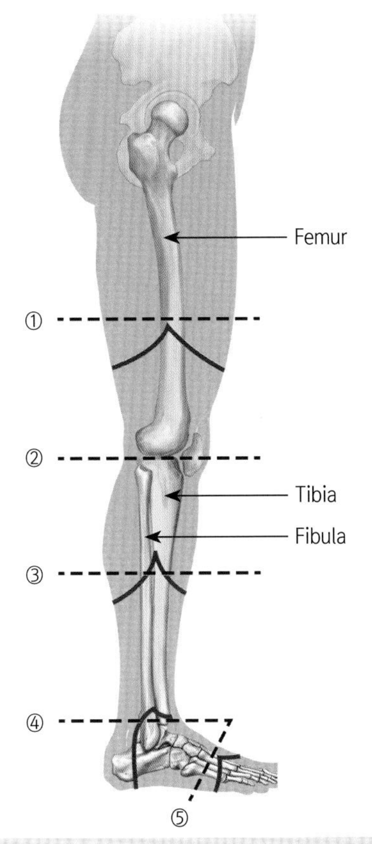

그림 3-55
위치에 따른 하지 절단
① 대퇴 절단, ② 슬관절 이단, ③ 하퇴 절단, ④ Syme 절단, ⑤ 족부 절단

는 더 근위부에서 재절단을 하여야 할 수도 있다. 절단단 근위 관절의 구축은 심하면 의지 장착이 어려울 수도 있으므로, 조기에 근육 및 관절 운동을 시켜서 예방하도록 하여야 한다. 하퇴 절단 후에는 슬관절의 굴곡 구축에 유의하고, 대퇴 절단 후에는 고관절의 굴곡 및 외전 구축에 유의하여야 한다. 신경종은 신경단이 절단단 반흔 조직에 유착된 경우 발생하며 통증을 일으킬 수 있으므로 수술 시 충분히 근위부에서 신경을 절단하여 예방한다. 절단으로 소실된 부분이 계속 남아있는 듯한 감각을 환각지라고 하는데 대부분 의지 장착 후 소실된다. 환각통(phantom pain)은 70%에서 발생하며 일부에서는 지속적으로 재발하기 때문에 임상적으로 적절한 관리가 필요하다.

2) 의지

(1) 상지 의지

상지 의지는 전완 의지와 상완 의지로 크게 나누어진다. 전완 의지의 구성은 절단단을 감싸는 소켓, 수부(hand)에 해당하는 말단 장치와 손목 관절(wrist)에 해당하는 수근 관절 장치, 그리고 이 부분을 연결하는 전완부, 말단 장치를 조절하는 제어 장치로 구성되고, 이를 상지에 고정하는 현가 장치(suspension system)가 있다. 말단 장치는 그 모습에 따라 갈고리와 의수로 나눌 수 있다. 의수는 기능을 가진 것과 기능이 없는 미관수로 나뉜다.

(2) 하지 의지

하지 의지에는 하퇴 의지가 가장 많으며, 절단단에 안정감과 체중의 전달을 제공하는 소켓, 족부(foot)에 해당하는 족-족근 조립품(foot ankle assembly), 이 두 부분을 연결하는 정강이부, 그리고 이 의지를 다리에 고정하는 현가 장치로 구성된다(그림 3-56). 소켓은 절단단에 가해지는 체중을 받쳐주고, 의지를 조절하기 위한 힘을 전달해 주는 역할을 한다. 슬개건 부하형(patellar tendon bearing, P.T.B.)

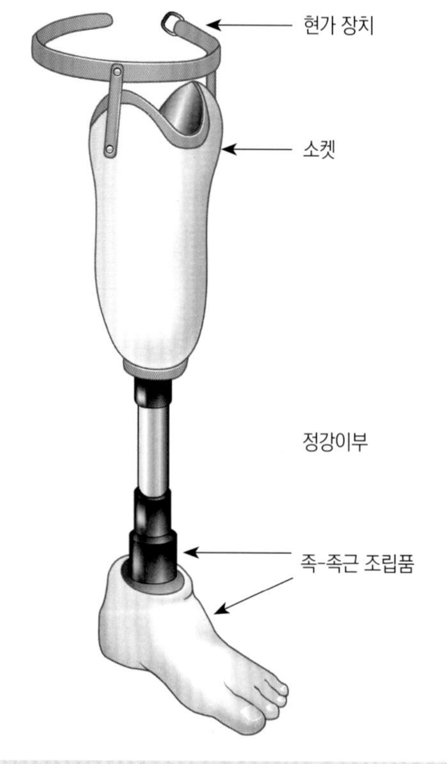

그림 3-56
하퇴 의지의 구성

을 주로 사용한다. 족-족근 조립품에는 solid ankle cushion heel (S.A.C.H.), 단축형(single-axis), 다축형(multi-axis), solid ankle flexible keel foot 등이 있다.

12. 물리 치료

물리 치료(physiotherapy)는 열, 광선, 전기, 초음파, 운동 등과 같은 물리적 요소를 이용하여 치료하는 분야이다. 정형외과적으로 재활(rehabilitation)은 다양한 원인에 의해 발생한 척추나 사지의 장애에 대하여 최대한 정상에 가깝게 회복하도록 도와주는 것으로 볼 수 있으며, 물리 치료는 약물, 보조기 등과 함께 재활 치료의 방법 중 하나로 볼 수 있다. 근골격계 질환에서의 물리 치료의 역할은 중요한데, 치료의 목표는 부종과 통증의 조절, 관절 강직의 완화, 건 유착 방지 및 근력 강화를 통해 일상 생활 및 스포츠 활동에 조기에 복귀할 수 있도록 하는 것이다. 물리 치료는 환자의 진단에 따른 치료 계획 중 하나로 적응증이 맞는 환자에게만 시행되어야 하며 다른 치료 방법과 조화롭게 시행되어야 한다. 물리 치료는 사용하는 물리적 요소에 따라 온열 치료, 한냉 치료, 전기 치료, 기계적 치료, 운동 치료로 나눌 수 있다.

1) 온열 치료

온열 치료는 근골격계 질환의 증상 완화를 위해 오래전부터 사용해 왔다. 온열 치료의 생리적 효과는 조직 온도, 온열 치료의 지속 시간, 조직의 온도 상승 속도, 치료 부위의 크기에 따라 달라진다. 일반적으로 온열 치료의 효과는 조직의 온도가 40~45℃에서 약 5~30분 동안 지속할 때 나타난다. 온열 치료 시 혈역학적으로는 혈류가 증가되고 혈관이 확장되어 영양소, 백혈구, 항체 등의 유입이 촉진되고, 대사 산물과 조직 파편의 흡수가 촉진되어 염증 반응을 감소시키는 효과가 있다. 신경 근육계에서는 신경 전도 속도를 증가시키며 근 경축(muscle spasm)을 감소시키는 효과가 있다. 결체 조직(connective tissue)에서는 신장도(extensibility)를 증가시키며, 온열과 스트레칭을 동시에 시행할 경우 신장도를 더 증가시키고, 관절의 탄성도(elasticity)를 높여서 관절 강직을 감소시키는 효과가 있다. 또한, 통증 완화 작용도 있는데, 이는 피부 자극의 효과, 세포막 투과성 증가, 엔돌핀 방출, 혈관 확장에 의한 통증 물질 감소 등과 관련 있는 것으로 알려져 있다. 그러나 출혈, 부종, 급성 염증 반응이 악화될 수 있으므로, 사용하고자 하는 목적이나 부위에 따라 적절히 사용해야 한다. 따라서 온열 치료는 통증, 근 경련, 긴장성 근육통, 혈종 흡수, 혈류 촉진 등에 주로 이용되지만, 급성 염증이나 외상, 출혈이나 출혈성 질환, 악성 종양 등에는 일반적으로 사용하지 않는다. 특히 당뇨성 족부 병변 등 신경성 질환으로 인하여 통증을 느끼지 못하는 경우에는 열 화상을 입을 수 있으므로 특히 주의해야 한다.

흔히 사용되는 온열 치료 요법들은 열이 전달되는 방식에 따라 전도(conduction), 대류(convection), 방사(radiation) 방식으로 나눌 수 있는데 전도는 온습포와 같이 열이 접촉면을 통해 전해지는 것이며, 대류는 온열 램프와 같이 유체(fluid)를 통해 열이 전달되는 것이고, 방사는 초음파와 같이 전자기 전달(electromagnetic transmission)로 피부에 열이 가해지지 않으면서 깊은 곳으로 열을 전달할 수 있는 방법이다. 또한 온열 치료는 침투 깊이에 따라 표재 열(superficial heat)과 심부 열(deep heat)로 나눌 수 있다(표 3-2). 조직의 신장도를 높이기 위해 조직의 점성(viscosity)이 증가되려면 온열 치료로 조직의 온도를 41-45℃ 정도로 높여야 한다. 따라서 치료하고자 하는 조직으로 효과적으로 열이 전달될 수 있는 방법을 선택해야 한다. 실제 치료 과정에서 고정이 필요했던 관절이나 근육을 스트레칭하기 전에 온열 치료를 하면, 조직 점성이 높아지는 효과와 스트레칭에 따른 통증을 감소시키는 효과, 그리고 근 경련을 감소시키는 효과가 있어서 매우 유용하다.

표 3-2
온열 치료의 종류

구분	종류
표재열 치료	온습포 파라핀욕 온열 램프 회전욕 교대욕
심부열 치료	초음파 치료 단파 치료 극초단파 치료

(1) 표재열 치료

대표적인 표재열 치료에는 온습포(moist hot pack), 파라핀욕(paraffin bath), 온열 램프(heat lamp), 회전욕(whirlpool bath), 교대욕(contrast bath) 등이 있다. 온습포는 가장 흔하게 사용되는 온열 요법으로서 규산겔(silicon dioxide)로 채워진 온습포를 물의 온도가 70~80℃ 정도로 유지되는 탱크 속에 담가 두었다가 치료할 때에는 6~8겹의 타올로 싸서 20~30분간 환부에 대어준다. Moist heat는 수분이 열을 잘 전도하여 dry heat보다 효과적이다. 파라핀

욕은 미네랄 오일과 파라핀을 1:7로 혼합하여 53℃로 가열한 것으로 손을 담구기에 좋아서 손의 온열 치료에 효과적이다. 온열 램프는 황색 가시광선부터 원적외선까지의 빛을 이용한다. 적외선 온열 램프나 탄소 합금, 석영, 텅스텐으로 구성된 온열 램프를 주로 이용하며 환자로부터 약 50 cm 정도 거리에서 사용한다. 환자가 온습포를 댈 수 없는 상태이거나 압력을 견딜 수 없는 경우 온열 램프를 사용한다. 수치료(hydrotherapy)에는 회전욕, 교대욕 등이 있으며 따듯한 물을 이용하여 대류 온열 효과, 마사지, 표피 괴사 조직 제거 등의 효과를 얻을 수 있다. 근경련, 관절염, 긴장성 근육통 등에 주로 사용되며 표피 손상이 있는 환자에서 괴사 조직의 제거에도 사용될 수 있다.

(2) 심부열 치료

심부열 치료는 피하 지방, 근육 및 관절 등 심부 조직에 열을 가하기 위한 치료법으로 초음파(ultrasound) 치료, 단파(short wave) 치료, 극초단파(microwave) 치료 등이 있다. 초음파는 가청 범위 이상의 음파로서 보통 0.8~1 MHz의 초음파가 심부열 치료에 사용된다. 초음파 치료는 음파가 다른 형태의 에너지로 전환됨으로써 조직의 온도를 상승시키며 건염, 골관절염, 관절 구축, 연부 조직 외상, 관절 주위 염증 등에 사용된다. 초음파 치료의 금기증으로는 임신, 종양, 출혈 및 경색 부위, 심박 조율기, 감염 부위 등이 있다. 척수의 경우 높은 강도의 초음파 치료는 금기이며 후궁절제술 수술 부위도 가급적 피해야 한다. 단파 치료는 라디오파(radio wave)를 이용해 온열 효과를 얻으며 적응증은 초음파 치료와 비슷하나, 금기증으로는 심박 조율기, 금속 삽입물, 콘택트 렌즈, 금속 자궁내 기구, 임신 등이 있으며, 미성숙 골 조직 및 골 성장판에 대한 효과가 알려져 있지 않기 때문에 소아의 경우에는 사용하지 않는 것이 좋다. 극초단파 치료는 단파나 초음파와는 달리 조직을 깊이 투과하지 못하기 때문에 주로 표층의 근육과 관절의 온열에 사용되며, 혈종의 흡수 및 종양 치료 등에 사용되기도 한다. 역시 소아에 대해서는 효과가 불확실하여 금기이다.

2) 한냉 치료

한냉 치료(cryotherapy)는 냉습포(cold pack), 얼음(ice pack) 등을 이용하여 치료하는 것으로 냉회전욕과 냉각 스프레이를 제외하고는 대부분 전도에 의해 열 에너지를 전달한다. 한냉 치료는 혈역학적으로 피부 혈관의 수축을 일으켜 급성 염증과 부종을 감소시키는 효과가 있으며, 결체 조직의 신장도를 감소시키는 효과가 있다. 한랭 치료의 혈관 수축 효과는 20분 이내이며, 너무 오래할 경우나 조직의 온도가 10℃ 이하로 내려갈 경우는 오히려 한랭 유발 혈관 확장이 일어날 수도 있다. 한랭 치료는 경직(spasticity)을 감소시키고, 대사율(metabolic rate)과 근육의 피로도를 낮추며, 운동 신경의 흥분성이 증가되어 최대 등척성(isometric) 근력이 증가되는 효과가 있다. 한랭 치료가 경직을 감소시키는 것은 차가운 표면 자극에 대한 반사 작용으로 근육의 감마 운동 뉴런(gamma motor neuron)과 구심성 신경 섬유의 활동이 차례로 줄어들면서 근경직이 감소하기 때문으로 알려져 있다. 따라서 경직을 줄이면서 근육의 신장도를 증가시키기 위해서는 다른 물리 치료보다 한냉 치료를 먼저 하는 것이 효과적이다. 또한 관절에 한냉을 가하면 관절 내 온도 감소로 collagenase의 활성도가 감소하며 염증성 관절 질환에서 관절 내 collagen의 파괴를 지연시킬 수 있다. 하지만 한냉 치료는 건의 신장도를 감소시키고 관절의 뻣뻣함을 증가시킬 수도 있다. 한랭 치료는 온열 치료와 마찬가지로 통증 완화에도 효과가 있다. 한냉 치료는 급성 근골격계의 외상 시에 부종과 출혈, 통증 감소를 위해 사용된다. 안정, 한냉 치료, 압박, 거상(rest, icing, compression, elevation, RICE)은 급성 외상의 일반적인 처치법으로 적용되고 있다. 만성 통증에도 통증 완화를 위해 사용하기도 하며, 초기 화상 부위에 한냉 치료를 하여 발적, 수포를 감소시키고 통증을 감소시킬 수 있다. 하지만 국소 허혈(ischemia), 한냉 불내성(cold intolerance), 레이노드 현상(Raynaud phenomenon), 한냉 알레르기(cold allergy) 등이 있을 경우에는 일반적으로 사용하지 않는다.

3) 전기 치료

전기 치료는 전류를 인체에 흐르게 하여 치료적 효과를 기대하는 방법이다. 전기 치료는 그 목적에 따라 크게 2가지, 즉 통증 조절을 위한 전기 치료와 신경 근육 자극을 위한 전기 치료로 나눌 수 있으며, 사용되는 전류의 형태에 따라 직류(direct current), 교류(alternating current), 맥류(pulsed current)로 나눌 수 있다.

(1) 경피적 전기 신경 자극 치료 (transcutaneous electrical nerve stimulation, TENS)

주로 신경 및 근골격계의 급, 만성 통증 조절을 위해 사용되는 전기 치료로 임상에서 흔히 사용된다. TENS는 50~100 Hz의 고주파를 사용하거나 1~4 Hz의 저주파를 사용한다. 고주파 TENS의 진통 효과는 1~20분 이내에 나타나고 자극 후 1~3시간까지 지속된다. 저주파 TENS는 만성 심부 통증에 매우 효과가 있으며 엔도르핀 생성을 증가시켜 작용을 하는 것으로 알려져 있다. 감각이 없는 부위, 지각 신경 과민증, 경동맥 및 심장 부위, 임신, 심장 박동기를 한 경우에는 금기이다.

(2) 신경-근육 전기 자극 치료 (neuromuscular electric stimulation, NMES)

신경-근육 전기 자극 치료는 근육의 수축을 유발하여 치료 효과를 얻는다. 신경계의 손상으로 인해 마비된 근육의 근위축 예방 및 근력 강화를 위해 사용할 경우는 주로 type 2 근섬유(fast twitch muscle fiber)를 수축시켜 근육을 강화시킨다. 또한 근육 수축을 통해 혈류와 림프 순환을 촉진하여 부종을 감소시키는 작용을 하며, 환자가 의식적, 무의식적으로 다친 근육을 사용하지 않으려고 하는 상태를 전기 자극을 통한 근육 수축으로 극복하여 근육 재교육(re-education)을 하는 데에도 사용된다.

4) 체외충격파

체외충격파(extracorporeal shockwave therapy, ESWT)는 압력파(pressure wave)를 생성하여 피부를 통하여 체내에 전달하여 치료 효과를 낸다. 체외충격파는 조사 부위의 혈관 증식, 신경의 자극, 생화학적 변화 등을 통한 조직 재생에 기여하는 것으로 보이나 아직 명확한 치료 기전은 아직 밝혀져 있지 않다. 정형외과적으로는 어깨의 석회성 건염, 팔꿈치의 외측 상과염, 발의 족저근막염, 아킬레스 건염 등 건-뼈 접점 부위의 건병증에 주로 적용된다. 체외충격파는 방사형과 초점형이 있다(그림 3-57). 방사형은 조직에 넓게 작용하므로 근육질환에 많이 사용되며, 초점형은 특정 병변에 대하여 집중적으로 치료할 때 사용한다. 충격파의 최고 압력은 500 bar 정도이다. 체외충격파 치료의 주요 합병증은 통증으로 초점형에서 특히 심하다. 그 외에도 어지럼증, 국소 출혈 등이 있으나 일시적인 경우가 많다. 신경, 혈관 등에 직접 조사할 경우 손상이 생길 수 있으므로 주의해야 한다. 출혈성 질환이나 약물 복용 환자, 머리 부위, 소아의 성장판에 사용하는 것은 금기이며 폐 부근은 폐포의 손상이 될 수 있으므로 주의하는 것이 좋다.

5) 기계적 치료

기계적 치료(mechanotherapy)에는 척추 견인(traction), 도수 치료(manual therapy), 마사지(massage) 등이 있다.

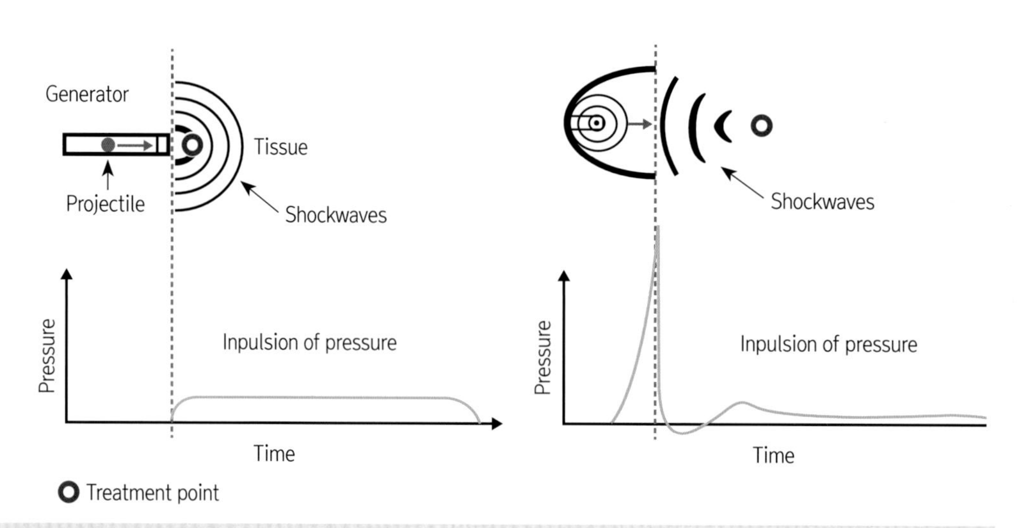

그림 3-57
방사형과 초점형 체외충격파의 차이

척추 견인 치료는 당기는 힘을 가하여 intervertebral foramen을 확대시키고 posterior longitudinal ligament를 팽팽히 당겨 annulus fibrosus를 안쪽으로 밀어내며 추간 거리를 늘려 추간판내 압력을 감소시키는 효과가 있다. 주로 경추 및 요추 통증 완화를 목적으로 사용되어 추 간판 탈출증(herniation of intervertebral disc), 신경근병증(radiculopathy), 근육 경직 등에서 사용된다. 하지만, 종양, 불안정성 골절, 척수병증(myelopathy), 인대 불안정성 등에서는 금기이다.

도수치료는 손을 이용하여 관절의 최대한의 수동적 운동범위와 자세의 균형을 확보하여 신체 기능의 향상을 유도하는 치료법이다. 도수치료는 크게 thrust와 non-thrust technique으로 나뉘어진다. Thrust technique은 운동의 제한이 있는 관절을 제한이 있는 범위까지 움직인 상태에서 잠시 정지했다가 짧은 시간동안 힘을 가하는 방법으로 주로 척추 부위에서 시행한다. 정지해 있는 동안 통증이 악화되거나 어지러움 등 다른 증상이 있을 경우 중단해야한다. 관절염, 척추동맥부전, 염증 소견이 있는 경우 치료의 금기가 된다. Non-thrust technique은 관절가동술(joint mobilization), 자세 이완치료법(positional technique) 등이 있다.

마사지는 몸의 근육과 관절을 부드럽게 하며, 통증과 근경련을 감소시키기 위해 사용된다. 손이나 도구를 사용하여 몸을 밀거나 당기고, 주무르기, 말기, 두드리기 등을 이용한다. 마사지의 대상이 되는 주요 부위는 근육, 힘줄, 인대, 피부, 관절 등이다. 기계적 압력에 의해 혈액 순환을 증가시키며 결체 조직의 유착(adhesion)과 반흔(scar)을 감소시켜 주며 정신적으로 진정 및 이완의 효과가 있다. 염좌(sprain), 요통, 근 경련, 근막통, 관절 구축 등에서 주로 사용되며 종양, 감염, 응고 장애, 혈전성 정맥염 등에서는 금기이다.

6) 운동 치료

운동 치료는 운동을 함으로써 발생하는 근육의 작용이나 그에 따른 생리적인 반응을 이용하는 치료법으로 크게 관절 운동(range of motion exercise) 치료, 근력 강화를 위한 운동 치료, 기능적운동(functional exercise) 치료로 나뉘는데, 정형외과에서는 주로 관절 운동 치료와 근력 강화 치료를 하게 된다.

(1) 관절 운동 치료

관절에 작용하는 뼈, 인대, 건, 근육의 활동을 통해 특정 관절의 움직임을 향상시키기 위한 치료법으로 기본적으로 관절이나 연부 조직의 구축(contracture)을 예방하거나 치료하기 위해 사용된다. 보통 수동 운동으로 관절을 전 운동 범위에 걸쳐 자주 운동시켜야 결체 조직의 변화에 의한 운동 범위 소실을 막을 수 있다. 일단 관절 구축이 오면 구축된 결체 조직의 신장 운동이 필수적이며, 천천히, 오랫동안, 열을 가하면서 신장시켜야 하고, 과도한 신장으로 결체 조직이 손상되면 역효과를 가져오므로 강도의 조절이 매우 중요하다. 협조되지 않는 소아의 elbow joint에서 수동 운동을 시도하면 근육의 방어적인 수축을 초래해서 치료 효과가 저하되고 관절 구축이 고착될 위험이 있으므로 반드시 능동 운동을 시켜야 한다.

(2) 근력 강화 치료

근력 약화에 대해서는 능동 운동이나 저항 운동을 시행한다. 근력 강화를 위해서는 모든 운동 단위가 동원될 수 있을 정도의 높은 부하를 근육에 가해야 한다. 근력은 과부하(overload)의 원칙에 따라 증가하므로 부하의 점진적인 증가가 필수적이다. 운동에 대한 저항은 도수적(manual)인 방법, 기구를 이용하는 방법 등 다양하다. 관절을 움직이지 않도록 하여 근육의 길이가 유지되면서 수축하는 운동을 하게 하는 것을 등척성(isometric) 운동이라고 하며, 근육이 동일한 정도의 힘으로 수축하게 하면서 관절을 움직이게 하는 운동을 등장성(isotonic) 운동이라고 하고, 관절이 일정한 속도로 움직이도록 운동을 시키는 것을 등속성(isokinetic) 운동이라고 한다. 하지의 외상이나 수술 등으로 인하여 장시간 체중 부하가 되지 않을 경우 근력 저하에 의한 낙상위험성이 증가하므로 하지에 대한 근력 운동은 필수적이다.

참고문헌

1. 견관절학 주관절학. 대한견주관절학회. 영창의학사. 2007.
2. 어깨 외과학. 서울대학교 정형외과학교실. 정문상, 전재명, 태석기, 오주한. 군자출판사. 2010.
3. Ahn JH, HaCW: Posterior Trans-septal Portal for Arthroscopic Surgery of the Knee Joint. Arthroscopy, 16:774-779,2000
4. Burman MS, finkelstein H, Mayer L: Arthrocopy of the Knee Joint. J Bone Joint Surg, 16:255-268,1934
5. Canale ST and Beaty JH, Campbell's Operative Orthopaedics, 12th edition, Philadelphia, Mosby Elsevier, 2012
6. Choi IH, Chung CY, Cho TJ, Yoo WJ, Park MS: Lee Duk Yong's Pediatric Orthopaedics. Koonja Publishing Inc. Seoul. 2014;4:78-94
7. Court-Brown CM, Heckman JD, McQueen MM, Ricci WM, Tornetta P, Rockwood And Green's Fractures In Adults, 8th ed, Philadelphia: Lippincott Williams & Wilkins; 2014, 162-78
8. Ghazi M. Rayan. Flap reconstruction of the upper extremity: A master skills publication, ASSH, 2009
9. Graham SM and Parker RD: Anterior Cruciate Ligament Reconstruction Using Hamstring Tendon Grafts. Clin Orthop, 402:64-75,2002.
10. Jackson RW and Abe I : The Role of Arthroscopy in the Management of Disorders of the Knee. An Analysis of 200 Consecutive Examinations. J bone Joint Surg, 54-B : 310- 322, 1972.
11. Kousa P, Vihavainen M, Jarvinen TN, Kannus

P and Jarvinen M : The Fixation strength of Six Hamstring Tendon Graft Fixation Devices inAnterior Cruciate Ligament Reconstruction. Part I : femoral fixation. Am J Sports Med, 31(2) : 174-81, 2003.
12. McGinty JB : Operative Arthroscopy. 3rd ed, Lippincott Willliams & Wilkins, 2003.
13. Watanabe M, Takeda S, Ikeuchi H. Atlas of Arthroscopy. Tokyo: Igaku-Shoin,1957.
14. Watanabe M, Takeda S: The Number 21 Arthroscope, J Jpn Orthop Assn, 34:1041,1960
15. Yasuda K, Kondo E, Ichitama H, et al : Anatomic reconstruction of the anteromedial and posterolateral bundles of the anterior cruciate ligament using hamstring tendone. Arthroscopy, 20:1015-1025, 2004.

선천성 및 발달성 질환

Congenital and Developmental Diseases

1. 총론

개체는 수정란이 형성되는 순간부터 시작하여 발생 과정을 거쳐서 출생하고 성장 과정을 거치면서 성숙된 개체가 된다. 골격계의 변화를 보면 발생 과정과 성장 과정이 연속선상에서 진행되다가 골 성숙(skeletal maturity)이 되면서 새로운 단계로 진입하는 것이다. 선천성 기형은 태내의 발생 과정에서 기관의 구조적인 이상이 발생하여 출생하는 것을 지칭하며, 출생 후 발생하는 기관의 구조적 이상은 발달성이라고 지칭하는데, 선천성 기형이 출생 직후에 반드시 발견되는 것이 아니기 때문에 어떤 경우에는 선천성과 발달성의 경계가 모호할 수도 있다. 정형외과 의사들은 출생 후 생존한 환자들의 선천성 기형만을 진료하게 되지만 자연 유산 또는 출생 전후 사망한 경우에 선천성 기형이 더 흔히 동반된다. 신생아 중 약 2.5%에서 출생 시 결함이 발견되는 것으로 알려져 있으며, 선천성 기형을 가지고 있는 아기는 출생 전후뿐 아니라 그 이후에도 사망 가능성이 정상 아동보다 월등히 높다. 근 골격계 기형은 심혈관계 다음으로 흔하게 선천성 기형이 발생하는 부위이다.

태아 발생과정은 유전자의 정교한 작용에 의해서 진행되기 때문에 선천성 기형은 유전자 변이에 의해서 발생하는 경우가 많다. 원인 유전자 변이를 확인할 수 있는 기술이 발전함에 따라 과거에 알지 못했던 유전자 변이들이 다양한 선천성 기형을 초래하는 것이 속속들이 밝혀지고 있다.

유전자 이상의 종류도 염색체 이상과 같이 대규모의 유전자 변이에서부터 단일 유전자의 단일 염기서열 변이까지 다양하다. 염색체 일부분이 결손, 중복, 또는 전위되면 수많은 유전자가 한꺼번에 영향을 받기 때문에 근골격계 뿐 아니라 다른 장기에도 기형이 동반되는 경우가 흔하다. 반면 단일 염기 서열 변이라도 해당 유전자가 여러 기관계에서 중요한 역할을 하는 단백질을 생산한다면 그 변이가 심각하고 다양한 기형을 초래할 수도 있다.

유전자 이상 이외에도 태내 발생 환경에서 세포의 증식과 분화에 악영향을 미치는 요인들이 발생 과정에서 기관의 구조적 이상을 초래할 수 있다. 방사선 조사, 각종 화학물질, 산모의 감염증 등이 대표적이다. 탈리도마이드(thalidomide)는 사지에 심각한 기형을 일으키는 대표적인 화학물질로 역사적으로 기록되어 있으며, 풍진, 톡소플라즈마증(toxoplasmosis) 등의 감염증이 태아의 기형을 유발시키는 인자로 알려져 있다. 이러한 환경 요인은 비특이적이어서 기형의 양상은 기형 유발 인자가 작용하는 태아의 발육 시기에 의해서 결정된다. 대부분의 비유전성 선천성 기형은 첫 3개월간의 손상에 의해 발생한다. 특히 손상을 받기 쉬운 기간은 임신 둘째 달로서 장기 형성(organogenesis)의 결정적인 시기이기 때문이다. 상지아(upper limb buds)는 태생 26일째 제5~7경추부 수준의 체간에 걸친 부분에서 발생하여 90° 외회전하면서 미측(caudal)으로 이동을 한다. 이러한 미측 이동에 장애가 생기면 선천성 상위 견갑골과 같은 기형이 발생한다. 지아(limb buds)의 끝 부분에서 일부 세포들이 세포자멸사(apoptosis)에 의하여 손가락과 발가락이 형성되는 바, 이러한 과정이 원활하게 진행되지 않으면 합지증이 유발되는 반면 지나치게 세포가 소멸되면 손가락, 발가락 또는 사지의 손실을 가져올 수 있다. 선천성 척추 기형은 척추의 정상 성장에 필요한 태생 3주의 체절 형성이나 태생 7~8주경의 연골화 및 골화 과정의 이상으로 발생한다.

유전적 요인과 태내 환경 요인이 복합 작용으로 작용하여 기형을 초래할 수도 있다. 이는 그 자체만으로는 기형을 초래하지 못하는 유전적 특성을 가지고 있는 태아가 태내에서 불리한 환경에 처했을 때에 특히 기형이 발생하기 쉬운 경우로 생각된다. 발달성 질환의 발병 기전에도 이러한 다인자성 기전이 흔하다.

선천성 기형(anomaly, malformation)과 구분하여야 할 다른 용어로는 이형성증(dysplasia), 이골증(dysostosis), 손상(disruption) 등이 있다. 기형은 조직이나 기관과 같이 가시적인 부위의 비정상적인 형태를 띠고 있는 것이라면, 이형성증은 세포와 조직이 비정상적으로 성장/발달하는 상태를 지칭한다. 또, 이형성증은 전신적으로 해당 모든 조직에 이상이 있는 경우인 반면 이골증은 특정 골에만 이상이 나타나는 것을 의미한다. 이에 반해서 손상(disruption)은 일단 정상적으로 형성되었던 조직이나 기관이 어떤 손상에 의해서 그 형태나 구조가 변경된 것을 의미한다.

2. 상지의 선천성 이상

1) 상지의 발생

손과 상지의 발생은 태생 26일경 외측 체벽으로부터 나온 single limb bud가 발생하면서 시작된다. 이 limb bud는 내부의 중배엽 세포(mesodermal cell)를 외부의 외배엽(ectoderm)이 싸고 있는 구조로 후방과 전방 면 사이 경계부가 불룩한 모양이다. Limb bud의 중배엽은 체성막(somatopleure) 및 외측판(lateral plate)으로부터 유래하는데, 체성막 중배엽은 근육, 신경 및 혈관의 전구 세포를 포함하고, 외측판은 뼈, 연골 및 건(tendon) 등을 형성한다.

상지의 발생은 근위부에서 원위부 방향으로 진행되는데, 태생 8주경 상지의 모든 구조물들이 형성되며 종료된다. 중배엽 세포들이 합쳐져 limb bud의 중앙에 preskeletal blastema를 형성하고, 이 세포들이 분화하여 연골 세포 혹은 골모세포 전구체가 된다. 연골화(chondrification)는 태생 36일경 상완골로부터 시작되어 태생 50일경 원위 지골에서 종료된다. 관절의 발생은 견관절에서는 태생 36일경 나타나고, 원위 지간 관절의 발생은 태생 47일경 나타난다. 상지의 근육은 태생 7주경 발생하는데 얕은 층의 근육 및 근위부의 근육이 먼저 발생한다. 신경의 발생 기전은 잘 알려져 있지는 않지만, 태생 36일경 시작된다. 혈관의 발생 중 쇄골하 동맥은 태생 3주경 관찰할 수 있는데 상완 동맥으로부터 정중동맥(median artery)이 먼저 발생하고, 이후 척골동맥(ulnar artery)이 발생하여 deep palmar arch를 형성한다. 요골동맥(radial artery)이 가장 마지막으로 발생한 후 정중동맥은 퇴화한다.

손의 발생은 limb bud 말단에 근육과 건의 전구체로 둘러싸인 하나의 연골원성 응축(single chondrogenic condensation)이 나타나면서 시작된다. 성장하면서 이 연골체는 수부판(hand plate)을 형성하고, 이후 수지 열(digital ray)이 형성되고, 손가락 사이 조직(interdigital tissue)이 편평화되며 손가락의 분리가 일어난다. 수부 판은 태생 37일째 나타나며, 수지 열은 태생 41일째 관찰할 수 있다. 손가락이 분리되는 과정은 세포 사멸(apoptosis, programmed cell death) 과정을 통해 일어나는데, 태생 47일째 시작되어 54일째 종료된다.

상지의 발생은 근위부-원위부, 요측-척측 및 전방-후방 방향의 세 개의 축 방향으로 진행되는데 여러 기전들에 의해 정교하게 조절된다. 근위부-원위부 방향의 발달은 첨부외배엽능선(apical ectodermal ridge)에 의해 조절되며, 요측-척측 방향의 발달은 분극활성도 구역(zone of polarizing activity)이 SHH (sonic hedgehog)를 통해 조절한다. 한편 전방-후방 방향의 발달은 WNT signaling center를 통해 조절된다(표 4-1).

2) 소아형 방아쇠 무지

과거에는 선천성 방아쇠 무지로 불리었지만, 출생 당시 발견되는 경우는 매우 드물고, 생후 8~30개월 사이에 흔히 발견되기 때문에 최근 소아형 방아쇠 무지(pediatric trigger thumb)로 불린다. 우리나라에서의 빈도는 다지증이나 합지증보다 높으며, 약 1/4 정도에서 양측성으로 발생한다. 소아형 방아쇠 무

표 4-1
상지 성장 분화를 유도하는 세 가지 신호 중심과 그 역할 및 이상 시 발생되는 질환

신호 중심(signaling center)	발생 과정에서의 역할	비정상적 발생의 예
첨부 외배엽 능선(AER)	Proximodistal; interdigital separation	횡적 결손; 합지증
분극 활성도 구역(ZPA)	Anteroposterior (radioulnar)	척골 종적 결손; 이중 척골(ulnar dimelia)
WNT 신호 중심	Dorsoventral	Palmar duplication syndrome

지는 무지굴근(flexor pollicis longus)의 협착성 건초염(stenosing tenosynovitis)의 하나로, A1 활차의 비후와 이 부위에서의 협착에 의해 발생하며, 촉진 시 Notta's node로 불리는 방추형 결절이 만져질 수 있다. 성인에서 발생하는 방아쇠 무지와는 다르게 방아쇠 증상(triggering)보다는 무지 지간 관절의 신전 제한을 호소하는 경우가 보다 흔하다(그림 4-1). 소아형 방아쇠 무지의 자연 경과는 5년 이내에 3/4 정도가 소실되고, 7년 이내에 90% 정도가 특별한 치료 없이 자연적으로 소실되며, 증상이 완전히 없어지지 않더라도 무지 지간 관절의 신전 제한 정도가 많은 경우 호전된다. 부모가 자연 회복을 위해 수년간 기다리는 것에 동의하지 않거나, 재수술인 경우, 통증이 동반된 경우 등에서는 수술적 치료를 시행할 수 있다. 수술 성공률은 매우 높으며, 5세 이후에 수술을 시행하더라도 수술 결과는 좋은 것으로 알려져 있다.

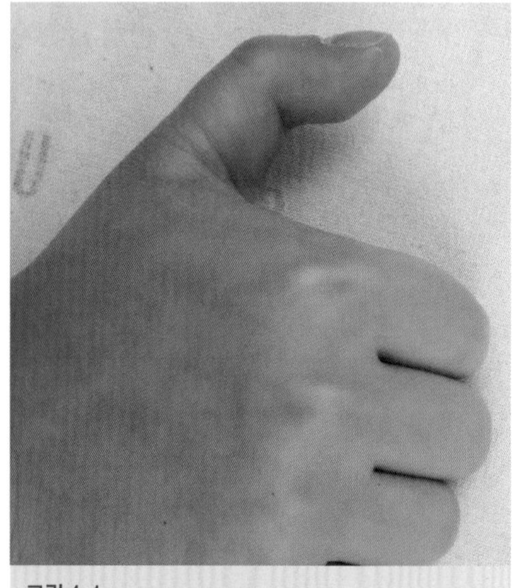

그림 4-1
엄지 지간 관절의 신전 제한이 있는 소아형 방아쇠 무지

3) 다지증

다지증(polydactyly)은 수부판(hand plate)의 비정상적인 분화에 의해 발생하며, 손가락 개수가 많다는 의미이다. 손에서는 무지에 압도적으로 많이 발생하며, 발에서는 제5족지에 흔히 발생한다. 무지가 둘 이상인 경우를 요측 다지증(radial polydactyly) 또는 축전성 다지증(preaxial polydactyly), 소지가 둘 이상인 경우를 척측 다지증(ulnar polydactyly) 또는 축후성 다지증(postaxial polydactyly)이라고 하며, 제2, 3, 4수지 중에서 발생한 경우 중심성 다지증(central polydactyly)이라고 한다. 수술 시기는 엄지와 손가락 사이로 집기(pinch) 동작을 시작하기 전인 1세 이전에 시행하는 것이 좋다. 단순히 절제만 하면 되는 경우도 있지만, 연골 성형술(chondroplasty), 교정 절골술(corrective osteotomy), 건 재정렬술(tendon realignment) 등과 같은 복잡한 재건술이 필요한 경우가 대부분이다. 남아에서 2배 정도 흔하게 발생한다.

(1) 요측 다지증(radial polydactyly)

한국인의 손에 발생하는 다지증은 대부분 요측 다지증으로 대개 산발성 및 일측성으로 발생하며, 약 20%에서는 양측성으로 발생한다. 이와 동반되어 나타날 수 있는 이상으로는 합지증(syndactyly), 단지증(brachydactyly),

구개열 및 구순열(cleft palate and lip), 폐쇄 항문(imperforated anus), 척추 이상, 조갑 이영양증(nail dystrophy) 등이 있다. Alpert 증후군, Fanconi's anemia, Holt-Oram 증후군, Rubinstein-Taybi 증후군, VACTERL 증후군, Trisomy 21 등에서도 동반될 수 있다.

수술적 치료의 목적은 기능 및 모양을 가능한 한 정상 엄지에 가깝게 재건하는 것이다. 절개는 반흔 구축이 최소화될 수 있도록 시행하며, 다지증이 발생한 수지 중 저형성되어 있는, 대부분의 경우 요측의 수지를 절제하는데, 만약 중복된 두 무지의 크기가 작고 비슷한 경우에는 중복된 두 무지를 하나로 합치는 수술을 시행하기도 한다(그림 4-2). 잉여지를 절제한 후 인대를 재건하여 관절을 안정화시켜야 하며, 관절의 각 변형이 남아 있을 경우, 교정 절골술(corrective osteotomy)이 필요할 수 있고, 동반된 건 변형에 대해서도 교정이 필요할 수 있다(그림 4-3).

(2) 척측 다지증(ulnar polydactyly)

척측 다지증은 소지에 발생하는 다지증으로 흑인에서 흔히 발생하며, 우리나라에서는 매우 드물다. 많은 경우 단순히 작은 피부를 통해 연결된 pedunculated type이기 때문에 단순한 절제술을 통해 치료할 수 있다. 그러나 골 변형을 동반한 복잡한 경우 재건술이 필요하다(그림 4-4).

(3) 중심성 다지증(central polydactyly)

중심성 다지증은 제2, 3, 4수지의 다지증으로 환지에서 가장 흔하게 발생하며, 중지 및 인지 순으로 호발한다. 중심성 다지증 환자의 절반 이상에서 가족력이 발견되며, 상염

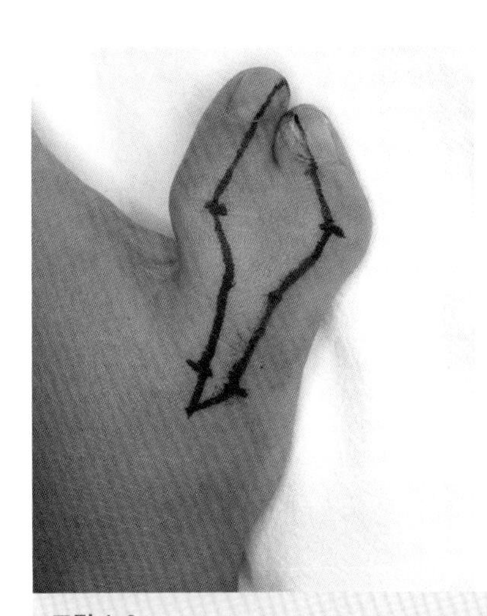
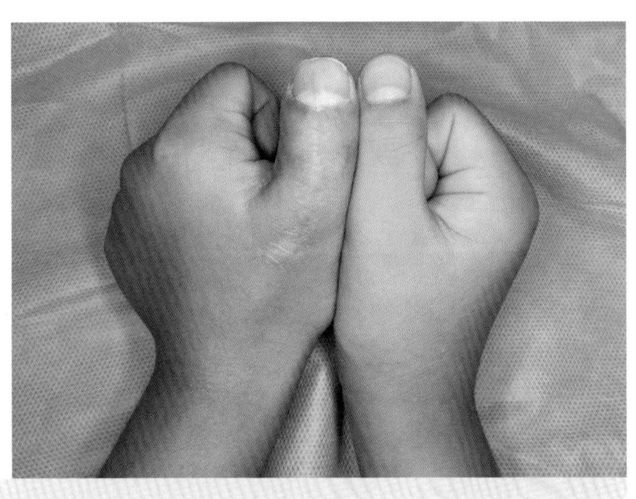

그림 4-2
중복된 무지의 크기가 비슷한 경우, 두 무지를 합치는 수술을 통해 무지를 재건할 수 있다.

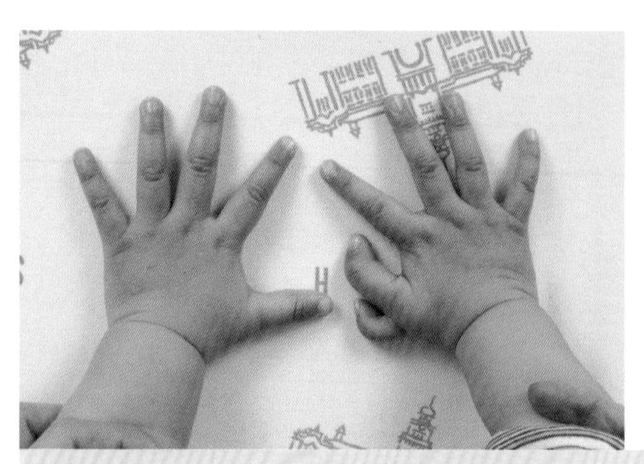
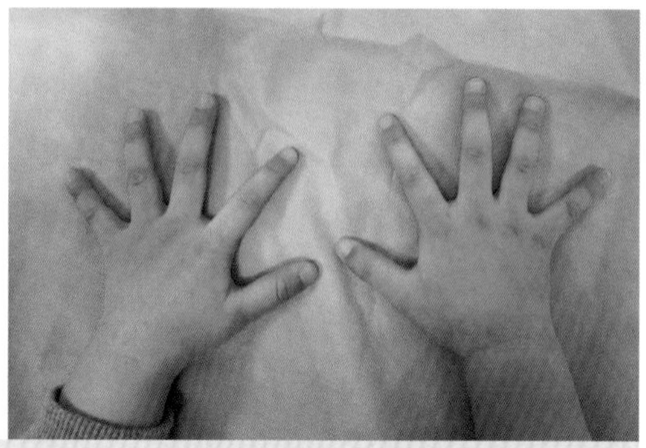

그림 4-3
우측 무지의 다지증 환자로 저형성된 요측 무지를 절제한 후, 관절 성형술 및 인대 재건 등을 통해 무지를 재건하였다.

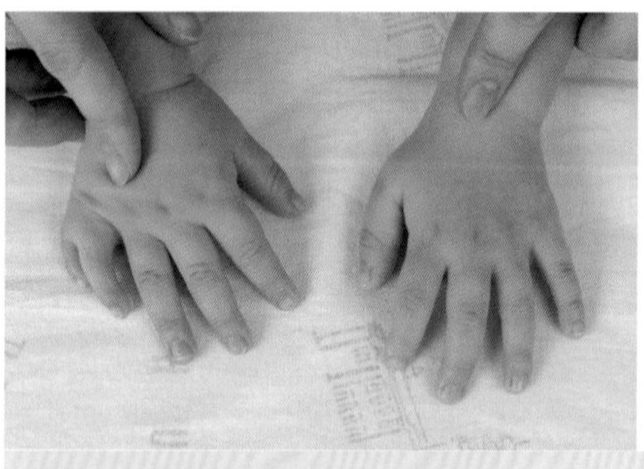
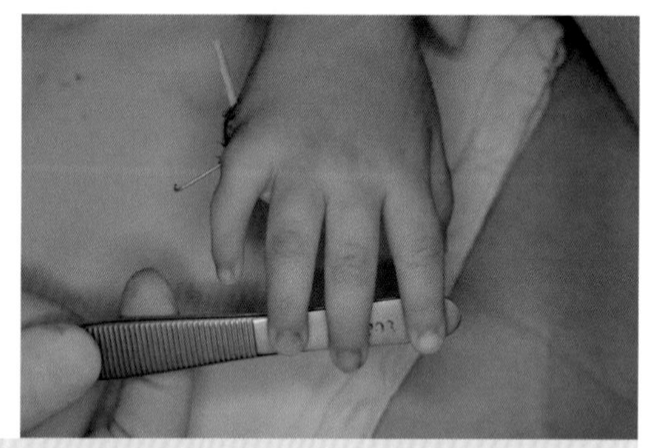

그림 4-4
우측 소지의 다지증 환자의 수술 전후 손 모양

색체 우성 유전 양상을 보인다. 흔히 합지증(syndactyly)(그림 4-5) 또는 파열수(cleft hand)와 동반된다.

4) 합지증

일반적으로 정상 수부에서 제2, 3수지 간 물갈퀴 공간(web space) 혹은 제4, 5수지 간 물갈퀴 공간은 U자 형태이며, 제3, 4수지 간 물갈퀴 공간은 V자 형태를 보인다. 정상적으로 지간 공간의 피부는 근위-배측에서 원위-수장측으로 약 45° 경사져 있으며, 근위 지골의 근위 1/3 부위에서부터 분리되어 각각 독립적인 기능이 가능한데, 손가락들의 분리가 불완전하여 선천적으로 붙어 있어 그 물갈퀴가 정상적인 위치보다 원위부로 내려가 있는 경우를 합지증(syndactyly)이라고 한다. 약 절반 정도에서 양측성으로 발생하며, 남자에서 두 배 더 많이 발생한다. 가족력은 10~40%에서 양성이다. 특히 중지-환지 또는 환지-소지 사이의 복잡형 합지증(complex

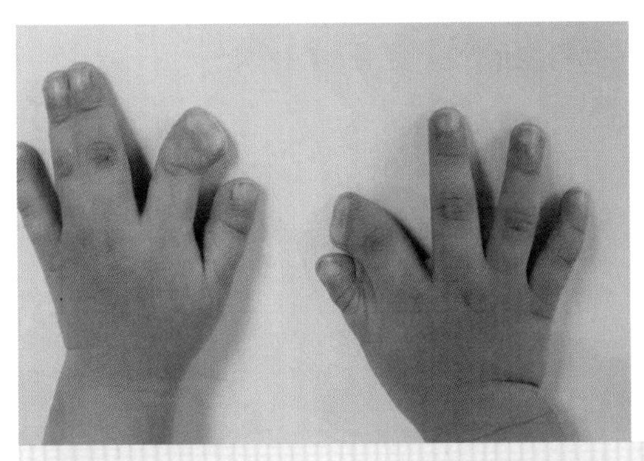
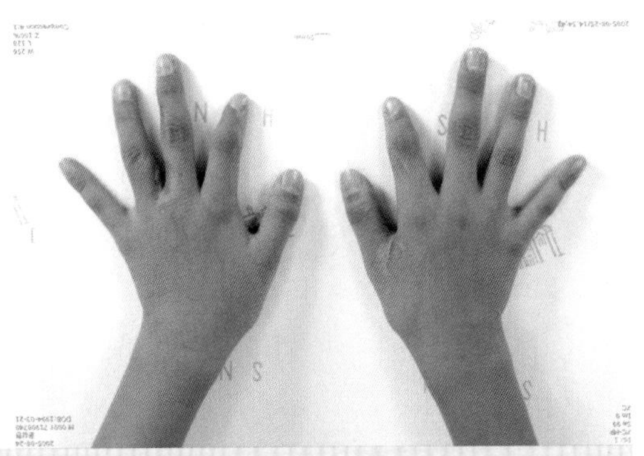

그림 4-5
양측 시지의 중심성 다지증. 좌측 제3 및 우측 제1물갈퀴 공간의 합지증이 동반되어 있다. 수술 전 및 수술 후 10년째 사진

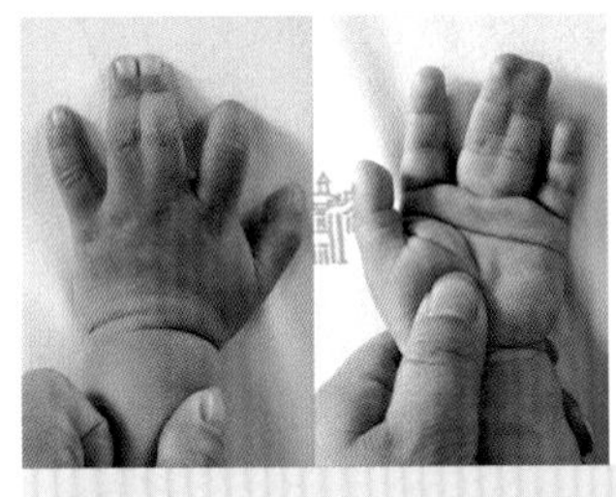
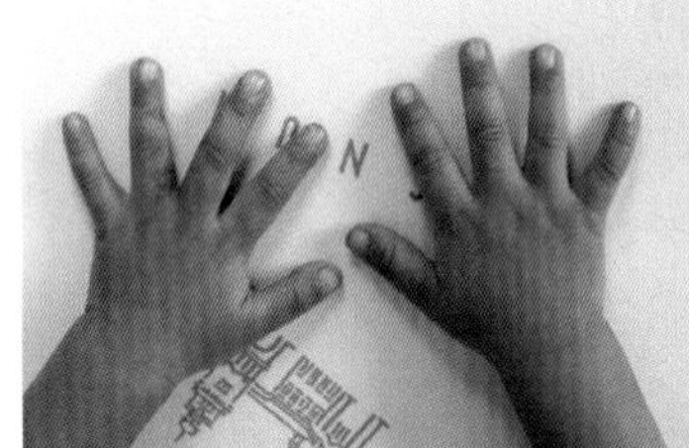

그림 4-6
합지증이 수지 끝까지 있는 완전 합지증이며, 피부 혹은 연부 조직으로만 연결된 단순 합지증이다. 전층 피부 이식을 이용한 합지증 분리술을 통해 재건하였다.

syndactyly) 중 원위 지골의 tuft가 붙은 경우에는 유전성이 강하다. 합지증의 범위와 이환된 조직의 종류에 따라 분류할 수 있다. 완전 합지증(complete syndactyly)은 수지 끝까지 합지증이 있는 경우이며, 불완전 합지증(incomplete syndactyly)은 수지 첨부보다 근위부까지만 합지증이 있는 경우이다. 단순 합지증(simple syndactyly)은 피부 혹은 연부 조직에 의해서만 연결된 경우이며, 손톱은 유합되어 있을 수도 있고, 그렇지 않을 수도 있다(그림 4-6). 복합형 합지증(complex syndactyly)은 인접한 지골 간에 골성 결합이 있는 경우이며, 복잡형 합지증(complicated syndactyly)은 수지 사이에 부 지골(accessory phalanx)이나 이상 골(abnormal bone)이 존재하는 경우이다. 신체 검진상 수지 지간 관절 전방에 횡 주름(skin crease)이 있으면서 지간 관절의 능동적 및 수동적 관절 움직임이 있다면, 단순 합지증일 가능성이 높으며, 지간 관절의 관절 움직임이 없다면 복합 혹은 복잡 합지증일 가능성이 높다. 수지의 단순 방사선 영상을 통해 골성 유합 여부를 평가할 수 있으며, Poland 증후군,

Apert 증후군, 양막 대 증후군(amniotic band syndrome) 등과 같은 증후군과 동반된 합지증의 경우에는 상지 전장을 포함하여, 흉부, 족부, 두부 및 얼굴에 대해서도 면밀한 신체 검진을 통해 평가하여야 한다.

수술 시기는 빠를수록 좋다. 엄지와 인지 사이의 합지증은 손의 기능을 위해서 빨리 시행하는 것이 좋고, 약지와 소지 사이 합지증은 수지의 길이 차이로 인해 성장함에 따라 수지 측편향(lateral deviation) 혹은 굴곡 변형이 발생할 수 있기 때문에 조기에 분리하는 것이 좋다. Apert 증후군과 같이 모든 수지가 붙어 있는 합지증의 경우에는 먼저 제1, 3물갈퀴 공간을 분리하고, 3개월 이상이 경과한 이후, 나머지 제2, 4물갈퀴 공간을 분리하는 것이 추천된다(그림 4-7).

3. 선천성 근성 사경

선천성 근성 사경(congenital muscular torticollis)은 선천적으로 발생한 sternocleidomastoid muscle (SCM)의 섬유성 구축(fibrous contracture)으로 인하여 머리와 목의 자세 이상을 초래하는 질환이다. 분만 시 SCM이 부분 파열되면서 혈종이 형성되고 섬유조직 반흔으로 치유된 것으로 추정하기 쉽지만, 순산을 하거나 제왕절개로 분만한 경우에도 발견되기 때문에 분만 시 손상으로만 설명되지는 않는다. 조직학적 소견을 근거로 태내에서 구획증후군에 의해 SCM muscle이 괴사되고 섬유성 반흔이 된 것이라는 가설도 제시되었다.

신생아기에는 목에 연부조직 종괴가 만져지며 고개를 환측으로 기울이고 얼굴은 그 반대쪽을 향하여 돌리고 있는 자세를 취한다.

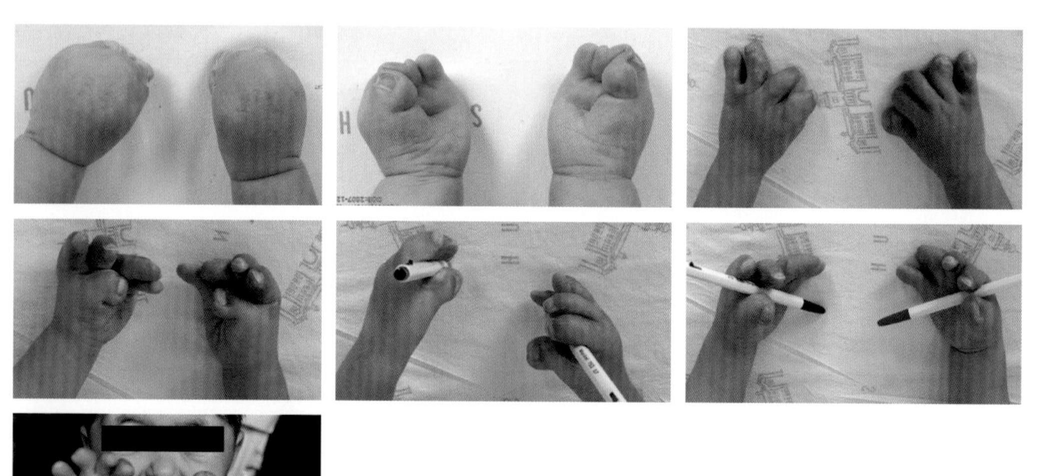

그림 4-7
Apert 증후군 환아로 수차례의 합지증 분리술을 통해 다섯 손가락을 모두 재건하였다.

성장하면서 종괴의 크기가 줄어들거나 상대적으로 작아 보이게 되고, 결국 SCM의 섬유성 밴드로 남게 된다. 고개를 가누기 시작하면 환측으로 머리를 기울이는 자세가 뚜렷해진다(그림 4-8). 머리를 건측으로 측방 굴곡하는 것과 환측으로 회전시키는 것이 제한된다. 이차적인 변화로 환측의 전외측 안면부와 건측 후외측 후두부가 납작해지고 환측 후두부와 건측 안면부가 볼록해지며, coronal plane에서 두개골 자체가 약간 환측으로 휘어지는 변화가 나타나서 얼굴과 두개골의 좌우 비대칭이 관찰된다(그림 4-9). 기능적 장애보다는 얼굴과 머리에 미용 상의 문제를 초래한다.

중증도 이상의 경우 시진과 촉진만으로 진단이 가능하나, 신체검사상 근육의 구축 여부를 판단하기 어려운 경증의 경우에는 초음파 검사를 통해서 양측 SCM의 두께와 섬유화 정도를 비교하여 진단할 수 있다. 경증으로 생각되는 애매한 경우, 정상적인 SCM의 수축(contraction)을 구축(contracture)으로 오인하는 경우가 있는데 충분한 시간을 두고 이완이 되는지 여부를 관찰하는 것이 필요하다. 영유아에서는 상사근 마비(superior oblique palsy)와의 감별이 중요하다. 안구를 움직이는 근육 중 하나인 superior oblique muscle이 마비되면 사물을 응시할 때에 고개를 기울이는 증상을 보이는데, SCM의 섬유성 구축이 없고 두개안면 비대칭이 없는 점이 구별된다. 그 외에 cervical spine 특히 upper cervical vertebrae의 선천성 기형으로 인하여 사경이 나타날 수 있다. 유소년기에 감기나 가벼운 외상에 의해

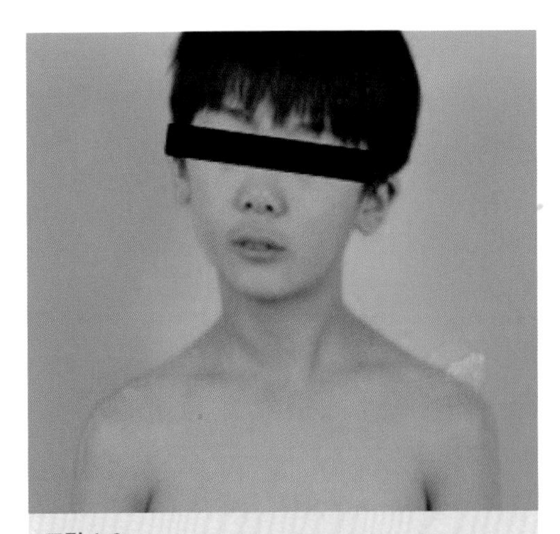

그림 4-8
6세 남아의 좌측 선천성 근성 사경
머리가 좌측으로 기울어져 있고 얼굴은 우측으로 돌아가 있다.

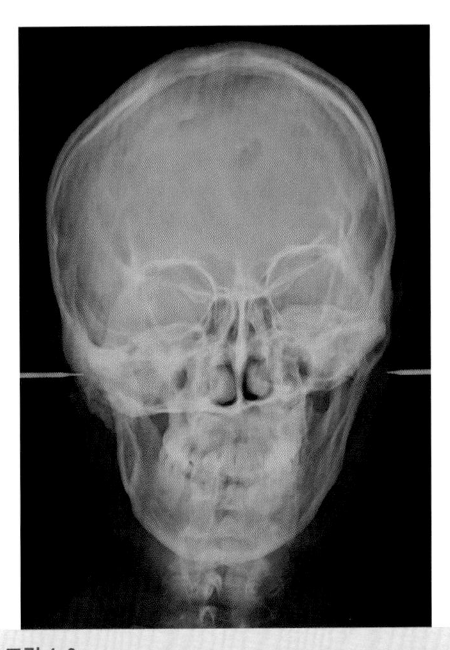

그림 4-9
치료 받지 않은 38세 우측 선천성 근성 사경 환자의 방사선 검사 소견
Cranium과 mandible이 휘어져 있고 정중선에서 cranium의 폭은 우측이 더 넓으며, 우측 mastoid process가 더 길다.

서 발생하는 atlantoaxial rotatory subluxation도 감별해야 하는데, 어느 날 갑자기 발생하며 고개가 기울어진 방향과는 반대쪽 SCM의 경축(spasm)이 관찰된다는 점이 감별점이다. 성인에서의 후천성 사경으로는 cervical dystonia를 감별하여야 하는데, 이는 신경과 진료가 필요하다. 선천성 근성 사경이 있는 환아에서는 발달성 고관절 이형성증의 가능성이 일반 영유아 보다 높기 때문에 이에 대한 검사가 권장된다.

1세 이전까지는 환측 SCM을 stretching 시키는 물리치료를 시행한다. 보고에 따라서 80~90%의 성공률을 기대할 수 있지만 영유아기부터 심한 섬유성 구축이 관찰되는 경우에는 결국 수술적 치료가 필요한 경우가 많다. 수술이 필요한 환아에서도 영유아기에는 물리 치료를 통해서 가능한 최대의 stretching을 얻는 것이 두개안면 비대칭을 최소화하는데에 도움이 될 것으로 생각된다. 1세 이후에 섬유성 구축이 잔존하고 고개의 운동 범위가 유의하게 제한되어 있으면 수술적으로 SCM을 절단하고 능동적 고개 운동을 시행하여 좋은 결과를 얻을 수 있다. 너무 어린 나이에 수술하면 수술 후 재활치료에 협조가 안 되는 문제가 있으며, 너무 늦게 수술하면 두개안면 비대칭이 잔존하기 때문에 3~4세 경에 수술하는 것이 적당하다. 선천성 근성 사경의 병태생리를 고려하면 botox 등을 통해서 SCM을 마비시키는 것으로는 치료를 기대할 수 없다.

4. 선천성 척추측만증

척추체의 선천성 기형은 발생 과정 중 간엽기(mesechymal stage)에 연골화(chondrification) 및 골화(ossification)를 통한 정상적인 척추의 발생과 발육이 이루어지지 않는 경우에 발생하며, 성장에 따라 척추의 불균형적 성장을 야기하게 된다. 선천성 척추 변형은 그 형태에 따라 다음과 같이 분류할 수 있다. 관상면(coronal plane)에서 측만 변형을 주로 일으키는 경우는 선천성 측만증(congenital scoliosis), 시상면(sagittal plane)에서 후만 변형(kyphosis)을 주로 일으키는 경우는 선천성 후만증(congenital kyphosis), 그리고 측만 변형과 후만 변형이 함께 있는 경우는 선천성 측만 후만증(congenital kyphoscoliosis)이라고 한다. 선천성 척추 변형은 그 발생 기전에 따라 형성부전(failure of formation), 분절부전(failure of segmentation), 그리고 복합기형(mixed deformity)으로 분류할 수 있다(그림 4-10, 11). 최근에는 기존의 2차원적인 분류법에서 보다 발전하여 3차원 단층 촬영(CT) 영상을 토대로 선천성 척추 변형을 분류하는 분류법이 소개되었다.

선천성 척추 변형의 유병률은 약 1~5%로 보고되며 남녀의 비는 여아가 1.4~2.5:1 정도의 비율로 많고 인종 및 지역에 따른 차이는 없는 것으로 알려져 있다. 유전 또는 환경적인 인자가 관여할 것으로 생각하며 40~70%의 환자에서 다른 장기의 선천성 이상이 동반되는데, 비뇨기계 이상, 심혈관계

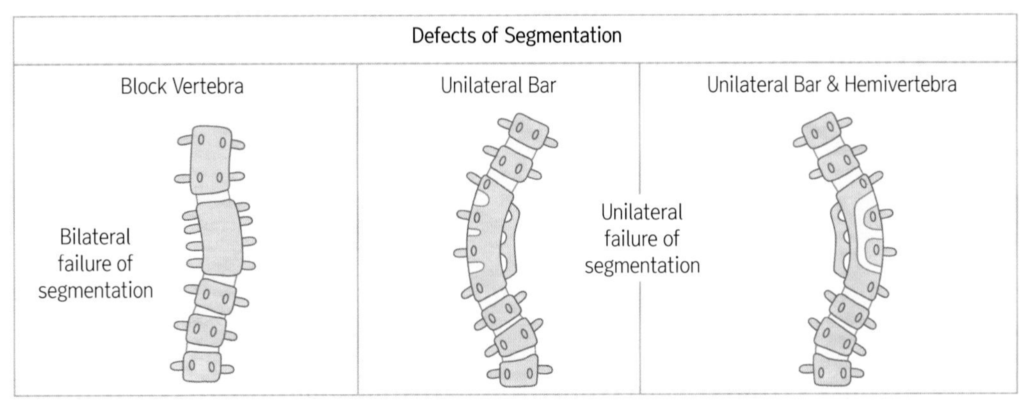

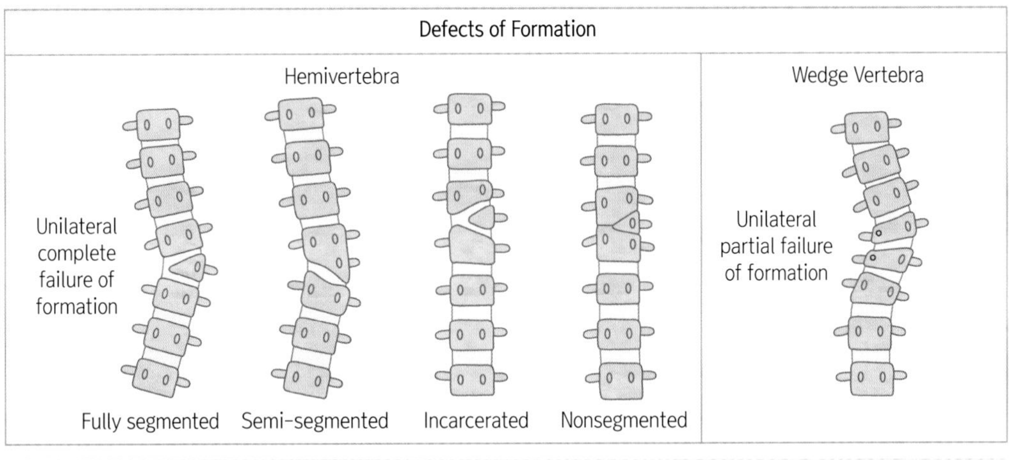

그림 4-10
선천성 척추 측만증

이상, 척추관내 이상 등이 흔하게 동반된다. 대표적으로 VACTERL (vertebral, anorectal, cardiovascular, tracheoesophageal, renal, limb anomalies) association의 일환으로 선천성 척추 변형이 나타나는 경우가 있겠다.

선천성 원인에 의한 척추 변형은 견고하며 (rigid), 진행하는 경우가 많은 것으로 알려져 있다. 선천성 척추 변형의 형태에 따라 변형의 진행 가능성 및 속도가 달라지는데, 특히 편측 미분절 척추봉(unilateral unsegmented bar)과 반대측 반척추 또는 설상척추(contralateral hemivertebra or wedge vertebra)가 함께 있는 경우, 또는 편측으로 여러 개의 반척추 또는 설상 척추가 있는 경우 변형이 심하게 진행하기 쉬운 것으로 알려져 있다. 반면에 여러 개의 반척추가 서로 반대 방향에 위치하는 경우에는 성장에 따른 척추 변형에 양쪽에서 균형을 이루어 임상적 문제를 일으키지 않

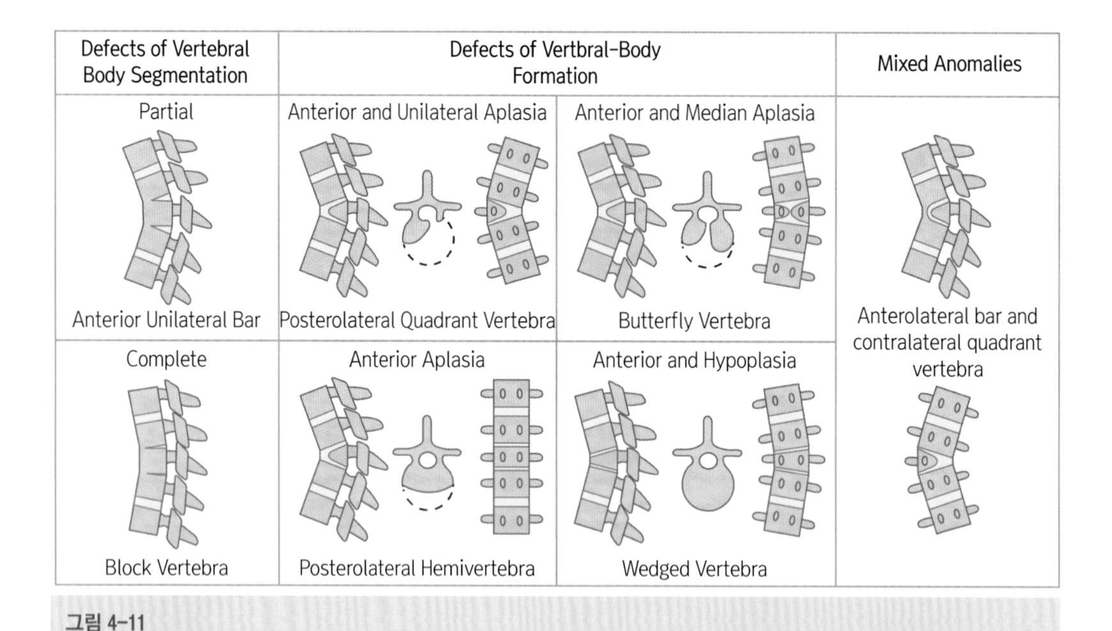

그림 4-11
선천성 척추 후만증

고 흉부 단순 방사선 검사 등을 통해 우연히 확인되는 경우가 많다.

한편, 선천성 척추 변형의 위치에 따라 환자의 임상 양상이 다르게 나타날 수 있다. 예를 들면, 흉추 부위에 선천성 후만증이 발생하는 경우, 급성장기에 변형이 진행하면서 압박성 척수병증(compressive myelopathy)을 일으켜 하지 마비 등의 증상을 발생시킬 수 있다. 또한, 요추 5번-천추 1번 분절과 같은 요천추(lumbosacral) 경계 부위에 발생한 선천성 척추 측만증은 척추 균형의 상실(대상실조, decompensation)을 일으키기 쉬우므로 주의 깊은 관찰이 필요하다(그림 4-12).

선천성 척추 변형은 조기에 진단하고 치료를 시작하여 변형이 고도로 진행하는 것을 방지하는 것이 중요하다. 치료 방법을 결정하

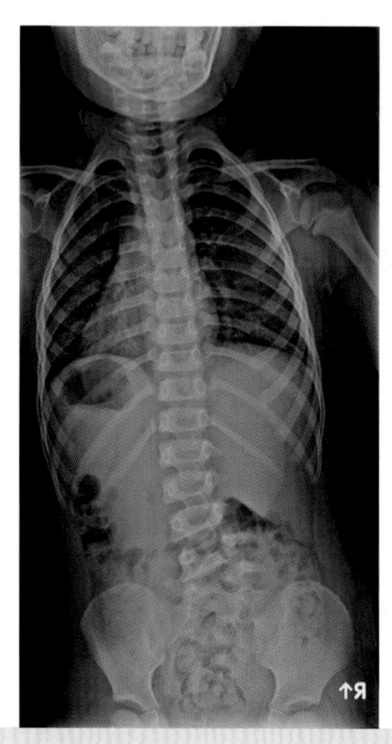

그림 4-12
요추 5번-천추 1번에 선천성 반척추가 있는 3세 환아로, 좌측으로 척추의 균형이 무너진 대상실조(decompensation)를 보이고 있다.

는 데에 있어서는, 어린 나이에 치료가 시작되기 때문에, 폐의 발육과 폐기능 발달에 대한 고려가 필요하다. 만곡(curvature)의 크기가 작고 척추가 균형을 이루고 있으며 성장이 완료된 경우에는 단순 경과관찰만으로 충분하다. 만곡이 진행하나, 크기가 크지 않고 비교적 유연한 경우 보조기 치료를 시행하며 수술적 치료의 시기를 미룰 수 있다. 척추를 길게 고정하는 장분절 유합술은 가능한 폐 발육이 완료되는 9~10세 이후 시행하는 것이 좋으며, 그 이전에는 단분절 유합술로 흉곽 성장에 영향을 적게 주는 방법이나 척추와 흉곽의 성장을 유지하면서 변형을 교정하는 수술 방법을 선택하는 것이 좋겠다(growth-friendly surgery)(그림 4-13).

5. 선천성 경추 결합

선천성 경추 결합은 Klippel-Feil syndrome 이라고도 하며, 40,000명 출생 당 1명의 빈도로 발생하는 것으로 알려져 있다. 선천성 경

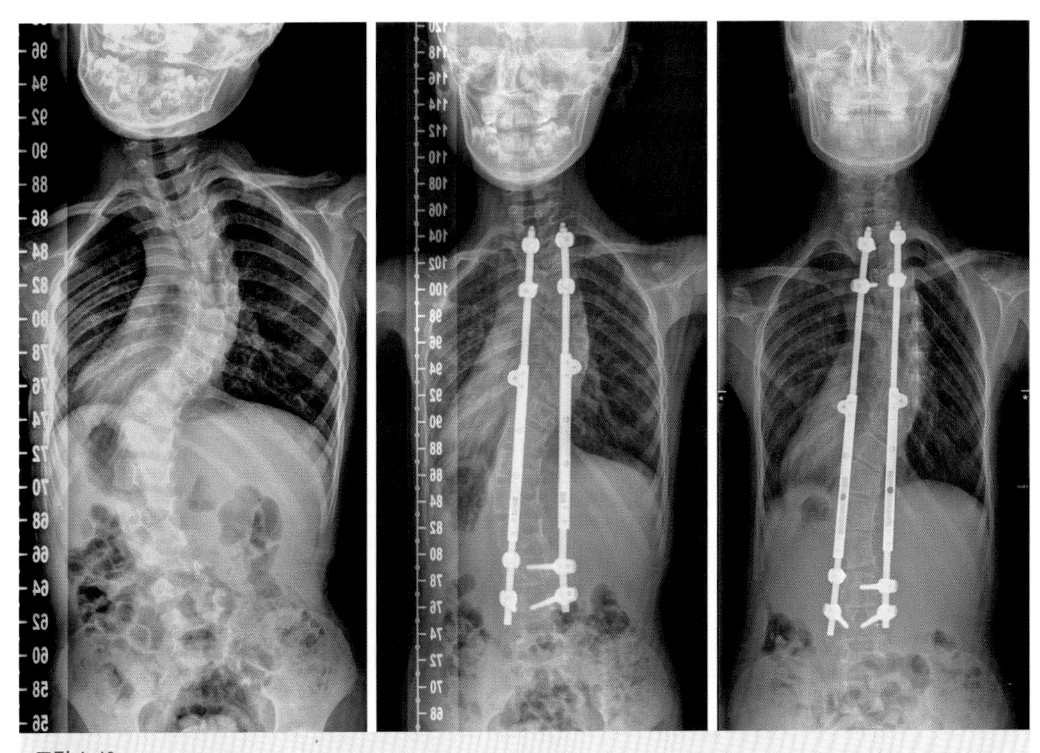

그림 4-13
6세 여아에서 발생한 측만증에 대해 growing rod을 사용하여 growth-friendly surgery를 시행하였으며, 흉곽과 폐 성장을 유지하면서 점진적으로 변형을 교정하였다.

추 결합은 2개 이상의 경추가 유합되어 경부 운동 범위가 감소되고 목이 짧아지며, 후경부의 모발선(hair line)이 낮게 나타나는 등의 임상양상을 보인다(그림 4-14). 여자에게서 약간 더 호발하며, 청각 장애가 흔하고, 공동 반사 운동(synkinesia, mirror motion)도 동반될 수 있다. 또한 유합된 부분의 위아래 관절에서 보상성 운동으로 인한 퇴행성 변화 및 불안정성이 발생하여 목 통증 및 상지 방사통을 호소하는 경우도 있다. 유합된 경추의 인접 관절에서 운동 범위가 과도하거나 불안정하여 신경 마비를 초래할 위험성이 높은 경우에는, 보조기를 사용하여 경추의 운동을 제한시키거나, 수술로 문제가 되는 경추의 유합술을 시행할 수 있다.

6. 하부요추 골격 이상

인구의 1/4에 해당하는 많은 환자에서 선천적인 요추부 및 요천추의 골격 이상이 발견된다. 하지만 이러한 골격 이상은 임상 증상으로 나타나지 않는 경우가 많으며, 요통과는 직접적인 인과 관계가 없는 경우가 많다. 가장 흔한 하부요추 골격 이상으로는 요천추 이행성 척추(lumbosacral transitional vertebra)가 있으며, 길어진 마지막 요추의 횡돌기가 천추와 연결되는 부위에서 통증을 유발하는 경우 Bertolotti's syndrome이라고도 한다(그림 4-15). 그 이외에도 하부요추 골격 이상에는 잠재성 척추 이분증(spina bifida occulta), 선천형 척추 분리증(congenital spondylolysis), 선천성 척추관 협착증(congenital spinal stenosis) 등이 있다.

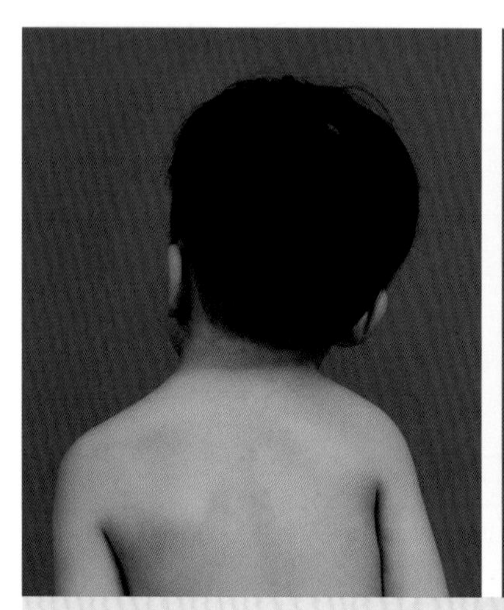
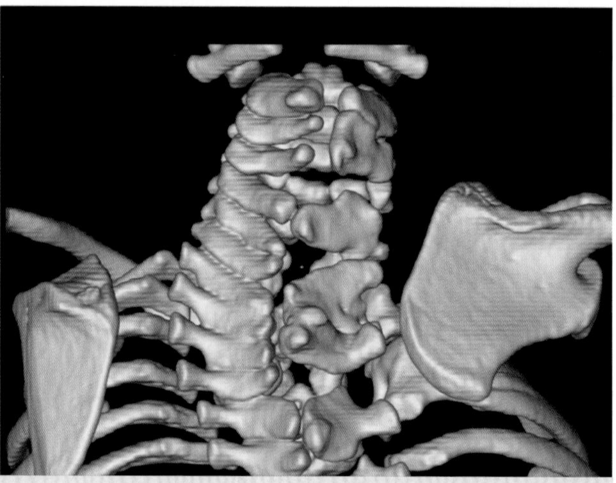

그림 4-14
4세 남아에서 발생한 선천성 경추 결합으로 기울어진 머리와 짧은 목이 관찰된다. 이 환아의 경우 우측 견갑골에 Sprengel deformity가 동반되어 있다.

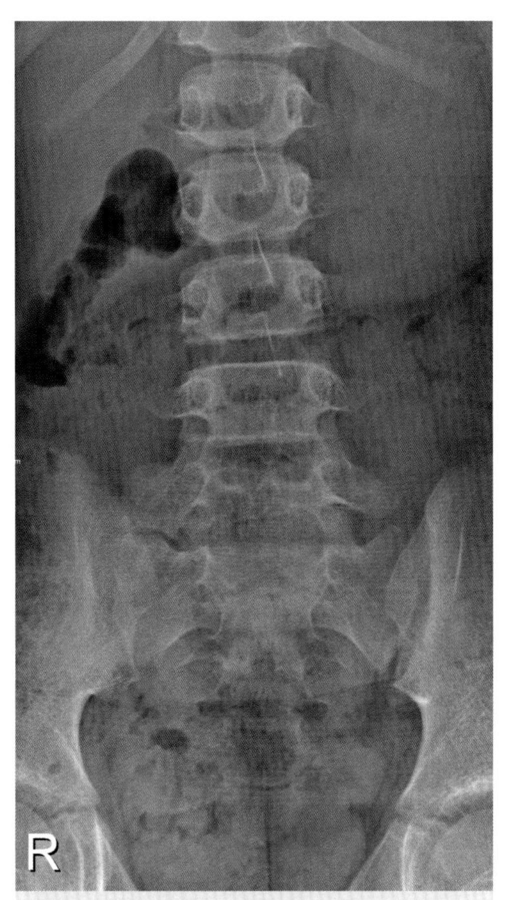

그림 4-15
12세 남아에서 관찰되는 요천추 이행성 척추(lumbosacral transitional vertebra)로, 제5번 요추의 우측 횡돌기가 천추와 연결되는 부위에서 통증을 일으킬 수 있다.

7. 발달성 고관절 이형성증

1) 정의

발달성 고관절 이형성증(developmental dysplasia of the hip, DDH)은 외상, 마비, 감염 등의 특별한 이유 없이 hip joint에 발달 장애가 발생하는 일련의 병적 상태를 지칭한다. Femoral head와 acetabulum의 접촉이 완전히 차단되는 탈구(dislocation), femoral head와 acetabulum의 접촉이 부분적으로만 유지되는 아탈구(subluxation), 그리고 femoral head와 acetabulum의 접촉은 잘 유지되어 있지만 양측 또는 한쪽의 형태가 비정상적으로 발달하는 이형성증(dysplasia) 등을 포괄적으로 지칭한다(그림 4-16). 이들은 해부병리적으로는 큰 차이가 있지만 같은 원인에 의해서 발생하여 진행하는 병리 과정의 연장선상에 있기 때문에 같은 질환으로 묶여 있다.

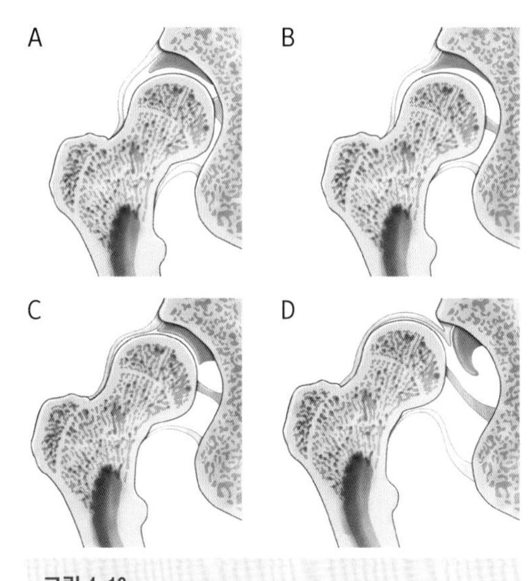

그림 4-16
Dunn의 해부병리학적 분류
A. 정상 고관절
B. 불안한(unstable) 아탈구가능(subluxatable) 고관절
C. 아탈구(subluxated) 고관절
D. 완전 탈구된(completely dislocated) 고관절

2) 원인 및 병태생리

DDH는 어떤 유전적 소인에 의해서 관절막이 느슨하거나 hip joint의 형태가 불안정한 태아 또는 영유아에서, 출산 전후 hip joint에 불리한 역학적 힘이 작용하면서 발생한다. DDH의 발병률은 진단 기준에 따라서 달라질 수 있지만 대략 1,000명의 신생아 중 1명 정도의 빈도로 발생한다는 보고가 많고, 우리나라도 이에 근접하는 것으로 추정된다. 그러나 인종 간에 큰 차이를 보이기도 하는데 이는 유전적 소인에 의한 것일 수도 있고 출생 후 신생아를 보육하는 방법에 따른 것일 수도 있다. DDH 환아의 남녀 성비는 약 4:1 정도로 여아에서 많다. 부모에게 또는 형제에게서 DDH가 있었던 경우 그 발병률이 수십배 증가하는 뚜렷한 유전적 소인이 관찰되고 있다. 그러나 가족적으로 발생하는 경우에도 멘델의 법칙을 따를 정도로 발병률이 높지는 않기 때문에 유전적 소인만으로 모든 것을 설명할 수는 없다. 역학적(epidemiologic) 조사에 의해서 밝혀진 DDH의 위험 요인들 중 상당수는 DDH의 발병이 역학적(mechanical) 환경에 기인한다는 것을 시사한다. 역학적(mechanical) 위험인자 중 둔위태향(breech presentation)인 경우 자궁 내에서 태아의 hip joint 운동이 산모의 pelvis에 의해서 제한되고, 양수과소증(oligohydramnios)이 있을 경우에는 자궁 내에서 태아가 압박을 많이 받게 된다. 첫 번째 임신인 경우에는 산모의 복벽이 잘 늘어나지 못하여 역시 자궁 내 압박이 더 높다. 선천성 근성 사경(congenital muscular torticollis) 또는 중족골 내반증(metatarsus adductus)과 같은 선천성 기형/변형과 동반되는 경우가 많은데 이들 역시 자궁내 압박에 의해서 발병한다고 추정되고 있어서 동일한 원인에 의해서 병발하는 것으로 생각된다. 좌측이 우측에 비해서 4~5배 정도 더 흔한 것 역시 가장 흔한 태아 위치에서는 좌측이 산모의 요추에 맞닿아서 고관절 운동이 원활하지 않았기 때문인 것으로 설명된다. 신생아의 다리를 차렷 자세로 고정하여 키우는 습관을 가지고 있는 인종이나 지역에서는 DDH의 발병률이 높은 것도 출생 후 역학적 환경이 기여한다는 것을 시사한다(표 4-2). 이와 같이 유전적 소인과 역학적 소인이 함께 작용하는데, 환자에 따라서 각 요인이 차지하는 비중이 다르다.

태아 발생 과정에서 femoral head와 acetabulum은 정복되어 있는 상태로 형성되는데, DDH에서는 태아 발생 중 또는 출산 후 어떤 시기에 탈구/아탈구/이형성이 발생하게 된다. 탈구는 어느 한순간에 발생하기보다는 처음에는 관절이 불안정한 상태에서 아탈구가

표 4-2
DDH의 위험인자

• DDH의 가족력
• Breech presentation
• Associated anomalies: congenital muscular torticollis, metatarsus adductus
• Oligohydramnios
• First baby
• Female gender

되고, 더 진행하여 자세에 따라 탈구와 정복이 반복되는 상태를 지나 점차 탈구된 상태로 고착되며, 나중에는 스스로 정복될 수 없는 상태가 되는데 이러한 과정이 진행되는 시기는 환자마다 다르다. 가장 흔한 경우는 출생 시 어느 정도 관절의 불안정성이 있다가 영유아기 초기에 점차 진행하여 탈구되는 경우이지만, 일부의 환자에서는 출생 시 이미 탈구된 상태인 경우도 있고, 일부에서는 출생 직후에는 정상적인 관절 안정성과 관절 구조를 보이다가 성장하면서 점차 이형성증/아탈구/탈구의 과정을 거쳐가는 경우도 있을 수 있다. 또, 일부에서는 이형성증과 아탈구 상태에서 평생 탈구로 진행하지 않고 남아있기도 하며, 드물지만 영유아기에 탈구/아탈구/이형성증이 확인되었는데 성장하면서 저절로 안정적인 관절로 발달하는 경우도 있다.

3) 증상, 신체검사 소견

DDH는 통증이 없고 hip joint가 워낙 신체 깊숙이 위치하고 있어 외관상으로도 잘 드러나지 않기 때문에 조기에 관심을 끌지 못하는 경우가 흔하다. 아탈구나 이형성증의 경우에는 전혀 증상이 없고 신체검사에서도 확인할 수 없는 경우가 대부분이다. 따라서 이들은 신생아에 대한 초음파 screening 검사에 의해서 발견되거나 다른 이유로 단순 방사선 검사를 하다가 우연히 발견하게 된다. 만약 영유아기에 이를 발견하지 못하고 진단 시기가 늦어질수록 적극적인 치료를 하여도 정상적인 관절로 발달할 가능성은 점차 낮아지며, 관절의 마모와 파괴가 빨리 진행하여 청장년기에 조기 퇴행성 관절염으로 진행할 수 있다.

탈구가 되었을 때에는 영유아기에도 몇 가지 증상이 나타난다. 탈구가 고착되어 있으면 hip joint의 외전(abduction)이 제한되어 기저귀를 갈아줄 때에 보호자가 느낄 수도 있다(그림 4-17A). 한편, 태생기 때의 자세 등으로 인하여 신생아기에 고관절 외전이 제한되어 있는 경우도 있는데, 이때에는 DDH가 병발할 위험이 높지만 정상적인 관절을 보이는 경우도 많다. 사타구니의 양쪽 피부주름이 탈구된 쪽에서 더 깊고 길게 보이는데 이는 태생기 때의 자세에 의한 hip joint 외전제한과 관련있다(그림 4-17A). 그러나, 탈구된 환자 중에도 피부 주름에는 차이가 없을 수도 있다. 특히, 대퇴부의 비대칭적인 피부주름은 DDH와의 관련성이 없는데 과거에 잘못 강조가 되었다. 탈구된 환아의 무릎을 세워보면 탈구된 쪽 무릎의 높이가 낮은 것을 볼 수 있다(그림 4-17B). 걸음마를 시작하면 다리를 저는 것을 일반인도 알아볼 수 있다. 그러나 양측 hip joint가 모두 탈구되어 있는 경우에는 대칭적이어서 보행 이상을 못 느끼고 발견이 더욱 늦어질 수도 있다.

신체검사상 환자를 눕혀 놓고 무릎을 세웠다가 고관절을 외전하면서 greater trochanter를 밀어 올리면 femoral head가 acetabulum 안으로 정복되는 느낌과 둔탁한 소리를 느낄 수 있으며, 반대로 정복된 상태에서 hip joint를 다시 내전시키면서 proximal thigh의 내측을 바깥쪽으로 밀면 femoral head가 acetabulum

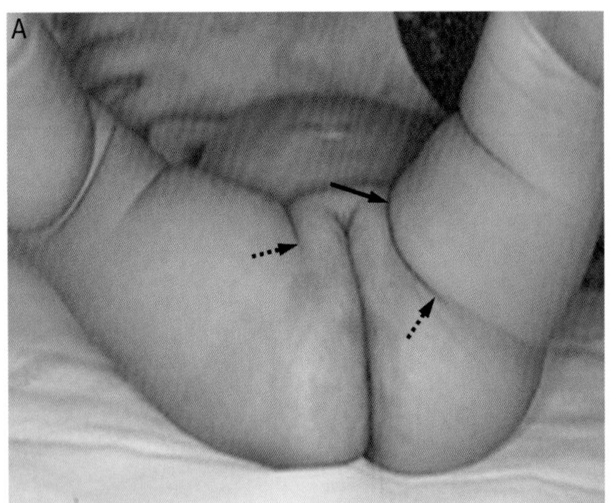
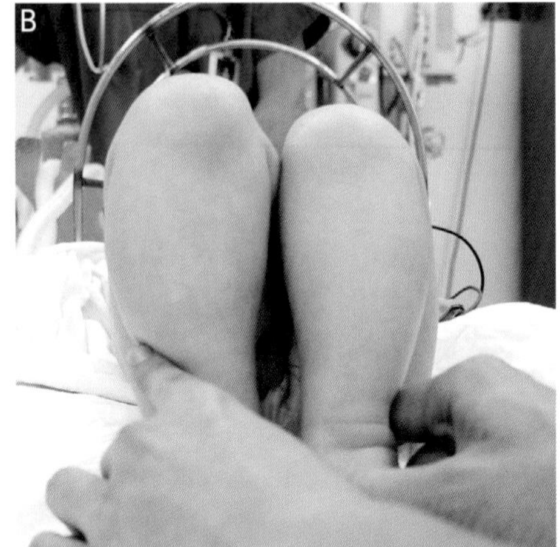
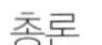

그림 4-17
탈구된 DDH에서 보이는 신체검사 소견
A. 탈구된 좌측 hip joint의 외전이 제한되어 있고 adductorgluteal skin fold가 더 깊고(실선 화살표) 길다(점선 화살표).
B. 탈구된 쪽 무릎 높이가 낮아지는 Allis 징후

에서 빠져나가는 것이 느껴지는데 이들을 Ortolani 징후라고 한다. 이 징후는 hip joint가 탈구와 정복이 모두 가능한 상태에서만 양성으로 나타난다. 이 징후가 음성인 경우는 DDH가 없는 정상 영유아일 수도 있지만, 이형성증/아탈구가 있으나 탈구는 되지 않는 상태일 수도 있고, 탈구되어 있더라도 도수로 정복이 되지 않는 상태일 수도 있다. 또, 환자가 완전히 이완되어 있을 때에 시행하여야 하는데, 연령이 증가하여 환자가 힘을 많이 줄 경우에는 정복 가능한 탈구가 있어도 음성으로 나타난다. 초음파 검사 등이 발달하지 않았을 때에는 Ortolani 징후가 DDH 여부를 진단하는 목적으로 널리 사용되었으나 오늘날에는 DDH 여부를 판단하는 진단적 가치는 적고, 오히려 DDH 탈구 환자에서 보조기 또는 도수 정복으로 치료가능한 지 여부를 가늠하는 데에 더 의의가 있다고 하겠다.

4) 검사소견 및 진단

생후 6개월 이전에는 femoral head뿐 아니라 acetabulum의 상당 부분도 연골로 되어 있어 단순 방사선 검사로는 hip joint의 정확한 형태와 관절 상태를 파악할 수 없기 때문에 초음파 검사가 표준적인 진단 방법으로 자리 잡고 있다. 초음파 검사는 연골로 되어 있는 acetabulum의 형태와 femoral head가 acetabulum에 얼마나 깊숙이 위치하는지를 평가할 수 있을 뿐만 아니라(그림 4-18), hip joint에 stress를 주어서 femoral head가 어느 정도 밀려나는지를 실시간으로 보면서 불안정성을 파악할 수도 있다.

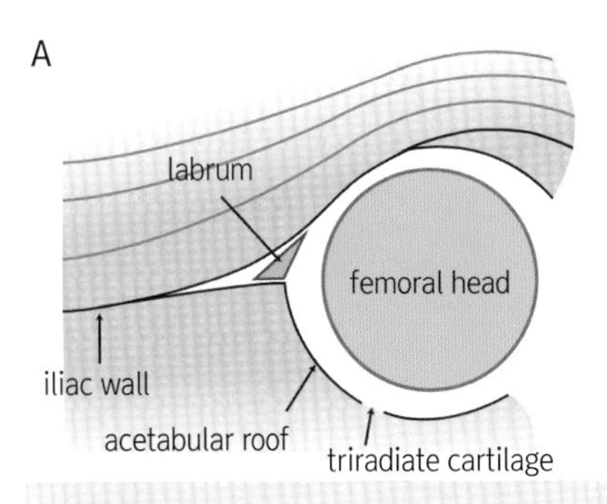

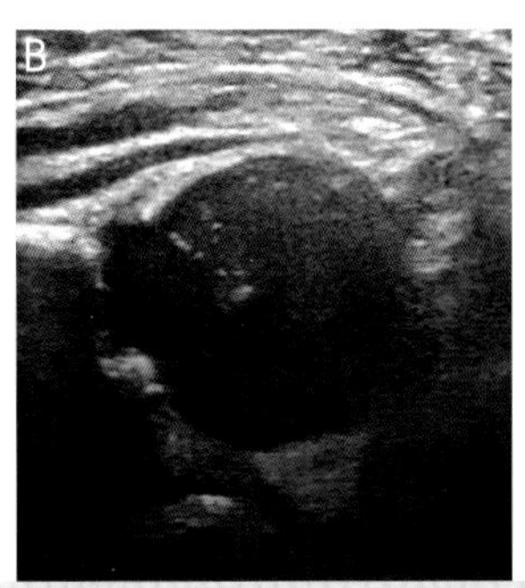

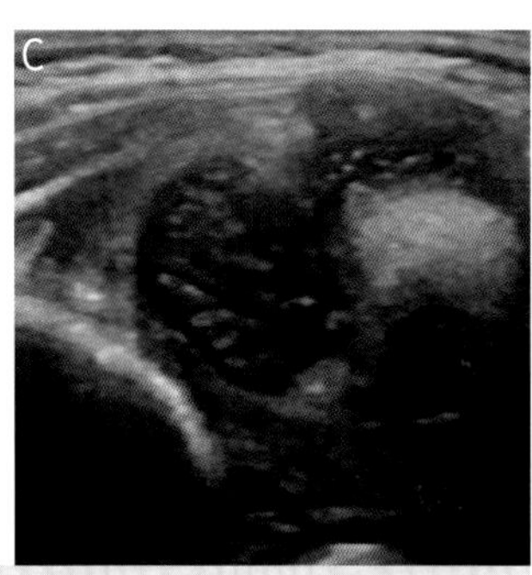

그림 4-18
영유아 hip 초음파 검사
A. 영유아 고관절 초음파 검사에서 관찰되는 해부학적 구조물
B. 정상 고관절 초음파 영상. Femoral head는 acetabulum에 깊숙이 위치해 있으며 acetabular roof와 iliac wall은 60도 이상의 예리한 각도를 형성하고 있다.
C. 탈구된 DDH의 초음파 영상

Femoral head의 이차 골화 중심은 생후 4개월에서 8개월 사이에 나타나기 시작하여 점차 크기가 커진다. Femoral head의 골화 중심이 단순 방사선 검사에서 보이고 비구측 골화가 진행되는 생후 6개월 이후에는 단순 방사선 검사로도 DDH의 진단이 어느 정도 가능해진다. 단순 방사선 검사에서 탈구된 DDH는 1) femoral head의 골화 중심이 건측에 비해서 외상방으로 전위되어 있으며, 2) femoral head가 골화되지 않았거나 건측보다 크기가 작고, 3) acetabular roof의 경사각(acetabular index)이 더 큰 소견을 보인다(그림 4-19).

DDH는 조기 진단과 조기 치료가 그 어느 질환보다 중요하지만, 증상이 나타나는 것은 청장년기이고, 그때에 발견하여 치료하면 완치가 불가능하기 때문에, 많은 국가에서 영유아를 대상으로 선별검사를 하고 있다. 선진국에서는 생후 2개월 이내에 발견하여 치료하는 것을 목표로 하고 있고, 현재 국내 영유아검진 체계에서도 생후 5주 이전에 진단하는 것을 목표로 하고 있다. 조기 진단을 위해서 모

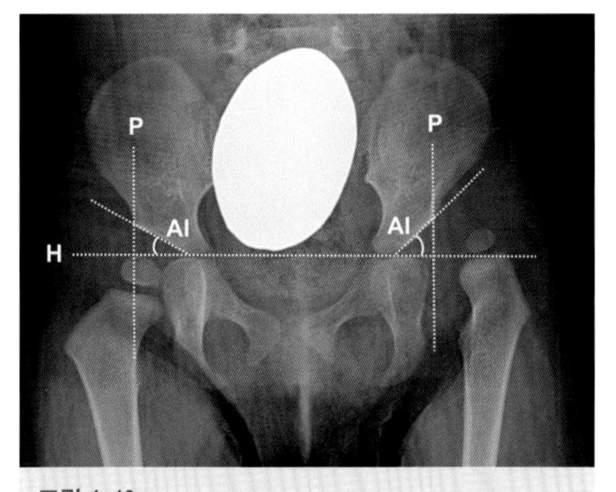

그림 4-19
탈구된 좌측 DDH의 18개월 여아 단순 방사선 소견
Triradiate cartilage를 연결한 Hilgenreiner선(H)과 acetabular lateral margin에서 Hilgenreiner line에 수직으로 내린 Perkins 선(P)을 기준으로 크기가 작은 femoral head는 외상방으로 전위되어 있다. 비구 경사각(AI)은 환측에서 더 크다.

든 신생아에 대해 초음파 검사를 시행하는 독일과 같은 선별검사제도도 있으나 그 비용 대비 효과에 대해서 논란이 있다. 대부분의 국가에서는 영아기에 문진과 신체검사를 통해서 고위험군(표 4-2)을 선별하고 이들에 대해서 초음파 검사를 시행하고 있다.

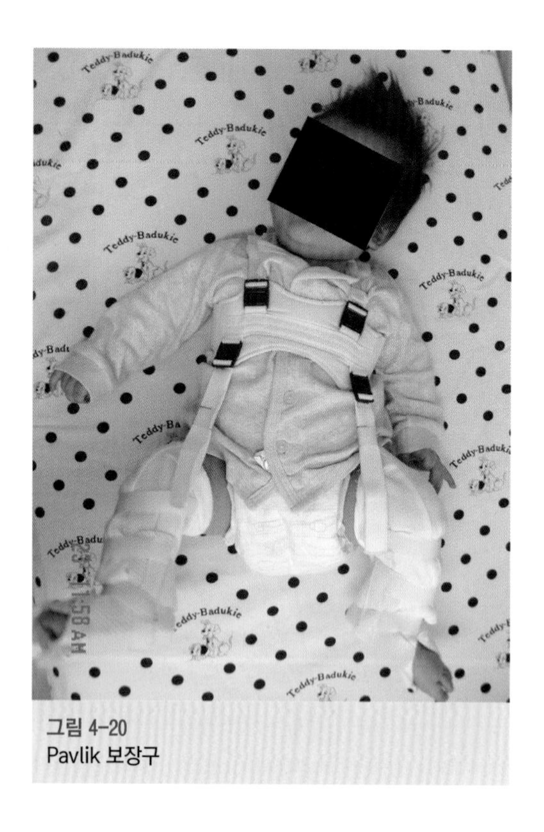

그림 4-20
Pavlik 보장구

5) 치료 및 예후

DDH의 해부병리는 나이가 들면서 급격히 변하면서 탈구가 고착되고 proximal femur와 acetabulum의 구조적 변화가 심화되기 때문에 가능한 빠른 시일 내에 탈구된 femoral head를 acetabulum 안으로 정복시키거나 관절을 안정화 시키는 것이 필요하다. 생후 6개월 이전에 진단된 경우에는 대부분의 경우 보장구나 보조기를 통해서 hip joint을 굴곡–외전시키는 위치로 유지해서 정복을 얻고 관절을 안정화 시키는 것이 가능하다. Pavlik 보장구(그림 4-20)가 이러한 목적으로 가장 널리 사용되고 있는데, 이는 어깨에 고정한 끈으로 양측 lower leg와 foot를 붙잡아서 hip joint를 90° 이상 굴곡한 상태로 유지하는 것이다. 환아는 이 범위 내에서는 다리를 비교적 자유롭게 움직일 수 있는데 다리 무게에 의해서 고관절이 외전되면서 자연스럽게 femoral head가 acetabulum으로 정복이 되고 그 위치에서 안정화를 이룰 수 있게 된다. Pavlik 보장구를 이용한 치료는 이형성/아탈구에서는 95% 이상 정상적인 관절 구조로 성장–발육할 수 있도록 하며, 탈구된 경우에는 약 85%에서 정복을 얻을 수 있다고 보고되어 있다. 환아가 너무 커서 Pavlik 보장구로 관절 운동을 제한할 수 없거나 Pavlik 보장구로 정복에 실패한 경우에는 전신 마취하에 도수 정복(closed reduction)을 시도한다. 마취 전 1~2주일 정도 하지를 견인하면 정복을 더욱 쉽게 얻을 수 있고 대퇴골두 무혈성 괴사를 어느 정도 예방할 것으로 생각된다. 안정적인 도수정복이 가능하면 석고붕대 고정을 3개월 정도 시행하여 관절이 안정되도록 한다. 전신 마취하에서 도수 정복으로 안정적인 정복을 얻을 수 없는 경우에는 관절막을 절개하고 정복을 방해하는 구조물을 제거하여 femoral head를 acetabulum에 깊숙이 정복하고 관절막을 봉합하는 수술적 정복술(open reduction)이 필요하다. 또, proximal femur나

acetabulum의 변형이 심해서 관절막 봉합술을 시행하여도 정복을 유지하기 어려울 때에는 절골술(osteotomy)를 통해서 골 변형을 함께 교정해주는 것이 필요하다.

정복을 얻은 후에도 성장이 끝날 때까지 hip joint가 정상적으로 성장하는 지를 주기적으로 추시하여야 한다. 골 변형이 잔존(residual hip dysplasia)하거나 이로 인하여 아탈구가 잔존하는 경우에는 절골술로 골 변형을 교정해 주여야 한다. DDH의 치료 과정에서 femoral head의 무혈성 괴사(avascular necrosis)가 발생할 수 있는데 이는 전반적으로 나쁜 예후를 초래할 수 있는 심각한 합병증이다. 이를 예방하기 위해서 1) 도수 정복 전 견인 치료를 시행하고, 2) 도수 정복이 어려울 때에는 과감하게 수술적 정복으로 전환하며, 3) 석고 고정 시에는 hip joint의 과도한 외전을 삼가고 90도 이상 굴곡/45~60° 외전하는 "인간 자세(human position)"를 유지하는 것이 필요하다.

8. 소아의 일과성 고관절 활액막염

소아의 일과성 고관절 활액막염(transient synovitis of the hip)은 소아의 고관절 통증을 일으키는 가장 흔한 원인으로 고관절 활액막에 발생하는 비세균성 염증이다. 갑자기 고관절 통증과 파행을 호소하는데 이는 고관절의 염증성 삼출액 때문에 관절 내압이 높아지고 고관절 주위에 근경련이 발생하기 때문이다. 호발 연령은 3세부터 10세로 남아가 여아보다 2~3배 흔하고 95%가 일측성이다. 약 10%에서 재발하기도 한다. 발생 원인은 확실히 밝혀져 있지는 않지만 외상, 감염, 알레르기 반응 등으로 추정하고 있다. 감기가 흔한 가을철에 흔하게 발생하기 때문에 상기도 감염과의 연관성이 설득력을 얻고 있다.

1) 임상 소견

환아는 서혜부(groin), 고관절, 대퇴 내측(medial thigh)이나 슬관절 주위에 통증을 호소하며 심한 경우 다리를 절거나 걷지 못한다. 슬관절과 대퇴부의 통증은 femoral nerve, obturator nerve의 분포 범위에 따른 연관통(referred pain)으로 발생한다. 환아는 고관절막의 긴장을 가장 줄일 수 있는 자세인 고관절 굴곡, 외회전 및 외전 자세를 취하려고 한다.

진찰 상, 무릎을 펴고 고관절을 편 상태(중립위)에서 다리 전체를 회전시킬 때(log rolling test), 혹은 고관절과 무릎을 90° 구부린 상태에서 고관절을 벌리고 외회전시키려하면 통증이 심해지는 Patrick 검사 양성이다. 상기도 감염 관련하여 미열이 있을 수는 있지만, 고열이 나는 경우는 드물다.

혈액 검사 소견은 대부분 정상이다. 단순 방사선 검사상 골의 이상은 없으나, 삼출액이 많은 경우 대퇴골두가 약간 외측으로 밀려 고관절의 내측 관절 간격이 증가될 수 있다. 초음파 검사로 관절내 삼출액의 유무를 보다 정확히 파악할 수 있다. 뼈스캔에도 특이 소견은 없다.

2) 진단

다른 질환을 배제함으로써 일과성 고관절 활액막염을 진단하게 된다. 감별 진단할 질환에는 세균성 고관절염(septic arthritis of the hip), Legg-Calvé-Perthes병, 연소기 류마토이드 관절염(juvenile rheumatoid arthritis, JRA), 대퇴골두 골단 분리증(slipped capital femoral epiphysis), 유골골종(osteoid osteoma) 등이 포함된다. 특히, 화농성 고관절염과의 조기 감별 진단이 매우 중요하다. 고관절통이 있는 환아에서 38.5℃ 이상의 체온, 체중 부하 불가능, 백혈구 수의 증가, 적혈구 침강 속도(ESR)의 증가 등의 소견이 두 가지 이상 동반된다면 고관절 천자 후 관절 삼출액 검사 및 세균 배양 검사를 하는 것이 안전하다. 화농성 관절염을 의심하였으나 관절 삼출액이 없는 경우에는 고관절 주위의 급성 골수염이나 근염이 아닌지 확인하여야 한다. Legg-Calvé-Perthes 병의 아주 초기에는 단순 방사선 사진 소견도 정상일 수 있고 증상도 일과성 고관절 활액막염과 차이가 없으므로 증상이 수 주 후에도 지속되거나, 호전 후 금방 재발하는 경우에는 단순 방사선 사진을 추시하여 Legg-Calvé-Perthes병 여부를 확인하는 것이 필요하다.

3) 치료

일과성 고관절 활액막염은 대부분 수 일 내에 증상이 없어지지만, 간혹 수 주 동안 증상이 지속되기도 한다. 대부분 대증적 치료로 호전되며, 고관절 통증이 없어지고 고관절 운동이 회복될 때까지 체중 부하를 피하고, 침상 안정을 시킨다. 삼출액이 많이 고여 통증이 심한 경우에는 비스테로이드성 소염진통제 투여나 피부 견인(skin traction)이 증상 호전에 도움이 된다.

9. Legg-Calvé-Perthes (LCP)병

원인을 알 수 없는 혈행 장애로 초래되는 미성숙 대퇴골두의 허혈성 골/연골괴사(idiopathic ischemic necrosis of the femoral head)와 이후 속발되는 일련의 재생 과정을 특징으로 하는 질환이다. 무혈성 괴사에 의한 병으로 추정하지만, 정확한 원인은 불분명하다. 18개월부터 14세까지 발생 가능하지만 4세부터 8세에 제일 흔하다. 우리나라의 발생 빈도는 인구 10만 명 당 3.8명으로 보고되었다.

1) 증상, 검사소견 및 진단

이환 초기에는 대개 간헐적인 통증과 파행을 호소하는데, 서혜부나 내전근 부위뿐 아니라 대퇴 전방부나 슬관절 부에 연관통(referred pain)을 호소할 수 있다. 따라서 LCP병 호발 연령에서 슬관절 통증을 호소할 때에는 반드시 고관절에 대한 신체검사와 단순 방사선 검사를 시행하는 것이 바람직하다. 발병해서 시간이 지나면 관절 운동(특히, 외전과 내회전)의 제한이 나타나고, 질환의 정도가 심하거나 장기화된 경우에는 고관절의 굴곡 구축(flexion contracture), 하지 및 둔부의 근위축,

하지부동(limb discrepancy)도 나타날 수 있다. 아픈 쪽(환측)에서 Trendelenburg 검사 양성 소견을 보일 수 있다.

(1) 방사선 검사

단순 방사선 사진을 통해 대부분 진단이 가능하다. 초기에는 대퇴골두 골단의 음영이 증가하고 정상측에 비해 약간 작은 것 이외에 특별한 소견을 발견할 수 없다. 병의 진행 단계에 따라 대퇴골두의 괴사, 흡수 및 재형성 소견이 관찰된다(그림 4-21).

(2) 기타 검사

뼈 스캔은 단순 방사선보다 더 빨리 대퇴골두의 혈행 차단을 확인할 수 있다. MRI는 질환의 조기 진단, 이환의 범위, 대퇴골두의 구

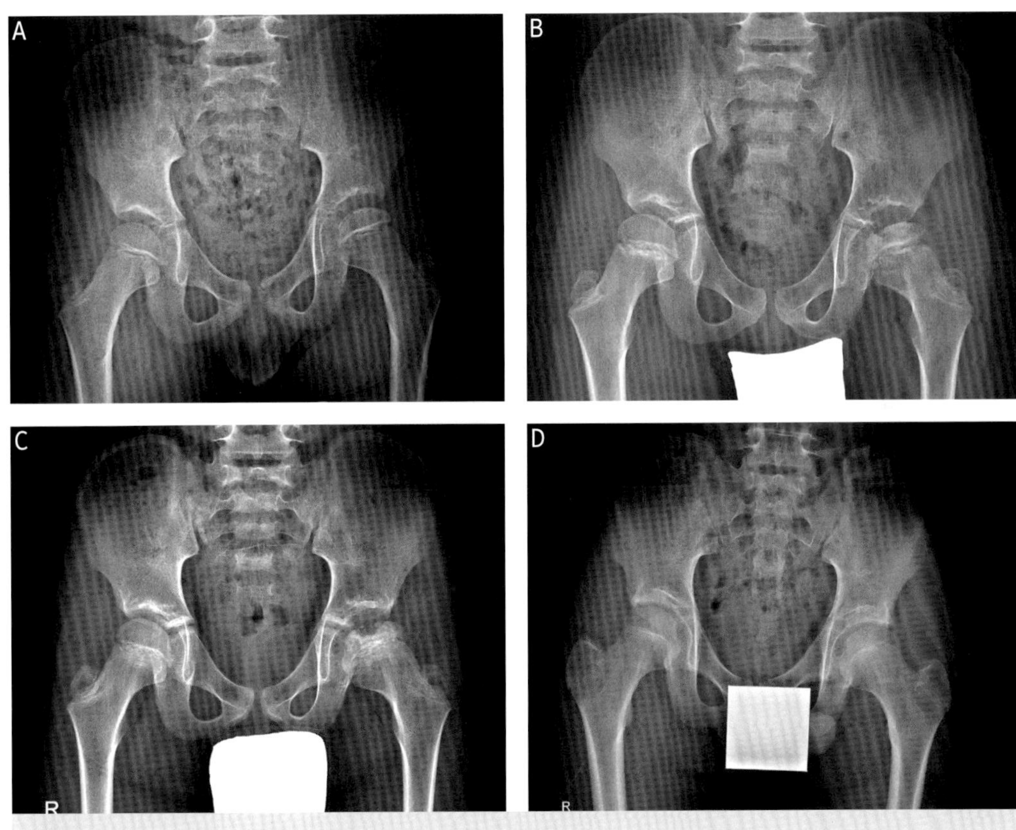

그림 4-21
좌측 Legg-Calvé-Perthes병의 병기에 따른 단순 방사선 소견
A. 무혈성괴사기(avascular stage)
B. 분절화기(fragmentation stage)
C. 재골화기(reossification stage)
D. 잔여기(residual stage)

형 정도, 경첩 외전(hinge abduction) 등을 분석하거나 방사선학적인 골두 위험 징후를 조기에 판정할 수 있다(그림 4-22). 이차원 혹은 삼차원 컴퓨터 단층 촬영은 치유되고 난 이후 변형된 고관절에 대해 재건술을 시행 시 고관절의 부조화(incongruity) 정도와 대퇴-비구 충돌 증후군(femoroacetabular impingement syndrome)을 평가하는 데에 도움을 준다.

(3) 방사선학적 분류

병의 진행 단계에 따라 분류하기도 하고 골두의 괴사 범위에 따라 분류하기도 하나, 분절화기(fragmentation stage)의 단순 방사선 전후방 사진에서 대퇴골두 골단 횡폭의 외측 15~30%에 해당하는 골두 외측주(lateral pillar)의 높이로 분류하는 Herring 분류가 가장 많이 사용된다. 외측주의 높이가 정상인 경우를 A군, 정상의 50% 이상 유지된 경우를 B군, 그리고 정상의 50% 미만만 유지된 경우를 C군으로 나눈다. 2004년 B군과 C군의 경계에 있는 B/C경계군이 추가되었다. 외측주 분류는 예후와 관련이 있음이 잘 알려져 있다.

2) 자연 경과 및 예후

약 50%의 환자는 특별한 치료 없이도 양호한 경과를 보인 반면, 15%는 치료를 하여도 불량한 결과를 보인다. 나머지 35%의 환자군이 치료에 의해서 영향을 받은 것으로 보고되고 있다. 예후를 결정하는 가장 중요한 두 가지 요소는 발병 시 연령과 대퇴골두의 괴사 범위이다. 이는 나이가 어릴수록 체중이 적어 대퇴골두 변형이 적고 변형된 대퇴골두 및 비구(acetabulum)의 재형성능력(remodelling potential)이 뛰어나기 때문이라 생각된다. 또한 대퇴골두의 괴사 범위가 넓고 특히 외측주가 심하게 이환되어 있으면 예후가 불량하다. LCP병의 장기적인 예후를 결정하는 가장 중요한 인자는 치유된 대퇴골두의 구형정도(sphericity)이다.

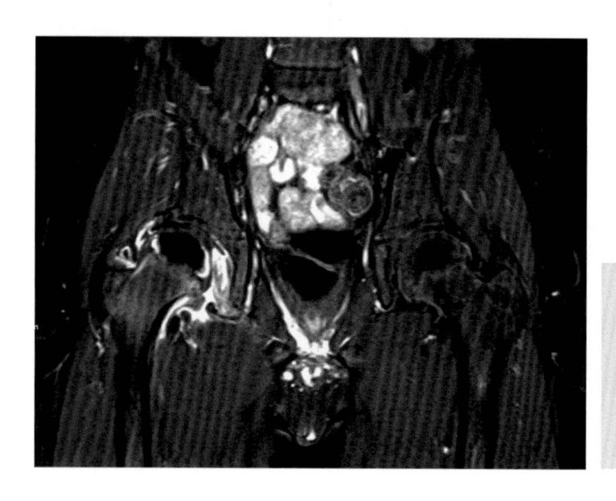

그림 4-22
우측 Legg-Calvé-Perthes병의 조영증강 MRI
괴사된 골단의 중앙 부위는 반대측에 비해 저신호강도를 보이고 재관류가 일어난 외측과 내측 부위는 조영 증강된 소견을 보인다. 골간단의 부종과 함께 관절내 삼출액이 관찰된다.

3) 치료

대퇴골두의 괴사가 흡수되고 재생되는 과정 자체에 영향을 줄 수 있는 뚜렷한 치료 방법은 아직 없다. 다만 재형성되는 대퇴골두가 가능한 한 구형의 형태를 유지하게 함으로써 퇴행성 관절염을 예방하거나 지연시키는 것이 치료의 목표이다. 대퇴골두의 재형성 능력이 유지되는 초기에는 첫째, 고관절의 운동범위를 계속 유지하고, 둘째, 대퇴골두를 비구 내에 유치(containment)시키는 것을 목표로 삼는다. 여기에는 침상 안정, 물리 치료, 목발 보행 등의 보존적 치료와 함께 근육의 연축(spasm)을 풀어주는 피부 견인, 석고 고정을 이용한 점진적인 외전, 지속적인 관절 운동이 포함된다. 고착된 관절 구축이 있는 경우에는 내전근(adductor) 또는 요근(psoas) 건 절단술을 시행하기도 한다. 고관절을 외전 및 내회전하면 대퇴골두를 비구 내에 잘 유치시킬 수 있는데, 외전 보조기나 석고붕대를 이용하여 이러한 자세를 지속적으로 유지시키거나 뼈 수술을 통해서 일상적인 자세에서도 유치가 잘 되도록 하는 방법을 사용한다. 가장 널리 사용되는 유치 목적의 수술 방법은 대퇴골 내반절골술(femoral varus osteotomy)이다. 대

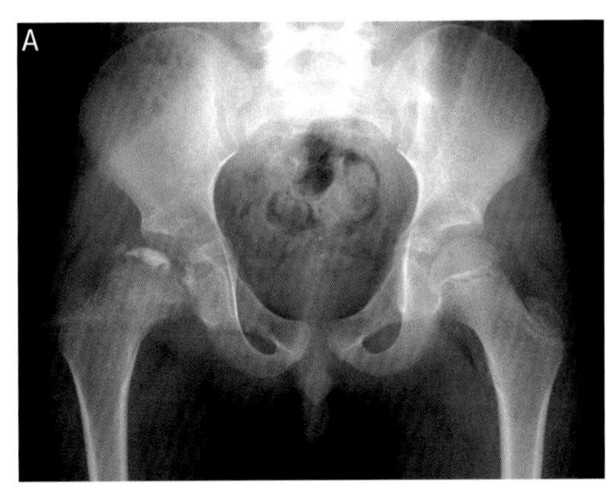

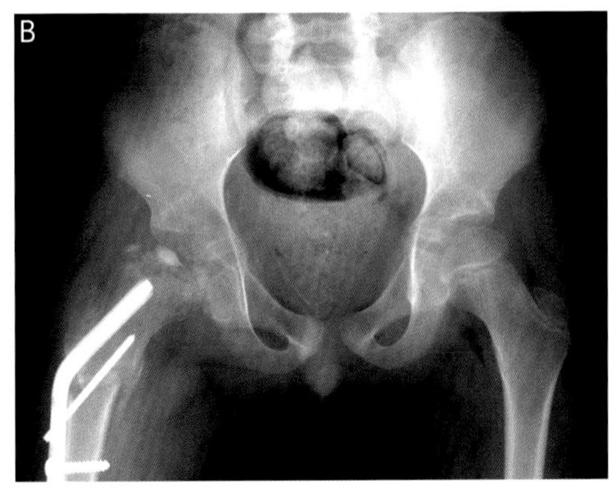

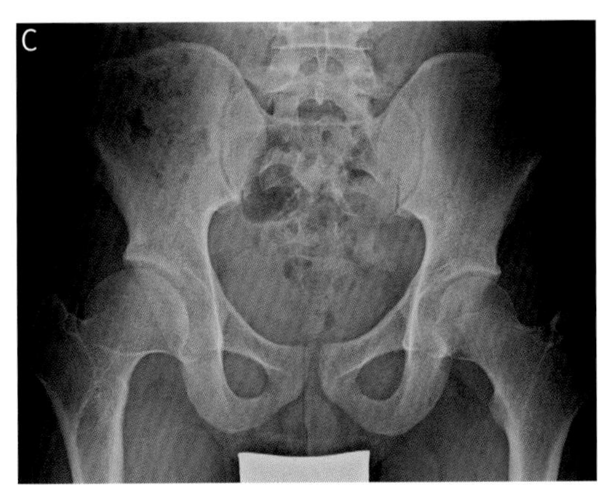

그림 4-23
Lateral pillar C의 병변으로 수술 전(A) 중립위에서 비구순이 골단의 돌출된 hump에 의하여 눌려 외번되어 있어, 골두와 비구의 조화(congruity)를 좋게 하기 위하여 외반절골술을 시행(B)하였으며, 술후 10년 뒤 19세일 때의 사진(C)에서 관절 조화가 만족스럽게 보인다.

퇴골두가 재형성되는 능력이 소실되는 시기까지 병이 진행한 이후에는 유치를 도모하는 치료는 더 이상 도움이 되지 못한다. 대퇴골두의 변형이나 돌출로 인해 대퇴골두와 비구 사이에 충돌이 발생하거나 고관절의 운동범위가 줄어들고 강직이 지속되는 경우, 그리고 통증이 발생하는 경우에는 대퇴골 외반절골술(femoral valgus osteotomy)(그림 4-23), Chiari 절골술, 비구선반술(shelf acetabuloplasty) 등의 구제술(salvage operation)이 필요하다.

4) 후유증

대퇴골두의 잔존 변형과 관련하여 고관절 운동 범위 제한, 비구순 파열 및 골관절염이 발생할 수 있다. 괴사된 골두의 재생이 불완전하여 박리성 골연골염(osteochondritis dissecans)이 잔존할 수 있다. 대퇴골두 변형과 근위 대퇴골 골단판 성장 장애로 인해 하지 길이 부동이 발생하기도 한다.

10. 대퇴골두 골단분리증

대퇴골두 골단분리증(slipped capital femoral epiphysis, SCFE)은 청소년기에 근위 대퇴 골단판(proximal femoral physis)을 통해서 femoral epiphysis와 femoral neck 사이에 점차적으로 전위가 발생하는 질환이다. 아주 드문 질환으로 10만 명당 2~13명의 유병률을 보이며 인종 간, 지역 간 차이가 크다. 평균 체중이 큰 인종에서 더욱 호발하며, 이는 과체중이 중요한 발병 기전이라는 점을 시사한다. 우리나라에서는 아주 드물었으나 90년대 이후 발병률이 급격하게 증가하고 있다.

1) 발생 원인

사춘기 급성장기에는 연골막 환 복합체(perichondrial ring complex)가 얇아지면서 전단력에 대한 저항이 감소되는데, 이때 반복되는 외상은 골두 골단 분리를 쉽게 유발하는 위험 인자이다. 일부 환자에서는 일차성 갑상선 기능저하증, 성선 기능저하증(hypogonadism) 또는 범 뇌하수체 기능저하증(panhypopituitarism), 구루병(rickets), 신성 골이영양증(renal osteodystrophy), 괴혈병(scurvy) 등의 내분비 장애와 연관되어 있으며 골반 또는 대퇴골 근위부의 방사선 치료 후에 발생하기도 한다.

내분비 장애가 있는 환아에서 대퇴골두 골단분리증이 발생하는 경우는 많지만 대부분의 골단분리 환아에서 특별한 내분비 장애를 발견할 수 없다. 단, 호발 연령대 이외의 환아에서는 내분비 장애를 동반할 가능성이 높아 이에 대한 검사가 필요하다.

2) 증상, 검사 소견 및 진단

고관절의 통증과 운동 제한, 특히 내회전 제한을 보인다. 통증의 정도는 걸을 수 없을 정도로 심한 경우에서 거의 느끼지 못하는 정도로 다양하다. 대퇴부 근위축, 하지 단축 및 외족지 보행(out-toeing gait) 등을 보일 수 있다. 진찰 시 대퇴골두가 후내측으로 전위되어 있으면, 고관절을 굴곡할 때 저절로 대퇴가 외전 및 외회전된다. 또한 외전 및 외회전을 억제하면 고관절 굴곡이 제한된다.

단순 방사선 검사의 전후방 사진에서는 골단 분리증을 시사하는 소견이(그림 4-24), 미미할 수 있어서 cross-table 측방 촬영으로 확진한다. 대퇴골두의 전위를 정확히 3차원적으로 이해하고 전위 정도를 정확히 측정할 때, 삼차원 CT 영상이 매우 유용하다. 방사선 사진상 골단의 전위 없이 가벼운 증상만이 있는 분리전기(pre-slip), 증상이 생긴지 2~3주 이내로 방사선 사진상 비교적 정상적인 골단판을 유지하고 있고 치유나 재성형(remodeling)의 소견이 없는 급성기(acute stage), 증상 발현 3주 이내나 방사선 사진상 재성형 소견 등 만성적 질환의 증거가 있는 만성의 급성화(acute on chronic)기(약 50%), 증상이 시작된 지 3주 이상 경과하였으며 방사선 사진상 재성형 소견 등 만성 소견이 있는 만성기(chronic stage)로 나뉜다.

전위 정도에 따라서는 정상측에 비하여 골단판 직경의 1/3 이하 혹은 골두-골간(head-shaft) 각 차이가 30° 이하의 전위가 있는 경우를 경도의 분리(mild slip), 1/3~1/2 혹은 30~60°의 전위를 중등도의 분리(moderate slip), 1/2 이상 혹은 60° 이상의 전위가 있을 때는 고도의 분리(severe slip)로 분류한다. 임상적으로는 목발 없이 또는 목발을 짚고라도 체중부하가 가능하고 보행이 가능한 경우를 안정성 골단분리(stable slip), 통증이 심하여 목발을 짚더라도 보행이 불가능한 경우를 불안정성 골단분리(unstable slip)라고 정의한다. 대퇴골두 무혈성괴사(femoral head necrosis)는 불안정성 골단 분리증에서 안정성 골단 분리증보다는 훨씬 많이 발생한다.

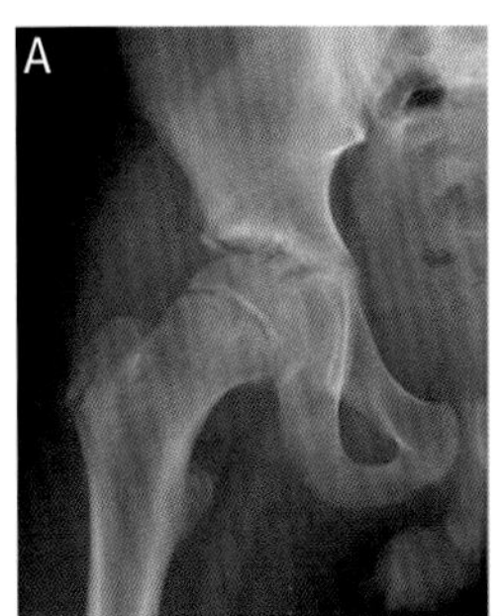

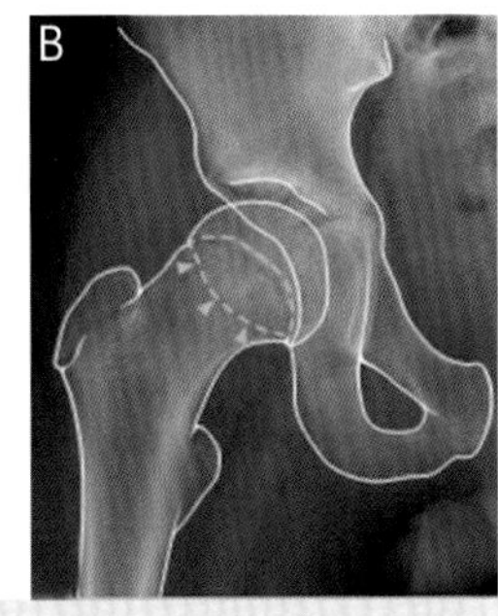

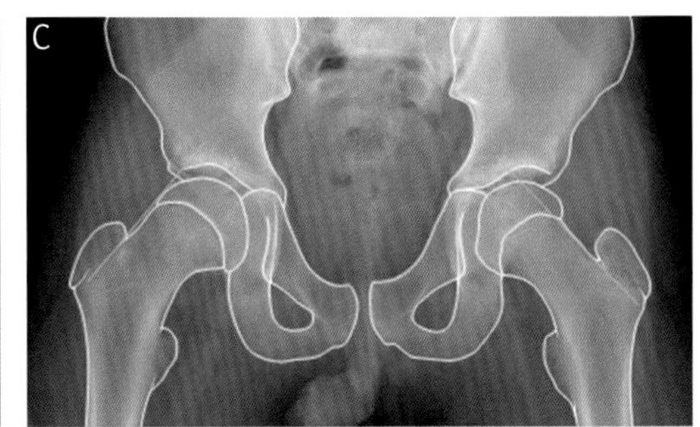

그림 4-24
경도의 대퇴골두 골단분리증의 전후방 방사선 검사에서 관찰되는 소견
A, B. Steel' s blanch 징후. 골단판 바로 아래의 골간단 부분의 골 음영이 증가하는 현상
C. Trethowan 징후. 대퇴경부 외측연을 연장한 선(Klein line)은 정상인 좌측에서는 대퇴골두의 일부를 통과하지만 골단분리증이 있는 우측에서는 대퇴골두를 지나지 않는다.

3) 치료

치료의 목표는 첫째, 골단 분리의 추가 진행을 막고, 둘째, 관절 자극 및 관절 운동 제한의 증상을 해소하거나 완화시키고, 셋째, 골두 변형을 최소화하여 장기 추시에서 고관절의 퇴행성 변화를 방지하며, 넷째, 무혈성괴사(avascular necrosis) 혹은 연골 용해증(chondrolysis) 등의 합병증을 방지하는 것이다. 급성(acute) 및 만성의 급성화(acute-on-chronic), 안정성, 중등도 이하인 경우에는 정복 없이 핀 고정(in situ pinning)(그림 4-25)을 하는 것이 일반적이다. 중등도 이상의 전위에서는 정복 없이 핀 고정한 후 필요하면 이차적인 근위 대퇴 재정렬절골술(proximal femoral realignment osteotomy)을 고려한다. 불안정성의 중등도 이상의 분리에 대해서는 고관절을 수술적으로 접근해서 대퇴골두의 혈액순환을 확인하면서 골두하절골술(subcapital

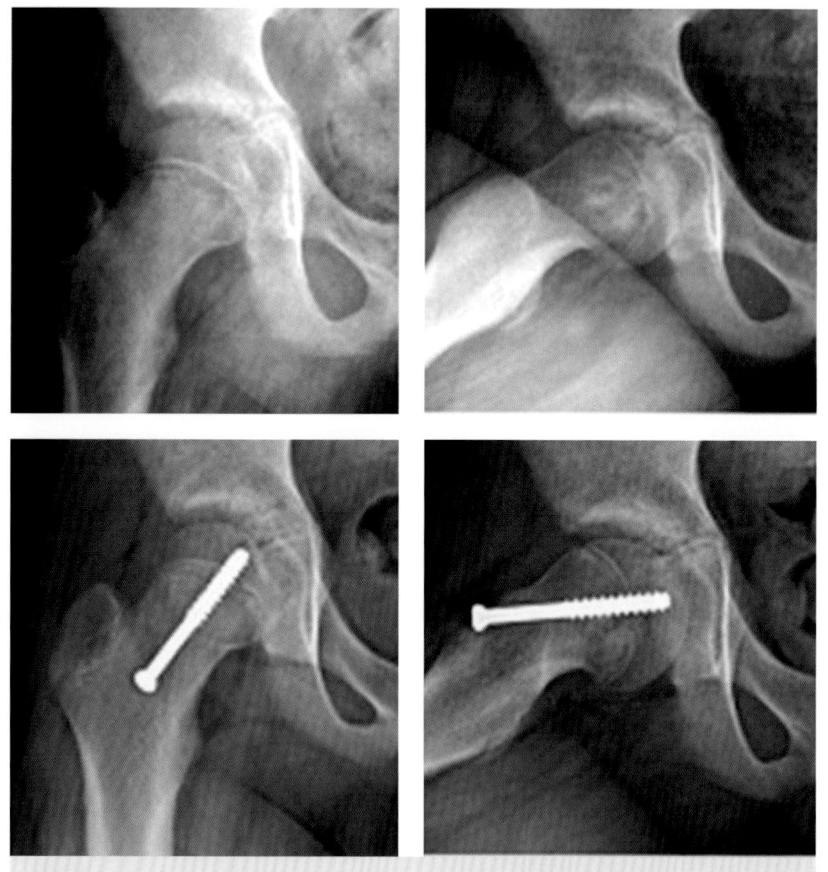

그림 4-25
경도의 안정성 대퇴골두골단분리증에 대해서 정복 없이 핀 고정(in situ pinning)한 예

osteotomy)을 통해 대퇴골두를 해부학적 정복하는 술식이 보다 적극적인 방법으로 최근 소개되었으나 수술의 난이도가 높으며 술 후 무혈성 괴사가 초래되는 빈도 또한 높다. 골단 분리증의 후유증으로 대퇴-비구 충돌 증후군의 증상이 있으면 조기 퇴행성 관절염 발생을 예방하기 위하여 대퇴 골두-경부 경계부의 돌출된 골 연골을 제거(osteochondroplasty)해야 한다.

가장 중요한 합병증은 대퇴골두 무혈성 괴사(avascular necrosis)와 연골 용해증(chondrolysis)이다. 대퇴골두 무혈성 괴사의 원인은 최초의 손상, 과도하게 계속된 도수 정복, 골단 분리 발생 24~48시간 이상 지연된 수술적 정복, 대퇴경부 절골술로 인한 혈류 공급장애 등이 관계된다. 연골 용해증은 관절연골이 급성으로 용해되면서 빠르게 관절의 강직이 진행되며 동통이 유발되는 것으로 삽입된 핀의 끝이 관절내로 삽입된 경우 호발한다.

11. 선천성 만곡족

선천성 만곡족(congenital clubfoot)은 발목관절은 아래로 첨족(equinus), 발뒤꿈치는 안쪽으로 내반(varus), 발 중간은 요족(cavus), 발 앞쪽은 안쪽으로 내전(adduction) 변형되어 마치 골프채처럼 보이는 선천성 기형이다(그림 4-26). 1,000명 출생 당 1~2명의 빈도로 발생하며 50%에서는 양측성이고 남아에서 여아보다 2~4배 더 흔하다. 특정 골관절 하나의 이상이라기보다는 하퇴부 및 족부의 모든 근골격계 구조물의 총체적인 이형성증(dysplasia)으로 보아야 한다. 변형의 경중은 다양하다. 경도의 변형을 보이나 연부 조직의 구축(contracture)이 없고 발의 크기도 정상이며 수동적 교정이 가능한 경우는 체위성 만곡족(postural clubfoot)이라고 부르며 특별한 치료가 필요 없거나 간단한 석고 교정만으로도 대개 잘 치료된다. 연부 조직의 구축이 있으나 심하지 않은 중등도의 변형은 부드러운 도

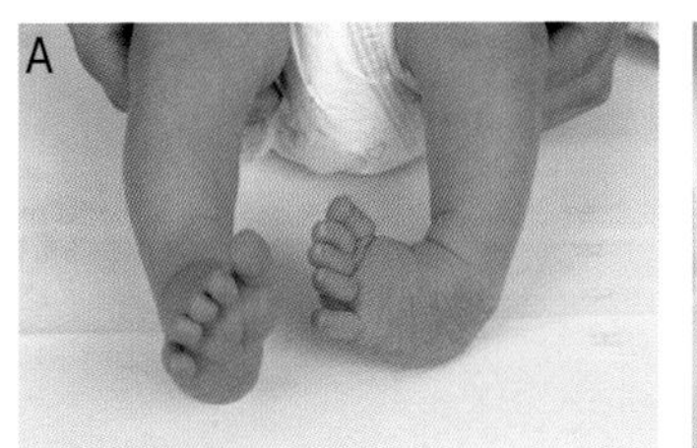

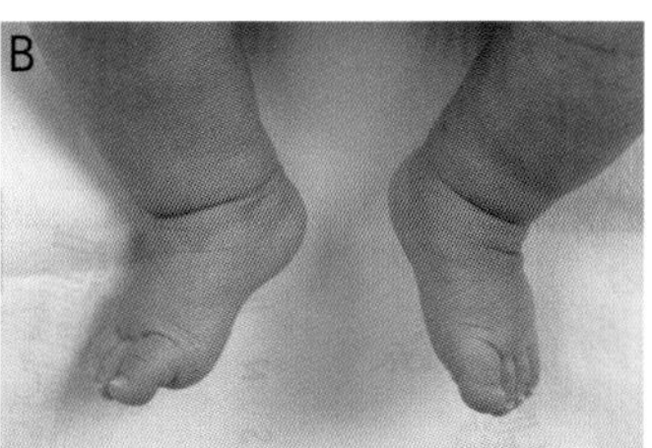

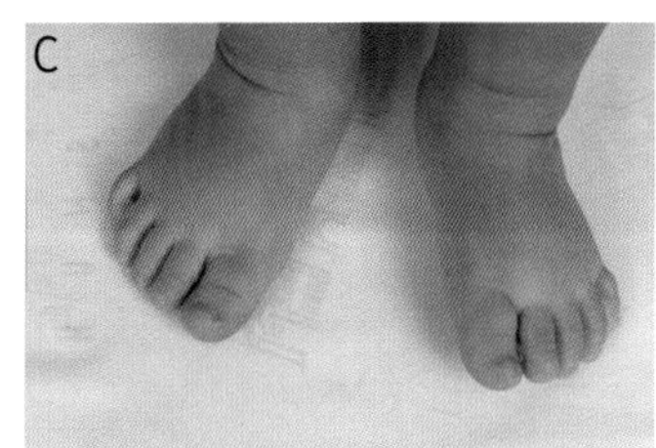

그림 4-26
선천성 만곡족
A. 생후 9일된 환아로 좌측 발이 마치 골프채와 같은 변형을 보인다.
B. Ponseti 방법으로 교정된 모습
C. 1년 6개월 경과 후 모습

수 조작(manipulation) 및 연속 석고 고정(serial casting)으로 성공적인 치료 결과를 얻을 수 있다. 치료에 잘 반응하지 않는 만곡족은 척수 이형성증(myelodysplasia) 등 신경학적 이상과 동반되는 경우, 증후군 관련 변형, 관절구축증(arthrogryposis) 등 근육 및 관절의 발생학적 이상과 동반된 경우이다.

1) 치료

선천성 만곡족은 비수술적인 방법으로 치료를 시작한다. 가장 널리 사용되는 Ponseti 치료법은 부드러운 도수 조작으로 변형된 관절 주위의 연부 조직을 이완시킨 후 순차적으로 연속 석고붕대를 감아 변형을 점진적으로 교정하는 방법이다. 약 1~3분간의 도수 조작 후 수동적으로 교정된 위치에서 장하지 석고붕대를 감아 5~7일 유지하는 것으로 한 번의 교정을 마치게 되며 대개 4~6회 정도의 교정이 필요하다. 도수 조작은 talus neck 외측에 손가락을 대어 지렛점으로 삼고 전족부를 부드럽게 점진적으로 외회전시켜 talonavicular joint 및 calcaneocuboid joint을 정복하는 것이다. 이 조작으로 후족부의 내반도 저절로 함께 교정된다. 발목관절의 첨족 변형(equinus deformity)이 남아 있으면 경피적 아킬레스건 절단술(percutaneous tenotomy)을 시행한다. 교정된 발의 모양을 유지하기 위하여 족부 외전 보조기(Denis−Browne bar and shoes)를 착용시킨다. 보조기는 첫 3개월간은 하루 23시간, 이후 18개월 연령까지는 야간에 착용시키며 이후에도 3~4세까지 착용하는 것을 권장한다. 보조기 착용에 대한 순응도(compliance)가 떨어지는 것이 변형 재발의 중요한 원인으로 보고되어 있다. Ponseti 방법으로 성공적으로 치료되었으나 재발하는 경우, 또는 잔여 변형이 있는 경우에는 다시 Ponseti 방법을 시도하거나, 연부 조직 구축 부위에 대한 선택적 유리술과 건이전술을 시행할 수 있다. 나이가 많은 환아에서 변형이 수동적으로 교정되지 않는 경우에는 절골술이 필요한 경우가 많다.

12. 기타 족부 기형과 변형

1) 중족골 내전증

중족골 내전증(metatarsus adductus)은 유아기에 가장 흔하게 발견되는 선천성 족부 변형으로 전족부는 내전(adduction)되고 약간 회외(supination)되어 있으나, 첨족 변형은 없다. 이 점이 만곡족과의 감별점이다. 특히 제1족지의 내전이 제2족지보다 심하여, 제1~2족지 사이가 벌어져 있는 경우가 많다. 정확한 병인은 미상이나 주형 영아 증후군(moulded baby syndrome), 근육 불균형 및 골관절의 이상이 원인으로 제안되었다. 아주 경한 내전 변형부터 심한 변형에 이르기까지 다양한 스펙트럼으로 발생한다.

일반적으로 경도의 변형은 자연 교정이 되는 경우가 많다. 90%가 3~4세까지 정상 또는 경도의 변형으로 자연 교정되며, 잔존하는 변형으로 인한 장애는 적다. 대부분 신생아 시기에 발견이 되며, 중족골 내전증에 대해서는 추시 관찰하는 경우가 많으나, 주형 영아 증후군의 동반 질환 중, 조기 진단 및 치료가 필요한 발달성 고관절 이형성증이 있는지 확인하는 것이 중요하다. 발의 내측부에 깊은 피부 주름이 잔존하면, 어떤 형태이든지 치료가 필요하다는 것을 뜻한다. 비수술적 치료로 추시 관찰, 스트레칭, 연속 석고붕대 교정을 시행할 수 있으며 보조기나 교정 신발이 효과가 있다는 증거는 희박하다. 변형이 심하여 충분히 보존적 요법을 시행하여도 심한 통증, 굳은살, 신발 신기 등의 어려움이 계속되는 예외적인 경우에만 드물게 수술적 치료를 시행한다.

2) 자세성 종외반족

자세성 종외반족(positional calcaneovalgus)은 신생아 시기에 발견되며, 족관절이 과도하게 족배굴곡(dorsiflexion) 및 외반(valgus)되어 발등 외측이 하퇴부 전면에 맞닿아 있는 변형이다. 자궁 내에서의 족부의 위치 때문으로 생각하고 있으며 여아, 둔위 분만아(breech delivery), 초산아, 젊은 산모에서 많이 발생한다. 족관절의 심한 족배굴곡 소견을 보이며 전족부는 외반되고 거골하 관절에서는 외전되어 있다. 자세성 종외반족은 유연하여 수동적인 족저굴곡(plantar flexion)을 통하여 정상적인 모양으로 교정할 수 있다. 이 점이 선천성 수직 거골(congenital vertical talus)과의 감별점이다.

족관절의 족저 굴곡이 중립위 이상 쉽게 넘어가면 특별한 치료가 필요 없으며 보호자의 족저 굴곡 스트레칭만으로도 충분하다. 보통 3~6개월이면 발의 모양이 정상화된다.

3) 유연성 편평족

유연성 편평족(flexible flatfoot)은 내측 종아치(medial longitudinal arch)가 감소됨으로써, 후족부(hindfoot)는 외반(valgus), 중족부(midfoot)는 회내(pronation), 전족부(forefoot)는 회외(supination) 및 외전(abduction)되어 있는 3차원적인 변형이다. 유연성이라는 의미는 체중을 부하하지 않거나 수동적으로 정복 시에는 이러한 변형들이 없어진다는 것을 의미한다.

순수한 유연성 편평족은 인대의 과도한 이완 및 이차적인 골 변형으로 발생된다. 전신적인 관절 유연성이 있는지 확인하고, 변형이 유연성(flexible)인지 강직성(rigid)인지를 감별해야 한다. 유연성 편평족인 경우에는 발끝으로 서게 하거나 선 상태에서 제1족지를 족배 굴곡(dorsiflexion)시키면 족저근막이 단축되면서 종아치가 생긴다(jack toe-raise test, windlass effect). 또한 아킬레스건 단축에 의한 이차적인 편평족의 감별을 위해, 아킬레스건 단축이 동반되어 있는지를 체크하여야 한다.

순수한 유연성 편평족의 경우, 나이가 들면서 점점 좋아지는 양상을 취하고, 정상의 변이 정도로 생각할 수 있다. 즉 통증 등의 증상이 없다면, 추시 관찰, 내재근 강화운동, 아킬레스건 스트레칭 등으로 충분하다. 만약, 통증 등의 증상이 있다면 깔창 등의 보존적 치료를 먼저 시행하지만 변형이 교정되는 것을 기대할 수는 없다. 증상의 호전이 없을 경우에 수술적 치료가 필요할 수 있는데, 이런 환자들은 심한 변형이 있거나, 강직성(rigid)이거나, 아킬레스건 단축이 있는 경우가 많다.

13. 성장기 아동의 하지 각변형

성장기 아동에서 특히 학령기 이전의 나이에는 정상 하지 정렬의 개인 편차가 클 뿐 아니라 나이에 따라 하지 정렬이 변화하므로 이를 잘 숙지하여 병적인 상태와 감별하는 것이 중요하다. 정상적인 생리적 변화에 대한 불필요한 치료는 성장기 아동의 신체적, 정신적 발달에 좋지 않은 영향을 줄 수 있다.

1) 나이에 따른 정상 하지 정렬의 변화

대퇴골-경골간 각(tibiofemoral angle)은 출생 시에는 약 15° 전후의 내반(varus)을 보이다가 점차 외반(valgus)되어 3~4세 사이에 약 10° 정도의 외반으로 정점을 찍은 후 다시 외반각이 줄어드는 변화를 거쳐 6~7세 경에 약 5° 정도의 외반 상태로 안정되어 그 이후 일정하게 유지된다(그림 4-27). 따라서, O자 형 다리를 주소로 내원하는 유아의 대부분은 생리적인 내반슬(physiologic bowing)인 경우가 많으며 이러한 경우 특별한 치료 없이 자연 교

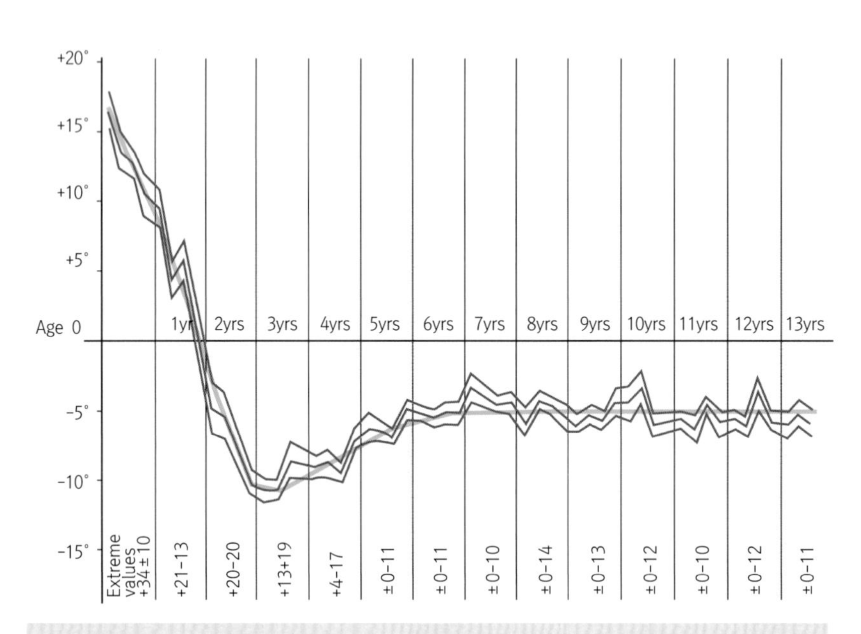

그림 4-27
연령에 따른 대퇴골-경골간 각(tibiofemoral angle)
(Salenius 1975)

정되므로 보조기 등의 치료는 불필요하다. 생리적 내반슬과 감별해야 할 질환으로는 유아기 경골 내반증(infantile tibia vara), 구루병(rickets), 국소 섬유연골 이형성증(focal fibrocartilaginous dysplasia), 골간단 이형성증, 외상이나 감염에 의한 부분 골단판 성장 장애 등이 있다.

2) 유아기 경골 내반증

유아기 경골 내반증(infantile tibia vara, Blount 병)은 근위 경골 내측의 특발성 성장 장애로 국소적 내반 변형이 초래되는 질환이다. 경골의 내반뿐 아니라 내회전 변형이 동반되어 있는 경우가 흔하다. 걸음마를 일찍 시작한 비만아에서 자주 발생한다고 알려져 있다. 병의 초기에는 생리적 내반슬과의 구분이 모호한 경우도 있으며 정상적으로 교정되지 못한 생리적 내반슬이 악화되는 것으로 이해되기도 한다. 지연 발생 경골 내반증(late onset tibia vara)은 4세 이후에 발생한 경우를 지칭한다. 10세 이전에 발병한 경우는 juvenile 형, 10세 이후 발병한 경우는 adolescent 형으로 부르기도 하나, 저자에 따라 용어의 혼동이 있다. 8~9세 이후에 발병한 경골 내반증은 유아기 경골 내반증과 명확히 다른 특성을 보인다. 심한 과체중이 더 흔하고, 내측 골단판은 폭이 넓어져 있으나 경사나 새부리 모양 돌출은 없이 거의 정상으로 보인다. 또한 원위 대퇴골 내반 변형이 동반된다.

3세 이전의 환아는 장하지 보조기로 치료를 시도할 수 있으나 지연 발생 경골 내반증에서는 도움이 되지 않는다. 3세 이후이거나 보조기 치료가 실패하는 경우에는 proximal tibia에서의 절골술로 외반 및 외회전을 도모할 수 있다. 국소적으로 골가교(bony bridge)가 형성된 경우 골가교 절제술을 시행할 수 있으나 실패하는 경우가 적지 않다. 내측 골단판의 성장이 어느 정도 보존되고 경한 변형에 대해서는 외측에 대한 비대칭적 골단판 억제술(asymmetrical physeal suppression)을 시행할 수 있다. 근위 경골 골단판 내측의 성장이 전혀 일어나지 않는 경우에는 외측의 잔여 골단판에 대한 골단판유합술(epiphysiodesis)을 시행하여 변형의 진행을 막고 변형 교정술을 시행하는데, 환측의 하지 단축이 발생하므로 변형 교정 후 내고정술보다는 외고정기를 이용한 신연 골형성술(distraction osteogenesis)이 더 권장된다.

14. 성장기 어린이의 하지 염전변형

성장기 어린이의 하지 염전변형(torsional deformity)은 출생 시에 대퇴골은 약 40° 내회전되어 있으며 이 각도(대퇴골 전염각, femoral anteversion)는 나이에 따라 점차 감소하여 성인이 되면 10° 정도가 된다. 경골은 출생 시 약 5° 외회전되어 있으며 성인기에는 15° 정도의 외회전을 보인다. 하지골의 내회전이 크면 내족지 보행(안짱 걸음)을 한다. 그러나, 극단적으로 각도가 심한 경우를 제외하면 통증이나 기능적인 문제가 없고 본인의 의지로 보행 양상의 개선이 가능한 경우가 많으며 대부분 10대 초반까지 자연 교정되므로, 특히 10세 이전의 소아에서 특별한 치료가 필요한 경우는 거의 없다. 보조기 착용이 골의 회전 변형을 교정할 수 있다고 주장하는 연구들은 대개 대조군이 없는 등 과학적 증거 수준이 낮아, 회전 변형의 호전이 과연 보조기 효과인지 아니면 나이에 따른 자연 경과인지 불분명하다.

1) 하지 염전변형의 평가

회전 윤곽(rotational profile)을 측정하면 내족지 또는 외족지 보행의 원인이 어디에 있는지 파악할 수 있다(그림 4-28). 대퇴골 전염각이 증가된 경우, 고관절 내회전 범위는 증가하고 외회전 범위는 감소한다. 대퇴골 전염각이 감소된 경우에는 그 반대가 된다. 경골의 외염전(external torsion)이 증가하면 대퇴-족부각(thigh-foot angle) 및 횡과각(transmalleolar angle)이 증가하고, 내염전(internal torsion)이 증가하면 해당 각이 감소한다. 족부 진행각(foot progression angle)은 외족지 보행(팔자 걸음)에서 양의 값으로, 내족지 보행에서 음의 값으로 표시한다. 대퇴골 대전자부를 촉지하고 대전자부와 근위 대퇴골이 침상에 수평이 되도록 대퇴부를 내회전 시킨 각도(trochanteric prominence angle)를 측정하여 대퇴골 전염 정도를 평가할 수도 있다. 정확한

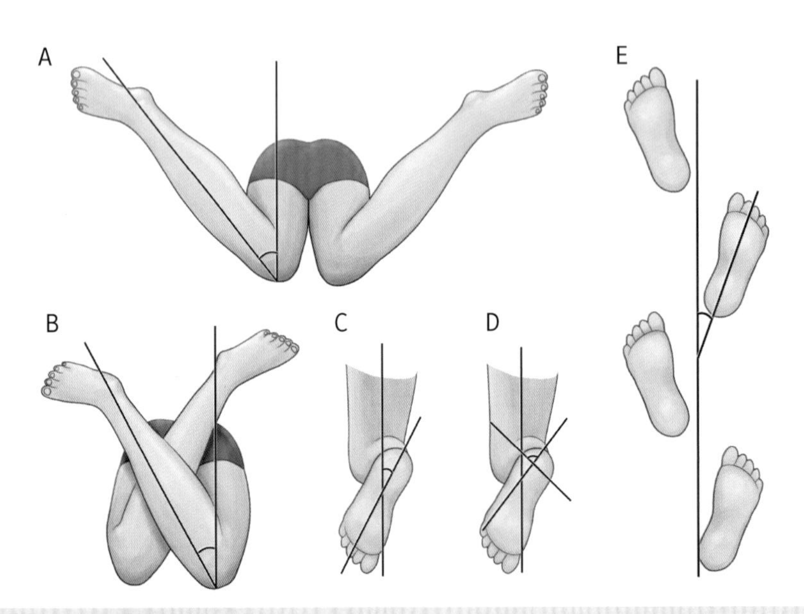

그림 4-28
하지 회전 변형에 대한 이학적 검사
A. 고관절 내회전 각, B. 고관절 외회전 각, C. 대퇴-족부각, D. 횡과각(transmalleolar angle), E. 족부 진행각(foot progression angle)

평가가 필요한 경우 CT 검사를 통해 대퇴골과 경골의 회전 정도를 측정하기도 한다(그림 4-29).

2) 걸음마 시기의 하지 염전변형

걸음마 시기인 1~3세 소아에서 보이는 내족지 보행의 가장 흔한 원인은 생리적 내반슬(physiologic genu varum)과 연관된 경골 내염전(tibial internal torsion) 또는 중족골 내전증(metatarsus adductus)이다. 간혹 체중 부하 시에 엄지 발가락만 내측으로 전위되어 내족지 보행처럼 보이는 경우가 있는데 이를 무지 내전증(adducted great toe) 또는 searching toe라고 한다. 대부분 자연 교정되므로 특별한 치료가 필요 없다.

3) 아동기의 하지 염전변형

3~6세 소아에서는 대퇴골 전염각(femoral anteversion)의 증가가 내족지 보행의 원인인 경우가 많다. 바닥에 앉을 때 다리를 W자 또는 M자 형태로 놓는 경향이 있고(그림 4-30), 보행 시 입각기(stance phase)에 patella가 내측으로 회전되는 양상이 관찰된다. 이학적 검사상 고관절 내회전이 70° 이상으로 증가하고 trochanteric prominence angle이 크다. 신경학적 이상이 없는 정상 소아에서는 나이에 따라 점차 호전되는 양상을 보이는 경우가 많고, 본인이 의식을 하여 보행을 하면 족부 진행각(foot progression angle)이 개선되며, 다른 골관절에 특별한 이상을 초래하지 않기 때문에 극단적으로 큰 전염각이 아닌 경우에는 특별한 치료를 요하지 않는다. 8~10세 이후에도 자연 교정이 되지 않아 발끼리 걸려 넘어지는 등 일상 생활에 문제가 있는 경우에는 선택적으로 수술적 치료를 시행할 수 있다.

경골 내염전(tibial internal torsion)이 대개 기능적 제한과 증상을 일으키지 않는 경우가 많은데 비해 경골 외염전(tibial external torsion)은 저절로 좋아지는 경우가 드물다. 특히 대퇴골 전염각 증가와 함께 경골 외염전이 복

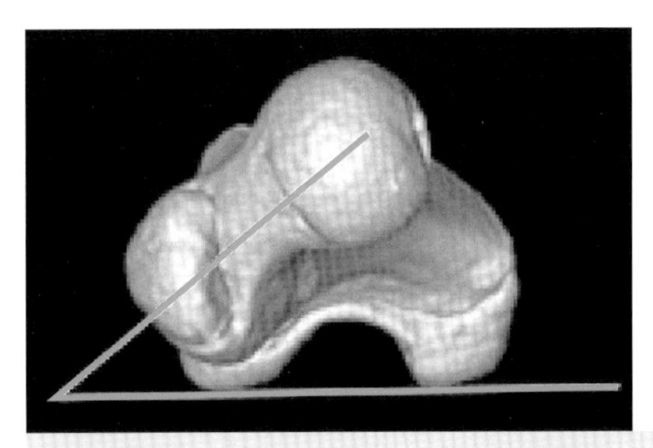

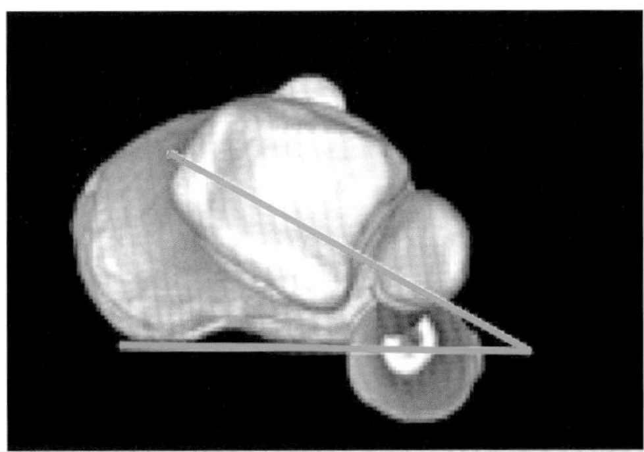

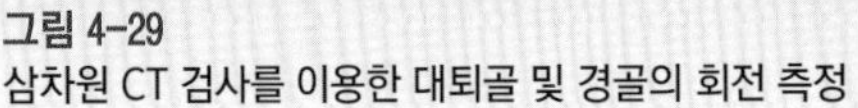

그림 4-29
삼차원 CT 검사를 이용한 대퇴골 및 경골의 회전 측정

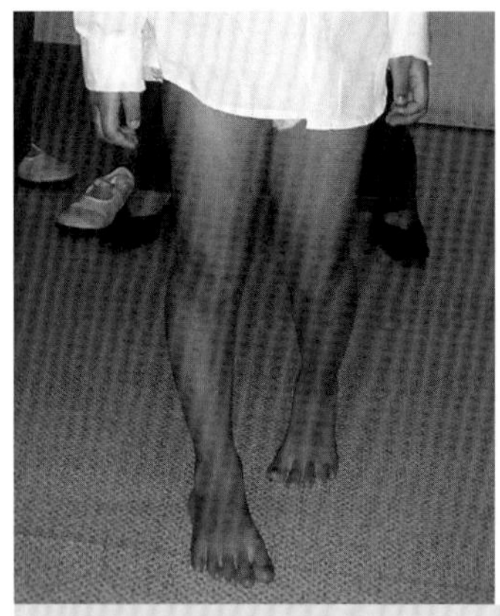
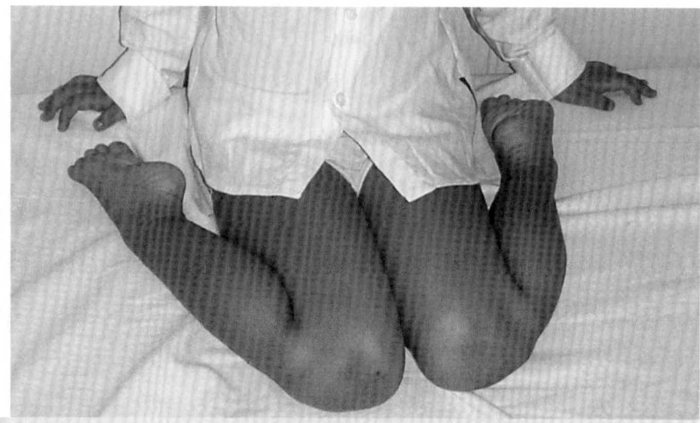

그림 4-30
Femoral anteversion이 증가된 경우에는 hip joint 내회전이 커져 바닥에 앉을 때 다리를 W자 또는 M자 형태로 놓는 것을 편하게 여긴다.

합된 경우를 염전 부정정렬 증후군(torsional malalignment syndrome)이라고 하는데, 족부 진행각은 정상이나 걸을 때 무릎이 안쪽으로 돌아가 부딪히기도 한다. 또, 다리가 애매하게 휘어 보이고, 걷거나 운동하는 모습이 어색해 보이며, 간혹 슬관절의 통증 및 patella의 불안정성을 유발하기도 하므로, 8~10세 이후에도 40° 이상의 대퇴-족부각(thigh-foot angle)을 보이는 경골 외염전에 대해서는 수술적 치료를 고려할 수 있다.

일반적으로 수술적 치료는 과염전된 뼈를 절골하여 원하는 만큼 회전을 시키고 다시 고정하여 골을 유합시키는 감염 절골술(derotational osteotomy)을 주로 시행한다(그림 4-31).

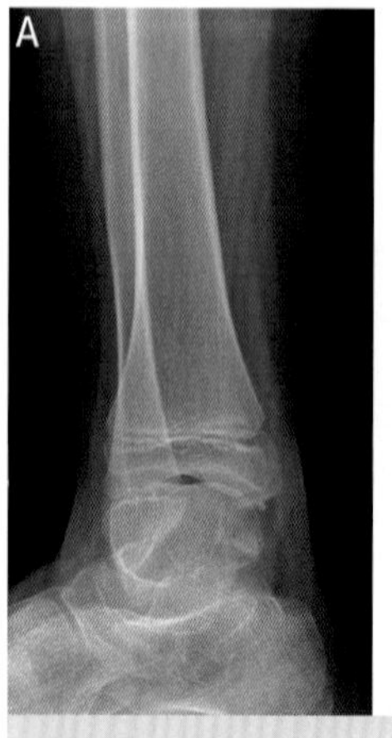

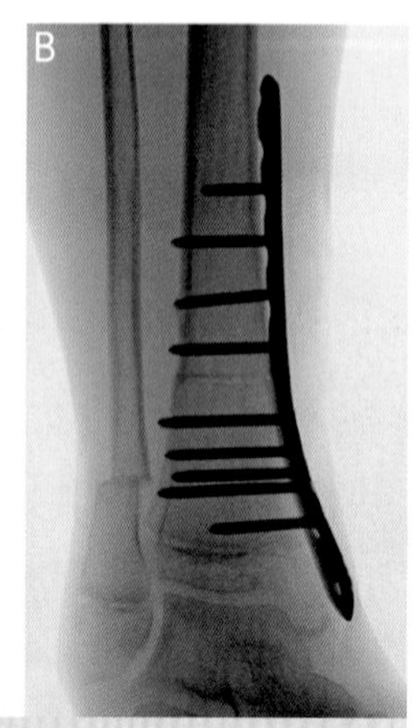

그림 4-31
우측 경골 외염전이 있는 12세 남아
A. 과도한 외염전으로 인해 patella가 정면을 향한 위치에서 비골이 경골 후방에 위치하게 되어 방사선 사진에서 겹쳐 보인다.
B. 원위 경골 과상부 감염 절골술을 시행하였고, 많은 회전이 필요하여 비골도 함께 절골하였다.

15. 골연골증

골연골증(osteochondrosis)은 정상적인 연골 내골화(endochondral ossification)를 보이던 성장 조직에서 연골화 및 골화의 장애가 발생하는 질환군을 통칭한다. 여러 질환이 이 범주에 속하는데 상지에서는 Panner병(capitellum), Kienböck병(lunate), Theemann병(수지 골단), Madelung병(distal radial epiphysis), 하지에서는 Legg-Calvé-Perthes병(femoral head epiphysis), Blount병(proximal tibial epiphysis), Osgood-Schlatter병(tibial tuberosity), Sever병(calcaneal apophysis), Köhler병(navicular bone), Freiberg병(metatarsal epiphysis), 척추에서는 Scheuermann병 등이 대표적이다. 박리성 골연골염(osteochondritis dissecans)을 골연골증 범주에 넣기도 한다.

대부분 발병 원인이 밝혀져 있지 않으나 반복적인 작은 외력과 혈행 장애가 관련이 있을 것으로 추정된다.

1) Köhler병

2~7세의 남아에 흔하다. 족부 주상골의 골연골증으로 발 내측의 통증과 압통을 호소한다. 방사선 사진상 주상골의 경화상, 크기 감소, 불규칙한 골파괴 음영 등이 관찰된다(그림 4-32). 증상은 수일에서 1년 이상까지 지속되기도 하나 거의 모든 예에서 특별한 후유증 없이 치료되는 자기 제한성 임상상을 보인다. 따라서 대증적인 치료를 하면 된다.

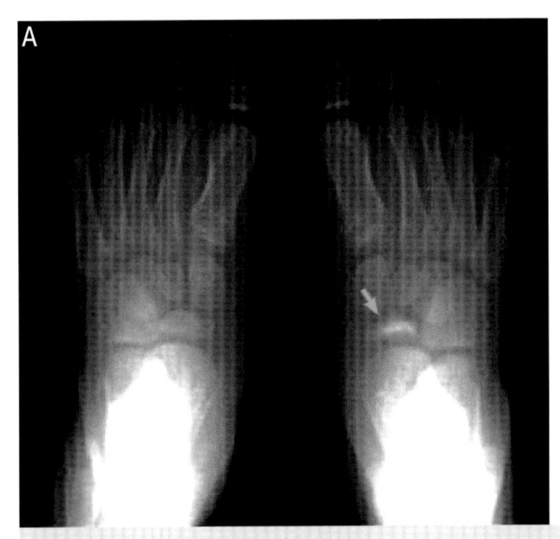

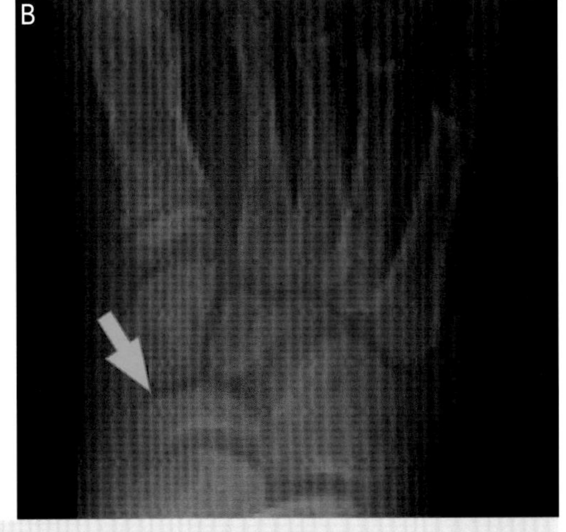

그림 4-32
Köhler병
A. 6세 남아 우측 navicular bone이 작고 불규칙한 음영을 보인다.
B. 1년 추시 후 navicular bone의 골화가 정상화된 것을 보여준다.

2) Freiberg병

Freiberg's infarction이라고 부르기도 한다. 두 번째와 세 번째 중족골두에 이환되는 경우가 가장 흔하다. 10~18세 여자 청소년에서 호발한다. 이환 부위에 통증을 호소하며 압통과 부종이 있다. 방사선학적 소견 상 metatarsal head의 골 파괴 음영, 관절면 붕괴, 유리체, 근위지골의 골극 등이 관찰된다(그림 4-33). 대증적 치료로서 통증 조절, 신발 내 metatarsal pad 삽입 등을 시도한다. 대증적 치료가 실패한 경우에 배측 절골술, 소파술 및 골이식술, 중족골 단축술, 중족 골두 절제술 등의 수술적 치료를 시행한다.

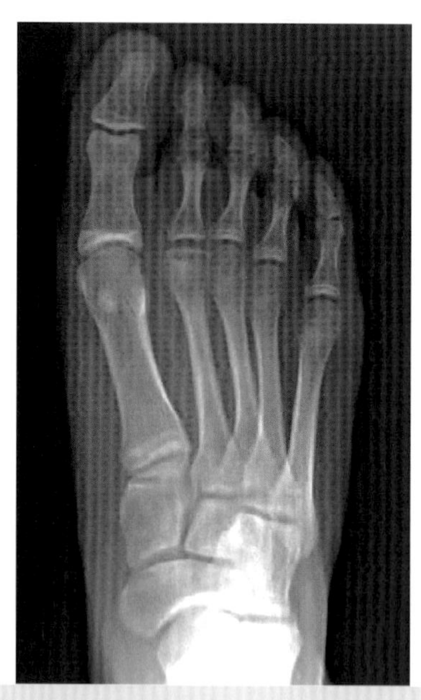

그림 4-33
13세 second metatarsal head에 발생한 Freiberg병

3) Osgood-Schlatter병

청소년기 proximal tibial tuberosity의 골괴사 및 견인으로 유발된 염증을 특징으로 하는 질환이다. 스포츠 활동이 활발한 남아에서 흔하고 약 25%에서 양측성이다. 성장 폭발 시기에 증상이 발생하는 경우가 많다. Tibial tuberosity 부위가 돌출되고 압통이 있으며 부종이 동반되기도 한다. 방사선 사진상 골편이 관찰되기도 한다(그림 4-34). 통증이 심할 때에는 진통 소염제, 보조기, 석고 고정 등 대증적 치료를 시행하며 증상이 완화된 시기에는 대퇴사두근 스트레칭을 시행하도록 한다. 성장 완료 후에도 골편이 주위 조직을 자극하여 증상이 심한 경우에는 선택적으로 수술적 치료를 시행하기도 한다.

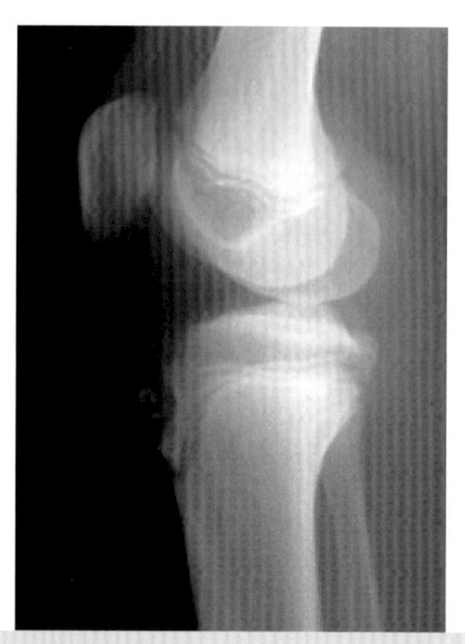

그림 4-34
13세 남아 proximal tibia의 Osgood-Schlatter병
경골 돌기 부위의 골단판이 융기되어 있고 슬개건 부착 부위에 골편이 관찰된다.

참고문헌

1. Baek GH, Kim J. (2021). Radial Polydactyly. In Laub Jr DR (Ed.), Congenital Anomaly of the Upper Extremity 2nd edition. (pp. 325-349). Cham, Switzerland: Springer.
2. Baek GH. (2015). Duplication. In Abzug JM, Kozin SH, and Zlotolow DA (Eds.), The Pediatric Upper Extremity 1st Edition. (pp. 325-368). New York:Springer.
3. Choi IH, Chung CY, Cho TJ, Yoo WJ, Park MS: Lee Duk Yong's Pediatric Orthopaedics. Koonja Publishing Inc. Seoul. 2014;4:513-527
4. Lee JK, Moon HJ, Park MS, Yoo WJ, Choi IH, Cho TJ. Change of craniofacial deformity after sternocleidomastoid muscle release in pediatric patients with congenital muscular torticollis. J Bone Joint Surg Am. 2012 Jul 3;94(13):e931-7.
5. Marks DS, Qaimkhani SA. The natural history of congenital scoliosis and kyphosis. Spine (Phila Pa 1976). 2009;34:1751-5.
6. McMaster MJ, David CV. Hemivertebra as a cause of scoliosis. A study of 104 patients. J Bone Joint Surg Br. 1986;68:588-95.
7. Mubarak S, Garfin S, Vance R, McKinnon B, Sutherland D. Pitfalls in the use of the Pavlik harness for treatment of congenital dysplasia, subluxation, and dislocation of the hip. J Bone Joint Surg Am. 1981;63:1239-48.
8. Pahys JM, Guille JT. What's New in Congenital Scoliosis? J Pediatr Orthop. 2018;38:e172-e179.
9. Park MS, Kwon SS, Lee SY, Lee KM, Kim TG, Chung CY: Spontaneous improvement of radiographic indices for idiopathic planovalgus with age. J Bone Joint Surg Am 2013, 95(24):e1931-1938.
10. Shim JS, Jang HP. Operative treatment of congenital torticollis. J Bone Joint Surg Br. 2008 Jul;90(7):934-9.
11. Weinstein SL. Natural history of congenital hip dislocation (CDH) and hip dysplasia. Clin Orthop Relat Res. 1987;(225):62-76.

전신적 질환

Systemic Diseases

1. 골격계 유전성 질환/골 이형성증

1) 유전자와 그 기능

세포의 분화, 증식과 기능을 조절하여 궁극적으로는 해당 개체의 발생, 성장, 기능을 조절하는 인자는 부모로부터 물려받게 되는데 그 정보를 개개의 세포에 저장하고 있는 물질은 세포 핵에 존재하는 deoxyribonucleic acid (DNA)이다. DNA의 일정 부분은 핵 내에서 RNA로 transcription되고 RNA는 세포질 내로 이동하여 특정 단백질(protein)로 translation 된다. 단백질을 만드는 DNA 부분을 그 단백질의 유전자(gene)라고 하며, 하나의 세포 내에 있는 개개 유전자의 합을 유전체(genome)라고 한다. 어떤 유전자가 발현되는지에 따라 세포의 특성이 결정되는데, 예컨대 골모세포(osteoblast)와 연골세포(chondrocyte)의 차이는 형태학적인 차이로 정의되기도 하지만 발현하는 유전자들의 차이에 기인한다고 볼 수 있다. DNA에서 특정 유전자 인근에는 전사인자(transcription factor)가 결합하는 regulatory sequence가 존재하여 해당 유전자의 발현 여부를 조절하게 된다. 특정 유전자가 염색체 상에 존재하는 위치를 locus라고 하며, 염색체 상에서는 염색 띠의 위치에 의거해서 표시하게 된다.

2) 유전자 이상의 종류

유전자형(genotype)이란 유전자가 어떠한 형태를 가지고 있는지를 지칭하며, 표현형(phenotype)은 그러한 유전자 형태에 의해서 겉으로 드러나 보이는 임상적, 방사선학적, 또는 각종 검사에서 나타나는 변화 등의 개체 특성을 지칭한다(그림 5-1). 질병을 초래하는 유전자형은 단순한 DNA 염기서열의 변화에서부터 염색체 전체 또는 일부의 결손/중복/전위 등의 육안적 변화까지 다양하다. DNA의 염기서열은 정상 개체마다도 약간씩 다르기 때문에 개체 간의 차이, 즉 개성이 나타나게 되는데 질병을 일으키지 않지만 서로 조금씩 다른 유전자형을 다형성(polymorphism)이라고 한다. ABO 혈액형을 결정하는 A, B, O type의 유전자형은 해당 locus에 존재할 수 있는 다형성이라고 할 수 있다. 그러나 아주 드물면서 질병을 초래하는 유전형은 돌연변이(mutation)라고 부른다. 특정 locus에는 한 쌍의 유전자가 존재하는데, 이 자리에 들어올 수 있는 유전자들은 polymorphism이나

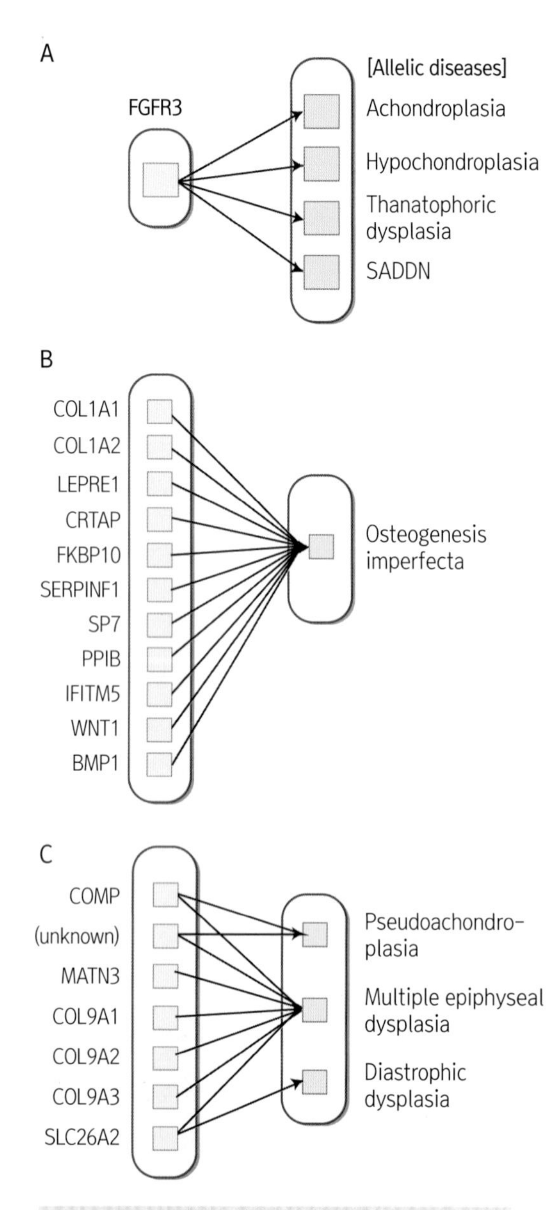

그림 5-1
원인 유전자와 표현형의 복잡한 관계
A. FGFR3 유전자의 여러 가지 돌연변이는 각각 다른 질병으로 인식될 만큼 큰 표현형의 차이를 보인다.
B. 11가지 유전자의 돌연변이에 의해서 발병하는 질병은 모두 골형성부전증으로 인식되었다.
C. 6가지 유전자의 돌연변이들은 경우에 따라서 3가지의 질병으로 인식되었다.

mutation이나 몇 가지 형태가 존재할 수 있고 이들을 그 locus의 대립유전자(allele)들이라고 한다. 동일 유전자에 다른 돌연변이에 의해서 발병하는 질환을 allelic disease라고 한다.

DNA 수준에서는 단 하나의 염기가 다른 것으로 치환되거나(point mutation), 여러 개의 염기가 결손(deletion)되거나 삽입(insertion)되어 있을 수 있다. 이러한 염기서열의 차이는 그 유전자에 의해서 생성되는 단백질에서 다양한 차이를 보일 수 있다. 염기 하나가 바뀌어도 아미노산은 바뀌지 않을 수도 있고(silent mutation), 다른 아미노산으로 바뀔 수도 있으며(missense mutation), 또는 translation을 중단하는 codon이 형성되어 길이가 짧은 단백질이 형성될 수도 있다(nonsense mutation). 한편, DNA는 실제 translation에 기여하는 exon 부분과 그 사이에 존재하지만 RNA 수준에서는 잘려 나가서 translation에 기여하지 않는 intron 부분이 섞여 있는데, exon과 intron의 경계 부위에 돌연변이가 있으면 intron 부분이 잘려 나가지 않거나 exon이 함께 잘려 나가면서 이상한 구조의 단백질을 형성할 수 있다. 염색체 수준에서 현미경으로 관찰이 가능할 정도의 결손/중복/치환이 있으면 대단히 큰 DNA 부위가 변화하는 것이기 때문에 염기 수준에서의 변화와는 차원이 다른 결과를 초래할 수 있다.

돌연변이 단백질에 의해서 질병이 유발되는 기전도 다양하다. 돌연변이 유전자가 단백질을 전혀 생성하지 못하고 돌연변이가 없는 대립유전자에 의해서 생성된 단백질만 존재하게 되어 해당 단백질의 양적인 부족 상태로 인하여 질병이 발생하는 기전을 haploinsufficiency라고 한다. 반면, 돌연변이 유전자에 의해서 생성된 돌연변이 단백질이 오히려 정상 단백질의 기능을 방해하여 해당 단백질의 기능이 전반적으로 저하될 경우를 dominant negative라고 한다. 수용체(receptor)와 같은 기능성 단백질의 경우 돌연변이에 의해서 단백질의 기능이 과도하게 항진되어 질병을 유발하는 경우를 gain-of-function이라고 하는데, 연골무형성증(achondroplasia)을 초래하는 FGFR3 돌연변이가 대표적인 예이다.

유전의 양상은 질병을 일으키는 allele이 하나만 있으면 되는지, 두 allele 모두 돌연변이가 있어야 하는지에 따라서 결정된다. 하나의 allele만 결함이 있어도 질병이 발생하는 경우 우성(dominant) 유전을 하게 된다. 반면, 수용체나 효소 등의 기능성 단백질의 loss-of-function 돌연변이는 대부분 두 allele 모두 결함이 있어야 단백질의 전체적인 활성이 질병을 초래할 정도로 충분히 저하되며 이러한 경우 열성(recessive) 유전 양상을 보인다. 또, 해당 유전자가 상염색체에 존재하는지 X염색체에 존재하는지에 따라서 유전 양상도 달라지게 된다. Y염색체에는 유전자가 아주 적어서 그에 따른 유전질환도 드물다.

염색체의 결손은 수많은 유전자의 결손이 발생하며 이로 인해서 많은 단백질들이 haploinsufficiency 상태가 된다. 따라서 골격계뿐 아니라 많은 다른 organ-system에 증상을 초래할 수 있다. Langer-Gidieon 증후군은 8q24.11-q24.13에 걸친 염색체 결손으로 그 부위에 존재하는 EXT1과 TRPS1 유전자의 haploinsufficiency 상태가 되어 다발성 골연골종증과 trichorhinophalangeal 증후군의 표현형을 함께 보이는 예이다. 염색체의 일부분이 전위(translocation)되면 전체적인 DNA 총량은 유지되며 유전자들은 어느 염색체엔가 존재하고 있지만, 전위되는 부위의 경계선에서 특정 유전자가 절단되거나 regulatory sequence와의 연결성이 단절됨으로써 유전자 발현이 교란되어 증상이 발생할 수도 있다.

3) 분류와 진단

골 이형성증(skeletal dysplasia)에 속하는 질병들은 임상적 양상에 의해서 처음 명명되기 시작하였으며 방사선 검사가 가능해진 이후에는 단순 방사선 검사 소견이 중요한 진단 기준이 되었다. 그러나, 1990년대 중반 이후부터 원인 유전자들이 밝혀지기 시작하여 지난 30여 년 간 수많은 주요 질환의 원인 유전자와 그 돌연변이들이 알려졌고, 그 결과 임상적-방사선학적 소견뿐 아니라 원인 유전자도 분류 체계의 중요한 요소로 자리 잡았다. 최근 개정된 분류 체계에서는 436개 질병을 42개 군으로 나누어 기술하고 있다(Mortier et al. 2019 Am J Med Genet A 참조). 유전체학(genomics)의 발전에 따라 그 동안 확인되지 않았던 극희귀질환의 원인 유전자 결함들이 속속 확인되고 있으며 분류체계도 이에 따라 개편되어 나갈 것이다.

골 이형성증 환자에 대한 정확한 진단은 예

후 판정과 치료 계획 수립의 가장 기본적인 단계이나 대부분 희귀질환이라 진단하는 데에 충분한 경험과 지식을 축적하고 있는 의사들이 많지 않다. 따라서 적극적인 자세로 전문가에게 자문을 구하는 것이 의사로서 바람직한 자세이다. 원인 유전자가 알려져 있는 질환은 유전자 검사를 통해서 돌연변이를 확인하는 것이 궁극적인 진단이 되며, 유전체학의 발전으로 많은 유전자에 대한 검사를 짧은 시간 내에 낮은 비용으로 시행할 수 있게 되었다. 단, 유전체학적 검사 방법은 수많은 원인 유전자 변이 후보들을 찾아내는데, 그 중에서 환자의 원인 변이를 확정하기 위해서는 질병의 증상과 징후 및 검사 결과 등에 대한 깊이 있는 지식이 요구된다.

4) 흔한 임상증상

하나의 질병으로 간주되는 골 이형성증은 수백 가지에 달하는데, 제각기 특징적인 임상소견을 보이지만 임상적으로 문제가 되는 비교적 흔한 증상들은 다음과 같다. 첫째, 골-연골의 길이 성장에 장해가 있어 단신(short stature)를 보인다. 골 이형성증 환자들은 대부분 신체 부위별로 길이의 비율이 비정상적인 불균형 단신(disproportionate short stature)을 보이는데, 이를 다시 척추가 더 심하게 이환되어 몸통이 유난히 더 짧은 short-trunk type과 장관골이 더 심하게 이환되어 팔다리가 유난히 짧은 short limb type으로 대별한다(그림 5-2). 팔다리의 세 부분(thigh – lower leg – foot, upper arm – forearm – hand) 중 근위부가 유난히 더 짧을 때에는 rhizomelic, 중간부가 유난히 더 짧을 때에는 mesomelic, 그리고 원위부가 유난히 더 짧을 때에는 acromelic이라는 표현을 사용한다(그림 5-3). 예컨대, acromesomelic dysplasia type Maroteaux는 그 이름에서 forearm과 hand, lower leg과 foot가 유난히 짧은 질환이라는 것을 알 수 있다.

둘째, 사지의 각 변형이 흔하다. 내반슬(genu varum), 외반슬(genu valgum), 내반고(coxa vara), 외반고(coxa valga), ankle varus deformity, ankle valgus deformity 등으로 기술하며, 한쪽은 내반슬 다른 한 쪽은 외반슬인 경우에는 windswept deformity라고 불리운다. 관절 운동과 같은 방향으로 각 변형이 있으면 관절 운동 범위가 변하는데 distal

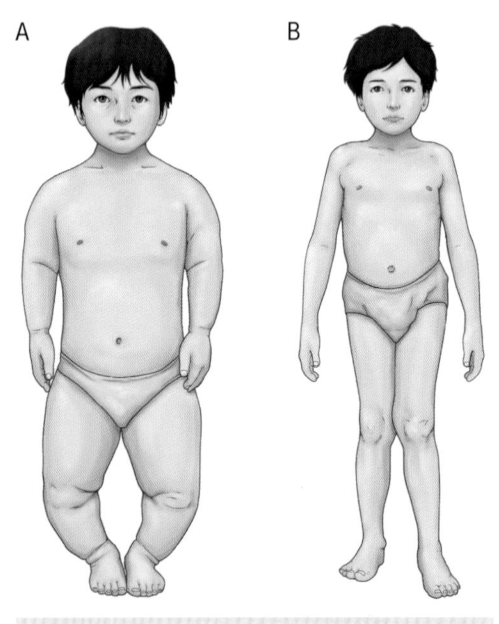

그림 5-2
A. Short-limb dwarfism, B. Short-trunk dwarfism

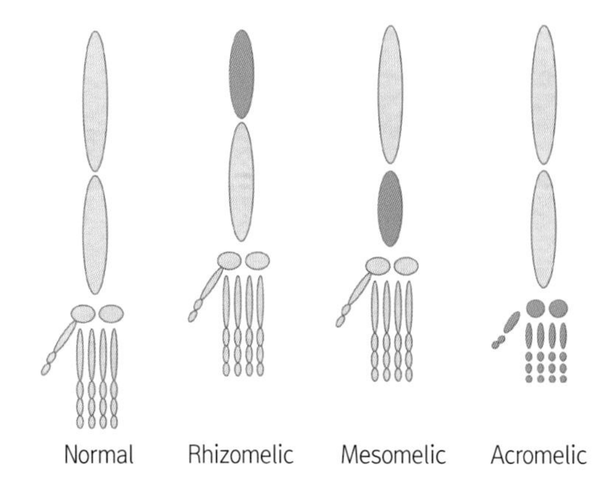

그림 5-3
Short-limb dwarfism은 다시 대퇴부-상완부가 유난히 짧은 rhizomelic, 하퇴부-전완부가 유난히 짧은 mesomelic, 그리고 손-발이 유난히 짧은 acromelic형으로 구분한다.

femur에 전방 각 변형(anterior apex angulation)이 있으면 knee flexion contracture로 보이게 되고, proximal tibia의 후방 각 변형은 genu recurvatum으로 나타난다. Elbow flexion contracture도 많은 질환에서 관찰된다.

셋째, 척추의 측만증(scoliosis), 후만증(kyphosis) 및 전만증(lordosis)이 발생할 수 있으며 진행성이거나 몸통의 균형을 깨뜨릴 만한 만곡은 수술적 교정을 필요로 한다.

넷째, 제1-2경추간 불안정성(atlantoaxial instability, C1-2 instability)은 제2경추의 발육부진, 인대이완, 상대적으로 큰 두개골 등에 기인하는데, 만성적으로 spinal cord를 압박하여 사지 부분마비(quadriparesis)를 초래할 수도 있으며, 작은 두경부 외상에도 spinal cord의 급성 손상을 초래하여 사지마비(quadriplegia) 또는 사망에 이를 수도 있는 잠재적 위험을 안고 있다(그림 5-4). 경추 불안정성으로 만성적인 spinal cord 압박이 확인되면 제1-2경추 유합술 또는 수술적 감압술과 후두-제1-2경추 유합술을 시행하지만, 만성적인 증상이 없는 상태에서 급성 손상을 예방하기 위해서 예방적으로 경추 유합술을 시행하는 것에 대해서는 논란이 있다. 제1-2경추간 불안정성이 임상적인 문제를 초래할 가능성이 있는 질환으로는 제2교원질병증(type II collagenopathy), Morquio병, 가성연골 무형성증, TRPV4병증 등이 대표적이며, 이러한 질환이 진단되면 반드시 상부 경추부의 안정성을 평가하여야 한다.

다섯째, 체중부하 관절에 조기 퇴행성 관절염(precocious osteoarthritis)이 흔히 발생한다. 관절이 성장/발달하면서 구조적 결함이 초래되어 생역학적으로 마모가 쉽게 일어날 수 있는 구조가 되기도 하지만, 관절 연골의 결함이 있는 질병에서는 관절 구조가 정상이더라도 빠른 마모가 발생하게 된다. 대퇴골두의 골화가 지연되면서 체중 부하에 의해서 연골골단이 납작해지는 제2교원질병증이나 비구(acetabulum)의 골화 장애로 비구이형성증이 발생하는 Morquio병, 가성연골무형성증, 그리고 슬내반이 흔히 발생하는 다발성 골단이형성증 등이 관절이 마모가 쉽게 발생하는 구조로 발달하게 되는 경우이다. 한편, 다발성 골단이형성증, 가성연골무형성증, 제2형 교원질병증 등에서는 관절 연골의 기질(matrix)에 결함이 있기 때문에 구조적인 문제가 없어도 빨리 마모가 될 수 있고 이로 인하여 조기

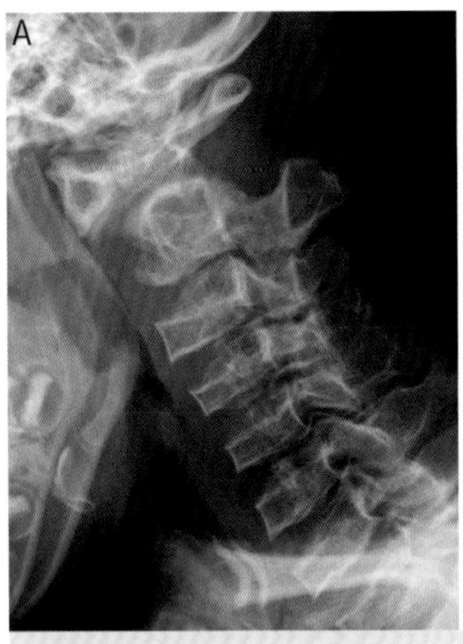

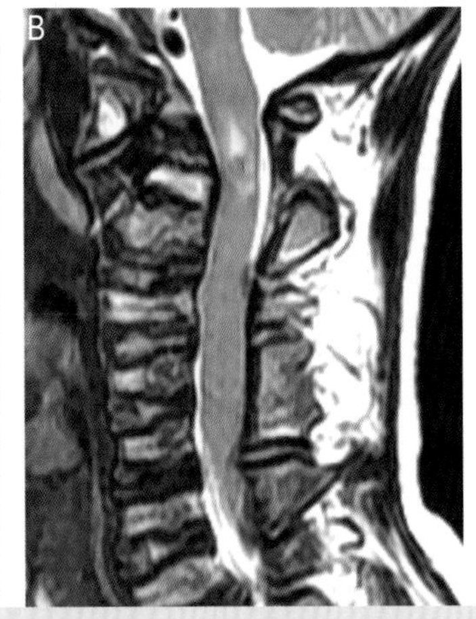

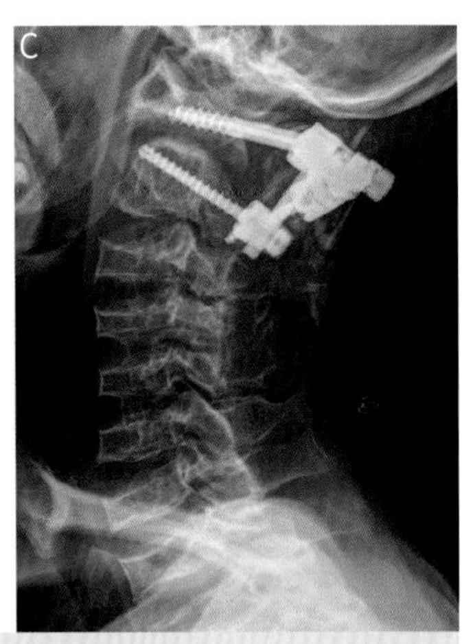

그림 5-4
Metatropic 이형성증 6세 여아
A. 제1-2경추 불안정성이 있으나 증상이 없어서 경과 관찰하기로 하였다.
B. 의자에서 떨어지면서 spinal cord contusion으로 quadriparesis 발생
C. 제1-2경추 후방유합술 후 현재 보행 가능한 상태로 회복되었다.

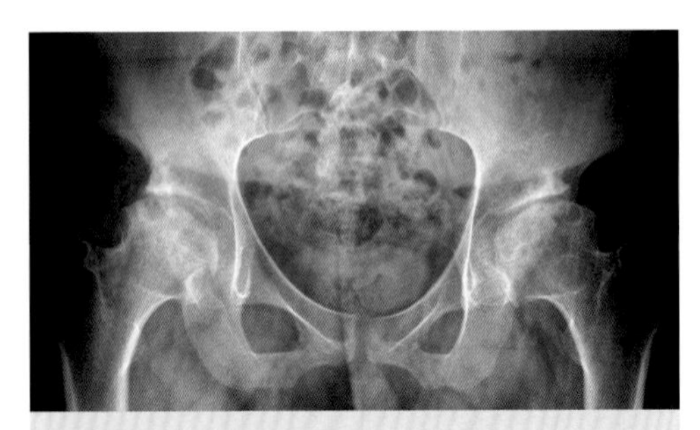

그림 5-5
다발성 골단이형성증이 있는 24세 남자에서 보이는 고관절 조기 퇴행성 관절염

퇴행성 관절염으로 발전할 수 있다(**그림 5-5**).

여섯째, 골질이 약하여 쉽게 골절된다. 골형성부전증(osteogenesis imperfecta)에서는 골 조직을 형성하는 단백질 또는 그 형성에 관여하는 유전자 돌연변이에 의해서 이러한 증상이 나타난다. 한편, 파골세포의 기능이 저하되어 골 재형성(remodeling)이 원활하지 않은 골화석증(osteopetrosis) 등에서는 방사선 검사상 골경화(osteosclerotic) 변화가 관찰되지만 골 조직은 층판골(lamellar bone)이 아닌 미성숙골 상태로 남아있기 때문에 작은 충격에도 골절될 위험이 크다.

5) 흔히 시행하는 정형외과적 수술

골 이형성증 환자에서 정형외과적 수술을 통해서 기능을 향상시킬 수 있는지는 환자 개개인의 상황을 면밀하게 검토하여 결정하여야 한다. 우선 정확한 진단을 통해서 장기적인 예후를 파악하고, 현재의 문제점을 분석하는 것이 필요하다. 단순히 현재 눈에 뜨이는 변형을 교정하는 것은 지양하고 장기적인 안목에서 과연 어떤 수술이 어느 정도의 효과를

가져올 수 있을지, 수술에 따른 유병 상태와 부작용의 가능성, 차라리 수술을 하지 않는 것이 더 이득은 아닐지에 대해서 면밀한 고찰이 필요하다. 골 이형성증 질환은 모두 희귀질환으로 이들에 대한 치료 결과를 보고하는 문헌도 대단히 드물 뿐 아니라, 정확한 진단에 기반하지 않은 문헌들이 많아서 현재 수술을 고려 중인 환자와 과연 같은 상태인지를 확신할 수 없는 경우도 흔하다.

가장 흔하게 시행하는 수술은 사지의 각 변형에 대한 교정 수술이다. 성장기의 환자에서는 성장판의 길이성장을 부분적으로 억제하여 각변형을 얻는 반골단판 유합술(hemiepiphysiodesis)이 간단한 술식으로 안전하게 변형을 교정할 수 있다는 장점이 있다. 다만, 이 술식이 효과를 가져오려면 성장판에서 길이 성장이 이루어져야 하는데, 다발성 골단이형성증과 같이 비교적 성장이 잘 일어나는 질병에서는 효과적이나, 아주 심한 성장저하로 성장판에서의 길이성장이 미미한 심한 Morquio 병이나 가성연골무형성증에서는 효과가 나타나지 않을 수도 있다. 각 변형이 정도가 너무 크거나, 성장이 아주 느리거나, 골 성숙이 된 환자에서는 절골술을 통해서 각 변형을 교정한다. 아주 심하거나 복잡한 변형을 교정하기 위해서는 외고정 장치를 이용한 신연 골형성술을 이용하여 변형 교정을 하는 것이 보다 정교한 교정이 가능하며 신경-혈관 손상을 최소화할 수 있다는 장점이 있다(그림 5-6).

각 변형 교정이나 hip joint의 dysplasia 등을 수술적으로 교정하여도 관절 연골에서 심각한 결함이 있는 질환에서는 조기 퇴행성 관절염을 막을 수 없다. 다만, 관절 연골 파열 등의 상황에서 이를 절제하여 일시적인 증상 호전을 얻을 수 있다.

흉요추에서의 scoliosis 또는 kyphosis 등의 변형이 진행되면 이에 대한 수술적 교정 및 유합술이 필요한데, 이들 변형의 자연 경과는 질병에 따라서, 환자에 따라서 다르기 때문에 어느 정도의 변형일 때에 어느 정도의 범위를 수술하는 것이 최적의 치료인지를 확정하기 어렵다. 따라서 많은 경험과 수술적 능력이 충분한 의사가 치료하는 것이 바람직하다.

제1-2경추간 불안정성에 대한 치료에 대해서도 확립되어 있는 원칙은 아직 없다. 이 부위에 대한 수술적 접근은 상당한 위험을 동반하며 체구가 작고 변형이 심한 골 이형성증 환자에서는 수술이 기술적으로 대단히 어렵기 때문에 영상검사상의 불안정성만이 아닌 임상적으로 신경압박의 소견이 있는 경우에만 수술하는 것이 바람직하다. 그러나, 신경압박 소견이 없더라도 외부 충격에 의해서 제1-2경추간 불안정성이 심각한 신경손상을 초래할 수 있으므로(그림 5-4) 각별한 주의를 요하며, 예방적 제1-2경추 유합술을 주장하는 연구자도 있다.

양측 사지를 신연 골형성술을 이용하여 신장함으로써 키를 더 크게 하는 수술 방법도 사용되고 있다. 이러한 술식은 연골무형성증, 연골저형성증, Schmid형 골간단이형성증, Turner 증후군, hypophosphatemic rickets 등 관

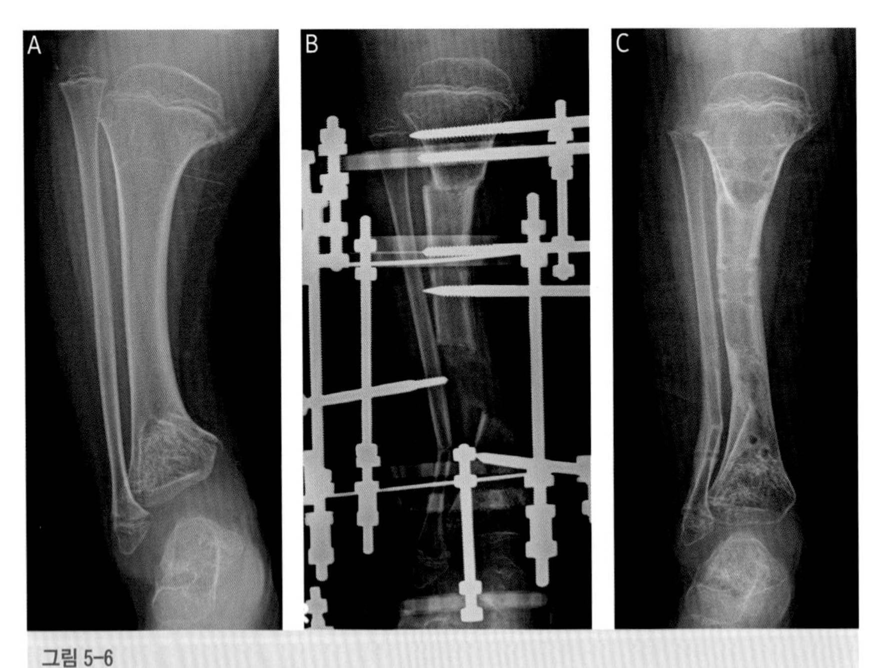

그림 5-6
Metatropic dysplasia 5세 남아
A. 하퇴부 내반변형. 비골에 비해서 경골이 더욱 단축되어 있다.
B. Ilizarov 외고정 장치를 이용하여 근위부에서는 급성 각변형 절골술을 시행하였으며 원위 경골에서 각변형과 함께 골 연장술을 시행하였다.
C. 외고정 장치 제거 후. 경골의 각변형을 교정하였고 경골과 비골의 상대적인 길이를 정상화하였다.

절 연골에는 큰 이상이 없어서 관절의 문제가 발생할 소지가 적으며 지능이 정상이고 다른 장기에 심각한 문제가 없는 경우이다. 특히, 연골무형성증은 신연골 형성에 의한 신생골 형성이 대단히 효율적으로 진행되고, 주변 연부 조직이 풍부하기 때문에 골 연장에 따른 연부조직의 부작용도 상대적으로 적은 편이며, short-limb type의 저신장증이기 때문에 사지를 연장하면 신체의 비율이 더 호전된다는 이점이 있다. 그러나, 10~20 cm의 골 연장을 얻기 위해서는 1~2년 이상의 치료기간이 소요되고 다양한 합병증이 병발하기 때문에 이 술식을 시행하는 것이 바람직한 지에 대해서는 전문가마다 의견이 다르다. 사춘기 이전에 키를 늘리기 위하여 광범위 골 연장술을 시행하는 것은 성장판의 자체적인 성장을 억제할 뿐 아니라 아직 자기 결정권을 확보하지 못한 미성년자에게 생명이나 심각한 장애가 아닌 문제에 대해서 부모나 의료진이 강제적으로 수술을 시행한다는 문제가 있으므로, 가급적 사춘기 이후에 환자 본인에게도 충분한 설명을 한 후 수술 여부를 결정하는 것이 바람직하다. 연골 무형성증 환자는 팔도 짧아서 손이 신체의 모든 부분에 닿지 못하는 경우가 많고 이로 인하여 독립적인 생활을 영위하는 데에 한계가 있을 수 있으므로, 상완골(humerus)에 대한 골 연장술은 키를 늘리기 위한 하지 연장술보다는 더욱 필요한 술식이다. 한편, 관절 연골에 결함이 있거나 관절 이완이 심한 Morquio 병, 다발성골단이형성증, 가성연골무형성증, 제2형 교원 질병증 등에서는 하지부동이나 각변형의 교정은 필요하지만 키를 늘리기 위한 골 연장술은 심각한 후유증과 보행 능력 저하를 초래할 수 있기 때문에 바람직하지 않다.

6) 연골무형성증 및 연관 질환

연골무형성증(achondroplasia, ACH)은 성장판의 증식대 연골세포에서 주로 발현하는 FGFR3 (fibroblast growth factor receptor type 3) 유전자의 돌연변이에 의해서 발병하며 상염색체 우성 유전하는 질환으로 rhizomelic, short−limb type short stature를 보이는 대표적인 골 이형성증이다(그림 5-7). 성장 종료 시 평균 신장은 125~130 cm이다. 영유아기에 대후두공(foramen magnum)의 협착으로 전신적 근육긴장도 저하, 수면 무호흡 등이 초래 될 수 있으며, 이런 경우 대후두공 감압술이 필

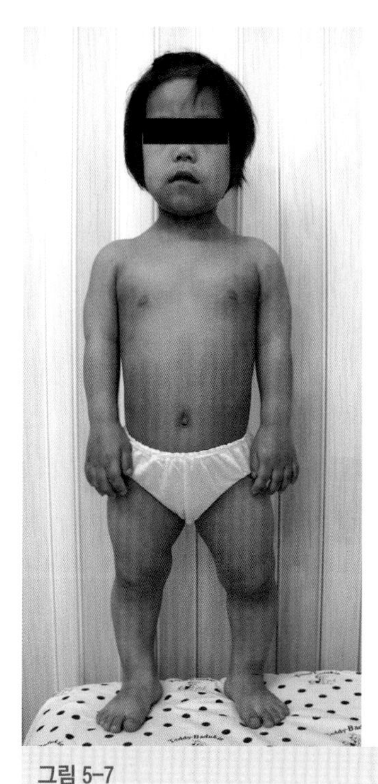

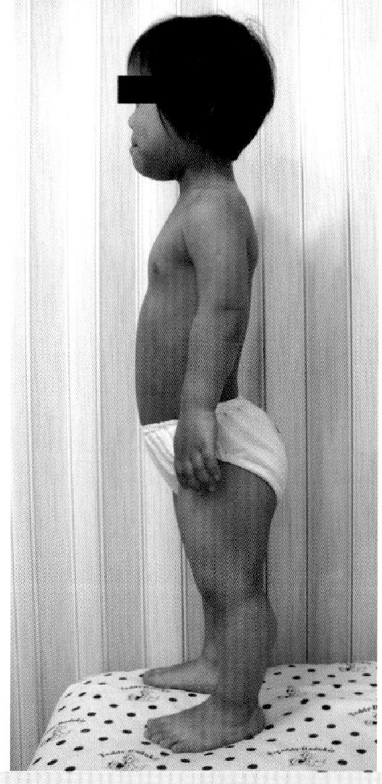

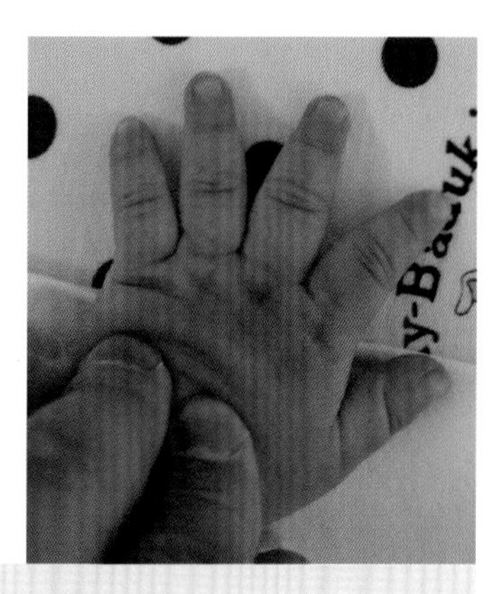

그림 5-7
연골무형성증의 임상 소견
7세 여아로 신장 93 cm이다. 체간에 비해서 사지, 특히 femur와 humerus가 짧다. 내반슬, elbow joint 굴곡 구축, 요추 전만, 삼지창수(trident hand) 등을 볼 수 있다.

요하다. 유아기에 발생하는 흉요추 후만증은 저절로 교정되는 경우가 대부분이지만 지속되는 경우에는 보조기 치료 또는 수술적 치료가 필요할 수도 있다. 10대 후반 이후에는 척추관협착증(spinal stenosis)으로 인한 하지 통증 또는 마비가 발생할 수 있다. 단신 자체는 의학적 문제라기 보다는 사회적응에 대한 장애인 반면, 척추관협착증은 연골무형성증에서 발생할 수 있는 가장 심각하고 흔하게 발생하는 의학적 문제이며, 증상 발현 시 후방 감압술이 필요한데 보통 광범위한 감압이 필요하다. 내반슬(genu varum) 변형으로 통증이 발생하거나 보행 이상이 문제가 되면 교정 절골술이 필요하다. 지능은 정상이며 다른 장기에 이상이 없고 생식기능도 정상이다.

FGFR3에 다른 돌연변이에 의해서 비슷한 증상이지만 경증인 연골저형성증(hypochon-droplasia) 또는 훨씬 더 중증인 thanatophoric dysplasia가 발병한다.

7) 다발성골단이형성증 및 가성연골무형성증

다발성골단이형성증(multiple epiphyseal dysplasia, MED)은 척추 이상은 거의 없지만 단순 방사선 검사상 장관골 골단(epiphysis)에 골화 지연, 저형성, 골화 이상 등을 보이는 질환이다. 평균키 이상으로 큰 사람도 있지만 대부분 평균 이하이고 −2SD 이하의 단신을 보이는 환자들도 일부 있다. 단신, 하지 각변형, 보행이상, 관절 통증 등을 호소한다. MATN3, COMP, SLC26A2 그리고 type IX collagen을 구성하는 세 개의 alpha chain 등 6가지 유전자의 돌연변이에 의해서 발생할 수 있다. SLC26A2에 의한 경우만 상염색체 열성 유전하며 나머지는 모두 상염색체 우성 유전한다. 원인 유전자를 모르던 시절에는 같은 질병명으로 분류되었으나, 임상 증상이나 방사선 검사 소견이 차이가 있어서 이제는 서로 구분이 된다. 한국인에서는 MATN3에 의해서 발병하는 경우가 가장 흔하고, 그 다음으로 COMP가 흔하다. COMP에 의해 발병한 환자가 평균적으로 키가 더 작고 체중 부하 관절에 지속적인 통증을 호소하며 조기 퇴행성 변화도 빠르고 심하게 나타난다. 사지 각변형이 있는 경우 이를 교정하는 수술적 치료가 필요할 수도 있으며, 대퇴골두 무혈성 괴사가 발병하는 경우가 있다.

가성연골무형성증(pseudoachondroplasia, PSACH)은 COMP 유전자 돌연변이에 의해서 발병하며 short−limb type의 심한 단신을 보인다. COMP 돌연변이로 인하여 발병 질환의 스펙트럼 중 다발성골단이형성증이 경증이라면 가성연골무형성증은 중증에 해당한다. 두 질환의 중간 형태의 표현형을 보이는 환자도 있고, 같은 돌연변이를 가지고 있는 가족 간에도 어떤 환자는 다발성골단이형성증 양상을 보이는 반면 다른 환자는 가성연골무형성증을 보이기도 한다. 심한 단신 이외에도 관절 이완, 제1−2경추 불안정성과 조기 퇴행성 관절염이 흔하다. 단순 방사선 검사상 척추의 변형도 특징적이며 척추−골단−골간단 이형성증(spondyloepimetaphyseal dysplasia) 양상으로 나타난다(그림 5-8). 하지변형에 대한 교정절골술과 제1-2경추 불안정성에 대한 경추 유합술이 필요할 수 있다.

8) 제2형 교원질병증

제2형 교원질(type II collagen) 유전자인 COL2A1의 돌연변이에 의해서 발생하는 다양한 증상의 질환들을 통칭한다. 아주 심한 골격계 발달 장애로 태생기에 사망하는 형에서부터 정상 신장을 보이지만 조기 퇴행성 관절염을 보이는 형까지 다양하다. 사망에 까지는 이르지 않지만 심한 장애를 초래하는 형으로는 선천성 척추골단 이형성증(spondyloepiphyseal dysplasia congenita, SEDC), Kniest 이형성증 등이 있다. 이들은 short-trunk type의 심한 단신을 보이며 단순 방사선 검사상 척추와 함께 고관절과 견관절 등 근위 관절에서 보다 심한 이상을 보이고, 수부와 족부 등 원위부는 비교적 정상에 가까운 성장 발육을 보인다. 목이 짧고 가슴의 전후 거리가 증가하는 특징적인 체형을 보이며 단순 방사선 검사상 척추체의 특징적인 변형과 함께 대퇴골두의 골화가 지연되면서 심한 변형을 보여서 심지어 탈구되는 양상을 보이기도 한다(그림 5-9). 골격계뿐 아니라 구개열(cleft palate)을 동반하는 경우가 많고 고도 근시와 망막 박리가 동반될 수 있기 때문에 주기적인 안과 검진이 필수적이다. 제1-2경추 불안정성으로 인하여 경추 유합술과 고관절 변형에 대한 수술적 치료가 필요할 수 있다.

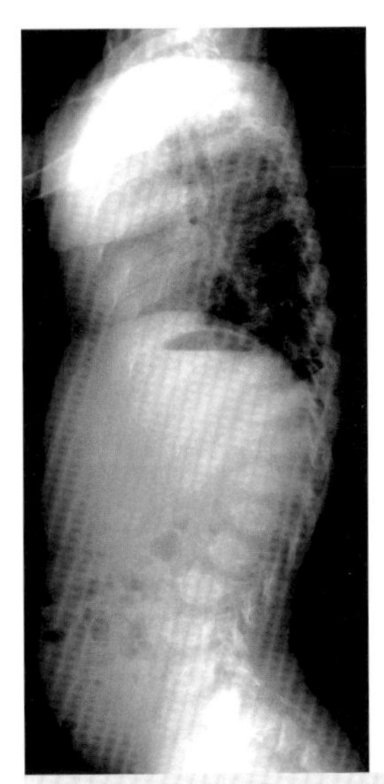

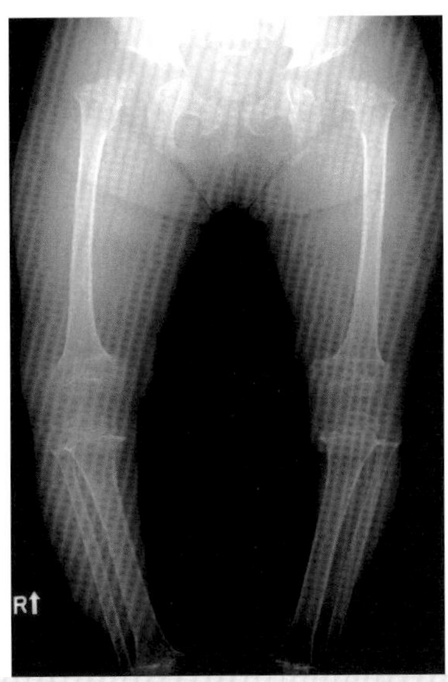

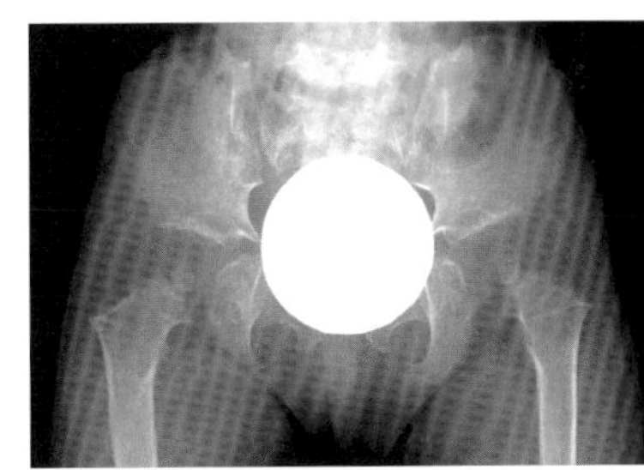

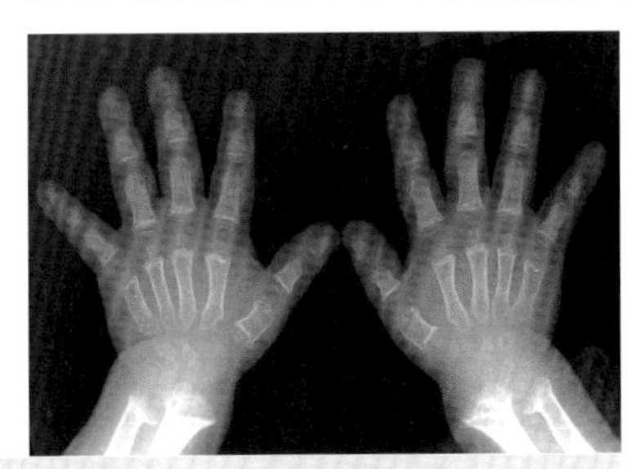

그림 5-8
가성 연골무형성증의 방사선 소견

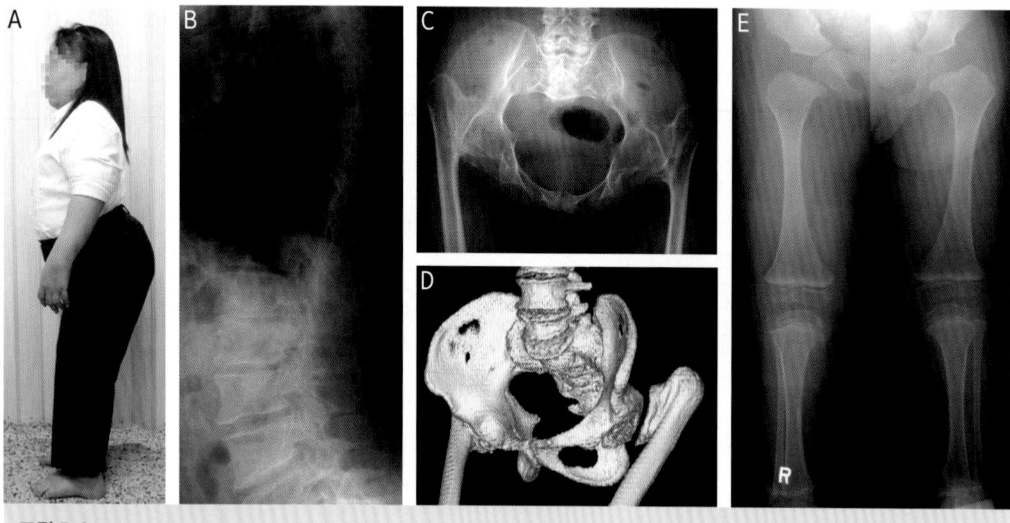

그림 5-9
Kniest 이형성증
A~D. 38세 여자. 대퇴골두가 심하게 변형되어 후방탈구되어 있어 고관절 굴곡과 요추전만이 심하다. 편평 척추가 뚜렷하다.
E. 6세 여아. 대퇴골두가 골화되어 있지 않다. 장관골이 짧고 양단이 두툼한 이른바 아령형태(dumbbell shape)를 보인다.

9) 골형성부전증

골격계의 선천성 결함으로 인해서 쉽게 골절을 당하며 척추와 사지에 변형이 발생하는 질환으로 대부분 골모세포(osteoblast)에서 생성하는 골 조직이 부실하고 양적으로 부족하기 때문이다(그림 5-10). 태생기부터 골절이 다발하여 사산하게 되는 경우부터 거의 정상에 가까운 생활이 가능한 경우까지 다양한 임상 상을 보인다. 증상이 심한 경우 심한 단신을 보이나 증상이 가벼운 환자는 정상적인 신장을 보이기도 한다. 일부 환자는 특징적으로 공막(sclera)이 푸르스름하거나 심하면 회색으로 보이기도 한다. Sillence 등은 증상이 심한 정도와 청색 공막 등을 기준으로 네 가지 형으로 분류하였다. 제1형은 가장 증상이 가벼우면서 평생 뚜렷한 청색 공막을 보인다. 제2형은 아주 심한 증상을 보이면서 출생 직후부터 늑골 골절 등이 빈발하여 호흡곤란으로 대부분 사망하게 된다. 제3형은 생존하는 환자 중 가장 심한 환자로 셀 수 없을 정도로 자주 골절되고 심한 단신을 보이며 청색 공막이 관찰된다. 제4형은 제1형과 제3형의 중간 정도의 증상을 보이며 공막이 정상적으로 하얀 색깔인 것이 특징이다. 골형성부전증 환자의 약 75%에 달하는 환자들은 제1형 교원질(type I collagen) 유전자 돌연변이에 의해서 발병하며 상염색체 우성 유전한다. 그 외에 제1형 교원질 단백을 합성하는 과정에 관여하는 효소와 골모세포 활성화에 관여하는 각종 유전자의 돌연변이에 의하여 발병하는 예들이 보

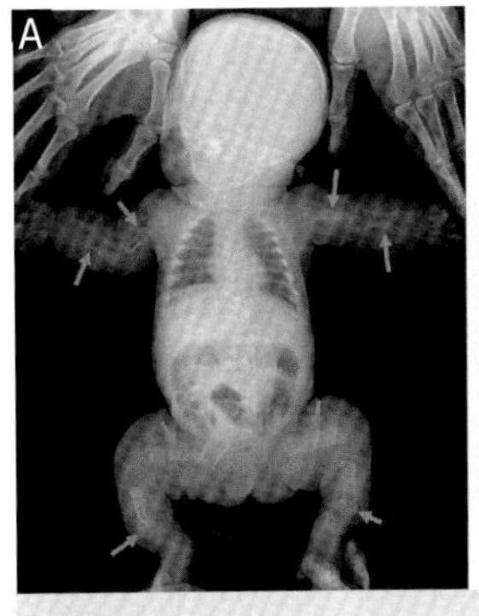

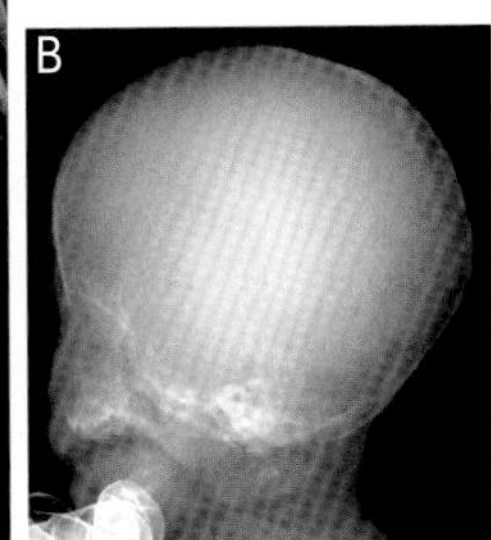

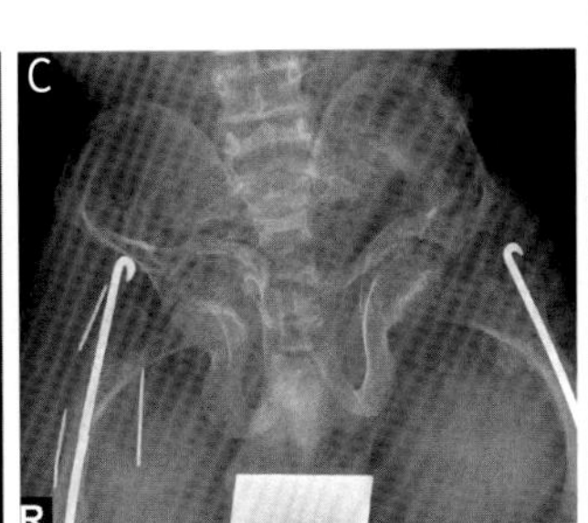

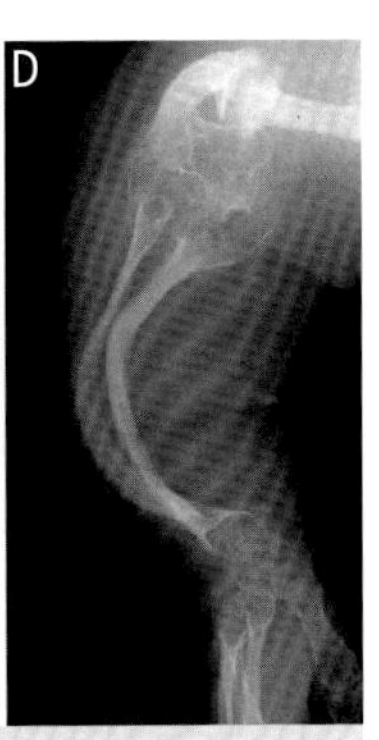

그림 5-10
골형성부전증의 방사선 소견들
A. 출생 시 발견된 다발성 골절. 일부는 태내에서 골절되어 이미 유합되었다.
B. 두개골의 충양골
C. 골반내 비구돌출(protrusio acetabuli)
D. 가느다란 long bone과 폐쇄된 골수강. 심한 각 변형도 동반되어 있다.

고되고 있는데 상염색체 열성 유전을 하지만 제1형 교원질 돌연변이에 의한 환자들과 임상적으로는 구분이 안 되는 경우가 대부분이다. 단, 요척골 골간막(radioulnar interosseous membrane)의 석회화 소견과 과증식성 가골(hyperplastic callus)로 뚜렷한 임상 양상의 차이를 보이는 제5형은 상염색체 우성유전하며 IFITM5 유전자 돌연변이에 의해서 발병한다.

척추측만증은 약 40~50%의 환자에서 관찰되는데 만곡이 진행하면 다른 원인의 척추측만증보다 조기에 척추 유합술을 하여 진행을 방지하는 것이 바람직하다. 골절에 대해서 보존적 치료를 할 때에는 정상인에 비해서 석고 고정기간은 가급적 짧게 하여 고정으로 인한 골 결핍과 재골절의 악순환을 차단하여야 하되, 보조기 등으로 장기간 골절 부위를 보호하여 재골절이나 골절부의 점진적 각 변형을 예방하여야 한다. 장관골의 골절에 대해서 골수강내 금속정(intramedullary rod)을 삽입하고 골 유합 후에도 계속 남겨두어 골 변형을 방지하고 재골절의 위험도 줄이는 것이 표준적인 방법이다. 금속판과 나사못(plate and screw)으로 내고정을 하면 금속판의 끝 부분에서 재골절될 위험이 대단히 높기 때문에 특별한 경우가 아니면 사용을 삼가야 한다. 골수강내 금속정 삽입은 대부분 성장기에 시행해야 하기 때문에 장관골의 길이 성장이 되면 금속정의 길이가 상대적으로 짧아지면서 그 끝 부위에서 재골절이나 골 변형이 발생할 위험이 있다. 이러한 문제를 해결하기 위해서 골 성장에 따라서 길이가 늘어날 수 있는 특수한 금속정이 고안되어 사용되고 있다(그림 5-11).

관절 이완 현상이 흔히 관찰되고 요골두 탈

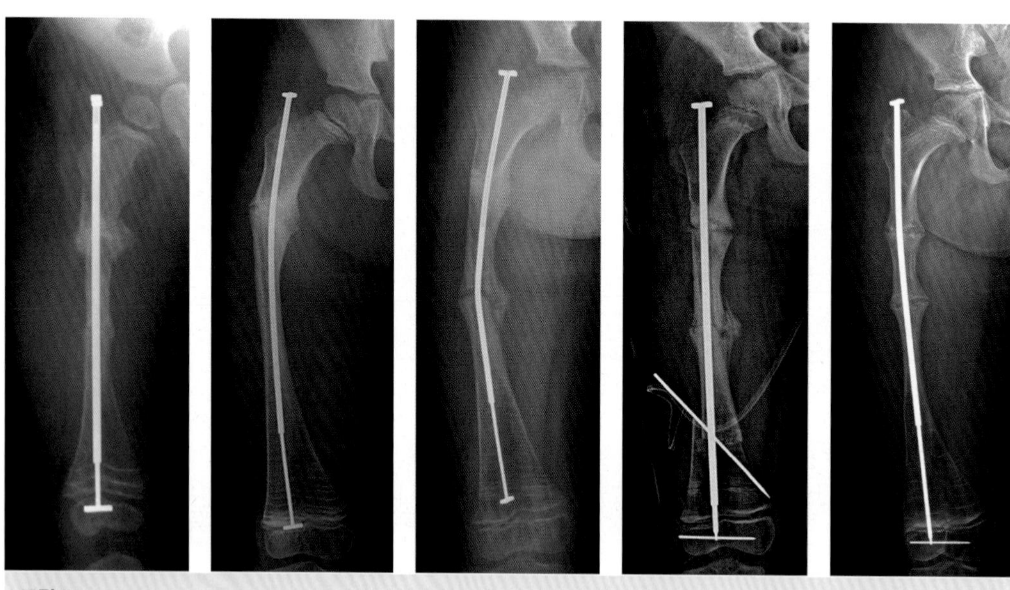

그림 5-11
제3형 골형성부전증 환아에서 우측 대퇴골에 시행한 확장성 골수강내 금속정의 예
2.7세에 최소로 삽입하였고 성장 중 굴곡되고 확장이 멈추어서 8세에 재수술한 후 12세까지 유지되고 있다.

구도 흔하며 유연성 편평족(flexible flatfoot)은 거의 대부분의 환자에서 관찰된다. 골격계 이외 부위의 증상으로는 일부 환자에서 청력 감소가 나타날 수 있으므로 10대 이후에는 주기적인 청력 검사가 권장된다. 치아가 작고 투명하며 잘 부러지는 상아질형성부전(dentinogenesis imperfecta)이 동반될 수 있다.

골 조직을 튼튼하게 하는 약물 치료로는 파골 세포(osteoclast)를 억제하는 bisphosphonate 제제가 효과적이어서 널리 사용되고 있다. 이는 정상적인 골 조직을 만들어 주는 것은 아니지만 골조직의 양적인 증가를 통해서 어느 정도 증상의 호전을 얻을 수 있다. 증상이 심할수록 그리고 나이가 어릴수록 뚜렷한 효과를 기대할 수 있으며, 증상이 가볍거나 성장이 종료된 이후 성인에서는 효과가 없기 때문에 사용하지 않는 것이 좋다. 이와 같은 약물 치료, 골수강내 금속정, 척추 유합술, 보조기 활용 및 재활 치료와 같은 복합적인 치료를 통하여 골절의 횟수를 줄이고 보행능력을 향상시킬 수는 있으나 아직 근본적으로 질병을 치유할 수는 없기 때문에 어느 정도의 골절과 장애가 발생하게 된다.

10) 골화석증과 농축이골증

골화석증(osteopetrosis)과 농축이골증(pyknodysostosis)은 파골세포(osteoclast)에 의한 골흡수는 골 형성(modeling) 과정에서 골수강(medullary cavity)을 만들어서 조혈기능을 하는 골수(bone marrow)가 형성될 수 있게 하며

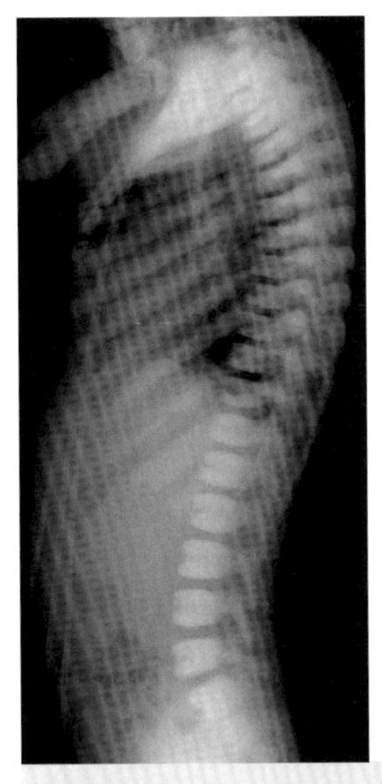 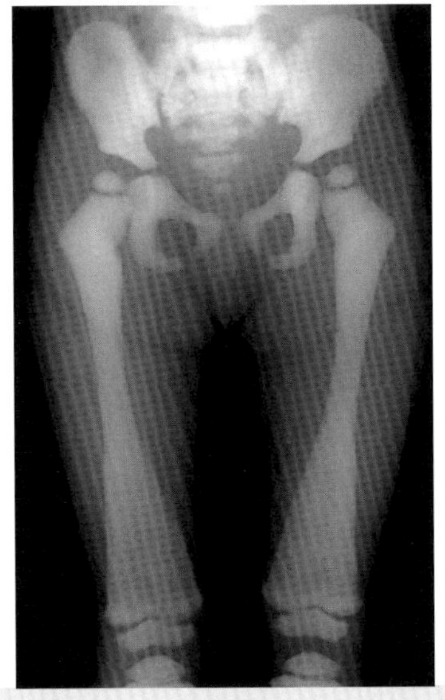 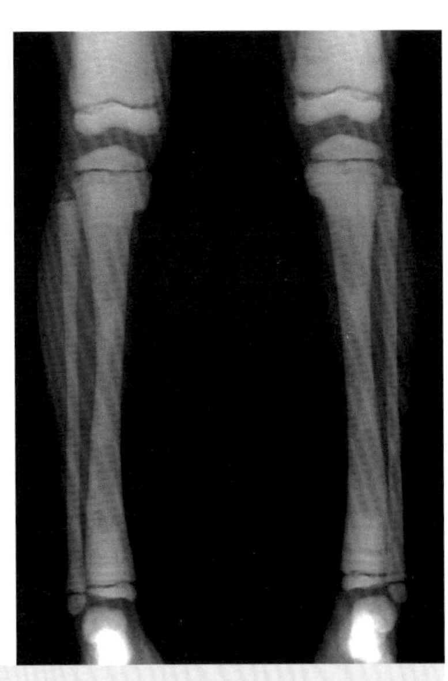

그림 5-12
골화석증(osteopetrosis)의 방사선소견
장관골의 골간단은 파골세포에 의한 재형성이 저하되어 있어서 넓다.

두개골의 각종 foramen의 크기가 커지는 데에도 기여한다. 또, 골 재형성(remodeling) 과정을 통해서 미숙골(woven bone)이 보다 튼튼한 층판골(lamellar bone)으로 전환되는 데에 필수적이다. 골화석증은 파골세포의 기능에 필수적인 유전자들의 돌연변이에 의해서 골 흡수가 제대로 되지 않아 발생하는 질환군을 말하며 단순 방사선 검사상 특징적인 소견을 보인다(그림 5-12). 단순 방사선 검사상 골 경화상이 보이지만 튼튼하지 못한 미숙골로 되어 있기 때문에 오히려 골절되기 쉽다. 두개저에 뇌신경이 통과하는 각종 foramen이 성장에 따라서 커지지 못하기 때문에 뇌신경 마비, 특히 시신경 마비로 인하여 실명할 수도 있다. 더욱 심각한 것은 골수부전에 의한 범혈구감소증(pancytopenia)으로 출혈, 감염, 빈혈 등으로 사망할 수도 있다. 상염색체 우성 유전하는 형은 상대적으로 증상이 가볍고 상염색체 열성 유전하는 형은 증상이 심하여 치명적일 수도 있다. 파골세포는 조혈모세포에서 유래하며 단구세포(monocyte)와 기원이 같기 때문에 골수 이식을 성공적으로 시행하면 정상적인 파골세포가 형성되어 질병 자체를 치료할 수 있다.

2. 골다공증

1) 정의 및 역학

세계보건기구(WHO)는 골다공증을 "골량

의 감소와 미세구조의 이상을 특징으로 하는 전신적인 골격계질환으로, 결과적으로 뼈가 약해져서 부러지기 쉬운 상태가 되는 질환"으로 정의하고 있으며, 최근 미국국립 보건원(NIH)에서는 이를 축약하여 "골강도의 약화로 골절의 위험성이 증가되는 골격계질환"으로 규정하였다. 골강도는 골량(quantity)과 골질(quality)에 의해 결정된다. 골량은 주로 골밀도에 의해 표현되고 골질은 미세구조, 골교체율, 무기질화, 미세 손상 축적 등으로 구성된다. 현재는 WHO의 진단 기준에 따라 골밀도를 측정하여 골다공증을 진단하고 있다.

우리나라의 경우 2008년 국민건강영양조사에 의하면 50세 이상 성인 인구 중 남자의 4.9%, 여자의 32.4%가 골다공증을 가지고 있는 것으로 조사되었으며, 이는 전 국민 중 약 19.3%에 해당하는 251만여 명이 골다공증이 있다는 것을 의미한다. 한편 KNOS (Korea Nationwide Osteoporosis Study)에 의하면 동일한 기간 동안 의료 기관을 방문하여 골다공증으로 진단 및 치료를 받은 환자는 약 146만 명으로 전체 골다공증 환자의 약 58%(146/251)만이 골다공증 관리를 받고 있는 것으로 조사되었다.

우리나라에서 50세 여성이 죽을 때까지 골다공증 골절을 최소 한 번 이상 경험할 확률(전생애 위험도, lifetime risk)은 59.5%로 남성의 23.8%에 비해 2.5배가량 높게 나타났다. 특히 사망률이 높은 고관절 골절의 전생애 위험도는 50세 여성 12.3%, 남성 5.2%였으며, 고관절 골절 발생 후 1년 내 사망률은 여성 16.2%, 남성 21.8%로 나타났다.

2) 원인 및 분류

뼈는 성장기에는 파골세포(osteoclast)의 기능과 상관없이 골모세포(osteoblast)에 의해서 뼈의 모양이 변화하면서 modeling-based bone formation이 이루어 진다. 성장이 끝난 후에는 지속적으로 파골세포(osteoclast)에 의한 골흡수가 되면서 다른 한편에서는 골모세포(osteoblast)에 의해서 신생골이 형성되는 골재형성(remodelling-based bone formation)의 과정이 일어나게 된다.

흡수된 골량에 비해 재형성되는 골량이 적으면 이로 인해 골소실이 발생하는데 폐경기 이후 호르몬의 변화나 노화현상으로 인해 이러한 현상이 더욱 심하게 되면 골다공증이 발생할 수 있다. 이렇게 골다공증을 일으킬 수 있는 뚜렷한 원인이 동반되지 않은 상태에서 발생하는 골다공증을 일차성 골다공증이라 한다.

이차성 골다공증은 특정 질병이나 수술, 약물 복용 등에 의해 최대 골량의 형성장애가 발생하거나 골소실이 과도하게 증가되는 경우에 발생한다. 이차성 골다공증의 원인으로는 전신적 글루코코르티코이드 사용 및 다양한 내분비 질환과 유전질환, 류마티스 질환 등이 있다.

3) 증상

골다공증은 그 자체만으로는 증상이 없으나 골다공증성 골절이 발생한 이후에야 알게 되는 경우가 흔하다. 골다공증성 골절은 척추, 고관절 주위, 상완골 근위부, 요골 원위부에 작은 외상으로 발생하는 골절을 의미한다. 골다공증을 조기에 치료 하지 않는 경우, 이러한 골다공증성 골절이 발생하게 되어 삶의 질이 감소하고 사망률이 높아진다.

4) 진단 기준

골밀도는 현재 골다공증의 가장 유용한 진단방법으로 사용되고 있다. 또한 골밀도는 치료 방침을 결정하는데 도움을 주며 치료에 대한 반응을 평가하는데도 이용된다. 골밀도 측정 방법으로는 이중 에너지 방사선 골밀도 측정법, 정량적 전산화 단층 촬영 및 초음파법 등이며 이중에서 이중 에너지 방사선 골밀도 측정법(Dual Energy X-Ray Absorptiometry, DXA)이 방사선 조사가 제일 낮고 임상적으로 유용하게 이용되고 있다.

DXA는 방사선이 인체를 투과할 때 조직에 따른 방사선 흡수량의 차이를 이용한 방법으로 연조직을 통과하는 저에너지와 골조직을 투과하는 고에너지의 방사선을 이용한다. 골밀도는 나이, 성별, 인종 간의 정상 평균값과 비교해서 해석하는 것이 일반적이다. T-점수는 젊은 성인의 정상 최대 골밀도와 측정자의 차이를 정상 골밀도 값의 표준편차로 나누어 얻어지는 숫자이다(그림 5-13). WHO는 골밀도 검사 결과에 따라 다음과 같이 정의하고 있다.

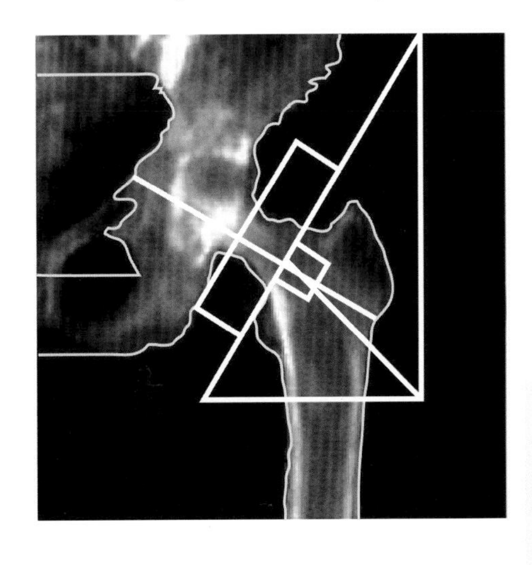

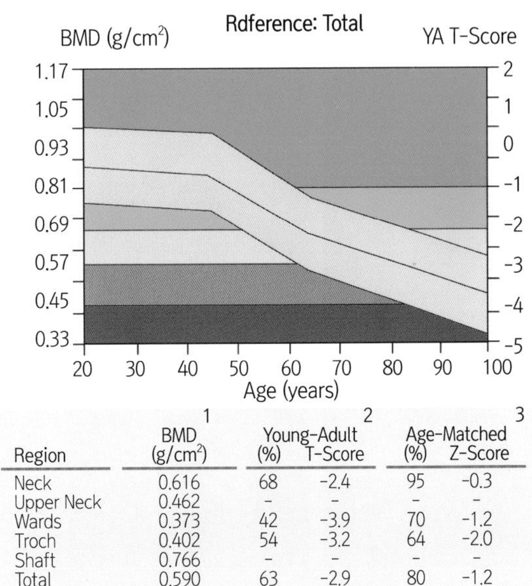

Region	BMD (g/cm²) 1	Young-Adult 2 (%)	Young-Adult T-Score	Age-Matched 3 (%)	Age-Matched Z-Score
Neck	0.616	68	-2.4	95	-0.3
Upper Neck	0.462	-	-	-	-
Wards	0.373	42	-3.9	70	-1.2
Troch	0.402	54	-3.2	64	-2.0
Shaft	0.766	-	-	-	-
Total	0.590	63	-2.9	80	-1.2

그림 5-13
70세 여자 환자로 이중 에너지 방사선 골밀도 측정 결과 total femur의 T-score가 -2.9이어서 골다공증으로 진단되었다.

- T-score ≥ −1.0 : 정상
- −1.0 > T-score > −2.5 : 골감소증
- T-score ≤ −2.5 : 골다공증
- T-score ≤ −2.5 + 골다공증골절: 심한 골다공증

5) 골다공증성 골절

앞서 골다공증으로 인해 척추, 손목, 고관절, 근위 상완골 부위에 작은 외상으로도 골절이 발생할 수 있음을 언급하였다. 이러한 골다공증성 골절은 골강도가 약하고, 골절 치유 능력이 감소되어 있는 노인에게서 발생하여, 치료에 있어서도 여러 가지 어려움을 초래한다(그림 5-14). 또한 골절 치료 이후에도 일상생활로의 복귀가 어려우며, 일반 인구에 비해 사망률 또한 유의하게 높다. KNOS 연구 결과, 골절이 발생하지 않은 일반 인구에 비해 고관절 골절이 발생한 환자의 1년 내 사망률이 남자는 약 4배, 여자는 약 3.3배가 더 높은 것으로 조사되었다. 척추 골절의 경우에도 일반 인구에 비해 1년 내 사망률이 남자는 약 3.5배, 여자는 약 2.5배가 더 높았다. 이는 골다공증성 골절이 발생하면 골절 치료뿐 아니라 잔여 수명에도 영향을 줄 수 있음을 의미한다.

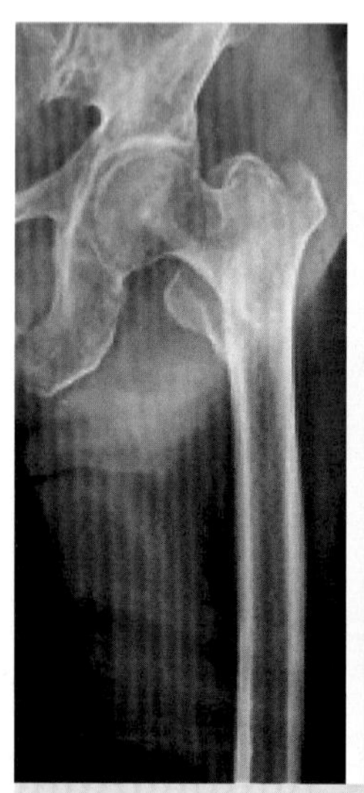
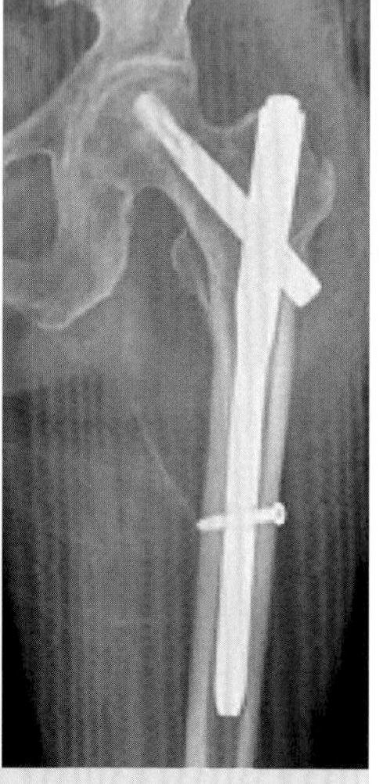

그림 5-14
69세 여환 좌측에 발생한 femur의 intertrochanteric fracture에 대해 골수강내 금속정으로 고정하였다.

6) 치료 및 예방

(1) 예방 및 식이요법

과도한 음주를 삼가고 흡연을 중단하며 적절한 유산소 운동과 스트레칭, 달리기 등과 같은 운동으로 골량을 유지하여야 한다. 염분과 함께 칼슘이 소실되는 것을 방지하기 위해 짠 음식을 피하고 1주일에 2회씩 약 15분 정도 햇볕을 쬐어 뼈에 필요한 비타민 D를 충분히 합성하도록 하는 것이 좋다. 적절한 칼슘 및 비타민 D 섭취를 위해 우유, 치즈, 표고버섯 등이 도움이 된다.

(2) 약물치료

칼슘과 비타민 D는 골다공증의 예방과 치료에 필수적이다. 식사에서 칼슘 섭취가 충분하지 못할 경우에는 칼슘 보충제가 필요하다. 칼슘의 일일 권장량은 성인에서 1,000 mg이며 18세 미만의 청소년과 50세 이상의 성인에서는 1,200 mg이다. 비타민 D는 자외선에 의해 피부에서 생성되거나 음식을 통해서 섭취할 수 있다. 비타민 D는 칼슘의 장내흡수

를 도우며, 칼슘과 병합 투여하여 골밀도 향상 및 골절 예방의 효과가 있다. 골다공증의 약물치료가 필요한 경우는 ① 대퇴골 혹은 척추 골절이 있는 경우, ② T-score −2.5 이하의 골다공증(이차성 원인 배제 후)인 경우, ③ 골감소증이 있으면서, 과거의 기타 골절병력이 있거나 골절의 위험이 증가된 이차성 원인을 동반한 경우, 또는 WHO에서 제시한 10년 내 대퇴골 골절 위험도가 3% 이상인 경우이다(www.shef.ac.uk/FRAX).

에스트로겐은 파골세포의 작용을 억제하여 골 흡수를 감소시키는 효과가 있다. 폐경 후 이러한 에스트로겐의 작용이 사라지면서 골소실이 발생하므로 골다공증 예방을 위해 폐경 후에 호르몬 대체요법을 사용할 수 있다. 하지만 자궁내막이나 유방에 대한 자극으로 암발생의 염려가 있어 주기적인 점검이 필요하다. 선택적 에스트로겐 수용체 조절제(selective estrogen receptor modulators, SERMs)는 에스트로겐 수용체에 선택적으로 작용하여 이러한 염려 없이 사용할 수 있는 골흡수 억제제이다.

Bisphosphonate는 경구용 및 주사용이 모두 가능하며, 작용 기전은 파골세포의 기능을 억제하여 골 소실을 감소시키는 대표적인 골흡수 억제제이다. 폐경기 후 여성 골다공증 환자에서 골밀도를 호전시킬 뿐 아니라 척추 골절, 고관절 주위 골절 및 기타 비척추 골절 발생률을 감소시키며, glucocorticoid 복용 등으로 인한 2차성 골다공증에서도 골절 예방 효과가 있다. Denosumab은 파골세포의 분화를 유도하는 RANKL에 대한 길항효과가 있는 단일 항체 제제로서 피하에 주사하며 신장기능이 저하된 경우에도 사용할 수 있는 골흡수 억제제이다.

Teriparatide는 인간의 부갑상선 호르몬을 재조합하여 생성한 것으로 피하주사를 통해 투여하며 골형성촉진 효과가 있어 심한 골다공증에 사용할 수 있다.

Romosozumab은 골세포(osteocyte)에서 분비되는 sclerostin에 대한 길항효과가 있는 단일 항체이며 피하에 주사하고 골흡수 억제 효과와 골형성 촉진 효과를 지닌 골다공증 약제이다.

3. 칼슘/인 대사 장애 질환

골 조직은 석회화되어 있다는 점이 다른 신체 조직과 구별되는 가장 큰 특징인데, 신체 내 칼슘과 인의 가장 풍부한 저장고 역할을 하고 있다. 따라서 칼슘과 인의 대사 이상이 발생하면 골 조직에 증상이 나타나게 된다. 칼슘과 인은 소화관을 통하여 흡수되고 신장에서 배설되는데 골 조직은 이 경로에서 저장고의 역할을 담당한다. 칼슘-인의 항상성은 소장의 점막, 신세뇨관, 그리고 골 조직 세포들에서의 칼슘과 인 수송(transport)에 의해서 조절되며, 부갑상선 호르몬(parathyroid hormone, PTH), 비타민 D, 칼시토닌(calcitonin) 등이 이를 조절한다(그림 5-15).

PTH는 비타민 D와 협동하여 소장 점막

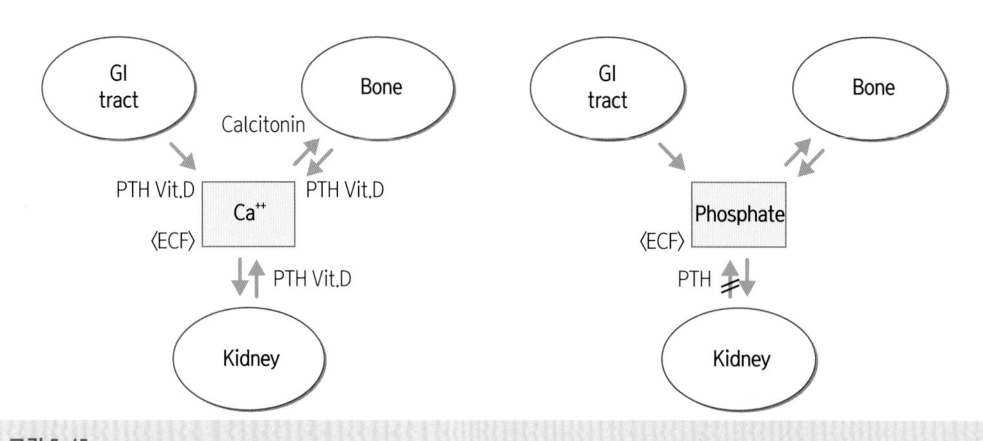

그림 5-15
칼슘과 인의 항상성 유지
PTH와 vitamin D는 세포외 체액 내 칼슘 농도를 유지하는 것이 주된 기능이다.

과 골 기질에서 칼슘을 흡수하여 세포외 체액으로 이동하는 것을 촉진하며, 신세뇨관에서는 인산의 재흡수를 억제하여 혈중 인산 농도를 저하시킨다. PTH의 수용체는 골모세포(osteoblast)에 있는데 골모세포의 분화를 촉진하고 세포자멸사를 억제하여 골 형성을 항진 시키는 한편, 골모세포를 통해서 파골세포(osteoclast)의 분화와 활성화를 유발하여 골 흡수를 항진시킨다. 또, PTH는 성장판의 연골세포 증식을 촉진하여 연골내 골화 과정(endochondral ossification)에도 작용한다. PTH는 신장의 비타민 D 대사 과정에서 25(OH)VitD가 비활성형인 24, 25(OH)$_2$VitD 보다는 활성형인 1, 25(OH)$_2$VitD로 전환되는 것을 촉진한다. PTH의 분비는 저칼슘혈증에 의해서 촉진된다.

비타민 D는 체내에서 자외선 조사에 의해서 합성되거나 음식물에서 섭취되는 전구체가 간에서 25번 탄소에 수산화(hydroxylation)되어 25(OH)VitD 형태로 존재한다. 그 중 일부가 신장에서 활성형인 1, 25(OH)$_2$VitD로 전환되어 생물학적인 작용을 나타낸다. 1, 25(OH)$_2$VitD으로의 전환은 PTH가 촉진하는 반면 비활성형인 24, 25(OH)$_2$VitD는 칼시토닌이 촉진하여 비타민 D 활성도가 필요한 정도에 따라 그 균형을 유지한다. 활성형 1, 25(OH)$_2$VitD는 빠른 시간에 분해되기 때문에 체내 비타민 D의 부족 여부는 25(OH)VitD의 농도로 측정하며, 비타민 D 활성도가 부족한 것은 혈중 PTH 농도가 상승하는 것으로 알 수 있다(그림 5-16). 비타민 D는 PTH와 함께 소장 점막에서 칼슘을 흡수하는 것을 촉진시켜서 체내의 칼슘 양을 증가시키는 기능이 가장 뚜렷하며 이에 따른 이차적인 효과로 골 조직 형성에 기여한다. 반면 비타민 D의 골 조직에 대한 직접적인 효과는 오히려 골

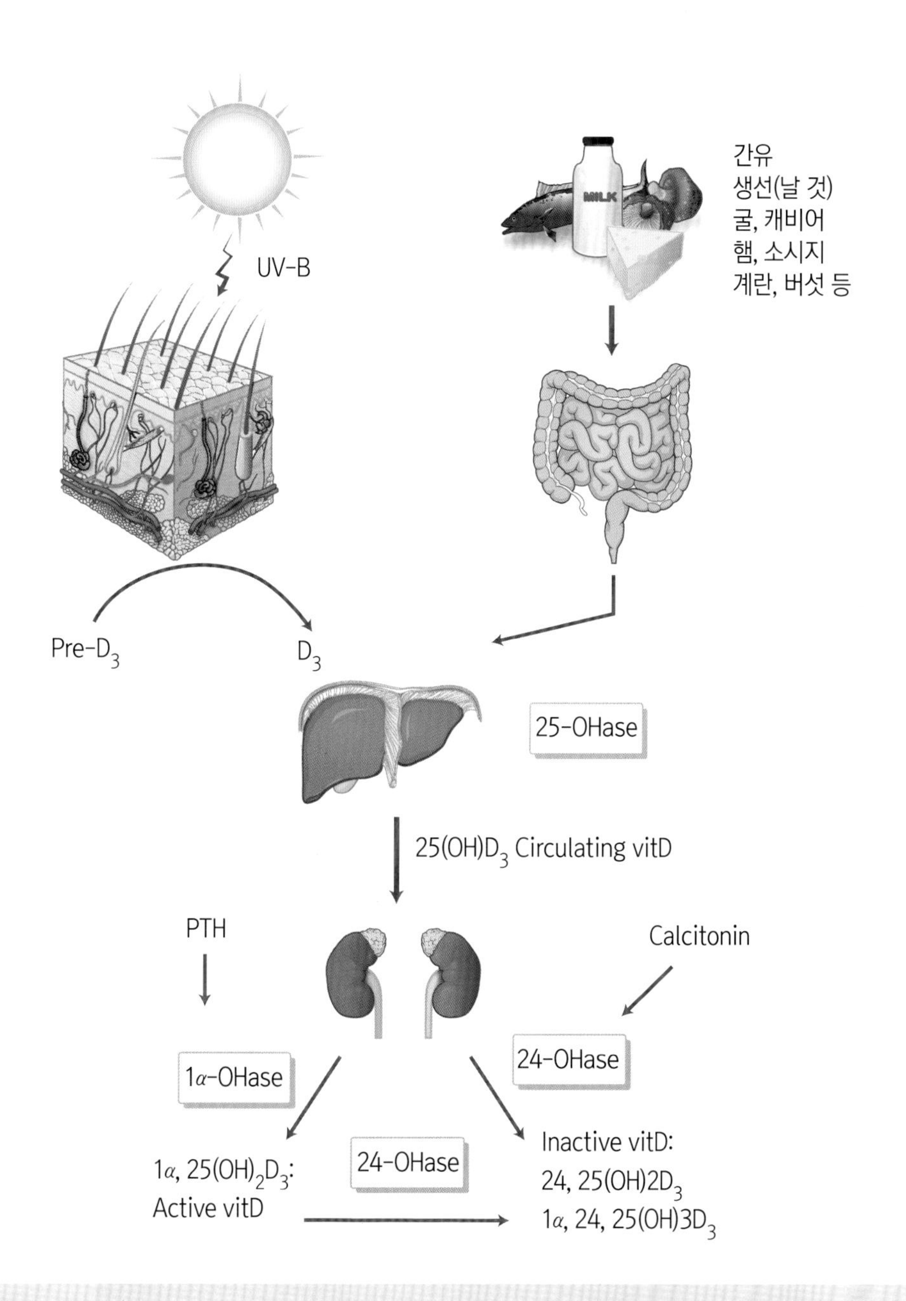

그림 5-16
Vitamin D는 자외선에 의해서 체내의 전구체로부터 전환되는 D3 또는 음식으로 섭취되는 D_2와 D_3가 간에서 25번째 탄소가 수산화되는 1차 단계를 거친 이후, 신장에서 1번째 탄소가 수산화 되어 활성도가 높은 1, $25(OH)_2D_3$가 되던가 24번째 탄소가 수산화 되어 비활성의 $24,25(OH)_2D_3$가 된다. Vitamin D 합성 과정에는 자외선, 영양 섭취, 간, 신장, PTH, 칼시토닌 등이 복합적으로 작용한다.

조직내의 칼슘을 혈중으로 유리시키는 것이다.

칼시토닌은 고칼슘혈증에 의해서 분비가 촉진되며 파골세포의 수를 감소시키고 그 활성도 저하시켜서 골 흡수를 억제하며, 신장에서는 25(OH)VitD가 비활성형인 24, 25$(OH)_2$VitD로 전환되도록 하는 등 혈중 칼슘 농도를 낮추는 작용을 한다.

1) 영양 결핍성 구루병과 골연화증

영양 결핍성 구루병(rickets)과 골연화증(osteomalacia)은 비타민 D 또는 칼슘의 섭취가 부족하여 발생하는 질환으로 골 기질의 석회화가 제한되어 새로이 골이 형성되는 곳이나 골 재형성 과정에서 형성되는 골 조직의 석회화가 저하되는 질병이다. 성장기 아동에서는 활발하게 신생골이 형성되는 성장판 주변에 증상이 주로 나타나며 이로 인하여 사지 각변형(angular deformity)을 보이는 구루병 형태로 나타난다. 골단판(epiphyseal plate, physis)의 성숙대(maturing zone)가 넓어지고 연골기질의 석회화가 저하되며, 골간단부(metaphysis)에서는 골모세포(osteoblast)가 생산한 유골조직(osteoid)에 석회화가 제대로 이루어지지 않은 채로 남아있는 특징적인 병리소견을 보인다. 방사선 소견으로는 골단판의 폭이 넓어지며, 골간단(metaphysis)측 경계

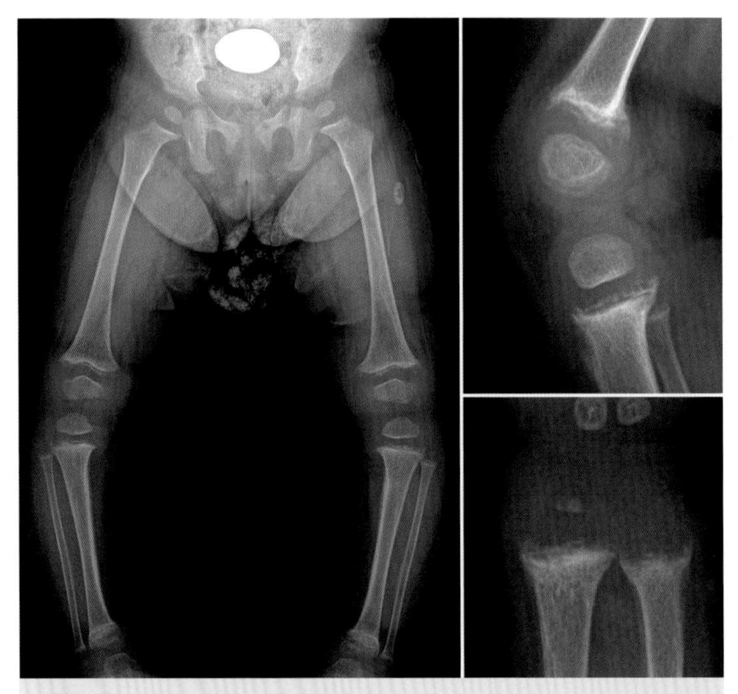

그림 5-17
내반슬(genu varum)을 주소로 내원한 영양 결핍성 구루병(rickets)이 있는 2세 여아

가 물로 씻겨 내려간 듯 불규칙하고 불분명해진다(그림 5-17). 그 외에도 골간부(diaphysis)에서는 골연화증에서와 같이 골결핍(osteopenia) 소견이 관찰되고 골흡수가 심하면 마치 골절선처럼 보이는 소견(looser zone)이 관찰되기도 한다. 성인에서는 미만성 골결핍으로 인한 골 통증과 병적 골절 등이 발생하는 골연화증으로 나타난다.

과도한 다이어트나 아토피 등으로 부적절하게 음식을 섭취하거나 자외선 조사 부족 등으로 인하여 발생한다. 모유만을 먹는 영유아는 산모가 비타민 D 부족 상태이거나 출산 6개월 이후에도 모유만을 먹을 때에 구루병의 위험이 있다. 따라서, 모유 수유할 때에는 처음부터 또는 적어도 6개월 이후에는 모유 이외의 칼슘과 비타민 D 공급이 필요하다.

혈액 검사상 PTH가 상승하고 그로 인하여 활성형인 1,25$(OH)_2$VitD은 정상 또는 상승하여 있을 수 있으나 체내 저장분인 25(OH) VitD는 저하되어 있다. PTH 상승으로 혈중 칼슘 농도는 정상 범위 중 낮은 값을 보일 수도 있으나 심하면 저칼슘혈증이 초래되면서 이에 의한 증상이 나타날 수 있다.

영양 결핍성 구루병에 의한 각변형(angular deformity)은 진단 후 우선 약물 치료로 대사장애를 교정하면 성장기 아동에서는 어느 정도 자연 교정되기도 하는데, 교정되지 않는 심한 변형은 수술적 교정이 필요하다.

2) 기타 칼슘-인 대사장애에 의한 구루병

비타민 D 대사의 각 단계의 장애에 따라 구루병이 발생할 수 있다. 담도폐쇄증에서는 비타민 D 전구체가 소화기에서 흡수될 수 없고, 간경화나 만성 신부전에서는 비타민 D 전구체가 적절하게 수산화(hydroxylation) 되지 못한다.

그 외에 각종 유전자 이상으로 신세뇨관에서 인(phosphorus)이 재흡수되지 못하는 경우 저인산혈증성 구루병(hypophosphatemic rickets)이 발병할 수 있다. 이에 대해서 인 용액을 경구 투여하여 혈중 인 농도를 향상시킨다. 최근에는 단일클론항체를 이용한 치료도 임상시험에서 좋은 결과를 보이고 있다. 대부분 단신(short stature)과 사지 변형이 지속되는데 이에 대한 수술적 교정술이 필요한 경우가 흔하다. 성인기에는 인대 및 건 부착부의 골조직이 과성장하는 enthesopathy 양상이 전신적으로 나타나서 강직성 척추염(ankylosing spondylitis)으로 오인될 수도 있다.

참고문헌

1. Cho TJ, Ko JM, Kim H, et al. Management of osteogenesis imperfecta: a multidisciplinary comprehensive approach. Clin Orthop Surg 2020; 12:417-429.
2. Jang S,Park C,Jang S,Yoon HK,Shin CS,Kim DY,Ha YC,Lee SS,Choi HJ,Lee YK,Kim BT,Choi JY. Medical Service Utilization with Osteoporosis. Endocrinol Metab 2010;25:326- 339.
3. Mortier GR, Cohn DH, Cormier-Daire V, et al. Nosology and classification of genetic skeletal disorders: 2019 revision. Am J Med Genet A 2019; 179:2393-2419.
4. Park C, Ha YC, Jang S, Yoon HK, Lee YK. The incidence and residual lifetime risk of osteoporosis-related fractures in Korea. J Bone Miner Metab. 2011;29:744-51.

퇴행성 관절염

Degenerative Arthritis

1. 발병기전

퇴행성 관절염은 골관절염(osteoarthritis)이라고도 불리며, 주로 고령의 환자에서 관절 연골의 미란(erosion), 골극(osteophyte)의 형성, subchondral bone의 경화(sclerosis), synovial membrane과 joint capsule의 다양한 생화학적 또는 해부학적 변화로 특징지어지는 퇴행성 관절 질환이다. 퇴행성 관절염의 후기 병리적 변화로 관절 연골의 손상(softening, ulceration, disintegration)이 관찰되고, synovial inflammation이 발생한다. 주로 지속적인 활동 후에 관절의 동통과 강직(stiffness)의 증상을 보인다.

심장 질환이나 당뇨가 노인 인구의 생명을 위협하는 가장 중요한 질환이라면 퇴행성 관절염은 노인 인구, 특히 활동적인 노동 인력이 될 가능성이 높은 이들의 삶의 질을 위협하는 가장 중요한 질환이 될 수 있다. 고령에서의 높은 유병률에도 불구하고 정확한 etiology, pathogenesis, 진행 경과에 대해 잘 알려져 있지 않으며, 많은 인자가 관여하기 때문이라 추측하고 있다. 세포나 분자 레벨에서 퇴행성 관절염이 어떻게 발생하는가를 알지는 못하지만 노화에 따른 결과로서 마모와 파열의 결과로 인식되고 있으며, 관절 연골의 생화학적, 구조적, 대사적 변화가 연구되고 있으며, cytokines, 외상, 유전자 변이 등이 pathogenesis에 관여하여 특징적인 연골 분해가 일어난다. 최근에는 퇴행성 관절염은, 연골뿐 아니라 모든 관절 조직(synovial membrane, subchondral bone, ligaments, 관절 주위 근육)에서 진행되는 병적 과정으로, 전신적 인자와 국소적 인자들의 복합 작용에 의한 다양한 병인의 복합 질환으로 이해된다.

퇴행성 관절염은 그 원인 혹은 주요 유발 인자에 따라 일차성(primary) 혹은 특발성(idiopathic)과 이차성(secondary) 또는 속발성(successive)의 두 가지로 나눌 수 있는데, 특별한 원인이 없다고 생각되는 일차(특발)성이 더 흔하다. 선천성 기형이나 커다란 외상의 병력 등 분명한 선행원인이 있는 경우를 이차(속발)성이라 하는데 이차성은 선행원인이 있고 더 젊은 연령에서도 발생 가능하다는 점 등을 제외하면 그 임상상과 일차성의 임상증상 사이에 중대한 차이점은 없으며 치료원칙도 일차성의 경우와 동일하다. 가장 흔한 이차성 퇴행성 관절염의 원인으로는

calcium crystal deposition, hemochromatosis, acromegaly와 같은 대사성 질환, leg length inequality, congenital hip dislocation과 같은 해부학적 인자, 주요 관절의 외상, 만성 관절 손상, 관절 수술과 같은 외상적 인자, ankylosing spondylitis, 화농성 관절염과 같은 염증성 질환의 후유증 등이 있다. 최근에는 퇴행성 관절염의 다양한 임상 양상을 분석하여 치료제 개발 및 개별 환자에게 적합한 적용을 도모하고 복잡한 상태의 병인을 밝히기 위한 연구가 진행되면서 정밀의학(precision medicine)을 이용한 몇 가지 표현형(phenotype)과 내형(endotype)이 제안되고 있어 향후 퇴행성 관절염의 분류법에 큰 변화가 기대된다.

1) 병인 및 역학

일차성의 경우 발생 위험인자(risk factor)로는 나이가 제일 중요하고, 관절의 위치, 비만, 유전적 소인, 관절의 부정 정렬, 외상, 성별(여성) 등이 지적된다. 골다공증의 유무와 골관절염의 발병은 상관관계가 없으며, 오히려 hip joint에서는 골다공증이 있으면 골관절염의 발생이 적다는 보고가 있다.

(1) 나이

나이는 퇴행성 관절염의 가장 강한 위험인자로서 고령 인구의 가장 흔한 만성 질환이다. 75세 이상 인구의 80%가 이환되어 있으며 모든 관절에서 나이가 증가함에 따라 증가한다. 방사선학적 변화가 나이에 따라 같이 증가하지만 임상적 증상이나 기능의 제한과의 연관성은 떨어진다. 나이에 따라 관절 연골의 fraying, softening, thinning과 같은 구조적 변화와 matrix proteoglycan의 크기 감소와 aggregation, matrix tensile strength와 stiffness의 소실이 관찰된다. 이러한 나이에 따른 조직 변화는 주로 연골세포의 분열, matrix 생성능의 감소, 외부 성장인자에 대한 반응 둔화에서 유래한다. 또한 나이의 증가에 따른 연골세포의 apoptosis 증가도 중요한 인자 중 하나이다.

(2) 관절의 위치

주로 체중이 부하되는 하지 관절에 나타나지만, 나이에 따라 관절마다의 유병률이 차이가 난다. 이는 나이에 따른 관절 연골의 viability의 변화가 관절마다 다른 것으로 설명될 수 있으며, hip joint와 knee joint가 ankle joint보다 퇴행성 관절염이 많이 발생하는 것을 예시로 들 수 있다. Knee, hip, finger, spine에 흔하며 이 양상은 서양인이나 아시아인이나 비슷한 경향이지만 아시아인의 경우 서양인에 비해 hip joint의 일차성 퇴행성 관절염의 이환 빈도가 낮고 hip dysplasia 등에 의한 이차성 퇴행성 관절염의 빈도가 상대적으로 높다.

(3) 비만

비만도 퇴행성 관절염의 중요 인자이며, 특히 hip joint보다 knee joint에서 연관성이 높다. 비만은 단순히 체중에 의한 관절 내 압력의 증가만을 가져오지 않고, 자세, 보행,

신체 활동 정도 등에 영향을 미쳐 관절의 biomechanics를 변화시킨다. 주로 비만 환자에서 knee joint 내반 변형(varus deformity)을 보이고 이는 내측 구획의 퇴행성 관절염을 가속화한다.

고령의 비만 인구에서 과중한 신체 활동은 knee joint 퇴행성 관절염의 위험인자가 되며, 경한 정도의 신체 활동은 체중 감소를 통해 관절 증상의 호전을 가져온다.

최근 비만과 퇴행성 관절염 사이의 관계에 있어 단순히 과도한 체중 부하만이 연관된 것이 아니고, 지방 조직이 염증의 발생 및 진행에 있어 대사적으로 중요한 역할을 한다는 결과가 보고되고 있다. 한 예로 지방 조직이 leptin, interleukin−1(IL−1), IL−6와 같은 proinflammatory cytokine의 생성을 증가시키고, regulatory cytokine인 IL−10은 감소시킨다. 비만 유전자와 그 산물인 leptin이 퇴행성 관절염의 발생 및 진행에 영향을 준다는 연구 결과는 체지방이 상대적으로 많고 혈중 leptin 농도가 상대적으로 높은 여성에서 퇴행성 관절염의 높은 발생률을 설명하는 근거로도 사용된다.

(4) 유전적 소인

일반 인구에서의 높은 유병률과 복잡한 임상 증상의 다양성 때문에 유전적 소인은 분석하기 어려웠다. 두 개의 대형 코호트 연구에서 퇴행성 관절염에 다양한 유전적 인자와 환경적 인자가 복합적으로 작용한다는 결과를 보였고, 쌍둥이나 가족 연구에서 퇴행성 관절염의 유전적 영향이 50~65% 정도로 알려졌다. 관절 연골에서 표현되는 여러 collagen을 포함한 단백질 유전자의 mutation이나 염색체 linkage 연구 등이 활발히 이루어지고 있다.

(5) 관절의 부정정렬 및 외상(그림 6-1)

퇴행성 관절염의 빠른 진행을 유발하기도 하고, 점진적인 발생에도 관여하는 인자이다. 관절 내 골절의 불완전한 정복, 관절 주위 이

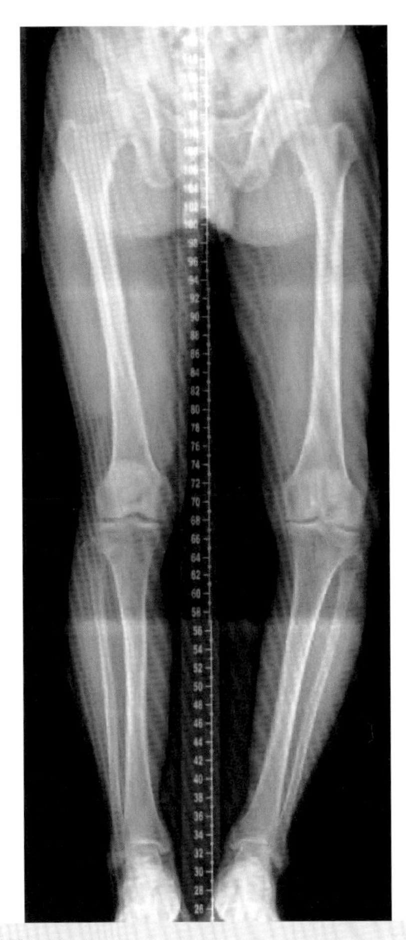

그림 6-1
관절의 malalignment

형성증, 구조적 문제로 인한 반복적 탈구 등 관절의 상합성(congruence)이 깨진 경우에는 조기에 퇴행성 관절염이 발생할 수 있다. 반복적으로 충격이 큰 스포츠 활동을 하는 것이 관절 손상 및 하지 퇴행성 관절염과 연관성이 있고, 골절이 일어날 정도의 충격은 아니더라도 이러한 외상이 반복되는 것도 연골 및 subchondral bone의 변화를 야기하여 결국 퇴행성 관절염으로 이어질 수 있다. 공기압 드릴 노동자, 야구 투수의 shoulder와 elbow joint, 발레 댄서의 ankle joint, 권투 선수의 metacarpophalangeal joint, 농구 선수의 knee joint가 잦은 충격으로 인하여 퇴행성 관절염이 호발하는 관절의 예이다. 하지만 규칙적인 운동은 연골의 기능을 유지하는데 중요하고, recreational running이나 적은 충격의 스포츠 활동은 퇴행성 관절염 발생을 높이지 않는다.

(6) 성별

여성은 남성에 비해 퇴행성 관절염 발생이 2배 높다. 50세 이하에서는 남성에 비하여 낮은 유병률을 보이나 이후 급격히 증가하며, 특히 knee joint에서 특징적이다. 2005년 국민건강영양조사에서 생애 관절염 유병률은 총 인구의 14.6%였으며, 남성 8.1%, 여성 21%였다. 일부 지역(안성) 코호트에서 60대 인구 남성의 knee joint 퇴행성 관절염은 15%, 여성은 23%였으며, 70대에는 급격히 증가하여 남성 27%, 여성 51%였다. 50세 이후의 성별 차이가 증가하는 것은 폐경에 따른 여성 호르몬 결핍의 결과로 추정되며, 관절 연골 세포는 여성 호르몬 수용체를 가진다. 여성 호르몬 보충 치료를 받은 집단에서 hip joint 퇴행성 관절염이 적게 발생하였다는 보고도 있다.

2) 병태 생리

초기 퇴행성 관절염에서 관절 연골 표면은 거칠고, 불규칙해지며 superficial cleft를 형성한다. 조직학적으로는 표면의 fibrillation, crack, chondrocyte apoptosis가 표층에만 존재하고, proteoglycan 분포가 변화하다가 퇴행성 관절염이 진행하면서 이러한 변화들이 점차 심부로 진행한다(그림 6-2). 결국에는 관절 연골의 전층 소실로 연골하골이 노출되고 이의 경화가 발생한다. 초기에는 연골 세포가 그 수, cluster의 크기, matrix protein 생성이 증가하고, hypertrophic differentiation하는 치유 반응이 나타난다. 골극형성은 periosteum에 존

그림 6-2
조직학적으로는 표면의 fibrillation, crack, chondrocyte apoptosis가 표층에만 존재하고, proteoglycan 분포가 변화하다가 퇴행성 관절염이 진행하면서 이러한 변화들이 점차 심부로 진행한다.

재하는 progenitor cell의 연골 생성 세포로의 변화에 의한 것으로 생각되며, 이러한 골극은 관절 운동을 저해하거나 통증을 유발할 수 있다. 노령의 관절 연골에는 연골 세포의 수가 감소하며 그 수는 퇴행성 관절염이 발생한 경우 세포 사멸(necrosis or apoptosis)로 인하여 더욱 감소한다.

위와 같은 형태학적 변화뿐만 아니라 생화학적 변화가 동반하여 발생한다. 초기 퇴행성 관절염에서는 관절 연골의 수분 함량이 증가하여 조직의 부종과 생역학적 특성을 변화시키고, collagen network의 약화를 초래한다. 후기 퇴행성 관절염에서는 extracellular matrix에서 type I collagen의 농도가 증가하고 proteoglycan 농도는 정상의 50% 이하로 점차 감소한다. Keratan sulfate는 감소, chondroitin−4−sulfate/chondroitin−6−sulfate 비는 증가하여 미성숙 연골의 특징적인 성분비를 보인다.

Calcium crystal이 노령 연골에서 흔히 관찰되며, 이러한 결정 유발성 관절증(crystal arthropathy)이 퇴행성 관절염과 병발하기도 한다. 이러한 calcium crystal이 퇴행성 관절염의 발생과 악화에 관여할 것으로 추정되나 정확한 기전은 아직 알려지지 않았다.

퇴행성 관절염에서 연골세포의 세포외 기질 분해 효소의 생성 및 분비가 증가하는데, 이러한 단백분해효소 중 metalloproteinase, cysteine proteinase, serine proteinase가 중요한 역할을 한다. Collagen의 분해는 퇴행성 관절염 병리의 첫 비가역적 단계로 생각되며, 이에 여러 collagenase가 관여한다. 이러한 효소들은 여러 종류의 cytokine에 의해 유도된다. 이 중 IL−1과 tumor necrosis factor (TNF) 등이 연골 기질의 고분자 파괴를 증가시키는 반면 퇴화된 기질의 보전을 위한 연골세포의 보상 합성 경로를 둔화시킨다. 그러나 여러 염증 지표나 관여 효소들의 농도와 골 관절염의 임상상 정도에는 상관 관계가 존재하지 않는 것으로 보고되는 등 생화학적 표식자들로 이 질환의 진행을 예측할 수 없다는 사실로 보아서는, 연골의 파괴에는 이 외에도 국소적인 mechanical stress 등이 작용한다고 여겨진다. Mechanical stress가 연골 세포에 먼저 작용하여 기질분해효소를 분비시키는지, 세포외 기질의 파괴가 먼저인지는 아직 확실히 밝혀지지 않았다.

비가역적 손상이 나타나기 전에 퇴행성 관절염을 조기 진단하고, 진행 여부를 예측하고, 치료의 반응 정도를 평가하기 위한 biomarker의 개발이 진행되고 있다. 주로 연골의 생성 및 파괴에 관여되는 유전자, 단백질, 대사산물 등이 후보로 연구되고 있다.

2. 임상 소견

1) 일반적인 퇴행성 관절염의 임상 양상

퇴행성 관절염의 가장 흔한 증상은 통증(pain)과 강직(stiffness)이며, 이로 인하여 궁극적으로 기능장애과 삶의 질의 저하가 발생한다. 일반적으로 척추(spine), 특히 요추(lumbar spine) 및 수부(hand)관절과 슬관절(knee joint)의 관절염의 유병률이 높다. 고관절(hip joint)의 원발성 퇴행성 관절염은 서구의 경우 상대적으로 많이 발생하는 편이지만, 우리나라에서는 드물다.

퇴행성 관절염은 관절 연골(articular cartilage)의 퇴행성 변화와 소실이 특징이지만, 관절 연골 자체는 통증 신경이 없는 조직이어서 퇴행성 관절염의 방사선학적 소견의 심한 정도와 실제 증상의 심한 정도의 상관관계는 높지 않다. 따라서 방사선학적 관절염(radiographic osteoarthritis)이 있어도 심한 증상이 동반되지 않는 경우가 흔하다. 실제로 방사선 소견에서 관절 간격이 전부 소실된 심한 방사선학적 퇴행성 관절염의 경우에도 환자는 별다른 기능 장애를 호소하지 않을 수 있다. 그러므로 방사선학적 소견만을 기준으로 퇴행성 관절염의 치료 방침을 결정하는 것은 옳지 않으며, 환자의 증상을 면밀히 관찰하여야 한다. 또한 우울증, 불안장애 등 심리적, 정신적 인자가 동반된 경우 동일한 정도의 퇴행성 관절염이 있어도 더 심한 통증을 느끼게 되는 경우가 많다.

퇴행성 관절염에서의 통증 양상은 기본적으로 활동을 할수록 증가하는 통증이다. 조조강직(morning stiffness)이 흔히 동반되나, 류마티스 관절염에서처럼 심한 조조강직이 1시간 이상 지속되는 형태가 아닌 대부분 30분 이내 소실되는 중등도 이하의 조조강직이다. 관절염이 진행되어 만성화되면 휴식 시에도 동반되는 통증이 발생할 수 있고, 고착 상태의 관절 강직과 뚜렷한 변형이 발생하게 된다.

퇴행성 관절염에서 나타나는 일반적인 이학적 검사 소견은 부종(swelling), 삼출액(effusion), 관절면 압통(joint line tenderness), 관절운동범위의 감소(덜 펴지거나, 덜 구부러짐), 탄발음(crepitus) 등이다.

임상소견에서 퇴행성 관절염이 확실시되는 경우 류마티스 관절염을 감별하기 위한 모든 혈액 검사를 해야 할 필요는 없지만, 전혈구수(complete blood count, CBC)나 기본적인 간기능 및 신기능을 보기 위한 일반화학검사(chemistry panel) 등 기본적인 혈액 검사를 시행하여야 한다. 신기능 저하 등의 이유로 인하여 소염제 사용이 금기인 경우도 있으므로, 기본적인 혈액 검사는 동반 질환 유무와 더불어 적절한 약물 치료를 결정하는데 도움이 된다. 중수수지 관절(metacarpophalangeal joint)을 주로 침범한 경우에는 갑상선 기능 저하증이나 혈색소증(hemochromatosis)에 대한 검사가 필요하다.

2) 슬관절 퇴행성 관절염의 특징적 증상 및 징후

점진적인 통증 및 관절 강직, 운동 제한을 보이며, 특히 앉았다가 일어날 때나 계단 오르내릴 때 통증을 호소한다. 갑작스러운 불안정성(instability)이나 무릎 꺾임(giving way), 잠김(locking) 등의 증상을 보일 수 있으며 진행되면 외부로 들릴 정도의 탄발음이 발생하기도 한다. 관절면을 따라 압통을 보이고, 열감이 동반되지 않는 관절내 삼출액이 흔하게 발생하며, 관절액이 슬와부(popliteal area)의 점액낭으로 빠져나가 고이면서 생기는 베이커 낭종(Baker's cyst)이 발생하기도 한다. 진행된 경우 하지 정렬의 변형, 특히 내반 변형(varus deformity)이 증가하고, 굴곡 구축(flexion contracture)이나 관절의 불안정성(instability)이 나타난다(그림 6-3, 4). 대퇴사두근(quadriceps muscle)의 근력 약화는 슬관절(knee joint) 퇴행성 관절염의 원인이 될 수도 있으나 진행된 경우에 결과로도 나타난다.

3) 고관절 퇴행성 관절염의 특징적 증상 및 징후

사타구니(groin) 부위의 통증이 특징적이나 대퇴부(thigh), 둔부(buttock), 허리(low back) 혹은 동측 무릎의 모호한 통증을 보일 수도 있다. 요추부 병변, 대퇴전자부 점액낭염(trochanteric bursitis), 무릎 병변에 의한 이상 보행, 대퇴감각 이상증(meralgia paresthetica), 혈관성파행(vascular claudication), 골반내(intrapelvic)병변 등에 의한 증상과 감별해야 한다. 고관절(hip joint) 병변 중 대퇴 경부 골절(femoral neck fracture)이나 무혈성 괴사(avascular necrosis)와도 감별해야 한다. 보행, 굴곡, 일어나기, 계단 오르내리기에 제한이 있고, 고관절 내회전(internal rotation)시 통증 및 운동범위제한을 보인다. 이는 '양말이나 신발을 신기 힘들다, 발톱을 자르기 힘들다'로 표현되기도 한다. 젊은 연령에서 앉을 때 서혜부(groin)통증을 호소하고, 굴곡(flexion) 상태에서 내회전이나 내전(adduction)에 통증

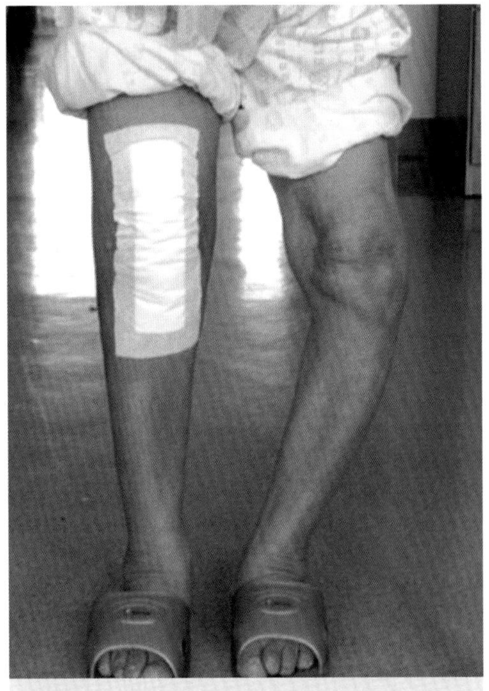

그림 6-3
슬관절 퇴행성 관절염에서의 내반 변형
우측 슬관절은 슬관절 전치환술을 시행하여 변형이 교정되었으며, 수술을 시행하지 않은 좌측 슬관절은 심한 내반 변형을 보인다.

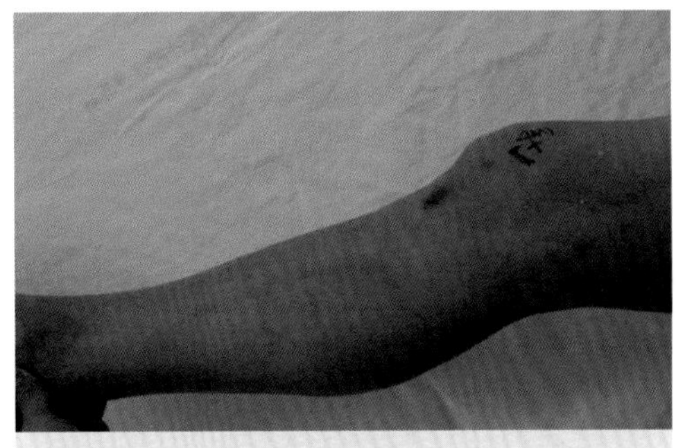

그림 6-4
슬관절 퇴행성 관절염에서의 굴곡 구축
마취 후 슬관절을 신전하여도 약 15°의 굴곡 구축을 보인다.

과 제한을 보일 때는 대퇴 비구 충돌(femoro-acetabular impingement)을 고려해야 한다.

4) 수부관절 퇴행성 관절염의 특징적 증상 및 징후

원위 지간 관절(distal interphalangeal joint)의 돌출된 골성 병변(Heberden's nodes)이나 근위 지간 관절(proximal interphalangeal joint)의 골성병변(Bouchard's nodes)을 보인다(그림 6-5). 열감과 압통을 동반하여 갑작스럽게 나타나고, 주로 사용하는 손에 호발한다. 진행되면 원위 지간 관절 혹은 근위 지간 관절의 변형이 생긴다. 고령의 여성에서 미란성 관절염(erosive arthritis) 소견을 보이는 경우 이를 퇴행성 관절염의 일부로 볼지는 논란이 있다.

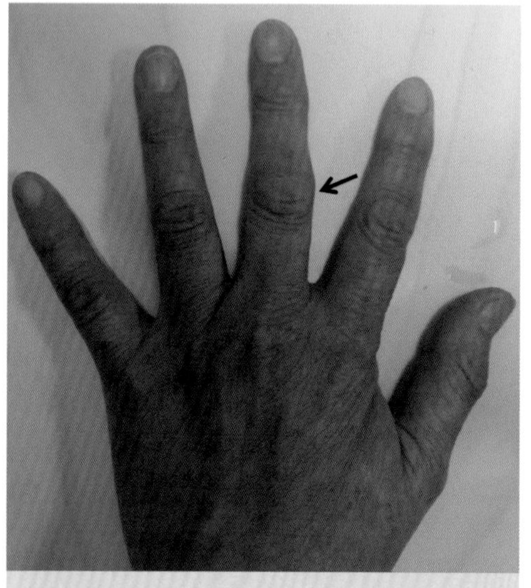

그림 6-5
퇴행성 관절염으로 인하여 세번째 손가락 근위 지간 관절의 뚜렷한 부종과 변형을 보인다.

무지 수근중수 관절(first carpometacarpal joint)에 이환된 경우 심한 통증과 악력(grip strength)의 약화를 가져와서 심각한 기능 장애를 일으킬 수 있다. 류마티스성 관절염보다는 덜하나 수부관절(hand joint)의 퇴행성 관절염에서도 양측에 발생하는 경우나 여러 관절에 발생하는 경우가 흔하고, 중수수지 관절의 이환도 이전에 인식되던 것보다 흔한 것으로 알려져 있다. De Quervain's 건초염도(tenosynovitis) 손의 퇴행성 관절염과 연관성을 보인다.

5) 척추 퇴행성 관절염의 특징적 증상 및 징후

후관절(facet joint) 퇴행성 관절염이 가장 흔하고, 허리나 등의 통증과 관련 있다. 척추(spine)의 골극(osteophyte) 형성은 고령의 인구에서는 흔한 일이고, 증상과 연관성이 없는 경우가 대부분이다. 요추 추간판의 퇴행성 변화(lumbar disc degeneration)는 골극 형성과는 연관성을 보이나 다른 관절의 퇴행성 관절염과의 연관성은 논란이 있다. 요추부 퇴행성 관절염은 하지의 방사통, 감각이상, 위약(weakness)을 보일 수 있다.

경추부(cervical spine)의 퇴행성 관절염은 경부(neck)의 통증, 팔쪽으로의 방사통, 위약이나 감각 이상을 보인다. 드물게, 전방 골극이 큰 경우 식도를 압박하여 연하 곤란을 유발할 수 있다.

3. 영상의학적 특성

퇴행성 관절염의 영상의학적 소견은 질환의 병적 변화를 반영하여 나타나며 관절 종류와 관절염의 진행 정도에 따라 관절 간격 감소(joint space narrowing), 골극(osteophyte), 연골하 골경화(subchondral sclerosis), 연골하 낭종(subchondral bone cyst), 관절강내 유리체(intracapsular loose body), 골파괴(bone destruction), 관절아탈구(joint subluxation), 정렬이상(malalignment) 등이 다양하게 나타날 수 있다. 퇴행성 관절염의 영상의학적 진단은 대부분의 경우에 단순 방사선 사진으로 가능하다. 해당 관절의 전후면 및 측면 사진을 촬영하는데, 관절 종류에 따라서 특수한 사진 필요한 경우도 있다. 예를 들면, knee joint의 경우에 관절연골의 마모 정도를 평가하기 위하여 체중이 가해진 상태에서의 사진이 필요하여 전후면(anteroposterior) 사진을 standing 상태에서 촬영한다. 연골마모가 자주 발생하는 대퇴후과(femur posterior condyle)를 정확하게 평가하기 위하여 45도 굴곡상태에서 후-전면 사진(Rosenberg view), 슬개-대퇴관절을 평가하기 위하여 슬개골 축상사진(patellar axial view, skyline view)을 촬영한다(그림 6-6). 또한 대퇴골 및 경골의 해부학적 이상 또는 하지의 정렬을 평가하기 위하여 체중부하 상태에서 hip-knee-ankle이 모두 나타나는 긴 사진을 촬영한다(그림 6-7). 그 외에 필요에 따라서 단순 방사선 사진에서 나타나지 않는 초기 퇴행성 관절염을 진단하기 위하여 뼈스캔(single photon emission computed tomography, SPECT) 또는 MRI를 시행하기도 한다.

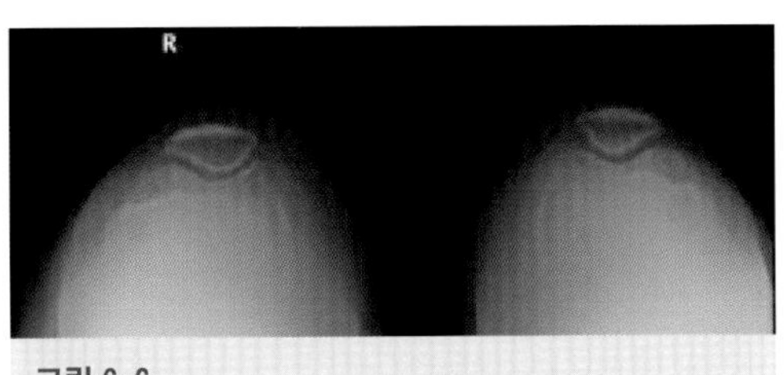

그림 6-6
Skyline view

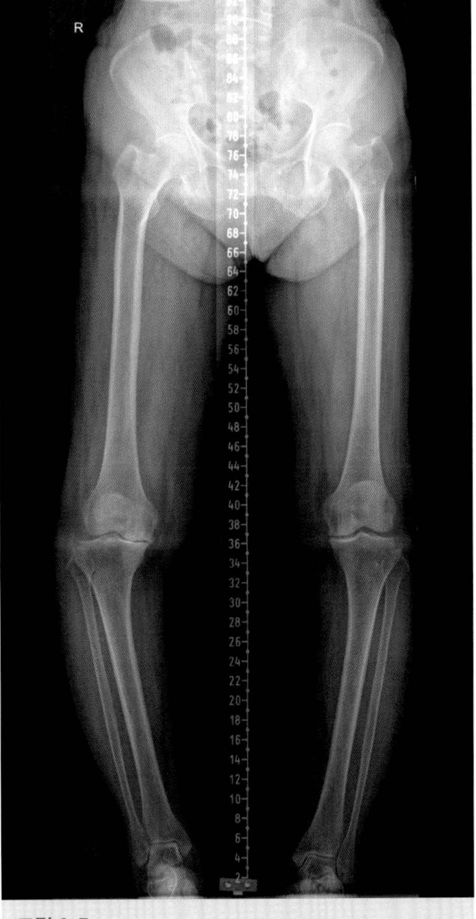

그림 6-7
Teleradiogram

1) 단순 방사선 사진

(1) 관절 간격 감소(joint space narrowing)

관절 연골이 손상됨에 따라 정상 관절에서 보이는 관절 간격이 점차 소실되게 된다. 퇴행성 관절염의 초기에는 관절 간격 감소가 현저하게 나타나지 않으나 연골 마모가 진행됨에 따라 점차 분명하게 나타나고, 고도로 진행된 경우에는 관절 간격이 완전히 소실된다. 체중부하가 가해지는 고관절과 슬관절의 경우 전형적으로 관절 간격 협소가 체중부하가 가해지는 부분에 나타나는데 대퇴골의 경우 대퇴골두(femur head)의 상부, 슬관절의 경우 주로 내측 구획에 나타난다. 이렇게 관절 간격의 감소가 퇴행성 관절염에서 국소적으로 나타나는 것이 관절 간격 감소가 관절 전체에 나타나는 류마토이드 관절염과의 중요한 차이점이 된다(그림 6-8).

(2) 골극(osteophyte)

골극은 퇴행성 관절염의 가장 특징적 소견이며 질환의 초기에 관절 간격의 감소가 나타나기 전에도 나타날 수 있다. 관절 연골 병변이 진행됨에 따라 연골하 골에 과도한 부하가 가해지면 이에 대한 보상 반응으로 연골하골에 혈류가 증가하고 석회화가 발생하여 골극이 형성되는 것으로 이해되고 있다(그림 6-9). 전형적으로 이환 관절의 주변부에 골극이 나타나며 관절 간격 감소와는 달리 체중부하가 상대적으로 덜 가해지는 부위에 먼저 나타날 수 있다.

(3) 연골하 골경화(subchondral sclerosis)

관절연골 소실에 따라 연골하 골에 과도한 부하가 가해지면 연골하 골 부위에 골형성이 증가하며 이는 연골하 골 음영의 증가, 즉 골경화로 나타나게 된다. 연골하 골경화의 정도는 관절 간격 감소의 정도와 연계되어 관절 간격 감소가 심할수록 연골하 골경화도 심하게 나타나는 것이 보통이다.

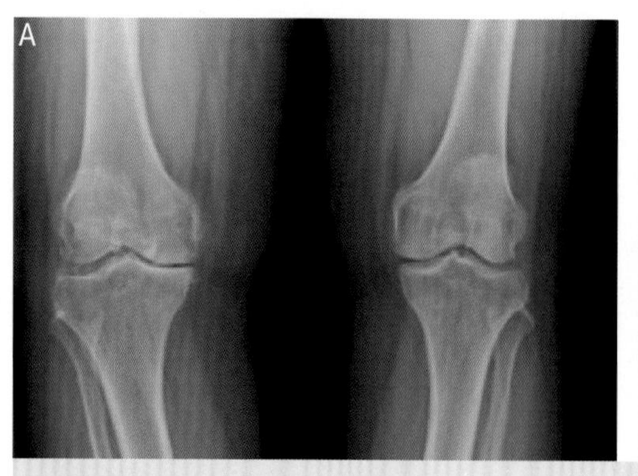

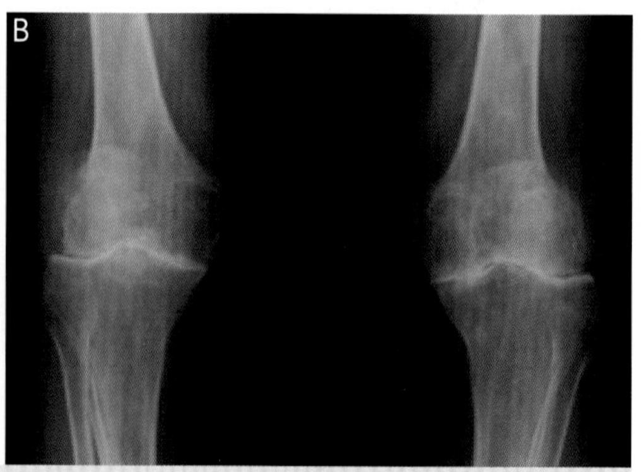

그림 6-8
A. 퇴행성 관절염, B. 류마토이드 관절염

(4) 연골 골 낭종(subchondral bone cyst)

퇴행성 관절염에서의 골 낭종은 내막이 없는 가성낭종(pseudocyst)이며 관절액이 연골하 함입 또는 연골하 골 손상에 속발하는 골 흡수에 의해서 발생하는 것으로 이해되고 있다. 관절 연골하 부위에 골 음영의 국소 감소로 나타난다.

(5) 관절내 유리체(intraarticular loose body)

관절면을 이루는 골-연골이 관절내로 분리되면 관절내 유리체가 형성되는데 골편이 충분히 큰 경우에 단순 방사선 사진에 나타날 수 있다.

(6) 관절아탈구(subluxation) 및 정렬 이상 (malalignment)

퇴행성 관절염이 진행되어 관절막, 인대가 이완되고 연골, 골 손상까지 심하게 손상되면 관절의 아탈구 또는 정렬이상이 나타나게 된다.

2) 뼈스캔

뼈스캔은 퇴행성 관절염의 진단을 위해서 자주 시행되지는 않는다. 그러나 단순 방사선 검사에서 나타나지 않는 초기 퇴행성 관절염의 진단에 도움이 될 수 있다. 관절 연골의 기능 소실로 인해서 연골하 골(subchondral bone) 부위에 발생하는 병적 변화를 반영하여 뼈스캔에서 증가된 음영으로 나타난다. 뼈스캔을 CT와 같이 촬영하여 해부학적 위치를 잘 알 수 있는 SPECT-CT가 이용된다(그림 6-10).

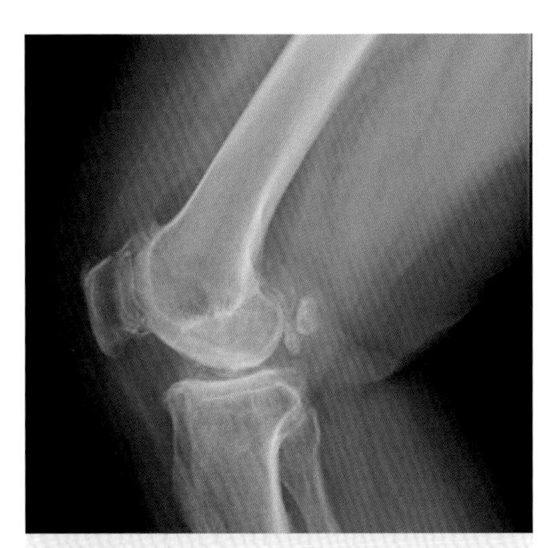

그림 6-9
퇴행성 관절염에서 골극 형성

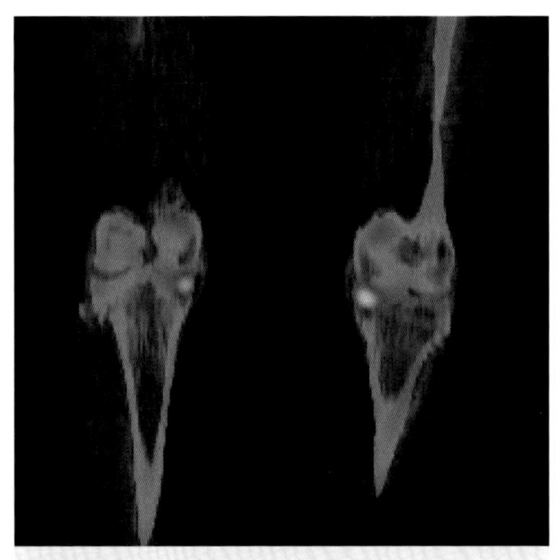

그림 6-10
좌측 퇴행성 관절염에서 촬영한 SPECT-CT에서 left knee joint medial side에 uptake가 증가한 소견

3) MRI

퇴행성 관절염 진단을 위해서 MRI를 자주 시행하지는 않는다. 그러나 건 손상(shoulder), 반월상 연골 파열(knee joint), 무혈성 괴사(hip joint) 등 다른 질환을 감별하기 위해서 필요한 경우가 있다. 단순 방사선 사진에서는 아직 병적 소견이 나타나지 않는 초기 퇴행성 관절염에서도 연골, 골, 반월 연골판(meniscus), 인대 및 관절 삼출액 유무 등에 대한 상세한 정보를 얻을 수 있다.

4. 치료원칙

1) 보존적 치료

관절염 치료를 위해서는 통증과 기능에 대한 평가가 먼저 이루어져야 한다. 보존적 치료가 기본적으로 실시되는데, 통증을 조절하고, 관절 기능과 삶의 질을 개선하는데 목적이 있다.

(1) 비약물 치료

질병의 성질을 이해하도록 하여 정신적인 안정을 마련해주면서, 환자가 동통을 느끼지 않는 운동 범위를 증가시킴으로써, 환자의 일상생활에 도움을 주는 것이다. 생활 방식의 변화, 운동, 활동량의 조절, 체중 감량 등 손상된 관절에 부담을 덜어줄 수 있는 조치에 대해 교육한다.

온열 요법은 증상의 완화와 강직을 개선하는데 도움이 되며, 걷기, 수영, 고정식 자전거 타기 등 저충격 유산소 운동은 증상 및 기능 개선에 도움이 된다.

운동치료는 근력강화, 관절 구축의 개선, 관절 운동 범위의 유지에 주안점을 두어 시행하여야 한다. 근력 강화 운동은 관절의 통증을 야기하지 않는 자세에서 등장성 운동을 시행하는 것이 좋은데, 대퇴사두근(quadriceps muscle) 강화 훈련은 퇴행성 관절염의 증상 및 기능 개선에 효과가 있는 치료이다.

(2) 약물 치료

경미한 통증에 대해 acetaminophen과 비스테로이드성 항염증제(nonsteroidal anti-inflammatory drugs, NSAIDs)는 유사한 효과를 보이며, 중등도 이상의 통증에 대해 acetaminophen에 비해 비스테로이드성 항염증제가 우월한 효과를 보인다. 특히, 관절 삼출액 등의 염증 소견이 동반된 경우에는 비스테로이드성 항염증제가 추천된다.

Acetaminophen은 1일 허용량은 4 g 이내로 투여해야 하며, warfarin을 복용하는 경우에는 prothrombin time을 지연할 수 있으므로 주의해야 한다. 신기능 장애가 있을 경우 비스테로이드성 항염증제 대신에 acetaminophen이 비교적 안전하게 사용될 수 있으나, 만성 알코올 중독 및 간질환에서는 저용량을 사용하는 것이 권장된다.

퇴행성 관절염 환자 중 60세 이상, 타 질환의 중복 이환, 소화성 궤양 병력, 위장관 출혈 병력, 스테로이드 병용, 아스피린이나 항응고제의 병용이 있는 경우 등은 상하부 위장관 합병증의 위험성이 높으므로 acetaminophen, COX-2 억제제, 국소 비스테로이드성 항염증제, 경구 비선택적 비스테로이드성 항염증제와 위장 보호제(proton-pump inhibitor)를 같이 복용(단, 아스피린과 비선택적 비스테로이드성 항염증제의 병용 투여는 권장되지 않음)한다.

심혈관계 위험요인이 있는 환자에서 비선택적 비스테로이드성 항염증제나 COX-2 선택적 억제제의 사용 모두 주의해야 한다.

Tramadol은 다른 약물에 효과가 없거나 처방이 곤란한 경우에 단독 혹은 병용 투여할 수 있으나 장기 사용시 의존성이 발생할 가능성이 있고 중추신경억제 부작용(어지러움, 메스꺼움, 졸림증 등)이 있어 주의를 요한다. 옥시코돈, 모르핀 등의 opioid 약물도 매우 심한 통증 치료에 고려될 수 있으나 의존성 및 남용 우려가 있다.

퇴행성 관절염 환자의 관절 통증 경감에 있어서 글루코사민과 황산 콘드로이틴이 효과가 있다는 일부 보고가 있으나 근거가 부족하여 권장하지 않는다.

(3) 관절에 대한 국소 치료

하이알유론산은 자체가 관절의 윤활, 보호 작용을 하며, 관절내 하이알유론산 생성을 촉진한다고 보고되고 있으며, 관절강내 주사로 수개월간 효과적인 것으로 알려져 있다.

약물에 반응하지 않는 중등도 이상의 통증이 있고 삼출이나 국소 염증을 보이는 퇴행성 관절염 환자에서 단기적인 증상 완화를 위해 관절내 스테로이드 주사 사용을 고려할 수 있으나 반복 주사는 감염의 위험성이 높으며, 스테로이드 자체가 관절 연골의 변성을 촉진시켜 질환의 진행에 해로운 영향을 끼칠 수 있으므로 주의해야 한다. 특히 3개월 이내의 반복 주사나 1년에 3~4회 이상 사용은 피해야 된다.

국소 비스테로이드성 항염증제 혹은 캡사이신은 중등도 이하의 퇴행성 관절염에서 경구 진통제 혹은 소염제와 함께 사용될 수 있는 보조치료 혹은 대체요법으로서 효과적일 수 있다.

2) 수술적 치료

심한 동통이 지속되거나 관절의 불안정성, 변형, 운동 제한 등이 진행하면 수술 적응이 된다. 수술 치료는 관절경적 세척술 및 변연절제술부터 인공관절 치환술까지 많은 방법이 있으며 환자의 나이와 기대 활동 수준, 관절염의 정도, 이환된 무릎 관절의 구획의 수에 따라 선택할 수 있다.

(1) 관절의 변연절제술(debridement)

비교적 조기에 시행될 수 있고, 병적인 활액막(synovium) 등 연부조직, 골극(osteophyte), 연골(cartilage) 등을 절제하여 증상을 호전시킨다. 하지만 그 효과가 단기적이고 장기적인 예후에 큰 도움이 되지 않기 때문에 잘 시행하지 않는다.

(2) 관절경 수술

관절경을 이용하여 퇴행성 관절염을 치료하기도 한다. 관절경적 변연절제술(arthroscopic debridement)은 손상된 반월상 연골(meniscus)의 부분절제술, 유리체(loose body)의 제거 등이 있다. 비교적 합병증이 적고 재활치료 기간이 짧다. 관절경적 미세 천공술(arthroscopic microfracture)은 마모된 관절의 연골을 재생시키는 술식이다(그림 6-11). 병변 부위에 송곳(awl)을 사용하여 4 mm 깊이의 수멍을 3~4 mm의 고른 간격을 유지하며 뚫어주어 골수로부터 줄기세포의 이동을 유도하여 연골 결손부가 치유되도록 하는 술식이다.

(3) 자가 골 연골 이식술 및 자가 연골 세포 이식술

자가 골 연골 이식술은 약 2 cm^2 이하의 연골 결손이 있을 때 사용하며, 체중부하가 일어나지 않는 부위에서 원통형의 골연골을 채취하여 연골 결손 부위에 이식하는 방법이다.

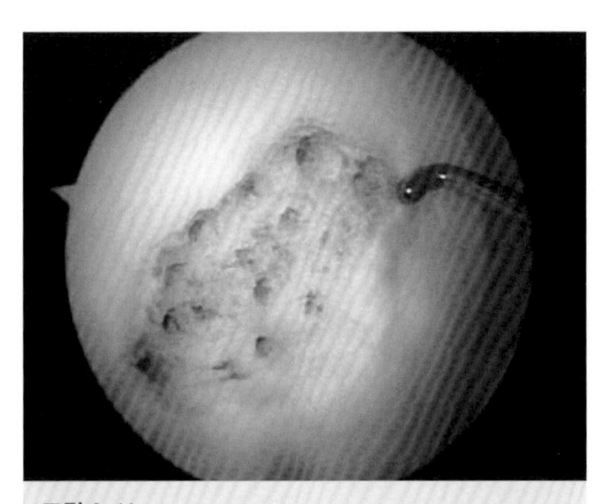

그림 6-11
관절경적 미세 천공술(arthroscopic microfracture)

자가 연골 세포 이식술은 건강한 관절 연골을 채취하여 실험실에서 약 3~4주간 배양한 후 이를 관절 연골 결손 부위에 이식하는 방법으로 초자양 연골(hyaline-like cartilage)을 생성할 수 있다(그림 6-12).

(4) 절골술(osteotomy)

절골술은 하지의 비정상적인 축을 바로 잡아줌으로써 무릎 관절에 부하되는 하중을 비교적 건강한 관절면에 옮겨 동통의 감소를 목적으로 하는 술식이다.

정상 정렬의 무릎은 보행 시 내측에 가해지는 힘이 70~80%, 외측에 가해지는 힘이 20~30% 가량 되는데 이는 체중의 무게 중심에 대한 지면반발력(ground reaction force)의 벡터가 무릎의 내측으로 향하기 때문이다. 이 힘을 knee adduction moment (KAM) 이라고 하며 내반 변형이 있는 환자에서는 KAM이 증가한다. 이 경우 무릎 내측에 가해지는 비정상적인 부하에 의해 내측 관절염의 진행이 빠를 수 있으며 이를 근위경골 절골술을 통해 감소시킬 수 있다.

수술 기법에 따라 크게 폐쇄성 설상 절골술(closing wedge osteotomy), 내측 개방성 절골술(medial opening wedge osteotomy)으로 나눌 수 있다(그림 6-13).

근위 경골 절골술의 경우 다음의 경우에는 수술을 하지 않는 것이 좋다.

① 외측 관절간격의 소실
② 경골의 외측 아탈구가 1 cm 이상

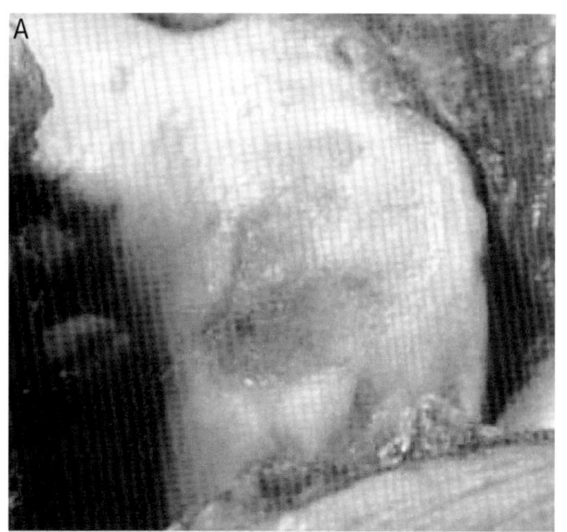

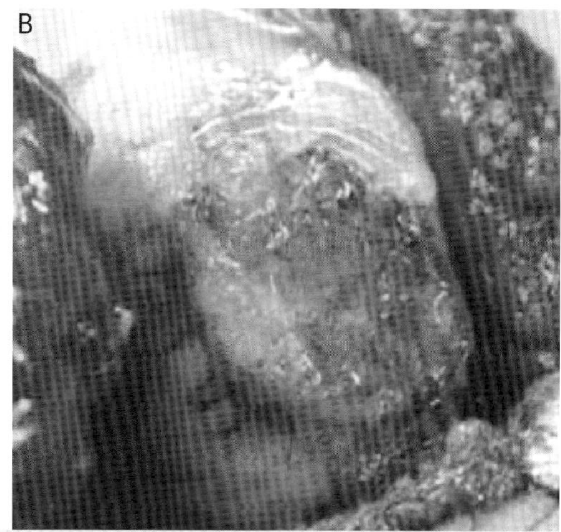

그림 6-12
자가 연골 세포 이식술(autologous chondrocyte implantation)

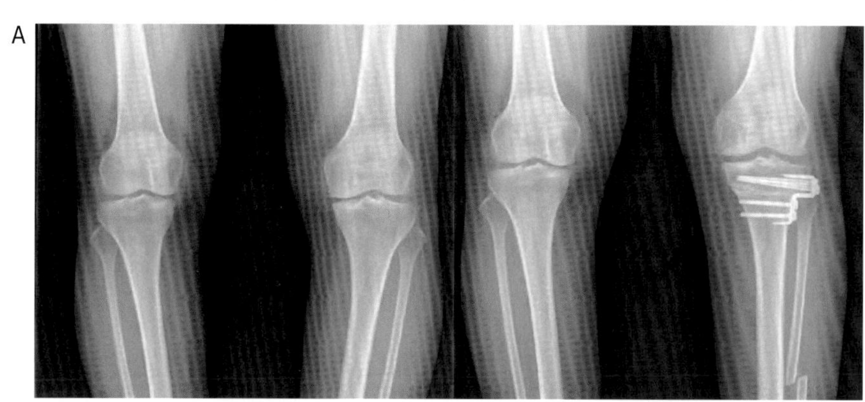

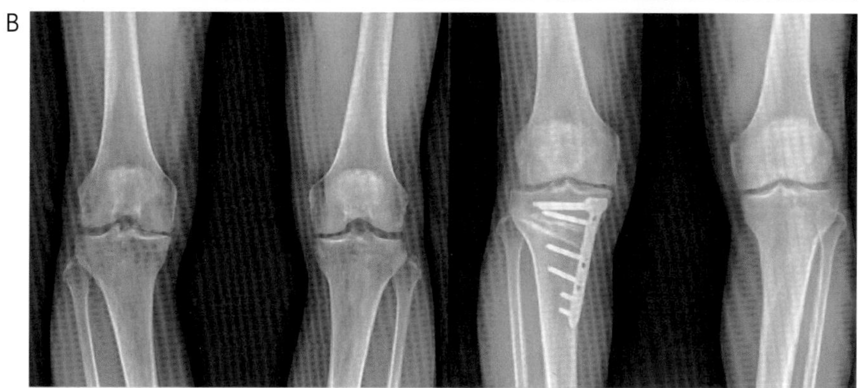

그림 6-13
근위 경골 절골술
A. 외측 폐쇄성 절골술, B. 내측 개방성 절골술

③ 내측 경골 골소실 2~3 mm 이상
④ 굴곡 구축 15° 이상
⑤ 후속 굴곡 90° 미만
⑥ 교정각이 20° 이상 필요한 경우
⑦ 염증성 관절염인 경우(류마토이드성 관절염, 통풍성 관절염 등)
⑧ 말초혈관 질환이 동반되는 경우
⑨ 나이가 고령인 경우

일반적으로 수술 전 다음 조건을 갖는 환자들에게는 좋은 예후를 기대할 수 있다.
① 60세 이하의 비교적 젊은 환자
② 내측부 관절염만 있는 경우
③ 슬관절 불안정성이 없는 경우
④ 수술 전 관절운동범위가 90° 이상인 경우
⑤ 내반 변형이 10° 미만인 경우
⑥ 초기 관절염인 경우

한편 외반 변형이 있으면서 외측관절염이 있는 경우에는 원위 대퇴부 절골술을 시행할 수 있다.

(5) 인공관절 치환술(arthroplasty)

한 구획 치환술(unicompartmental knee arthroplasty, UKA)은 활동이 많지 않으며 90° 이상의 관절 운동이 가능하고 굴곡 구축이 5° 이하, 내외반 변형이 15° 이하인 환자에서 한 쪽 구획의 관절염이 심한 경우에 적용된다(그림 6-14). 수술 시간이 짧고 이환율과 병원 재원일을 줄일 수 있는 장점이 있다.

인공관절 전치환술(total joint arthroplasty)

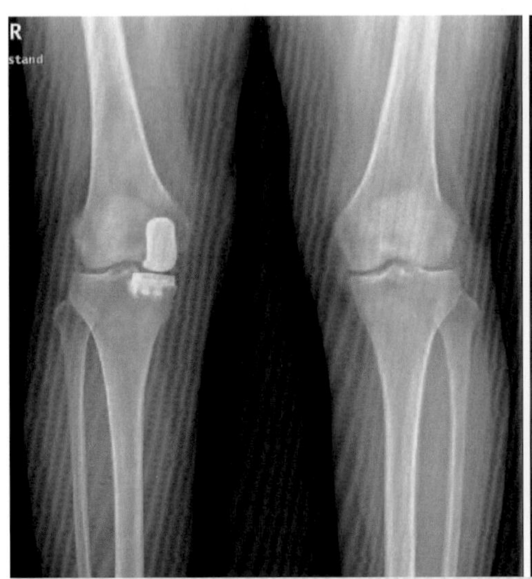

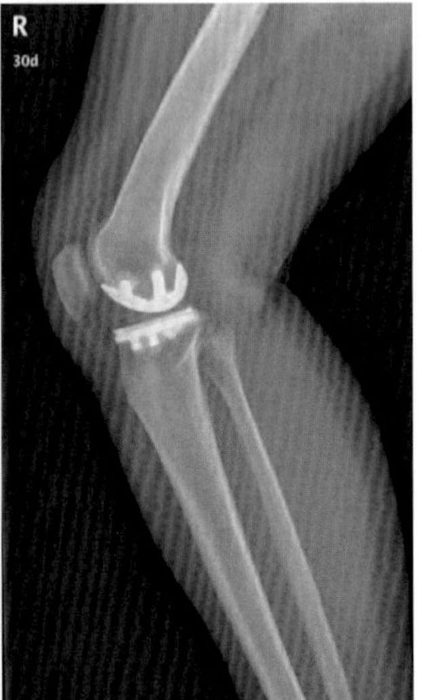

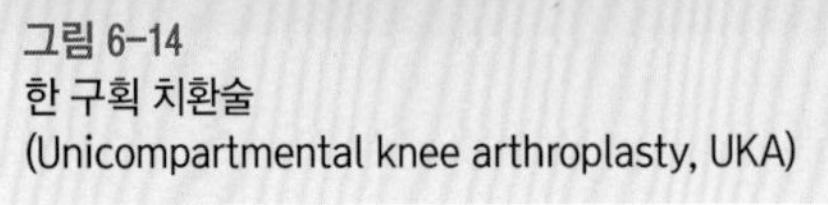
그림 6-14
한 구획 치환술
(Unicompartmental knee arthroplasty, UKA)

은 퇴행성 변화가 현저히 진행되고 동통의 정도가 심할 때 관절의 운동과 안정성을 유지하면서 동통을 없애는 목적으로 시행한다(그림 6-15). 최근에는 기술의 발전과 함께 새로운 수술법이 인공관절 전치환술에 도입되어 과거의 수술과는 또 다른 분야가 개척되고 있다. 환자의 이환율을 감소시키고 조기 활동이 가능하도록 수술 절개를 작게 하는 최소 침습적 수술(minimally invasive surgery, MIS)과 수술의 정확도를 높이기 위한 navigation 장치, 환자 맞춤형 수술기구, 임플란트, 로봇 수술 등이 도입되어 임상 결과를 향상 시키는데 도움이 되고 있다. 수술 술기와 기술의 발달로 최근 인공관절의 수명은 20년 평균 90%에 달하며 점차 더 길어지고 있다.

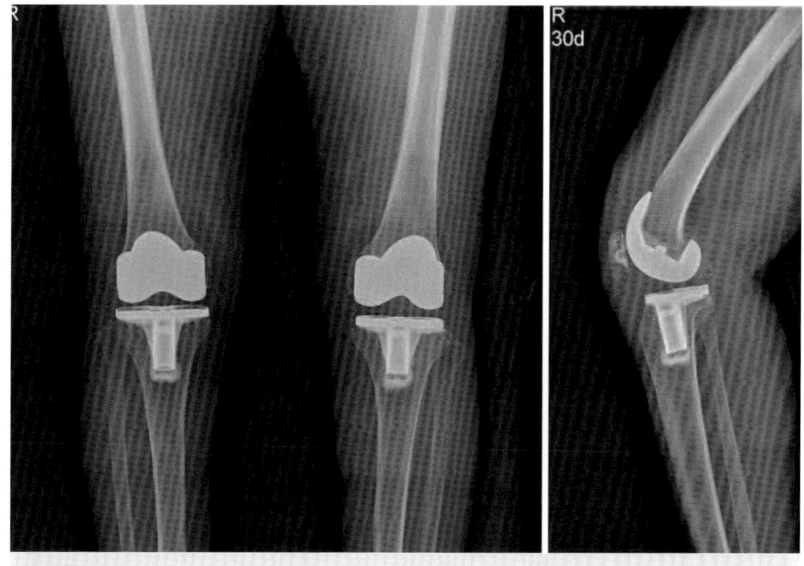

그림 6-15
슬관절 전치환술(total knee arthroplasty, TKA)

류마토이드 관절염과 기타 관절염

Rheumatoid and Related Arthritis

1. 류마토이드 관절염

류마토이드 관절염(rheumatoid arthritis)은 주로 가동 관절에 발생하는 전신성 염증성 질환으로, 주로 활액막(synovium)에 발생한다. Joint나 tendon의 synovium에 비세균성 만성 염증 반응이 장기간 나타나면서, synovial cell의 유전적 표현형 변화 및 섬유모세포(fibroblast)의 증식을 일으켜 연골(cartilage), 뼈(bone), 인대(ligament)의 구조적인 변형과 관절의 연골 손상, 골 미란이 일어나며, 결국은 관절의 파괴가 일어나 기능의 장애를 초래하는 것이 주요한 임상적 특징이다.

1) 발생빈도

류마토이드 관절염의 발생은 연령이 증가함에 따라 증가하며, 특히 35세에서 55세 사이에서 빈도가 높다. 남녀 비율은 1:3 정도로 여성에게 더 많이 나타나며 유병률은 인종 및 국가에 따라 다소 차이가 있으나 대개 전 세계 인구의 약 0.4~1.3% 에게 이환 되는 것으로 알려져 있고 국내 유병률은 약 0.5~1% 내외인 것으로 보고되고 있다.

2) 원인

류마토이드 관절염의 직접적인 원인에 대하여는 밝혀진 것이 없으며 유전적인 요인과 환경적인 요인이 복합적으로 작용하는 것으로 추정되고 있다. 류마토이드 관절염을 가진 가족사 연구에서 일란성 쌍생아의 경우 10~25%의 발병 일치율을 보였고, 일란성과 이란성 쌍생아의 비교 연구에서 일란성 쌍생아의 비교 위험도는 이란성 쌍생아에 비해 3.5배 높았다. 이는 류마토이드 관절염의 발병이 특정한 유전자 하나 혹은 중요한 몇몇 유전자에 의해 결정되는 것이 아닌 많은 서로 다른 유전자들에 의해 결정되는 것을 의미한다. 환경적인 요인으로는 호르몬의 부조화, 흡연, 감염 등이 있다. 일반적으로 남성보다 여성에서 류마토이드 관절염의 발생 빈도가 높으나 초경 이전의 여성 및 임신 중인 여성에서는 발생 빈도가 낮아 호르몬과 관련이 있으며, 흡연도 류마토이드 인자의 발생과 관련이 있다. 바이러스성 감염과 류마토이드 관절염 간의 연관성도 제기되었으나 현재까지 인과 관계에 대한 명확한 연구 결과는 없다.

3) 발병 기전

류마토이드 관절염은 자가 면역 질환의 일종으로 인정되고 있으나 정확하게 어떠한 요인에 의해 발병이 시작되고 면역 체계가 파괴되는지는 아직 알려져 있지 않다. 주요한 면역학적 이상으로 면역글로불린 G (IgG)의 Fc 부분에 대한 특이도가 있는 자가 항체인 류마토이드 인자가 만들어지는 것이 있다. 류마토이드 인자가 있다는 것은 질환의 중증도와 연관이 있으며 류마토이드 인자가 양성인 경우 관절 외 증상을 나타낸 환자가 많았다. 하지만 류마토이드 인자는 류마토이드 관절염이 없는 정상인에서도 발견될 수 있으며, 연령이 증가함에 따라 발현율이 증가하기 때문에 류마토이드 인자가 양성인 경우 결과 해석에 주의가 필요하다. 최근 류마토이드 관절염 진단에 anti-CCP antibody 항목이 추가되었는데 이는 단백질의 합성 이후에 arginine 중합체가 citrulline 중합체로 변경되는 'citrullination'을 통해 생성되는 cyclic citrullinated peptide (CCP)에 대한 자가 항체로 류마토이드 관절염에 대한 특이도가 높다.

류마토이드 관절염은 관절 내에 있는 synovium의 염증 반응으로 시작하며 여러 가지 cytokines, 특히 TNF-α가 이 염증 반응에서 중요한 역할을 하는 것으로 알려져 있다. 병리학적 소견으로는 synovium의 증식, 림프구의 침윤, 신생혈관 형성 등이 보인다. 염증으로 인해 증식된 synovium을 판누스(pannus)라고 하는데 이것이 연골과 뼈에까지 퍼져 관절을 파괴한다. 류마토이드 관절염 환자들은 일반적으로 전신적인 증상을 보이며, 관절 외 다른 장기의 조직 손상이 생기는 환자도 흔하다(그림 7-1).

4) 임상 소견

류마토이드 관절염의 발현 양상은 환자마다 서로 다를 뿐 아니라 같은 환자에서도 질환의 경과에 따라 다양한 모습을 보인다. 가장 흔한 양상은 수 주간에 걸쳐 서서히 증상이 증가하는 것이지만, 수일에 겹쳐 갑자기 심한 관절통을 호소하는 경우도 있다. 아침에 일어나서 손이 뻣뻣해진 채로 1시간이 지나도 강직이 풀리지 않는 조조강직을 호소하기도 한다. 관절에 대한 증상으로는 압통, 열감, 부종, 관절 강직, 운동 제한 등이 발생할 수 있다. 다른 관절 질환에 비해 관절 침범

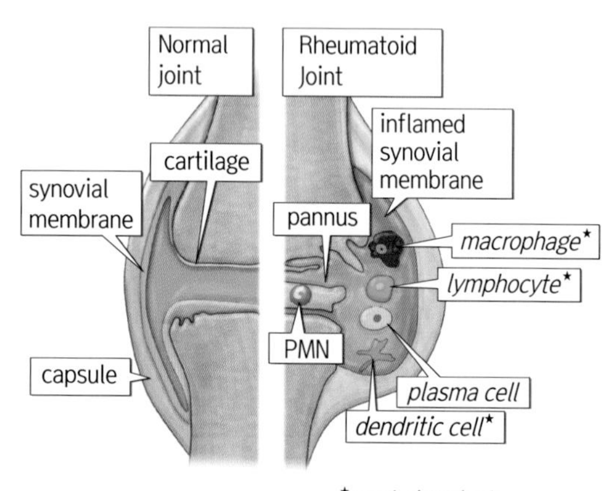

그림 7-1
정상 관절과 류마토이드 관절
류마토이드 관절 내부의 대식 세포 및 염증으로 인해 증식된 synovial membrane으로 인해 생성된 판누스(pannus)를 관찰할 수 있다.

이 대칭적인 것이 특징이지만 항상 양측을 동시에 침범하는 것은 아니다. 대부분 만성적인 경과를 거치며 증상의 완화와 악화가 번갈아 가며 나타난다. 활액막염으로 인한 관절 손상은 모든 관절에 적용된다. 그러나 어떤 소견들은 특징적으로 각 관절에만 나타나는 것들도 있다. Cervical spine, shoulder, elbow, wrist, proximal interphalangeal (PIP) joint, metacarphophalangeal (MCP) joint, hip, knee, ankle, subtalar joint 등이 일반적으로 자주 이환 되는 관절들이다. Cervical spine에서는 C1의 transverse ligament와 C2의 dens 사이에서 건초염(tenosynovitis)을 일으켜 C1-C2의 불안정성을 야기할 수 있어 척수 손상을 일으킬 수 있다. 류마토이드 관절염 환자에서 cervical spine 방사선 검사 및 신경학적 검사는 중요하며 전신마취를 위한 기도 삽관 시 주의가 필요하다. 거의 모든 환자에서 손목과 손에 병변이 생기는데 MCP joint와 PIP joint에는 병변이 생기는 경우가 많으나 distal interphalangeal (DIP) joint에는 병변이 생기지 않는다. DIP joint에 병변이 발생할 시에는 골관절염을 좀 더 시사하는 소견이라 할 수 있겠는데, Heberden's node라고도 불린다(그림 7-2). 손가락들은 MCP joint의 subluxation으로 ulna 방향으로 편향되고, PIP joint의 과신전 및 DIP joint의 굴곡을 보이는 백조목 변형(swan neck deformity)이나 PIP joint의 굴곡 및 DIP joint의 과신전을 보이는 단추 구멍 변형(button hole deformity)를 보일 수 있다. 손목의 carpal tunnel이나 ulnar canal (Guyon's canal)을 지나는 tendon을 싸고 있는 synovium의 염증으로 인해 신경이 눌리는 수근관 증후군(carpal tunnel syndrome)이나 척골 신경관 증후군(Guyon's canal syndrome)이 발생할 수도 있다. 염증성 건초염으로 인해 손가락의 extensor tendon이 파열되는 경우에 MCP joint에서 손가락의 완전 신전이 되지 않을 수 있는데 이 경우 5번째 손가락부터 4번째, 3번째 손가락으로 진행하는 양상을 보인다(그림 7-3, 4).

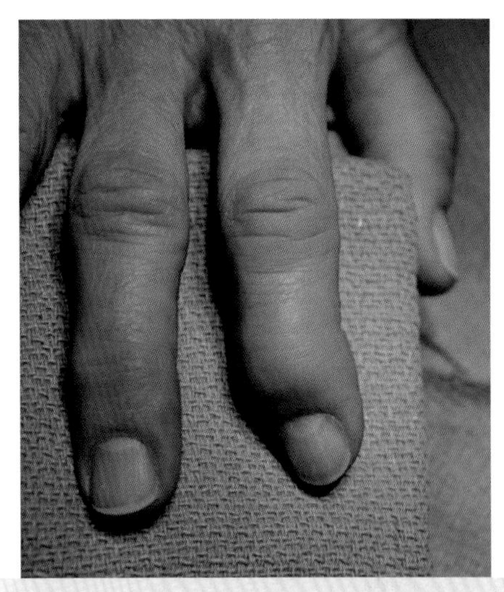

그림 7-2
Heberden's node
골관절염 환자의 우측 2번째 손가락의 DIP joint에서 관찰된다.

체중 부하와 관련되는 hip, knee, ankle joint는 체중이 부하되는 관절로 운동 범위 제한 및 심한 통증이 동반된다(그림 7-5). 류마토이드 결절은 류마토이드 관절염 환자에서 나타나는 것으로 주로 forearm의 dorsal side, achilles tendon, PIP joint volar side 등과 같은 압력을 받는 부위에서 발생한다. 이는

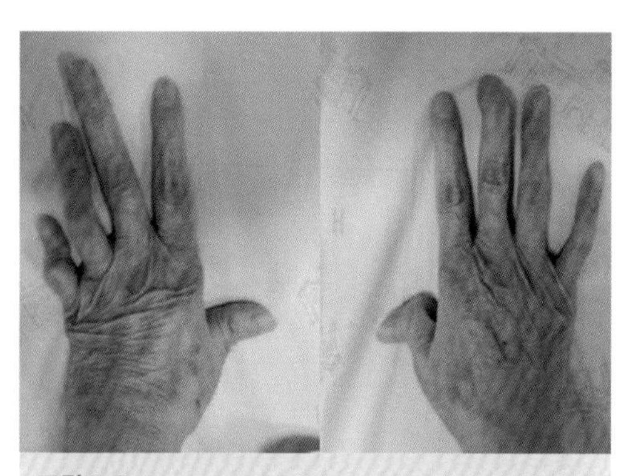

그림 7-3
손의 류마토이드 관절염
Hand의 ulnar deviation, 좌측 4, 5번째 손가락의 단추 구멍 변형, 우측 3번째 손가락의 백조목 변형이 관찰된다.

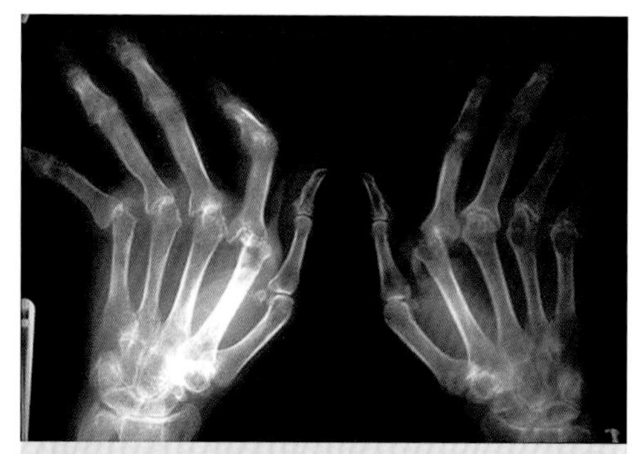

그림 7-4
류마토이드 관절염 환자의 수부 방사선 사진
양측 수부에 대칭적인 MCP joint의 관절 아탈구 및 ulnar deviation이 관찰된다.

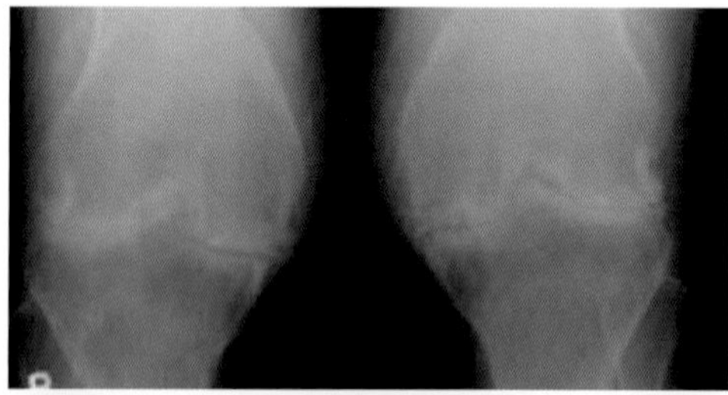

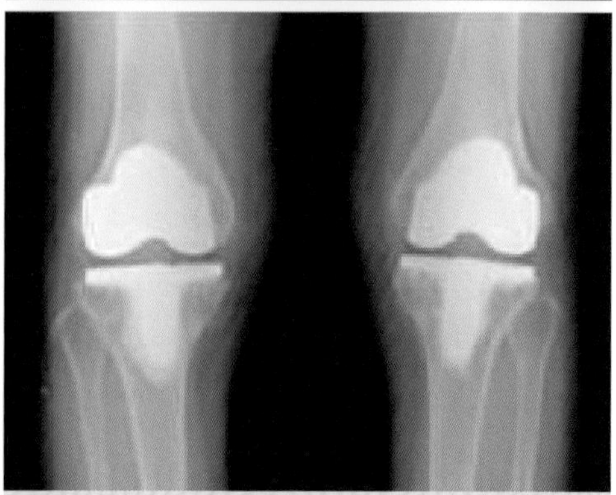

그림 7-5
술전 양측 knee joint 방사선 사진에서 내, 외측 관절 간격이 감소되어 있고, 골다공증이 관찰된다. 양측 knee joint에 인공 관절 전치환술 시행하였다.

synovium에서 피부 아래나 tendon sheath를 따라 형성되는 것으로 시간이 지남에 따라 사라지거나 해소된다.

5) 진단

1987년 미국 류마토이드 학회에서 채택한 진단기준이 오랫동안 사용되었으나 2010년에 미국 류마토이드 학회와 유럽 류마토이드 학회가 함께 새로운 진단 기준을 제시하였다 (표 7-1).

이 진단기준은 이전의 진단 기준에 비해 초기 류마토이드 관절염 환자를 더 일찍 진단하여 치료를 시작하도록 한다. 따라서 환자는 비가역적인 변화들이 오기 전에 치료를 받을 수 있게 되어 더 나은 경과 및 예후를 보일 것으로 기대되고 있다.

표 7-1
2010 미국 류마토이드 및 유럽 류마토이드 관절염 진단 기준(2010 ACR/EULAR classification criteria)

	점수
환자들 중	
1) 적어도 임상적인 synovitis (부종)가 있는 관절이 1개 이상 있고[1]	
2) 이 synovitis가 다른 질병으로 인한 것이 아닌 사람[2]	
류마티스 관절염의 진단 기준(점수 기반의 알고리즘: A-D의 점수의 합산; 류마토이드 관절염으로 진단되려면 10점 만점에 6점 이상이어야 한다)[3]	
A. 관절 침범[4]	
1개의 큰 관절[5]	0
2~10개의 큰 관절	1
1~3개의 작은 관절(큰 관절 침범이 동반되거나 동반되지 않거나)[6]	2
4~10개의 작은 관절(큰 관절 침범이 동반되거나 동반되지 않거나)	3
>10개의 관절(최소 1개의 작은 관절 포함)[7]	5
B. 혈청학적 검사(진단에는 적어도 1개의 검사 결과가 필요함)[8]	
류마토이드 인자와 ACPA 모두 음성	0
류마토이드 인자의 약 양성 혹은 ACPA의 약 양성	2
류마토이드 인자의 강 양성 혹은 ACPA의 강 양성	3
C. 급성 염증 수치(진단에는 적어도 1개의 검사 결과가 필요함)[9]	
CRP와 ESR 모두 정상 범위	0
CRP 혹은 ESR이 비정상 범위	1
D. 증상의 지속 기간[10]	
6주 미만	0
6주 이상	1

1) 이 진단 기준은 증상이 처음으로 나타나는 환자를 분류 대상으로 한다. 또한 과거력상 2010 ACR/ELAR 진단 기준을 만족시키면서 류마토이드 관절염에서 전형적으로 관찰되는 미란성 질병을 가진 사람은 류마토이드 관절염이 있다고 진단한다. 장기간 병을 앓아왔던 환자 중 후향적 정보로 판단하여 2010 ACR/ELAR 진단 기준을 만족시키면 병이 활동성 여부나 치료의 유무에 관계없이 류마토이드 관절염이 있다고 진단한다.

2) 환자들이 서로 다른 여러 표현형을 보임에 따라 전신성 홍반성 루푸스, 건선성 관절염, 통풍 등의 감별 진단이 있을 수 있다. 만약 적절하게 감별 진단하기 힘들다면 류마티스 전문의에게 의뢰하는 것이 좋다.

3) 비록 10점 만점에 6점을 채우지 못하여 류마토이드 관절염으로 진단될 수 없는 환자의 경우에도 시간이 지남에 따라 상태를 재평가하여 점수를 채워 류마토이드 관절염으로 진단될 수 있다.

4) 관절 침범은 신체 검진상 붓거나 압통이 있는 관절로 영상 검사상 synovitis가 있는 것으로 확인할 수 있다. DIP joint, 엄지의 carpometacarpal joint와 엄지발가락의 MTP joint는 진단 시 제외한다. 관절 침범은 침범된 관절의 위치와 숫자에 따라 분류되며 가능한 높은 분류로 분류해야 한다.

5) "큰 관절"은 shoulder, elbow, hip, knee, ankle를 지칭한다.

6) "작은 관절"은 MCP, PIP, 2-5번째 MTP, 엄지의 interphalangeal, wrist joint를 지칭한다.

7) 이 분류에서 최소 1개의 침범 관절이 작은 관절이어야 한다; 나머지 침범 관절은 큰 관절 혹은 다른 작은 관절들이어도 되며 구체적으로 지적되지 않은 관절이라도 상관 없다(예: 턱관절, AC joint, sternoclavicular joint).

8) 음성은 검사 수치상 정상 상한선과 같거나 더 적은 경우를 의미한다. 약 양성은 정상 상한선에서 정상 상한선의 3배 이하까지의 수치를 의미한다. 강 양성은 정상 상한선의 3배 초과한 수치를 의미한다. 류마토이드 인자의 경우 약 양성과 강 양성의 차이 없이 양성으로만 표시되므로 점수를 줄 때 양성인 경우 약 양성으로 계산한다. ACPA=anti-citrullinated protein antibody.

9) 정상/비정상은 각 실험실 기준에 따른다(CRP=C-reactive protein; ESR=erythrocyte sedimentation rate.).

10) 증상의 지속 기간은 치료 상태와 관계 없이 진단 당시의 synovitis의 징후 및 증상(예: 통증, 부종, 압통)에 대한 환자의 자율적인 보고에 따른다.

6) 치료

류마토이드 관절염의 치료에 있어서 가장 우선되는 것은 환자에게 이 질환의 특성을 충분히 이해시키는 것이다. 서서히 발병하여 호전과 악화를 반복하는 경우가 많으며 갑작스럽게 발병한 환자들도 장기적 예후는 서서히 발병한 환자와 비슷하다. 치료의 목적은 통증, 부종 및 피로의 경감, 관절 기능의 유지 및 향상, 근력의 유지 및 장애의 예방이다. 이를 달성하기 위해 환자의 임상상태에 따라 수술적 치료와 비수술적 치료를 적절하게 병행하는 것이 중요하다. 비수술적 방법으로는 비스테로이드성 소염진통제 및 스테로이드 제제, 항 류마티스 약제(disease-modifying antirheumatic drugs, DMARDs) 등의 약제를 사용할 수 있다. 비수술적 방법으로 임상 증상의 호전을 얻을 수 없고, 질환이 악화되는 경우 활액막 제거술, 관절 고정술, 관절 전 치환술 등의 수술적 치료를 고려해 볼 수 있다.

2. 혈청음성 척추관절염

혈청음성 척추관절염(seronegative spondyloarthritis)은 주로 척추와 사지 관절을 침범하며 유사한 임상상 및 유전적 특성을 보이는 만성 관절염 질환군이다. 류마티스 관절염과 유사한 면이 있지만 혈액검사에서 류마티스 인자(rheumatoid factor)와 항시트룰린 항체 [anti-Cyclic Citrullinated Peptide (Anti-CCP) antibody] 검사가 음성으로 나오기 때문에 혈청음성이라는 명명이 만들어졌다. 특정 인간 백혈구 항원(Human Leukocyte Antigen, HLA)과 연관성이 있으며, 특히 HLA-B27 유전자와 연관성이 높다. 이 질환군에는 1) 강직성 척추염(ankylosing spondylitis), 2) 건선 관절염(psoriatic arthritis), 과거 Reiter's 증후군으로 명명되었던 3) 반응성 관절염(reactive arthritis), 4) 염증성 장질환 관련 관절염(inflammatory bowel disease associated arthritis), 5) 미분화 관절염(undifferentiated arthritis) 등이 포함되어 있으며, 주요 증상과 병변이 척추에 있는지 사지 관절에 있는지에 따라 축형 척추관절염(axial spondyloarthritis)과 말초형 척추관절염(peripheral spondyloarthritis)으로 분류하기도 한다.

척추관절염의 유병률은 인종별로 차이가 있으며 0.5~2% 내외로 알려져 있다. 여성에서 호발하는 류마티스 관절염 달리 남성에서 호발하며(건선 관절염의 경우 남, 여가 유사한 발생률을 보임), 건과 인대가 골에 부착되는 부위에 염증이 발생하는 부착부염(enthesitis), 혹은 부착부병증(enthesopathy)이 가장 특징적인 병리학적 소견인 것 역시 류마티스 관절염과 구별되는 점이다(그림 7-5). HLA-B27 유전자가 발병 및 진행의 단계에 가장 중요한 영향을 미치며, 염증 반응에 관여하는 다양한 사이토카인(cytokine) 중 종양괴사인자-α(tumor necrosis factor-α, TNF-α)에 대한 억제제의 개발은 척추관절염의 치료에 획기적인 진전을 가져오게 되었다.

1) 강직성 척추염

강직성 척추염(ankylosing spondylitis)은 혈청음성 척추관절염 중 가장 중요한 질환이며 척추와 천장관절(sacroiliac joint)을 포함하는 축골격(axial skeleton)에 만성 염증이 특징적으로 나타나고, 사지 관절 및 건, 인대 부착부에도 다양한 정도의 만성 염증을 일으킬 수 있다. 강직성 척추염의 가장 특징적이고 초기에 나타나는 소견은 양측성 천장관절염(sacroiliitis)이다. 남성에 호발하며 10대 후반에서 30대까지의 젊은 연령에 주로 발생한다. 강직성 척추염의 진단은 1984년 수정된 뉴욕 기준(Modified New York Criteria)에 의거 1) 3가지 임상적 기준(3개월 이상 지속되는 운동으로 호전되나 휴식으로 호전되지 않는 하부 요추의 통증과 뻣뻣함(stiffness), 요추의 관상면과 전면에서의 운동제한, 흉부 확장의 제한) 중 1개 이상 동반되고, 2) 방사선학적 기준으로 2도 이상의 양측성 혹은 3도 이상의 편측성 천장관절염이 동반된 경우 확정한다. 하지만 방사선학적으로 천장관절염이 확인될 때까지 상당한 시간이 경과될 수 있어 앞서 언급한 바와 같이 혈청음성 척추관절염을 축형 척추관절염과 말초형 척추관절염으로 분류하고, 방사선학적 천장관절염이 발생하기 이전의 비방사선학적 축형 척추관절염(nonradiographic axial spondylarthritis)이라는 새로운 분류기준이 제안되었다. 이는 기존 기준에는 포함되어 있지 않았던 자기공명영상(magnetic resonance imaiging, MRI)에서의 천장관절염 소견과 HLA-B27 검사 소견, 관련된 임상 증상 등을 종합적으로 평가하며 조기에 진단하고 추적 및 치료방침을 결정하기 위함이다.

(1) 임상적 특징

염증성 요통(inflammatory back pain)은 강직성 척추염의 초기에 나타나며 가장 중요한 소견이다. 3개월 이상 지속되는 만성 요통이 45세 이전에 시작되며, 서서히 발생하고, 운동 시 호전된다. 휴식으로는 호전되지 않거나 악화되며 야간 통증이 있다. 초기에 천장관절이 이환되고, 이후 요추, 흉추, 경추로 진행하는 양상을 보이는 경우가 흔하다. 병이 진행하면 요추부의 전만(lordosis)이 감소하고 흉추부의 후만(kyphosis)이 증가하며, 척추 인대의 골화가 진행되면 정면을 바라보기 힘든 자세로 고정되게 된다(그림 7-6). 흉추부의 이환과 함께 늑골척추관절(costovertebral joint), 늑골흉골관절(costosternal joint) 등이 이환되면, 호흡 시 정상적으로 이루어져야 하는 흉곽 팽창의 장애로 인하여 구속성(restrictive pattern) 폐기능 장애를 일으킬 수 있다. 사지 관절 중에서는 무릎과 발목의 침범이 가장 흔하며, 대개 비대칭성으로 나타나고, 다른 염증성 관절염과 유사한 부종과 통증이 수반된다. 부착부염이 발생하며, 특히 아킬레스건과 슬개건 부착부 등에 다발성 통증이 나타날 수 있다. 또한 손발가락 전체가 붓는 손발가락염(dactylitis)이 발생할 수 있다. 척추증상 대신 사지 관절염이나 부착부염, 손발가락염과 같은 말초 병변이 주된 경우 말초형 척추관절염으로 분류

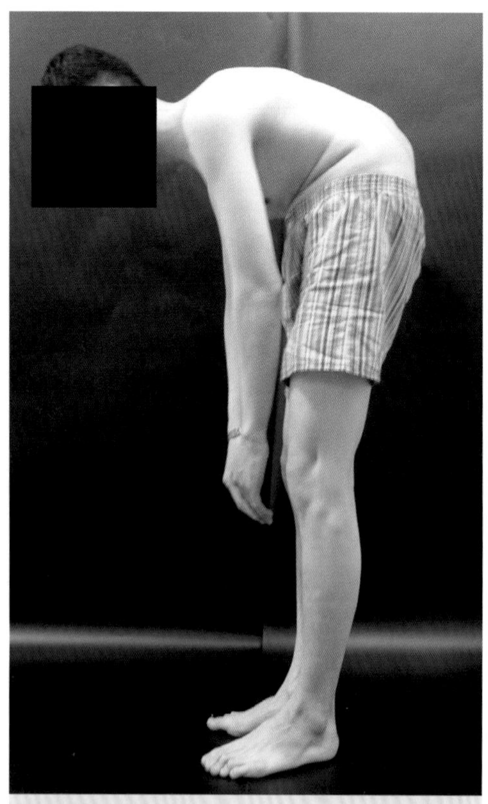

그림 7-6
진행된 강직성 척추염 환자로 요추 전만 감소 및 흉추 후만 증가 상태로 척추인대의 골화가 진행되었다.

하게 된다. 관절 및 골격계통의 이상 외에 미열, 체중감소 등의 전신 증상이 나타날 수 있으며, 눈, 장, 피부 등 근골격계 외의 증상 동반될 수 있다. 눈의 증상으로 급성 전방 포도막염(acute anterior uveitis)이 가장 흔한 근골격계 외 증상이다.

(2) 진단

강직성 척추염이 상당히 진행된 경우 환자의 과거력과 특징적인 체위로 쉽게 진단할 수 있지만, 초기에는 일반적인 요통환자와 감별이 어려울 수 있다. 의심이 되는 경우 첫번째 검사로 요추부 외에 천장 관절의 단순 방사선 촬영을 해야 한다. 강직성 척추염에서는 천장 관절이 가장 초기에 이환되며, 단순 방사선 사진에서 천장 관절의 미란과 관절 간격의 협소가 관찰되면 이 질환을 의심할 수 있다. 골주사(bone scan) 검사나 컴퓨터 단층촬영(computed tomography, CT)은 천장 관절의 변화를 조기에 진단하는데 유용하며, 자기공명영상은 염증의 정도를 조기에 평가할 수 있다. 병이 진행되면 척추 주변의 인대와 추간판의 골화로 소위 bamboo spine의 소견이 관찰된다(그림 7-7). 혈액 검사에서는 적혈구 침강 속도(erythrocyte sedimentation rate, ESR)와 C-반응성 단백질(C-reactive protein, CRP)의 증가가 관찰되며, 약 90%의 환자에서 HLA-B27 양성 소견이 나타난다.

(3) 치료

강직성 척추염의 치료는 원칙적으로 대증적인 치료이며 통증 및 염증반응의 완화, 척추 관절의 유연성 보존 및 일상 생활에 장애를 초래하는 체위에서의 강직을 피하는 것에 중점을 두어야 한다. 또한 흉곽 팽창의 제한을 최소화하여 폐기능을 보존하고, 근골격계 외 증상에 대하여 조기 진단 및 치료를 하는 것이 매우 중요하다.

치료의 가장 중요한 첫 번째 단계는 환자의 교육이다. 환자에게 병의 특성과 경과를 이해시키고, 기능장애를 최소화하기 위하여 일상

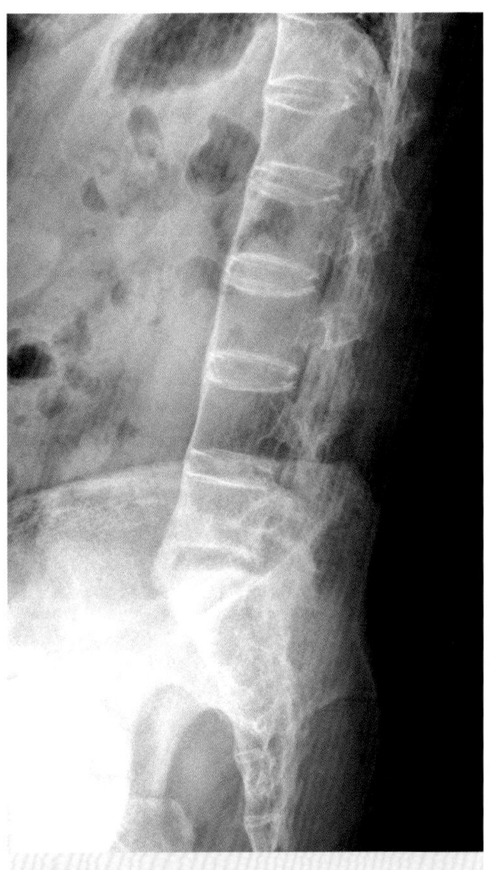

그림 7-7
진행된 강직성 척추염 환자의 척추 단순 방사선 사진에서 관찰되는 소견인 "bamboo spine"

생활 속에서 나쁜 자세로 강직이 일어나지 않도록 교육시킨다. 잠을 잘 때 딱딱한 매트리스를 사용하고, 새우잠을 자거나 높은 베개 사용을 피하도록 하여 과도한 후만 상태에서 강직이 일어나지 않도록 해야 한다. 척추의 유연성을 보존하기 위한 운동 요법과, 흉곽 팽창의 장애로 인한 폐기능 제한을 최소화하기 위하여 금연의 중요성과 깊은 심호흡(deep breathing) 운동을 교육해야 한다.

통증과 염증의 완화, 척추 운동성 증가를 위해 여러 종류의 비스테로이드성 소염제(nonsteroidal anti-inflammatory drugs, NSAIDs)를 사용하며, 일차 치료제로서 중요한 약물이다. 류마티스 관절염에서 사용하는 질병수정 항류마티스 약제(disease-modifying antirheumatic drugs, DMARDs)는 상대적으로 효과가 적으며 주로 말초관절증상을 호전시키기 위한 이차 약제로 사용된다. 생물학적 제제인 항 TNF제제로 infliximab, etanercept, adalimumab, golimumab 등이 치료에 사용되며 강직성 척추염의 증상 완화 및 염증 치료에 획기적인 진전을 가져왔다.

2) 강직성 척추염외 혈청음성 척추관절염

건선 관절염은 건선을 앓고 있는 환자의 1~25%에서 발생하며, 백인에서는 상대적으로 빈도가 높으나 동양인에서는 빈도가 낮다. 피부와 손톱, 발톱에 건선의 특징적인 소견과 함께 염증성 관절염이 동반되어 있는 경우 진단을 내릴 수 있으나, 약 1/3의 환자는 건선보다 관절염의 증상이 선행한다. 강직성 척추염이 남성에 호발하는 것과 달리 남, 녀 발생률이 비슷하며, 주로 30-50대의 중, 장년층에 호발한다. 부착부염이 발생하고 천장 관절과 척추가 이환될 수 있으나 강직성 척추염보다는 심하지 않다. 특징적으로 여러 개의 원위지관절(distal interphalangeal joint)에 만성 염증성 병변이 발생한다.

반응성 관절염은 비뇨생식기나 위장관 감

염 뒤 생기는 염증성 관절염이다. 비뇨기 감염균으로 Chlamydia trachomatis가 반응성 관절염과 연관된 대표적인 균이지만 그 외 다른 Chlamydia 종이나 Campylobacter, Salmonella, Shigella, Clostridium difficile 등과의 연관성도 알려져 있다. 비뇨기계 감염과 위장관계 감염 발생 후 1~4주 뒤에 비대칭성 관절염이 발생하며 주로 하지 관절이 이환된다. 슬관절염이 가장 흔하며, 족근 관절과 족관절이 이환 될 수 있으나 고관절의 이환은 드물다. 남성에서 흔하며 천장관절의 침범과 부착부염도 발생한다. 약 50~80% 정도의 환자에서 HLA-B27 양성의 소견을 보이며, 대부분 저절로 호전되지만 10% 내외의 환자는 강직성 척추염으로 진행한다.

염증성 장질환 관련 관절염은 크론병(Crohn disease)이나 궤양성 대장염(ulcerative colitis) 환자의 3~15% 정도에서 발생하며 축성 관절염과 말초 관절염 모두의 형태로 나타날 수 있다. 발현되는 관절염의 양상에 따라 치료 방침을 결정해야 하며, 다만 강직성 척추염이 발생한 경우 항TNF제제 중 etanercept는 염증성 장질환을 악화시킬 수 있어 사용에 주의가 필요하다.

3. 연소기 특발성 관절염

1) 정의 및 진단기준

16세 미만 소아에서 한 개 이상의 관절에 6주 이상 관절염이 지속되고, 그 원인이 뚜렷하지 않으면 연소기 특발성 관절염(juvenile idiopathic arthritis, JIA)으로 정의한다(표 7-2). 과거에는 연소기 류마토이드 관절염으로 쓰였지만, 현재는 연소기 특발성 관절염으로 명칭하고 있다. 연소기 특발성 관절염은 소아 만성 관절염의 가장 흔한 형태이고, 성인의 류마티스 관절염과는 다른 질환으로 이해하여야 한다. 최초 6개월간 몇 개의 관절에서 발현되었는가에 따라 네 부위 이하의 소수관절염(40~60%), 다섯 부위 이상의 다수관절염(30~40%), 처음부터 고열을 동반한 전신관절염(10~20%), 건선 관절염, 부착부염 연관성 관절염(enthesitis-related arthritis) 등으로 분류한다.

표 7-2
연소기 특발성 관절염의 진단 기준과 분류

1. 관절염이 16세 이전 발병
2. 최소 6주 이상 증상 지속
3. 다른 원인이 제외되었을 경우
4. 분류
   1) 전신관절염(systemic arthiritis)
   2) 소수관절염(oligoarthritis)
   3) 다수관절염/류마티스 인자 음성 (polyarthritis-RF negative)
   4) 다수관절염/류마티스 인자 양성 (polyarthritis-RF positive)
   5) 건선 관절염(psoriatic arthritis)
   6) 부착부염 연관성 관절염 (enthesitis related arthritis)
   7) 미분류 관절염(undifferentiated arthritis)

*International League of Associations for Rheumatology classification of juvenile idiopathic arthritis: second revision, Edmonton, 2001.

2) 원인

원인과 발병 기전은 아직 정확히 밝혀지지 않았지만, 비정상적인 면역 조절 문제로 설명한다. 유전 경향이 있어서, 가족 발생률이 1/3에 이르며 일란성 쌍둥이에서 같이 발병하는 비율이 높다.

3) 종류 및 특징

(1) 소수관절염(oligoarthritis)

① 임상 양상

소아에 생기는 특발성 관절염 중 가장 흔한 형태이다. 발병 6개월 이내에 관절염이 4개 이하의 관절에 국한된 형이다. 호발 연령은 6세 이전으로 남 · 여 비율은 1:4 정도로 여아에서 호발한다.

② 증상

서서히 시작되며, 경하고 반복적인 증상을 호소한다. 발열 등 전신 증상은 없다. 대부분 슬관절, 족근관절에 발생하며 고관절이 침범되는 경우는 드물다. 수족지 관절 등의 작은 관절을 침범하는 경우는 매우 드물다. 증상은 수개월 내지 수년 지속되며 경과 중에 약 20%는 다수 관절염으로 이행한다.

③ 혈액 소견

ESR, CRP는 약간 증가되나 정상 범위에 속하는 경우도 있다. 류마토이드 인자(RF)는 대부분 음성이다. 양성일 경우 다수 관절염 중 류마토이드 인자 양성형의 초기 단계일 수 있다. 이때는 보다 지속적이고 심한 증상을 보인다. 항핵항체(antinuclear antibody, ANA)는 약 40~80%에서 양성이다. 이 경우 전방 포도막염(anterior uveitis)의 위험이 높아 안과 검진이 필요하다.

④ 예후

다수 관절염에 비해 양호하다. 대부분은 경한 경과를 거치나 약 15%의 환자에서 관절 파괴 등 후유증이 생긴다. 만성 포도막염 등의 안과 합병증이 약 10~30%에서 발생하며, 이로 인한 실명의 위험성이 있으므로 증상이 없더라도 3~4개월 간격으로 주기적인 안과 검사가 필요하다.

(2) 다수관절염(polyarthritis)

① 임상 양상

발병 6개월 이내에 5개 이상의 관절을 침범한다. 류마토이드 인자 양성형과 음성형이 있으며 남 · 여 비율은 약 1:3 정도로 여아에서 호발한다.

② 증상

조조 강직을 수반한다. 수지관절, 완관절에 먼저 발생하는 경우가 많고 이 시기에 치료가 잘 되지 않는다. 주관절, 슬관절, 족근관절 등으로 염증이 파급되며, 경추, 견관절 및 악관절로 침범하는 경우도 드물지 않다. 류마토이드 인자 양성형은 관절염의 예후가 나쁘며, 발생 5년 이내에 약 반수의 환아에서 관절 기능장애가 발생한다. 류마토이드 인자 음성형은 발병 7년 이내에 약 15%의 환아에서 관절 기능장애가 발생한다.

③ 혈액 소견

ESR와 CRP은 병의 활동성 판단에 유용한데, 활동성인 경우 증가한다. 항핵항체는 류마토이드 인자 음성형의 약 반수에서 나타나며, 이 경우 포도막염의 위험성이 높다.

④ 예후

고관절 침범 시 예후가 좋지 않다. 포도막염은 소수 관절염형에 비해 드물며, 류마토이드 인자 양성형에선 거의 발생하지 않는다.

(3) 전신 관절염(systemic arthritis)

① 임상 양상

어떤 연령에서도 발생 가능하나, 6세 이전에 약간 호발하는 경향이 있다. 남 · 여 비율은 비슷하다.

② 증상

약 90%에서 특징적인 극파열 형태의 고열(spiking fever)이 발생한다. 하루에 한 번 이상 밤에 발생하는 것이 특징이다. 적절한 치료를 시작하지 않으면 고열은 약 2주 정도 지속된다. 고열이 발생할 때 환아의 약 50%에서 직경 2~5 mm의 류마토이드 발진이 체간부와 사지에 관찰된다. 초기부터 관절염의 증상을 같이 보이는 경우는 대부분 다수 관절염의 형태를 보이며, 관절 파괴의 진행이 비교적 조기에 발생하여 예후가 나쁘다. 경부강직(neck stiffness)이 흔하고 증상은 수막염(meningitis)과 유사하다. 관절증상이 가볍고 발열이 주 증상일 경우 관절의 예후는 비교적 양호한 경우가 많다.

③ 혈액 소견

혈액 소견은 진단에 별로 도움이 되지 않는다. ESR과 CRP가 증가되며 빈혈(anemia), 백혈구 증가증(leukocytosis), 혈소판 증가증(thrombocytosis)의 소견을 보인다. 류마토이드 인자나 항 핵항체는 대개 음성이다.

④ 예후

50%의 환아는 소수 관절염 형태와 같은 경한 경과를 보이고, 나머지 50%는 다수 관절염 형태의 경과를 보이는데, 다수 관절염 형태의 경우 약 반수에서 심한 관절 파괴 등 후유증을 가진다. 약 8%의 환아는 유전분증 등 생명을 위협하는 합병증을 가질 수 있다. 만성 전방 포도막염은 매우 드물다.

(4) 치료

치료는 약물 치료, 물리 치료, 기능 장애가 발생된 관절에 대한 수술적 치료로 분류할 수 있다.

① 약물 치료

관절의 염증과 종창을 완화시키는 항염증 약물과 면역이상을 억제하여 관절의 파괴를 저지하는 항류마티스 약제 및 면역 억제제가 있다. 항염증 약물에는 비스테로이드성 항염증제와 부신 피질 스테로이드가 있다.

경증인 경우에는 비스테로이드성 항염증제만으로도 충분히 치료가 되는 경우가 많다. 그러나, 비스테로이드성 항염증제에는 항류마티스 작용이 적어서 관절파괴가 예상되는 경우에는 조기부터 항류마티스 약물이나 면역억제제를 투여할 수 있다. 스테로이드는 홍체모양체염이 있을 때에는 국소적으로 사용할 수 있다. 또한, 비스테로이드성 항염증제에 반응하지 않는 심한 전신형 환자에게 스테로이드를 사용해 볼 수 있다.

② 보존적 치료

동통과 종창이 동반된 활동성 관절염의 경우 염증을 줄이고 기능적 자세를 유지하기 위해 부목을 장착한다. 굴곡 구축을 예방하고 관절운동범위를 유지하기 위해 지속적으로 수동 및 능동 관절 운동을 하여야 한다. 근력을 유지하기 위한 저항운동도 필요하다.

③ 수술적 치료

수술의 목적은 관절 변형을 예방하거나 교정하고 동통을 완화하며 관절 운동범위를 호전시키기 위함이다. 수술적 요법으로 활액막의 증식이 심하여 관절 운동 장애나 관절 통증이 있으면 활막 절제술(synovectomy)을 시도할 수 있으며, 대개 관절경을 이용한다. 활막 절제술은 최소 6개월의 약물 치료와 물리치료를 하였음에도, 지속적인 종창, 동통, 악화되는 관절 구축이 있는 6세 이상의 단관절 또는 소수 관절염에서 적응된다. 이외 연소기 특발성 관절염 환자의 재건술(salvage)로 연부조직 수술, 절골술, 관절 유합술, 관절 절제술 등의 술식이 있다.

4. 통풍

1) 정의

통풍(gout)은 요산 나트륨(monosodium urate) 결정이 관절 주위 및 연부 조직에 침착되어 관절에 극심한 염증을 야기하는 질환이다.

2) 원인 및 병태 생리

요산은 퓨린(purine) 분해 과정에서 발생하는 최종 물질이며, 간, 소장 등 잔틴 산화 효소(xanthine oxidase)를 포함하는 조직에서 생성된다. 생성된 요산은 정상적으로 소변 및 대변으로 배설되므로, 체내 요산의 양은 생성되는 양과 배설되는 양의 차이에 의해 결정된다. 통풍에서는 퓨린 대사의 장애로 인한 체내 요산량 증가로 고요산혈증(hyperuricemia)이 나타나고, 요산이 관절에 침착되어 심한 급성 염증성 관절염을 일으키며, 환자는 극심한 발작성 관절통을 경험하게 된다. 요산은 관절뿐 아니라, 인대, 활액막, 피하에도 축적될 수 있으며, 인대 파열을 초래할 수 있고 압박에 의해 피부 괴사까지 일으킬 수 있다. 성인 남자의 혈중에서 요산이 7.0 mg/dl 이상이면 비정상으로 생각할 수 있다. 그러나 무증상 고요산혈증을 나타내는 경우가 흔히 있는데, 이것을 통풍에 포함시키기에 어려운 점이 있으며 치료가 필요하지 않다는 주장이 많다.

3) 분류

고요산혈증을 가진 사람의 15~20%에서 통풍이 발생하며, 이는 원발성 통풍(primary gout)과 속발성 통풍(secondary gout)으로 구분할 수 있다. 원발성 통풍은 그 원인을 발견할 수 없는 경우를 말하며, 호발 연령은 40대이며, 주로 남자에게서 많이 발생하지만, 여자에서도 폐경기 후에 약 5% 정도에 발생하는 것으로 알려져 있다. 속발성 통풍은 진성 다혈구증, 겸상적혈구성 빈혈, 백혈병, 다발성 골수종 등 골수가 증식하는 질환에서 핵산의 파괴량이 증가하거나, 신장 기능의 저하로 요산 배설량이 감소하여 혈중 요산치가 증가하면서 통풍성 관절염과 비슷한 증세가 나타나는 경우를 말한다.

4) 증상

급성 통풍은 운동, 외상, 수술, 감염, 기아, 스테로이드 투여 중지, 요산 저하 치료, 뇌졸중이나 심근경색과 같은 심각한 질환, 과량의 알콜 및 과다한 음식물 섭취 등이 유발 인자로 작용한다. 급성 통풍에서는 발열, 동통, 종창 등이 나타나고, 심하면 봉소염(cellulitis)과 유사한 증상을 보인다. 동통은 심한 발작성 격통이고, 야간에 심하다. 통풍 발작은 요산(urate)의 수치보다는 체액에서의 용해도에 더 큰 영향을 받는데 이 용해도는 낮은 온도와 낮은 pH에서 떨어지게 되어 상대적으로 온도가 낮은 말단 부위의 관절에서 흔히 발생하는 이유가 된다. 요산 결정이 관절액 내에서 결정체-단백 복합체(crystal-protein complex)를 만들고 이것이 보체 시스템을 활성화시켜 중성구에 의한 포식을 활성화함으로서 통풍발작이 시작된다. 이로 인해 세포막용해(membranolysis)가 촉진되어 용해성 효소의 세포내 방출이 증가하고, 세포괴사가 발생하여 관절 내에서의 염증반응이 촉진된다.

급성 통풍의 재발이 계속되면, 관절 내에 요산 결정이 침착하게 되고, 관절이 파괴되면서 섬유화가 진행하여 강직이 발생한다. 발작이 계속됨에 따라, 점차로 증상이 없는 기간은 짧아지고, 나중에는 지속적인 경한 동통 및 퇴행성 관절염의 증상이 나타난다. 요산결절(tophus)은 분필가루를 물에 녹인 것 같은 물질로서 귓바퀴에 제일 먼저 나타나는 경우가 많으나 작은 관절에서도 나타날 수 있다.

5) 검사소견 및 진단

통풍성 관절염의 가족력, 반복적인 동통 발작, 요산이 주성분인 요석에 의한 신장 장애, 높은 혈중 요산 농도, 적정량의 콜치신(colchicine)에 의한 증상 호전 등은 통풍을 의심하게 하는 소견이다. 확진은 관절 천자액을 편광 현미경으로 관찰했을 때, 특징적인 바늘모양의 음성 이중 굴절성(negative birefringence) 요산 결정을 확인하는 것이다(그림 7-8A). 관절액은 백혈구의 증가로 인해 혼탁해 보이며 백혈구 수는 2,000 /μl에서 60,000 /μl 정도로 증가한다. 혈청 요산 농도는 급성 발병 당시에는 정상이거나 낮을 수 있지만, 언젠가는 반드시 상승하며 요산 저하 요법의 추적 관찰에 유용하다. 24시간 요중 요산을 측정하는 것은 요석의 위험을 평가하고, 요산

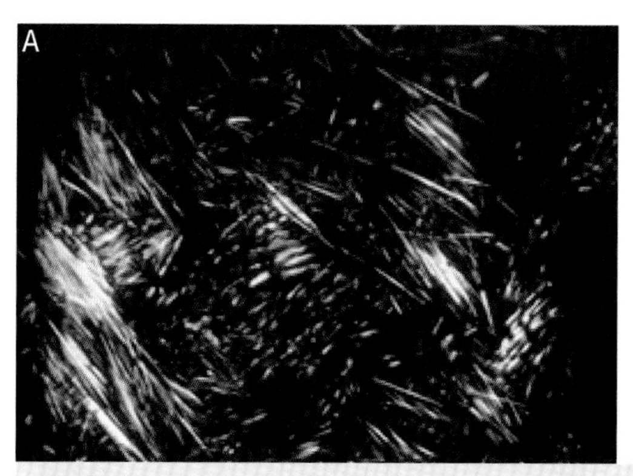

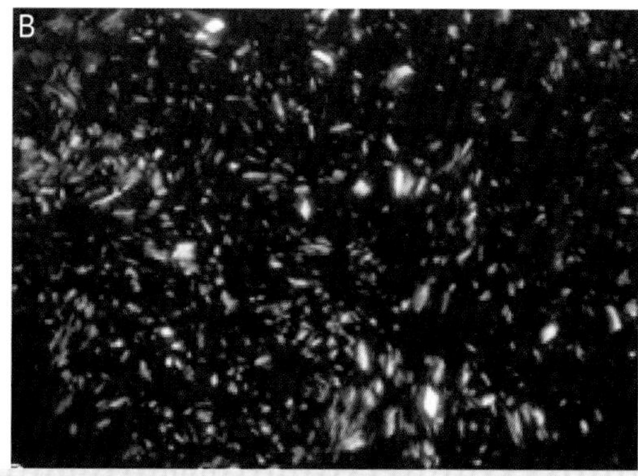

그림 7-8
A. 통풍 환자의 편광 현미경 사진. 음성 이중 굴절성을 보이는 긴 바늘 모양의 요산 결정이 관찰된다.
B. 칼슘 피로인산염 유발 관절염 환자의 편광 현미경 사진. 약한 양성 이중 굴절성을 보는 장사방형의 칼슘 피로인산염 결정이 관찰된다.

의 과잉 생산 또는 배출 저하를 밝혀 낼 수 있으며 요산 저하 요법의 종류를 결정하는데 중요하다. 일반적인 식사를 하면서 24시간 요중 요산 배출이 800 mg 이상이라면 퓨린의 과잉 생산을 시사한다. 방사선 소견상 급성 통풍 초기에는 연부 조직의 종창만 있고, 관절의 파괴는 발견되지 않는다. 만성 결절성 통풍(chronic tophaceous cout)의 초기에는 연부 조직 종창과 함께 요산의 침식에 의해 골이 떨어져나간 것 같은, 도려낸 병소(punched-out lesion)를 보이게 되며(**그림 7-9**), 관절간격은 비교적 유지된다. 질환이 진행되면 관절간격은 소실되고 골성 강직도 나타날 수 있다. 급성 감염성 관절염이나 여러 가지 다른 미세 결정에 의한 관절병증, 재발성 류마티즘, 건선관절염과 감별 진단을 요한다.

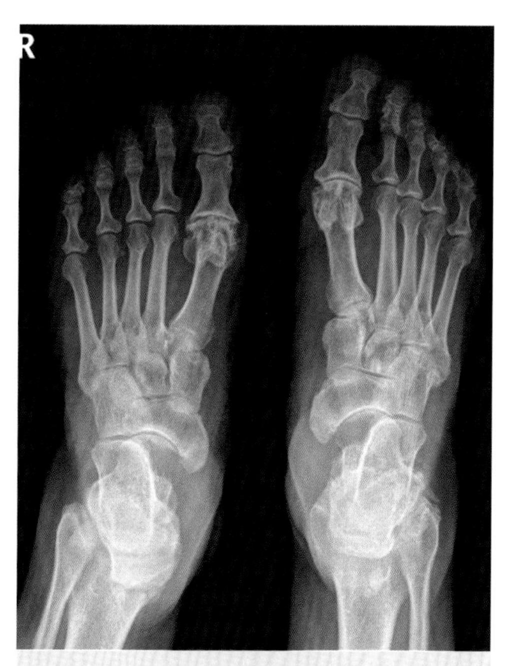

그림 7-9
양측 제1중족지관절의 통풍, punched out 양상의 골파괴와 관절 간격의 감소가 보인다.

6) 치료

급성 통풍의 발작 시에는 약물 요법과 함께 이환부에 냉찜질과 부목 고정을 하는 것이 좋다. 약물 치료로, 콜치신의 경구 투여는 발병 초기에 적어도 85%의 환자에서 효과가 있다. 콜치신 한 알(0.6 mg)을 8시간마다 투여한 후 테이퍼링(tapering)하는 것이 선호되고 있으며, 소화기계 독성 또는 혈변이 나타나면 투약을 중단한다. 콜치신을 정맥 주사하는 경우 골수 기능 저하 등의 부작용이 발생할 수 있어 현재 쓰이지 않는다. NSAIDs는 90% 이상의 환자에서 효과를 보이며, 만성 신부전이나 십이지장 궤양이 있는 환자에서는 금기이다. 전신적인 스테로이드는 별로 권장되지 않으며 관절강 내로의 주사도 콜치신이나 NSAID를 사용할 수 없는 환자에게만 적용된다. ACTH의 근육내 주사는 상술한 어떤 치료에 의해서도 증세가 호전되지 않는 급성 다발성 통풍이나 콜치신이나 NSAID를 사용할 수 없을 때 시용될 수 있다. 통증의 발작 사이 기간에는 콜치신, 요산요 배설제, 요산 생성 억제제 등이 사용될 수 있다. 요산 저하 치료는 혈청 요산 농도를 6.0 mg/dl 이하로 낮추어 반복적인 통풍 발병을 예방하고 결절 침착을 제거하기 위해서 사용하며 장기적으로 실시해야 하며 대개는 평생 지속하여야 한다. 요산 생성의 마지막 단계인 잔틴 산화 효소를 억제하여 요산 생성을 감소시키는 allopurinol을 first line urate lowering agent로 사용하는 것이 권고된다. 요산요 배설제인 probenecid나 sulfinpyrazone이 매우 안전한 약물로 알려져 있으며, 혈중 요산치가 높고, 신장기능이 좋고 결석이 없으며, 소변으로 요산을 하루에 600 mg 미만 배설하는 환자에게 적당하다. Serum urate를 <6 mg/dl를 목표로 하여 조절하는 것이 필요하다. 식이 요법으로 정어리, 멸치, 간 등 퓨린을 많이 함유한 음식의 섭취를 제한하는 것이 도움이 되는 것으로 알려져 있으며, 알코올, 고기류, 단 맛이 첨가된 청량음료도 피해야 한다. 만성 결절성 통풍의 약물 치료는 발작 사이의 치료와 같다. 이 시기에는 골 관절의 파괴를 막고 변형을 방지하기 위하여 통풍성 결절을 함유한 조직의 제거술을 시행할 수도 있다(그림 7-10). 또한 일단 관절이 파괴되면 관절 고정술을 시행하거나, 절제 관절 성형술을 시행하여 관절의 안정화를 시도할 수도 있다.

7) 칼슘 피로인산염 유발 관절염

(1) 정의

칼슘 피로인산염 유발 관절염(calcium pyrophosphate deposition disease, CPPD arthritis)은 칼슘 피로인산염(calcium pyrophosphate) 결정이 관절 연골 및 주변 조직에 침착되어, 연골 석회증(chondrocalcinosis)이 발생하는 염증성 관절병증이다. 대개 무증상인 경우가 많으나, 일부에서 통풍, 류마티스 관절염과 유사한 염증 반응을 나타내어 가성통풍(pseudogout)이라 불리기도 한다.

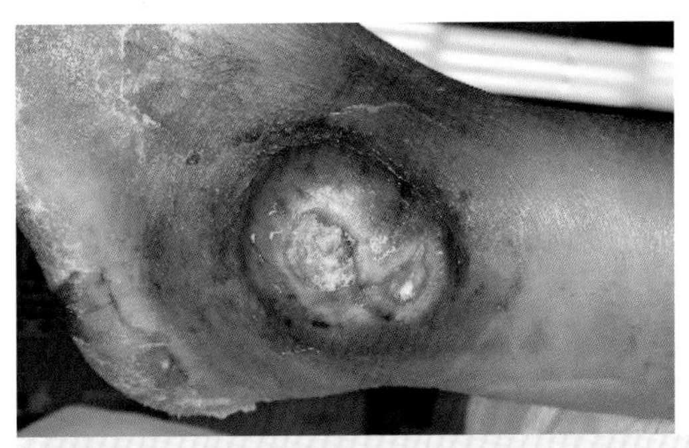
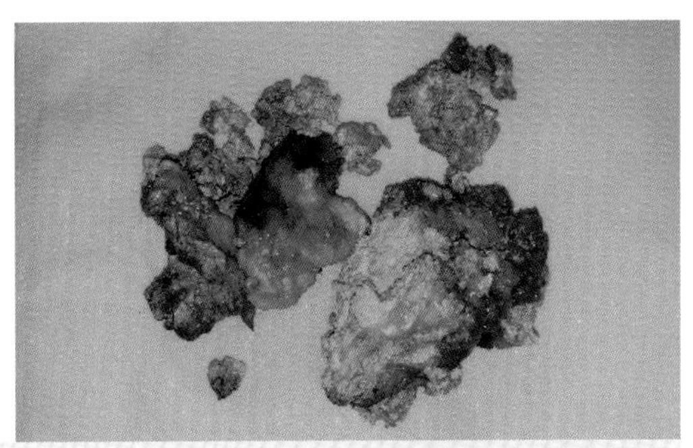
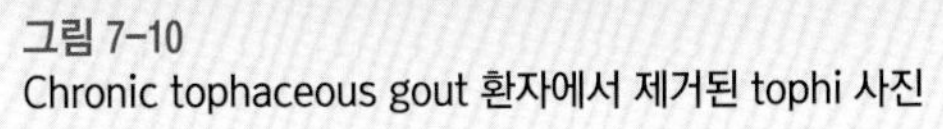
그림 7-10
Chronic tophaceous gout 환자에서 제거된 tophi 사진

(2) 원인 및 병태 생리

발생 기전으로, ATP가 아데노신과 피로인산염으로 분해되는 반응을 촉매하는 효소의 활성도가 증가되어 피로인산염의 생성이 증가하면, 이 피로 인산염이 기질 소포 안이나 콜라겐 섬유 위에서 칼슘과 결합하여 미세결정을 형성한다. 관절강 안으로 칼슘 피로인산염 결정이 분비되면 중성구가 결정을 탐식(phagocytosis)하고 염증물질을 분비하면서 증상이 나타난다. 노인에서 많이 발생하는 것으로 보고되나 젊은 사람에게 생길 수도 있다.

(3) 증상

무증상, 급성, 아급성 또는 만성이거나, 만성으로 침범된 관절에 겹쳐서 급성 활액막염을 일으키기도 한다. 심한 동통, 부종, 압통, 발적이 수 주 일간 지속되기도 하며, 재발하기도 한다. 혈중 요산은 정상이며, 콜치신에 반응이 없는 것이 특징이다. 슬관절이 약 1/2에서 침범되며 다른 호발 부위는 손목, 어깨, 발목, 팔꿈치, 손 등이다. 임상 양상이 서서히 진행하는 퇴행성 관절염의 증세를 나타내기도 한다.

(4) 진단

방사선 사진상 반월연골판(meniscus)과 관절 유리 연골에 점상 또는 선형의 고음영침착이 관찰되면 진단의 가능성이 높다. 확진은 활액 또는 관절 조직의 편광 현미경 검사에서 세포외액과 중성구 안에 간상(rod) 또는 장사방형(rhomboid)의 약한 양성의 복굴절성(birefringence) 결정을 확인하는 것이다(그림 7-8B). 가성통풍의 급성 발작은 외상, 갑상선 저하증 또는 부갑상성 항진증 등의 대사성 질환, 관절경, 히알우론산 주사(hyaluronic acid injection) 등에 의해 유발될 수 있다.

(5) 치료

치료는 joint aspiration과 NSAID, 관절 내 corticosteroid를 주사하면 수 일 이내에 회복된

다. 증상이 없을 경우에는 치료가 필요 없다. 가성통풍이 자주 재발되는 환자에서는 예방적 치료로 저용량의 콜치신을 매일 사용하는 것이 발병의 횟수를 줄이는데 도움이 되는 것으로 알려져 있다. 심한 다발성 관절염 발작의 경우에는 단기간의 corticosteroid가 필요하다. Septic arthritis와 감별 진단이 필수적이다.

참고문헌

1. 박은혜, 이은영. 척추관절염의 진단과 치료. Clin Pain. 2016:15;1-8.
2. Choi IH, Chung CY, Cho TJ, Yoo WJ, Park MS: Lee Duk Yong's Pediatric Orthopaedics. Koonja Publishing Inc. Seoul. 2014;4:241-245
3. Cimaz R., Marino A., Martini A.: How I treat juvenile idiopathic arthritis: a state of the art review. Autoimmun Rev 2017;16:1008.
4. Petty RE, Southwood TR, Manners P, Baum J, Glass DN, Goldenberg J, et al.: International League of Associations for Rheumatology classification of juvenile idiopathic arthritis: second revision, 5. Edmonton, 2001. J Rheumatol 2004; 31:390-2.
5. van Tubergen A, Weber U. Diagnosis and classification in spondyloarthritis: identifying a chameleon. Nat Rev Rheumatol. 2012;8:253-61
6. Wang R, Ward MM. Epidemiology of axial spondyloarthritis: an update. Curr Opin Rheumatol. 2018;30:137-43

종양성 질환

Neoplastic Diseases

1. 서론

근골격계에서 발생한 종양은 다른 부위의 종양과는 달리 병리 조직 소견만으로 진단되는 경우보다 임상 소견, 영상의학적 소견 등을 종합하여 진단해야 하는 경우가 대부분이다. 따라서 일차 진료를 담당한 의사가 이에 관한 기본 지식을 가지고 있어야 조기 진단과 치료가 이루어질 수 있다.

1) 분류

근골격계(musculoskeletal system)의 원발성 종양(primary tumor)은 대부분 중배엽(mesoderm)과 신경외배엽(neuroectoderm)에서 유래된 조직으로부터 발생한다. 태아의 중배엽으로부터는 결합조직, 연골, 골, 혈관과 림프관, 근육과 혈액세포가 발생하고 신경외배엽에서는 신경과 신경막(nerve sheath)이 발생한다. 근골격계의 원발성 악성 종양을 육종(sarcoma)이라고 부른다. 악성 종양은 양성 종양과는 달리 원격 장기로 전이(metastasis)될 수 있다. 근골격계의 원발성 종양은 발생 부위에 따라 크게 골종양(bone tumor)과 연부조직종양(soft tissue tumor)으로 나눌 수 있으며, 다양한 종양들이 있다.

2) 발생 부위 및 호발 연령

(1) 골종양

골종양의 발생 빈도는 각 종양에 따라 부위별, 연령별로 뚜렷한 차이가 있어 진단에 큰 도움을 준다. 많은 골종양들이 골 성장이 왕성한 청소년기에 장관골의 골간단 부위, 특히 대퇴골 원위부, 경골과 상완골 근위부에 주로 발생한다. 골육종(osteosarcoma), 골연골종(osteochondroma), 유잉육종(Ewing's sarcoma), 단순골낭종(simple bone cyst) 등은 골 성장이 왕성한 청소년기에 호발하며, 연골육종(chondrosarcoma)은 30~40대 이후에 흔히 발생한다. 50세 이상의 환자에서 발견되는 악성 골종양은, 우선 전이성 골종양(metastatic bone tumor)을 생각해야 한다. 유잉육종, 랑게르한스 조직구증(Langerhans cell histicytosis) 등은 골간부에서 호발하는 반면, 연골모세포종과 거대세포종은 골단부에 주로 발생한다(그림 8-1). 양성 골종양으로는 골연골종, 원발성 악성 골종양으로는 골육종이 가장 발생 빈도가 높다.

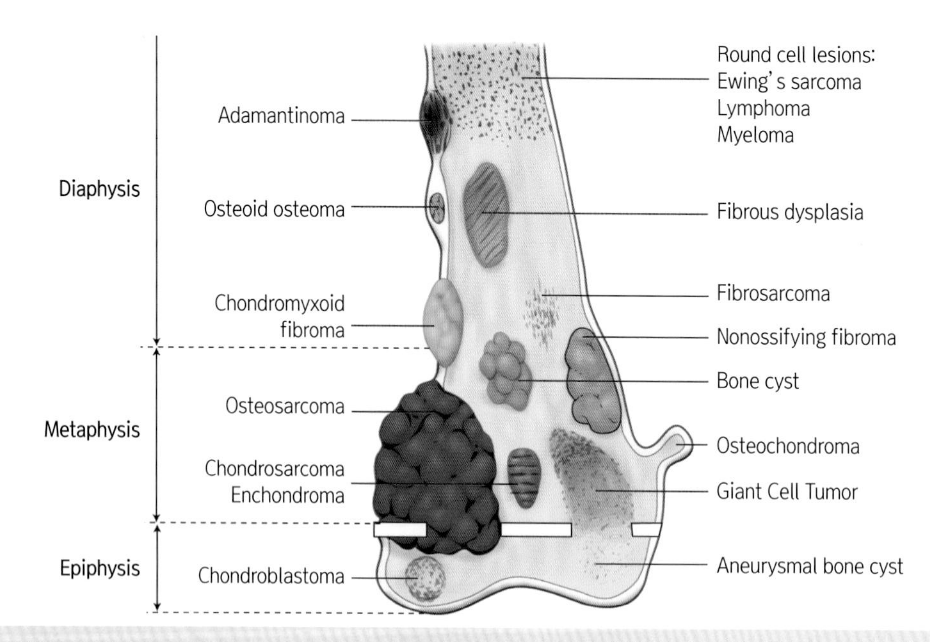

그림 8-1
해부학적 부위별 호발 골종양

(2) 연부조직종양

양성 연부조직종양은 인구 10만 명당 300명의 발생 빈도를 보이며 연부조직에서 발생하는 암인 연부조직육종(soft tissue sarcoma)은 인구 10만 명당 5명 정도의 발생 빈도를 보여 전체 암 중 <1%을 차지한다. 대부분의 연부조직종양은 양성 종양이나, 양성 연부조직종양과 연부조직육종은 임상적인 소견이 유사하여 구별이 어려운 경우가 많다. 연부조직육종을 양성 종양으로 오인할 경우 잘못된 결과를 가져올 수 있으므로 정확한 진단을 하는 것이 반드시 필요하다.

양성 연부조직 종양 중 가장 흔한 것은 지방종(lipoma), 혈관종(hemangioma), 결절종(ganglion cyst) 등이다. 연부조직육종은 50개 이상의 다양한 조직학적인 진단(histologic type)을 포함하는데 조직학적인 진단 중 미분화 다형태 육종(undifferentiated pleomorphic sarcoma), 지방육종(liposarcoma), 평활근육종(leiomyosarcoma), 점액섬유육종(myxofibrosarcoma), 활막육종(synovial sarcoma), 악성말초신경종양(malignant peripheral nerve sheath tumor) 등이 흔하다. 연부조직육종은 다양한 연령에서 발생하는데 15%는 15세 이하에서 진단되고 40%는 55세 이후에 발생한다. 조직학적인 진단에 따라 호발하는 연령이 다른데 미분화 다형태 육종(undifferentiated pleomorphic sarcoma)과 점액섬유육종

(myxofibrosarcoma)은 장년층과 노년층, 활막육종(synovial sarcoma)은 젊은 성인, 횡문근육종(rhabdomyosarcoma)는 소아에서 주로 진단된다. 연부조직육종의 발생부위는 사지(extremity)에서 75%, 몸통(trunk)에서 10%, 후복막(retroperitoneum)에서 10% 그리고 두경부에서 5% 발생한다.

2. 진단 과정

1) 병력

양성 골종양의 경우 자각 증상이 없고 우연히 발견되는 경우가 많다. 동통, 촉지되는 종괴(mass), 기능장애, 병적 골절(pathologic fracture) 등으로 발견되기도 한다. 점점 심해지는 통증과 종괴 크기의 증가는 악성 골종양의 가능성을 나타내는 소견이다. 40세 이상의 환자에서 악성 골종양의 소견이 보일 경우 골전이암을 의심하여 내부 장기 암의 병력 유무를 확인하는 것이 필요하다. 연부조직종양 환자는 통증 등의 증상 없이 촉지 되는 연부조직종괴(soft tissue mass)를 호소하는 경우가 흔하다. 연부조직 종괴의 발견시점, 성장양상에 대한 정보가 양성과 악성종양의 구별에 유용한데 오래 전에 발견되었고 크기가 커지지 않는 종양 보다는 발견된지 얼마되지 않고 점점 크기가 커지는 종양이 악성일 가능성이 높다. 연부조직육종 환자들의 대부분은 통증을 호소하지 않고 다른 암에서와 같이 발열, 오한, 체중 감소 등과 같은 전신증상이 나타나는 경우는 드물다. 따라서, 이러한 전신증상이 없다고 암이 아니라고 가정하는 오류는 피해야 한다.

2) 신체검사

연부조직 종괴의 크기와 깊이는 양성과 악성을 어느 정도 가늠할 수 있는 중요한 소견이다. 연부 조직육종은 주로 크기가 5 cm 이상이고 심부 근막보다 깊이 위치한다. 그와 반대로 양성 연부조직종양은 크기가 5 cm보다 작고 얕게 위치하는 경우가 많다. 하지만, 크기가 작고 얕게 위치하는 연부조직종양이 모두 양성 종양은 아니며 연부조직 육종의 약 1/3 정도는 진단 당시 크기가 작고 얕게 위치한다.

3) 영상 검사

(1) 단순 방사선 사진

단순 방사선 사진은 골종양의 진단에 손쉽고 능률적인 검사다. 특히 양성과 악성 골종양의 구분에 도움이 되는데(그림 8-2) 종양의 경계가 뚜렷하고 골피질이 보존되어 있으며 골파괴 양상이 geographic 형태일 경우 양성(그림 8-3), 종양의 경계가 분명치 않고 골피질이 파괴되어 있으며, 골파괴 양상이 permeative 혹은 moth-eaten 형태일 경우 악성의 가능성이 높다(그림 8-4). 골막 반응(periosteal reaction)의 경우 양성 종양에서는 주로 단순한 비후(hypertrophy), 팽창 등을 볼 수 있으나, 악성 종양에서는 여러 가지 특징적 소견이 나타난다(그림 8-5).

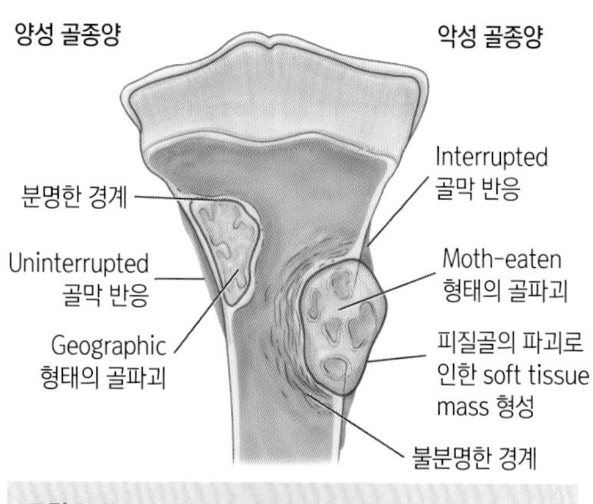

그림 8-2
양성 골종양과 악성 골종양의 방사선 소견

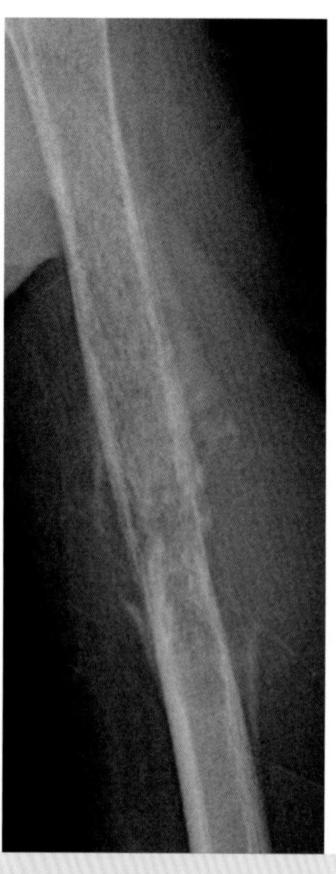

그림 8-4
경계가 불분명하고 Codman 삼각 골막 반응과 moth-eaten 형태의 골파괴를 보이는 악성 골종양

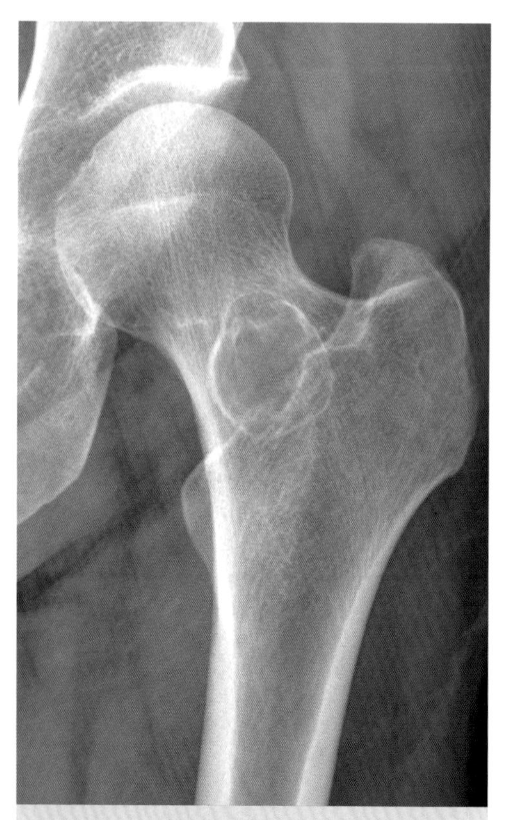

그림 8-3
경계가 분명하고 geographic 형태의 골파괴를 보이는 양성 골종양

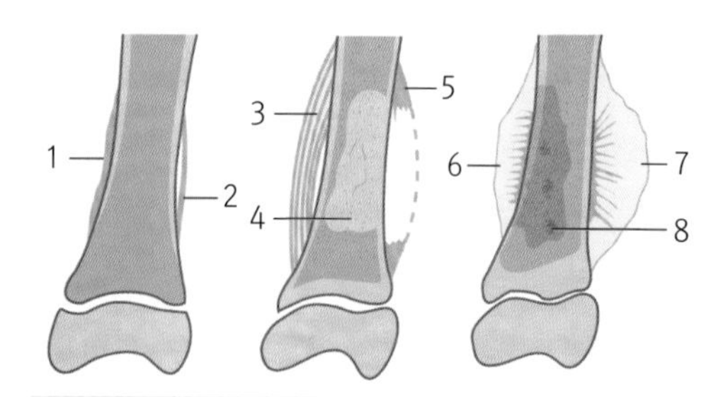

그림 8-5
골막반응의 종류
1. 골막 비후, 2. 이중 골막, 3. 양파껍질(onion-skin) 모양, 4. 골용해성(osteolytic) 골 파괴, 5. 코드만(codman) 삼각, 6. 절치상 반응(groomed whiskers), 7. 햇살 모양(sunburst appearance), 8. 조골성 종양(osteoblastic)

(2) MRI

종양의 내부 구성물질, 연부조직 종양의 범위와 골종양의 연부조직과 골수강 내 범위를 판단하는데 유용한 검사이다. 종양과 주위 조직 특히, 혈관 및 신경과의 관계를 파악하는데 좋다. 악성 종양의 감별이 필요한 경우에는 조영제(contrast media)를 투여하여 종괴의 조영 증강 여부 및 패턴 등을 볼 수 있다.

(3) 뼈스캔(Technetium 99m bone scan)

뼈스캔(Technetium 99m bone scan)은 민감도(sensitivity)가 높은 검사로 단순 방사선 사진에 병변이 보이지 않을 때, 혹은 증상이 나타나기 전에도 이환된 뼈 부위를 보여준다. 육종의 뼈로의 원격 전이나 skip metastasis의 진단에 도움이 된다. 양성 골종양 중 섬유성 이형성증(fibrous dysplasia), 내연골종증(enchondromatosis) 등과 같이 다발성으로 나타날 수 있는 질환에서 이환된 뼈를 확인하는데 도움이 된다.

(4) CT

육종의 폐전이 유무를 판단하거나 장관골의 피질(cortex)에 위치한 종양의 평가 등에 이용된다.

(5) PET (Positron emission tomography)

기능적 영상진단 검사로 특히 종양 치료 후 재발과 전이에 대한 추적에 유용하다.

4) 혈액검사

혈청 칼슘은 골 파괴, 탈석회 현상이 진행한 골수종, 전이성 골종양 등에서 상승한다. Serum alkaline phosphatase는 악성 골종양뿐만 아니라 반응성 골 형성이 활발한 양성 골종양에서도 상승할 수 있다. 골육종에서 lactate dehydrogenase가 종종 높게 나온다. 골수종(myeloma)에서는 고단백 혈증과 골수종 단백 등이 보이고 ESR (erythrocyte sedimentation rate)은 골수종이나 유잉육종 등에서 상승할 수 있다.

5) 병기결정

병기결정(Staging)은 병기를 평가함으로써 예후를 예측할 수 있고 이를 기초로 치료 계획을 수립할 수 있을 뿐만 아니라, 서로 다른 치료센터에서 치료한 결과를 비교 분석하는 기준이 될 수 있다. 종양의 조직학적 등급(histological grade), 구획(compartment) 외부로의 침범여부, 원격전이 여부를 기준으로 만들어진 surgical staging system이 현재까지도 특히 악성 골종양에서 널리 사용되고 있다(표 8-1). 저등급은 stage I, 고등급은 stage II로 분류되고 전이가 있으면 stage III로 기술하도록 되어 있다. Stage I과 II는 구획 밖 침범 여부에 따라 다시 각각 stage IA, IB와 stage IIA, IIB로 나누어져 있다. 연부조직육종의 경우 AJCC 병기가 많이 쓰인다(표 8-2). 종양의 조직학적 등급과 크기, 원격전이 여부가 예후인자이다.

표 8-1
근골격계 악성 종양의 Surgical staging system

Stage	Grade	Local Extent	Metastasis
I A	Low	Intracompartmental	None
I B	Low	Extracompartmental	None
II A	High	Intracompartmental	None
II B	High	Extracompartmental	None
III	Any	Any	Present

표 8-2
연부조직육종의 AJCC staging system (8th ed.)

Stage	Size	Metastasis	Histologic grade
Stage IA	≤ 5 cm	none	G1
Stage IB	> 5 cm	none	G1
Stage II	≤ 5 cm	none	G2, G3
Stage IIIA	5 cm < ≤ 10 cm	none	G2, G3
Stage IIIB	> 10 cm	none	G2, G3
Stage IV	Any	lymph node	Any
	Any	systemic	Any

3. 생검

1) 원칙

생검(biopsy) 전에 병력 청취 및 신체검사 등이 이루어져야 하고, 종양의 범위를 확인하기 위한 영상 검사를 해야 한다. 생검을 시행하는 위치는 종양에 가장 쉽게 도달할 수 있고 종양으로 오염되는 부위를 최소화하여 추후 종양과 함께 한 덩어리로 절제할 수 있는 곳이 좋다. 따라서 최종적으로 수술할 의사가 정하는 것이 바람직하다. 잘못된 생검은 정확한 진단을 불가능하게 하고 사지구제술(limb salvage surgery)을 시행할 수 없게 만들 수도 있을 뿐만 아니라, 환자의 기능과 생존에 부정적인 영향을 미치게 된다.

2) 방법

(1) 폐쇄적 방법(closed technique)

개방적 방법(open technique)에 비해 비교적 간단하게 시행할 수 있는 덜 침습적인 시술로 초음파나 CT 등을 이용해서 한다. 충분한 양의 조직을 얻지 못해 정확도가 약간 떨어지며 조직학적 등급을 확인하기 어려울 수 있다. 균일한(homogenous) 종양에서 효과가 좋으며 전신 상태가 불량하거나 척추체의 생검 등 개방적 방법이 곤란한 경우 사용할 수 있다. 충분한 양의 조직을 얻을 수 있는 core needle biopsy가 주로 사용된다.

(2) 개방적 방법(open technique)

① 절제생검(excisional biopsy)

종양 전체를 적출하는 것으로 임상적, 방사선학적으로 양성 종양이 확실할 경우에 한다. 진단과 치료를 동시에 할 수 있는 장점이 있다.

② 절개생검(incisional biopsy)

종양의 일부를 얻는 방법으로 폐쇄적 방법에 비해 충분한 양의 조직을 얻을 수 있어 진단의 정확도가 높다. 최종 수술시 최소한의 절제가 가능하도록 정확한 생검 위치를 선택하며, 피부 절개는 종적 절개(longitudinal incision)를 사용한다. 병소에 도달하는 생검 경로는 가능한 근육을 통과하도록 하여야 하며 근육과 근육 사이로 도달하는 것은 피한다. 종양 중심부는 괴사가 많아 주로 변연부에서 생검을 하는 것이 좋다.

4. 치료 원칙

양성 종양의 경우 조직학적인 진단과 성장양상, 임상 증상 등에 따라 다르나 대부분의 경우 정기적인 관찰을 하면 된다. 통증, 기능 장애 등의 증상이 있거나 병적 골절이 발생한 경우 또는 악성 변화의 가능성이 있는 경우에는 치료가 필요하다. 악성 종양에서는 대부분의 경우 수술이 치료의 근간이 된다.

1) 수술적 치료

(1) 절제연(resection margin)

수술 시 절제연은 절제의 범위에 따라 병소내(intralesional), 병소 변연부(marginal), 광범위(wide)와 근치적(radical)으로 구분한다 (그림 8-6). 병소내 절제는 절제연이 종양 실질 내를 통과한 경우로서, 골종양 치료 시 소파술(curettage)이 여기에 해당한다. 변연부 절제는 절제연이 종양 주위의 반응층(reactive zone)을 통과한 경우를 말한다. 광범위 절제술은 모든 방향에서 종양의 반응층 밖에 있는 정상 조직을 충분히 포함하는 절제술이며, 근치적 절제술은 질환이 발생한 구획(compartment)을 완전히 절제하는 방법이다.

(2) 양성 종양

양성 골종양의 경우 소파술을 하나, 재발을 잘하는 종양인 거대세포종, 연골점액성 섬유종(chondromyxoid fibroma) 등은 국소 보조요법(local adjuvant treatment)을 추가하는 extended curettage를 하거나, 드물게 광범위 절제술을 하기도 한다. 양성 연부조직 종양의 경우 절제가 필요할 경우 marginal excision으로 국소 재발을 막을 수 있고 국소적으로

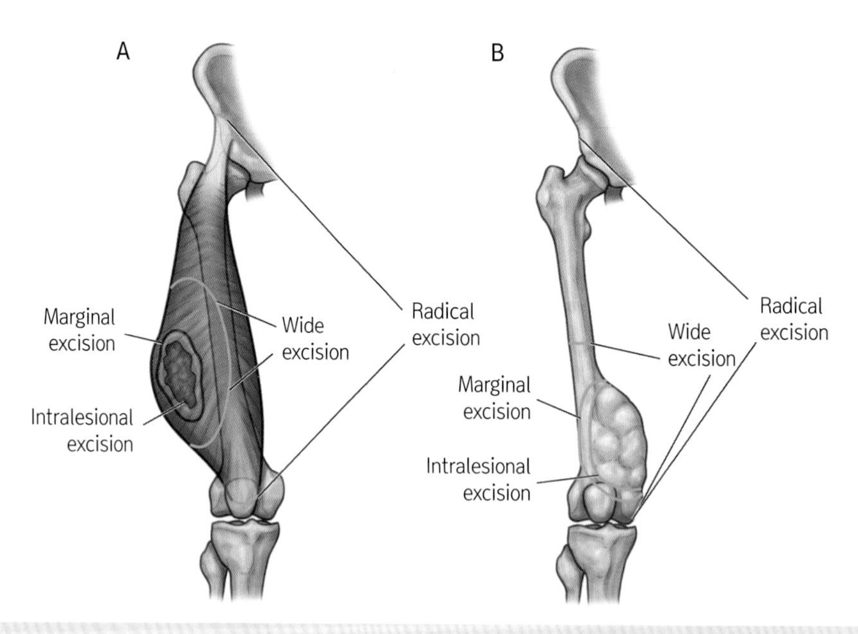

그림 8-6
절제연(resection margin)의 분류

aggressive한 성장 양상을 보이는 fibromatosis와 같은 경우는 주변의 정상조직을 포함하는 광범위 절제술이 필요하다.

(3) 악성 종양

악성 종양의 경우 조직학적 진단 조직학적 등급, 병기, 종양의 위치와 환자 전신 상태 등에 따라 치료 방법이 달라진다. 완치의 목적(curative intent)을 가지고 암의 국소 조절(local control)을 위해서는 수술적으로 광범위하게 절제하는 것이 중요하며 암의 악성도가 높을수록 절제 범위를 넓게 하는 것이 통상적이다. 악성 종양의 수술 방법은 사지 보존 여부에 따라 절단술(amputation)과 사지구제술(limb salvage)로 나눈다. 사지구제술은 먼저 종양을 절제한 다음, 종양 대치물(tumor prosthesis)이나 자가골, 동종골 등의 방법을 이용하여 결손 부위를 재건하는 수술로 현재 악성 종양의 80% 이상에서 행해진다. 기능적으로나 외관상 절단보다 우수하나 무엇보다도 종양의 충분한 제거가 가능할 경우에만 시행되야 한다. 사지구제술로 충분한 절제 범위를 얻지 못하거나 수술 후 기능이 절단술보다 못할 때 절단술을 시행한다.

2) 방사선 치료

보조적인 치료로 사용되는데 특히 악성도가 높은 연부조직육종의 경우 국소 조절에 도움이 된다. 방사선 조사를 체외로부터 하는 external beam radiation therapy가 주로 이용되며 수술 후에 시행하는 경우가 많으나 간혹 수술 전에 먼저 시행하기도 한다. 원발성 골종양의 경우 유잉 육종에서 이용할 수 있는데, 수술로 완전 절제가 어려운 경우에 사용할 수 있다.

3) 항암약물치료

많은 수의 육종 환자에서 성공적인 국소 조절에도 불구하고 암의 다른 장기로의 전이가 발생하여 환자가 사망에 이르게 된다. 따라서 생존율의 향상을 위해서는 암의 전신적인 조절이 필요하다. 항암약물치료(chemotherapy)는 술전 화학요법(neoadjuvant chemotherapy)과 술후 화학요법(adjuvant chemotherapy)을 할 수 있다. 술전 화학요법의 경우 조기에 항암약물치료을 하게되므로 미세전이(micrometastasis)를 효과적으로 치료할 수 있으며 절제된 종양 조직의 병리조직학적인 소견으로 술전 화학요법의 치료 효과를 평가할 수 있는 장점이 있다. 항암제로는 doxorubicin, ifosfamide, cyclophohsphamide, methotrexate 등이 이용된다.

원발성 악성 골종양 중에서 골육종과 유잉 육종의 경우 특히 효과가 있다. 연부조직육종에서의 항암약물치료의 효과는 제한적이지만, 일부 악성도가 높은 연부조직육종에서 항암약물치료를 시도하기도 하며 활막육종과 소아에서 발생한 횡문근육종은 상대적으로 효과가 좋다.

4) Unplanned excision

육종을 조직학적인 진단 없이 양성종양으로 간주하여 무계획적으로 절제한 다음 조직검사에서 육종으로 진단되는 경우를 말한다. 종양 주변의 정상조직을 포함하는 광범위 절제연을 얻기 위해 재절제하는 것이 원칙이다. 가능한 빠른 시일 내에 종양 전문의사에게 보내 재절제를 시행하는 것이 바람직하다.

5. 양성 골 종양

1) 유골 골종

유골 골종(osteoid osteoma)은 주로 청소년기의 남자에서 대퇴골이나 경골의 골간단부나 간부에 호발하는 종양으로 피질골 내에 위치한다. 압통이 있고, 통증은 밤에 악화되는 경향이 있으며 초기에는 아스피린 계통의 진통제에 반응한다. 두꺼워진 피질골의 중심부에 직경 0.5~15 mm 정도의 투명한 원형 모양의 핵(nidus)이 있는데 방사선에서 잘 안보이면 CT나 MRI로 확인하여 진단한다(그림 8-7). 핵은 혈관이 풍부한 조골성 섬유조직으로 구성되어 있다. 치료는 핵을 완전히 제거하는 것이며, 고주파절제술(radiofrequency ablation)이나 소파술을 한다. 경화된 부분의 뼈를 다 제거할 필요는 없으며, 통증은 대개 제거 직후 호전된다. 조직학적으로 유사한 골모세포종(osteoblastoma)은 핵이 더 크며 척추 후궁에 호발하는데, 드물게 악성화하거나 전이를 하는 점이 다르다.

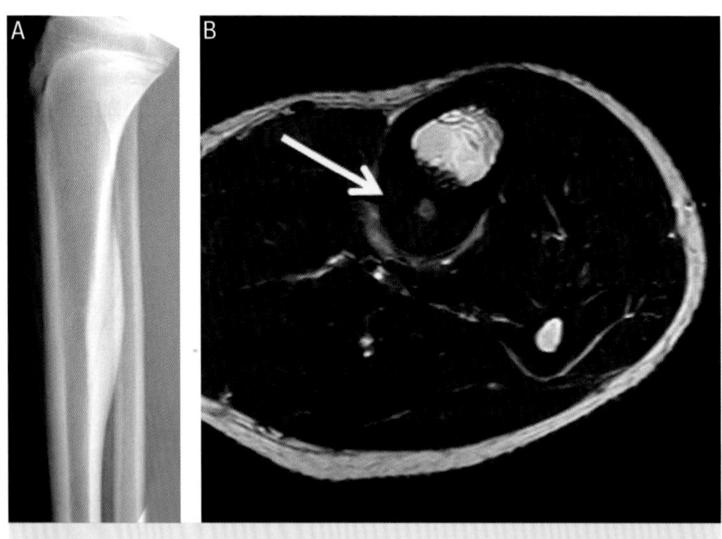

그림 8-7
유골 골종
A. 경골 후면에 피질골이 두꺼워진 소견이 관찰된다.
B. MRI 영상에서 두꺼워진 피질골 가운데에 둥근 핵(nidus)이 관찰된다(화살표).

2) 골연골종

골연골종(osteochondroma)은 가장 빈도가 높은 양성 골 종양(benign bone tumor)으로 성장판이 열려있는 연령에서 발생한다. 원위대퇴골, 근위경골, 근위상완골에 호발하지만 다른 뼈에서도 흔히 생긴다. 골간단부 피질골에서 돌출된 원주 모양의 종양이 관절에서 멀어지면서 골간부 방향을 향한다. 종양골의 골수강과 피질골은 원발골의 골수강과 피질골에 각각 연결되어 있고, 끝은 연골모(cartilage cap)로 덮여 있다. 연골모 두께는 대개 1 cm 이하이며, 연골모를 완전히 제거하여야 재발하지 않는다. 다발성 골연골종증(osteochondromatosis, hereditary multiple exostosis)은 상염색체 우성으로 유전된다(**그림 8-8**). 고립성은 1% 미만, 다발성은 3~5% 정도에서 악성화할 수 있으며 종양이 갑자기 커지고 통증이 생기면 악성화를 의심한다.

3) 내연골종

내연골종(enchondroma)은 골수강 내에서 자라는 연골 형성 종양으로 20~30대에 흔하고 수족지, 중수골, 중족골에 호발한다. 손에 생기는 골종양 중 가장 흔하며 통증은 약한 편이다. 골 음영이 감소된 둥근 모양의 병소와 주위의 피질골이 얇아지면서 밖으로 팽대되는 소견을 보인다(**그림 8-9**). 연골종양에서 특징적인 석회화 점상(calcification spot)이 있을 수 있다. 병리학적으로 해면골 내에 연골 덩어리가 보이며 연골모세포를 포함한 유

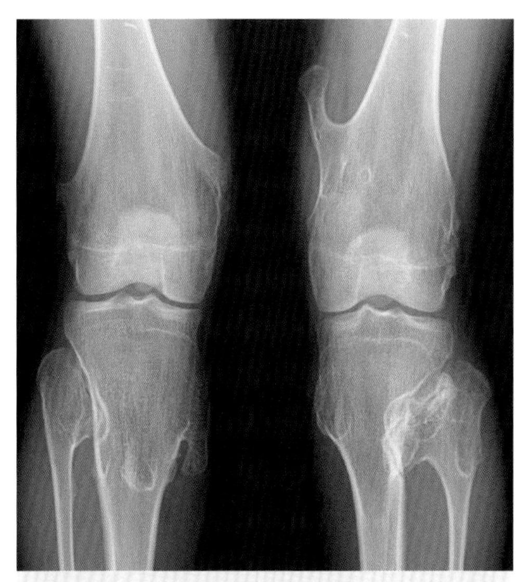

그림 8-8
골연골종증
양측 슬관절 주위에 다발성으로 발생한 골연골종이 관찰된다.

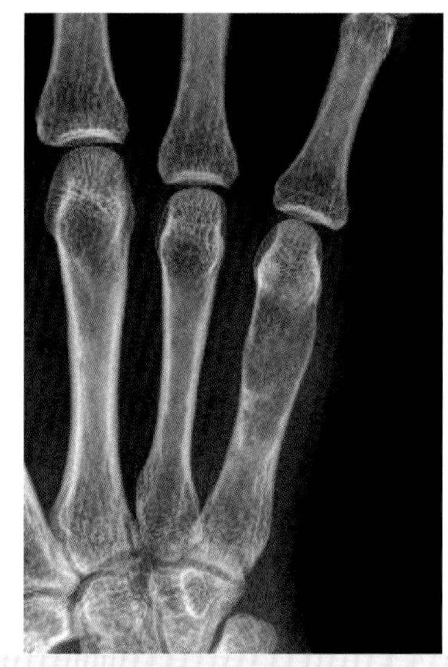

그림 8-9
손에 발생한 내연골종
제5중수골 내부에 음영이 감소되어 있고, 팽대된 피질골이 관찰된다.

연골(chondroid)로 구성된다. 소파술 후 골 이식을 시행하면 잘 치유된다. 상완골이나 대퇴골에 발생한 종양은 대개 통증 없이 우연히 발견되는데 골수강에만 국한되어 피질골 침식을 유발하지 않으며 커지지 않으면 치료할 필요가 없다. 다발성인 경우에는 내연골종증(enchondromatosis, Ollier's disease)이라 하고, 내연골종이 다발성 해면성 혈관종을 동반한 것을 마푸치 증후군(Maffucci syndrome)이라 한다.

4) 연골모세포종

연골모세포종(chondroblastoma)은 골 성장이 끝나기 전 연령에서 주로 장관골 골단에 발생하며, 대퇴골 하단, 경골 및 상완골 상단에 호발한다. 대부분 장관골의 골단에 골 결손 모양으로 보이며 드물게 석회화 소견을 볼 수도 있다(그림 8-10). 골단판이 남아 있는 어린 환자에서 주로 발생한다는 점에서 성인의 거대 세포종과는 다르다. 유연골 기질(chondroid matrix)을 생성하는 양성 종양으로 소파술 및 골 이식술으로 치료한다.

5) 거대세포종

거대세포종(giant cell tumor)은 주로 성장판이 닫힌 연령에서 골단부와 골간단부에 걸쳐서 발생한다. 양성 종양 중에서 가장 재발을 잘 하는 종양으로 5% 이하에서는 폐 전이를 하기도 한다. 20~30대 여자에서 주로 발생하고 대퇴골 원위, 경골 근위 및 요골 원위

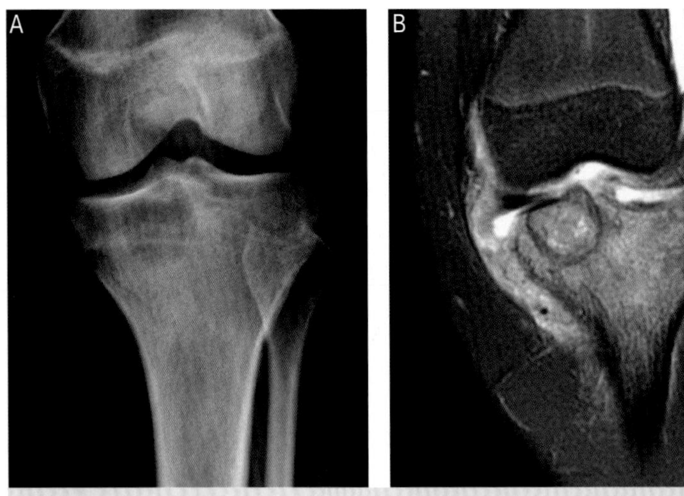

그림 8-10
경골 근위부의 연골모세포종
A. 골단부에 음영이 감소된 편심성 병변이 관찰된다.
B. MRI 영상에서 골단부에 중심을 둔 경계가 명확한 병변이 있고, 염증 소견이 병소 주위에서 관찰된다.

부가 호발 부위이다. 방사선 소견은 장관골의 골단에 걸쳐서 음영이 감소된 골파괴 양상의 병소와 얇아진 피질골이 보이며 반응성 골 형성은 볼 수 없다(그림 8-11). 호발 연령이 성장판이 폐쇄된 이후이므로 종양이 골간부로 저항없이 퍼져나가는 것이 연골 모세포종과의 감별에 도움이 된다. 병리학적으로 단핵성(mononuclear)인 방추형(spindle) 또는 타원형의 기질 세포(stromal cell) 사이에 파골세포에서 기원한 다핵성 거대 세포(giant cell)가 분포한다. 거대 세포는 비골화성 섬유종, 골 낭종, 연골모세포종, 골육종 등에서도 보이는 비특이적 소견이며, 거대세포종의 진단에는 기질 세포가 더 중요하다. 조금이라도 종양이 남아 있으면 재발하기 때문에 철저한 소파술을 한 다음, 액화질소, 연마기(burr), 무수 알콜, 전기소작 등의 보조 요법으로 주변 조직의 종양 세포를 남김없이 제거 후 골결손부를 골시멘트나 골 이식을 하여 채운다. 소파술만으로는 종양을 완전히 제거하지 못할 정도로 종양이 관절이나 주위 연부조직으로 광범위하게 퍼져 있다면 광범위 절제를 시행할 수도 있다. 폐 전이는 특히 원위요골에 종양이 있는 경우에 많으며, bisphosphonate 제제나 RANKL 억제제를 보조적으로 쓰기도 한다. 그러나 폐 전이가 종양의 악성화를 의미하는 것은 아니고 대부분 수술이나 보조 약물치료로 치료되며, 20% 이하에서만 계속 진행하는 경과를 보인다.

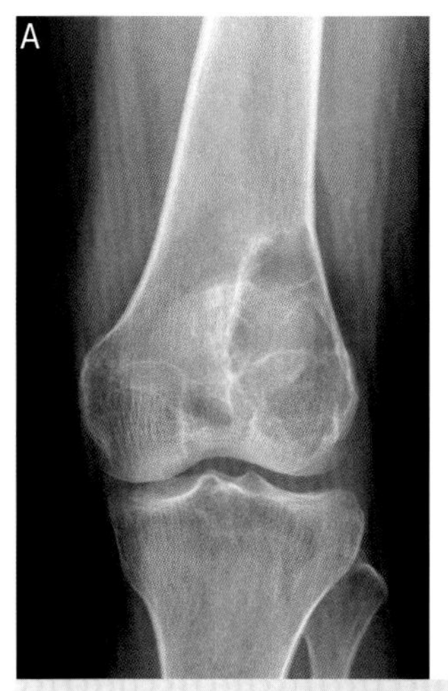

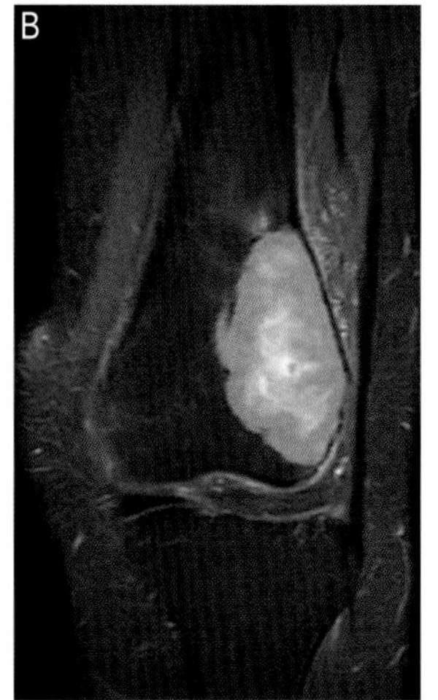

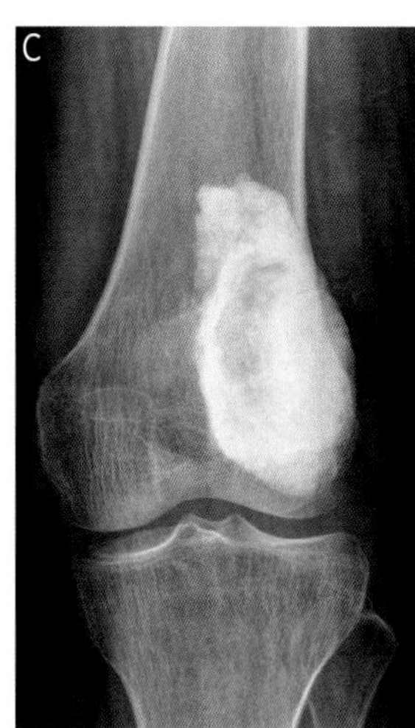

그림 8-11
대퇴골 원위부의 거대 세포종
A. 골단과 골간단부에 걸쳐있는 편심성의 감소된 음영이 보인다.
B. MRI에서 병변 내부에 불규칙한 신호 강도가 관찰된다.
C. 소파술 후에 골시멘트로 충전한 모습

6) 비골화성 섬유종

비골화성 섬유종(nonossifying fibroma, fibrous cortical defect)은 주로 13세 이하 소아에서 다른 이유로 방사선 촬영을 하다가 우연히 발견되는 매우 흔한 종양성 병변이다. 대퇴골, 경골, 비골 등 장관골의 골간단부에 호발하며 통증은 없다. 골간단부에서 경계가 명확한 편심성의 음영이 감소된 병소가 경화된 피질골로 둘러싸여 있고, 내부는 얇은 격막(septum)에 의하여 다방성으로 거품 모양을 보인다(그림 8-12). 종양은 커지다가 수년 이내에 퇴행기에 이르러 작아지며 대부분 5년 이내에 소멸되므로 수술이 필요한 경우는 거의 없다. 그러나 병변이 너무 커서 골절 위험이 클 경우에는 수술을 할 수도 있다.

7) 섬유성 골 이형성증

섬유성 골 이형성증(fibrous dysplasia)은 청소년기에 뼈가 섬유성 조직으로 대치되며 통증을 호소할 수 있고, 약화된 뼈가 반복된 스트레스로 인하여 기형이 되거나 병적 골절을 일으킬 수 있다. 대퇴골, 골반골, 늑골 등에 호발하며 골간단부나 골간부 어디에나 생긴다. 근위 대퇴골의 병변은 내반(varus)변형인 양치기 지팡이 변형(shepherd's crook deformity)을 보이기도 한다(그림 8-13). 단발성(monostotic)과 다발성(polyostotic)으로 구분하며 단발성이 더 흔하다. 방사선 소견은 병변이 뿌옇게 보이는 다양한 크기의 간유리(ground glass) 소견이 특징적이며 많은 예에서 정상골의 반응성 골경화로 둘러싸인 소견

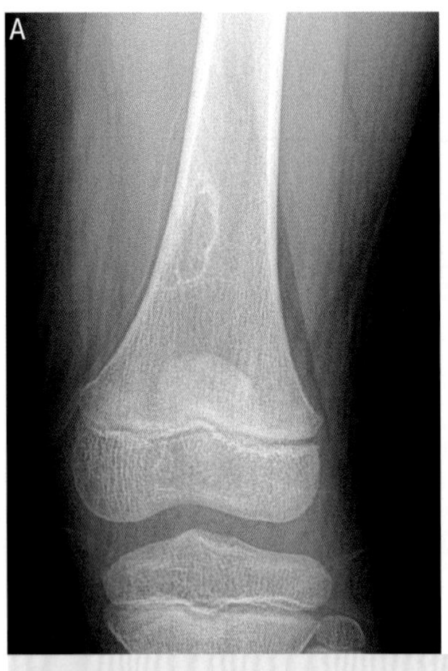

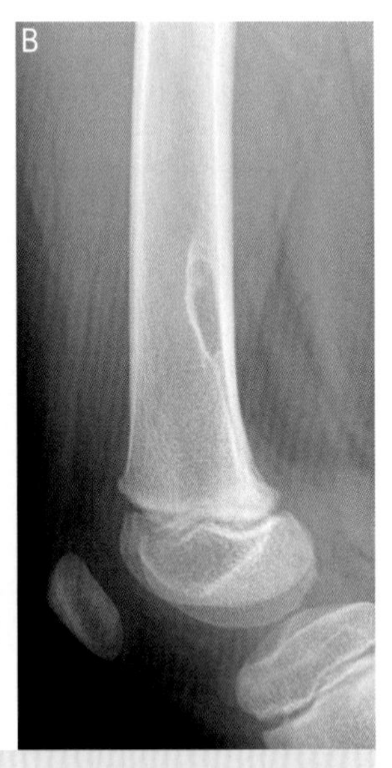

그림 8-12
비골화성 섬유종
명확한 경계를 가지는 편심성의 음영이 감소된 병변이 관찰된다.

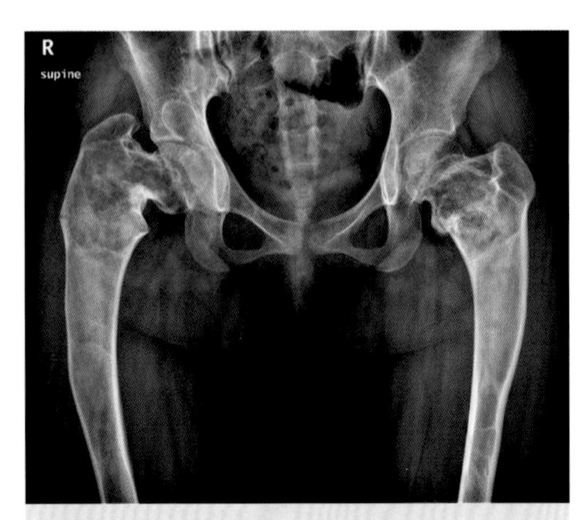

그림 8-13
다발성 섬유성 이형성증
간유리(ground glass) 소견과 근위 대퇴골의 전형적인 양치기 지팡이 변형이 보인다.

을 보인다. 병리학적으로 섬유 조직으로 형성된 기질에 골모세포가 없는 직골들이 흩어져 보여 한자와 비슷한 모양(chinese letter appearance)을 보인다. 다발성 병변에서는 드물게 악성 변화를 할 수 있다. 다발성 골병변과 함께 성조숙증(sexual precocity) 같은 내분비계 이상, 그리고 피부에 갈색색소 침착(café–au–lait pigmentation)이 나타나면 맥쿤–알브라이트 증후군(McCune–Albright syndrome)이라 한다. 통증이 없고 병적 골절 위험이 없으면 제거 수술을 하지 않고 경과 관찰을 한다. 수술은 통증 제거, 골절 치료, 또는 변형의 교정을 목적으로 하며 경과는 대개 양호하다. 통증이 심한 다발성 환자에는 bisphosphonate를 사용하기도 한다. 다발성 종양에서 드물게 악성화할 수 있다.

8) 고립성 골 낭종

고립성 골 낭종(solitary bone cyst, unicameral bone cyst)은 10세 전후에서 장관골의 골간단부 특히, 상완골 근위부에서 가장 흔히 발생한다(그림 8-14). 우연히 발견되거나 병적 골절로 발견되는 경우가 많다. 얇은 피질골에 의하여 둘러싸인 중심성 골 결핍상이 특징이다. 낭종의 내벽은 얇은 섬유성 결체조직으로 덮여 있으며 볏짚색(straw color)의 액체가 들어있다. 골절이 발생하면 골절 유합이 되면서 낭종이 자연 치유되기도 한다. 소실되지 않은 낭종의 치료는 부신피질호르몬 제제나 장골에서 채취한 자가골수를 주입하는 방법이 시행되며, 소파술과 골이식술을 시행하기도 한다. 골단판에 가까이 있고 환자의 연령이 낮을수록 재발률이 높다.

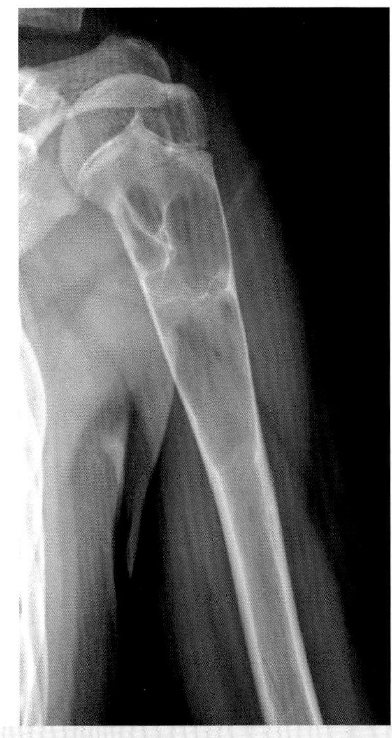

그림 8-14
상완골 근위부의 고립성 골 낭종
피질골이 얇아져 있고 내부에는 얇은 격막에 의하여 여러 개의 공간으로 나뉘어진 모습이다.

9) 동맥류성 골 낭종

동맥류성 골 낭종(aneurysmal bone cyst)은 10~20세의 청소년기에 호발한다. 장관골의 골간단부와 척추 후궁에 주로 발생한다. 방사선 검사상 원형 또는 타원형의 감소된 음영의 병변이 풍선과 같이 부풀어 오른 얇은 달걀껍질과 같은 피질골로 싸여 있고 골소주화(trabeculation)가 보이며, 고립성 골 낭종, 거대세포종 등과 감별이 필요할 때가 많다. 실제로 거대세포종은 종종 부분적으로 낭성 변화를 하여 동맥류성 골 낭종이라 할 수 있는 부분을 포함하기도 한다. MRI에서 fluid-fluid level이 보이는 여러 개의 방을 확인할 수 있다(그림 8-15). 병리학적으로 단순 낭종보다 두꺼운 섬유성 막이 존재하며 확장된 혈관과 혈관강이 산재하여 있다. 소파술 후 골이식술로 치료한다.

10) 랑게르한스 세포 조직구증

랑게르한스 세포 조직구증(Langerhans cell histiocytosis)은 3~13세 사이의 흔한 조직구증식증의 하나로 골반골, 대퇴골, 척추 등에 호발한다. 통증이 있고 미열을 동반하기도 한다. 방사선 소견은 골수강 내에 용해성 병변으로 도려낸(punched out) 병변이 보이며, 악

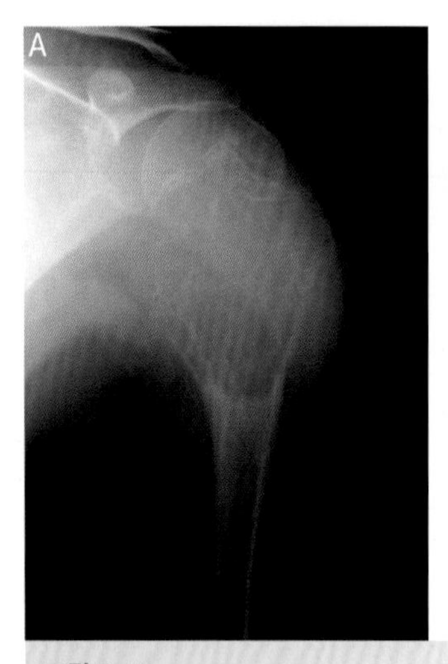

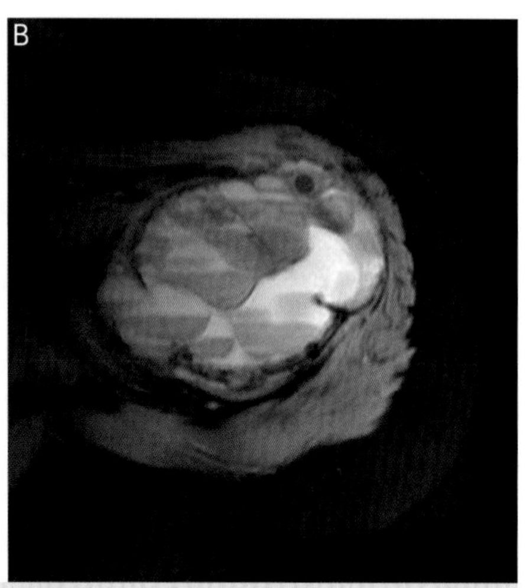

그림 8-15
상완골의 동맥류성 골 낭종
A. 풍선처럼 팽창한 소견과 얇아진 피질골
B. MRI에서 다발성의 fluid-fluid level이 보인다.

성종양처럼 보이는 심한 골막 반응을 동반한다(그림 8-16). 조직구와 호산구가 특징적으로 나타난다. 단발성 병변은 자연 치유되는 경우가 많으며, 골절 위험이 있으면 소파술과 골 이식술을 하기도 한다. 다발성, 재발성인 환자는 약물치료를 한다.

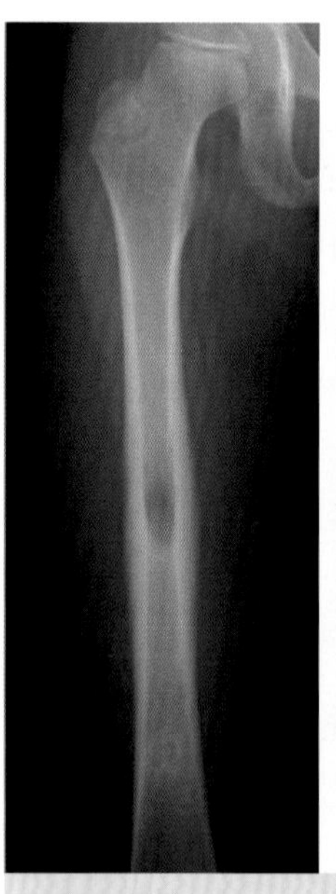
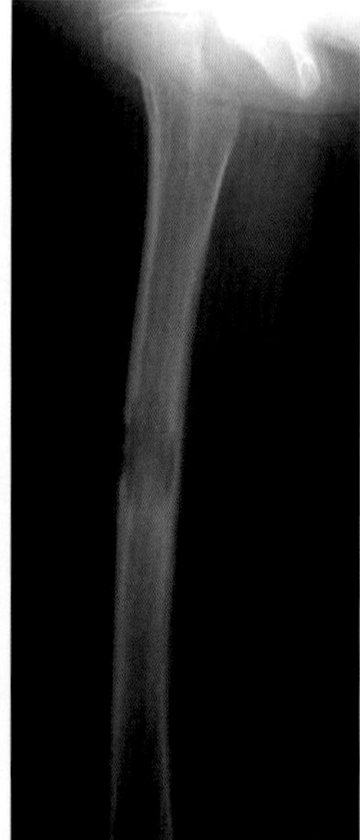

그림 8-16
대퇴골 간부의 랑게르한스 세포 조직구증
경계가 뚜렷한 골 흡수 소견과 골막 반응이 나타난다.

6. 악성 골 종양

원발성 악성 골 종양(malignant bone tumor)은 발생률이 10만 명당 0.3~0.5명으로 매우 드문 악성종양이다. 골육종과 유잉육종은 청소년기에 호발하고 조기에 원격 전이를 잘하는 반면 연골육종은 중년 이후에 호발하며 비교적 늦게 전이를 한다. 골육종과 유잉육종은 항암화학요법이 반드시 필요하나 연골육종은 그렇지 않다. 또, 유잉육종은 방사선치료에 비교적 반응하는 반면, 골육종과 연골육종은 잘 듣지 않는다. 이렇게 종양마다 특성이 다양하지만 수술이 가장 중요한 치료역할을 하는 점은 어느 육종에서나 마찬가지이다. 또한 수술 방법은 광범위 절제연(wide margin)으로 종양을 제거할 수만 있다면 굳이 절단하지 않아도 사지구제술을 통하여 완치율에서는 절단술과 차이가 없으면서도 기능적으로 우수한 결과를 얻을 수 있다.

1) 골육종

골육종(osteosarcoma)은 가장 흔한 원발성 악성 골 종양으로 미분화된 간엽 조직(undifferentiated mesenchymal tissue)에서 기원하며 약 75%가 10~20세에 장관골의 골간단부에서 발생한다. 병인에 대하여 뚜렷하게 밝혀진 것은 없다. 통증은 초기부터 있으며 종창, 인접 관절운동이 제한된다. 원위 대퇴골, 근위 경골, 근위 상완골의 순으로 호발한다. 대부분 골 간단부의 중심부에 정상 부위와의 경계가 불분명한 병변이 골융해(osteolytic) 소견과 골경화(osteosclerotic) 소견이 불규칙하게 혼재된 소견을 보인다. 코드만 삼각(Codman's triangle), 햇살모양(sunburst appearance) 소견 등의 골막반응(periosteal reaction)이 보일 수 있다(그림 8-17). 종양의 범위를 알기 위해 MRI가 필수적이고, 폐 전이는 진단 당시 이미 15% 정도에서 발견될 정도로 흔하므로 확인을 위해 chest CT를 한다. 다른 뼈로의 전이를 알기 위해 bone scan 또는 PET을 시행한다. 조직검사로 진단하며 악성 기질 세포(malignant stromal cell)와 여기서 직접 형성되는 종양 유골(tumor osteoid)을 볼 수 있다. 구성 세포의 정도에 따라 osteoblastic, chondroblastic, fibroblastic osteosarcoma 등으로 구분하며 혈관이 특히 많은 telangiectatic osteosarcoma도 있다. 치료는 수술과 술전 또는 술후 화학요법을 시행한다. 수술은 광범위 절제술로 종양을 제거하고, 골 결손 부분은 종양대치물이나, 동종골, 자가골 등으로 재건하여 최대한 기능을 유지하도록 한다(그림 8-18). 술전 화학요법은 미세 전이 억제, 종괴를 축소시켜 사지 구제술을 용이하게 하며, 절제해낸 종양의 괴사 정도로써 술전 항암치료의 효과 정도를 평가하여 술후 약제 선택에 이용할 수 있다는 등의 장점이 있다. High dose-MTX, doxorubicin, cisplatin, ifosfamide 등의 약제가 쓰인다. 5년 생존율은 65~80% 정도이다. 초기 전이가 있거나 종양이 큰 경우, 술전 화학요법의 효과가 적은 경우, 청소년보다 노령 환자에서 불량한 예후를 예상하며 부위별로는 골반에 발생한 골육종이 경골에 발생한 종양보다 예후가 나쁘다.

2) 기타 골육종

골수강 내에 발생하는 전형적인 골육종 이외에 골 표면에서 생기는 방골성(parosteal) 골육종과 골막성(periosteal) 골육종 등의 변종이 있다. 방골성 골육종은 조직학적 악성도가 낮

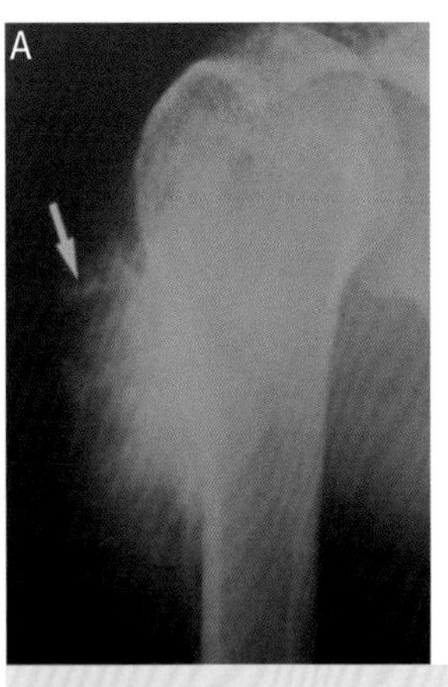

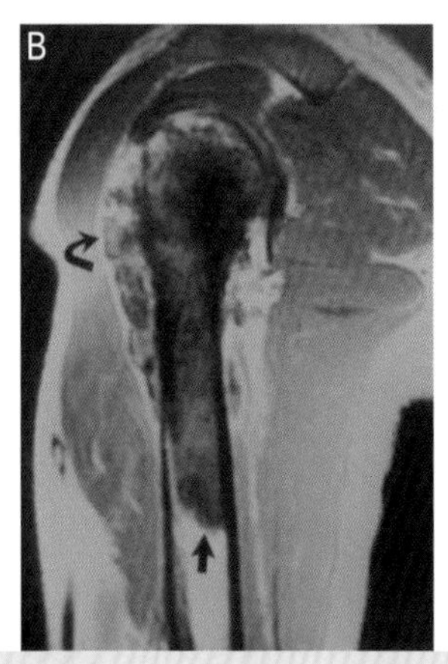

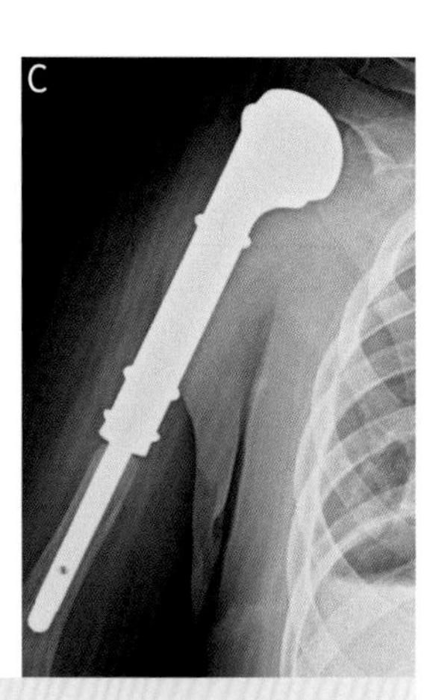

그림 8-17
골육종
A. 내부에는 불규칙한 골 형성 소견이, 외부에는 코드만 삼각과 햇살 모양의 음영이 관찰된다.
B. MRI에서 골간부와 연부 조직으로의 침범 범위가 잘 나타난다.
C. 광범위 절제술 후 종양대치물로 재건한 모습

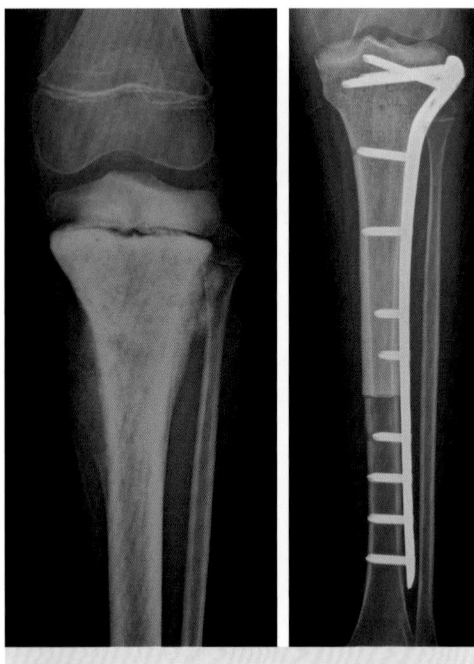

그림 8-18
근위 경골의 골육종을 제거술 후 동종골을 이용한 재건술로 재건한 소견

아 화학요법을 시행하지 않으며 예후가 매우 좋다. 20~30세 여성의 대퇴골 원위부 후방 피질골 표면에서 바깥쪽으로 자라는 것이 특징적인 소견이다(그림 8-19). 중년 이후에는 과거 다른 암으로 방사선치료를 받은 뒤에 발생한 골육종, 양성 골종양에서 중년 이후에 악성화하여 발생한 속발성 골육종 등은 전형적인 골육종에 비하여 화학요법에 잘 반응하지 않으며 예후도 좋지 않다.

3) 연골육종

연골육종(chondrosarcoma)은 원발성 연골육종과 내연골종이나 골연골종 등의 악성 변화에 의해 발생한 속발성 연골육종으로 구분된다. 또 발생 부위에 따라 골수강 내에서 발생하면 중심성(central), 골 표면에 발생하면

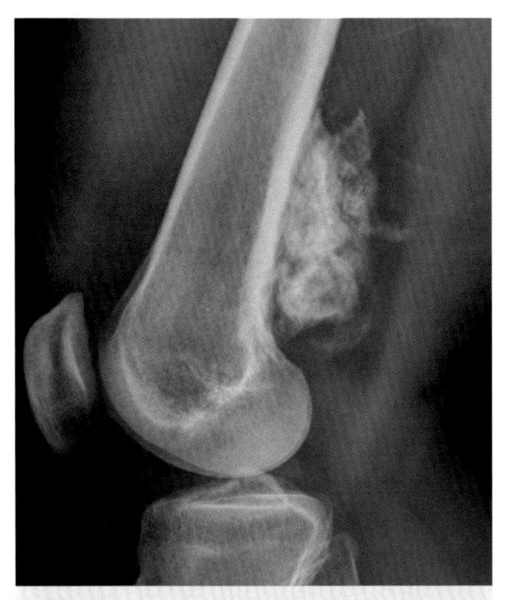

그림 8-19
대퇴골 원위부 후면에 발생한 전형적인 방골성 골육종

말초성(peripheral)으로 나누기도 한다. 주로 30~60세에 호발하고 골반골에 가장 호발하며 대퇴골, 상완골 등에 발생한다(그림 8-20). 비교적 서서히 자라고 늦게 전이하며, 초기에는 통증이 거의 없어서 발견 시에는 이미 많이 진행된 경우가 흔하다. 방사선 소견상 말초성은 장관골이나 편평골의 밖으로 돌출된 종양 내에 많은 석회화 침착을 보이는 소견을 보이나, 중심성의 경우 진단이 어려울 수도 있다. 병리 소견상 연골 세포가 과다하게 많으며(hypercellularity) 연골 소공(lacuna)은 크기가 다양하며 여러 개의 육종 세포가 들어있거나 유사 핵분열을 보일 수도 있다. 방사선 치료나 항

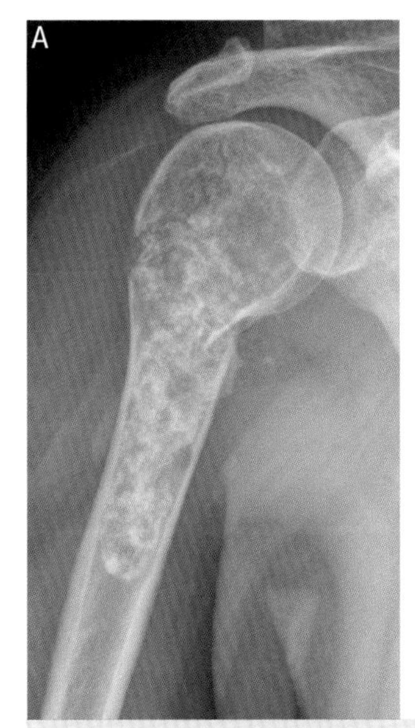

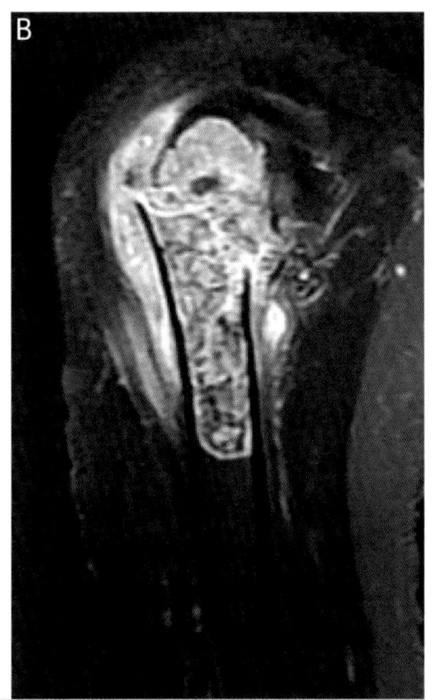

그림 8-20
연골육종
A. X-ray. 상완골 내부에 광범위하게 점상의 석회화 소견과 병적골절이 관찰된다.
B. MRI. 상완골 내부의 병변이 골 밖으로 연부조직 종괴를 형성한 모습이 보인다.

암 약물치료에 잘 반응하지 않아 적절한 수술이 최선의 치료법이다. 광범위 절제술이 필요하며 전체적인 예후는 골육종보다 약간 좋다.

4) 유잉 육종

유잉 육종(Ewing's sarcoma)은 골수강 내에서 기원하는 원시적인 작은 원형 세포(small round cell)로 구성된 종양이다. 10~25세에 호발하며 남자에 다소 많고, 주로 골간부에 발생한다. 임상적으로는 골수염의 증상과 감별하여야 한다. 가장 흔한 방사선 소견으로는, 골수강 내에서 permeative, 또는 moth eaten 형태의 골파괴 양상이 나타나고 양파 껍질(onion skin) 모양의 골막반응이 보일 수 있다. EWS-FLI1 유전자의 translocation이 특징적이며 진단적 가치가 있다. 항암약물치료와 수술, 또는 방사선 치료를 병용하여 치료하며, 5년 생존율은 60~70% 정도로 골육종보다 조금 낮다.

5) 척색종

척색종(chordoma)은 태아기의 척색(notochord) 잔재(remnant)로부터 기원하며 성장 속도가 느리고, 인접 장기로 파급되어 파괴를 일으키나, 원격 전이는 드물다. 악성도는 낮지만 광범위 절제연을 확보하기 어려워서 재발을 자주 한다. 30대 이후 성인에 발생한다. 약 70%가 천미골부(sacrococcygeal area)에 생기고 나머지가 두개골 기저부, 그 외 척추 부위에서 발생된다(그림 8-21). 병리 소견상 세포질 내에 점액을 함유한 커다란 공포성 세포(physaliferous cell)가 특징적으로 나타난다. 수술과 보조적 방사선치료를 할 수 있다.

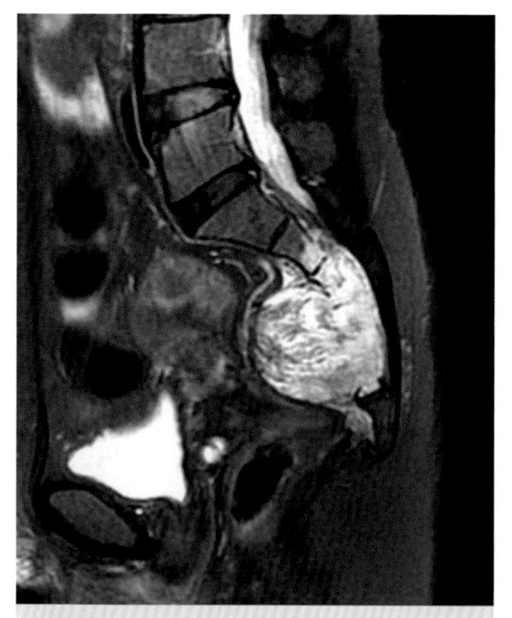

그림 8-21
척추에서 발생한 척색종으로 전방으로 돌출한 종괴를 형성하였다.

7. 연부조직 종양

연부조직 종양은 골 종양보다 훨씬 흔하다. 양성 연부조직 종양은 대개 크기가 작고 피하조직에 위치하며 가동성인 경우가 많다. 악성 연부조직 종양은 깊이 위치하며, 잘 움직여지지 않는 경향이 있다. MRI로 종양의 크기와 위치를 파악할 수 있고, 어느 정도의 감별 진단을 하는 데에는 도움을 받을 수는 있으나, 임상적으로 조금이라도 악성의 가능성을 배제할 수 없는 경우에는 꼭 조직검사를 하여 진단과 치료방침을 결정하여야 한다. 양성 연부조직 종양은 적극적인 치료가 필요 없는 경우가 많고, 수술을 할 경우에는 대개 병소내 혹은 변연부 절제술로 충분하다. 악성 연부조직 종양의 치료는 광범위 절제술이며, 보조적으로 방사선 치료나 항암약물치료를 이용할 수 있다. 조직학적 악성도가 높고, 크기가 5 cm 이상이면 예후가 나쁘다.

1) 양성 연부조직 종양

(1) 지방종(lipoma)

가장 흔한 연부조직 종양 중 하나이다. 크기도 작은 것부터 큰 것까지 다양하다(그림 8-22). 발생 부위는 주로 피하 조직이나 근육 혹은 관절의 활막에서도 발생할 수 있다. 호발 연령은 20~50대이며, 특히 중년기 여성에 많다. 작고 피하층에 존재하는 지방종은 수술이 필요하지 않지만, 다른 연부조직 육종과의 감별에 유의하여야 한다. 병소가 피하층에 있고, 작고 부드럽게 만져지면 추적 관찰로도 충분하며, 만약 관찰 도중 통증이 있거나 크기가 커지면 절제술을 시행하는 것이 좋다. 크기가 크고 심부 병소인 경우에는 조직학적으로 고분화 지방육종(well differentiated liposarcoma)인 경우가 있어 얼마나 공격적으로 수술할 것인지에 대한 주의 깊은 판단이 요구된다.

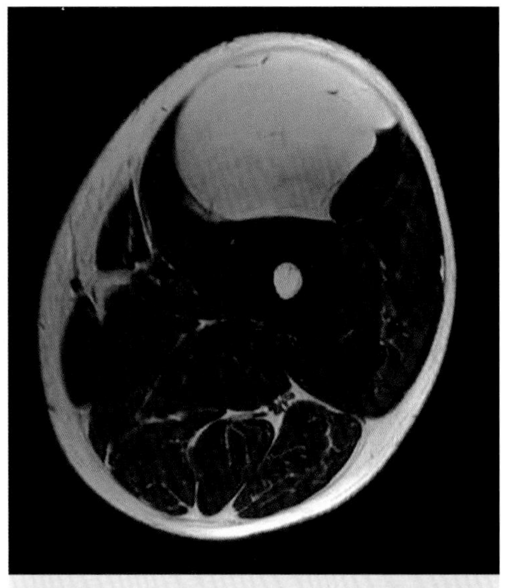

그림 8-22
대퇴사두근 내의 지방종. T1 강조 자기공명영상에서 주변 피하지방조직과 같은 고신호 강도를 보인다.

(2) 결절종(ganglion)

관절 또는 건막과 연결된 섬유성 낭 내에 점액성 물질을 함유한 낭포성 종양이다. 발생 원인은 활액막의 돌출(hernia)이나 점액성 변성(myxoid degeneration)으로 설명하고 있다. 성인 여자에 빈발하며, 호발 주위는 수근 관절 배측이다. 임상 증상은 거의 없으나, 때로는 경도의 불편함과 통증을 수반할 수 있다. 슬관절 주위나 족근 관절 주위에 발생할 경우에는 신경 압박 증상이 있을 수 있다. 결절종의 치료에는 직접 압박에 의한 파열, 천자 및 국소적 스테로이드 주입 등과 같은 비수술적 방법과 수술적 절제술이 있다.

3) 신경초종(neurilemmoma)

전형적으로 단발성이고 잘 피막된 종양으로 큰 것은 수 cm까지 된다. 주로 말초 신경이나 신경근에서 발행된다. 누르거나 병소를 쳤을 때 신경인성 통증이나 이상 감각을 초래하며, 척추의 신경근에서 발생 시에는 추간판 탈출증과 감별을 요한다. 치료는 외과적 절제술을 하며, 완전 절제 시 예후는 상당히 좋다.

2) 연부조직 육종

연부조직육종은 아형에 따라 치료 및 예후가 다르다. 주로 심부에 발생하는 경우가 흔하고 증상이 없어 병원을 방문하기 때문에 진단이 늦어지는 경우가 많다. 점액섬유육종 등은 피하층에서 호발하여 unplanned excision을 초래하는 경우가 있으므로 절제 시 신중한 평가가 선행되어야 한다. 신체 검사와 초음파 또는 MRI의 영상학적 평가가 선행된 후, 조직검사를 통해 진단을 하는 것이 치료계획을 세우는데 필수적이다. 치료는 수술이 가장 중요하며, 광범위 절제술을 시행한다. 각 조직학적인 진단에 따라서 보조적으로 방사선 치료나 항암약물치료를 시행하게 된다.

(1) 지방육종(liposarcoma)

주로 30대 이후의 다양한 연령층에 발생하고, 고분화성(well-differentiated), 점액성(myxoid), 원형세포형(round cell), 미분화성(dedifferentiated), 다형태성(pleomorphic)으로 나뉜다. 사지에서는 점액성(myxoid) 지방육종이 가장 흔하며, 30~40대에 호발한다. 고분화성(well-differentiated) 지방육종은 악성도가 낮고 원격전이를 하지 않아 예후가 매우 좋으나, 재발할 경우에는 미분화성 지방육종으로 변할 수 있다.

(2) 미분화 다형태 육종(undifferentiated pleomorphic sarcoma)

면역조직화학염색 등으로 특정 조직학적인 진단으로 분류 되지 않는 육종으로, 주로 대퇴부의 심부 근육에서 종종 근막을 포함하여 근막을 따라 침윤성으로 자라는 경우가 있다.

(3) 활막육종(synovial sarcoma)

15~40세의 청소년기 또는 청년기에 많다. 사지의 관절 근처에서 발생하는 경우가 많고 실제 관절 내에 생기는 경우는 드물다. 대부분 1년 이상에 걸쳐서 천천히 자라므로 양성종양으로 오인하기 쉽다. 유전학적으로 18번 염색체에 있는 SYT 유전자와 11번 염색체의 SSX 유전자가 전위되어 SYT-SSX라는 융합전사체(fusion transcript)가 95% 이상에서 특이적으로 발견되어 진단에 도움이 된다.

(4) 점액섬유육종(myxofibrosarcoma)

주로 60세 이상 발생하며, 진피층이나 피하층에서 발생하는 특징이 있다. 근막을 따라 침윤성으로 자라는 경우가 많다.

8. 전이성 골종양

1) 빈도

전이성 골종양은 원발성 골 종양에 비해 약 15~25배 많고, 40대 이후에 발견되는 악성 골종양 중 가장 흔하다. 원발 암으로 유방암과 폐암이 많고, 간암, 갑상선암, 신장암, 전립선암 등도 흔하다. 3세 이하의 소아에서는 신경 모세포종에 의한 전이가 흔하다. 부위별로는 척추, 골반골, 늑골, 두개골 등 axial skeleton에 많이 발생하고 appendicular skeleton에서는 대퇴골과 상완골 등에 호발한다. 대개 슬관절, 주관절보다 근위부에 생기며, 이보다 원위부에서 발생한 전이성골종양이라면 원발 병소가 폐암, 신장암 또는 간암일 가능성이 높다.

2) 진단

암이 진단되었던 병력이 있는 경우에는 진단이 어렵지 않을 수 있으나, 암 병력이 없는 40대 이상인 환자가 악성 골종양이 의심되는 소견을 보일 때 발생 빈도로 볼 때 전이성 골종양으로 진단될 가능성이 높다. 하지만, 연골육종, 골육종, 골수종, 림프종 등 원발성 악성 골종양 여부에 대한 확인이 필요한데 이는 원발성 악성 골종양의 치료 원칙이 전이성 골종양과 다르기 때문이다. 전이성 골종양의 증상으로는 뼈의 약화 또는 골절로 인한 동통, 신경압박 증상, 과칼슘혈증, 조혈(hematopoiesis) 이상 등이 나타날 수 있다.

단순 방사선 사진에서 공격적 양상의 병변으로 나타난다. 대부분의 전이성 골종양은 파골성 병변(osteolytic pattern)을 보이나, 전립선암 등에서는 조골성 병변(osteoblastic pattern)을 보인다. 유방암, 폐암, 위암 등은 파골성 병변과 조골성 병변이 혼재하여(mixed pattern) 나타나기도 한다. 뼈스캔으로 다발성 여부를 평가할 수 있으며 초기 병변을 진단할 수도 있다. PET-CT는 다발성 골 전이 병변의 진단과 더불어 원발암을 찾는데 도움이 될 수 있다.

3) 치료

(1) 치료 원칙

통증 감소와 기능 회복을 통해 여생 동안 삶의 질을 향상시키는 것이 목적이다. 환자의 기대 여명, performance status, 골절 위험성 등을 고려하여 치료 방법을 정한다. 드물게 예후가 좋은 원발암 환자에서 단일 골 전이가 발생한 경우, 적극적인 수술로써, 생존 기간의 연장을 꾀하기도 한다(그림 8-23).

(2) 비수술적 치료

통증 조절을 위한 약물요법, 보조기 착용, 방사선 치료, 항암 약물 치료 등이 쓰인다. 전이성 골종양에서 골 조직의 파괴를 진행시키는 파골세포(osteoclast)를 억제시키는 약물인 bisphosphonate, denosumab 등이 쓰이기도 한다.

(3) 수술적 치료

병적 골절이란 골종양, 골다공증, 골 감염 등 기저 골질환에 의해 약해진 뼈에 일어나는 골절을 일컬으며 정상 뼈에서는 골절을 유발하기에 약한 힘에 의하여도 발생할 수 있다. 전이성 골종양에서 이러한 병적 골절이 있는 경우, 척수의 신경 압박 증상이 있는 경우, 골 파괴가 심해 골절 위험성이 큰 임박골절

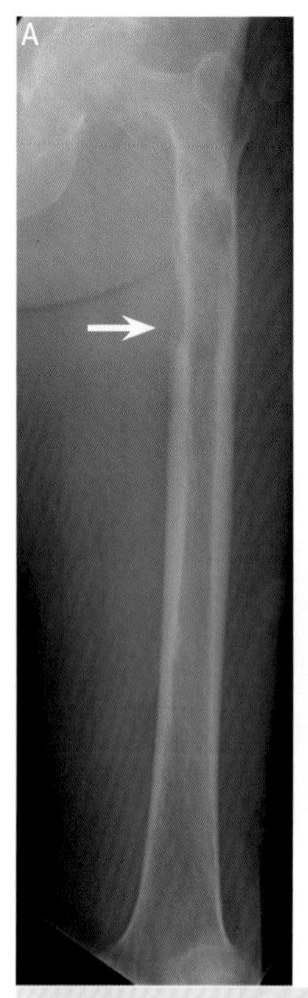

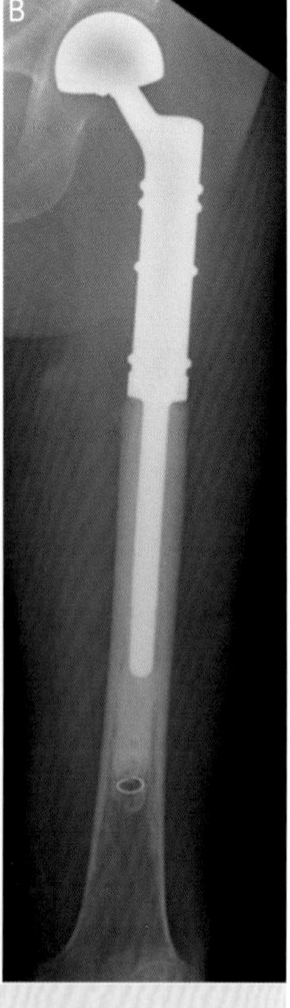

그림 8-23
대퇴골 근위부에 발생한 전이성 골 종양
A. 예후가 좋은 원발암의 단일 골전이였다(화살표).
B. 광범위 절제술 시행 후 종양대치물을 시행하였다.

(impending fracture)이나, 방사선 치료로도 조절이 어려운 통증이 있을 경우에 수술이 필요하다. 골절 위험성은 체중 부하 시 악화되는 통증이 있을 경우, 피질골의 파괴 정도가 심할 경우, 병변이 체중 부하 부위에 위치할 경우 등에 높다(그림 8-24~26).

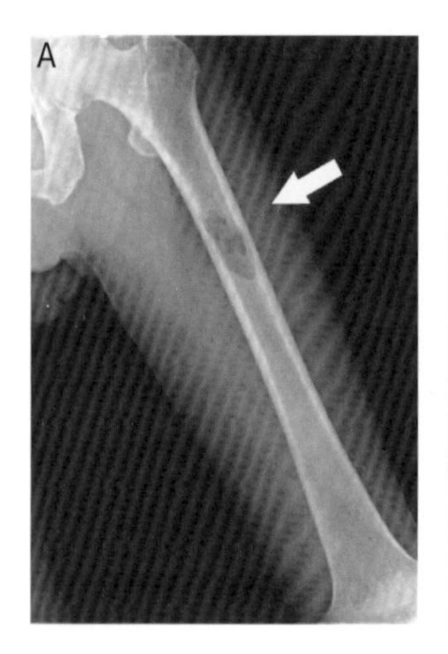

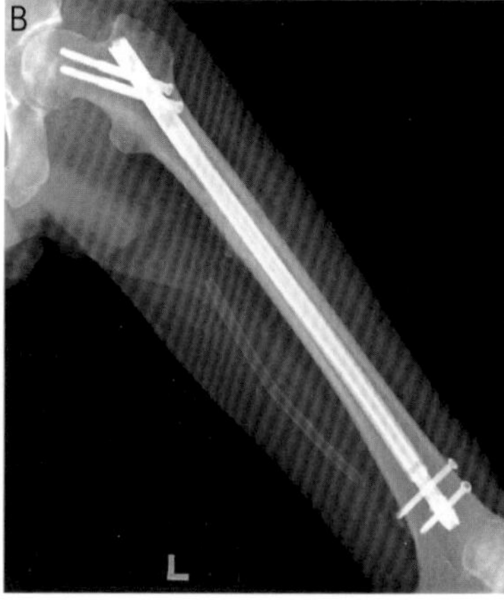

그림 8-24
대퇴골 간부에 발생한 전이성 골 종양
A. 피질골 파괴가 심하여 골절 위험성이 높다(화살표).
B. 골수강내 금속정으로 내고정을 하였다. 종양이 제거된 부위는 골시멘트로 채웠다.

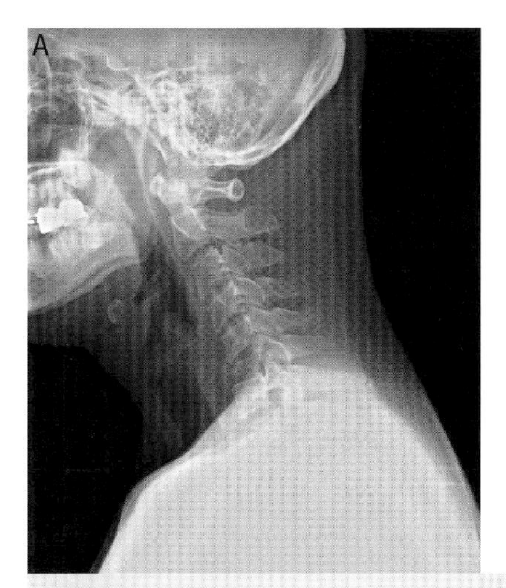

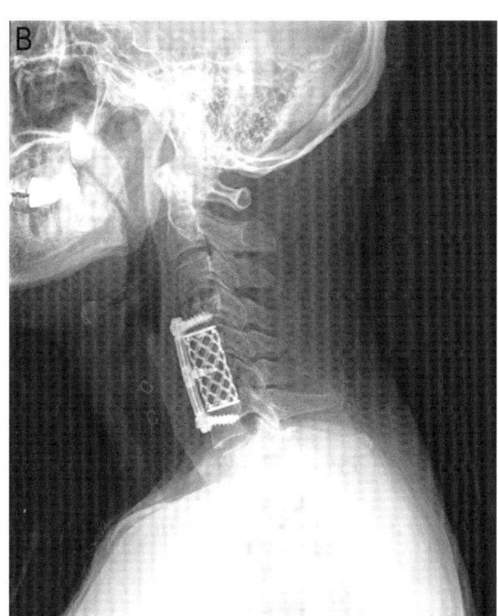

그림 8-25
C5, C6의 척추 전이암
A. C6의 병적골절
B. C5, 6 척추체 제거술 및 재건술로 척추 안정성을 회복하였다.

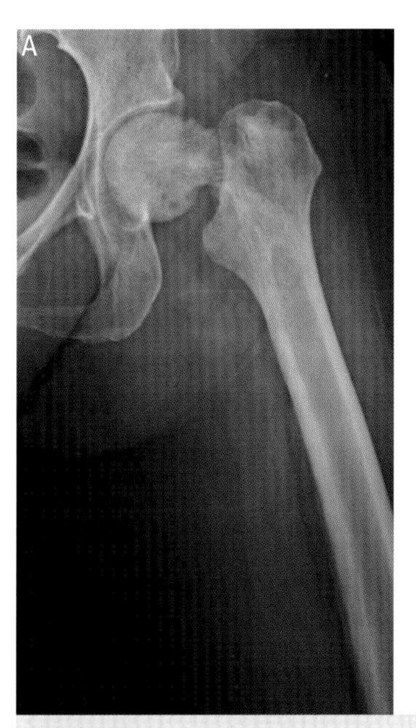

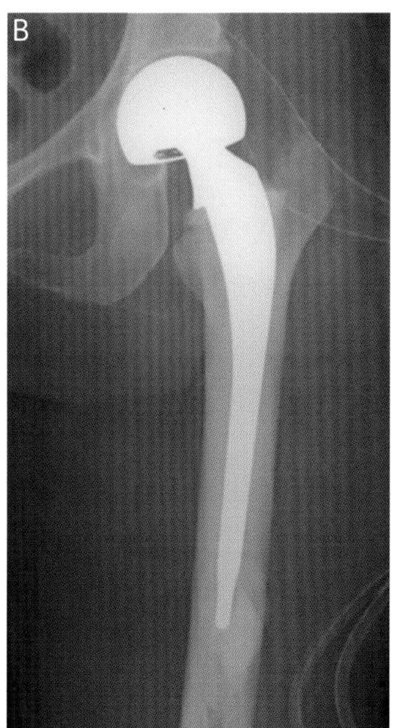

그림 8-26
대퇴골 경부에 발생한 전이성 골종양
A. 전이성 골종양에 의해 발생한 대퇴골 경부의 병적 골절이 관찰된다.
B. 인공고관절 치환술을 시행하였다.

참고문헌

1. 골종양. In: 정형외과학 제8판. 서울: 대한정형외과학회; 2020. 491-555.
2. 김한수, 한일규, 오주한. 특수 원인에 의한 골절. In: 정문상, 성상철, 최인호, ed. 골절학 제3판. 서울: 군자 출판사; 2008. 113-126.
3. 연부조직의 종양. In: 정형외과학 제8판. 서울: 대한정형외과학회; 2020. 556-582.
4. Benevenia J.Metastatic Disease to Bone. In: Biermann J. Orthopaedic knowledge update: Musculoskeletal tumors 3. Illinois: American Academy of Orthopaedic Surgeons; 2013.
5. Flanagan AM, Cool P, Blay JY, et al. Bone tumours: introduction. In: WHO classification of tumours - soft tissue and bone tumours. 5th ed. International Agency for Research on Cancer: 2020. 340-344.
6. Fletcher CDM, Lazar AJ, Baldini EH, et al. Soft tissue tumours: introduction. In: WHO classification of tumours - soft tissue and bone tumours. 5th ed. International Agency for Research on Cancer: 2020. 6-12.

감염성 질환

Infectious Diseases

골수염은 대개 감염에 의해 골조직에 염증이 발생한 것으로, 정상적인 골은 감염에 대한 저항성이 강하여 골수염에 이환되는 경우가 많지 않으나, 당뇨, 체위성 궤양(decubitus ulcer), 수술, 외상 등의 위험 요소가 있는 환자들에서 발생할 수 있다. 골수염은 만성 정도에 따라 급성, 아급성, 만성으로, 감염의 기전에 따라서 혈행성(hematogenous), 외인성(exogenous) 그리고 발생한 위치에 따라 골수강(medullary), 표층(superficial), 국소(localized) 그리고 미만성(diffuse)으로 나눌 수 있다. 당뇨족(DM foot)의 증가와 함께 사지 골수염이 증가하고 있다.

1. 급성 혈행성 골수염

1) 원인 및 병태 생리

급성 혈행성 골수염(acute hematogenous osteomyelitis)은 균혈증(bacteremia)에 의해 세균이 뼈에 침범하여 발생한다. 인접부위 감염이 뼈로 국소 전파되거나, 외상으로 인해 직접적으로 균이 접종(inoculation)되어도 급성 골수염이 발생할 수 있다. 유아 및 성장기의 소아, 특히 남아에서 많이 발생하는데, 성장판이 있는 소아의 metaphysis는 혈류가 느려지고(그림 9-1), 포식 작용(phagocytosis)이 약화되어 있고, 외상에 대한 저항성이 약화되어 있어 감염에 취약하다. Femur의 하단부 및 tibia의 상단부와 같이 성장이 빠른 하지 장골의 metaphysis에 호발한다. 성장판이 폐쇄된 후의 성인에서는 혈행성 골수염이 드물게 발생하며, 면역력이 저하된 사람에서 주로 발생하고 척추에 호발한다.

환자의 나이나 전신 상태에 따라 급성 골수염의 원인균은 다양하며, 황색 포도상 구균(Staphylococcus aureus)이 주 원인균으로 연쇄상 구균(Streptococcus) 및 폐 구균(pneumo-coccus) 등도 원인 균이 될 수 있다. 최근에는 메치실린 저항성 포도상 구균(methicillin resistant Staphylococcus aureus, MRSA)에 의한 감염이 증가되는 추세이다.

2) 증상, 신체검사 소견

급성 골수염의 경우 환부의 지속적인 통증, 압통이나 국소적인 발열, 종창, 식욕 감퇴, 권태감이 가장 중요한 임상 양상이며 40%까지 전신적인 발열이 나타나지 않을 수 있다. 특

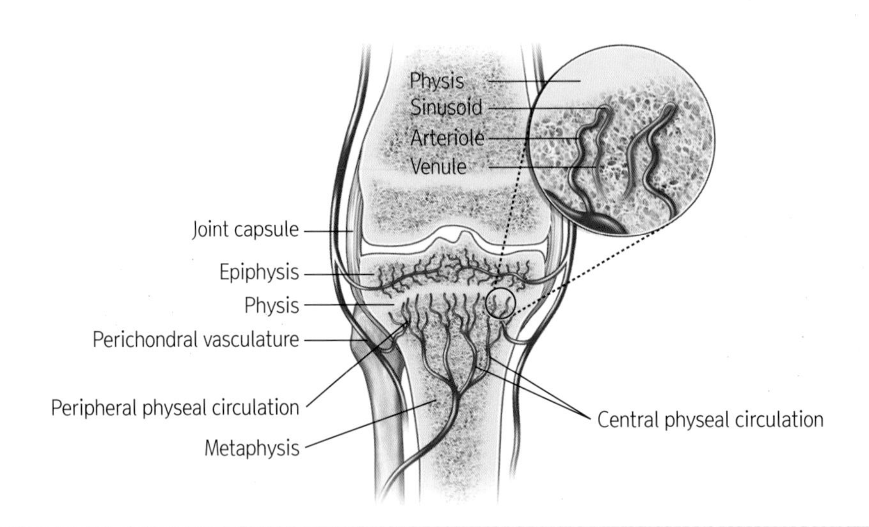

그림 9-1
소아 장관골 metaphysis의 혈액 순환
Diaphysis에서 metaphysis 쪽으로 진행하던 영양 동맥(nutrient artery)은 성장판 부위에서 종말 동맥(end arteriole)이 되어 급격하게 방향을 꺾어 정맥 동(venous sinusoid)으로 합류한다. 이로 인한 와류(turbulent circulation) 때문에 세균이 혈관외 공간으로 누출되기 쉬워진다.

히 신생아나 면역 기능에 이상이 있는 환자에서는 임상 소견이 뚜렷하지 않으므로 주의를 요한다.

3) 검사 소견 및 진단

혈액검사에서 흔히 백혈구 수의 증가, erythrocyte sedimentation rate (ESR), C-reactive protein (CRP)의 증가를 보인다. 단순 방사선 촬영 소견은 발병 후 수일 내에 심부 연부 조직의 종창 소견을 보이기도 하나, 골간단의 골흡수 소견이나 골막 반응과 같은 골 변화 소견은 최소한 10~12일이 지나야 나타나게 된다(그림 9-2). 하지만, 골에 발생할 수 있는 다른 병변을 배제하기 위해 방사선 검사는 꼭 필요하다. MRI는 농양의 유무 및 크기, 성장판 침범 정도, 화농성 관절염(septic arthritis) 동반 여부 등을 판별할 수 있는 가장 도움이 되는 영상의학적 진단 방법이나, 어린 소아에서는 촬영을 위해 진정이나 전신 마취가 필요하다는 단점이 있다(그림 9-3).

4) 치료

조기에 진단하여 농양(abscess) 형성 전에 감염 균주에 맞는 효과적인 항생제 투여를 하면 수술 없이 치료가 가능하다. 그러므로 빠른 원인균의 동정(identification)과 적절한 항생제의 선택이 치료에 있어 대단히 중요하며, 균 동정을 위한 검체 확보 전에 항생제부터 먼저 사용하는 것은 균 동정을 방해할 수 있다. 검체 확보 후 원인균이 확인되기 전이나

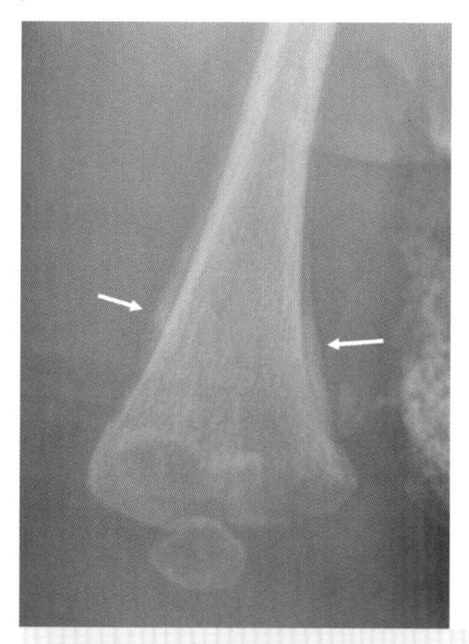

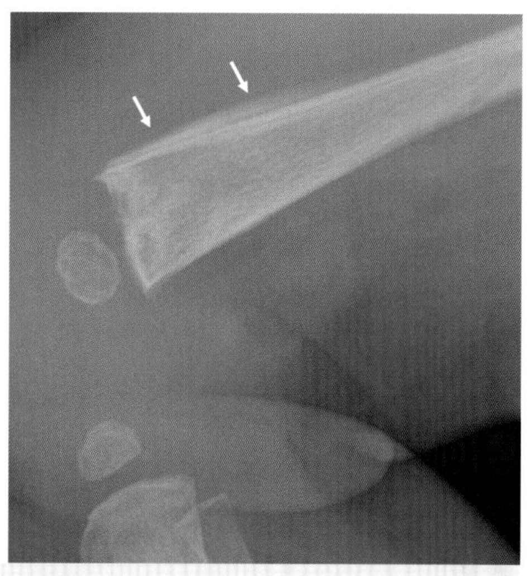

그림 9-2
생후 3주된 여아의 우측 distal femur 급성 혈행성 골수염
생후 1주부터 발열이 있었으며, 균혈증(bacteremia)이 관찰되었다. Distal femur metaphysis에서 골막 반응(periosteal reaction)(화살표)을 확인할 수 있다.

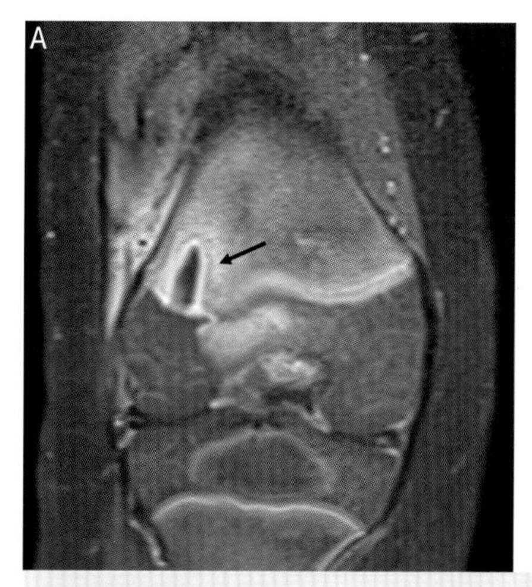

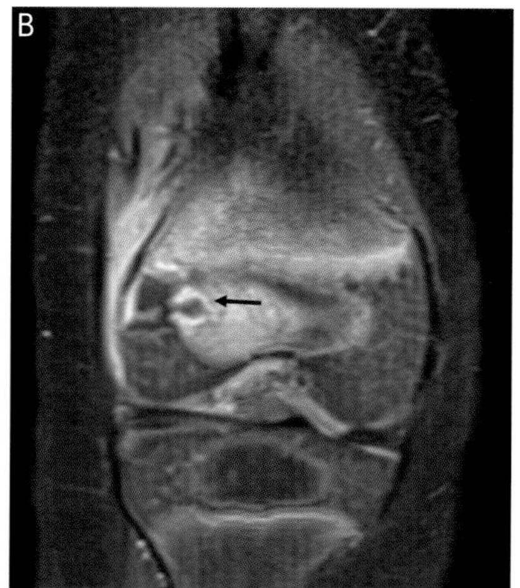

그림 9-3
1.5세 남아의 우측 distal femur 급성 혈행성 골수염
MRI 조영증강 T1강조 관상면 영상에서 농양(화살표)이 metaphysis로부터(A) 성장판을 가로질러 epiphysis까지(B) 침범한 것을 확인할 수 있다. 외측 연부 조직의 부종이 동반되어 있다.

원인균이 규명되지 못할 때에는 가장 흔한 원인균에 대한 항생제를 사용한다. 초기에는 정맥주사로 항생제를 투여해야 하고, 기간은 임상 증상, CRP, 환자 연령, 농양 형성 여부 및 크기, 원인균의 특성, 수술 후의 경과 등을 고려하여 통상 3~6주간 투여한다. 정맥 항생제 사용 이후 경구 항생제를 추가적으로 사용하기도 한다. 수술적인 치료는 화농성 관절염이나 전신적인 패혈증의 발현, 항생제 치료가 실패한 경우, 농양이 형성된 경우에 필요할 수 있다. 수술은 농양의 배농을 위해서 골막(periosteum) 절개술, 다발성 천공술(multiple drilling), 개창술(fenestration) 등을 시행하고, 배액관(drain)을 삽입하여 수술 후에도 배농이 되도록 한다. 척추를 침범한 골수염은 화농성 척추염(pyogenic spondylitis)이라고 하며, 척추는 사지에 비해 혈행이 좋아 항생제 치료에 반응이 좋은 편으로 대개 원인 균주를 확인한 이후 적절한 항균제 치료를 6~8주간 시행하면 잘 낫는다. 하지만 경막외농양(epidural abscess)을 형성하여 척수(spinal cord)나 마미(cauda equina)를 압박하여 신경학적 증상을 초래할 경우는 수술적 치료를 시행하며 그 외에도 항균제 치료에 실패하거나 골파괴가 심해 척추 불안정성(spinal instability)이 생기거나 통증이 심하면 수술적 치료를 고려하게 된다.

2. 봉와직염과 괴사성 근막염

피부와 연부조직의 감염은 그 이환된 깊이에 따라 굉장히 가벼운 질환에서부터 생명을 위협하는 질환까지 다양하다. 그중 대표적인 예가 봉와직염과 괴사성 근막염이다(그림 9-4).

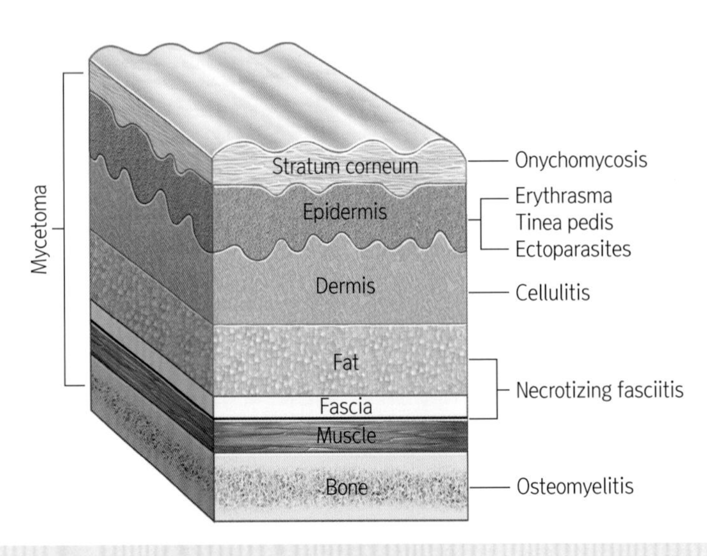

그림 9-4
감염 깊이에 따른 질환의 종류

1) 봉와직염

봉와직염(cellulitis)은 진피와 피하 조직까지 침범한 세균 감염이기 때문에 피부의 홍반과 부종의 경계가 뚜렷하지 않은 경우가 많다. 정상 피부 조직에는 원래 다양한 세균이 존재하고 있는데, 상처가 나는 피부의 방어기전이 저하된 경우에 상재하던 세균들이 피부를 침투해 감염을 일으키는 경우가 흔하다. 가장 흔한 원인균으로는 Staphylococcus 와 Streptococcus가 있다.

(1) 증상

국소적으로는 발적, 온열감, 통증 및 부종을 동반하며, 부종이 심한 경우 이환 부위에 수포가 생기기도 하고 근위부의 림프절이 압통과 함께 붓기도 한다(그림 9-5). 전신 증상으로 발열, 오한, 피로 및 근육통, 나아가 균혈증까지도 동반할 수 있다.

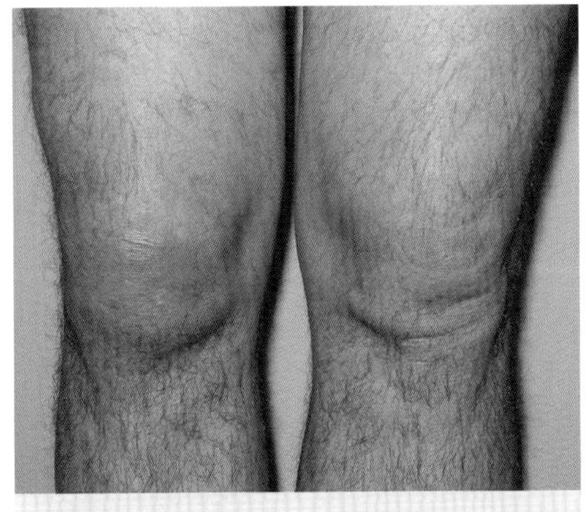

그림 9-5
봉와직염 환자의 사진으로 우측 슬개골 전면의 발적, 부종이 관찰된다.

(2) 위험인자

피부가 찢어지거나 수술 절개창 등으로 인한 물리적 장벽이 손상되거나 무좀과 같은 진균 감염시에도 피부의 손상이 발생할 수 있어 세균이 침입하게 된다. 림프 부종으로도 봉와직염의 위험이 증가한다. 혈액순환 장애도 위험을 높이는데 당뇨가 대표적이다. 같은 조건에서도 스테로이드 사용자나 면역 저하자는 발병이 증가한다.

(3) 이학적 검사

피부색의 변화 및 압통, 온열감 등을 확인한다.

(4) 검사

혈구수 측정(CBC)을 시행하고 발열을 동반하는 경우 혈액배양검사가 필요하다. 상처에서 discharge가 관찰된다면 이에 대한 그람 염색 및 배양 검사를 해볼 수 있다. 일반적으로 영상검사는 필요하지 않으나, 외상과 관련된 경우 상처로 들어간 이물질을 확인하거나 동반된 골수염 등의 여부를 확인하기 위해 단순 방사선 검사를 시행하기도 한다. 농양이나 괴사성 근막염 등 더 깊고 심한 감염이 의심될 경우에는 초음파나 MRI를 하는 경우도 있다.

(5) 치료

대표적인 원인균을 표적으로 하는 경험적 항생제로 대부분 치료가 된다. 이환 부위는 부목 등을 이용하여 고정하고, 심장보다 높이 올려서 부종을 줄인다. 발열과 같은 패혈증

의심 증상이 나타나거나, 경구 항생제에도 증상의 호전이 없는 경우에는 입원치료가 필요할 수 있다. 면역이 저하되어 있다면 반드시 입원 치료가 필요하며 경정맥 항생제 치료가 필요한 경우가 많다.

(6) 예후

적절한 항생제 치료로 보통 2주 이내에 호전된다. 증상이 지속되는 경우에는 약물 치료 기간을 연장하며, 증상이 지속되는 이유에 대한 평가가 필요하다.

(7) 합병증

패혈증, 골수염, 임파선염 및 심내막염등이 발생할 수 있으므로 조기에 진단하여 치료해야 한다.

2) 괴사성 근막염

괴사성 근막염(necrotizing fascitis)은 매우 드물지만 일단 발병하면 순식간에 진행하며, 피부부터 피하조직, 근막 및 근육까지 광범위한 연부조직을 손상시키는 치명적인 감염 질환이다.

(1) 원인

면역저하, 암, 당뇨, 알코올 중독, 비만 등의 위험 요인이 있으며 이 경우 더욱 빠른 진행과 심한 패혈증을 야기할 수 있다. 원인균은 Streptococcus 같은 단일 균이거나 복합균 감염이다. 피부로부터의 직접 감염, 혈행성 전파 등 어떠한 경로로든 세균이 체내로 들어오고 증식하여 독소(toxin)와 같은 물질을 생산하여 주위 조직을 파괴하고, 노출된 혈관을 통해 혈류에 들어가서 다른 부위로 전파된다.

(2) 증상

초기에는 피부 발적 및 통증을 동반한 부종 외에 특이 소견이 없을 수 있기 때문에, 봉와직염과 조속한 감별이 중요하다. 극심한 통증을 호소하거나 혈역학적으로 불안정할 수 있다. 시간이 지나면 수포가 형성되고 크기가 증가, 창상 일부는 괴사되며 discharge가 발생한다. 이러한 경과가 수시간 이내에 급속히 진행한다. 패혈증으로 인한 발열, 오한, 오심, 어지럼증 등이 동반될 수 있다.

(3) 이학적 검사 및 검사

질환이 빠르게 진행하며 초기에는 증상, 징후가 미묘하기 때문에 조기 진단에 따른 적절한 처치가 어려울 수 있다. 특징적인 혈청 검사 소견도 없다. 따라서 상처를 보는 것으로 의심해보는 것이 중요하다(그림 9-6). 단순 방사선 영상 검사상 연부 조직에 가스 괴저로 인한 기포가 있는 경우에는 눌렀을 때 염발음이 생길 수 있으며 단순 방사선 영상에서 보이기도 한다(그림 9-7). 전산화 단층 촬영, 자기공명영상검사로 병변의 범위를 평가할 수 있다(그림 9-8). 혈액검사, discharge에 대한 그람 염색 및 균배양 검사를 시행한다.

(4) 치료

즉시 배농 및 괴사조직 제거 수술을 시행해

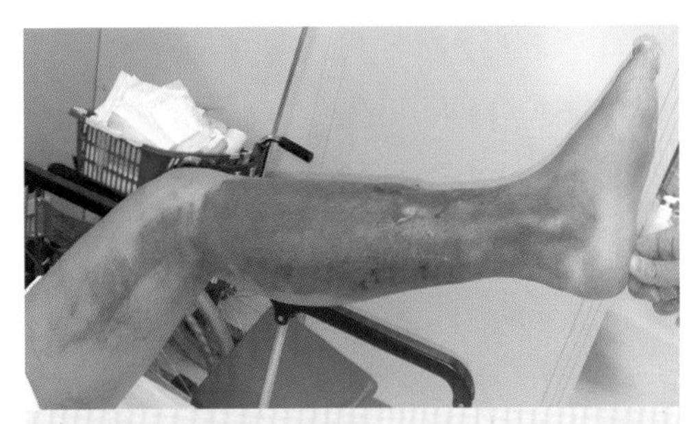

그림 9-6
좌측 하퇴부의 괴사성 근막염으로 인한 수포와 피부 병변

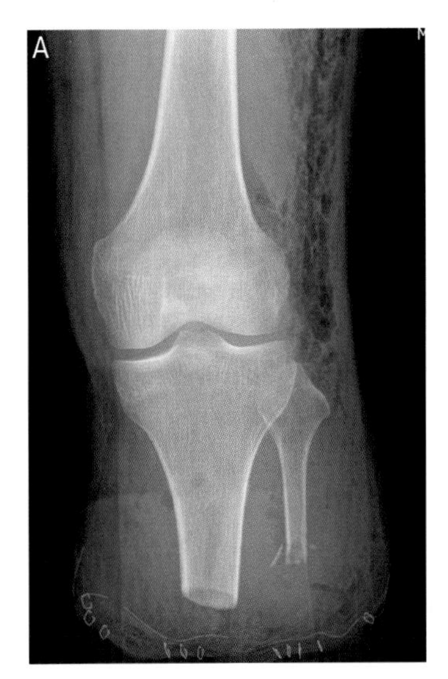

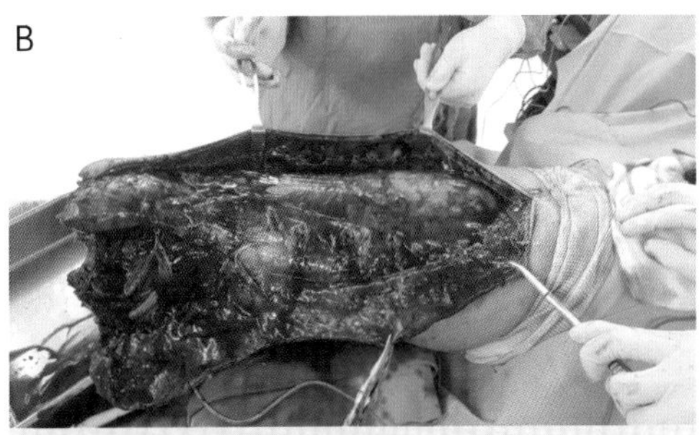

그림 9-7
당뇨 환자에서 슬관절 이하 절단술 후 발생한 괴사성 근막염
단순방사선 사진상 외측에 근위부까지 퍼진 Air bubble sign이 관찰된다. 수술장 소견에서 광범위하게 이환된 근막의 괴사 및 삼출물 소견을 볼 수 있다.

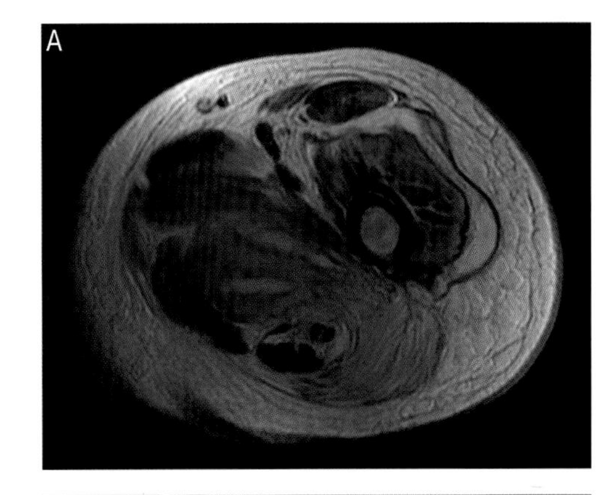

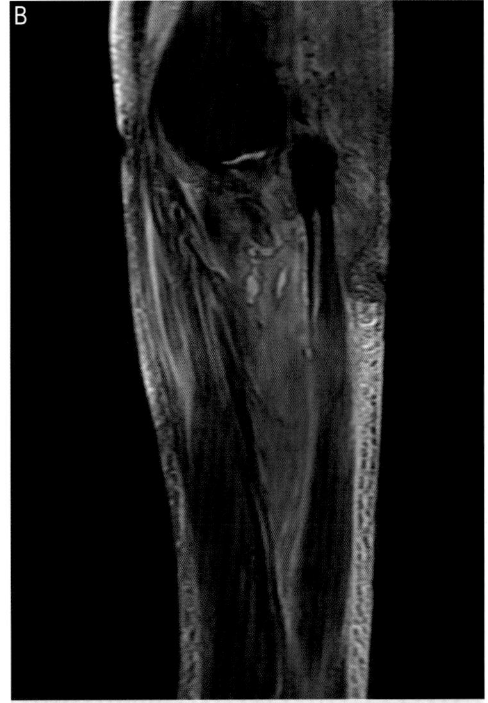

그림 9-8
우측 대퇴부 괴사성 근막염의 MRI 사진
A. T2 강조 축상면 영상으로 전반적인 피하 부종 및 vastus lateralis의 근막하 삼출액(fluid collection), 그리고 내전근 내부의 농양 형성이 관찰된다.
B. T2 강조 시상면 영상으로 내전근 부위를 보이고 있으며 농양형성이 관찰되고 전체적인 근육의 신호 강도 증가가 관찰된다.

야 하며, 모든 병소가 제거되었다고 생각될 때까지 매일 반복한다. 광범위 항생제를 시작하고, 이후 균 동정 결과에 따라 적절한 항생제를 사용한다. 환자의 상태가 안정적이 되고 감염이 호전된 후에는 창상의 피복을 위하여 피부 이식이나 피판술이 필요할 수 있다. 괴사 조직이 호전되지 않고 환자의 전신 상태가 악화될 때에는 이환 부위의 근위부에서 절단술이 필요할 수 있다.

(5) 예후

치사율이 약 20~30%로 알려져 있다. 환자의 건강 상태, 원인균, 진단 시기 및 치료까지 걸린 시간이 예후에 중요하다.

3. 만성 골수염

만성 골수염(chronic osteomyelitis)은 급성 혈행성 골수염의 흔한 후유증이었다. 하지만, 현재는 개방성 골절이나 뼈 수술 후에 더 흔히 발생하고 있다. 만성 골수염으로 발전하게 되는 원인으로는 골괴사의 정도, 부실한 영양, 감염 원인균, 환자의 연령, 동시 이환 질환의 여부와 약물 남용이다. 만성 골수염에서는 괴사된 물질들을 둘러싸서 보호하는 주머니 같은 것이 형성된다. 괴사된 골은 주위에 농 및 감염된 육아 조직이 둘러싸여 정상 골에서 분리되어 주머니 같은 구조물을 형성하는데 이러한 사골(dead bone)을 부골(sequestrum)이라고 하고, 신체에서 이것이 퍼져나가는 것을 막기 위해 골막하 농양에 의해 박리된 골막으로부터 광범위한 신생골이 형성되어 부골 주위를 덮게 되는데 이를 골구(involucrum)라 한다. Involucrum은 고도로 과혈관화하여, 죽은 조직은 아니지만, 변연절제술 시에는 반드시 제거해야 할 부분이다. Involucrum에는 부분적인 골막 파열에 의해 공간이 생기는데, 이것을 배설강(cloaca)라고 하고 이것을 통하여 만성적인 화농성 분비물(chronic seropurulent discharge)을 배농동(draining sinus)을 통하여 피부 밖으로 배출한다. 세균은 수년 동안 잠복하다가 급성 감염으로 자주 발현한다. 흔히 검출되는 세균은 S.aureus, E.coli, S.pyogenes, Proteus와 Pseudomona이다. 삽입물(implant)이 존재하는 경우에는 S. epidermidis가 가장 흔한 원인균이며, 정맥 주사 약물 남용인 경우에는 Pseudomonas나 S. aureus인 경우가 많다. 개방성 골절 후 발생하는 경우에는 polymicrobacterial이거나 gram negative 균일 가능성이 높으며, gram negative 균은 모든 만성 골수염 환자들의 50%에서 발견되고 있으며 이는 수술적 치료, 만성적 항생제 사용, 병원 내 감염 등이 원인일 수 있다.

1) 임상 양상과 신체검사

사지의 손상이나 수술을 받은 후, 관련 부위의 주변으로 통증, 발적과 압통이 자주 발생한다. 전형적이 증상은 발열을 동반한 심부의 팽창성 통증이 주기적으로 발현하는 것으로, fistula를 통해 고름이 터져 나오면서 해소된다. 하지만, redness와 generalized pain과 같은 애매한 증상이 대부분이어서 봉와직염(cellulitis)과 감별하기 어려운 경우가 많다. 신체검사는 피부와 연부 조직의 상태를 파악하는 것이 중요하며, 아울러 골안정성(bone stability)과 사지의 신경혈관 상태를 평가해야 한다(그림 9-9).

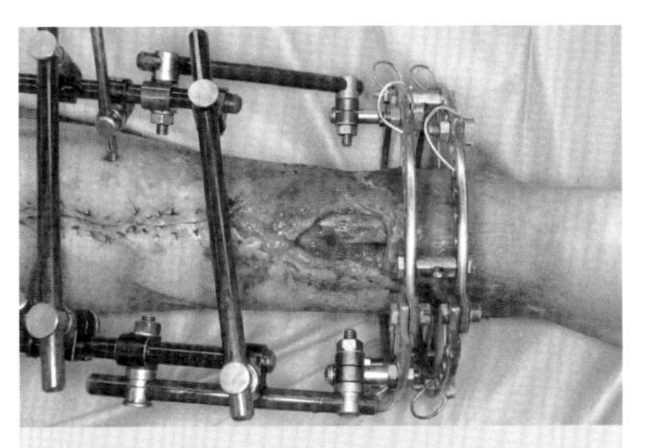

그림 9-9
내고정물을 제거하고 외고정기로 바꾼 모습
연부 조직 결손 창을 통해 감염된 골조직이 육안으로 보이고 있다.

2) 진단

만성 골수염의 진단은 임상 증상, 혈청학적 검사 및 방사선 검사를 바탕으로 이루어지며 감염된 골의 미생물학적 및 조직 검사가 진단에 가장 중요하다(그림 9-10). 배농되고 있는 체액을 간단히 외래에서 배양 검사를 할 수 있지만, 검사 결과에서 배양된 균이 실제로 골수염을 일으키는 원인균이라고 할 수는 없다. 단순히 배농액에서 증식하는 기회 감염균일 가능성도 높기 때문이다. 실제 원인균은 수술 중 생검 조직 검사를 통해서 확진할 수 있다. 적혈구 침강 속도와 C-반응성 단백은 대다수의 환자에서 상승하고, 백혈구는 35% 환자에서만 상승한다. 단순 방사선 검사는 진단 및 치료에 중요한 역할을 하기 때문에 가장 먼저 시행한다. 전체적인 골격 구조를 확인, 사지의 길이 및 정렬 상태 파악, 인공 삽입물의 존재와 골절, 부정유합 또는 불유합을 확인할 수 있게 한다. 전형적으로는 만성 골수염은 골피질의 파괴, 국소적 음영 감소 및 경화, 부골, 골구의 형성 및 골막하 반응 등의 소견을 보여 정상 골과 쉽게 구별할 수 있다. 하지만 골 종양과의 감별이 어려워 보조적인 검사 방

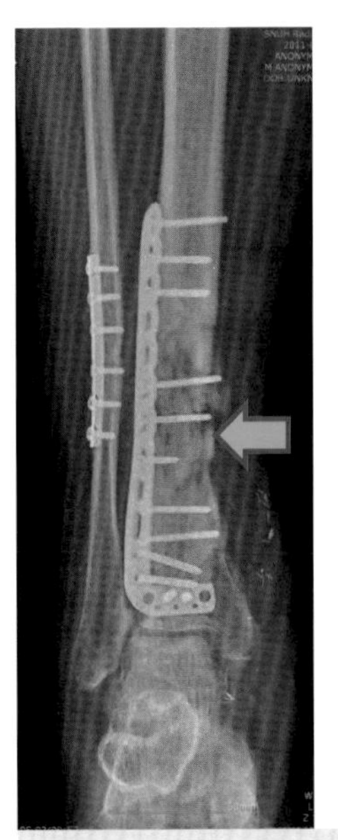

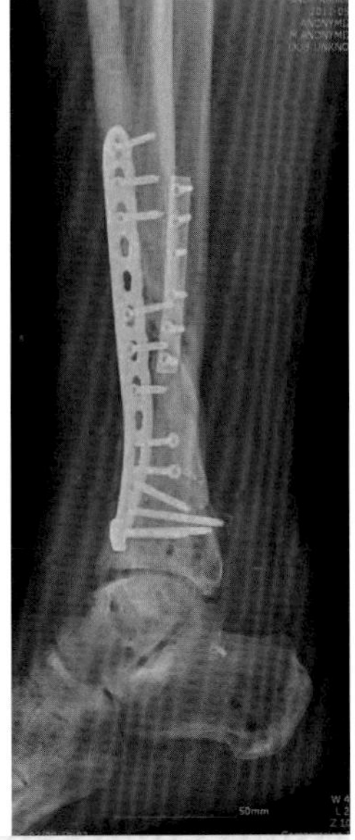

그림 9-10
개방성 골절로 수술 받은 환자로 수상 부위의 계속적인 연부 조직 결손과 pus discharge로 다른 병원에서 여러 차례 coverage 수술 받았으나 실패하였다. 골조직 배양 검사에서 MRSA 검출되었다. 화살표는 sequestrum을 표시하고 있다.

법이 필요하다. CT는 피질골과 부골의 평가에 특히 유용하며, MRI는 연부 조직을 평가하는데 CT보다 더 효과적이다. 뼈스캔(bone scan)은 염증 활동이 잠복하고 있는 부분을 알아내는 유용한 방법이나 만성 골수염보다는 급성 골수염에서 더 유용하다.

3) 치료

만성 골수염의 치료는 항생제 억제, 농 및 죽은 조직의 수술적 제거 및 손상된 구조의 기능적 재건술을 통한 종합적인 접근이 필요하다. 만성 골수염의 치료는 원인균이 삽입물이나 골 기질에 부착하고 있거나 일부는 세포내에 숨어 있으며, 일부는 점액성 막을 형성하기 때문에 항생제 치료만으로는 해결이 어렵다. 만성 골수염의 수술적 치료는 부골 절제술(sequestrectomy), 감염된 골 및 연부 조직의 제거술이 필수적이다. 광범위한 제거술로 인해 발생하는 결손 부위와 골 안정성 약화를 보강하기 위해 골 및 연부 조직의 재건술을 함께 필요로 한다. 골 결손을 재건하는 수술적 방법은 골 이동술(bone transfer)(그림 9-11)이나 골이식(bone graft)을 이용하는 방법(그림 9-12)들이 있다. 수술 후 항생제 사용 기간에 대해서는 여전히 논란이 많다. 전통적으로 만성 골수염의 괴사 조직 제거술 이후 6주간의 항생제를 정맥으로 투여한다. 이후 환자의 임상적, 혈청학적, 방사선학적 검사 결과에 따라 경구 항생제를 수주 내지 수개월 가량 사용한다.

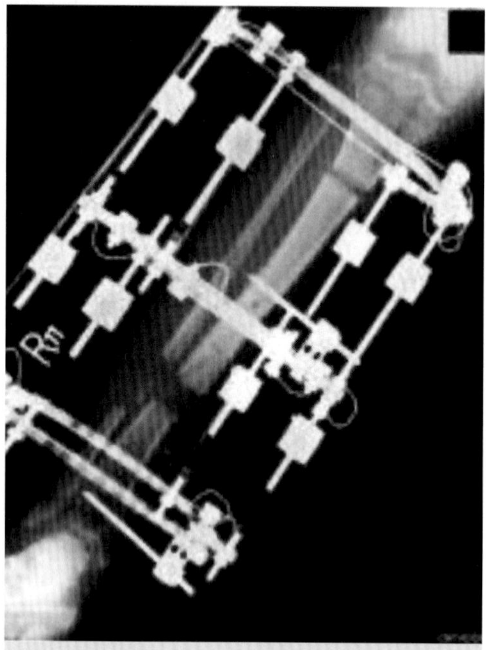

그림 9-11
Bone transfer osteotomy를 통해 infected bone debridement 후의 bone defect에 새로운 bone을 생성시키는 방법도 있다.

4) 수술 후 처치

수술 후 성공 여부를 알아내기 어렵다. 왜냐면, 감염의 미세한 focus들을 수술로써 모두 제거하기 어렵고, 완전한 골수염으로 발현되기까지는 수 년의 시간이 소요되기 때문이다. 따라서 예후에 대한 예측은 어렵다. 수술 부위를 외상으로부터 보호해야 하며 어떠한 증상의 재발도 심각하게 생각하고 검사를 시행하여야 한다.

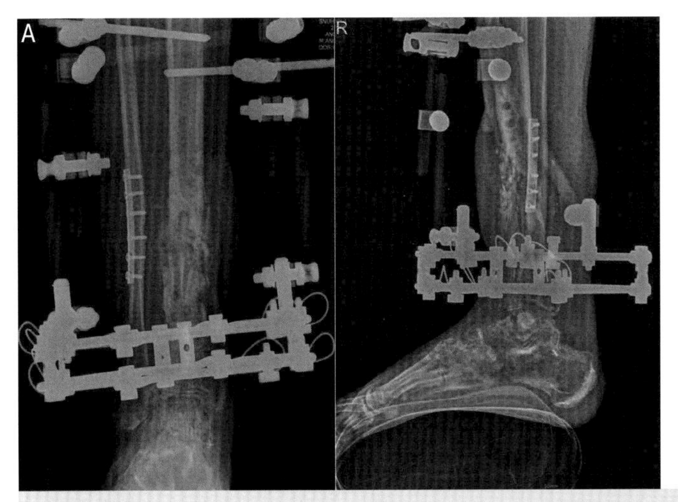

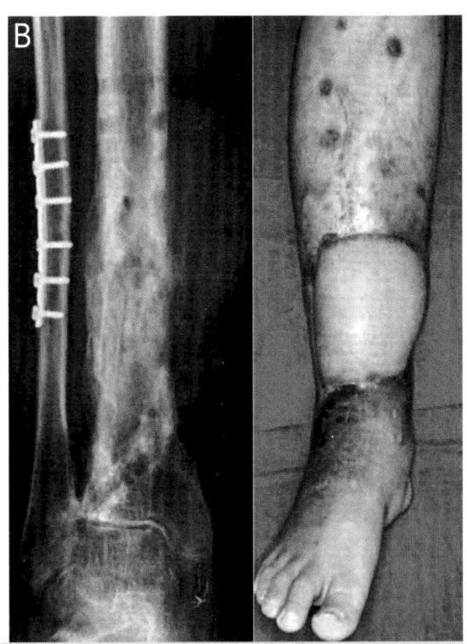

그림 9-12
A. 골이식 후 한 달째 방사선 사진 결과. 이식된 골 조직이 용해되지 않고 있으며, 골 안정은 외고정기로 유지하고 있다. Bone defect는 새롭게 뼈로 채워졌다.
B. 연부 조직 결손도 피판술을 이용하여 완전히 피복되었으며, 임상 증상도 모두 없어졌다.

4. 급성 세균성/화농성 관절염

세균성 관절염은 혈행성, 외상 혹은 수술에 의한 세균의 직접 주입, 인접 부위의 골수염 혹은 봉와직염의 전파 등에 의해 관절 내에 세균이 침범하여 발생한다. 관절 연골과 골단의 파괴로 인하여 심각한 후유증을 초래한다. 최근 항생제의 발달로 인하여 후유증은 많이 감소하였지만, 근래에는 항생제에 내성이 있는 균주들이 증가하고 있다. 따라서, 현재 사용되는 다양한 항생제 치료에도 불구하고 정확한 진단과 적절한 항생제의 선택, 신속한 수술적 치료가 행해지지 않은 경우 심각한 합병증을 나타낼 수 있다.

1) 역학

골수염과 마찬가지로 소아에서 흔하지만, 당뇨 등의 만성 질환 환자, 기존의 외상이나 관절염 등 비정상적인 관절을 가지고 있는 경우, 면역 기능이 떨어진 경우나 고령의 환자에서도 높은 이환율과 사망률을 보인다. 슬관절(40~50%)이 가장 흔하고, 고관절(20~25%), 견관절(10~15%) 순서로 발생하지만, 인체의 어느 관절에서도 발생할 수 있다. Staphylococcus가 가장 흔한 원인균이나, 신생아에서는 Streptococcus도 중요한 원인균으로 알려져 있으며, 이 연령층에서는 50%에서 상기도 감염이 선행한다. 성적으로 왕성한 젊은 연령군에서는 Neisseria gonorrhoeae, 고령군에서는 gram negative bacilli도 중요한 원인균이다.

2) 발생 기전 및 병리

관절의 혈행성 감염은 전신적인 패혈증(bacteremia)을 통해 세균이 혈관 내로부터 활액막과 활액 내로 퍼져 나감으로써 시작된다. 활막이 감염되면 충혈되면서 다형핵 백혈구(polymorphonuclear leukocyte)가 침윤되며 수일에 걸쳐 빠르게 증가한다. 급성에서 만성 염증 시기로 진행하면서 단핵 백혈구 및 림프구가 증가하여 3주 후부터는 염증 세포의 주종을 이루게 된다. 연골 기질의 분해로 인한 관절 연골의 파괴는 감염 후 4~6일에 명확해진다. 세균에 의한 독소와 효소, 급성 염증 반응에 의한 단백질 분해 효소 활성화, 지연성 면역 반응 중 T 림프구의 자극 등으로 연골 기질이 분해된다. 활액막염으로 인하여 육아조직(granulation tissue)이 증식하게 되고, 이 역시 관절 연골을 더욱 파괴시켜 감염 후 4주가 경과하면 관절 연골이 완전히 파괴되어 관절의 아탈구 혹은 탈구, 골수염 등이 발생할 수 있다. 또한, 관절액의 증가로 관절 내압이 증가하여 혈액 순환을 방해함으로써 특히 소아의 고관절 내에서는 대퇴골 두의 무혈성 괴사가 발생할 수 있으며, 치료가 늦으면 병적 탈구가 발생하기도 한다.

3) 임상 증상 및 진단

전신 증상 외에 침범 관절의 심한 동통, 국소 발열, 운동 제한 등이 있다. 고관절이나 견관절 같이 연부 조직이 두터운 관절의 경우는 부종, 발적, 열감이 모호하면서 동통과 기능 장애 정도만 호소하고, 견관절의 화농성 관절염(pyogenic arthritis)의 경우는 동결견, 석회성 건염 등으로 오진하기 쉽다. 관절 주위 혹은 관절에 스테로이드 등의 주사 병력은 화농성 관절염 진단의 결정적인 병력이 될 수 있으므로 병력 청취에도 세심한 주의를 요한다. 신생아의 경우는 특히 진단에 어려움이 많은데, 염증 반응이 모호하고, 고열, 종창, 발적, 동통이 비교적 뚜렷하지 않기 때문이다. 따라서, 다른 부위의 감염이나 보채는 정도, 비대칭적인 사지 위치 등을 유심히 살피고 의심하는 것이 중요하며, 초음파 검사가 유용하게 쓰일 수 있다.

신속하고 정확한 진단이 관절 연골을 보호하고 감염을 치료하는데 필수적이므로, 관절의 감염이 의심된다면 항생제 치료를 시작하기 전에 혈액 배양과 함께 굵은 직경의 주사기로 관절액을 천자(그림 9-13)하여 신속하게 검사를 의뢰하여야 한다. 봉와직염이 의심되는 부분을 지나 관절 천자를 하게 되면 감염을 전파하는 경우가 발생할 수 있으므로 주의해야 한다. 일단 ESR과 CRP를 측정하여 치

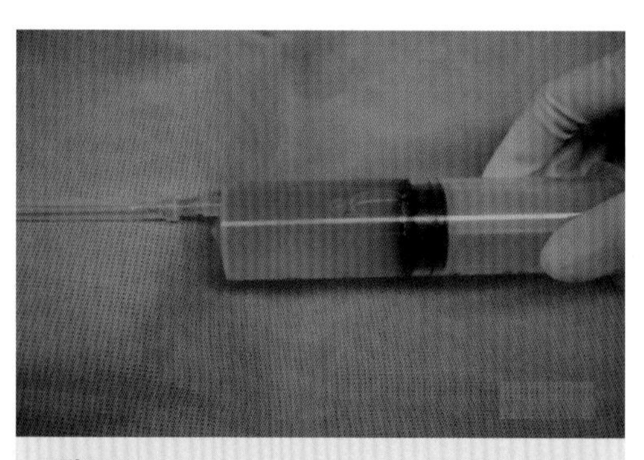

그림 9-13
굵은 직경의 바늘로 시행한 관절 천자 후 사진

료 효과를 알아보기 위한 기준치를 확보한다. 관절액 검사에서는 대개 점성도가 떨어지며 탁한 황색의 활액이 천자 되는데, 단백질은 증가하고 당분은 감소한다. 활액내 백혈구가 50,000 /mm^3 이상으로 증가하는데, 면역 기능이 저하된 환자에서는 백혈구 수가 낮을 수도 있음에 주의해야 한다. 총 백혈구 수의 증가와 함께 다형핵 백혈구의 비율이 90% 이상이라면 급성 세균성 관절염(acute septic arthritis)을 강력히 시사한다고 할 수 있다. 균 배양 검사에서 원인균이 검출되지 않는 경우가 18~48% 정도로 보고되는데, 특히 소아에서는 70%에서 세균 배양이 되지 않을 수 있으므로 주의하여야 한다.

화농성 관절염에서 제일 먼저 시행되는 방사선 검사는 단순 방사선 사진이다. 감염 후 첫 7~10일 안의 초기 진단에 때로는 도움을 주는데, 관절액 증가와 활액막의 비후로 인해 관절의 아탈구 혹은 연부 조직의 종창 등이 간접적인 지표로 나타난다. 감염이 진행되면서 단순 방사선 상 약 40%에서 이상 소견을 발견할 수 있는데, 관절내 관절 연골이 덮여 있지 않은 민둥 부위(bare area)에서 시작하여 활액막이 부착된 부위의 골침식이 발생하고(그림 9-14), 관절 간격의 감소와 골 침습이 발생하게 된다. 이후 주위 조직으로 전파되면서 골막 반응과 골 파괴 등 골수염의 소견이 나타난다. 단순 방사선 사진은 수술 후 발생한 감염에서도 중요한데, 재수술 시 제거해야 하는 이물질의 위치와 상태를 추정하는데 도움이 된다.

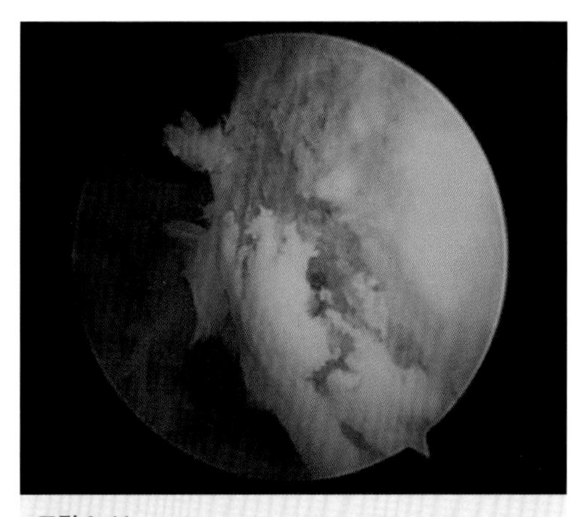

그림 9-14
급성 화농성 관절염에서 상완골 두 민둥 부위(bare area) 골 침식의 관절경 소견

화농성 관절염은 임상 증상 및 증세, 관절액의 혈청학적 검사에 의해 대부분 진단이 되지만, 대부분 초기 단순 방사선 사진은 민감도가 높지 않고 특이한 소견이 없을 수 있으며, 초음파상에서도 관절액의 증가 소견 외에는 대부분 골의 변화가 잘 나타나지 않는 경우가 많다. 따라서, MRI가 중요한 영상 도구로 이용되고 있다. MRI는 24시간 이내에 연부 조직과 관절액의 증가 소견을 확인하는데 최고의 민감도를 제공하나, 감염된 관절액과 염증 반응, 감염되지 않은 관절액을 구분할 수 없으므로, 특이도는 높지가 않다. MRI는 골수강내 골 파괴와 골 부종뿐만 아니라 관절 연골의 파괴와 적은 양의 관절액을 명확하게 보여줄 수 있다(그림 9-15). 급성화농성 관절염에서 MRI 소견은 활액막의 염증과 비후가 T2 강조 영상에서 잘 관찰되는데, 이러한 변화는 초기 소견으로 중요하다. 골수내 신호 강

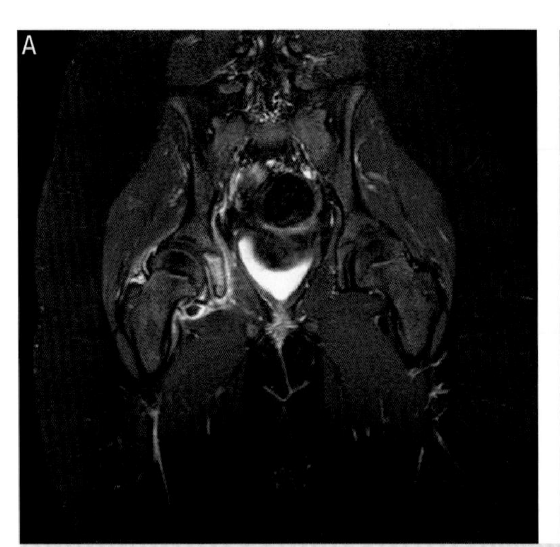

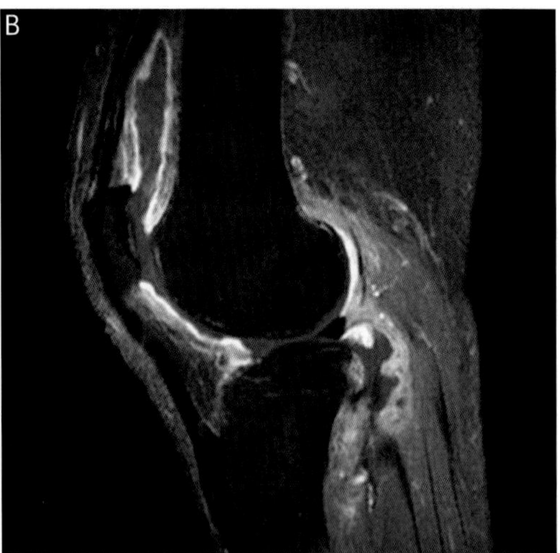

그림 9-15
급성 화농성 관절염의 MRI 소견
A. 소아 우측 고관절의 화농성 관절염
B. 슬관절의 화농성 관절염. 골수강내 골 파괴와 골 부종뿐만 아니라 관절 연골의 파괴와 적은 양의 관절액을 명확하게 보여준다.

도 이상(bone marrow signal abnormality)은 비세균성 관절염, 류마토이드 관절염 등의 반응성 골수 변화에서도 나타나므로 골수염과 감별 진단이 어렵다. 골수내 신호 강도 이상과 골 미란이 동시에 나타날 때 화농성 관절염을 가장 강하게 의심할 수 있다. 또한 견관절의 화농성 관절염의 경우, 회전근 개 파열이 흔히 동반되는데, 이 파열을 통해 glenohumeral joint (관절와 상완 관절)와 subacromial space (견봉하 공간)의 연결로 감염의 통로가 되어 쉽게 삼각근 밑에 다수의 농양을 만들게 된다(그림 9-16). 따라서, 수술 전 MRI 등을 이용하여 농양의 위치와 숫자를 파악하는 것이 불완전한 괴사 조직의 제거로 인한 재수술을 피할 수 있는 방법이다. CT는 단순 방사선 촬영보다 미세한 골 파괴를 보여주며, 복잡한 해부학적 구조나 겹쳐진 골 구조에서 보다 많은 정보를 제공한다. 골주사 검사(bone scan)은 단순 방사선 촬영에 나타나기 전에 감염의 존재 여부를 보여줄 수 있다. Technetium (TC)-99m이 많이 이용되며, 일반적으로 삼상 골주사 검사(3 phase bone scanning)이 사용된다. 화농성 관절염은 1기, 2기 동안의 섭취(uptake) 증가로 진단이 가능하다. 3기 동안에는 이환된 관절 연골에 섭취가 증가한다. 이 방법은 매우 민감하므로 골 주사 검사에 나오지 않을 경우 화농성 관절염을 배제할 수 있다.

4) 치료

정형외과적 응급 상황으로 인지하여야 하며, 치료에 있어 세 가지 기본 원칙은, 적절한 항생제 치료를 시행하며, 관절을 적절히 배농

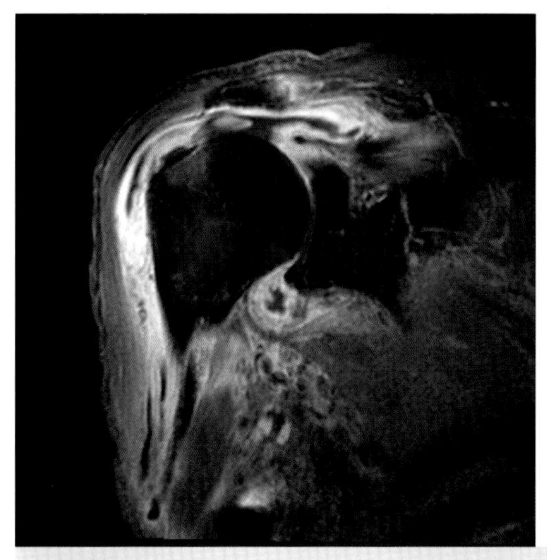
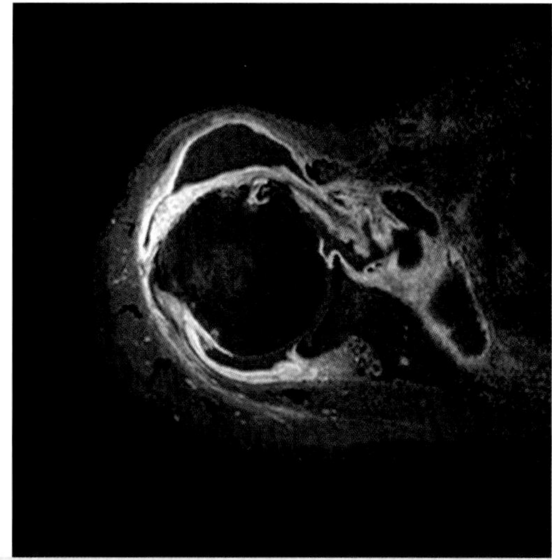

그림 9-16
회전근 개 파열이 동반된 견관절의 급성 화농성 관절염의 MRI 소견
회전근 개의 파열을 통하여 견봉하 공간과 관절와 상완 관절에 농양이 모두 관찰된다.

하고, 관절을 안정된 위치에서 고정시키는 것이다. 초기 항생제 치료는 환자의 연령과 위험인자들을 고려하여 경험적으로 시작하고, 균 배양과 감수성 검사가 나오면 이에 맞는 항생제로 교체한다. 원인균이 동정되지 않는다면 경험적 항생제 치료를 계속한다. 일반적으로 페니실린 감수성 포도상 구균(MSSA)에 작용하는 항생제가 전형적인 그람 양성 구균 감염에 대한 초기 치료에 사용된다. 1세대 cephalosporin이 선호되는데 이는 비교적 덜 독하며 비용 면에서 저렴하기 때문이다. 그람 음성 구균이나 메치실린 저항성 포도상 구균(MRSA)의 가능성이 높을 때는 초기 치료제로 3세대 cephalosporin이나 vancomycin을 각각 선택한다. WBC와 ESR이 정상화되고, 해열이 되고 통증이 감소하며 관절 운동 범위가 호전되는 등의 임상적 증세의 명백한 호전이 있을 때 경구 항생제를 사용한다. 항생제의 치료 기간과 투여 방법은 나이, 균종, 치료 반응(ESR, CRP의 정상화) 등 여러 가지를 고려하면서 결정하여야 한다. 일반적으로 골수염과 동반되어 있는 화농성 관절염의 경우 변연 절제술 후 약 6주간의 항생제 치료를 하도록 권장된다. 항생제와 관절 세척으로도 관절내의 박테리아 생산물 전부를 완전히 제거하지는 못하며, 관절 내에 남아있는 미생물 조각들은 오랜 기간 관절에 지속적으로 남아 감염 후 활액막염을 유발한다. 이런 경우 비스테로이드성 소염제는 염증 반응을 감소시키는데 도움을 주며, 항생제 투여 1주일 후부터 고려할 수 있다.

관절 배농 방법은 관혈적 관절 절개술, 관

절경적 배농술(그림 9-17), 반복적 천자 등이 있으며, 배농과 함께 육아 조직, 염증성 활액막을 절제하게 된다. 슬관절, 족관절, 주관절처럼 표재성 관절은 배농을 위한 천자를 반복하면서 항생제를 투여하면서 1~2일 관찰해 볼 수 있으나, 고관절이나 견관절 등은 조기에 수술적 배농이 추천된다. 관절은 부목 등을 이용하여 기능적 위치에 고정하는 것이 주변 근육의 경련을 완화하고 증상 완화와 변형 방지에 도움이 된다. 감염이 호전되면서 정상 관절 기능을 회복시키기 위한 치료를 시작하는데, 관절 범위 회복 운동을 시작하면서 등척성 근육 강화운동을 병행한다. 조기에 수동적 및 능동적 관절 운동을 허용할 경우 관절낭의 유착을 방지하고 관절 연골의 영양 공급이 원활해지며 화농성 삼출액의 제거도 용이해진다.

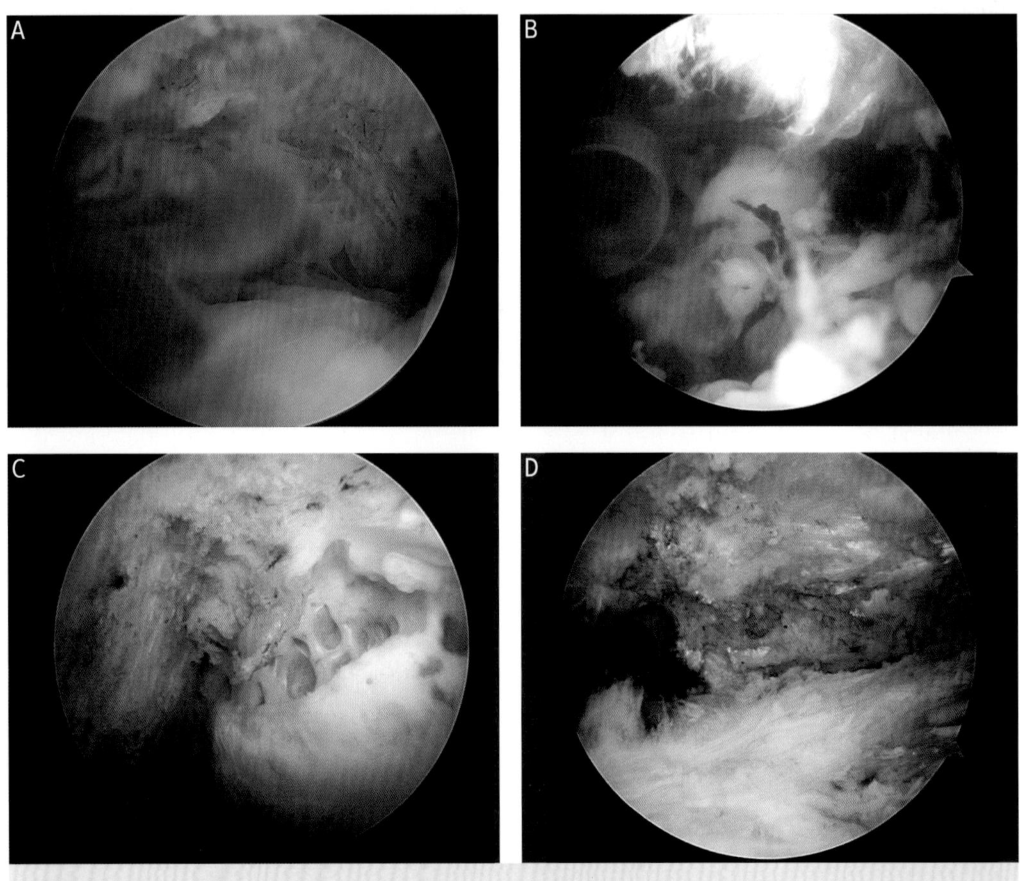

그림 9-17
견관절의 급성 화농성 관절염에서 관절와 상완 관절(A)과 견봉하 공간(B)의 수술 전 관절경 소견과, 관절경적 배농술 및 변연 절제술 후 관절와 상완 관절(C)과 견봉하 공간(D)의 소견

5) 예후 및 합병증

적절한 급성 치료를 받지 못하면 패혈증으로 인한 사망, 관절 연골의 파괴 등을 초래하며, 지연성 합병증으로는 퇴행성 관절염, 섬유성 관절 강직과 골성 관절 강직이 발생할 수 있다. 심각한 합병증의 대부분은 소아에서 발생하는데, 골단판이 파괴되거나 세균성 삼출액의 증가로 인해 관 절낭내 압력이 증가하여 무혈성 괴사가 발생할 수 있다. 미성숙 골에서는 골단판을 통과하는 혈관(transepiphyseal vessel)들이 있어 성장판과 골단판 연골의 통로가 되며 이를 통하여 골간단의 골수염이 골단판과 관절내로 전파될 수 있다. 특히, 고관절에 발생하는 급성 세균성 관절염은 대퇴골 두의 특이한 혈류 공급 때문에 대퇴골 두 무혈성 괴사의 위험성이 매우 높으며 골단 분리(epiphyseal separation)가 발생할 수 있다. 조기에 적절히 치료하지 못하면 병적 탈구(pathological dislocation)도 가능하다. 따라서 유아 및 소아에서는 수술적 배농 이후에 고관절을 외전 위치로 고정하여 병적 탈구를 예방하도록 해야 한다.

5. 근골격계 결핵

1) 정의

결핵(tuberculosis)은 결핵균(Mycobacterium tuberculosis)에 의해 신체 각 부위에 발생하는 급, 만성 감염증으로 정의한다. 2020년 우리나라의 결핵(all forms of tuberculosis) 신환자수는 19,933명(인구 10만 명당 38.8명)으로 이는 결핵 신환자수가 최고치(39,557명)를 기록했던 2011년의 절반 수준이다. 이 중 골관절 결핵을 포함한 폐외결핵(extra pulmonary tuberculosis)은 2011년에는 인구 10만 명당 18.9명, 2020년에는 9.2명으로 감소세를 보인다. 이는 통계적으로 고무적인 결과이나 세계보건기구(WHO)의 낮은 결핵 발생률 정의 기준인 인구 10만 명당 10명 미만을 훌쩍 넘는 수치이다. 폐외결핵의 호발 장기는 흉막, 림프절, 골 및 관절, 중추신경계 순이며, 골 관절 결핵의 호발 부위는 척추, 슬관절, 고관절, 손목 관절, 근육 순이다.

2) 원인 및 병태 생리

골관절 결핵은 보통 M. tuberculosis의 혈행성 감염의 형태로 나타나며 림프계나 병소에 인접한 조직의 이차적 감염으로 나타나기도 한다. 신생골(new bone)을 형성하지 않는 것이 특징이나, 수지나 족지의 단골(short bone)을 침범하였을 때는 골막하 신생골 형성(subperiosteal new bone formation)이 나타나기도 한다. 골관절 결핵은 대개 단발성이나, 5~30%에서는 다발성으로 나타난다. 연골하골(subchondral bone)이나 골간단부(metaphysis)를 주로 침범하여, 결핵성 육아조직(tuberculous pannus)을 형성하며 저항이 적은 곳을 뚫고 관절 내로 침범할 수도 있다. 때로는 활액막(synovial membrane)에서 시작하여 이차적으로 연골하골을 침범하기도 한다. 결핵의 특징적인 병리학적 소견은 결핵결절(tuberculosis tubercle)의 형성과 건락성괴사(caseation necrosis)이다. 결핵균은 단백질분해효소(proteolytic enzyme)를 분비하지 않아 일차적으로 연골을 파괴하지는 않는다. 그러나 연골하골의 파괴와 판누스(pannus)의 형성 등으로 연골의 영양 공급이 차단되며, 이로 인해 이차적으로 연골이 파괴된다. 건락성괴사와 무혈성괴사 조직, 육아조직 등은 액화되어 염증성 반응이 없는 한냉농양(cold abscess)을 형성하기도 하는데, 이러한 특징은 화농성 감염에 의해 형성되는 화농성농양(pyogenic abscess)과는 구별된다.

3) 증상 및 이학적 검사

골관절 결핵은 보통 서서히 발병(insidious process)하여 증상이 나타난 후 진단까지 수 개월이 걸리기도 하며, 미열, 피로감, 체중 감소 등의 전신 증상은 흔치 않다. 국소 증상 및 소견으로는 활액막염증(synovial inflammation)으로 인한 국소 부종 및 온감, 경도의 동통과 압통, 근육의 경련, 야간통(night pain), 관절 운동 장애, 관절구축(joint contracture), 골파괴 및 성장 장애로 인한 변형, 한냉농양에 의한 증상 및 만성 배농동(draining sinus) 형성, 조기에 심하게 나타나는 근위축(muscle atrophy) 등이 나타날 수 있다. 척추 결핵의 경우 신경을 침범하여 마비를 동반하기도 한

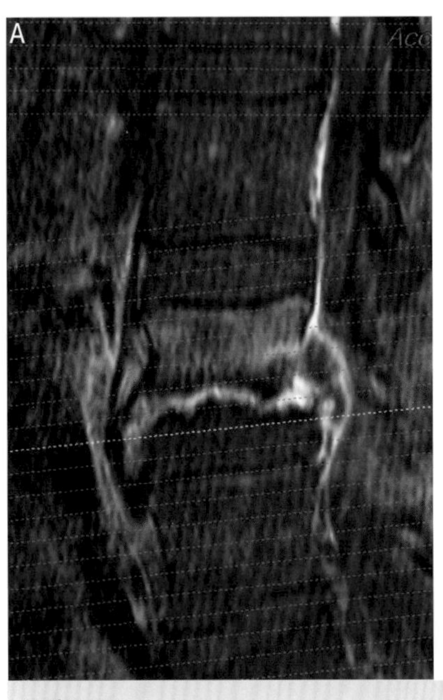

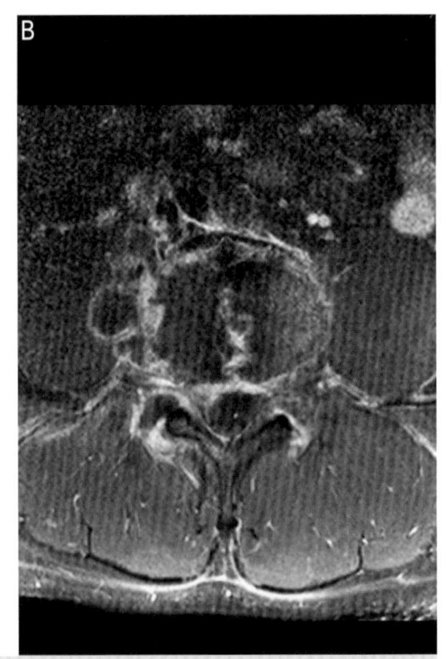

그림 9-18
결핵성 척추염에서 동반된 요근 농양(psoas abscess)

다. 한냉농양은 흔히 근막, 신경, 또는 혈관을 따라 흘러 피하 농양(subcutaneous abscess)을 형성하며, 피부를 뚫고 나와 배농성 누공을 형성할 수 있다(그림 9-18).

4) 검사 소견 및 진단

진단은 결핵균을 검출하거나, 특징적 조직 소견을 관찰함으로써 가능하다. 확진 방법으로는, 조직편이나 농의 도말 검사(AFB smear)에서 균체를 확인하는 방법, 기니 피그(Guinea pig)에 접종(inoculation)하여 결핵 결절의 형성 유무를 확인하는 방법, 균배양(culture)검사 등이 이용된다. 최근 중합효소 연쇄 반응법(polymerase chain reaction, PCR)으로 유전자를 증폭하여 결핵균의 DNA를 검출하는 방법도 사용되며, 진단에 매우 민감하고 특이적이다. 다만 폐외결핵의 경우 병변 부위에 결핵균 수가 비교적 적어 검체에서 항산균이 관찰되지 않는 경우가 많아 조직 소견이 결핵을 진단하는 데 중요하다. 하지만 이러한 소견은 비결핵 항산균 감염, 진균 감염, 브루셀라증, 매독 등에서도 나타날 수 있어 진단에 주의를 요한다. 폐외결핵은 치료에 대한 반응을 평가하기 위한 결핵균 검사를 하기 어렵다. 치료에 반응이 없을 경우에 내성여부를 판단하기 위해서 초기 진단을 위한 술기를 시행할 때 조직검체로 배양검사를 시행해야 한다. 방사선 소견, 활액 분석, 골 주사(bone scan), 투베르쿨린 반응(tuberculin test) 인터페론감마 분비검사(interferon-gamma releasing assay, IGRA) 등도 보조적 진단 방법으로 활용된다.

골결핵 감염의 초기에는 단순 방사선 검사상 골밀도가 감소되는 골다공증(osteoporosis) 소견을 보인다. 초기에는 관절 내의 활액(synovial fluid)이나 삼출액(effusion)의 증가로 관절 간격이 넓어 보일 수도 있다. 병이 진행되어 연골하골이 침식되면 관절면이 불분명해지고 관절 간격이 좁아진다. 골관절 파괴가 진행되면 골은 낭포성 변화(cystic change)를 보이는 경우가 많고, 마침내 무너져 관절의 병적 탈구(dislocation)나 척추의 후만증(kyphosis) 등의 심한 변형을 보인다. 수지 및 족지골의 결핵은 앞에서 기술한 바와 같이 심한 골파괴와 골막하 신생골형성을 야기하여 방추형의 병소를 형성하는데, 이를 풍극(spina ventosa)이라 부른다.

5) 치료

치료 원칙은 폐결핵과 같으나 기능 및 운동성의 소실을 예방하기 위해서 빠른 진단과 적절한 항결핵제 치료가 중요하다.

(1) 보존적 치료

보존적 요법으로는 안정, 생활 환경의 개선, 영양식 투입, 견인 및 석고를 이용한 병소 부위의 고정, 항결핵제 투여 등이 있다. 골관절의 파괴가 뚜렷하지 않은 골결핵의 초기에 이 치료법을 고려할 수 있다. 집중치료기(initial phase)는 HREZ (H: Isoniazid, R: Rifampin, E: Ethambutol, Z: Pyrazinamide)를 2개월간 투여하여 급속히 증식하는 결핵균을 신속히 제거하고, 이어서 유지치료기에 4~7개월간 피라진아미드를 제외한 HRE를 투여하여 간헐적으로 증식하는 결핵균을 제거하는 것을 기본으로 한다. 골관절 결핵의 경우 치료 반응에 대한 평가가 어렵고 골조직 내 약제 투과율이 낮아 2개월 집중 치료에 더해 7개월의 유지치료기의 장기간 치료기간을 가진다.

(2) 수술적 치료

수술적 치료는 병소의 한냉 농양과 괴사 조직 등을 제거하여 병소에 혈액 공급을 원활하게 함으로써 완치까지 걸리는 기간을 단축시킬 수 있다. 또한 이미 조직이 많이 파괴되어 통증 및 기능 소실이 심한 경우 남아있는 기능의 보존과 더 이상 조직 파괴가 진행되는 것을 막는데 수술적 치료가 도움이 된다. 진단이 불확실한 경우에도 병리 검사를 위한 조직을 얻기 위해 수술을 고려할 수도 있다. 수술적 방법에는 생검(biopsy), 관절절개술(arthrotomy), 활막절제술(synovectomy), 소파술 및 골이식술(curettage and bone graft), 관절절제술(resection of joint), 골절제술(resection of bone), 배농술, 관절고정술(arthrodesis) 및 절단술 등이 있다.

참고문헌

1. Canale ST and Beaty JH, Campbell's Operative Orthopaedics, 13th edition, Philadelphia, Mosby Elsevier, 2012
2. Korean Guidelines For Tuberculosis Fourth Edition, 2020 Joint Committee for the Revision of Korean Guidelines for Tuberculosis, Korea Centers for Disease Control and Prevention
3. MICHAEL K. LEONARD B, HENRY M. BLUMBERG Musculoskeletal Tuberculosis. microbiolspec April 2017 vol. 5 no. 2 doi:10.1128/microbiolspec.TNMI7-0046-2017
4. Canale ST and Beaty JH, Campbell's Operative Orthopaedics, 12th edition, Philadelphia, Mosby Elsevier, 2012
5. Parsons B, Strauss E. Surgical management of chronic osteomyelitis. Am J Surg. 2004;188:57-66.
6. Spellberg B, Lipsky BA. Systemic antibiotic therapy for chrnoic osteomyelitis in adults. Clin infect Dis. 2012;54(3):393-407.

신경과 근육 질환

Nerve and Muscle Diseases

1. 서론

신경근육계 질환은 뇌, 척수, 말초신경, 신경-근 접합부, 근육 등 이환된 부위에 따라 다양한 근골격계 증상을 일으킨다. 이에 따라 정형외과적 치료를 요하는 경우가 많다. 병변의 부위(level)에 따라 신경근육계 질환을 분류하면 다음과 같다.

1) 뇌

뇌의 병변은 추체계 혹은 피질척수계 병변(pyramidal or corticospinal level), 추체외계 병변(extrapyramidal level), 소뇌계 병변(cerebellar level) 등으로 나눌 수 있다.

추체계 혹은 피질척수계의 병변은 대뇌피질(cerebral cortex)의 운동핵(motor nuclei)을 침범하는 것이 특징으로 상위운동신경원(upper motor neuron) 질환으로도 알려져 있다. 중추신경에서 발생하는 억제 신호의 감소로, 사지의 근긴장이 항진되고 경직성(spasticity)이 증가한다. 대표적으로 경직형 뇌성마비(spastic type cerebral palsy)가 이에 속한다.

추체외계 병변은 기저핵 등 추체외계의 문제로, 사지와 몸통의 근육긴장이상(dystonia)을 보인다. 불수의운동형 뇌성마비(athetoid cerebral palsy)가 좋은 예이다.

소뇌계 병변(cerebellar level)은 소뇌의 이상으로 인하여 조화(coordination) 및 제어가 되지 않는 운동실조(ataxia)가 특정적이나, 정형외과적 치료의 적응이 되는 경우는 드물다.

2) 척수

척수에 발생하는 가장 대표적인 질환은 소아마비(poliomyelitis)이다. 소아마비는 뇌성마비(cerebral palsy)와는 다른 질환으로, 폴리오바이러스 감염에 의한다. 척수 전각 세포(anerior horn cell)가 파괴되어 나타나는 이완성 마비(flaccid paralysis)가 특징적이다. 백신의 보급으로 소아마비의 신규 발생은 없어졌지만, 소아마비 후유증 환자는 아직 많다. 이외에, 척수근육위축증(spinal muscular atrophy, SMA)은 유전적 원인에 의한 전각 세포 기능의 소실로 이완성 마비가 나타난다.

3) 말초신경

말초신경에 병변이 발생하는 대표적인 질환은 유전운동감각신경병증(hereditary motor and sensory neuropathy)이다. 이중 1형을

Charcot–Marie–Tooth병이라 하며, 보통염색체 우성의 유전 양상을 보인다. 신경전도 속도의 감소가 뚜렷한 수초탈락 신경병증의 소견을 보인다. 이외에 외상에 의한 말초신경 손상이 정형외과적 치료의 적응이 많이 된다.

4) 신경-근 접합부

신경–근 접합부에 병변은 중증근무력증(myasthenia gravis)이 대표적이다. 신경–근 접합부는 보툴리늄 독소가 작용하는 부위이다.

5) 근육

대표적인 질환은 근이영양증(muscular dystrophy)이다. 유전적 원인으로 근육이 변성되어 섬유지방 조직으로 대체되며, 말초 신경이나 척수의 이상이 없기 때문에, 반사 반응이 병의 말기까지 보존되는 것이 특징이다.

이 장에서는 신경근육계 질환 중 정형외과적 치료가 필요한 대표적인 질환인 뇌성마비, 척추유합부전, 근이영양증과 말초신경 손상을 다루고자 한다.

2. 뇌성 마비

1) 정의

뇌성마비(cerebral palsy)는 발달중인 태아나 유아의 뇌에서 발생한 비진행성 손상에 의하여 운동 및 자세의 이상을 일으키는 질환군을 말한다. 다만, 뇌성마비의 뇌 손상은 비진행이지만, 말초의 근골격계의 변형은 진행하는 경우가 많다는 것을 이해하여야 한다. 뇌성마비는 인지장애, 지적장애, 전간증, 시각장애 등 다양한 질환을 동반할 수 있다.

2) 발생빈도

각 나라에 따라 달라, 1,000명 출생 당 0.6~5.9명의 비율을 보인다. 대한민국에서는 1,000명 출생 당 약 3.2명이며 여아보다 남아에서 높다. 핵 황달이 주원인인 불수의 운동형(athetoid type)은 핵 황달의 예방법의 발달로 감소하였다. 반면에 조산의 증가로, 경직형이 증가 추세이며 이에 따라 양측 마비와 사지 마비가 증가되는 경향이다. 쌍생아에서는 출생 시 저체중 때문에 12배 정도 더 흔하게 발생한다.

3) 원인

출산 전의 요인으로는 모체의 감염, 제대 혹은 태반 이상에 기인한 무산소증, 모체와 태아의 혈액형의 부적합으로 인한 핵 황달 등이 있다. 주산기 원인으로는 조산이 가장 큰 비중을 차지한다. 난산, 양수 흡인 등에 기인한 신생아 가사도 원인이 될 수 있다. 출산 후 뇌가 성숙되는 2세까지의 원인으로는 두부 외상, 감염(뇌염, 뇌수막염), 뇌 종양 등을 들 수 있다.

4) 분류 및 임상 양상

(1) 분류

뇌성마비의 분류는 마비 부위에 따른 분류, 병태생리 유형에 따른 분류, 기능에 따른 분류가 있다.

① 마비의 부위에 따른 분류

a. 편마비(hemiplegia)

뇌성 마비 환자의 30%를 차지하며, 동측 상하지를 침범한다. 뇌실주변 출혈 경색(periventricular hemorrhagic infarction)에 의한 경우가 많으며, 국소적 뇌 병변으로 인한 경련성 장애의 빈도가 가장 높다. 사시, 반맹증이 발생할 수 있다. 대부분의 환자가 GMFCS 1~2 단계이다.

b. 양측 마비(diplegia)

주로 하지를 침범하며, 양측이 대칭적이다. 뇌실주변 회백질연화(periventricular leukomalacia)가 특징적으로 보인다. 경련성 장애나 지능 저하의 빈도는 가장 낮다. 후방 평형 감각의 손상이 가장 빈발한다. 대부분 GMFCS 1~3 단계로 발달은 늦지만 많은 경우 독립 보행이 가능하다.

c. 사지 마비(quadriplegia)

가장 심한 형태로써 지능저하가 75%에서 나타나며, 경련성 장애의 발생률이 높다. 대부분 GMFCS 4~5 단계로 척추 측만증 및 고관절 탈구/아탈구가 가장 심각한 문제이다. 치료의 주된 목표는 삶의 질을 향상시키는 것으로, 통증 없이, 편하게 앉거나 누울 수 있게 해주고, 치료적 기립을 도우며, 보조 이동 수단을 원활하게 이용하게 하는 것이다.

② 병태생리학적 유형에 따른 분류

병태생리학적 유형에 따른 분류는 경직형(spastic type), 근긴장이상형(dystonic type), 운동실조형(ataxic type), 혼합형(mixed type) 등으로 구분할 수 있다. 근긴장이상형에는 불수의 운동형, 무도형(choreiform), 발리스무스(ballismus)형 등이 있다. 경직형이 65%로 가장 많으며 근긴장이상형이 25%, 혼합형이 10% 정도이고 그 밖의 형태가 나머지를 차지한다고 하였다.

a. 경직형(spastic type)

경직성이란 근육을 수동적으로 늘릴 때 근육의 신전 반사의 항진으로 인하여 근육의 긴장성이 증가하는 것으로 정의할 수 있다. 경직성이 있는 근육은 초기에는 역동적 단축을 보이다 근육의 성장이 골의 성장에 미치지 못하고 마침내 근육의 구축이 발생되고, 또한 근육의 불균형, 비정상적인 자세 및 체중 부하 등으로 골과 관절의 변형을 초래한다. 심부건 반사의 항진, 간대성 경련 등이 특징적이고, Babinski 반응이 양성으로 나타난다. 정형외과 수술에 가장 잘 반응한다.

b. 근긴장 이상형(dystonic type)

대뇌 기저부의 이상이 주된 병변이다. 대개 심부건 반사와 족저 굴곡 반사는 정상이다. 사지, 목, 안면 등을 지속적이며 불규칙하게 뒤틀거나 꿈틀거리는 운동을 억제할 수 없는 것이 특징이다. 긴장하거나 움직이려 하면 증세가 더욱 심해지고 수면 시는 소실된다.

c. 운동 실조형(ataxic type)

평형 감각의 장애와 협동 운동의 장애 등, 소뇌의 기능장애로 오는 증상이다. 보행 시 잘 나타나고, 심부건 반사는 정상이거나 저하되며, 관절 구축은 드물다. 운동 실조형 환자는 성장함에 따라서 증상이 자연적으로 호전될 수 있다.

③ 기능적 분류

운동 기능에 따라 5개의 level로 분류하는 대운동 기능분류 시스템(Gross Motor Function Classification System, GMFCS)이 대표적이다(그림 10-1). GMFCS의 경우 보행 및 이동 여부로 판단을 하며 1~3단계는 독립 보행이 가능하고, 4~5단계는 독립이 불가능하다.

5) 동반 장애

발달 장애, 지적 장애, 시각 장애, 경련, 청각 장애 등 다양한 질환을 동반할 수 있다.

6) 진단

경한 경우, 유아기에는 확진이 어려울 수도 있다. 진찰할 때에는, 진단뿐 아니라 그 유형과 마비의 정도도 정확히 판단하여야 하며, 이에 따른 치료의 방향도 결정하여야 한다.

(1) 출생력과 발달 과정

뇌성 마비의 진단에는 환자의 출생 및 발달 과정에 대한 문진이 우선이다. 특히 조산, 저체중의 출산력과 발달의 지연을 보인다. 따라서 이를 파악하기 위해서는 유아의 정상 발달 과정을 정확히 이해하고 있어야 한다. 평균적으로 머리 가누기는 3개월, 혼자 앉는 것은 6개월, 기는 것은 8개월, 잡고 서는 것은 8개월에서 12개월, 그리고 혼자 걷는 것은 12개월에서 17개월 사이이다. 이상과 같은 정상적인 발달 과정에 비하여 환자의 발달이 지연될 경우, 발달 지연(developmental delay), 뇌성마비, 이외의 신경근육계 질환 등을 감별하여야 한다.

(2) 신경학적 검사

심부건 반사, 근 신전 반사, 자세 반사 및 평형 반응 등 정상 반사의 유무와, 비정상 반사, 즉 원시적 반사 등의 소실 여부를 본다. 정상 발육 때는 원시적 반사가 점차 소실되고, 평형 반응 등과 같은 정상적인 반사 양상이 나타나게 된다. 그러나 뇌 병변이 있을 때에는, 중추의 억제 작용으로부터 해리되기 때문에, 원시적인 이상 반사가 계속적으로 나타나게 된다. 만일 생후 4~6개월 후에도 대칭성 혹은 비대칭성긴장성 경반사, Moro 반사, 목정위반사(neck righting reflex), 신근반발반사(extensor thrust reflex)가 계속 나타나거나, 반대로 11개월 후에도 낙하산 반사(parachute reflex)가 나타나지 않을 때에는 반사성 성숙이 지연되어 있는 것으로 보아야 한다. 이때는 뇌성 마비 또는 다른 원인에 의한 뇌 기능 장애를 감별해야 한다. 또한 이런 것들은 독립 보행의 나쁜 예후 인자에 해당한다.

(3) 자세와 보행의 관찰 및 평가

뇌성마비 환자의 자세와 보행은 육안,

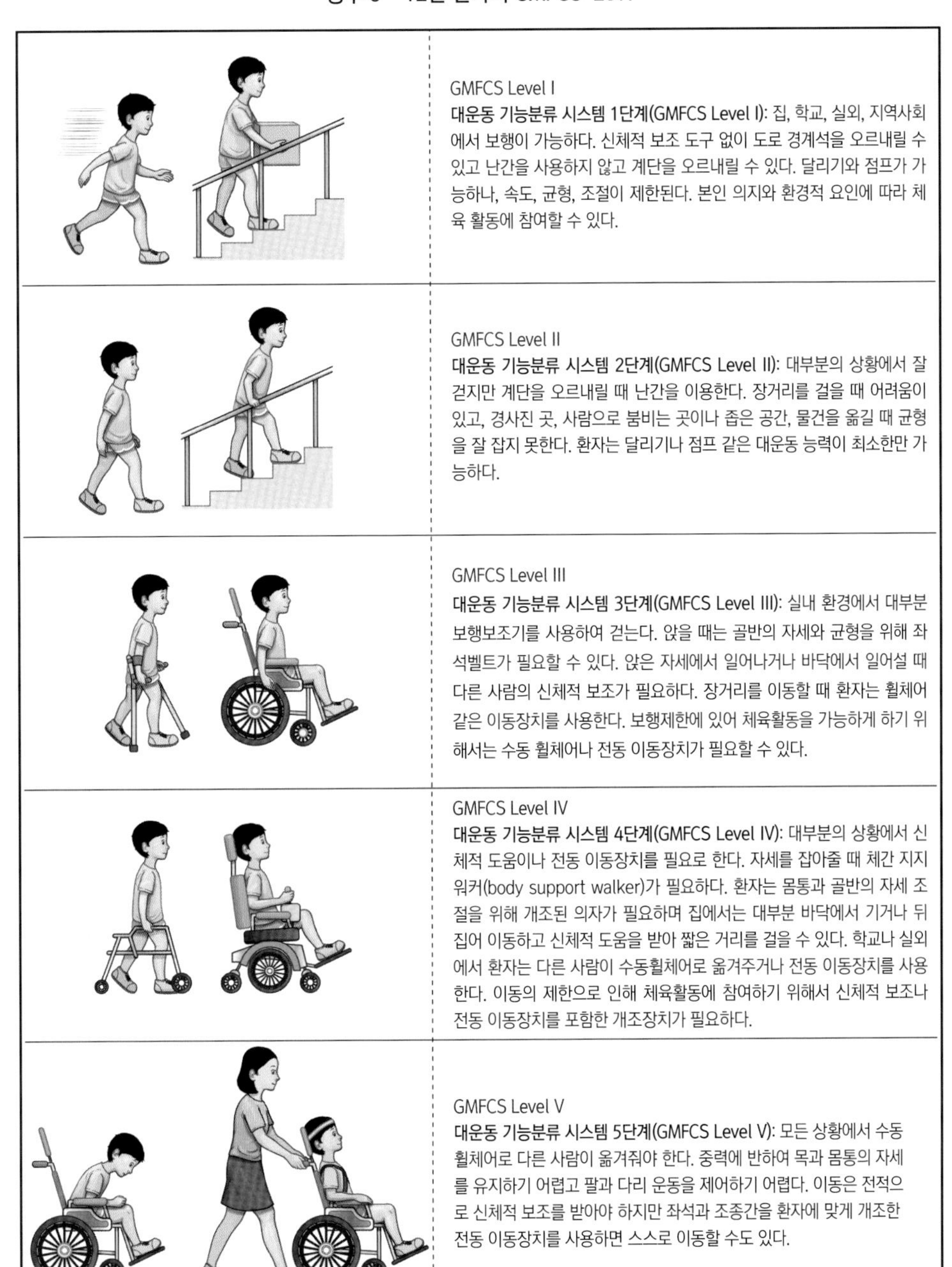

그림 10-1
Gross Motor Function Classification System Expanded and Revised (GMFCS-E&R)
(출처: Graham, MD, The Royal Children's Hospital, Melbourne, Australia)

비디오, 3차원 보행 분석을 통하여 이루어진다. 진단 시에는 대개 육안으로 평가를 하게 된다. 수술이 결정되면, 비디오 혹은 3차원 보행 분석을 시행하여 평가를 하게 된다. GMFCS 1~3단계의 경우, 일단계 다수준 수술 전에 비디오 혹은 3차원 보행 분석이 필수적이다. 병적 보행은 뇌의 손상으로 인해 기인되는 일차 요소와 이를 보상하기 위한 이차 요소로 구성되며 이는 육안으로 확인이 힘든 경우가 많다. 3차원 보행 분석은 이를 객관적으로 분석할 수 있도록 도움을 준다. 이차 요소는 일차요소를 치료할 경우에는 저절로 소실된다.

뇌성마비의 대표적인 보행 양상으로 첨족변형(까치발), 내족지 보행(안짱걸음), crouch 보행이 있다. Crouch 보행은 슬관절의 굴곡과 더불어, 고관절의 굴곡 변형과 족근 관절의 과도한 족배 굴곡이 동반된 보행이다(그림 10-2).

(4) 근력 및 근육의 선택적 조절 능력 검사

근력의 측정은 환자의 이학적 검사상 필요한 검사이나, 뇌성 마비에서는 근육의 자발적 조절 능력이 소실 내지 감소되어 있기 때문에 정확하게 측정하게 어렵다. 즉, 정적 근력은 매우 감소되어 있어도 보행 시에는 원시적 반사에

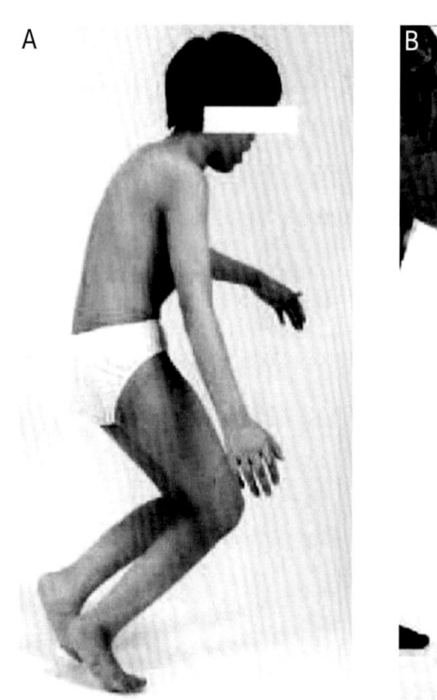

그림 10-2
A. 점프 보행. 점프 자세는 슬관절이 굴곡되어 있고, 동시에 족근 관절의 첨족 변형이 있는 보행을 뜻한다.
B. Crouch 보행. Crouch 보행은 슬관절의 굴곡과 더불어, 고관절의 굴곡 변형과 족근 관절의 과도한 족배 굴곡이 동반된 보행이다. 보행의 효율을 매우 저하시키기에 적극적인 정형외과 치료가 필요하다.

의하여 역동적인 근력이 강할 수 있다.

(5) 근육 구축 검사

① 발목 관절

첨족 변형의 원인은 비복근(gastrocnemius)의 단축에 의한다. 환자에 따라서는 비복근만 단축되어 있는 경우도 있지만, 비복근과 가자미근(soleus)가 동시에 단축되어 있는 경우도 있다. 이를 감별할 수 있는 silfverskiold 검사가 있다. 이는 비복근의 기시부는 대퇴골이고, 가자미근의 기시부는 경비골임을 이용한 것이다. 즉 슬관절을 굴곡/신전한 상태에서 족근 관절의 족배 굴곡을 비교하여, 가자미근의 단축 여부를 판단하는 것이다(그림 10-3).

② 무릎 관절

슬근(hamstring)의 경직성 및 구축을 검사하는 방법으로는 슬와 각도(popliteal angle)를 측정하는 방법이 있다. 슬와 각도란, 앙와위에서 고관절을 90°로 굴곡한 상태에서, 무릎 관절을 최대한 신전시켜서 대퇴부의 연장선과 하퇴부가 이루는 각도로 구축 시는 각도가 증가한다. 슬근이 구축되면, 슬와각이 증가하게 된다.

③ 고관절

고관절의 굴곡 구축을 측정하는 방법으로 Thomas 검사, Staheli의 복와위 검사가 있다.

(6) 골 염전 변형 검사(그림 10-4)

염전 개요(rotational profile)로 대퇴골 전염각(femoral anteversion) 및 경골 염전각(tibial torsion)을 측정한다. 대퇴골 전염각의 측정을 위해 대퇴골 내회전, 외회전, 그리고 전염각 측정법을 이용할 수 있다. 또한 경골의 염전은 대퇴 족부각, 경과 축 각도를 이용하여 측정한다. 염전 변형은 이학적 검사 이외에 수술장내 투시 촬영, 컴퓨터 단층 촬영, 통계형

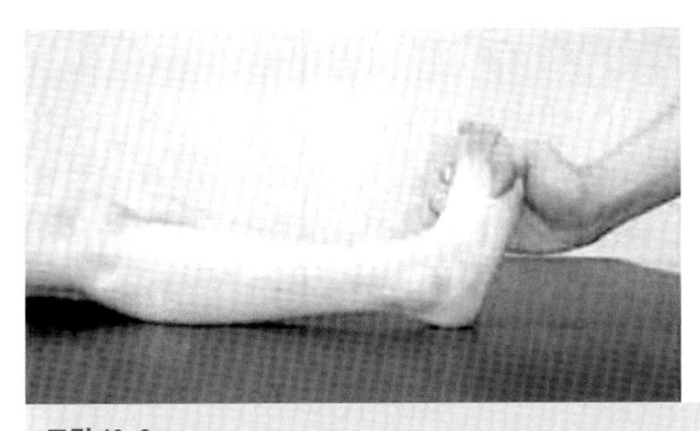

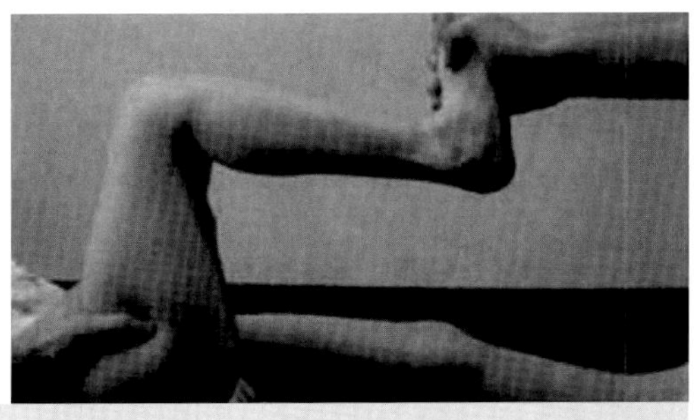

그림 10-3
Silfverskiold 검사
비복근의 기시부는 대퇴골이므로, 슬관절 굴곡 시에는 비복근이 이완이 된다. 그러나 가자미근의 기시부는 경비골이므로, 슬관절 관절운동과는 상관이 없다. 이를 이용하여, 슬관절 90° 굴곡 시 족근 관절의 족배 굴곡 정도로 가자미근의 구축을 확인할 수 있다. 즉 슬관절 90° 굴곡 시 족배 굴곡이 원활하고, 슬관절 신전 시 족배 굴곡이 되지 않는 첨족 변형을 보이면, 비복근은 구축되어 있고, 가자미근은 구축이 없는 것으로 판단할 수 있다. 이를 Silfverskiold 양성(positive)이라고 한다.

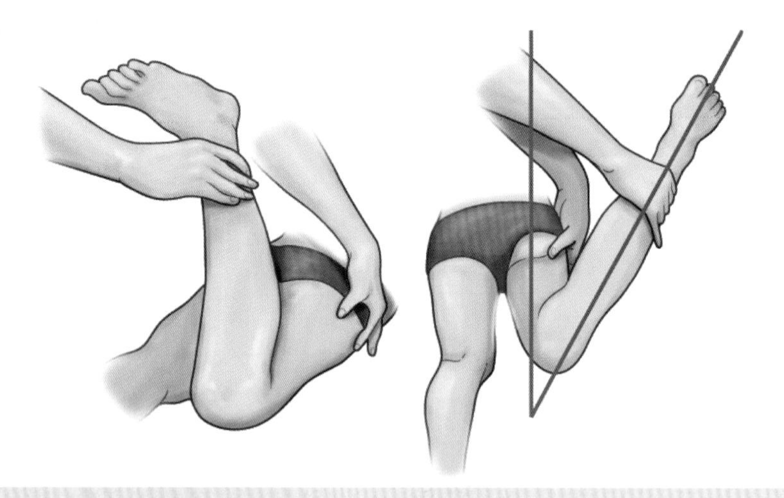

그림 10-4
대퇴골 전염각 측정을 위한 대전자 촉지법
환자가 복와위(prone position)으로 위치한 상태에서 대전자의 전후면을 손가락으로 촉지하고 고관절을 내회전 하면서 대전자부가 지면에 평행하게 위치할 때 수직선과 하퇴부의 종축이 이루는 각도가 대퇴골 전염각이다.

상모델 등을 이용하여 좀 더 정확한 측정이 가능하다.

7) 치료의 원칙

뇌성 마비는 여러 분야의 병행 치료를 요하는 질환이다. 환자를 치료할 때에는, 비정상적인 근육의 긴장성, 구축, 골 변형 등과 같이 치료 가능한 것만을 치료한다. 임상의는 환자의 자율적 근 조절 능력의 결여, 원초적 반사 등과 같이 치료가 가능하지 않은 부분도 있다는 것을 알아야 한다. 불필요한 치료로 의인성 장애를 추가시키지 말아야 하며, 각각의 문제에 따라 확실한 목적을 세운 후, 그에 맞는 치료를 하고, 목적의 달성 여부를 확인하여야 한다.

치료의 궁극적인 목적은 삶의 질의 향상이며, 이는 보행, 자세 등을 포함한 기능의 향상, 통증의 조절, 보육(caregiving)을 쉽게 하는 것을 모두 포함한다. 이런 원칙하에 환자의 기능에 따라 치료 목표를 개별화하여야 한다. GMFCS 1~3단계의 경우, 보행 능력의 향상이 중요한 목표일 수 있는 데 반하여, GMFCS 4~5단계 환자의 경우, 고관절 탈구에 의한 통증의 완화가 삶의 질 향상에 더 도움이 될 수 있다. 또한,

8) 비수술적 치료

비수술적 치료 방법으로는 재활치료, 약물복용(diazepam, dantrolene sodium, baclofen 등), 알코올/페놀 주입술, 보툴리눔 A형 독소(botulinum-type A toxin) 주입술 등이 이용된다. 근육 구축이나 관절과 골에 발생되는 변

형을 예방하기 위하여 일시적으로 석고 고정을 하거나, 보조기를 시행할 수 있다.

9) 수술적 치료

(1) 경직성 감소를 위한 수술

경직성이 심한 경우, 이를 감소시키기 위하여, 선택적 후방 신경 근 절제술(selective posterior rhizotomy), 척수강 내 바클로펜 펌프(intrathecal baclofen pump)을 시행할 수 있다.

선택적 후방 신경 근 절제술은 후신경근 일부 절제를 통하여 척수로 올라오는 구심성(afferent) 자극을 차단함으로써, 원심성(efferent) 흥분을 줄여 근육의 경직성을 감소시키는 방법이다. 척 수강 내 바클로펜 펌프(intrathecal baclofen pump)는 바클로펜이 지속적으로 척수강 내에 주입될 수 있도록 펌프를 체내에 이식하는 방법이다. 바클로펜은 근육의 경직성을 억제하는 신경 억제제인 gamma-aminobutyric acid (GABA)의 항진제(agonist)이다. 바클로펜이 뇌혈장벽을 잘 통과하지 못하므로, 척수강 내에 직접 주입을 하는 것이다.

(2) 변형 교정을 위한 수술

① 일단계 다수준 수술 (single event multilevel surgery, SEMLS)

보행 가능한 뇌성마비 환자의 보행 기능을 향상시키기 위해, 구축된 건의 연장술과 이전술, 골/관절 변형에 대한 교정을 한 번에 시행하는 방법이다. 주로 GMFCS 1~3단계의 경우 시행한다. 비디오/3차원 보행분석을 하여 환자가 가진 문제를 객관적으로 파악하고 시행하여야 한다.

② 고관절 재건 수술(그림 10-5)

고관절의 탈구나 아탈구는 주로 대운동 기능분류 시스템 3~5단계의 환자에게 많다. 출생 시에는 탈구가 없다가 환자가 성장하면서 평균적으로 5세 내지 7세 이후에 발생한다. 탈구/아탈구가 지속되면 심한 통증이 발생하고, 앉을 때의 균형, 회음부의 청결 유지에 문제가 발생한다. 원인으로는 고관절 주위 근육의 경직성/불균형, 체중 부하의 지연, 외반고(coxa valga), 전염각의 증가, 비정상적인 자세 반응 및 골반 경사가 있다. 수술 방법으로는 연부 조직에 대한 수술, 관혈적 정복술, 대퇴골 내반 감염 절골술(femoral varization derotation osteotomy), 골반 절골술(pelvic osteotomy)을 시행할 수 있다. 뇌성마비 환자에서 편측 고관절 탈구에 대해 수술을 시행한 후, 성장하면서 반대측 고관절 탈구가 발생할 확률이 높다. 그러므로 처음 편측 고관절 탈구 수술 시 반대측 고관절에 대해서도 예방적 수술 시행한다.

③ 상지에 대한 수술

편마비에서 많이 발생하고, 수술의 중요 목표는 손의 기능을 향상시키는 것이다. 수술로 인하여 정상적인 손이 되는 것은 아니며, 수술 전보다 용이하게 손을 사용하게 하는 것이 현실적인 목표이다.

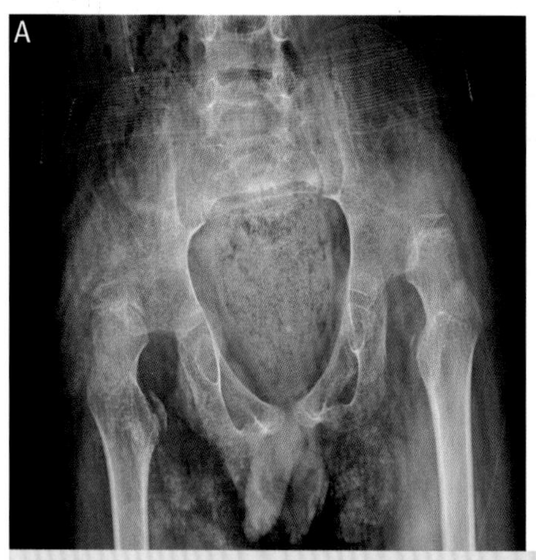

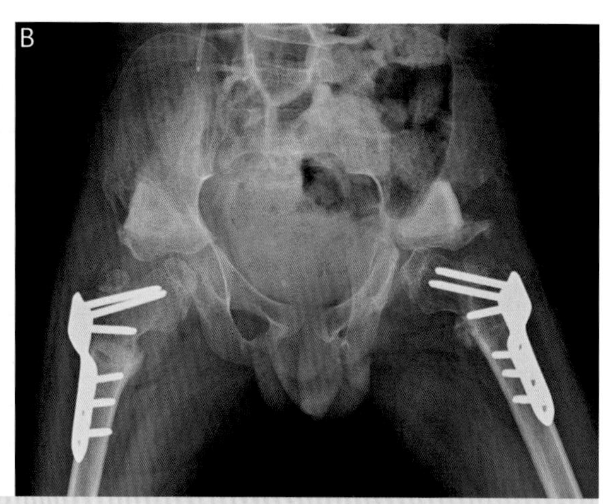

그림 10-5
대퇴 내반 감염 절골술
수술 전 방사선 사진(A)상 양측 고관절 탈구 및 비구 이형성이 관찰된다. 수술 후 방사선 사진(B)상 양측 고관절이 관절 내로 정복되었으며 비구의 피복이 충분해진 것이 관찰된다.

④ 척추에 대한 수술

GMFCS 4~5단계의 환자에서 척추측만증이 많이 발생한다. 신경근육성 척추측만증에 해당하며, 심한 척추 측만은 통증을 유발하고 신체 활동을 제한하기 때문에, GMFCS 4~5단계의 뇌성마비 환자는 정기적인 검진과 적극적인 치료가 필요하다.

⑤ 골절과 골다공증

뇌성마비가 심할수록, 즉 GMFCS 4~5단계의 환자의 경우 활동의 제한으로 인한 골다공증이 발생한다. 이로 인해, 골절의 위험이 증가하게 된다. 이에 대해 임상의는 충분히 인지하고 있어야 한다. 치료적 기립, 비타민 D 등 영양 치료를 할 수 있으며, 골절을 동반하거나 심한 골다공증이 있는 경우 비스포스포네이트 치료를 추가할 수 있다. 치료적 기립을 위해 안정적인 고관절, 충분히 신전되는 슬관절, 보조기 착용가능한 족부가 필요하기에 이는 정형외과 치료의 목표가 될 수 있다.

3. 척추 유합 부전

1) 원인 및 출생 전 진단

척추 유합 부전(spinal dysraphism)은 척추 후궁 봉합선의 폐쇄가 이루어 지지 않은 것을 나타내는 광범위한 용어다. 이는 척수수막류 및 척추 이분증 등을 포함하고 있다. 척추 유합 부전의 발생 원인에는 발생 시기에 따라, 다음과 같이 두 개의 가설이 있다. 첫째, 신경관(neural tube)은 태생 3~4주 경에 닫히는 것이 정상이나 척추 이분증에서는 신경관이 닫혀지지 않아서 발생한다. 둘째, 신경관이 정상적으로 닫혔으나, 신경관 내의 압력의 증가로 인하여 신경관이 열리고 척추 경막이나 신경조직을 포함한 척수막이 낭종 모양으로 돌출된다(그림 10-6).

원인은 유전적 요소와 환경적 요소를 포함한 다인자성으로 아직 정확히 알려지지는 않았으나, 발생 위험 인자로 발작치료제인 valproic acid 복용과 엽산(folic acid) 섭취 부족이 제시되었다. 척추 유합 부전의 예방법으로 엽산 섭취를 권장하며 가임 여성의 경우 1일 0.4 mg의 엽산 섭취가 바람직하다. 척수수막류의 발병률은 1,000명당 1~1.5명 정도이고, 백인에서 발병률이 높다. 영양 섭취의 개선으로 발병률은 감소되는 추세이다.

진단은 제태 16~18주에 임산부의 혈청 alpha fetoprotein (AFP) 검사, 초음파 검사 또는 양막천자에 의한 AFP과 cholinesterase 검사로 가능하다.

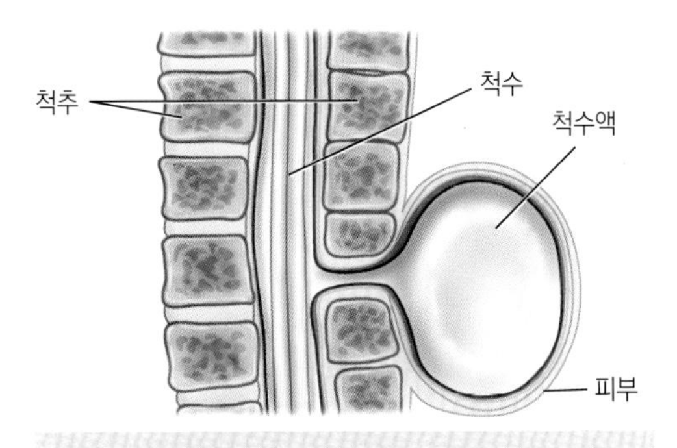

그림 10-6
척추와 피부의 결손으로 척수막과 척수가 피부 밖으로 돌출된 척수 수막류

2) 임상적 소견

임상적 소견은 척수수막류의 위치에 따라서 달라진다. 또한, 예후를 결정하는 가장 중요한 요인은 척수수막류의 위치이다. 발생 부위가 경추에 가까울수록 증상은 심해진다. 이는 척수수막류의 위치보다 병변 원위부의 기능 저하로 이해할 수 있다.

척수수막류는 뇌수종(hydrocephalus), Arnold-Chiari 변형 및 척수 사슬증(tethered cord syndrome) 등이 동반할 수 있어 이와 같은 동반 변형을 꼭 감별해야 한다. 배뇨 중추가 천수(sacral cord)에 있기 때문에 대부분의 척수수막류 환자는 배뇨 장애가 있다.

보행 상태는 척수수막류가 천추에 위치한 경우는 일반적인 보행이 가능하며, 하부 요추에 위치한 경우는 보조기를 이용한 보행이 가능하다. 상위 요추 및 흉추의 경우 보행의 가능성이 떨어진다. 정형외과적으로 하부 천추의 경우, 족부변형이 주로 문제가 되며(그림 10-7), 수막류의 위치가 높아질수록 슬관절, 고관절, 척추의 문제가 추가된다.

3) 치료의 원칙

뇌성마비의 치료와 마찬가지로 다각적 접근법(multidisciplinary team approach)이 필요하며, 척수수막류의 해부학적 위치 및 신경결손의 정도에 따라서 치료의 목적을 달리 설정하여 치료에 임하여야 한다. 척수수막류의 초기 봉합 및 신경계 동반 변형의 치료는 신경외과에서 담당을 하며, 배뇨장애에 대한 치료는 비뇨기과에서 담당을 하게 된다.

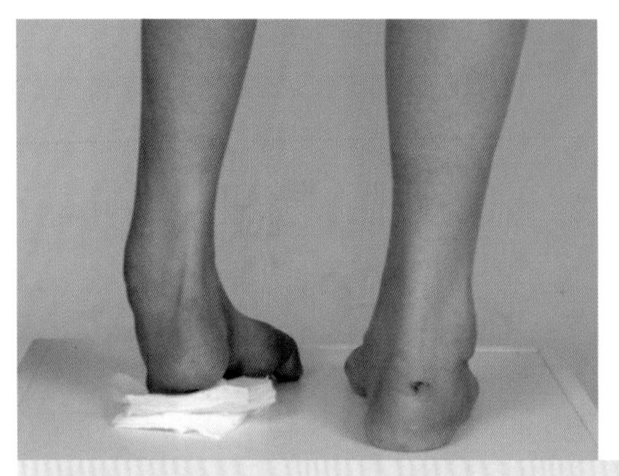
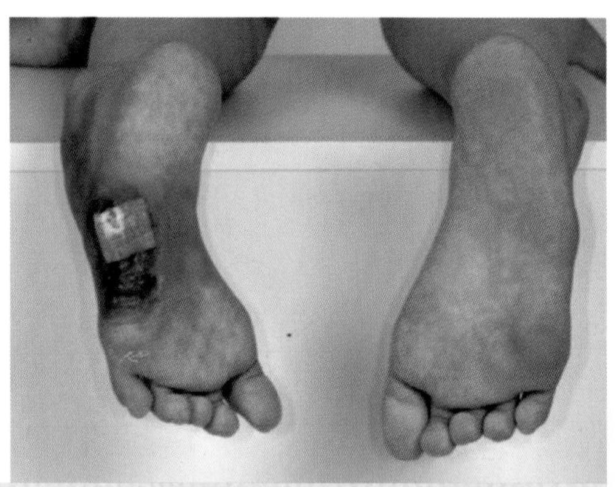
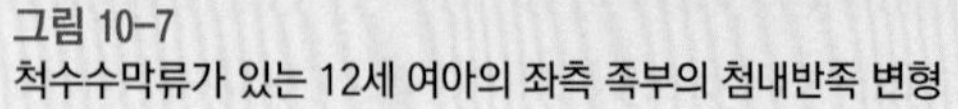

그림 10-7
척수수막류가 있는 12세 여아의 좌측 족부의 첨내반족 변형

정형외과에서는 하지 및 척추의 변형의 교정과 보행 능력 향상이 치료의 목적이 된다.

하부 천추의 경우, 족부 변형의 교정과 보조기 없이 일상적인 보행이 가능하게 하는 것이 치료의 목적이다. 하부 요추 및 상부 천추의 경우, 보조기 등을 이용하여 일상적인 보행을 가능하게 하는 것(community ambulator)이며, 상부 요추 및 흉추의 경우는 척추 측만증 등의 변형을 치료하여, 휠체어 등에 편하게 앉을 수 있게 해주는 것이 목표가 될 수 있다.

4. 근이영양증

골격근의 진행적인 변형과 약화를 특징으로 하는 유전성 질환으로 말초 신경계나 중추 신경계의 이상은 없다. 이 질환은 예후나 치료를 위해서 뿐 아니라, 가족에 대한 유전학적 상담을 위해서도 정확한 진단이 필요하다.

근이영양증(muscular dystrophy)은 임상적 양상, 근 약화의 정도와 유전 양상에 따라 분류한다.

1) 성염색체성 근이영양증

(1) Duchenne형 근이영양증

가장 흔한 유형으로, 생존 출생(live birth) 남아 3,500명당 1명의 비율로 발생한다. 성염색체 열성으로 유전하여 대부분의 환자는 남아이며, 아주 드물게 터너증후군에서 여자 환자를 볼 수 있다. 2/3에서 가족력이 있으며 나머지는 돌연변이에 의한다.

① 유전학적 원인

Duchenne형과 Becker형의 근이영양증에서 X 염색체의 Xp 21.2 부위의 유전자 결손, 중복, 또는 점변이가 있다. 이로 인해 정상적인 dystrophin이 결여되어 있으며, 이는 근섬유의 괴사를 유발하게 된다.

② 임상 소견

대부분 생후 18~36개월 사이에 발병하며, 나머지는 3세에서 6세 사이에, 극히 드물게는 그 이후에 발병한다. 근력약화는 양쪽에 대칭적으로 오며 서서히 진행한다. 초기 증세로는 운동 발달과정(motor milestone)이 지연되며, 아킬레스 건 구축으로 첨족 보행을 하고, 오리걸음(waddling gait)을 하며, 계단 오르기 힘듦 등의 증세를 보인다. 보행의 변화는 병이 진행함에 따라서 고관절 신전근을 가장 먼저 침범하므로 요추 전만곡(lumbar lordosis)과 골반의 전방 경사(anterior tilt)가 증가한다. 어깨의 흔들림과 횡 보장이 커진다(wide based gait). 입각기 시 아킬레스 건 구축으로 인하여, 슬관절을 과신전(ankle plantar flexion−knee extension couple)한다. 또한 아킬레스 건 구축과 고관절 굴곡근 약화로 원회전(circumduction) 보행을 한다(그림 10-8). 상지는 처음에는 견관절을 침범하며, 나중에는 상완이두근과 상완요골근을 침범하여 목발 보행이 힘들게 된다.

점차 보행이 힘들어 지면 휠체어에 의존하게 된다. 이 시기 이후 척추 측만증이 서서히 진행한다. 심장 질환, 호흡 부전이 사망의 원인이 된다.

③ 임상 진단

특징적 보행 양상과 근력 약화 등으로 진단하며, 감각 기능은 정상이다. 하퇴부 근육의 지방 축적으로 인한 가성 근비대(pseudo−hypertrophy)가 상당수 환자에서 관찰된다.

그림 10-8
진행성 근이영양증 환자의 특징적 보행 자세으로 요추 전만, 첨족 보행, 오리걸음(waddling gait)을 하며, 상지를 이용하여 균형을 유지하고 있다.

특징적인 자세와 보행양상, Gower 징후(그림 10-9)를 관찰하여 진단한다. 임상 증상이 합당하면, 혈청 CK 검사로 선별을 하고, 분자 유전자 검사로 확진하게 된다. 근육 생검은 임상적으로는 의심되나, 분자 유전자 검사에서 결정적이지 않은 경우 시행한다.

④ 검사 소견

질병 초기에는 혈청 CK가 정상치의 200~300배이며, 병이 진행됨에 따라서 서서히 감소하며, 여성보인자(carrier)의 경우에는 정상치의 2~3배 정도로 증가된다. 근전도 검사에서는 특징적인 근육 질환의 소견을 보이지만 시행하지 않는 경우가 많다. 근육 생검에서는

그림 10-9
Gower sign
진행성 근이영양증의 특징적인 소견이다. 하지 근력 약화로 상지를 이용하여 기립을 하게 된다. 바닥에서 일어설 때, 바닥, 무릅을 순차적으로 짚고 일어선다. 자가 등반(self climbing)이라고 설명하기도 한다.

퇴행성 변화와 근섬유의 소실, 다양한 크기의 근섬유, 결체조직 및 지방 조직의 증식, 제1형 근섬유가 관찰되며, 면역 조직 화학 등을 이용하여 dystrophin의 결여 및 감소를 확인할 수 있다.

(2) Becker형 근이영양증

임상증상은 Duchenne형과 유사하나 증상이 덜 심하다. 증상의 시작은 7세 이후이고 진행도 Duchenne형보다 늦어서, 보행 능력이 사춘기 혹은 이른 성년기까지 유지된다. 근위축이 진행하면, Gower 징후가 나타날 수 있으며, 하퇴부의 가성 근비대는 흔하며, 순차적으로 첨족 및 요족 변형이 온다. 심장 침범은 자주 있으며, 폐질환은 경하다.

2) 근이영양증의 치료

소아과적으로 corticosteroid 치료가 시행되고 있다. 정형외과적 치료의 목적은 이환된 환아의 기능을 최대한 오래 유지하는 것이다. 단기적 수술 결과와 상관없이 병이 계속 진행한다는 것을 임상의는 명심하여야 한다. 첨족 보행에 대하여는 보행 시기에 이로 인해 보행 제한이 생기면 조기에 시행한다. 휠체어에 의지할 때 척추 측만이 진행하면, 이에 대한 수술을 시행할 수 있다. 호흡 부전이 생긴 경우, 호흡 재활 치료가 주를 이루게 된다.

5. 말초신경 손상

1) 말초신경 손상의 병태생리

말초 신경이 손상 받으면 축삭이 죽으면서 수초(myelin sheath)가 소실되고, 축삭은 괴사되어 흡수되는 Wallerian degeneration이 발생한다. 손상 받은 말단 축삭(distal axon)의 변성된 축삭은 Schwann cell과 phagocyte에 의해 흡수된다. 손상 전 신경내막에 둘러싸인 내부에 증식된 Schwann cell을 함유하고 있는 작은 관을 신경내관(endoneurial tube)이라 한다. 손상받은 근위 축삭(proximal axon)은 변성된 부위가 정상으로 돌아오면서, 한 개의 축삭에서 여러 개의 재생 축삭(regenerating axon)의 싹(budding)이 시작된다. 이 새로운 싹들은 손상받은 말단 축삭의 신경 내관과 만나서 관 안으로 들어가면, 다시 Schwann cell로 둘러싸이면서 두꺼워진다.

2) 말초신경 손상의 분류(Seddon의 분류)

신경차단(neuropraxia)은 생리적 신경차단(reversible nerve block)의 상태로 수초가 국소적으로 소실되고, 축삭의 연속성은 유지되는 상태로 축삭 변성은 일어나지 않은 상태이다. 대개 수일 내지 수주 후에 완전 회복된다. 축삭단열(axonotmesis)은 축삭이 끊어져 손상된 원위부로 축삭 변성이 진행되는 상태로 Schwann cell과 신경내관은 유지된다. 손상된 근위축삭에서 하루에 1~2 mm 정도 재생되어 기능회복을 기대할 수 있다. 신경단열(neurotmesis)은 축삭과 함께 신경내관까지 완전히 손상된 상태로 수술적 치료 없이 회복을 기대할 수 없다.

3) 임상양상

말초신경의 이상이 발생하면, 외상에 의한 것인지, 질환에 의한 것인지 감별해야 하며, 급성으로 발생한 것인지 아니면 만성으로 발생한 것인지 구분해야 한다. 특히 골절 등의 외상이 있을 시 말초 신경의 손상을 간과해서는 안된다.

(1) 운동 및 감각 이상

말초신경이 손상되면 그 신경이 지배하는 근육에 이완성 마비(flaccid paralysis)가 발생한다. 마비 정도에 따라 완전 또는 불완전 마비로 나눌 수 있으며, 방치하면 해당 근육은 불용성 위축(disuse atrophy)에 빠진다. 감각신경은 인접신경과 중복해서 지배되는 경우가 많은데, 이러한 부분은 감각이 저하된다. 그러나 특정신경이 홀로 지배하는 지각 고유역(autonomous zone)의 감각은 소실된다(그림 10-10). 또한 자율신경 중 교감신경(sympathetic nerve)의 손상으로 발한 이상(abnormal sweating), 혈관운동장애(vascular motion disturbance), 피부의 영양장애(trophic derangement) 등이 나타날 수 있다.

(2) 티넬 징후(Tinel sign)

말초신경의 손상이 있는 지점을 가볍게 타진하거나 손가락으로 눌러보면, 신경주행을 따라 순간적으로 저린 감각(tingling sensation)이 발생하는 것을 뜻한다. 축삭의 기능은 유지되고 있으나 수막이 불완전한 경우에 나타나는 현상으로 해석되고 있다. 손상된 신경의 끝에서도 확인할 수 있고, 손상 후 신경이 재생되면서 티넬 징후가 원위부로 이동하기 때문에 신경의 재생을 확인하는 데에도 유용하다.

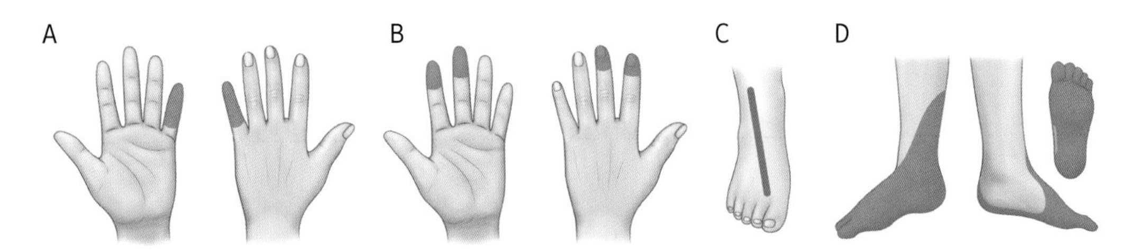

그림 10-10
고유 감각역(autonomous zone)
A. 척골 신경, B. 정중 신경, C. 비골신경, D. 좌골 신경

4) 전기적 검사

(1) 근전도 검사(electromyography, EMG)

근 수축 시 발생하는 미세전류를 침 전극(needle electrode)을 사용하여 연속적으로 측정, 기록한다.

(2) 신경전도 검사(nerve conduction study, NCS)

특정 말초신경이 진행하는 서로 다른 두 점에서 한 점에서 피부에 전기 자극을 가하고, 다른 점에서는 전기 자극을 검침하여 그 신경의 전도 여부 및 전도 속도를 측정한다.

5) 말초신경 손상의 치료

(1) 비수술적 치료

신경의 연결이 유지되고 있는 신경차단이나 축삭 단열인 경우, 예를 들어 비개방성골절이나 탈구와 동반된 신경마비는 일단 보존적 치료로 회복을 기대할 수 있다.

(2) 수술적 치료

열상이나 자상 등으로 인해 신경손상이 명확하거나, 개방성골절이 동반된 신경손상, 보존적 치료를 하였으나 호전이 없는 경우 등에서는 수술적으로 탐색술(surgical exploration)과 봉합술(neurorrhaphy)을 실시할 수 있다. 만약에 신경의 결손이 있어서 절단 단 사이의 간격이 극복되지 않는 경우에는 공여 신경(donor nerve)을 채취하여 결손 부위를 채워주는 신경 이식술(nerve graft)이 필요할 수도 있는데, 공여 신경으로는 상지에서는 내측전완피부신경(medial antebrachial cutaneous nerve)이, 하지에서는 비복신경(sural nerve)이 많이 사용된다.

6) 압박성 신경병증 또는 신경포착 증후군

말초신경이 신경주행을 따라 어느 부분에 압박되어 부분 또는 전체마비를 일으킬 수 있는데 이를 압박성신경병증(compressive neuropathy) 또는 신경포착증후군(nerve entrapment syndrome)이라 한다. 상지에서 가장 흔한 압박성신 경병증은 정중신경(median nerve)이 수근관 또는 손목터널에서 눌려서 발생하는 수근관증후군(carpal tunnel syndrome)이 있고, 그 다음 흔한 것은 척골신경(ulnar nerve)이 팔꿈치에서 눌리는 주관증후군(cubital tunnel syndrome)이 있다. 하지에서는 후 경골 신경(posterior tibial nerve)이 족근관(tarsal tunnel)에서 눌리는 족근관증후군(tarsal tunnel syndrome)이 있을 수 있다. 또 외측 대퇴 피부신경(lateral femoral cutaneous nerve)이 inguinal ligament 등에서 눌려서 발생하는 지각이상대퇴신경통(meralgia paresthetica)도 있다.

참고문헌

1. Bayusentono S, Choi Y, Chung CY, Kwon SS, Lee KM, Park MS: Recurrence of hip instability after reconstructive surgery in patients with cerebral palsy. J Bone Joint Surg Am 2014, 96(18):1527-1534.
2. Choi IH, Chung CY, Cho TJ, Yoo WJ, Park MS: Lee Duk Yong's Pediatric Orthopaedics. Koonja Publishing Inc. Seoul. 2014;4:303-330.
3. Choi Y, Lee SH, Chung CY, Park MS, Lee KM, Sung KH, Won SH, Lee IH, Choi IH, Cho TJ et al: Anterior knee pain in patients with cerebral palsy. Clin Orthop Surg 2014, 6(4):426-431.
4. Chung CY, Choi IH, Cho TJ, Yoo WJ, Lee SH, Park MS: Morphometric changes in the acetabulum after Dega osteotomy in patients with cerebral palsy. J Bone Joint Surg Br 2008, 90(1):88-91.
5. Chung CY, Lee KM, Park MS, Lee SH, Choi IH, Cho TJ: Validity and reliability of measuring femoral anteversion and neck-shaft angle in patients with cerebral palsy. J Bone Joint Surg Am 2010, 92(5):1195-1205.
6. Chung CY, Lee SH, Choi IH, Cho TJ, Yoo WJ, Park MS: Residual pelvic rotation after singleevent multilevel surgery in spastic hemiplegia. J Bone Joint Surg Br 2008, 90(9):1234-1238.
7. Chung CY, Park MS, Choi IH, Cho TJ, Yoo WJ, Lee KM: Morphometric analysis of acetabular dysplasia in cerebral palsy. J Bone Joint Surg Br 2006, 88(2):243-247.
8. Chung CY, Sung KH, Lee KM, Lee SY, Choi IH, Cho TJ, Yoo WJ, Park MS: Recurrence of Equinus Foot Deformity After Tendo-Achilles Lengthening in Patients With Cerebral Palsy. J Pediatr Orthop 2014.
9. Chung CY, Wang KC, Bang MS, Lee J, Park MS: Introduction to Cerebral Palsy. Seoul: Koonja; 2013.
10. Gong HS, Cho HE, Chung CY, Park MS, Lee HJ, Baek GH: Early Results of Anterior Elbow Release With and Without Biceps Lengthening in Patients With Cerebral Palsy. J Hand Surg Am 2014.
11. Hong CH: Hong Chang Hee's Pediatrics. Seoul: Mire-n; 2013, 10:1060-1065
12. Lee KM, Chung CY, Kwon DG, Han HS, Choi IH, Park MS: Reliability of physical examination in the measurement of hip flexion contracture and correlation with gait parameters in cerebral palsy. J Bone Joint Surg Am 2011, 93(2):150-158.
13. Lee KM, Chung CY, Park MS, Lee SH, Choi IH, Cho TJ, Yoo WJ: Level of improvement determined

by PODCI is related to parental satisfaction after single-event multilevel surgery in children with cerebral palsy. J Pediatr Orthop 2010, 30(4):396-402.

14. Lee SH, Chung CY, Park MS, Choi IH, Cho TJ, Yoo WJ, Lee KM: Parental satisfaction after single-event multilevel surgery in ambulatory children with cerebral palsy. J Pediatr Orthop 2009, 29(4):398-401.
15. Lee SY, Chung CY, Lee KM, Kwon SS, Cho KJ, Park MS: Annual changes in radiographic indices of the spine in cerebral palsy patients. European spine journal : official publication of the European Spine Society, the European Spinal Deformity Society, and the European Section of the Cervical Spine Research Society 2015.
16. Lee SY, Kwon SS, Chung CY, Lee KM, Choi Y, Kim TG, Shin WC, Choi IH, Cho TJ, Yoo WJ et

스포츠 의학

Sports Medicine

1. 손상 예방, 응급처치, 재활의 원칙

1) 손상 예방의 원칙

스포츠 손상은 스포츠 및 다양한 운동과 연관된 급성 외상(acute trauma) 혹은 반복적인 만성 외상(chronic repetitive trauma)에 의해 발생하는 신체의 손상을 의미하며, 주로 근골격계의 손상으로 정의되는 경향이 있으나 운동과 연관되었다면 신체 어느 부위, 어느 조직의 손상이라도 스포츠 손상으로 정의할 수 있다(표 11-1). 스포츠 및 다양한 신체 활동이 건강 증진에 매우 중요한 역할을 한다는 것은 확정적인 근거로 잘 알려져 있다. 스포츠 활동 자체가 근, 골격계 질환뿐 아니라 심혈관계 질환, 우울증을 포함한 일부 정신과 질환 및 중년 이후 일반인의 사망률 감소에도 효과가 있다는 것을 증명한 수많은 연구들이 있으며, 다만 어느 정도 수준 혹은 어떠한 종류의 스포츠 및 신체 활동이 각각의 질환과 사망률 감소에 가장 효과적인지는 논란이 있다.

스포츠 활동은 필연적으로 신체 손상의 위험성이 있다. 정규 교육과정의 많은 시간이 스포츠 활동을 포함하고 있고, 스포츠와 다양한 레저 활동이 일상화되어 있으며, 여러 프로 스포츠 산업이 발달되어 있는 미국 등의 국가들에서 스포츠 손상 관리는 국가 의료 정책에 중요한 하나의 축이 되고 있다. 미국의 경우 2016년 발행한 National Health Statistics Reports에서 스포츠와 연관된 손상의 역학을 조사하여 연간 약 860만 건, 연령을 보정한 빈도로 인구 1,000명당 약 34건의 스포츠 관련 손상이 발생했다고 보고하였다. 우리나라에서도 사회경제적 발전과 더불어 학교 중심의 엘리트 스포츠 및 대중적인 사회 스포츠 활동이 점점 활성화되고 있으며, 따라서 스포츠 손상은 증가하고 있을 것으로 추정할 수 있다.

이와 같은 스포츠 활동의 양면성 때문에 스포츠 활동 시 손상을 예방하기 위한 연구가 다각도로 이루어지고 있다. 특히 경제적 가치가 막대한 프로 스포츠 산업이 발달한 국가들을 중심으로 스포츠 손상 예방을 위한 연구가 활발하게 이루어져왔으며 많은 연구비, 시간, 노력이 투자되었다. 하지만 이러한 노력들이 스포츠 손상 빈도를 전반적으로 줄이는데 기대만큼 큰 성공을 거두지는 못하였다. 실제로

표 11-1
해부학적 위치에 따른 스포츠 손상

1. 목

1) 외상
  (1) Brachial plexus injury
  (2) 급성경부염좌증후군
  (3) 골절 및 탈구
2) 근육성 통증 증후군
  (1) 염좌
3) 근막통 증후군
  (1) 후경부 근막 통증
  (2) 흉쇄유돌근 근막 증후군

2. 허리

1) 염좌
2) 척추 후관절 증후군
3) 천장관절 증후군
4) 근막통 증후군
5) 추간판 탈출증
6) 척추 전방전위증
7) 골절

3. 어깨

1) 회전근 개 손상
  (1) 회전근 개 건염
  (2) 석회화 건염
  (3) 회전근 개 염좌 및 파열
2) 상완골 탈구 및 불안정성
  (1) 전방 탈구
  (2) 후방 탈구
  (3) Unidirectional
  (4) Bidirectional
  (5) Multidirectional
3) 골절
  (1) 쇄골골절
  (2) 상완골두 골절
4) 견봉 쇄골 관절 손상
5) 흉골 쇄골 관절 손상
6) 만성 견봉 쇄골 관절 동통
7) 유착성 관절낭염
8) 상완이두건염
9) 상완이두근 장두의 파열
10) 대흉근 스트레인
11) 견갑거근 증후군
12) 신경포착

4. 팔꿈치와 전완

1) 상과염(Tennis elbow)
2) 성장기 소아 투수의 주관절(Little league elbow)
3) 신경 포착 증후군
  요골신경의 포착
  척골신경의 포착
  정중신경의 포착
4) 점액낭염
5) 골절
  (1) 상완골 원위부 골절
  (2) 요골두 골절
  (3) 주두 골절
  (4) 전완부 골절
  (5) 스트레스 골절
6) 구획증후군
7) 외상성 주관절 불안정

5. 손목

1) 골절 및 탈구
  (1) 원위 요골 골절
  (2) 주상골 골절
  (3) 유구골구 골절
  (4) 월상골 탈구
2) 손목 염좌
3) 신경 및 혈관 손상
  (1) 척골신경
  (2) 정중신경
  (3) 혈행장애

6. 손

1) 건의 염좌
2) 인대의 염좌
3) 골절 및 탈구
  (1) 중수골 골절
  (2) 중수수지 관절 탈구
  (3) 수지골 골절
  (4) 수지관절 탈구

(5) 근위 지간 관절 탈구 및 염좌
(6) 추지
(7) 단추구멍 변형

7. 흉부

1) 흉부타박상
2) 골절
(1) 늑골골절
(2) 흉골골절
3) 늑골 골막 파열

8. 둔부와 서혜부

1) 좌상
2) 염좌
3) 골절
(1) 견열골절
(2) 스트레스골절
4) 탈구
5) Snapping hip syndrome
6) 점액낭염
7) 신경포착손상
8) Labral tear
9) Femoroacetabular impingement

9. 대퇴부

1) 슬괵건 염좌
2) 대퇴사두근 염좌
3) 대퇴사두근 좌상
4) 화골성 근염
5) 구획증후군
6) 골절

10. 무릎

1) 인대 손상
(1) 내측측부인대
(2) 외측측부인대
(3) 전방십자인대
(4) 후방십자인대
2) 반월상연골 손상
3) 슬개골 골절
4) 슬관절 탈구
5) 무릎 전방 통증
(1) 재발성 슬개골탈구
(2) 슬개대퇴증후군
(3) 슬개건염
(4) 대퇴사두건염
(5) 외측과잉압박증후군
(6) 전슬개점액낭염
(7) 슬개골하 지방패드 증후군
(8) 이분슬개골
(9) Osgood-Schlatter disease
6) 무릎 내측 통증
(1) 거위발건염 및 점액낭염
(2) 내측측부인대 염좌 및 점액낭염
(3) Pellegrini-Stieda 증후군
7) 무릎 외측 통증
(1) 장경인대 마찰 증후군
(2) 대퇴이두근 건염
8) 무릎 후방 통증
(1) 슬괵근 건염
(2) 슬와근 건염
(3) 비복근 건염

11. 하퇴 및 아킬레스건

1) 과사용 손상
2) Achilles tendinitis
3) Achilles tendon 파열
4) Posterior tibial tendinitis
5) Posterior tibial tendon 파열

12. 발과 발목

1) Lateral ankle sprain
2) 내측측부인대 손상
3) 원위경비인대결합 손상
4) 외측측부인대 손상

스포츠의 종류, 스포츠 참여자의 연령, 성별 및 신체적 특성, 스포츠 활동과 연관된 무형적 및 유형적 환경 등 너무 다양한 변수들 때문에 정형화된 최적의 예방 프로그램을 수립하는 것이 쉽지 않다는 것을 예상할 수 있다.

스포츠 손상을 예방하는 기본은 위험 인자를 조절하는 것이다. 스포츠 손상의 위험 인자는 크게 스포츠의 유형, 수행시간, 팀에서의 역할, 경기장의 특성 및 날씨, 계절, 보호장비 및 경기용 장비 등 외적 요인과, 운동에 참여하는 사람의 신체적 특성(나이, 성별, 건강 상태, 관절 및 근육의 상태, 기술 수준 등)과 심리적 특성(열의의 정도, 위험 부담에 대한 의도, 스트레스 대처 능력 등)과 연관된 내적 요인으로 나눌 수 있다.

해당 스포츠의 관리자, 감독 혹은 트레이너, 스포츠를 수행하는 선수 개개인이 협력하여 손상 예방을 위한 외적, 내적 위험 요인을 관리해야 한다. 경우에 따라 경기 규칙이나 규정의 개정이 필요할 수도 있지만 기본적으로 스포츠 활동 전, 후의 트레이닝, 적절한 보호 장구의 착용 등을 수행해야 한다. 엘리트 스포츠 선수의 경우 시즌 전부터 시작하여 시즌 내내 손상 예방을 위한 트레이닝을 시행해야 하며, 근력, 유연성, 밸런스, 그리고 각 경기에 특화된 스트레칭이 특히 하지 손상을 줄이는 것에 효과가 있다고 보고되었다. 보호 장구의 경우 하지 및 상지 보호대나 테이핑, 안면이나 머리 보호대에 관한 연구가 수행되었으며 보호 장구들이 효과적이라는 보고도 있지만, 손상 예방에 효과적이지는 않다는 보고도 있어 이러한 결과들을 고려하여 적용되어야 한다. 예를 들어 슬관절 보호를 위한 경첩 슬관절 보조기(hinged knee brace) 착용이 슬관절 손상의 감소에는 효과적이지 않고 오히려 발목이나 발의 손상을 증가시킨다는 보고가 있다.

경기 규칙은 스포츠의 중요한 구성 요소로서 쉽게 변화를 줄 수 있는 요소가 아니며, 실제로 규칙의 개편을 위하여 신뢰할 만한 연구를 시행하는 것에는 많은 비용이 들고 장기간의 추시가 필요하다. 하지만 특정 규칙이 심각한 손상과 확증적인 연관성이 있다면 규칙 개정은 선수들을 보호하는데 매우 중요하다.

2) 손상 후 응급 처치 및 재활의 원칙

스포츠 손상의 초기 응급 처치 및 재활의 전통적인 원칙은 RICE (Rest, Ice, Compression, Elevation)이다. 수상 직후부터 시작하여 48시간까지 지속하며, 이러한 처치가 통증과 염증을 감소시키고, 추가적인 손상을 줄이며, 부종의 양을 줄여 이차적 저산소증(secondary hypoxia)에 의해 주변 조직으로 손상이 확대되는 것을 줄일 수 있는 것으로 알려져 있다.

(1) 안정(rest)

손상된 근육이나 인대, 건의 보호를 위해서 운동이나 일상 활동의 정도를 감소시키고, 목발이나 지팡이 그리고 보조기를 이용하여 체중을 분산시킨다. 통증의 정도를 고려하여 필요에 따라 부목 고정을 시행한다.

(2) 냉찜질(ice)

냉찜질은 부종 형성을 줄이고, 혈관을 수축시키며, 손상된 조직의 대사 활동을 줄여 이차적인 저산소증에 의한 손상을 방지하는 효과가 있다. 또한, 얼음 찜질로 인한 피부 표면의 온도 저하는 국소적으로 신경 전달 속도를 감소시켜 진통 효과도 나타낼 수 있다. 어는 점이 0℃ 이하인 충전재를 사용한 냉찜질팩의 경우 조직내 온도가 영하로 내려가 결정에 의한 손상이 발생하지 않도록 얇은 수건 등을 이용해 조직에 팩이 직접 닿지 않도록 하며, 냉찜질은 한 번에 20분 이상을 넘기지 않도록 한다.

(3) 압박(compression)

압박 또한 손상 부위에서 추가적인 부종의 발생을 감소시켜 치유를 돕는다. 일부에서는 통증의 감소 효과도 보고하였다. 압박붕대를 이용하여 부종이 있는 부위를 감싸는 방법이 일반적이며, 너무 심한 압박으로 인한 순환장애를 조심해야 한다. 균일하게 압력이 가해지도록 하고, 피부 접촉면에 주름이 가지 않도록 하여 수포가 생기지 않도록 한다.

(4) 올림(elevation)

손상 부위를 높게 올려 부종을 최소화시킨다. 예를 들어, 발목의 손상이 있다면, 누운 자세에서 배게 등으로 발목을 들어 올려주어 부종이 발생하는 것을 줄일 수 있다.

이러한 전통적인 RICE 원칙은 여전히 널리 사용되고 있으나, 이에 대한 논란도 있다. 논란의 요지는 RICE 원칙이 손상된 조직의 혈류를 오히려 감소시킬 수 있다는 것이며, 이러한 혈류 감소가 치유를 저해시키고 이차적인 조직 손상을 오히려 증가시킬 수 있다는 주장이다. 또한 손상 초기에도 어느 정도의 움직임을 허용하는 빠른 재활을 시행하는 것이 더 효과적이라는 보고도 있다. 이러한 논란의 근거가 전통적인 원칙을 버리기에는 아직 충분하지 않지만, 과도한 RICE 원칙 적용이 되지 않도록 하고 48시간 이내에 근본적인 치료를 수행하는 것을 고려해야 한다.

2. 팀주치의의 계획과 역할

1) 팀주치의란?

팀 치료라는 것은 스포츠의학의 매우 도전적이지만 가장 흥미로운 면 중의 하나이다. 팀주치의(team physician)의 개념은 60년대 미국에서 지역운동팀의 선수들을 돌보기 위해 시작되었다. 그 범위와 활동은 활발하게 확대되어 80년대에는 대부분의 대학 팀들이 팀주치의와 연관을 맺게 되었다고 한다. 정형외과 의사가 대부분의 팀 주치의를 맡았던 초기에 비해서 최근에는 타 과 의사와 비의사의 비율이 높아졌으나 여전히 팀주치의로서 정형외과 의사의 비율은 높으며 스포츠의학의 중심을 이루고 있다. 우리나라는 국가대표 등 국제수준의 선수들을 중심으로 하는 팀과 프로팀에 주로 팀주치의가 있다.

여기에서 팀주치의는 운동선수를 포함한 팀 구성원의 건강을 관리하고 문제를 예방하며 손상의 일차적 치료와 교육을 담당하는 포괄적 역할을 하는 의사를 의미한다. 전통적으로 의사는 환자의 일차 연락처이며 상담을 통해 적합한 전문가 또는 보조자를 소개시켜 주고 지시하는 입장이었으나 현대에는 선수, 코치 외의 다른 여러 분야의 전문가, 물리치료사, 마사지사, 영양사, 심리학자, 트레이너 등과도 대등하게 소통이 되어야 하며 의뢰를 주고받을 수 있어야 한다.

따라서 팀주치의는 전문분야의 깊은 지식보다 광범위한 지식과 역할이 강조되는 경우가 많으며 단지 근골격계 뿐만 아니라 심혈관계, 호흡기, 피부, 신경, 약리학 등을 아우르는 기반의 지식을 가지고 있으면 좋다. 어떤 손상에 대해 치료를 할 경우, 직접적인 의학적 원인 외에도 스포츠 활동과 관계되는 원인을 찾는 데 신경을 써야 하고 이는 반복 또는 재발되는 동일한 손상을 예방하기 위해 매우 중요하다. 정형외과적 손상이 발생할 경우 이와 관련된 훈련의 방법과 강도, 장비와 용구 등에도 그 원인이 있지 않은지 살피고 이에 대한 의견과 정보를 공유해야 한다. 따라서 폭넓은 관심과 시야가 팀주치의에겐 필수적이라 하겠다.

2) 팀주치의의 역할

정확한 진단과 치료는 의사로서 팀주치의 역할 수행의 핵심이라고 할 수 있다. 이는 경기에 참여 전 검사, 의학적 모니터링, 그리고 필드에서의 응급처치 등으로 나눌 수 있다.

(1) 참여 전 검사 (pre-participation examination, PPE)

이는 선수의 건강과 안전을 위한 환경을 제공하기 위해, 운동시즌 전에 선수의 병력과 신체검진을 통해 경기와 훈련에 참여할 수 있는지를 결정하는 과정을 말한다. 일반적으로 다음과 같은 사항들이 필요하다.

① 병력
② 키와 몸무게, 시력, 활력징후 등의 신체검사
③ 심폐기능, 신경계통, 정형외과적 근골격계 검진 등의 진단평가

선수의 전반적인 건강을 검진하고 운동능력을 평가하는 것 외에도, 어린 선수의 경우 숨어있는 선천적 결함이 있는지 반드시 스크리닝되어야 하고 신체적 성숙도를 측정하여 선수에게 해가 될 수 있는 특정 조건에 대한 제한을 두거나 손상을 방지할 수 있어야 한다. 선수가 고등학교 이상의 나이가 되면 대개는 선천적 문제의 빈도는 떨어지고 근골격계 손상이나 이전 정형외과 수술 병력 등이 초점이 될 수 있다. 참여 전 검사는 경기 및 훈련 시즌 수 주 전에 행해지며 발견된 문제를 수술을 하거나 재활을 하는 등 적절하게 처치되어야 한다. 기본적으로 최종 결정은 첫째, 제한 없는 참가; 둘째, 추가적인 검사 또는 재활 후 참가; 셋째, 결함으로 인한 참여불가 세 가지로 요약될 수 있다.

(2) 의학적 모니터링(medical supervision)

여러가지 장소 및 상황에서 의학적 지식과

행위를 제공해야 하는데 고위험 스포츠의 고위험 상황에서 더욱 중요하다. 정신적 문제도 상담해야 하고 손상 예방과 재활에 대한 조언도 해야 한다. 근골격계 손상 외에도 두경부 또는 복부 손상에 대해서도 전문적 지식이 부족하더라도 판단을 할 수 있어야 한다. 타 전문가의 판단과 조언이 필요할 수 있다. 가장 어려운 판단은 다시 경기에 투입이 될 수 있는가? 가능하다면 언제 복귀해야 하는가에 대한 문제이다. 선수에게 충분한 정보를 제공하고, 선수가 자신을 지키는 판단을 하는 데에 부당한 압력이 가해지지 않도록 애써야 한다. 경기 시 응급상황에 대처할 수 있는 인원과 장비로 구성된 팀을 미리 꾸려 놓아야 한다. 고위험 스포츠 경기에 임하는 경우 응급상황에 최대한 빨리 환자를 이송할 수 있는지 동선도 체크해 놓아야 한다.

(3) 필드에서의 처치 (on-field emergenecies)

검사 및 응급처치를 위한 도구가 가방에 정리되어 있어야 하며, 이는 장비와 약의 두 가지로 분류될 수 있다. 항생제, 항히스타민, 소염제, 소화기계, 안과, 피부과 약 및 국소마취제 등이 필요하며 경우에 따라 강한 진통제, 정맥용 수액, 근이완제 등이 들어가기도 한다. 심혈관계나 호흡기문제, 쇼크 등에 대비한 응급약도 구비해야 한다. 심혈관계 소생술(cardiopulmonary resuscitation)에 필요한 도구들을 포함한 장비들이 필요하며 제세동기(defibrillator) 등이 경기장에 있다면 위치를 미리 알아두는 것도 필요하다. 시즌 전에 팀주치의를 비롯한 팀 구성원들은 검사, 치료, 사고의 처치 등에 대한 여러가지 상황에 대해 계획을 미리 세워야 하며 가능하면 시뮬레이션도 하는 것이 좋다. 일반적인 규칙이 있으나 응급상황에서 필요한 처치는 매우 광범위하여 이를 벗어나는 경우가 많으므로 항상 예기치 못한 상황에서 어떻게 대처할지를 미리 상의해두어야 한다. 팀의 리더는 그게 팀주치의든 또는 다른 사람이든 항상 경기장 sideline에 대기하고 있어야 한다. 필드에서의 응급 검사는 첫째 생명을 위협하는 손상이 스크리닝 되어야 한다. 이는 기도(Airway), 호흡(Breathing), 순환(Circulation), 장애(Disability), 노출(Exposure)의 ABCDE를 따라서 하게 된다. 이차적으로는 당장 이송을 요하지 않는 손상에 대한 진단을 시행한다. 이는 머리에서 발끝까지 포괄적으로 진행해야 하며 손상이 진단되면 팀주치의는 이를 이송해야 할지, 지켜보며 다시 검사를 할지, 바로 다시 경기에 복귀해도 될 지를 결정해야 한다.

3) 윤리

팀주치의는 조건에 미달되는 선수를 경기로부터 제외시키는 것뿐 아니라 손상, 재손상 그리고 영구적인 장애로부터 선수를 지켜야 할 의무가 있다. 또한 선수에게 적절한 의료서비스를 제공할 수 있어야 한다. 단기간의 이득과 장기간의 문제 사이의 갈등에서 선수와 논의하고 결정하는 것은 중요하며 어려운 문제이다. 선수의 사생활을 지켜주는 것도 의사의 책임에 포함된다.

4) 도핑

팀주치의는 도핑문제를 예방하고 관리하는데 중요한 역할을 해야 한다. 이를 위해 가장 중요한 것은 팀 구성원에 대한 교육이다. 도핑문제가 생겼을 때 팀주치의가 모든 책임을 지는 것이 아닌 이상, 금지 목록, 처방약물, 비의도적 도핑, 약물 검사의 프로토콜에 대해 정기적인 교육을 하는 것이 대단히 중요하다. 처방약물에 대해 의사가 확신하지 못하는 경우에는 반도핑기구(World Anti-doping Agency, WADA) 홈페이지에서 반드시 확인하고 제안하는 것이 필요할 것이다.

5) 결론

아직 우리나라에서는 팀주치의의 필요성과 중요성에 대한 인식이 지역 아마추어팀, 학생 및 동호인 팀 등에서는 매우 낮은 것으로 여겨진다. 오히려 단체나 지도자에 의한 요구, 본인의 성과욕, 상급학교로의 진학 및 구직 등으로의 연결, 또는 스포츠 손상에 대한 인식부족 등으로 인해 선수들에 대한 정상적인 의학적 판단이 방해를 받는 경우가 종종 드러나곤 한다. 또한 스포츠 손상에 대한 의학적 이해가 부족한 인력이 팀주치의의 역할을 담당하는 경우가 있는 것도 문제점의 하나이다. 그러나 선수의 보호와 경기력 향상을 위하여 스포츠 손상에 대한 의학적 판단은 대단히 중요하며 팀주치의를 맡은 정형외과의는 이와 같은 문제점의 해결을 위해 노력해야 한다.

3. 과사용 손상

과사용 손상(overuse injury)은 스포츠로 인한 과다 사용(overuse)으로 발생하는 손상으로써 신체 어느 부위에나 발생할 수 있다. 과다 사용으로 인한 만성 손상을 급성 손상에 비하여 진단이 어려울 수 있으며, 여러 가지 요인들이 복합적으로 일어나는 손상이므로, 치료 후 손상을 일으킨 주요 요인들을 제거하거나 조절하지 않으면 다시 재발할 수 있다.

과사용 손상(overuse injury)은 전체 스포츠 손상의 50% 정도의 빈도를 차지한다. 이는 의도적인 운동으로 유발된 과부하로 회복의 균형이 깨질 경우, 세포 수준의 고장이 일어나고 조직 및 몸 전체에 불균형과 손상이 생기게 되는 것을 말한다. 반복적인 미세손상(microtrauma)은 세포 내와 세포 외의 퇴행성 변화를 가져오며 운동의 강도, 방법, 지속기간 등을 바꾸었을 때 흔히 나타난다. 흔한 과사용 손상은 건병증(tendinopathy), 피로골절(stress fracture), 만성 과로성 구획증후군(chronic exertional compartment syndrome), 내측 경골 피로 증후군(shin splint: medial tibial stress syndrome) 등이 있다.

1) 건병증

건에 생긴 과사용 손상은 과거에는 주로 건에 생긴 염증이라는 의미에서 건염(tendinitis)

이라고 일컬어졌으나, 최근에는 여러 가지 다양한 병리학적 병명 즉, 부분 혹은 완전 파열, 건염, 건초염(tenosynovitis), 건증(tendinosis) 등을 포함하는 개념인 건병증(tendinopathy)가 사용이 되고 있다. 건염은 갑작스럽고 과도한 부하가 근건 단위에 가해졌을 때 건의 미세 파열에 의해 발생하는 건 자체의 염증이다. 건염(tendinitis)은 운동으로 인해 발생되었든, 운동으로 인해 악화되었든, 운동과 관련되며, 국소적인 압통이 건에 있으며, 영상 검사상 건 내부의 변화가 확인된다. 건증은 이전에는 건의 염증 정도로 알고 있었으며, 최근에서야 병리조직학적으로 건의 퇴행성 변화(degenerative change)임이 밝혀졌다. 급성 건 파열과는 달리, 운동 시 최대치 이하의 손상 기전(submaximal trauma)에 의해 반복적인 미세 손상이 일어남으로써 정상적인 collagen 구조가 망가지게 되고 세포 기질의 퇴행성변화가 오게 된다. 건염의 회복이 2~3일, 만성인 경우 4~6주가 걸리는 것에 비해 건증의 회복은 2~3개월, 만성일 경우 3~6개월 이상이 걸리며 빈도도 더 높다. 치료의 원칙은 collagen 합성을 도모하고 성숙시키며 강도를 가지게 하는 것이며, 수술적 치료는 비정상적인 조직을 제거하기 위해 사용되나 성공률이 비교적 낮고 회복기간 역시 수개월이 걸린다. 대표적인 건병증(tendinopathy)으로는 elbow의 외상과염(lateral epicondylitis, tennis elbow)과 슬개건병증(patellar tendinopathy), 아킬레스건염(achilles tendinitis) 등이 있다.

2) 피로 골절

정상 골에 골절을 일으키지 않을 정도의 충격이 반복적으로 가해져서 발생하는 불완전 골절을 말하며, 드물게 완전 골절로도 이행된다. 일명 행군 골절(march fracture)로도 불린다. 모든 스포츠 손상의 0.7~20% 정도이며 양측성도 16% 정도로 보고된다. 모든 골에 피로 골절이 올 수 있으나 tibia에 가장 흔하며 다음 tarsal bone, metatarsal bone의 순서이다. 야구와 같이 던지는 운동의 경우 humerus, 골프와 조정 경기의 경우 rib, 체조 선수의 경우 spine injury가 흔하다. 합병증을 막고 가능한 한 빨리 운동에 복귀하기 위해 조기 진단이 필수적이다. 초기 호소하는 증상은 서서히 진행하고 점점 심해지는 해당 부위의 통증이며 압통이 있다. 근육통(myalgia), 신경포착(entrapment), 종양(tumor), 감염(infection) 등의 질환을 감별해야 한다. 단순 방사선 사진으로 볼 수도 있으나 초기 2~3주는 정상이며 수개월간 특이 소견이 없을 수도 있다. 방사선 사진상에 나타나지 않거나 여러 부위에 피로 골절이 의심될 때는 더 민감한 검사인 골주사(bone scan)로서 조기 진단이 가능하며 6~72시간 이내에 양성 소견이 나타난다. MRI는 민감도와 특이도가 모두 높아 유용한 진단 도구이다.

치료의 첫 단계는 유발 요소를 제거하는 것이다. 대부분의 경우 운동 및 훈련의 강도가 달라진 것이 발단이며 이를 교정하는 것이 필요하다. 호발 부위는 상완골(humerus), 늑골(rib), 대퇴골두 및 간부(femur neck and shaft),

슬개골(patella), 경골 및 비골(tibia and fibula), 중족골(metatarsal) 등이다(그림 11-1). 피로 골절과 감별이 필요한 질환 중 가장 심각한 것은 악성 골종양(malignant bone tumor) 중 골막성 골육종(periosteal sarcoma)과 유잉 육종(Ewing's sarcoma)이며, 이 경우 2~3주 후에 단순 방사선 사진을 재촬영하여 피로 골절의 특징적인 가골(callus)의 성숙(maturation)이 보이면 배제할 수 있다. 피로 골절의 치료는 대부분 비 수술적 요법으로 이루어지며 활동의 제한, 여러 형태의 부목, 석고붕대 등으로 치료한다. 하지만, 상황에 따라서 경골 부위의 피로 골절은 수술적 치료가 필요한 경우도 있다. 경골의 골주 전면 피질골의 피로 골절은 혈액 공급이 적고, 장력을 받는 부위여서 골유합이 지연되거나 불유합이 잘 생기고, 완전 골절이 잘 발생하기 때문에 별개로 고려해야 한다.

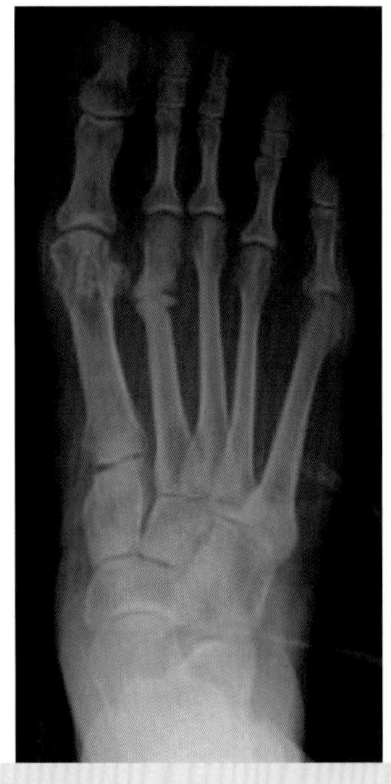

그림 11-1
Metatarsal bone에 발생한 피로 골절

3) 만성 과로성 구획증후군

만성 과로성 구획증후군의 발병 기전은 급성 구획증후군과 같으나 대개 운동에 의해 발생한다는 점과 비교적 느린 진행 경과를 보인다는 점이 다르다. Thigh와 lower leg, foot의 내측 구획에 가장 흔히 발생한다. 증상은 달리기와 같은 운동을 할 때마다 반복되는 통증이며 이는 훈련을 지속하는 정도에 따라 더 증가하고 운동을 멈춤으로써 증상도 소실된다. Lower leg의 경우 anterior compartment가 침범 되면 ankle과 toe의 신전이 약해지며 dorsum of foot, first web space의 감각이 저하될 수 있다. 병력과 이학적 검사 외에, 진단을 위한 조직압(tissue pressure)의 기준은 운동 전 15 mmHg 이상, 1분 운동 후 30 mmHg 이상, 운동이 끝난 5분 후 20 mmHg 이상 중 하나를 만족시키면 된다. 최근 삼상 골주사(triple-phase bone scan), MRI, technetium-99m methoxy-isobutyl-isonitrile (MIBI) scan 등 비침습적인 검사에 대한 관심이 높아지고 있다. 만성 과로성 구획증후군의 치료는 보존적 요법과 수술적 요법이 있다. 보존적 요법으로는 휴식, NSAIDs, 근육의 스트레칭과 강화 훈련, 보조기 등을 사용할 수 있다. 원인이 되는 운동을 멈추는 것도 가능하다면 효과적이다. 보존적 요법으로 2~4개월 이상 지속되면 근막절개술(fasciotomy)과 같은 수술적인 치료를 시도할 수 있다.

4) 내측 경골 피로 증후근

Tibia 원위 1/3의 후내측 부위의 전반적인 압통을 말한다. 경한 경우 통증은 운동이나 경기 이후에만 있으나 심한 경우 쉴 때도 통증이 있다. 달리기 손상의 약 12~18%, 군 훈련 손상의 약 4%로 보고된다. 피로 골절이나 과사용 구획 증후군과 구분되지만 동시에 존재하는 경우도 있는 것으로 보고된다. 일반 방사선 사진에서는 특이 소견이 없으며 골주사 상 경골 골막을 따라 수직으로 열소(hot uptake)가 발견된다. 골막통(periostalgia), 근막염(fasciitis), tibialis posterior 또는 soleus 건염의 일부로 생각되며 hindfoot의 지나친 pronation 시 soleus나 tibialis posterior에 가해지는 외반력이 원인으로 보고된다. 최근 달라진 운동패턴을 찾아내어 교정하고 휴식을 취하는 것이 치료이다. 염증을 줄이기 위한 NSAIDs 등 소염진통제와 초음파 치료 등을 사용하고 이후 근육강화훈련과 유연성 운동을 하여 근육의 불균형을 교정한다.

4. 급성 손상

1) 급성손상의 종합적인 진단

급성손상의 종합적인 진단(General Assess-ment of Acute Injury)은 운동선수에게서 손상이 발생하였을 때 가장 중요한 것은 초기 위험신호를 인지하고 필요하면 응급의료팀을 가동하는 것이다. 심폐소생술과 제세동(defibrillation) 등의 응급처치는 필요할 경우 적시에 해야하며 따라서 1차적인 평가는 생명을 위협하는 손상에 대한 스크리닝이다. "ABCDE"로 기억하는 스크리닝 방법이 일반적으로 사용되며 이는 Airway, Breathing, Circulation, Disability, Exposure이다. 완전히 엎어져 있는 의식이 없는 선수는 cervical spine 손상이 있을 것으로 추정해야 하며 적어도 네 명 이상이 얼굴-목, 어깨, 엉덩이, 무릎 부위를 잡고 환자를 굴려 안면이 위를 향하도록 하고 기도를 확보한다. 기도내 삽관이나 주사천자 등이 필요할 수 있다. 기도가 열린 후에도 자발적인 호흡이 되지 않는 경우 mouth-to-mask, mouth-to-mouth, bag mask technique 등으로 시행해야 한다. Pneumothorax나 flail chest, hemothorax 등이 없는지 살펴야 한다. 혈류는 경동맥의 맥압으로 평가하며 맥압이 만져지지 않으면 신속한 제세동을 시행해야 한다. 출혈로 인한 저용량 쇼크를 인지하고 그 원인을 파악해야 하는 것도 일차적인 평가의 일부이다. Disability는 신경학적 검사와 의식수준, 동공반응으로 평가한다. 의식의 평가는 Alertness, Response to Vocal stimuli, Response to Painful stimuli, Unresponsive (AVPU)로 나누며 Glasgow Coma Scale이 이용되기도 한다. D는 defibrillation이나 drugs로 해석되기도 한다. 2차적인 평가는 즉각적인 이송이 필요 없는 부상의 경우 "머리에서 발끝까지(head to toe)" 시행된다. 체온과 같은 vital sign뿐만 아니라 어느 과 또는 파트로 인계나 추시(follow up)를 할 것인지, 아니면 다시 경기나 운동에 투입될 수 있을 것인지를 결정해야 한다.

2) 스포츠 관련 근골격계 손상

스포츠 관련 근골격계 손상(assessment of musculoskeletal injury)은 앞서 언급한 바와 같이 가장 흔한 스포츠 손상은 근골격계 관련 손상이다. 혈류역학적 안정성을 위협하는 심각한 근골격 손상은 1차적 평가에서 반드시 걸러져야 하나 대부분의 근골격 손상은 2차 평가에서 파악이 된다. 변형, 종창, 피부와 연부조직 열상(laceration), 피부색(예: 창백함; pallor), 통증, 운동범위의 제한, 관절안정성, 신경학적 이상, 맥박의 유무를 잘 살펴야 한다. 심각하지 않은 대부분의 사지 손상은 휴식과 냉찜질, 압박, 거상(elevation) 등의 보존적 요법으로 해결될 수도 있으나 보다 심각한 부상은 검사와 처치를 위해 해당 전문의에게 refer해야 한다.

스포츠 손상을 1차적으로 보는 의사라면 고관절 등 몇 가지 예외가 있으나 대부분의 탈구를 정복할 수 있어야 한다. 정복 전 신경 혈관 상태를 주의 깊게 살펴야 하고 가능하면 너무 시간을 지체하지 않는 것이 좋다. 정복 후 부목으로 고정하며 이후 반드시 imaging 분석을 해야 한다. 개방성 골절의 경우 살균된 식염수로 적신 거즈로 드레싱하고 부목 고정한다. 현장에서 연부조직이나 뼈를 건드리거나, 상처 부위를 탐침(probe)을 해서는 안 된다. 만약 절단 부위가 있으면 식염수로 소독 후 멸균된 거즈로 싸서 아이스백에 넣어 운반하는데 이때 차게 유지해야 하나 얼리지 않아야 한다.

말초 혈관 또는 신경 손상은 탈구나 장골 골절, 또는 압궤손상(crush injury)가 있는 경우 의심해야 하며 말단 맥박이 약하거나 출혈, 사지온도 저하, 편측의 부종, 창백, 감각저하, 마비가 있는 경우에도 역시 신속하게 이송해야 한다. Effort-induced thrombosis는 놓쳐서는 안되는 중요한 혈관손상 중 하나이다. 물체를 던지거나 무거운 물체를 드는 등 overhead 동작이 반복되는 경우 subclavian vein 또는 axillary vein에 외상성으로 또는 서서히 진행되어 발생한다. 통증, 종창과 부종, 상지 근력저하, pallor 등이 나타날 수 있다. 의심되는 경우 신속히 초음파 또는 혈관조영술을 시행하여 진단해야 한다.

정형외과 분야에서 가장 응급 상황의 하나인 급성 구획 증후군(acute compartment syndrome)은 스포츠 손상에서도 역시 가장 중요한 질환이다. Lower leg나 forearm에서 흔히 발생하나 thigh, foot, hand에서도 발생할 수 있다. 골절, 무리한 운동 연습, 종창 및 부종이 심하게 있는 경우, 근육 좌상, 근육 파열, 또는 보조기 등의 기구 사용에 의해 발생할 수 있다. 구획 증후군은 천천히 72시간 정도에 걸쳐 발생할 수도 있다. 부상 정도에 맞지 않는 비정상적으로 심한 통증이 진단에 가장 중요하며 대개 부종으로 인해 조직압이 높아져 있는 것을 느낄 수 있다. 발가락, 손가락을 움직이지 못하고 강제로 신전시 통증이 심해지는 것이 특징이며, 5P sign 중 pain을 제외한 나머지(pallor, paresthesia, paralysis, pulselessness)는 모두 late sign이라고 봐야 하며 이들의 존재는 조직이 이미 영구적인 손상을 일정 부분 받았다고 봐야 한다.

참고문헌

1. Coles PA. An injury prevention pyramid for elite sports teams. Br J Sports Med. 2018;52:1008-1010.
2. Sheu Y, Chen LH, Hedegaard H. Sports- and Recreation-related Injury Episodes in the United States, 2011-2014. Natl Health Stat Report. 2016;99:1-12.
3. van den Bekerom MP, Struijs PA, et al. What is the evidence for rest, ice, compression, and elevation therapy in the treatment of ankle sprains in adults? J Athl Train. 2012;47:435-43.

국소적 문제

12. Shoulder Joint의 병변
13. Elbow의 병변
14. Hand와 Wrist의 병변
15. Spine의 병변
16. Hip Joint의 병변
17. Knee Joint의 병변
18. Foot와 Ankle Joint의 병변

Shoulder Joint의 병변

Affections of Shoulder Joint

1. Shoulder joint의 특성 및 평가

1) 서론 및 해부학

견관절, 어깨는 우리 몸에서 가장 운동 범위가 큰 관절이다. 인간의 상지는 사족보행 동물과 다르게 팔을 체중부하가 아닌 용도로 사용할 수 있게 되었고 손의 위치를 본인이 사용하기 좋은 위치에 두기 위해 어깨는 함목적적으로 운동성을 극대화하였다. 견관절의 해부학적인 특징 및 질환의 발생이 대부분 극대화된 운동성에 기인한다고 이야기해도 과언이 아니다.

어깨는 clavicle, scapula, 및 humerus의 세 뼈로 이루어지며, 움직임은 네 개의 관절에 의해 이루어지는데 glenohumeral (상완와), sternoclavicular (흉쇄), acromioclavicular (견봉쇄골) 및 scapulothoracic (견갑흉곽) joint가 있다. Scapulothoracic joint는 엄밀히 말한다면 관절 연골이 존재하는 관절은 아니나 정상적인 움직임을 만들어내는 넓은 의미의 관절이라 할 수 있으며 전체 어깨의 굴곡 범위의 약 1/3 정도에 기여한다. 이는 어깨에서만 갖는 특이한 운동 구조라 할 수 있으며, 따라서 엄밀히 말하자면 sternoclavicular joint가 팔과 axial skeleton을 연결하는 유일한 관절이라 할 수도 있다. Glenohumeral joint는 대표적인 ball and socket joint로 고관절과 같은 움직임의 자유도를 가지나 운동 범위는 큰 차이를 보이게 되는데 그 이유는 glenoid가 acetabulum (비구)에 비하여 상당히 작고 얕은 뼈 모양을 가지고 있기 때문이다. 인체의 팔다리뼈는 흔히 shaft (축)를 갖기 때문에 관절의 접촉 정도 또는 둘러쌈이 클수록 shaft가 움직임의 이른 시기에 다른 관절 변에 impingement (충돌)가 일어나서 생리적인 운동 범위가 적어지는 것은 당연한 일이다. 어깨관절은 운동범위를 위하여 glenoid가 극도로 작아진 그리고 얕은 모양을 갖고 있으며 관절의 size mismatch가, 즉 상대적으로 큰 humeral head (상완골두)에 비해 작은 glenoid, 가장 심한 관절로 알려져 있다. 그래서 glenohumeral joint를 골프공이 골프티 위에 올라가있는 모습으로 비유하기도 한다. 그만큼 humeral head와 glenoid는 접촉하는 면적이 작아 약 30% 정도의 humeral head의 관절면만 glenoid와 접촉하고 있다. Labrum (관절순)으로 불리는 섬유연골판이 glenoid를 둘러가며 관절의 깊이를 늘리고 접촉 면적을 크게 하는 작용을 하나 그럼에도 관절에서의 접촉 면적은 다른 관절에 비해 상대적으로 매우 적다. 근본적으로 glenohumeral joint는 고관절과 같은 ball and socket joint이기는 하나 glenoid가 acetabulum과 같은 humerus의 둘러쌈을 기대할 수 없기 때문에 태생적으로 불안할 수밖에 없다.

관절의 안정성은 관절 자체의 모양뿐 아니라 인대와 관절막과 같은 구조에 의해 정적인 안정성을 갖는다. 대표적으로 무릎관절은 관절 모양으로는 안정성을 기대하기 어려우나 강력한 인대의 역할에 의해 안정하게 된다. 하지만 어깨는 무릎과 같은 경첩관절이 아니므로 인대와 관절막이 어떤 정해진 위치에서 길이의 변화 없이 관절의 안정성에 기여하는 것은 불가능할 수밖에 없다. 게다가 전술한대로 어깨는 움직임이 큰 관절이므로 인대와 관절막이 한정된 길이로 존재할 수 없고 인대의 발달도 상대적으로 다른 관절에 비해 미비하며 관절막의 두꺼워진 일부를 인대 또는 인대 복합체로 부른다. 그러므로 어깨의 인대와 관절막은 운동의 범위를 방해하지 않기 위해 안정 시에나 운동의 중간 범위에서는 작용할 수가 없고, 관절의 가장 마지막 운동 범위에서만 checkrein (제지고삐) 역할을 수행하게 된다. 어깨의 인대들은 관절의 자체의 모양과 운동 시 안정성이 전방부가 떨어지므로 주로 관절의 앞쪽에 존재하게 된다(superior, middle 및 inferior glenohumeral ligaments)(그림 12-1). 결과적으로 어깨관절은 인체에서 가장 운동범위가 큰 관절이지만 안정성은 가장 떨어지는, 병리적인 탈구가 가장 흔히 일어나는 관절이다.

안정 상태와 중간 운동 범위에서의 어깨관절 안정성에는 다른 기전이 관여하게 되는데, 안정 상태에서는 관절내의 음압과 adhesion and cohesion (부착과 점착) 기전 등이 중요한

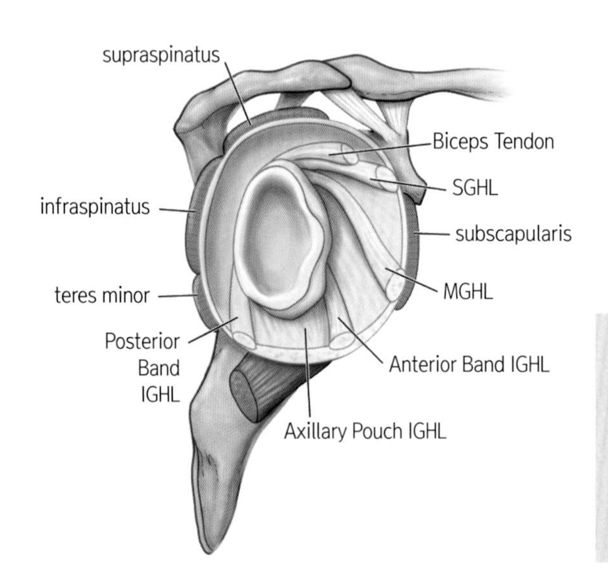

그림 12-1
어깨관절을 humerus를 제거하고 옆에서 본 그림
Rotator cuff는 하방을 제외하고 humeral head를 둘러싸고 있다. Biceps long head tendon은 supraspinatus와 subscapularis 사이에 존재하게 된다. SGHL: superior glenohumeral ligament, MGHL: middle glenohumeral ligament, IGHL: inferior glenohumeral ligament

기능으로 알려져 있다. 관절내 음압은 정상 상태의 관절에 음압이 존재하여 관절의 두 뼈를 떨어뜨리려 하여 관절막의 용적을 늘리려고 하면 흡착빨판과 같이 이를 저항하는 힘으로 작용하는 것이고, adhesion and cohesion 기전은 마치 조직 슬라이드 두 장을 물을 한 방울 떨어뜨린 뒤 붙이면 떨어뜨리기 힘든 상태를 말한다. 하지만 정상적인 어깨관절의 움직임 범위에서 안정성에 기여하는 가장 중요한 구조는 rotator cuff (회전근 개)라 할 수 있다. Rotator cuff는 앞쪽에서부터 위, 그리고 뒤쪽으로 humeral head를 둘러싸고 있는 근육 그룹을 지칭하며 subscapularis (견갑하근), supraspinatus (극상근), infraspinatus (극하근), 그리고 teres minor (소원형근)로 이루어져 있다. Rotator cuff는 개개의 근육의 움직임도 중요하지만 네 개의 근육을 한 명칭으로 통칭하는 바와 같이 조화된 역할이 어깨관절에서는 더욱 중요하다. 골프공이 작고 얇은 골프티 위에 안정적으로 있을 수 있는 이유는 골프공에 가해지는 힘, 즉 중력이 골프티의 오목한 부분의 안쪽으로 통과하기 때문이다. 그러기에 어느 정도의 외부의 힘에 의해서도 골프공이 떨어지지 않고 골프티 위에 올려 있을 수 있는 것이다(그림 12-2).

어깨관절을 살펴보면 중력은 오히려 humeral head를 glenoid의 밑으로 빠지게 하는 힘으로 작용하며, 어깨를 굴곡하거나 드는데 가장 중요하며 강력한 역할을 하는 deltoid (삼각근)는 반대로 위로 작용하게 되어, 두 힘 모두 어깨의 안정성을 떨어뜨리는 방향, 즉 shear force

그림 12-2
골프공이 골프티 위에 안정적으로 있을 수 있는 이유는 골프공의 무게중심(중력)의 방향이 골프티의 오목한 부분의 안쪽으로 통과하기 때문이다.

(전단력)로 작용하게 된다. 안정 시 또는 움직임에 따른 shear force를 상쇄시켜주는 역할을 바로 rotator cuff가 하게 된다. Rotator cuff는 humeral head를 강력하게 glenoid로 끌어들여, 마치 중력이 골프공을 골프티로 누르는 것과 같이, 어깨에서 발생하는 모든 shear force에 저항하게 된다. 이렇게 오목한 부분에 볼록한 물체를 압박함으로써 shear force를 이기고 관절의 안정성을 가져오는 기전을 concavity compression mechanism (오목압박기전)이라고 지칭한다. 그래서 rotator cuff는 대표적인 pennate 근육으로 빠른 시간에 많은 수축 거리가 필요하다기보다 지속적인 큰 힘을 발생하게 된다. Rotator cuff가 이렇듯 관절의 안정성에 중요한 역할을 하지만 어깨에 생기는 가장 흔한 문제 중 하나도 rotator cuff tendon에 생기게 되며, 이 중 supraspinatus tendon은

가장 흔히 문제가 일어나는 부분이 된다. 네 개의 rotator cuff tendon 중에서 supraspinatus에 문제가 호발하는 것은, 물론 나이에 따른 tendon 자체의 퇴행성 변화가 중요한 요소로 작용하지만, 해부학적인 위치상 supraspinatus tendon이 acromial arch (견봉궁) 밑을 통과하고 삼각근의 힘에 의해 acromial arch에 지속적인 압박을 받는 외부적 자극 요소를 감안하여야 한다(impingement, 충돌). 다시 말하면, deltoid는 어깨를 올리는 가장 중요한 근육 중 하나이고, acromion에서 근원하여 humerus의 deltoid tuberosity에 부착한다. 그러므로 팔이 몸통에 붙은 자세에 있다가 수축을 하면 어깨의 외전 내지는 굴곡이 일어나는 힘보다 humerus 자체가 상방으로 이동하는 힘의 방향이 훨씬 크게 되고 supraspinatus는 acromion과 humerus 사이에서 압박을 받는 상황이 된다.

해부학적 구조 중, 어깨에서 현재까지 또 많은 논란을 주고 있는 부분 중 하나가 biceps brachii (상완이두근)이다. Biceps는 어원에서와 같이 두 head의 기원을 갖는데, short head는 coracoid process에서 기원하고, 다른 하나인 long head는 glenoid의 12시 방향의 labrum에서 주로 기원하여 관절 안을 통과하여 humerus의 bicipital groove (이두건구)를 통해 관절 밖으로 나가게 된다. Biceps long head는 관절 내 구조이지만 특이하게 synovium (활액막)이 겹쳐져서 long head tendon을 싸고 있어 extrasynovial 구조이게 된다(그림 12-3).

Biceps long head의 이런 특이한 해부학적 위치 때문에 어깨에서 그 기능이나 문제 해결 방법에 대해 많은 논란이 있다. 위치상 어깨의 안정성에 관여한다는, 특히 rotator cuff가 파열되었을 때 humeral head의 올라감에 저항하고 또 어느 정도의 전방 불안정성을 막는다는 보고들이 있다. 하지만 biceps long head에 병변이 있을 때 단지 잘라버리거나 (tenotomy), labrum 부착 부위를 잘라 humerus에 고정(tenodesis)를 하여도 크게 기능에 지장이 없고 이상에 따른 증상이 사라지는 임상적 결과를 보면 아직도 정확한 기능에 대해선 연구가 필요하다. 주로 Rotator cuff의 이상, 특히 supraspinatus와 subscapularis의 이상이 있을 때 문제가 많이 생기게 되는데, biceps long head가 관절 내에서 이 두 tendon의 사이인 rotator interval (회전간격)에 존재하고 관절 밖으로 나가는 위치(bicipital groove)

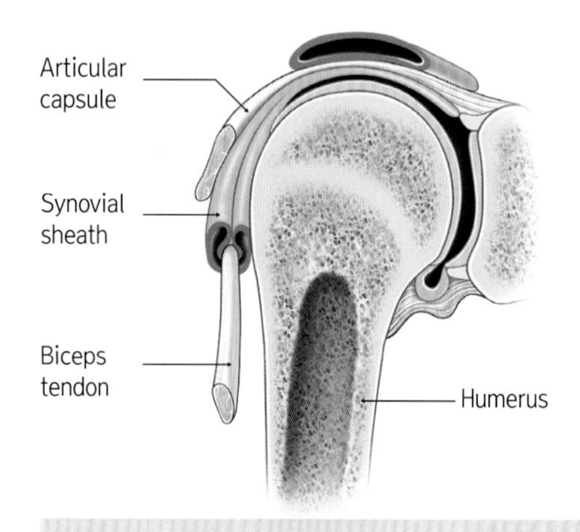

그림 12-3
Biceps long head는 관절 내 구조이지만 synovium이 labrum 부착부에서 감싸고 내려와 관절 출구 부위에서 겹쳐져서 다시 올라간다. 즉, intraarticular 구조이나 동시에 extrasynovial 구조이게 된다.

에서 두 힘줄에 의해 biceps long head의 안정성이 주로 생기기 때문이다. 또한 biceps long head tendon은 labrum에 부착함으로 이 힘줄에 갑작스러운 힘이 작용되거나 외상에 의해 labrum이 glenoid에서 떨어지는 병변이 생길 수 있고 이를 SLAP (superior labral anterior and posterior, 상부관절순 전후방) lesion이라고 부른다.

Labrum의 경우, glenoid의 변에 360°로 부착하여 door stopper 및 관절의 깊이를 깊게 하는 역할을 수행하게 되고 더욱 중요하게는 관절막의 부착 장소로서 관절의 안정성에 크게 기여한다. 관절의 전상부 부분은 labrum의 변이가 많이 관찰되는 부위이나 전하방부는 주로 관절 탈구가 발생하는 부분으로 변이가 거의 없고 주로 탈구 시에는 labrum이 glenoid에서 떨어지는 이른바 Bankart 병변이 주로 생기는 부위이다.

어깨관절은 팔로 가는 모든 신경[brachial plexus (상완신경총): C5–T1]과 혈관이 지나는 부위이다. 이들이 지나가는 부분이 협소해지면 압박에 따른 증상이 발생할 수 있는데 thoracic outlet (흉곽출구)이 그 중 하나이다. 이는 interscalene triangle (사각근간 삼각), costoclavicular space (늑쇄공간) 및 pectoralis minor space (소흉근 공간)의 가상적인 터널을 지칭한다(그림 12-4).

Interscalene triangle은 anterior scalene (전사각근), middle scalene (중사각근) 및 clavicle로 형성되는 공간을 말하며 subclavian artery와 brachial plexus가 지나가게 된다. 밑으로 내려와 clavicle, 1번 rib, scapula의 윗변으로 이루어지는 costoclavicular space가 있고, 마지막으로 coracoid process (오구돌기), pectoralis minor 및 흉벽으로 이루어지는 pectoralis minor space까지 이어지게 된다. 이 부위들이 좁아지는

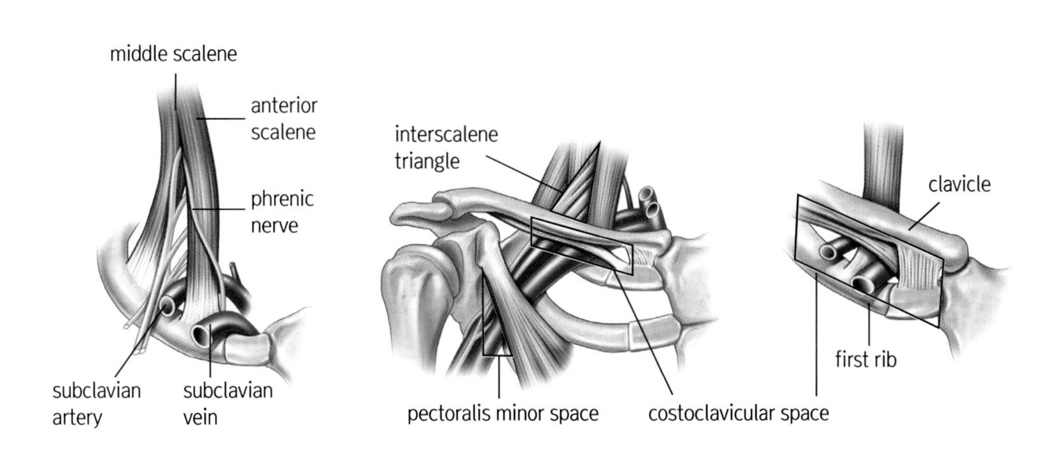

그림 12-4
흉곽 출구(thoracic outlet)에서 신경 및 혈관이 눌릴 수 있는 부위들

상황에서는 신경이나 혈관이 눌리게 되어 그에 따르는 증상들이 팔에 나타날 수 있다. 하지만 어깨 주위에서 흔한 문제를 일으키는 신경 질환은 suprascapular nerve (견갑상신경)에 의한 것이다. 이 신경은 brachial plexus의 줄기인 C5 및 C6 (간혹 C4)에서 나와서 coracoid의 바로 내측에 있는 suprascapular notch (견갑상 절흔)를 지나 supraspinatus를 지배한다. 이 notch는 상부로 superior transverse scapular ligament (상견갑 횡인대)가 지나고 있고, 특징적으로 신경은 인대의 밑으로 터널을 통과하게 되고 혈관은 위를 지나간다고 알려져 있다. 그리고, 연속하여 spinoglenoid notch (극관절와 절흔)을 지나 infraspinatus를 지배한다 (그림 12-5).

이런 경로적인 특징에 의해 suprascapular notch 또는 spinoglenoid notch에서 신경이 눌리는 경우가 있으며, 흔하게는 어깨관절에 이상이 동반된 paralabral cyst (관절순 주위 낭종)에 의해 spinoglenoid notch에서 압박을 받는 일이 흔하며 이 경우에 선택적으로 infraspinatus만 마비가 일어나게 된다. Axillary nerve (액와신경)은 C5와 6번 신경근을 함유하고 있으며 teres minor 및 deltoid를 지배하게 된다. 경로상 posterior humeral circumflex vessel (후방 상완 회선 혈관)과 함께 humeral neck을 감아 돌기 때문에 탈구 등, 외상 후에 일시적으로 마비가 오는 경우가 있으나 임상적으로 크게 문제가 되는 경우는 흔하지 않다 (그림 12-5).

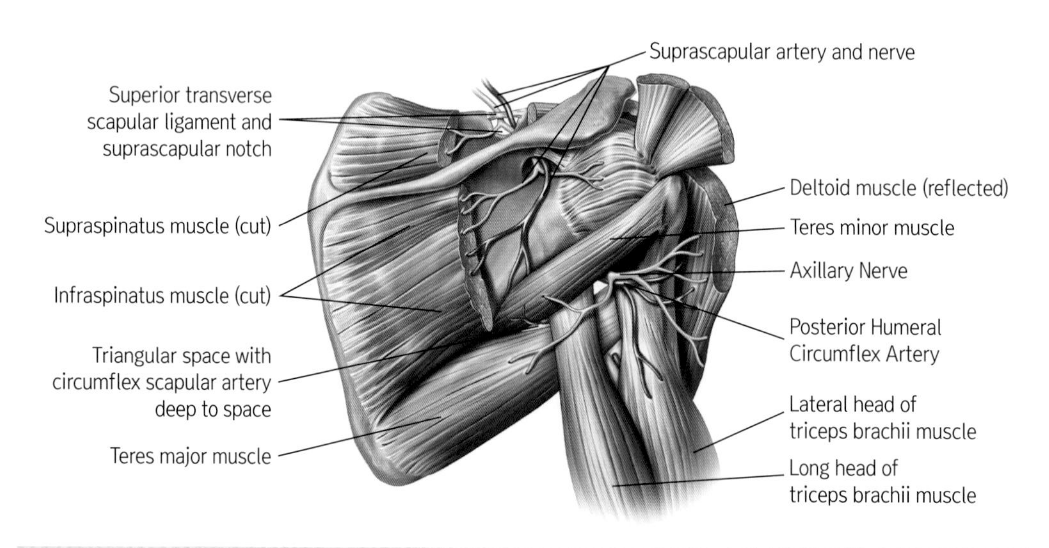

그림 12-5
Suprascapular nerve와 axillary nerve의 주행 경로

2) 신체검사

어깨 관절 환자의 병력은 대개 통증을 주소로 한다. 하지만 통증의 부위가 중요한데 주로 cervical area로부터 acromion에 이르는 일반인이 '어깨'라 부르는 영역[trapezius (승모근) 부위의 통증]은 주로 cervical 기원의 통증일 가능성이 높다. 어깨관절의 이상은 referred pain (연관통)이 주로 deltoid 영역에 생기므로 일반인이 쓰는 해부학적 부위의 착오 상 "팔이 아프다"고 찾아오는 경우가 많다. 그밖에 관절의 강직이나, 모양의 변형, 기능의 저하를 주소로 하기도 하나 대부분 통증과 수반되는 증상이다.

모든 관절의 검진이 그렇듯이 일단 눈으로 관찰(시진)이 어깨관절의 검진에 시작이 된다. 환자가 자켓을 입고 벗을 때에도 통증의 정도나 통증 위치를 파악하는 데 도움이 된다. 검진은 어깨를 완전히 노출시키고 시행한다(전방에서는 nipple 위에서 후방은 scapula의 inferior pole까지). 관절의 변형, 종창, 색깔 및 근육의 위축 등을 살펴볼 수 있다. 증상이 없는 쪽의 관절을 비교하는 것이 도움이 된다.

이후에 촉진 및 운동범위검사를 일반적으로 시행하게 되며 촉진은 주로 tenderness를 살펴보게 되는데, 가장 흔히 살펴보는 부위는 supraspinatus가 부착하는 humerus의 greater tuberosity (대결절), bicipital groove, 그리고 acromioclavicular joint 정도가 된다. Greater tuberosity는 환자의 손을 뒷주머니에 넣는 위치에서 잘 만져지며 통증을 유발할 수 있고, rotator cuff tendon의 full-thickness tear (전층 파열)가 있는 경우 defect (결손)를 바로 느낄 수도 있다. Bicipital groove는 biceps long head tendon의 tendinitis나 partial tear를 진단하기 위해 시행하는 검사로 손가락으로 누르고 있는 동안 어깨를 움직여 보아 특이적으로 압통 위치를 감별할 수 있다. Acromioclavicular joint는 arthrosis가 흔히 일어나는 부위이고 외상 시에 탈구가 흔히 일어나는 부분이다. 비교적 표층에 있어 촉지하기는 어렵지 않으나, 검사 결과가 특이적이지는 않다. 압통이 있는 부분에는 마취제 주사로 통증이 경감되는 것을 보는 것도 특이적 진단에 도움이 된다. 운동범위검사는 모든 관절에서 마찬가지이지만 어깨에서는 특히 중요한 검사법으로 능동운동범위와 수동운동범위를 측정하는 것이 필요하다. Stiff shoulder에서와 같이 관절의 용적 자체가 줄어들면 수동 및 능동운동범위가 동시에 감소하지만 rotator cuff tear와 신경마비 등의 근육의 운동을 저해하는 질환에서는 수동운동범위는 유지가 된 상태에서 능동운동범위만 감소하게 될 것이다. 어깨의 움직임의 방향은 굴곡–신전, 외전–내전, 및 외회전–내회전의 복잡한 움직임이 가능하며 그리하여 통일된 측정 방법이 필요하다. 주로 forward elevation (전방 굴곡 각도), external rotation with arm comfortably at side (팔을 몸통에 붙인 자세에서 외회전 각도), external rotation arm at 90 degrees of abduction (팔을 90°로 외전한 상태에서 외회전 각도), internal rotation (thumb to back spinous process level, 뒷짐 자세에서 엄지손가락이 올라가는 척추분절 높이), 그리고 cross-body adduction (antecubital fossa to opposite acromion, 팔을 접은 상태에서 팔오금에서 반대편 견봉까지의 거리)를 측정하나, 이들은 glenohumeral joint만을 특이적으로 측정하는 것이 아니고 주로 scapulothoracic 운동을 포함한 운동 범위를 측정하게 된다.

마지막으로 의심이 되는 질환에 특징적인 검사법을 적용하게 된다. 따라서 어깨 관절의 질환의 분류 및 흔한 질환을 아는 것이 환자를 진료하는데 도움이 된다. 외상은 골절로는 proximal humerus와 clavicle의 골절이 흔하며 관절 탈구는 glenohumeral joint에 흔하나 acromioclavicular joint에도 다양한 정도의 탈구가 발생할 수 있다. 질환으로는 rotator cuff syndrome, biceps long head 이상, stiff shoulder/adhesive capsulitis (어깨 강직/유착성 관절낭염), 견관절 불안정성, 그리고 SLAP lesion 등이 흔하다 할 수 있다.

Rotator cuff syndrome의 검진은 주로 흔히 병변이 일어나는 부위인 supraspinatus에 초점이 맞추어지게 된다. 주로 tendon과 acromion의 충돌 및 통증을 유발하는 검사법과 파열이 있을 때 근력의 감소를 측정하는 검사법으로 크게 나눌 수 있다. Acromion에 충돌을 유발하는 검사법의 특징은 greater tuberosity가 acromial arch 또는 coracoacromial arch에 근접하게 하여 통증의 유발을 보는 것이다. Greater tuberosity는 약 90°에서 120° 정도의 굴곡 위치에서 가장 acromion에 가까워지므로 이 위치에서의 통증을 관찰하는 것이다.

근력 측정은 주로 supraspinatus에 이상이 생기므로 적은 외전 각도에서 팔을 올리는 힘을 측정하며 외회전에도 관여하므로 외회전력을 측정하기도 한다. Infraspinatus까지 이상이 있는 경우는 외회전력이 많이 떨어지며 subscapularis가 침범되었을 때는 내회전력 감소가 오게 된다.

Biceps long head의 이상은 주로 tendinitis 또는 tendinosis 등으로 불리며 심한 경우 부분파열이나 완전 파열까지 일어날 수 있다. 검진은 주로 힘줄에 능동적 또는 수동적 장력을 주어 통증을 유발하는 가를 관찰한다.

Stiff shoulder/adhesive capsulitis는 임상적으로 진단하며, 외래에서 보는 가장 흔한 진단이기는 하나 다른 질환이 배제되어야 진단할 수 있다. 관절의 통증과 함께 운동 범위의 제한이 오는 증상은 다른 기저 질환이 있을 때 흔히 동반되는 증상이므로 진단을 내릴 때 주의가 필요하다.

견관절 불안정성의 경우 주로 전방이 흔하며 탈구의 자세에서, 즉 외전 90°에서 외회전(공을 던지기전 와인드업 자세), 불안감을 보는 것이 주된 검진이다.

Labrum의 경우, 전하방의 손상(Bankart 병변)은 주로 불안정성과 연관이 되고 어깨가 빠짐을 주소로 하나 상부 및 후방 쪽으로의 파열 및 손상(SLAP lesion)의 경우에는 통증을 주소로 오게 된다. 상부 및 후방의 labrum 손상의 진단은 주로 biceps long head에 수동적 또는 능동적으로 장력을 주거나 humeral head가 파열 부위를 압박하게 하여 통증을 유발하는 검사법들로 많은 검사법들이 발표되었으나 어느 하나도 특이적이지는 않으므로 여러 검사법을 적용하여 보는 수밖에 없으며 최종 진단은 영상 기법의 도움을 받게 된다.

2. 회전근 개 질환

1) 서론 및 병태 생리

회전근 개 질환(Rotator cuff disorder)은 성인 어깨에 발생하는 만성 통증의 가장 흔한 원인으로, 회전근 개의 염증에서부터 회전근 개 부분층 파열(partial thickness tear), 회전근 개 전층 파열(full thickness tear), 그리고 회전근 개 파열 관절병증(rotator cuff tear arthropathy)에 이르는 일종의 질병 스펙트럼이며, 여러 질병 단계를 통칭하는 하나의 증후군이다. 회전근 개는 내회전 운동에 관여하는 전방의 견갑하건(subscapularis), 삼각근과 함께 외전 운동에 관여하는 상방의 극상건(supraspinatus), 그리고 외회전 운동에 관여하는 후방의 극하건(infraspinatus)과 소 원형건(teres minor)으로 구성되어 있다(그림 12-6). 회전근 개는 서로 연결되어 하나의 기관인 것처럼 움직여서 팔의 거상 및 회전 운동에 관여하고, 상완골두를 관절와로 압박하여 견관절 안정성에 중요한 역할을 한다.

오구 견봉궁(coracoacromial arch, 그림 12-7)은 견봉(acromion), 오구견봉 인대(coracoacromial ligament), 오구 돌기(coracoid process)로 구성되어 있으며, 회전근 개의 바로 상방에 위치해 견관절의 지붕을 이루게 된다. 이를 극상건 출구(supraspinatus outlet)라 하며, 극상건은 상완골두와 오구 견봉궁 사이에서 어떤 이유로든지 눌릴 수 있는 여러 상황을 만나게 되며, 이러한 상황을 충돌 증후군(impingement syndrome)이라고 하는데, 이는 회전근 개 질환과 독립된 또 하나의 질환이 아니라, 회전근 개 질환 스펙트럼 내의 특정한 상태를 나타낸다고 할 수 있다. 즉, 회전근 개의 퇴행성 비후, 회전근 개의 칼슘 침착, 견봉하 점액낭의 비후와 같이, 오구 견봉 궁 아래로 지나가는 구조물의 비대로 인한 내부적 원인, 혹은 견봉하 골극, 견봉 골절, Os acromiale, 견봉 쇄골 관절의 골극, 상완 대결절의 외골증(exostoses) 등에 의한 외부적 원인으로 인해, 회전근 개가 상완골두와 오구 견봉궁 사이에서 눌리는 상황(subacromial impingement)을 뜻한다. 반면, 던지는 동작을 반복하는 운동 선수에서 불안정한 견관절로 인해 상완골두가 상방으로 전위되어 회전근 개가 오구 견봉궁에 부딪히게 되어 회전근 개 질환의 양상을 보이는 경우는, 별도로 이차성 충돌 증후군(secondary impingement syndrome)이라고 하며, 충돌이 상방이 아닌 전방, 즉 회전근 개(특히 견갑하건)와 오구 돌기 사이에서 충돌이 일어나는 것을 오구하 충돌 증후군(subcoracoid impingement syndrome)이라고 분리하여 명칭한다. 반면, 투구 운동 선수에서 팔을 외전, 신전, 외회전 시 관절와의 후상방에서 회전근 개의 관절면측과 충돌하는 것을 내측 충돌 증후군(internal impingement

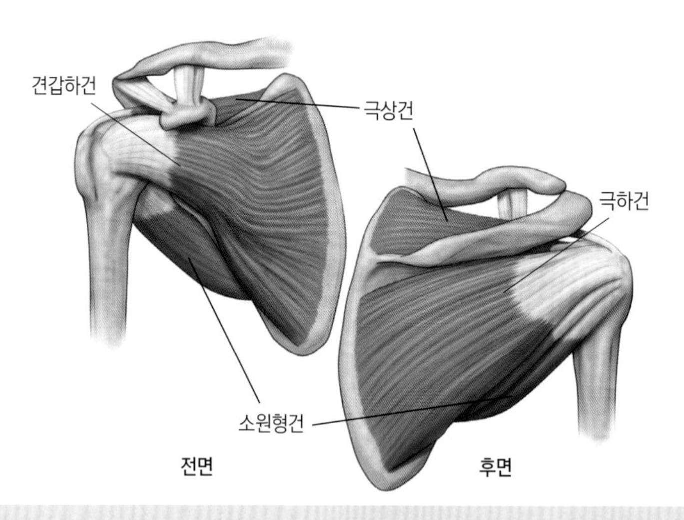

그림 12-6
회전근 개의 모식도

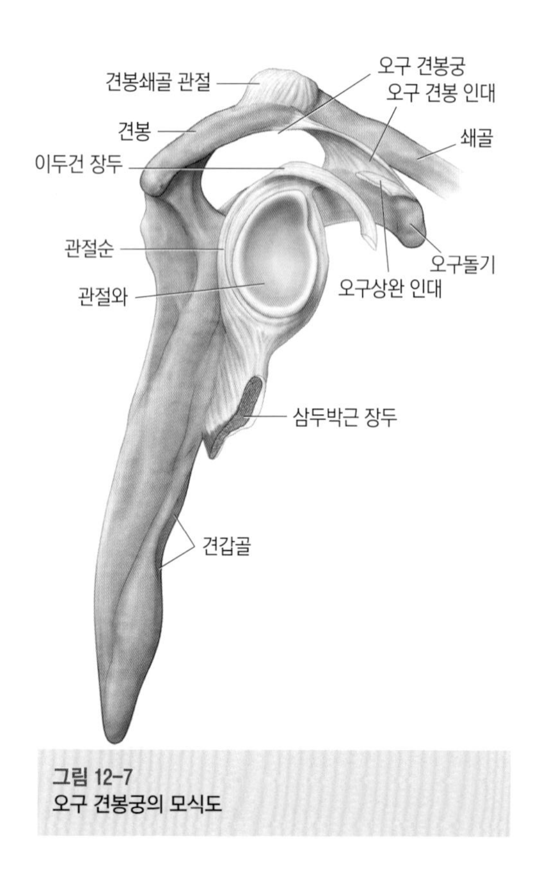

그림 12-7
오구 견봉궁의 모식도

syndrome, 그림 12-8)이라고 하는데, 이는 보통 과외전을 억제하기 위한 정상적인 충돌이지만 내회전이 제한되어 있는 투구 운동 선수들에서는 병적으로 나타날 수 있다.

하지만, 회전근 개 질환의 발병 원인이 충돌 증후군으로 대별되는 외적 원인, 즉 오구 견봉궁의 형태학적 이상, 과도한 인장력, 반복적 사용, 운동 역학의 이상 등 이외에도 회전근 개 자체의 문제로 인한 내부적 원인도 중요한 인자이며, 회전근 개로의 혈액 공급의 변화, 교원 섬유의 변화, 국소 건 조직의 물성 변화 등 퇴행성 변화를 그 원인으로 고려할 수 있다. 하지만, 여러 연구 결과들은 회전근 개 질환이 하나의 단일 원인에 의하여 발생한다기보다는, 여러 가지 외적, 내적 인자들의 복합적 작용에 의해 발생한다고 결론짓고 있다.

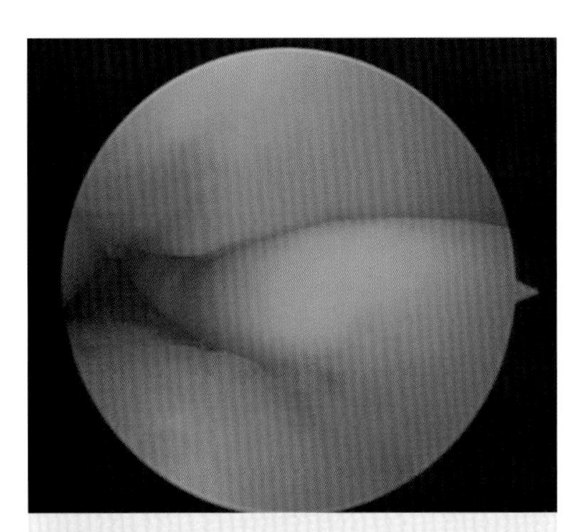

그림 12-8
내측 충돌 증후군의 관절경 영상
팔을 외전, 신전, 외회전 시 관절와의 후상방에서 회전근 개의 관절면 측과 충돌하는 소견이 관찰된다.

2) 임상적 특징 및 증상

여자에서 조금 더 흔하게 발생하는 경향을 보이지만 성별의 차이는 뚜렷하지 않다. 비우세측과 우세측의 이환율도 의미 있지 않으며, 직업에 따른 발생 빈도의 차이는 없다고 알려져 있지만 어깨를 과도하게 사용하는 직업군에서 회전근 개 질환의 이환율이 높다는 보고도 있다. 40세 이상 중장년층의 환자가 수개월 간 지속된 어깨 통증으로 병원을 찾았다면 일단 회전근 개 질환을 비롯하여 동결견, 만성 석회성 건염, 골성 관절염 등을 먼저 고려해야 하고, 상대적으로 드물지만 류마티스 관절염, 무혈성 괴사 등을 고려해야 할 것이다. 이중 가장 흔한 질환은 회전근 개 질환과 동결견이며, 이 연령대에서는 어깨의 불안정성이나 상부 관절와순 파열을 보이는 경우는 드물어 이들을 먼저 감별할 필요는 없다.

가장 흔한 증상은 팔 위 쪽의 삼각근 부분에 생기는 어깨의 통증이다. 대부분의 회전근 개 질환은 40세 이후에 증상이 나타나서 노령이 될수록 통증 및 회전근 개 전층 파열의 빈도가 증가한다. 심각한 외상 이후에 발생하기도 하지만, 많은 경우에서 특별한 손상이 없거나 경미한 손상 후에 증상이 나타나서, 회전근 개 파열의 진단이 늦어질 수 있다. 전형적으로 만성적인 증상을 보이는데, 어깨에 간헐적이고 경미한 불편감 내지는 통증이 있다가, 경미한 외상이나 과도한 움직임 이후에 급격하게 증상이 악화되는 양상을 보이기 때문에, 경미한 증상이 나타난 시기를 놓쳐서 급성으로 오인하기 쉽다.

전형적인 회전근 개 질환은 통증이 견관절의 전방에 위치하고, 팔을 올리기가 힘들며 특히 60~120° 사이에서 통증이 심하게 나타나며(painful arc, 그림 12-9), 일단 팔을 어느 정도 올리면 마지막 거상은 수월하게 할 수 있다고 호소하는 것이 특징이다. 반대로 팔을 올릴 수는 있지만 내릴 때 힘이 없거나 같은 각도에서 발생하는 통증으로 팔을 뚝 떨어뜨리는 경우가 있는데, 이를 "drop arm sign"이라 한다. 하지만, 견관절 강직이 동반된 회전근 개 질환인 경우에는, 수동 운동의 제한이 있어 위의 특징적인 증세가 나타나지 않게 되면서 동결견과 비슷한 증상을 호소하여, 이러한 특징적인 증상이 드러나지 않아, 추가적인 검사를 통하여 진단해야 한다.

이러한 전형적인 증상은, 또 하나의 흔한

어깨 질환인 동결견과도 증상의 차이를 보이는데, 동결견은 어깨 통증의 성질이 범발성(diffuse)이고 내회전 및 외회전 시 심한 통증을 호소하며, 전반적으로 수동적 관절 범위의 제한을 보여, 머리를 빗거나 속옷을 입고 벗을 때, 화장실에서 용변 처리, 바지 뒷주머니 사용 등에 심한 통증을 동반한 관절 운동의 제한을 보이는 반면, 대개의 전형적인 회전근 개 질환은 수동적 관절 운동의 제한은 보이지 않으며, 특정 각도에서의 통증을 호소한다. 이렇듯 회전근 개 질환의 초기에는 수동적 관절 운동 범위의 제한이 뚜렷하지 않으나 병의 진행 과정에서 동결견과 비슷한 관절 운동 제한이 나타나기도 하며, 경과에 따라 모든 방향으로 심각한 정도의 관절 강직이 나타나기도 하므로, 이러한 상태에서는 관절 운동 범위의 제한 때문에 진찰을 제대로 하기 힘들어 진찰 소견만으로 다른 질환, 특히 동결견과 감별하기가 쉽지 않다.

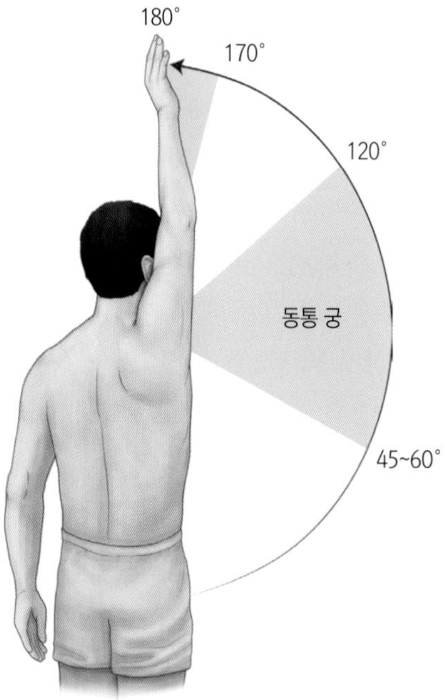

그림 12-9
동통 궁(painful arc)

회전근 개 질환의 환자들의 경우는 야간통을 호소하는 경우가 많은데, 이는 야간에 누운 자세에서는 중력의 소실로 인하여 상완골과 견봉간의 간격이 상대적으로 줄어 들어 외부적 충돌 증상이 더 강조되어 나타나는 것으로 설명할 수 있다. 하지만, 야간통이 회전근 개 질환을 진단하는 특징적인 소견은 아니며, 야간통만으로는 어깨 질환을 감별하기는 힘들다. 하지만 이는 경추부 병변에 의한 어깨 통증과는 구별을 할 수 있는 단초를 제공한다. 어깨가 아픈 경우는 꼭 경추 질환에 의한 방사통 여부를 확인하여야 하는데, 환자가 호소하는 통증의 부위로도 어느정도 가늠을 할 수 있다. 즉, 어깨 윗부분, 즉 승모근 주위를 가리키며 어깨 통증을 호소하면 경추의 병변을 먼저 생각할 수 있고, 어깨의 옆, 즉 삼각근 부위를 가리키며 어깨 통증을 호소하면 어깨 자체에 의한 질환을 먼저 고려할 수 있겠다(그림 12-10).

이와 같이 어깨통의 위치, 양상, 야간통 유무 등만으로도 진단하는데 많은 도움을 받을 수 있어 이학적 검사나 방사선 검사를 하기 전에 자세한 병력 청취가 대단히 중요하다. 이러한 병력 청취에는 외상의 유무뿐만 아니라, 다른 병원에서의 치료 경력, 주사 치료의 유무, 어떠한 주사를 어떤 부위에 맞았는지,

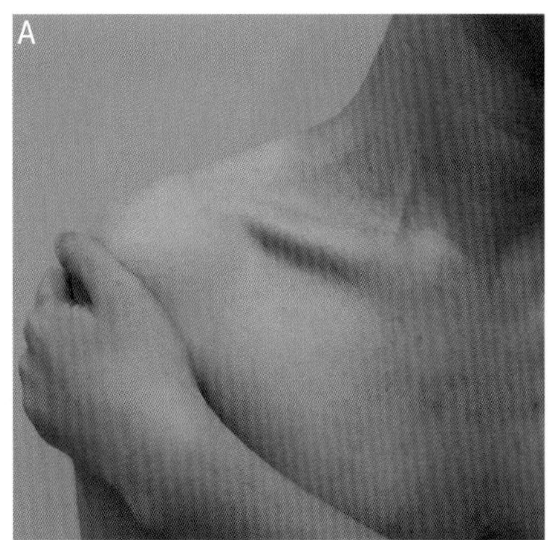

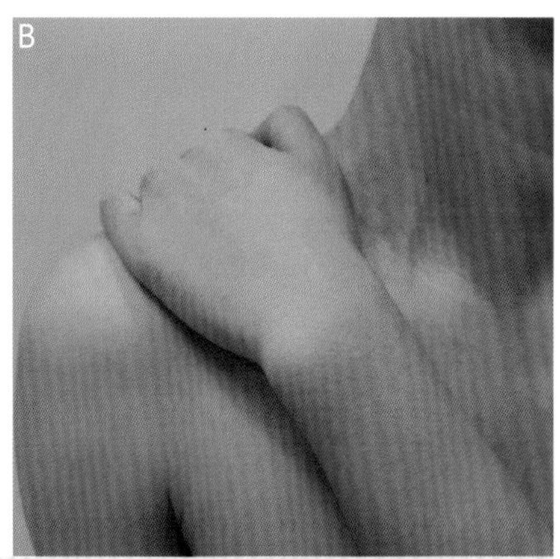

그림 12-10
어깨 병변의 경우 어깨의 옆 부위 통증을 호소하는 경우가 많고(A), 승모근에 통증이 있는 경우 경추 및 다른 병변을 먼저 생각할 수 있다(B).

당뇨와 같은 다른 전신적 질환의 유무 등을 포함시켜야 하며, 특히 당뇨가 있는 경우에는 견관절 강직의 빈도가 높고, 양측성일 가능성이 증가할 뿐만 아니라, 증상의 정도도 심한 경우가 많고, 스테로이드 치료를 시행할 경우 혈당 증가의 원인이 되기도 하므로 주의 깊은 병력 청취가 중요하다 할 수 있다.

3) 이학적 검사

견관절 질환의 진단을 위한 이학적 검사를 시행할 때는 환자의 상의를 탈의하고, 최소한 뒤에서 볼 때 견갑골 전체를 볼 수 있어야 한다. 이러한 시진만으로도 진단이 가능한 경우가 많은데, 익상 견갑골(scapula winging)(그림 12-11A), 견봉쇄골 관절의 돌출(그림 12-11B), 삼각근(그림 12-11C)의 위축 등은 보는 것만으로 진단이 가능하다. 극상 와(supras-pinatus fossa)와 극하 와(infraspinatus fossa)의 근육 위축 여부도 확인해야 하는데(그림 12-12), 근육 위축이 있다면 회전근 개 파열을 의심할 수 있으며, 신경학적 이상, 즉 극상 와 낭종(suprascapular ganglion) 또는 견갑상 신경 포착 증후군(suprascapular nerve entrapment syndrome)을 생각할 수도 있다. 이는 보다 젊은 층에서 호발하고 대개는 극하와의 예리한 압통을 호소하는 경우가 대부분이며, 외회전 능동 운동이 현저히 저하되어 있는데, 회전근 개 파열 시보다 더 심하게 나타난다. 이러한 시진과 더불어 촉진 역시 중요한 이학적 검사이며, 견봉쇄골 관절이나 이두박근 등은 쉽게 만질 수 있는데, 팔을 중립 위에서 10° 외회전하면 상완 이두 구(bicipital groove)가 전방을 향하게 되므로 쉽게 이두박근의 압통을 확인할 수 있다.

다음으로는, 견관절의 운동 범위를 측정하는데, 수동 운동과 능동 운동으로 나누어 건측과 비교하면서 관찰한다. 능동적 운동이 정

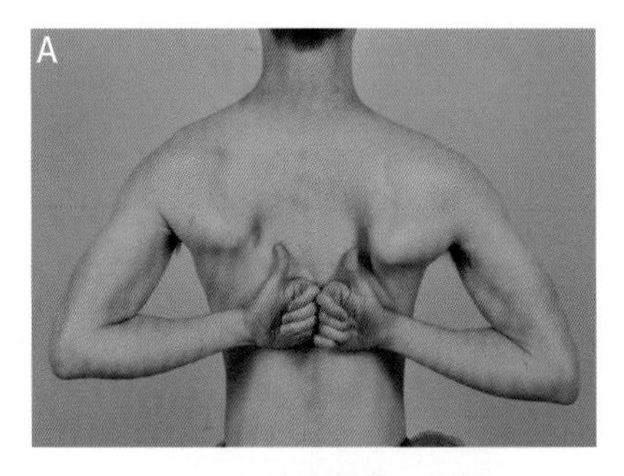

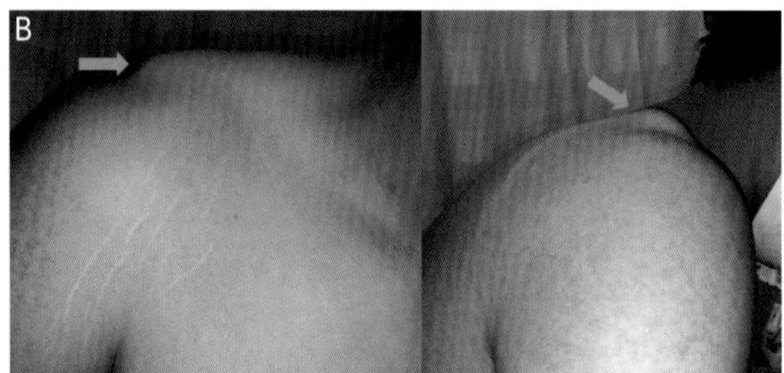

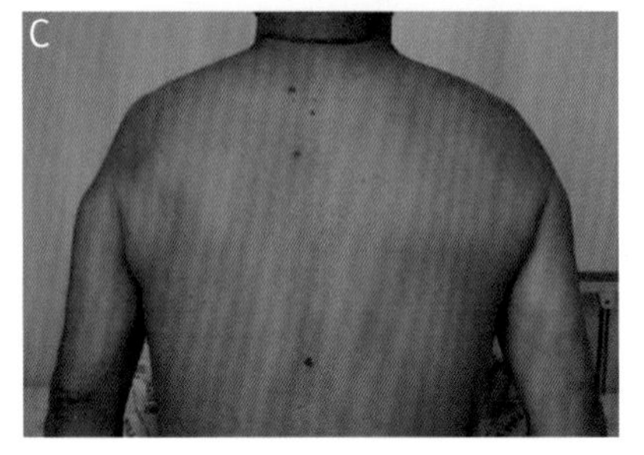

그림 12-11
A. 익상 견갑골
B. 견봉 쇄골 관절의 외상 혹은 견봉 쇄골 관절염에서 견봉 쇄골 관절의 돌출을 관찰할 수 있다(화살표).
C. 액와신경 손상에 의한 좌측 삼각근의 위축이 관찰된다.

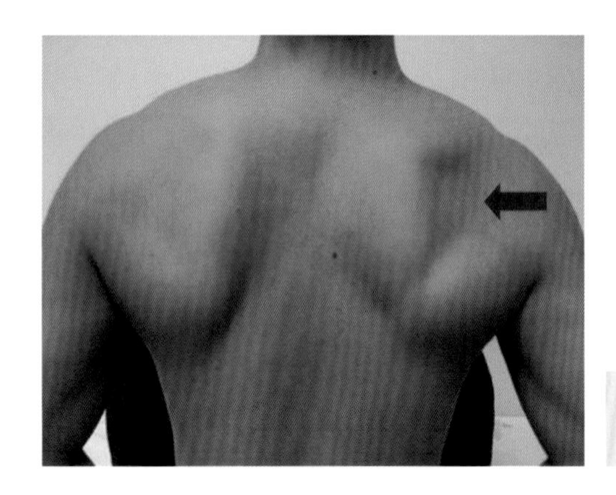

그림 12-12
우측 극하와의 극하근 위축이 관찰된다.

상이라면 수동적 범위를 측정할 필요는 없지만, 능동 운동 과정 중 통증 발생의 유무를 확인한다. 전방 굴곡, 외전, 중립위 혹은 90° 외전에서의 내/외회전, 등 뒤로의 내회전 범위 등을 측정한다(그림 12-13). 수동적인 운동이 현저히 저하되어 있으면 동결견이나 견관절 강직을 동반한 질환을 먼저 생각하고, 수동적인 운동 범위의 제한은 없으나 능동적인 운동이 잘 안 되는 경우에는 회전근 개 파열을 포함한 회전근 개 질환과 신경학적 이상을 우선적으로 생각한다. 특히, 광범위 회전근 개 파열의 경우에는, 수동적인 관절 운동 범위는

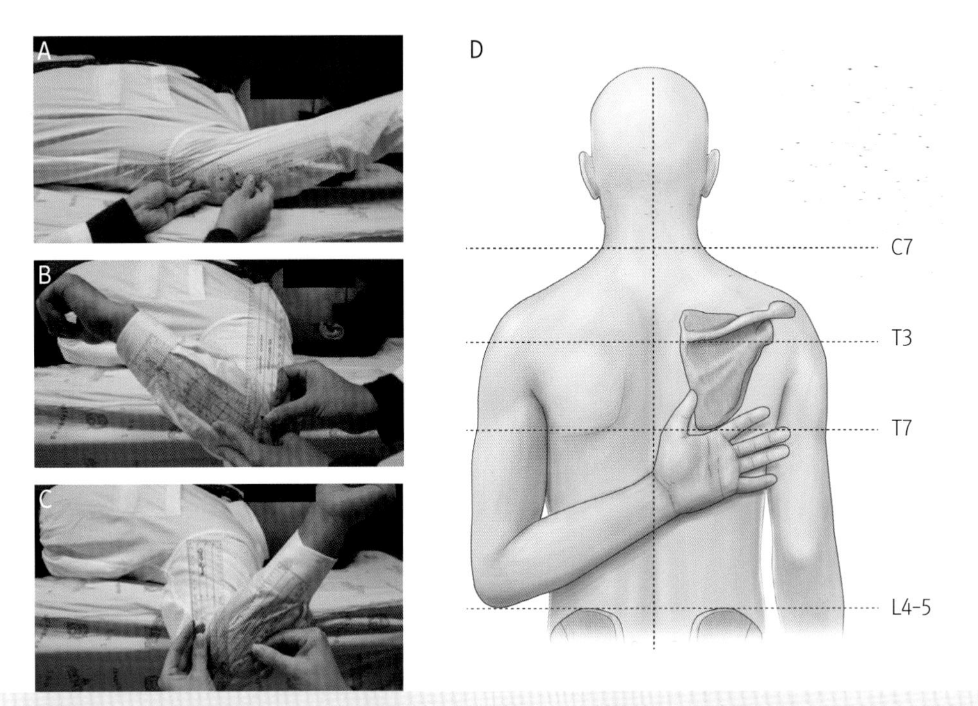

그림 12-13
견관절 관절 범위의 측정
A. 전방 굴곡, B. 90° 외전에서의 내회전, C. 90° 외전에서의 외회전, D. 등 뒤로의 내회전

정상이지만, 능동적으로 팔을 들어올리지 못하는 가성 마비(pseudoparalysis) 증상을 보일 수 있는데, 이는 초기 외전을 담당하는 극상건의 파열과 퇴축으로 인하여 능동적으로 팔을 들지 못하지만, 90° 이상으로 팔을 수동적으로 올려주면, 삼각근의 근력으로 팔을 들어올리는 특징적인 소견을 보이기도 한다. 대부분 회전근 개의 광범위 파열로 인하여 상완골두가 상방으로 전이되는 경우가 많아 상완골두가 상방 및 외측으로 이동되어, 더더욱 삼각근의 근육들이 지렛대 역할을 하지 못하여 lever arm tension이 약화되어 견관절의 능동적인 거상은 더 힘들어지게 된다.

대표적인 회전근 개 질환의 신체검사인 충돌 징후(impingement sign) 검사로는 Neer 충돌 검사와 Hawkins 충돌 검사가 있다. 환자의 팔을 견갑 면에서 서서히 거상시키면 120° 전후에서 동통을 호소하게 되는데, 이를 Neer 소견 또는 충돌 징후 I (impingement sign I)이라 하고, 상완골 대결절이 견봉에 충돌함으로써 동통이 발생한다(그림 12-14). 반대로, 팔을 최대 거상 상태에서 환자 스스로 천천히 내리게 하면, 역시 120° 전후에서 통증을 호소하게 되는데, 이를 동통 궁 징후(painful arc sign)라고 하며, 민감도와 특이도가 가장 높은 충돌 징후 검사로 알려져 있다. 주관절을 90°

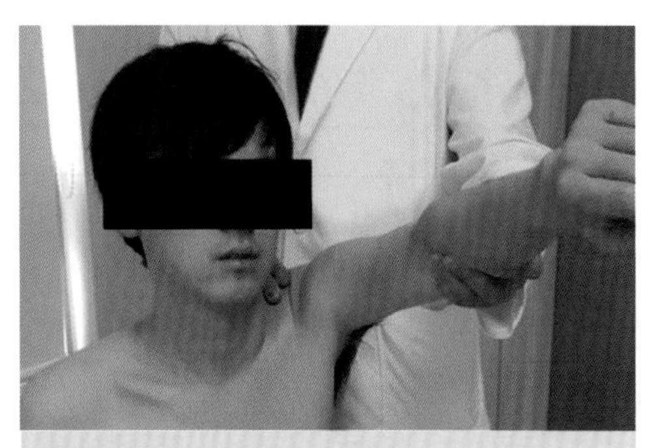

그림 12-14
Neer 소견(충돌 징후 I)
팔을 견갑면에서 서서히 거상시키면 상완골 대결절이 견봉에 충돌함으로써 동통이 발생되며, 이런 경우 양성으로 판정한다.

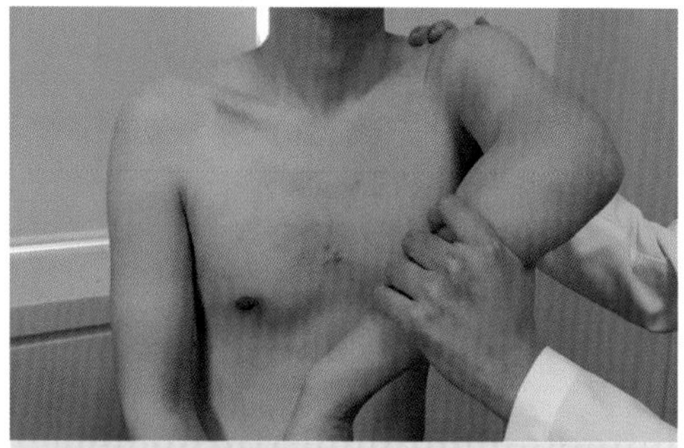

그림 12-15
Hawkins 소견(충돌 징후 II)
주관절 90° 굴곡, 견관절 90° 거상시킨 후 내회전시키면 상완골 대결절이 오구 견봉 인대 아래에서 충돌하면서 동통을 일으키며, 이런 경우 양성으로 판정한다.

굴곡 시킨 채 견관절을 90° 거상시킨 후 내회전 시 동통을 호소하면 Hawkins 소견 양성 또는 충돌 징후 II에 대한 양성이라 하고(그림 12-15), 상완골 대결절이 오구 견봉 인대 아래에서 충돌하면서 동통을 일으킨다. 또한, 국소 마취제(ropivacaine 5~10 cc)를 견봉하 공간에 주입한 후(그림 12-16) 10분간 견관절을 움직이게 하면 충돌 시 발생하는 어깨 통증이 현저히 감소하거나 소실되는데, 이를 충돌 테스트(impingement test) 양성이라 한다. 하지만 이러한 검사들은 다른 견관절 질환에서도 흔히 양성으로 나타날 수 있기 때문에 감별 진단에 주의를 요한다.

근력에 대한 신체 검사는 삼각근(deltoid), 극상근(supraspinatus), 극하근(infraspinatus)과 견갑하근(subscapularis) 등에 대해 시행할 수 있다. 삼각근은 주로 외전을 시키는 근육으로, 외전 또는 중립위에서 팔을 앞으로 밀어내기, 옆으로 밀어내기 또는 뒤로 밀어내기

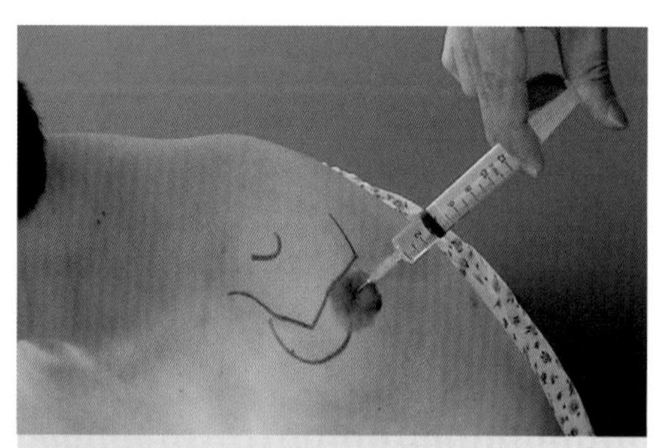

그림 12-16
국소 마취제를 견봉하 공간에 주입한 후 어깨 통증이 현저히 감소하거나, 소실되면 충돌 테스트 양성으로 판정한다.

를 해 봄으로써(그림 12-17) 전방, 중간 및 후방 삼각근의 근력 약화를 알아볼 수 있다. 극상근의 근력은 견관절을 90° 외전하고 30° 전방 거상한 후 환자의 엄지가 바닥을 향하도록 견관절을 내회전한 후 검사자가 팔을 누르면서 환자에게 위로 들어 올리게 하여 검사하며(그림 12-18), 이때 극상건의 근력 저하를 보이면 이를 Jobe 검사 또는 empty can 검사 양성이

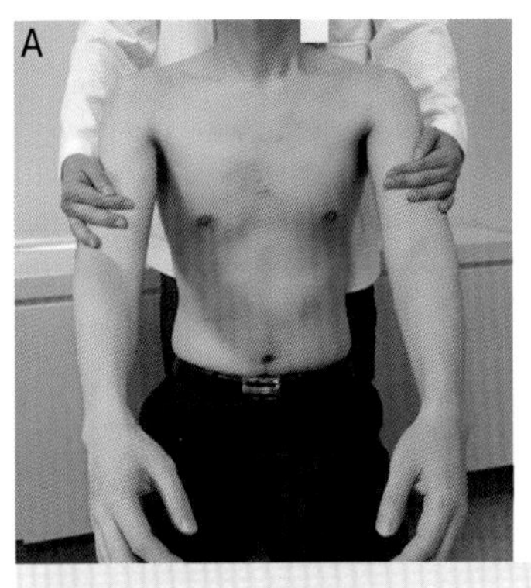

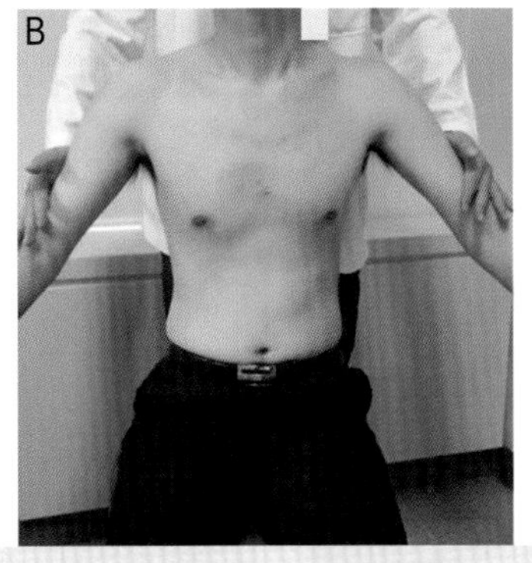

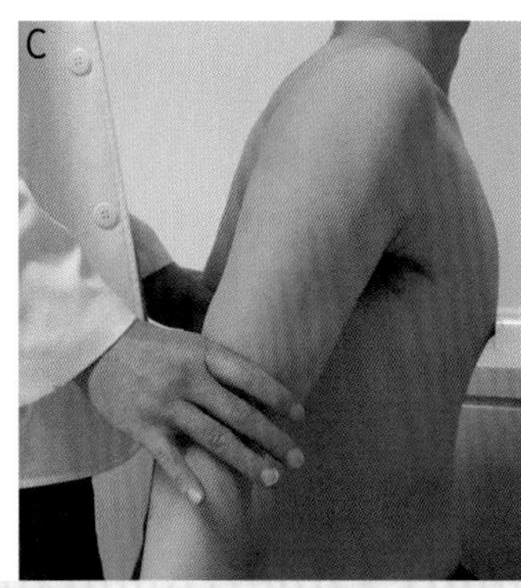

그림 12-17
팔을 앞, 옆, 뒤로 저항을 주어 각각
A. 굴곡, B. 외전, C. 신전과 관련된 삼각근 근력을 측정한다.

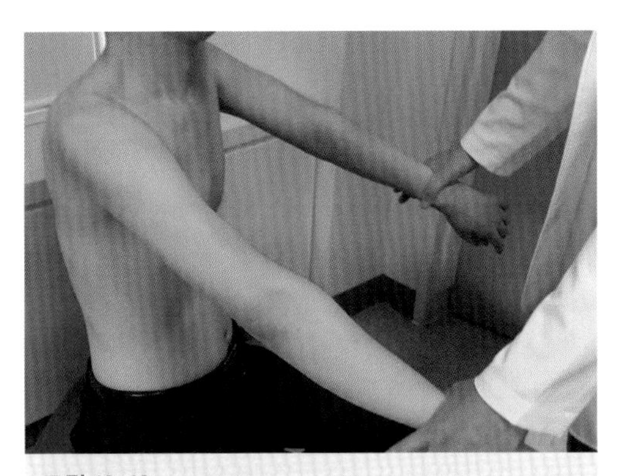

그림 12-18
Jobe 검사
견관절을 90° 외전, 30° 전방 거상, 내회전하여 검사자가 저항을 주어 팔을 들어올리게 하여 극상건의 근력을 측정할 수 있다.

라고 한다. 극하근에 대한 검사는 중립위에서 외회전시켜 어느 정도 약화되었는지 알아볼 수 있으며, 견갑하근의 검사 방법으로는 lift off test가 있는데, 이는 환자로 하여금 팔을 뒤로 돌려 허리춤에 손바닥이 후방을 향하게 한 후 허리춤에서 멀어지게 하여 보는 것이다 (그림 12-19). 견갑하건의 파열을 알 수 있는 또 다른 소견으로 belly press sign이 있다. 아픈 팔의 손바닥을 환자의 배꼽 또는 혁대 고리에 갖다 대고 눌러 보라고 하면, 견갑하건의 파열이 없는 경우 자연스럽게 팔을 벌린 상태에서 자신의 배꼽이나 혁대 고리에 손바닥을 대고 누를 수 있으나, 견갑하건의 파열이 있으면 아픈 팔의 손바닥을 자신의 배꼽이나 혁대 고리에 갖다 대고 누르기 위하여 손목의 굴곡근을 사용하여 손목이 굴곡 되거나, 견관절의 신전근을 사용하여 결과적으로 팔꿈치가 옆구리에 붙게 되는 자세를 취하려고 한다 (그림 12-20). 이외에 반드시 검사하여야 할 검사는 상완 이두근 장건에 대한 검사로, 상완부를 회외전시키고 팔꿈치를 편 상태에서 환자의 아픈 어깨를 전방으로 굴곡시킨 상태에서 검사자가 환자의 전완부를 아래로 누르려는 힘에 대해 이겨 내려고 할 때, 상완 이두 구 부위에 통증을 호소하면 이를 Speed 검사 양성

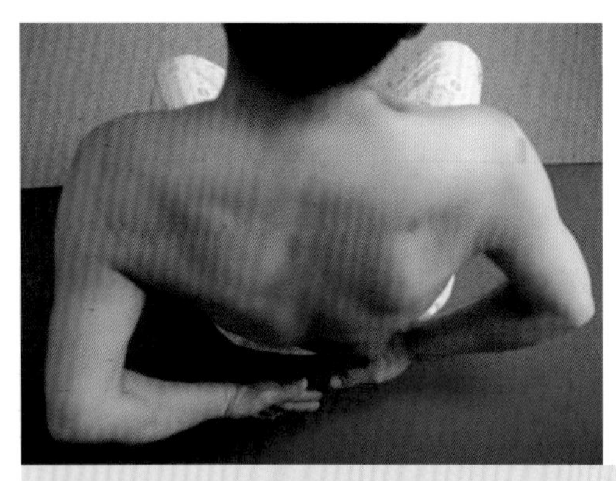
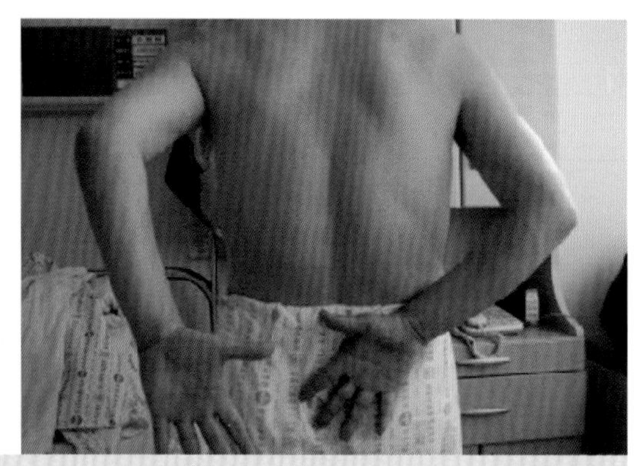

그림 12-19
Lift off test
견갑하건의 검사 방법으로 환자로 하여금 팔을 뒤로 돌려 허리춤에 손바닥이 후방을 향하게 한 후 허리춤에서 멀어지게 하여 보는 검사로, 우측과 같이 손바닥을 허리춤에서 떼지 못하면 양성이다.

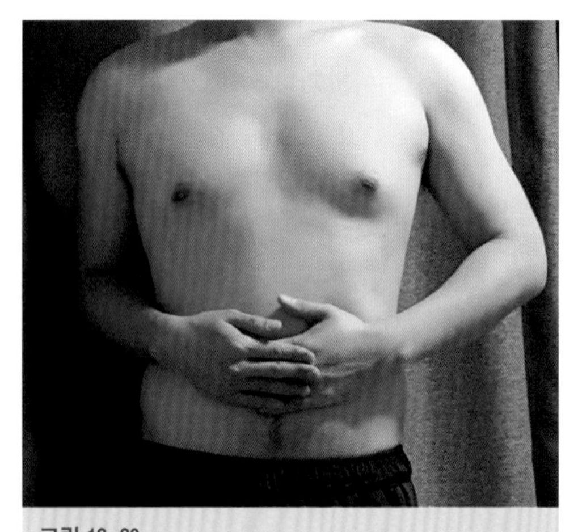

그림 12-20
belly press sign
견갑하건의 검사 방법으로 환자의 손바닥을 배꼽에 대고 누르라고 하면 손목이 굴곡 되거나 견관절의 신전근을 이용하여 결과적으로 팔꿈치가 옆구리에 붙게 되는 자세를 취하는 경우 양성(우측)으로 판정한다.

이라 하며, 이는 상완 이두 장건의 병변이 있음을 알려 주는 검사 방법이다. 또한, 환자가 팔꿈치를 90° 굴곡시킨 상태에서 전완부를 회외전 시키려고 할 때 검사자가 이를 못하게 하는 힘을 줄 때 역시 상완 이두 구 부위에 통증을 느끼는 경우가 있는데 이를 Yergason 검사라 한다. 이 두 가지 검사 시 상완 이두 구가 아니라 어깨 주위 전체를 아파하거나 견관절 후방부에 통증을 호소한다면 이는 삼각근이나 회전근 개의 병변으로 인해 나타나는 현상이지, 상완 이두 장건 자체의 병변에 의해 나타나는 현상이 아님을 알아야 한다.

4) 영상학적 진단

단순 방사선 검사는 통상적으로 진성 견관절 전후면 사진(true shoulder AP view), 30° 하방 경사 사진(caudal 30 degree tilting view), 극상건 출구 사진(supraspinatus outlet view), 액와면 사진(axillary lateral view)을 찍게 된다. 석회성 건염은 단순 방사선 검사에서 불투명한 점(radiopaque spot)이 보여 쉽게 감별

할 수 있다(그림 12-21). 퇴행성 관절염에서는 관절면이 좁아져 있거나 상완골두 하연의 골극화 현상, 또는 관절와 마모 등을 보여 회전근 개 질환과 감별 진단이 용이하다(그림 12-22). 진성 견관절 전후면 사진(그림 12-23A)은 팔을 30° 외전, 30° 외회전한 상태로 견갑골에 수직이 되게 촬영하며, 관절면의 상태, 견봉상완 간격(acromiohumeral interval), 견봉 하면의 골극화 정도 및 골경화 상태, 대결절의 형태 변화를 관찰할 수 있다. 회전근 개 파열이 진행되거나 광범위 회전근 개 파열인 경우, 상완골두가 상방으로 전위되어 상완 간격이 좁아지고 이 간격이 7 mm 이하인 경우에 회전근 개의 광범위 파열을 의심할 수 있다. 대결절은 미란이 나타나기도 하며 심해지면 마모되어 대결절의 윤곽이 소실되기도 하는데 그 모습이 대퇴골두와 유사하여 대퇴골화(femoralization) 현상이라고 부르기도 한다. 또한, 견봉 하면은 상아처럼 골경화를 보이며 견봉 하면과 오구 견봉 인대가 이러한 골경화로 커다란 지붕을 형성하면서 소위 비구화(acetabularization)를 이루어, 마치 심하게 진행된 류마티스성 관절염이나 골성 관절염처럼 보이는 경우도 있어 이를 구별하여야 한다. 30° 하방 경사 사진(그림 12-23B)은 견봉의 전방 융기 정도를 관찰하고 견봉의 골극화 정도, 견봉 쇄골 관절의 변화 등을 볼 수 있다. 견봉의 전방 융기 정도는, 쇄골의 하연을 따라 선을 그으면 그 연장선이 견봉의 전방을 지나가게 되는데, 이 연장선에서 어느 정도 견봉이 전방으로 돌출되어 있나를 측정하면 된다. 대개의 경우 견봉의 전연(anterior margin)은 이 연장선에 놓이거나 약간 전방에 놓이게 된다. 극상건 출구 사진(그림 12-23C)은 변형된 진성 측면상으로 10° 하방 경사각으로 촬영하며, 견봉의 형태 즉 평편형, 만곡형, 갈고리형을 구별할 수 있으며 견봉의 두께와 견봉의 하방 돌출 정도를 관찰할 수 있다. 액와

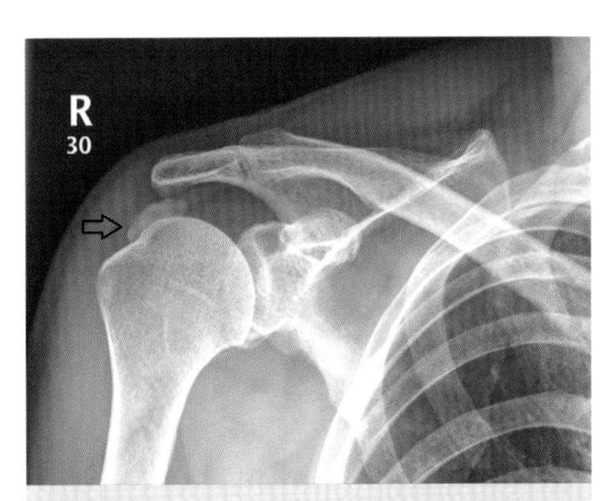

그림 12-21
석회성 건염은 단순 방사선 사진에서 불투명한 점(radiopaque spot, 화살표)으로 잘 관찰된다.

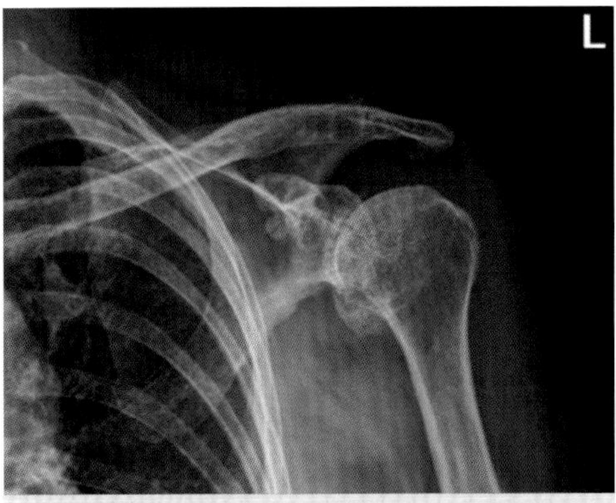

그림 12-22
관절 간격이 좁아져 있고 상완골두 하연의 골극이 잘 관찰되는 견관절 골관절염

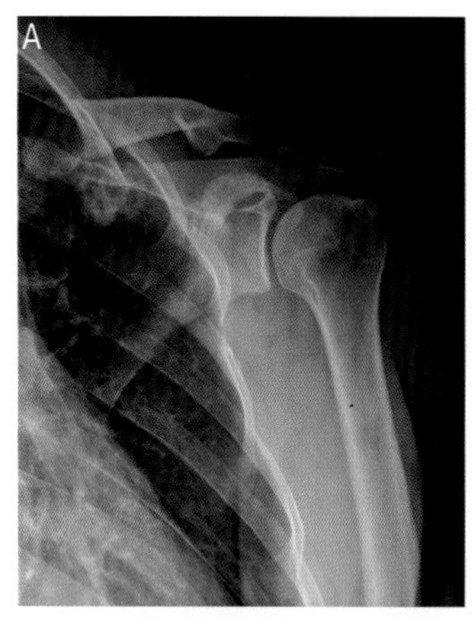

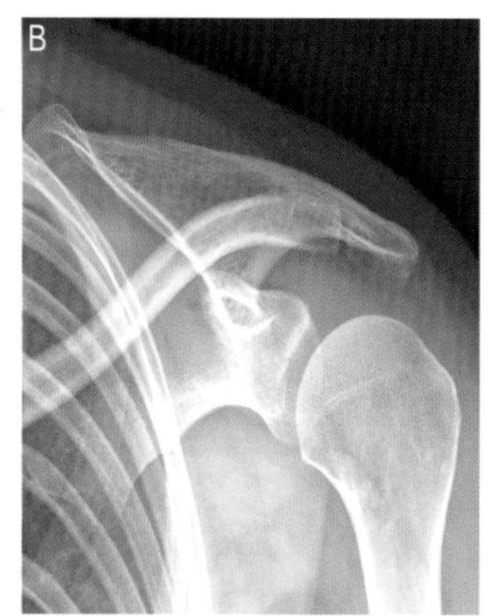

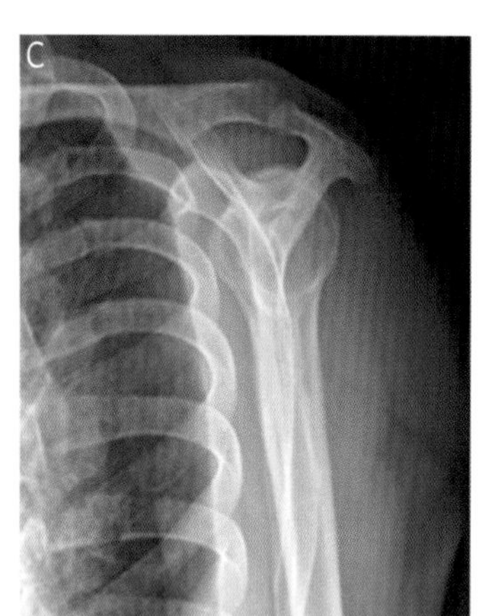

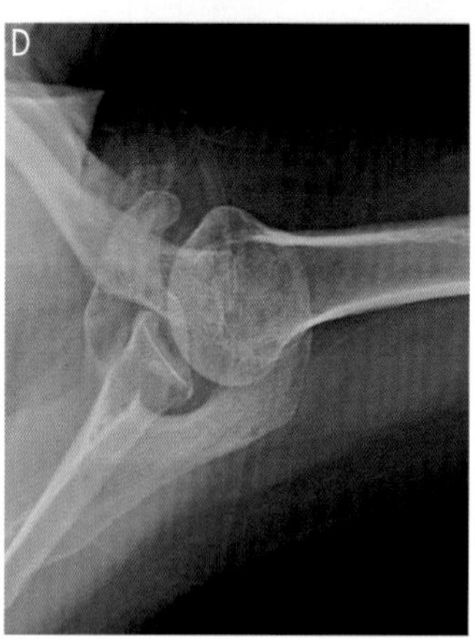

그림 12-23
A. 진성 견관절 전후면 사진(true shoulder AP view)
B. 30° 하방 경사 사진(caudal 30 degree tilting view)
C. 극상건 출구 사진(supraspinatus outlet view)
D. 액와면 사진(axillary lateral view)

면 사진(그림 12-23D)은 관절강이 좁아진 것과 os acromionale 유무를 관찰할 수 있다.

단순 방사선 촬영만으로는 회전근 개의 상태를 정확히 파악할 수 없는 경우가 많아 이를 위해서 여러 가지 특수 검사를 할 수 있다. 초음파 검사(ultrasonography)는 정적(static) 및 동적(dynamic)인 검사가 가능하고 적은 비용으로 쉽고 간편하게 비침습성으로 할 수 있는 검사이다. 특히 외래 환자인 경우 그 자리에서 바로 검사할 수 있으며, 검사하는데 통증이 없고 검사 시간이 짧아 상용 검사법으로는 매우 좋은 방법이다(그림 12-24). 그러나, 진단의 정확도가 판독자의 경험에 따라 큰 차이를 보여 많은 경험이 요구된다. 자기 공명 영상 촬영은 회전근 개의 파열 정도뿐 아니라 지방 변성도 알 수 있으며, 해부학적 구조물이 자세히 보여 파열된 회전근 개의 크기, 위치 및 퇴축 정도, 근 위축 등을 상세히 알 수 있다는 장점이 있으나, 고가이고 촬영하는 기계 종류에 따라 해상도 및 판독의 정확도가 매

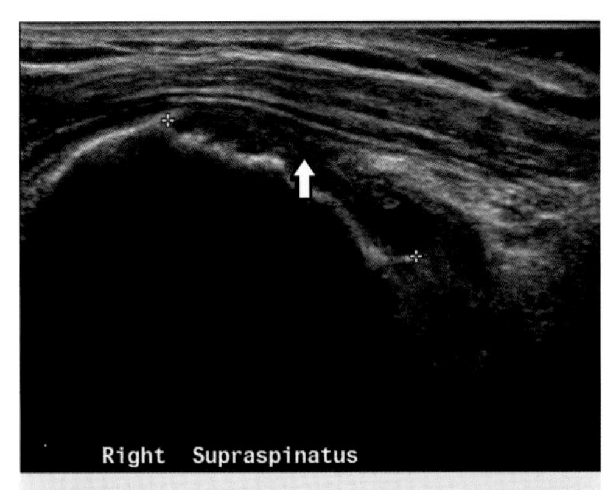

그림 12-24
초음파 검사(ultrasonography)상 회전근 개의 전층 파열 소견(화살표)이 관찰된다.

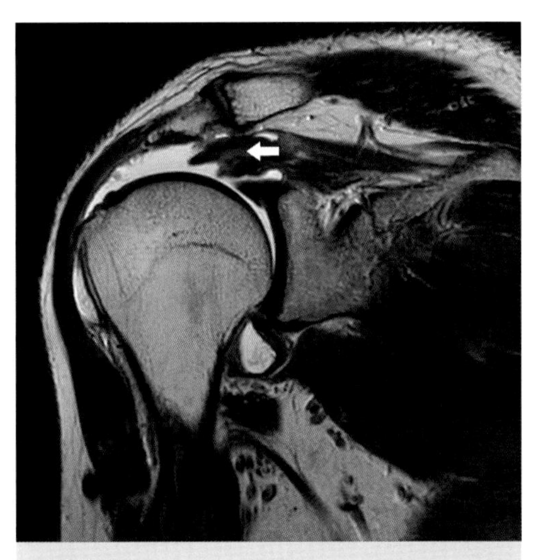

그림 12-25
T2 강조 자기 공명 영상에서 퇴축된 회전근 개 파열단을 관찰할 수 있다.

우 다르게 나타날 수 있다는 단점이 있다(그림 12-25). 이러한 여러 가지 영상 검사는 이학적 검사가 반드시 선행되어야 하며, 환자의 임상 증세와 이학적 검사와 같이 고려하여 치료 방침을 결정하여야 한다. 예를 들어, 영상 검사상 회전근 개가 완전히 파열되었다고 하여 수술을 하는 것이 아니라, 임상 증세가 심하거나 이학적 검사상 심한 근력 약화를 보이는 경우 선택적으로 수술을 하여야 한다는 것이다.

회전근 개의 부분층 파열은 부위에 따라 견봉 하 점낭내(bursal side), 관절내(intraarticular), 건내(intratendinous)로 나눌 수 있으며, 파열의 두께에 따라 전층의 1/3 미만, 1/2 미만, 1/2 이상으로 구분할 수 있다. 전층 파열인 경우 파열된 양상에 따라 횡 파열(transverse tear), 종 파열(longitudinal tear), 사상 파열(oblique tear), 수평 파열(horizontal tear), 피판 파열(flap tear)로 구분할 수 있으며, 크기에 따라 1 cm 미만은 소형(small sized), 1 cm에서 3 cm는 중형(medium sized), 3 cm에서 5 cm는 대형(large sized), 5 cm 이상 혹은 2개 이상의 건이 파열된 경우는 광범위형(massive) 파열로 구분할 수 있다.

5) 치료

(1) 보존적 치료

일반적으로 회전근 개 부분 층 파열의 일차적 치료는 약물 요법(NSAIDS), 더운 찜질, 신장 운동(stretching exercise), 근력 강화 운동(strengthening exercise) 등 비수술적 치료를 시행한다. 관절경 검사를 하여 보면, 견봉하 점액낭의 비대를 보이며 울혈(congestion) 현상을 보이고 있어 소염제가 도움이 될 수 있다. 하지만, 비수술적 치료에서 가장 중요한 것은 궁극적인 회전근 개의 기능 회복이기 때문에 직접적으로 기능 회복을 도모하는 것이 중요하다. 증상을 유발하지 않는 활동은 지속해도 되지만, 더 이상 회전근 개의 기능에 해로운 자극이 없어야 하기 때문에 통증을 야기하는 행동이나 활동을 중지하도록 하는 한편, 회전근 개 기능 회복을 위한 운동 치료를 시행한다. 먼저 관절 운동 범위의 제한이 있는 경우에는 수동적 운동을 통하여 관절 운동 범위를 확보하도록 하는 것이 가장 시급히 해결하여야 할 문제이다. 관절 운동 범위의 제한이 없거나 관절 운동 범위가 회복된 환자의 경우에는 회전근 개 및 견갑골 주위 근육의 근력을 증가시켜서 기능을 회복하도록 해야 한다. 운동 치료 방법 중에 반드시 염두에 두어야 할 개념은 첫째, 관절 범위가 부족한 경우는 최우선적으로 관절 범위를 회복시키는 운동이 필수적 선행되어야 하며, 이 관절 범위 회복 운동은 약간의 통증을 수반하는 신장 운동이어야 한다. 둘째, 관절 범위가 정상화되지 않은 상황에서의 근력 강화 운동은 염증을 악화시키거나 통증을 증가시키고, 정상과 비정상 근육 간의 불균형이 심화되는 결과가 초래될 수 있다. 따라서, 근력 강화 운동은 관절 범위가 정상화되어 아프지 않게 전 범위를 능동적으로 움직일 수 있을 때 시작하여야 한다. 셋째, 근력 강화 운동은 신장 운동과는 달리 아프지 않은 범위 내에서 지속적으로 그리고 단계적으로 수행될 수 있도록 해야 한다. 통증을 유발시킬 정도의 근력 강화 운동은 다시 염증을 초래하여 통증을 유발하거나 관절 범위를 감소시킬 수 있기 때문이다. 이러한 운동 치료 방법은 환자의 상태에 따라 잘 조절하여야 하기 때문에 환자를 직접 교육하면서 관찰하고 조절하는 것이 바람직하며, 이렇게 6개월간의 보존적 치료에도 불구하고 계속되는 동통이나 마찰 소견을 보이면 수술을 고려할 수 있다.

수동적 운동 제한을 동반한 경우에는 우선적으로 신장 운동(stretching exercise)이 필요하다. 신장 운동은 1) 거상 운동(그림 12-26A), 2) 내전 운동(상체 교차) 운동(그림 12-26B), 3) 외회전 운동(그림 12-26C), 4) 내회전 운동(그림 12-26D)이 있으며, 신장 운동을 하기 전에 긴장을 풀어주기 위하여 진자 운동(pendulum exercise)을 시행하면 좋다. 이러한 운동은 자주 규칙적으로 하여야 하며 수축된 관절낭을 이완시키기 위해서는 견딜 수 있는 약간의 통증을 느끼면서 하여야 함을 환자에게 주지시켜야 한다. 수동적 운동 제한이 없는 전형적인 회전근 개 질환은 이와 같은 신장 운동은 필요하지 않으나, 근력 약화로 인해 팔을 잘 안 사용하는 경우 관절와 상완 관절낭의 구축으로 동결견이 동반될 수 있어 예방 목적으로 할 수 있다.

비스테로이드계 진통 소염제, 스테로이드계 약물 주입, 초음파, phonophoresis, ionophoresis 등의 약물 치료를 시도할 수 있는데, 비스테로이드계 진통 소염제가 회전근 개 질환을 근본적으로 치료한다는 증거는 뚜렷하지 않다. 다만 진통 효과에 의해 통증을 경감시키는 효과와 만성적인 기계적 자극에 의한 염증 반응에 대한 소염 효과를 기대할 수

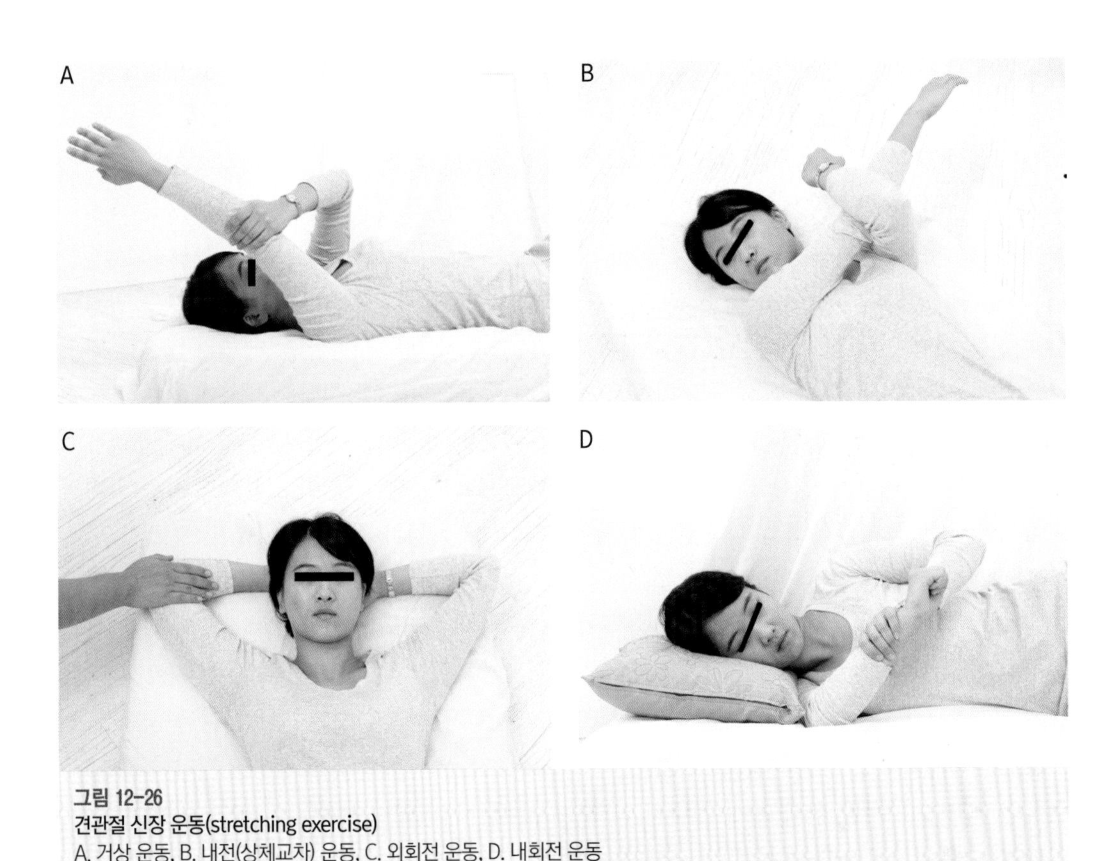

그림 12-26
견관절 신장 운동(stretching exercise)
A. 거상 운동, B. 내전(상체교차) 운동, C. 외회전 운동, D. 내회전 운동

있다. 통증이 매우 심한 경우에는 선택적으로 스테로이드 제재의 견봉하 주입 또는 관절 내 주입을 할 수도 있다. 그러나, 스테로이드 주입은 회전근 개의 건 자체를 위축시키는 부작용이 있으며, 치유 반응을 오히려 지연시킬 우려가 있어 주의를 요하며, 반복적인 주사는 피하도록 해야 하고, 다시 주입할 필요가 있다고 판단할 때에는 항상 일정 기간 후(보통 3개월)에 다시 주입하여야 한다. 또한, 급성 손상에서는 주입해서는 안되고, 철저히 무균 상태에서 주입해야 하며, 회전근 개 자체에 주입되지 않도록 주의하여야 한다. 초음파, phonophoresis, ionophoresis 등의 정규적인 물리 치료 방법이 회전근 개 질환을 근본적으로 치료한다는 명백한 증거는 없다. 어느 정도 치료 효과를 보여준다는 보고는 있으나, 회전근 개 자체의 기능을 회복시키는 효과는 분명하지 않다.

(2) 수술적 치료

회전근 개 질환의 수술적 치료는 환자의 연령, 직업, 활동력, 기능상 제한 정도, 통증의 정도와 기간, 치료 효과의 기대, 환자의 요구 등을 감안하여 신중히 결정한다. 수술의 성공 여부는 정확한 진단, 회전근 개의 침범 정도, 수술 수기, 동반 질환 유무, 체계적인 재활 운동에 의해 좌우된다. 수술 결과에 악영향을 미치는 수술 전 요인(preoperative factors)으로는 회전근 개 파열의 크기, 회전근 개의 지방 침윤(fatty degeneration), 수술 전 근력 약화 정도, 골다공증 등이 있으며, 수술 요인(surgical factors)으로는 불충분한 견봉 성형술, 증세가 남아 있는 견봉 쇄골 관절염, 불충분한 회전근 개 고정, 수술 후 삼각근의 분리, 회전근 개 치유의 실패를 들 수 있다. 따라서 이러한 여러 가지 여건 또는 요인 등을 고려하여 수술에 임하여야 한다.

파열을 동반하지 않은 회전근 개 질환은 비수술적 치료를 위주로 한다. 3개월 내지 1년 정도의 꾸준한 비수술적 치료에도 불구하고 증상의 호전이 없거나 증상이 악화되는 경우에는 수술(견봉하 감압술: 견봉하 점액낭 절제술 및 견봉성형술)로 호전을 기대해 볼 수 있다. 부분층 파열의 경우에도 많은 경우에 비수술적 치료에 호전을 보이나, 증상이 호전된다고 해도 이미 파열된 부위가 치유되는 것은 아니어서 과도한 충격이 가해지거나 퇴행성 변화가 진행되면 증상이 재발할 가능성을 배제할 수는 없다. 다만 그 진행이 늦고 재발률이 높지 않아서 비수술적 치료를 시도해 볼 만한 의미가 있다. 그러나, 회전근 개 질환의 증세 표현은 매우 다양하고 복잡하여, 어떤 질환은 보존적 치료를 하여야 하고 어떤 질환은 수술을 하여야 하는지 명확한 결정을 하기가 어렵다. 예를 들어 오랫동안 증세가 심하고 견봉의 형태가 갈고리형으로 변해 견봉하 마모를 보이고 있는 환자에서 충돌 증후군만 있다고 무조건 보존적 치료를 고집할 수 없으며, 반대로 MRI 상 완전 파열로 판명되었다고 해서 증세가 별로 심하지 않은데 반드시 수술을 하여야 한다고 환자에게 수술을 권유하는 것도 바람직하지 않다. 실제 노년층에서는 회전근 개 파열이 있음에도 통증이 거의 없거나 심하지 않은 경우를 자주 보게 된다. 한 보고에서는 최소한 25%의 사체에서 회전근 개가 파열되어 있거나 퇴행성 변화를 보인다고 하였으며, 따라서 수술적 치료를 바로 시행하기보다는 가능한 한 보존적 치료를 우선적으로 하고 증세 호전이 없거나 심해진 경우에 하는 것이 바람직하다고 하였다. 그러나, Craig 등은 비수술적 치료가 파열을 치유하였다는 사실을 입증할 수 없었을 뿐 아니라 관절내 관절액이 흘러 저절로 치유될 수 없다고 하였다. Basset & Cofield나 Heikel은 시간이 가면서 파열의 크기는 커질 수 있고(zipper phenomenon), 대개는 회전근 개의 변성이 있어 나중에는 봉합하기가 점점 더 어려워져 가능한 한 적당한 시기에 수술하여 주는 것이 바람직하다고 하였다. 증상을 동반하지 않은 전층 파열의 3년 추시에서 약 50%에서 파열의 크기가 증가하면서 증상이 발현되었다는 보고는, 비수술적 치료에 호전된 전층 파열의 재발 가능성을 시사한다. 따라서, 증세가 심한 완전 파열인 경우에는 조기에 수술을 하는 것이 장기적인 예후가 좋을 것으로 생각되며, 파열의 크기가 작을 때 수술할수록 장기 추시 시 예후가 좋을 가능성이 높다는 점을 염두에 두고 판단하는 것이 바람직하다. 특히 젊은 연령에서 심각한 외상 후에 견관절의 기능이 갑자기 악화된 경우와, 극하근의 파열이 의심되는 경우에는 조기에 수술적 치료를 고려한다. 증상이 1년이 넘거나 심각한 기능 장애가 있는 경우, 파열의 크기가 2 cm 이상이거나 근력의 약화가 있으면 조기에 수술을 권하고 있다.

수술의 일차적인 목표는 통증의 경감에 있으며, 부차적으로 견관절의 기능 회복과 회전근 개의 병리 상태의 진행을 막고, 회전근 개의 기능을 회복시켜 견갑골 관절와에 상완골 두가 잘 위치하도록 하는 것이다. 수술적 치료는 대부분 충돌 현상의 발생을 막기 위한 견봉하 감압술(subacromial decompression)과 근력의 회복 및 관절의 안정을 위한 회전근 개 파열의 봉합술로 이루어진다. 견봉하 감압술은 충돌을 일으키는 구조물을 제거하고, 병의 진행을 막으며, 봉합된 회전근 개를 보호하는 역할을 하게 된다. 견봉 혹은 견봉하 골극을 깎아주는 견봉성형술(acromioplasty)(그림 12-27)이 꼭 필요한지는 아직 논란 중이지만, 적절한 감압은 필수적이라 할 수 있다. 수술 중에는 되도록 삼각근의 훼손이 없어야 하며, 삼각근이 손상되었을 경우에는 최대한 원상으로 복구해야 한다. 수술 시에는 견봉 쇄골 관절의 전연에 부착되어 있는 오구 견봉 인대를 완전히 분리하여 주어야만 불충분한 감압을 피할 수 있다.

이러한 수술적 치료는 개방식 술식과 관절경하 술식이 쓰인다. 개방식 견봉하 감압술식은 관절경하 술식에 비해 배우기 수월하며 절제하는 범위를 선택하기 쉽고, 특별한 기구가 필요 없으나 삼각근의 손상이 좀 더 큰 반면에 손상된 삼각근의 봉합에는 오히려 유리

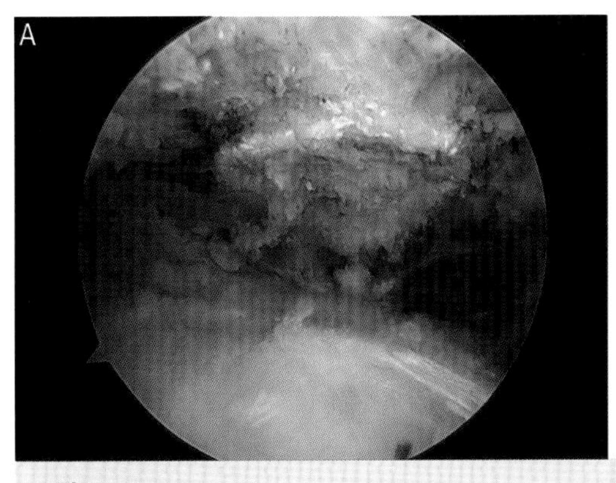

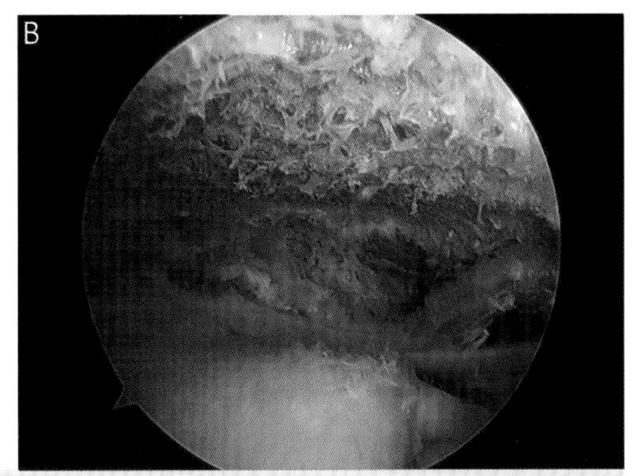

그림 12-27
A. 전형적인 관절경하 견봉하 골극(subacromial spur) 모양
B. 견봉성형술(acromioplasty) 후 관절경 소견

하다. 관절경 견봉하 감압술식은 절개 부위가 매우 작고 삼각근 손상이 적은 반면에 술식을 습득하기가 좀 더 어렵고, 절제하는 범위를 선택하기가 쉽지 않으며 손상된 삼각근의 봉합이 어렵지만, 개방식 술식과 관절경하 술식의 임상적 결과는 대체적으로 비슷하다. 회전근 개 파열의 복원술도 개방 술식, 소절개 술식, 관절경하 술식 등으로 대별된다. 개방 술식이 일반적이고 보편적으로 사용이 가능하여 주로 사용되어 왔으나, 근래에는 관절경의 발달과 여러 기구의 발달에 힘입어 파열의 크기에 따라 개방 술식과 소절개 술식이나 관절경하 술식(그림 12-28) 등이 선택적으로 사용되고 있다. 최근에는 광범위 파열을 포함한 모든 회전근 개 파열을 관절경하 봉합술식으로 시도하고자 하는 이들도 있지만, 파열의 범위가 클수록 관절경하 봉합술이 어려울 수밖에 없으므로 술자의 능력에 맞는 적절한 술식의 선택이 중요하다.

소파열이나 중파열의 전층 파열은 적절한 시기에 수술적 치료를 하면 90% 이상에서 만족할 만한 호전을 보인다는 것에는 큰 이견이 없으나, 광범위 파열의 예후에는 논란이 있으며, 이 경우 수술 성공률이 50% 내외로 저하된다고 보는 견해가 보다 보편적이다. 광범위 파열의 경우에 완전 봉합이 불가능한 경우에는 부분 봉합술로 근력의 균형(balanced force coupling)을 다시 만들어주거나, 건 이전술을 사용하기도 한다. 즉, 견갑하근의 봉합이 어려운 경우에는 대 흉근(pectoralis major)의 일부를 이전하는 방법이 널리 쓰이고, 극상근과 극하근의 봉합이 어려운 경우에는 광배근(latissimus dorsi)의 건 이전술이 많이 이용된다. 그 이외에도 승모근(trapezius), 삼각근 등의 건 이전술이 보고되어 있으며, 대퇴 근막(fascia lata) 이식술, 동종 건 이식, 합성 물질 등을 이용하기도 한다. 도저히 봉합이 불가능한 경우 통증만의 완화를 위한 제한된 목적으로 견봉 성형술과 파열 부위 변연 절제술을 시행하여 증상의 호전을 가져왔다는 보고도 있다. 회전근 개 파열 관절병증(cuff tear arthropathy)이라고 불리는 독특한 형태의 견관절 관절염은, 광범위 회전근 개 파열에서 비롯된 상완골두의 상방/외측 전위에 의해 발생하는 것으로(그림 12-29A), 앞서 기술한 방법들로는 불가역적인 관절염을 해결하지 못하여 구제술로서 최근에 역행성 견관절 전치환술(reverse total shoulder arthroplasty, 그림 12-29B)을 사용하여 좋은 임상 결과를 보이고 있다. 일상적인 골관절염의 경우에 사용하는 견관절 전치환술은, 회전근 개가 없는 경우에는 가성마비를 해결할 수 없으며 치환된 상완골두가 계속 상부/외측으로 이동되는 불안정성을 보일 것이므로 효과적인 치료법이 될 수 없을 것이다. 역행성 견관절 전치환술은, 이러한 견관절의 골관절염과 봉합 불가능한 회전근 개 파열을 동시에 해결하기 위해 고안된 것으로서, 특히 가성 마비가 있는 회전근 개 관절병증의 환자에게 사용하기 위하여 시작되었는데, 볼-소켓 관절의 볼과 소켓 부분을 서로 바꾸어 치환함으로써, 회전근 개 관절병증 환자에게서 보이던 상부 및 외측으로

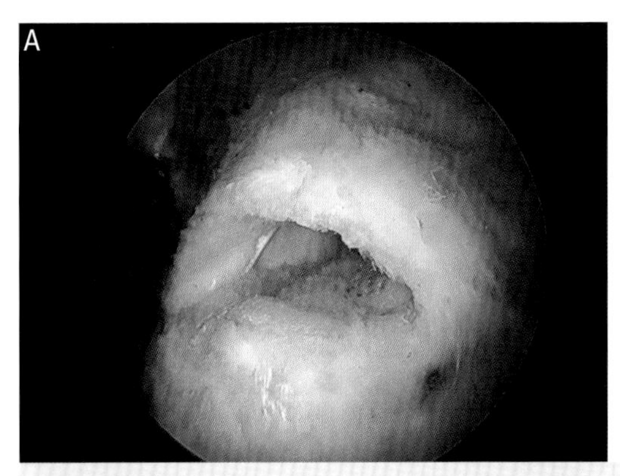

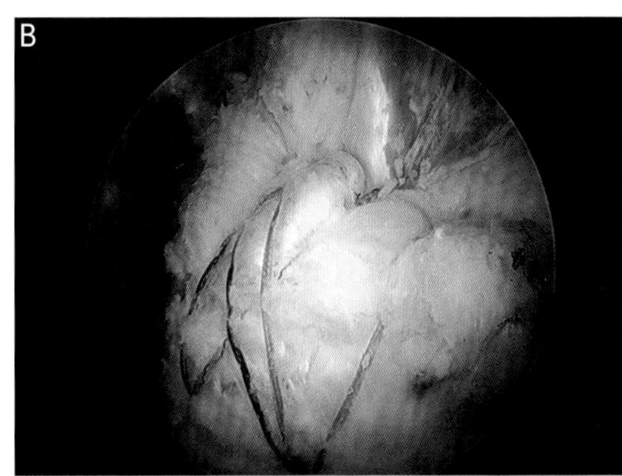

그림 12-28
A. 좌측 견관절의 회전근 개 전층 파열의 관절경 소견
B. 나사못을 사용하여 관절경적 교량형 봉합술(suture bridge repair)을 시행한 후의 소견

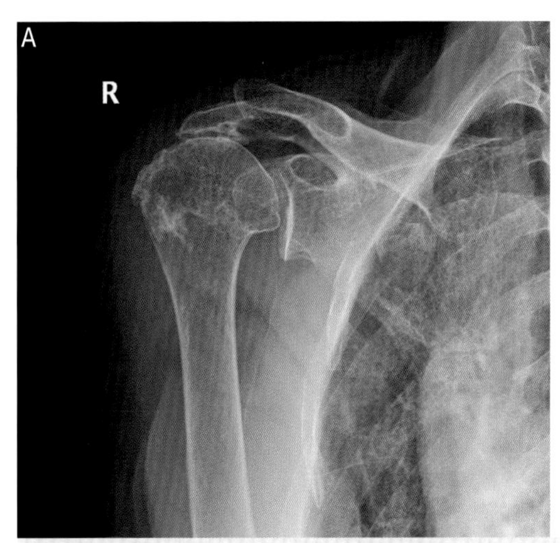

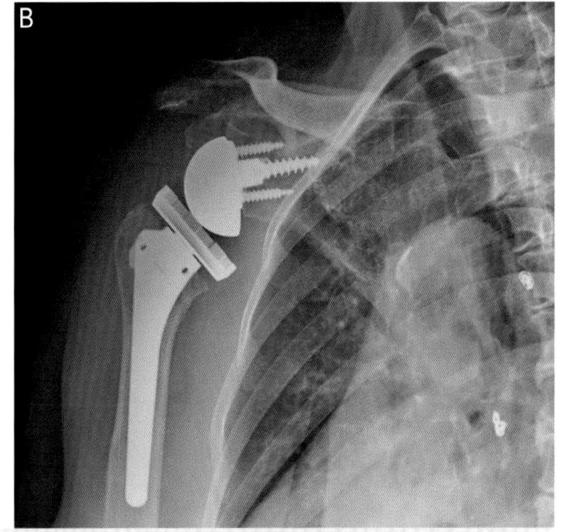

그림 12-29
회전근 개 파열 관절병증
A. 수술 전 방사선 사진 상 상완골두의 상방 이동과 골 관절염 소견이 관찰된다.
B. 역형 견관절 전치환술로 견관절의 회전 중심을 원위부 및 내측으로 이동시켰다.

이동된 회전 중심(center of rotation, COR)을 하방 및 내측으로 이동시키게 되며, 이로 인해 삼각근의 길이를 늘여서 lever arm tension을 강하게 하고, 보다 많은 삼각근이 활성화하게 되어 팔을 능동적으로 들 수 있게 해줄 수 있는 것이다. 최근에는 회전근 개 파열 관절병증에서의 좋은 장기적 임상 결과 보고와 함께, 일상적인 견관절 전치환술로 치료하기 힘든 관절와의 골 결손이 심한 골관절염이나 류마티스성 관절염, 상완골의 복합 분쇄 골절 등에서도 사용의 빈도가 늘어나는 등, 그 적응증이 점차 확대되고 있다. 따라서, 성공적인 역행성 견관절 전치환술의 전제 조건은, 잘 작용하는 삼각근이 존재해야 하며 관절와 골이 충분히 인공 관절을 고정할 수 있어야 하는 것이다.

3. Shoulder joint의 만성 불안정성

견관절의 만성 불안정성은 급성 탈구와는 다른 병변이다. 즉 급성 탈구는 상완골두(humeral head)가 관절와(glenoid)에서 빠져 나와있는 상태를 의미하며, 만성 불안정성이란 반복되는 탈구로 인해 상완골두가 관절와 내에 유지되는 능력을 잃어버린 상태를 의미한다.

1) 원인 및 병태 생리

견관절은 신체에서 가장 넓은 운동 범위를 가지나, 큰 구형의 상완골두가 상대적으로 작고 얕은 견갑골 관절와와 관절을 이루고 있어 가장 불안정한 관절이다. 관절 주위의 골조직, 인대나 근육 등의 연부 조직이 함께 복잡하게 작용하여 안정성과 운동성 사이의 균형을 유지하도록 한다. 그래서 관절와의 발달성 저성장(hypoplasia)이나 이형성(dysplasia), 관절면(articular surface)의 과도한 후경사(retroversion), 관절와순(labrum)이 관절와에서 떨어진 Bankart lesion, 관절낭(joint capsule)의 파열, 관절낭의 과이완성, rotator interval의 이완, 상완골두나 관절와의 골성 소실(bone defect) 등이 견관절 불안정성의 원인이 될 수 있다.

2) 증상, 신체 검사 소견

신체 검사는 환자의 불안정성의 방향을 이해하는 가장 중요한 과정이다. 환자에게 탈구나 외상의 과거력이 있는지, 있다면 언제, 몇 차례였는지, 탈구 후에 처치는 어떻게 하였는지, 현재 환자가 가장 불편해하는 증상이 통증인지 불안정성인지 등을 면밀하게 조사해야 한다. 불안정성을 진단하는 데에는 apprehension test, sulcus sign 그리고 load-and-shift test가 가장 널리 쓰인다. Apprehension test는 서거나 앉은 자세, 혹은 누운 자세 모두에서 시행할 수 있으며, 환자의 팔을 중립 위에서 서서히 외전과 신전을 시키면서 외회전하여 환자가 통증을 호소하면서 전방 탈구의 불안감을 호소할 경우 양성으로 본다.

3) 검사 소견 및 진단

단순 방사선 사진에서 만성 불안정성에 따른, 관절와나 상완골두의 골성 변화를 발견해낼 수 있으며 특수한 단순 방사선 사진 촬영(west point view, Stryker notch view)으로 만성 불안정성에서 흔히 동반되는 골성 병변인 bony Bankart 병변, Hill-Sachs 병변을 알아볼 수 있다. 연부 조직만의 병변인 Bankart 병변의 유무를 확인하는 데는 단층 촬영 관절 조영술, 자기 공명 영상 촬영 혹은 자기 공명 영상 관절 조영술 등이 있다. 조영제를 사용한 자기 공명 영상 촬영술은 단순 자기공명 영상 검사보다 좀 더 자세히 관절와순의 상태까지 볼 수 있어, 관절경술을 시행하기 전 반드시 필요한 검사라고 할 수 있겠다(그림 12-30).

4) 치료

단순 탈구의 경우에는 환자의 이환된 나이가 중요하며, 나이가 아주 젊거나 재탈구의 위험성이 높은 스포츠 활동을 하지 않는 경우라면 보조기 치료만으로 충분하다. 중년 이상의 환자들의 경우에는 회전근 개 파열을 동반할 가능성을 고려해야 한다.

만일 보존적 치료 후에도 탈구가 지속되거나 불안정성을 호소하여 일상 생활에 지장이 있다면 수술적인 치료를 고려해야 한다. 수술은 관절경 하에서나 관혈적으로 모두 가능하며, 앞서 언급한 불안정성을 가져올 수 있는 모든 병변에 대한 고려가 있어야 하며, 이중 Bankart 병변이 가장 중요하다. 신체 접촉이 많거나 상완골이나 관절와의 골성결손이 심한 환자들에 있어서는 일반적으로 관혈적인 수술 방법이 추천되고 필요하다면 골 이식까지 고려해야 한다.

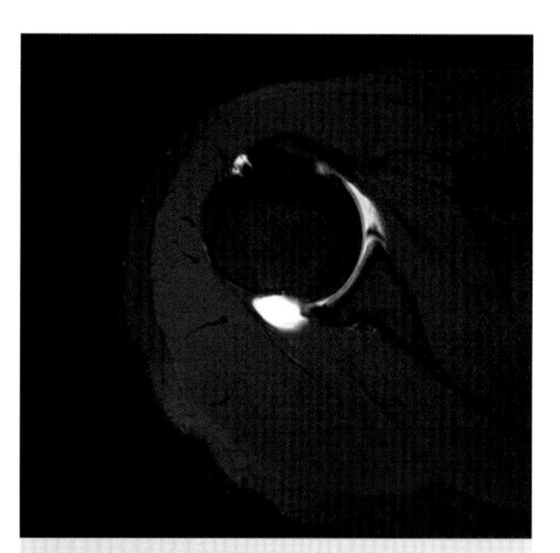

그림 12-30
MRI 관절 조영술에서 보이는 Bankart lesion

5) 견관절의 SLAP 병변

견관절의 상부 관절와순 전후 병변(superior labrum anterior to posterior lesion, SLAP lesion)은 상완이두근 장두 기시부 및 상완이두근 장두-관절와순 복합체(biceps labral complex)를 포함하는 해부학적 구조에서 나타나는 여러 손상을 지칭한다. 그 증상이 매우 다양하고 이학적으로 특이한 소견이 없으며, 다른 견관절 병변을 동반하는 경우가 많고 진단 또한 힘들어, 그 치료에 있어서도 논란이 많다.

(1) 원인 및 병태 생리

SLAP 병변은 압박 혹은 신장력을 받은 상태에서 급성이나 만성으로 발생할 수 있다고 알려져 있다. 즉 급성으로는 견관절의 외전, 전방 굴곡 등 팔을 뻗은 상태에서 낙상 등의 외상으로 상완골두에 직접 압박이 가해지거나, 상완이두장건의 축을 따라 갑작스러운 견인력 때문에 발생될 수 있다. 만성적으로는 반복적이고 비정상적인 부하로 인해, 상완이두근 장두-관절와순 복합체가 과도하게 내측으로 벗겨져서(peel-back mechanism) 병변이 발생할 수 있는 것으로 알려져 왔다.

(2) 증상, 신체 검사 소견

SLAP 병변의 경우 머리 위로 팔을 올리거나 무거운 물건을 밀 때 관절 깊숙한 곳에서 느껴지는 통증을 호소한다. 그 외에도 견관절의 다른 병변과 동반되어 걸림이나 염발음, 불안정성을 호소하는 경우도 있다. SLAP 병변의 신체 검사는 보고마다 민감도와 특이도에서 이견이 있고, 대상 환자군도 다르기 때문에 여러 가지 검사를 조합하여 진단율을 높이도록 해야 한다. 또한 진단 시 환자의 나이를 고려하는 것이 중요하며 40세 이상의 환자에서 SLAP 병변과 유사한 퇴행성 변화가 관찰되어 병적인 상태로 오진할 수 있으므로 치료를 결정할 때 신중해야 한다.

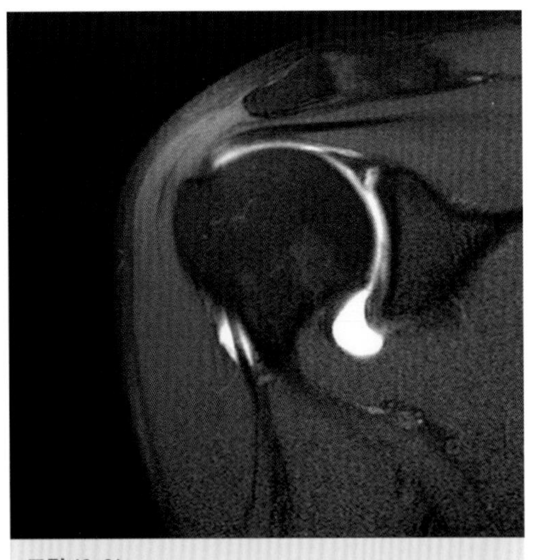

그림 12-31
MRI 관절 조영술에서 보이는 SLAP 병변

(3) 검사 소견 및 진단

단순 방사선 촬영을 통해서 다른 골성 병변(bony lesion)을 제외할 수 있다. SLAP 병변이 의심되는 경우에는 자기 공명 영상 촬영이 가장 좋은 방법으로 관절와순에서 분리되었거나 증강된 신호를 갖는 상완이두근 장두를 볼 수 있다(그림 12-31). 그러나 자기 공명 영상 촬영에서도 SLAP 병변과 유사한 정상 변이 때문에 진단의 정확도를 연구마다 다르게 보고하고 있다. 그래서 SLAP lesion이 강하게 의심되는 경우에는 진단적으로 관절경적 검사를 시행할 수 있다(그림 12-31)

(4) 치료

SLAP 병변으로 진단된 경우 먼저 보존적 치료를 시행해 볼 수 있다. 통증을 유발하는 동작이나 운동을 피하고, 소염제를 복용하면서 후방 관절낭을 이완시켜 주는 운동을 시행한다. 보존적 치료 후에도 환자의 증상이 지속되면 수술을 고려해 볼 수 있으나 SLAP 병변의 신체검사나 영상 의학적 검사의 정확도가 연구마다 다르고, 어떤 경우가 수술의 적응증인지 명확하게 확립되어 있지 않으므로 환자의 나이, 스포츠 활동의 정도, 외상유무 그리고 동반된 견관절의 병변을 고려하여 신중하게 결정하여야 한다.

수술 방법은 SLAP 병변의 정도에 따라 단순 변연 절제술만 시행할 수도 있고, 적응증을 신중하게 고려하여 봉합술을 시행할 수도 있다. 상완이두근 장두의 심한 손상을 동반하고 있으면 건 절단술이나 건 고정술을 고려할 수도 있다. 수술 후에는 수술 부위 안정화를 위해 3~4주간 보조기를 착용한 후, 관절 강직 방지를 위한 수동 관절 운동을 시행해야 한다. 이때 외회전은 관절와순이 벗겨지는 (peel–back) 힘을 증가시킬 수 있어 주의를 기울여야 하며 후방 관절낭의 신연을 위해 내회전 운동을 중점적으로 시행하여야 한다. 회전근개와 삼각근의 능동적 근력 강화 운동은 수술 후 6주부터 시작한다.

참고문헌

1. 정문상, 전재명, 태석기 외. 어깨외과학, 군자출판사, 2009:7-73.
2. Apreleva M, Ozbaydar M, Fitzgibbons PG, Warner IJ. Rotator cuff tears: the effect of the reconstruction method on three dimensional repair site area . Arthroscopy. 2002 May-Jun; 18(5):519-26
3. Bigliani LU, Morrison DS, April EW: The morphology of the acromion and rotator cuff impingement. Orthop Trans, 10:288, 1986.
4. Burkhead WZ Jr, Arcand MA, Zeman C, Habermeyer P, Walch G: The biceps tendon. In Rockwood CA Jr, Matsen FA III, Wirth MA, Lippitt SB .3rd ed.: The shoulder. Philadelphia, PA, WB Saunders, 1059-1119, 2004.
5. Codsi M, McCarron J, Hinchey JW, et al. Clinical evaluation of shoulder problems. In: The shoulder Vol. 1, Rockwood et al 4th ed. Philadelphia: Saunders/Elsevier, 2016:95-133.
6. Enrico Cagliero, William Apruzzese, Gary S. Perlmutter, David M. Nathan. Musculoskeletal Disorders of the Hand and Shoulder in Patients with Diabetes Mellitus. Am J Med. 112: 487-90, 2002.
7. Gartsman GM: Arthroscopic rotaror cuff repair. Clin Onhop, 390:95-106, 2001.
8. Gerber C, Krusheel RJ: Isolated tears of the subscapularis muscle. Clinical features in sixteen cases. J Bone Joint Surg, 73-B:389-394, 1991.
9. Gerber C: Latissimus dorsi transfer for the treatment of irreparable tears of the rotator cuff. Clin Orthop, 275:152-160, 1992.
10. Hertel R, Ballmer FT, Lambert SM, Gerber C. Lag signs in the diagnosis of rotator cuff rupture. J Shoulder Elbow Surg, 5:307-13, 1996.
11. Jensen KL, Williams GR, Russell IJ and Rockwood CA: Rotator cuff tear arthropathy . J Bone Joint Surg, 81-A: 1312
12. Jobe CM, Phipatanakul WP, Petkovic Djuro. Gross anatomy of the shoulder. In: The shoulder Vol. 1, Rockwood et al 5th ed. Philadelphia: Saunders/Elsevier, 2016:35-94.
13. Jobe FW, Moynes DR. Delineation of diagnostic criteria and a rehabilitation program for rotator cuff injuries. Am J Sports Med, 10:336- 9, 1982.
14. Kitay GS, Iannotti JP, Williams GR, et al: Roentgenographic assessment of acromial morphologic condition in rotator cuff impingement syndrome. J Shoulder Elbow Surg, 4:441- 448, 1995.
15. lannotti JP: Full-Thickness Rotator Cuff Tears: Factors Affecting Surgical Outcome. J Am Acad Orthop Surg, 2(2) :87-9'5, 1994
16. Lyons AR, Tomlinson JE: Clinical diagnosis of tears of rotator cuff. J Bone Joint Surg, 74-B:414-415, 1992.
17. Matsen FA, Lippitt SB, Sidles JA and Harryman

DT: Practical evaluation and Management of the Shoulder. Philaclelphia, WB Saunclers Co, 1994.
18. Neer CS II, Craig EV, Fukuda H: Cuff-tear arthropathy. J Bone Joint Surg,65-A:1232- 1244, 1983.
19. Neer CS II: Anterior acromioplasty for chronic impingement syndrome in the shoulder: A preliminary report. J Bone Joint Surg, 54A:41-50, 1972.
20. Nilufer Balci, Mustafa Kemal Balci, Serdar Tuzuner. Shoulder Adhesive Capsulitis and Shoulder Range of Motion in Type II Diabetes Mellitus: Association with Diabetic Complications. J Diab Comp, 13: 135?140, 1999.
21. O'brien SJ, Taylor SA, Ramkumar PN, et al. Developmental anatomy of the shoulder and anatomy of the glenohumeral joint. In: The shoulder Vol. 1, Rockwood et al 5th ed. Philadelphia: Saunders/Elsevier, 2016:1-33
22. Rathbun JB, Macnab I: The microvascular pattern of the rotator cuff. J Bone Joint Surg, 52B:540-553, 1970.
23. Rockwood CA, Lyons FR: Shoulder impingement syndrome: Diagnosis, radiographic evaluation, and treatment with a modified Neer acromioplasty. J Bone Joint Surg, 75A:409- 424, 1993.
24. Simon J. Thomas, Claire McDougall, Iain D. M. Brown, Marie-Claire Jaberoo, Adam Stearns, Raihan Ashraf, Miles Fisher, and Ian G. Kelly. Prevalence of symptoms and signs of shoulder problems in people with diabetes mellitus. J Shoulder Elbow Surg. 16(6): 748-51, 2007.
25. Uhthoff HK, Dervin GF, Loehr JF: Calcifying Tendinitis, in Rockwood CA Jr, Matsen FA III, Wirth MA, Lippitt SB .3rd ed.:The Shoulder. Philadelphia, PA, WB Saunders, 1033-1058, 2004.
26. Vastamäki M, Göransson H: Suprascapular nerve entrapment. Clin Orthop, 297:135-143, 1993.

Elbow의 병변

Affections of Elbow

1. Elbow의 신체 검사

1) 비교 해부학적 측면

포유강 영장목(primates)을 제외한 대부분의 육상 동물은 forelimb도 hindlimb과 마찬가지로 체중 부하가 주 기능이다. 이들의 radial head는 ulna의 전방에 위치하여 coronoid process와 함께 trochlear notch의 일부를 이룬다. 따라서 elbow joint는 회전 운동은 거의 없으며, 단순한 굴곡-신전 운동을 한다. 그러나 영장목의 경우 체중 부하 외에 회전 운동이 가능할 수 있도록 radial head는 ulna의 외측에 위치하며, proximal 및 distal radioulnar joint가 발달하였다. 또한, trochlea 및 trochlea와 capitellum 사이의 ridge가 발달되어 있다.

영장목은 꼬리가 있는 원숭이(monkey)와 이것이 없는 유인원(ape)으로 크게 나눌 수 있는데, 이들의 해부학에는 차이가 있다. 원숭이의 경우 radial head와 capitellum 및 proximal ulna 사이의 관절은, 체중 부하 시 안정성을 높이기 위해 관절 접촉 면적이 넓은 대신 회전 운동은 유인원보다 적다. 원숭이의 radial head는 타원형(oval)이며 비대칭적이고 회내전(pronation) 위치에서 더욱 안정된다(네 발로 걸을 때는 전완부를 회내의 위치로 한다). 또한 원위 상완골 후방 외측에 뼈가 돌출된 posterior heel이 있어, 내반력 및 내회전력에 저항하는 기능을 하며, 긴 주두 돌기(olecranon process)로 인해 안정성이 향상되어 앞발로서의 기능을 하는 데 도움이 된다. 반면, 유인원의 radial head는 원형이며 대칭적이고, 중심부가 더욱 오목하여 회내 또는 회외 위치에서도 모두 안정성을 유지할 수 있다. 유인원의 경우 전완부의 회전, 특히 회외전(supination)을 많이 할 수 있도록 biceps brachii의 부착 부위인 radial tuberosity가 전내측에 위치한 반면, 원숭이에서는 elbow joint의 굴곡력이 보다 중요하여 이것이 전방에 위치한다. 또한 원위 상완골의 관절면이 후방까지 위치하여 완전 신전이 가능하도록 진화되었다. 원숭이는 운반각(carrying angle)이 없으나, 유인원에서는 이 각이 존재한다(그림 13-1).

2) 기능

Elbow joint의 주된 기능은 운동성과 안정성이다. 즉 상지의 말단 장치(terminal device)인

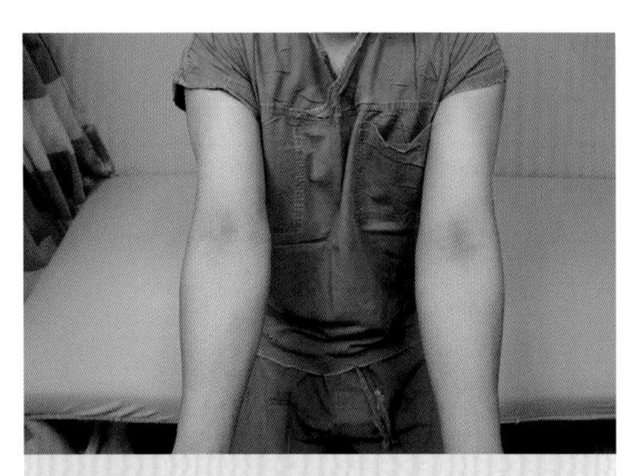

그림 13-1
운반각(carrying angle)은 손과 전완부(forearm)를 회외전(supination)시킨 해부학적 자세에서 humerus의 종축과 ulna의 종축이 이루는 각으로 정의할 수 있다.

손을 필요한 위치로 이동하는데 불편함이 없도록 많은 운동 영역이 필요하다. 또한, 손을 통해 전달되는 부하나 강한 근력을 발휘할 때 가해지는 힘에 견딜 수 있는 안정성 또한 요구된다.

Elbow joint는 굴신 운동이 주 기능인 ulno-humeral joint와 회전 운동이 주 기능인 proximal radioulnar joint 및 radiohumeral joint로 구성되어 있다. 평균 150°의 굴신 운동(0° 또는 약간의 과신전에서 150° 굴곡)과 160°의 회전운동(75°의 회내전과 85°의 회외전) 범위를 갖는다.

Elbow joint를 완전 신전한 위치에서 ulna에 가해진 힘을 humerus에 가장 효율적으로 전달하려면, trochlear notch가 양손으로 humerus의 trochlea를 받치듯이 근위부를 향하여 열려 있어야 할 것이다. 하지만, 이런 위치는 trochlear notch 전방이 elbow joint 굴곡 시 humerus에 걸려서 충분한 굴곡 운동을 얻을 수 없다. 따라서 충분한 굴곡 운동 범위를 얻기 위해 humerus의 trochlea는 전방으로 약 30°, ulna의 trochlear notch는 후방으로 30° 기울어져 있다.

3) 해부학

(1) Distal humerus

Trochlea는 전방, 하방, 후방의 약 300~330° 부분이 관절 연골로 덮혀 있다. Capitellum은 원에 가까운 모양이다. Humerus의 medial condyle과 lateral condyle을 연결하는 선을 중심으로, 관절면은 약 5~7° 내회전 및 약 6~8° 외반을 보인다(그림 13-2).

(2) Olecranon

Olecranon은 측면에서 보면 약 190°의 호를 형성한다. Trochlear notch는 trochlea의 모양에 맞도록 전후방으로 ridge가 있어 관절면을 내측과 외측으로 구별할 수 있다. 또한, trochlear notch의 전방과 후방 관절면 사이에는 관절 연골이 없는 부위가 있다. 관절면의 장축에 대해 근위 ulna는 약 4°의 외반을 이룬다(그림 13-3).

(3) Proximal radioulnar joint

Radial head는 ulna의 radial notch와 관절을 이루며, 약 4/5는 annular ligament로 둘러싸여 있다. Radial neck은 근위부에 대해 radial tuberosity 반대 방향으로 약 15° 기울어져 있다.

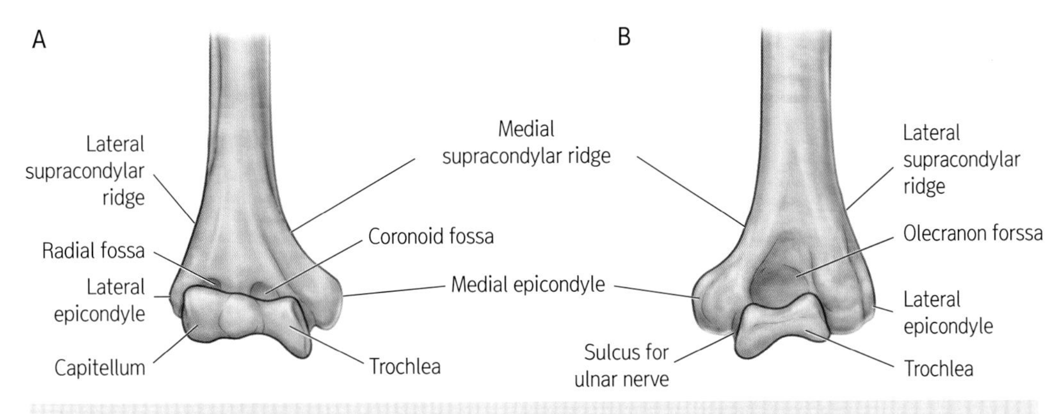

그림 13-2
Distal humerus의 골성 해부학
A. humerus 원위부 전면 사진, B. humerus 원위부 후면 사진

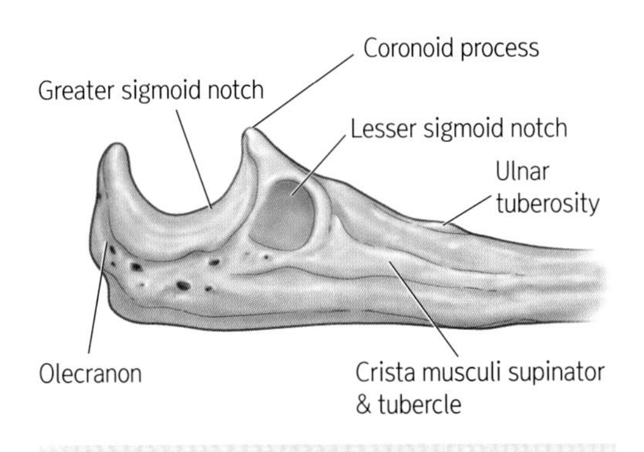

그림 13-3
Proximal ulnar의 골성 해부학
(ulna 근위부의 측면 사진)

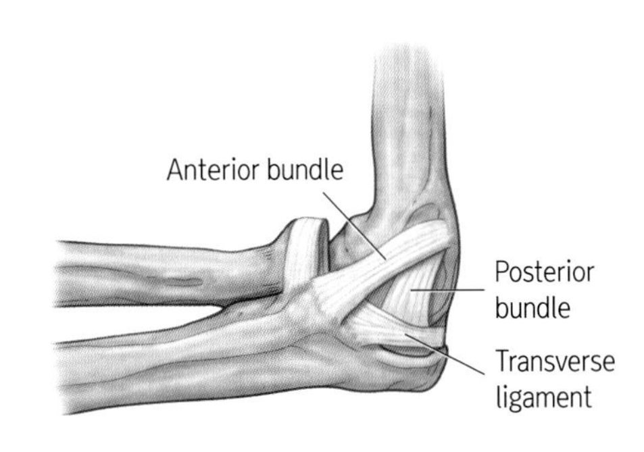

그림 13-4
Elbow joint 내측의 내측 측부 인대

(4) Medial collateral ligament complex

Medial collateral ligament complex (내측 측부 인대 복합체)는 세 부분 – 전방 속(anterior bundle), 후방 속(posterior bundle), 횡 인대(transverse ligament)로 구성된다(그림 13-4). 이 중 elbow joint의 안정성, 특히 외반력에 대한 안정성에 중요한 구조물은 전방 속이다.

(5) Lateral collateral ligament complex

Lateral collateral ligament complex (외측 측부 인대 복합체)는 medial collateral ligament complex보다 그 구조가 덜 명확하다. 크게 네 부분–radial collateral ligament, annular ligament, lateral ulnar collateral ligament (LUCL), accessory collateral ligament–으로 구성된다(그림 13-5). LUCL이 elbow joint의 내반

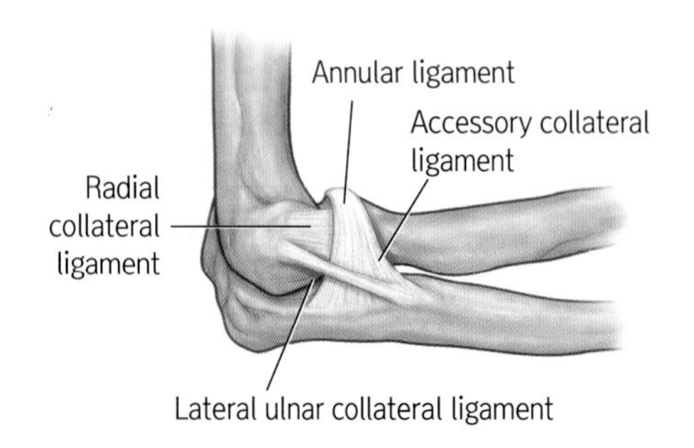

그림 13-5
Elbow joint 외측의 외측 측부 인대

력에 저항하는 가장 중요한 구조물로, 이것이 손상되면 후외방 회전 불안정성(posterolateral rotatory instability)이 발생할 수 있다.

4) Elbow joint의 안정성에 대한 각 해부학적 구조물의 기여도(표 13-1)

Elbow joint에 내반력(varus force), 외반력(valgus force) 또는 견인력(distraction force) 등이 가해질 경우, 어떤 구조가 주요 버팀목 역할을 하는가에 대한 사체 실험 결과는 아래 표와 같다. 주요 버팀목은 내측 측부 인대 복합체, 외측 측부 인대 복합체, 관절낭(joint capsule) 그리고 관절 자체의 모양에 의한 안정성(즉, radial head가 외반력에 저항하는 주요 구조물인 것과 같은 원리) 등으로 나누어 생각할 수 있다.

한 가지 특이한 점은 내반력이 가해질 경우, 외측 측부 인대 복합체보다는 관절 자체의 모양(articulation)에 의한 안정성이 가장 중요한 버팀목이라는 점이다. 즉, 외측 측부 인대 복합체는 elbow joint 신전 시 14%, 굴곡 시 9%의 안정성만을 담당하는 것으로 나타났다.

5) Elbow joint의 신체 검사

(1) 병력 청취(history taking)

환자의 나이, 직업, 취미 활동, hand dominance 등과 관련된 병력은 진단에 매우 유용하다.

표 13-1
Percent contribution of restraining force during displacement

elbow joint 위치	구조물	견인력	내반력	외반력
신전	MCLC*	12	–	31
	LCLC**	10	14	–
	관절낭	70	32	38
	Articulation	–	55	31
굴곡	MCLC	78	–	54
	LCLC	10	9	–
	관절낭	8	13	10
	Articulation	–	75	33

* MCLC: Medial collateral ligament complex
**LCLC: Lateral collateral ligament complex

숙련된 정형외과의에게는, 병력 청취(history taking)만으로 진단이 가능한 경우가 많다.

(2) 시진(inspection)

환자를 탈의한 후, neck, shoulder joint, upper arm, elbow joint, forearm 전체에 대해서 관찰하여야 한다. 검진 시 건측과 비교하면서 환측에 부종, 멍, 근육 위축, 상처 혹은 변형 등이 없는지 살펴보아야 한다. Elbow joint의 감염, 골절, 탈구, 활액막염 및 혈종 등에 의해 elbow joint 내에 관절액이 증가할 수 있는데, 이는 radial head, olecranon tip 및 lateral epicondyle에 의해 형성되는 삼각 공간이 부어있는지를 보고 판단할 수 있다(그림 13-6). Elbow joint 부위에 멍이 들어 있다면 이는 외상에 의해 elbow joint의 증상이 발생했을 가능성이 높다. 근육 위축은 만성적으로 근육을 사용하지 못하는 상태이거나, 신경 손상에 의해 발생할 수 있다. 운반각(carrying angle)은 손과 forearm을 회외전시킨 해부학적 자세에서 humerus의 종축과 ulna의 종축이 이루는 각으로 정의할 수 있는데, 남자는 5~10° 외반(valgus)되어 있으며, 여자는 10~15° 정도 외반되어 있다. 만약 운반각이 정상 쪽보다 작으면 내반 주(cubitus varus)라 하며, 반대로 클 경우 외반 주(cubitus valgus)라 한다. 이러한 운반각의 변화는 외상, 선천성 기형, 성장판 손상, 관절 삼출액, 근육 및 인대 불안정성 및 만성적으로 외반력이 주어지는 경우 나타날 수 있다. Elbow joint에 대해 살펴볼 때, bony landmarks 사이의 관계에 대해서도 염두에 두어야 한다. Olecranon과 medial epicondyle 및 lateral epicondyle은 elbow joint를 90° 굴곡시켰을 경우 정삼각형을 이루고 있으며(그림 13-7), elbow joint를 신전시켰을 경우 팔의 종축과 수직인 일직선 상에 있게 된다. 만약 이러한 세 지점 사이의 위치 관계가 변화했다면, 관절 삼출액, 골절 및 탈구와 같은 관절내 병변이 있을 가능성이 높다. Biceps brachii 및 triceps brachii 원위부의 모양에 대해서도 잘 살펴보아야 하는데, 건측과 비대칭인 소견이 있다면, 건 혹은 근육의 파열을 의심할 수 있다. 피하 스테로이드 주사를 맞은 경우, 피부 및 피하 조직이 위축되고 흰색으로 탈색되는 경우가 흔하다.

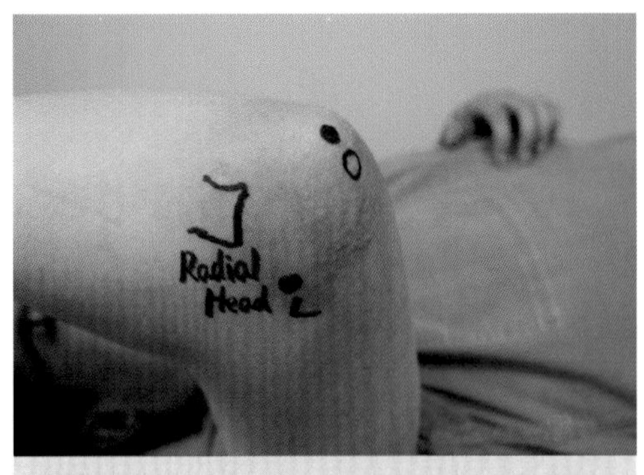

그림 13-6
Radial head (radial head), olecranon 끝 부분 (olecranon tip, O) 및 lateral condyle (lateral epicondyle, L)에 의해 형성되는 삼각 공간이 부어 있는지를 보고 elbow joint에 관절액이 증가했는지 여부를 확인할 수 있다.

(3) 촉진(palpation)

촉진(palpation) 시 가장 중요한 것은 환자가 아파하는 곳을 찾아보는 것이다. 또한 종양

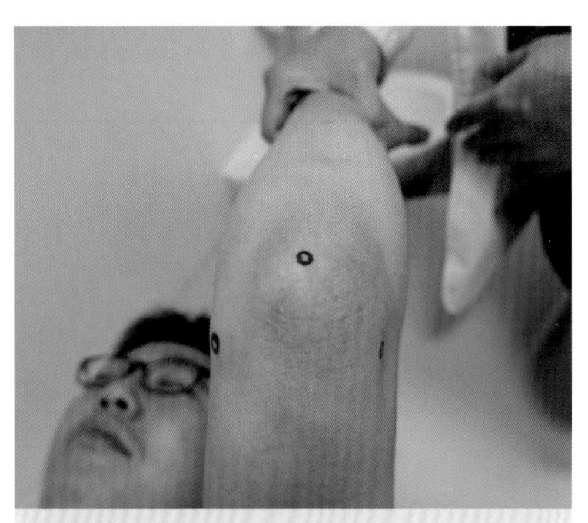

그림 13-7
Olecranon, medial condyle 및 lateral condyle은 elbow joint를 90° 굴곡 시켰을 경우, 정삼각형을 이루게 된다.

이 있는 경우 그 크기를 가늠할 수 있다. 앞에 기술된 해부학적 지식은 촉진 시 매우 중요하다. 아픈 곳을 찾았다 하더라도 그 곳이 해부학적으로 어디에 해당하는지 모른다면, 진단에 도움이 될 수 없다.

(4) 관절 운동각 측정

Elbow joint의 관절 운동각 측정은 매우 중요한 필수 검사로 elbow joint 주위 촉진 검사 및 근력 평가를 모두 시행한 후에 실시해야 한다. 관절 운동각은 능동적(active) 및 수동적(passive) 운동각을 모두 측정해야 하는데, 검진자가 환자의 어깨를 약간 굴곡시켜, 팔을 안정화시킨 상태에서 검사를 진행해야 한다. 정상적인 elbow joint의 condyle은 elbow joint를 90° 굴곡시켰을 경우, 정삼각형을 이루게 된다(그림 13-8).

굴곡 및 신전 운동 범위는 140~150° 정도 굴곡된 상태에서 0°에서 10° 정도 과신전이 가능하며, 일상 생활에서 흔히 사용되는 기능적 운동 범위는 30°에서 130°까지이다. Elbow joint의 회전 운동 범위는 80~90° 정도 회내전 및 회외전이 가능하며, 일상 생활에서의 기능적 운동 범위는 회내전 및 회외전이 각각 50° 정도이다.

(5) Elbow joint의 안정성 검사

Elbow joint의 내측 및 외측 측부 인대 기능 검사는, 수근 관절(wrist joint), 지간 관절

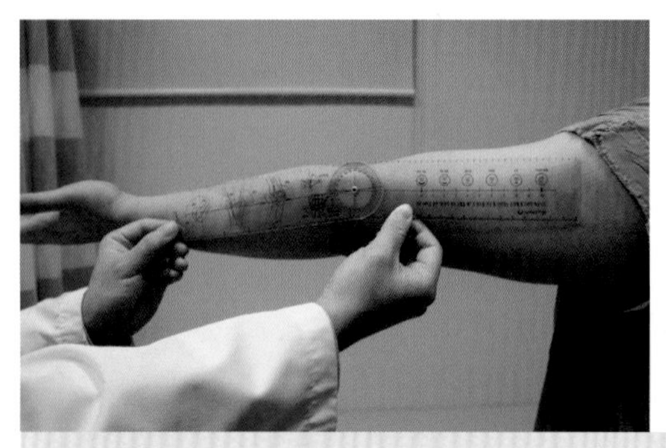

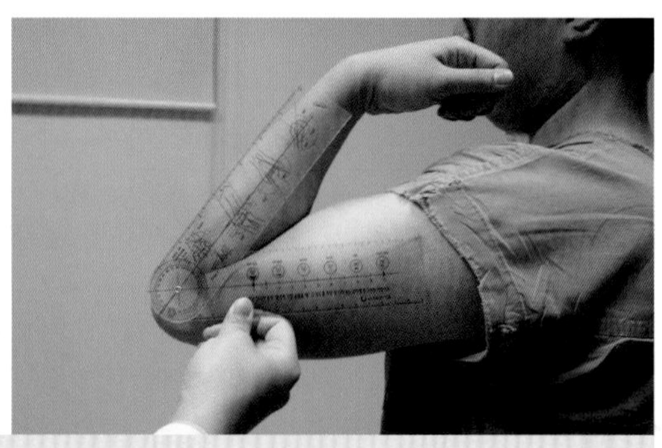

그림 13-8
Elbow joint의 관절 운동각 측정

(interphalangeal joint), 무릎, 발목 등에서도 응용하여 시행할 수 있다.

① Medial collateral ligament 기능 검사

Elbow joint의 내측 측부 인대 기능 검사는 forearm을 회외전시키고 elbow joint를 약 30° 정도 굴곡시킨 상태에서 시행한다. 한 손으로 elbow joint 근위부를 고정시킨 상태에서 다른 한 손으로 외반력(valgus force)을 elbow joint에 가하면서, 통증 발생 여부 및 전위 정도를 검사한다(그림 13-9).

② Lateral collateral ligament 기능 검사

Forearm을 회외전시킨 상태에서 elbow joint의 외측 부위에 내반력(varus force)을 가하면서 검사를 진행한다. 통증 발생 여부와 전위 정도를 관찰한다(그림 13-10).

③ Pivot shift maneuver

Lateral ulnar collateral ligament (LUCL) 손상에 의해 발생할 수 있는 후외측 회전 불안정성을 평가하는 검사로 elbow joint를 굴곡시킨 상태에서 외반력과 축성 부하를 가하면서 elbow joint를 신전시키게 되면, 주관절이 아탈구되는 소리(snap 혹은 pop)를 느낄 수 있다(그림 13-11).

ㄹ. Epicondylitis and Bursitis

1) 상과염

(1) 정의

상과염(epicondylitis)은 주관절 상과의 통증이 매우 흔하다. 주관절 외측의 외상과염(lateral epicondylitis)과 내측의 내상과염(medial epicondylitis)은 각기 상완골 외상과(lateral epicondyle)와 내상과(medial epicondyle)에 건이 부착하는 부위에 통증과 압통이 수반되는 질환을 일컫는다. 외상과염은 정기적으로 테니스를 즐기는 사람에게 잘 생긴다고 하여 흔

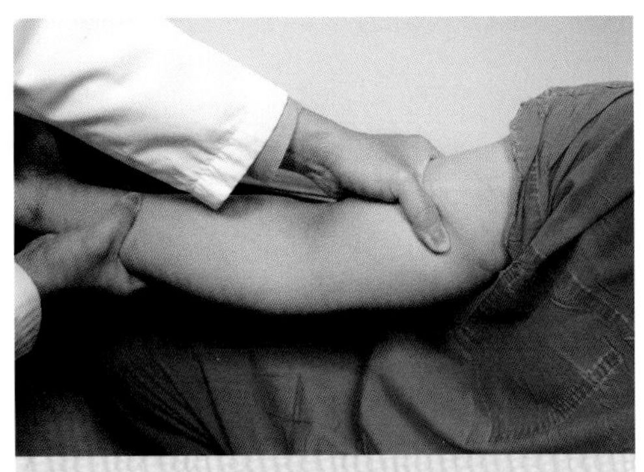

그림 13-9
Elbow joint의 내측 측부 인대 기능 검사인 외반 스트레스 부하 검사(valgus stress test)

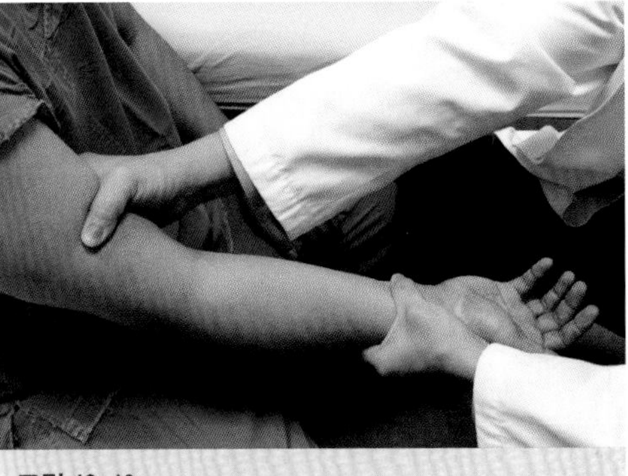

그림 13-10
Elbow joint의 외측 측부 인대 기능 검사인 내반 스트레스 부하 검사(varus stress test)

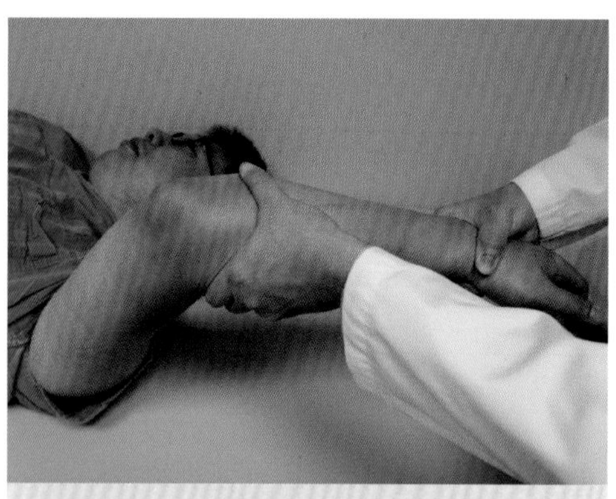

그림 13-11
후외측 회전 불안정성을 평가하는 pivot shift maneuver

히 tennis elbow라고 불리나 대다수 환자에서 테니스와 상관없이 발병하며, 내상과염은 골프를 즐기는 사람에서 흔하여 golfer's elbow라고도 불린다.

(2) 원인 및 병태 생리

대개 주관절과 팔을 과도하게 사용하여 발생하지만 특별한 원인 없이 발생하기도 한다. 상과염(epicondylitis)이라는 명칭이 상과에 염증이 존재하는 것을 의미하지만, 염증은 질환의 초기에 주로 관여되고 주로 건의 변성(degeneration) 및 미세한 파열(tear)이 일어나므로 건증(tendinosis)이라는 용어를 사용하기도 한다.

변성이 주로 일어나는 부위는 외상과염은 extensor carpi radialis brevis (ECRB) 기시부, 내상과염은 pronator teres (PT)와 flexor carpi radialis (FCR)의 기시부인 경우가 대부분이다(그림13-12). 때로는 변성이 일어난 부위에 석회 침착(calcification)이 생기기도 하며, 근육이 수축하면서 변성된 건이 뼈 부착부를 당겨서 traction spur 같이 뼈가 튀어나와(exostosis) 보이기도 한다.

(3) 증상

외상과염이 내상과염보다 흔하며, 남녀 비는 비슷하다. 연령은 30~50대에 흔히 발생하여 40대 중반에 가장 흔하다. 외상과염 환자는 외상과와 그 주위로 통증과 압통을 호소하며, 주로 ECRB의 문제이므로 이 근육이 작동하는 행위, 즉 손목을 신전시키거나 손목에 힘을 준 상태에서 팔꿈치를 뻗을 경우 통증이 심해진다. 내상과염 환자는 내상과에 통

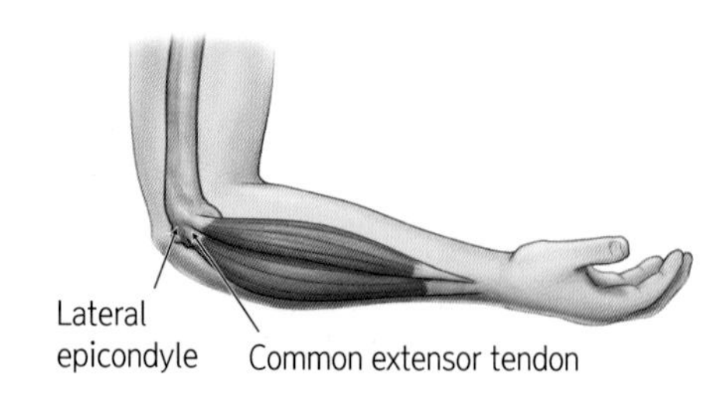

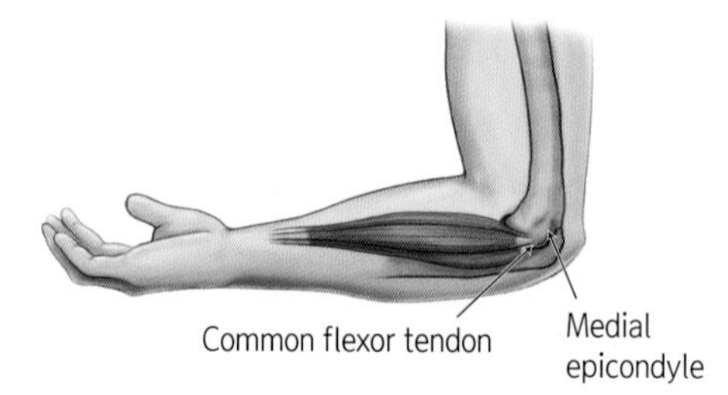

그림 13-12
외상과염과 내상과염

증과 압통을 호소하며, 주로 손목 굴곡건이 문제이므로 손목을 굽힐 때 통증이 있다. 내상과염에서는 내상과 뒤를 지나는 척골 신경이 자극되거나 압박되어 주관 증후군(cubital tunnel syndrome)의 증상이 동반되기도 하고, 던지기를 하는 운동선수에서 주관절의 ulnar collateral ligament도 손상되어 주관절의 불안정 증상이 있을 수 있다.

(4) 검사 소견 및 진단

외상과 또는 내상과에 압통이 있다. 유발검사로 외상과염일 경우 주관절을 편 채로 저항을 거스르며 손목을 신전시키면(resisted wrist extension) ECRB가 수축하여 병소가 당겨져서 통증이 유발된다. 내상과염에서는 반대로 저항을 거스르며 손목을 구부리면(resisted wrist flexion) FCR이 수축하여 병소를 당겨서 통증이 유발된다. 내상과염에서는 척골 신경에 대한 신경학적 검사와 ulnar collateral ligament에 대해 관절 안정성 검사가 필요하다.

단순 방사선 사진에서 대부분 특별한 이상이 발견되지 않지만, 간혹 석회침착이나 spur를 관찰할 수도 있고, 초음파나 MRI에서 건의 변성이나 파열을 확인할 수 있다.

감별 진단으로 주관절의 활막염, 관절염, 박리성 골연골염(osteochondritis dissecans) 등이 있으며, 흔한 동반 질환으로는 건의 염증이나 변성이 원인이 되는 손의 건막염(tenosynovitis)이나 견관절의 회전근 개 질환(rotator cuff disease)이 있다.

(5) 치료

대부분의 환자에서 보존적 치료로 6개월에서 2년 사이에 저절로 좋아지는 것이 일반적이다. 보존적 치료로는 통증을 유발하는 행위를 억제하고, 이환된 상지의 과용을 막으며, 스트레칭으로 이환된 건과 근육이 유연해지도록 하고, 필요에 따라 비스테로이드성 소염제, 물리치료, 보조기 등을 사용한다. 체외충격파치료(extracorporeal shock wave therapy, ESWT)나 자가 혈소판풍부혈장(platelet rich plasma, PRP) 치료술도 일부 효과가 보고되었다. 통증이 매우 심한 경우 국소 스테로이드 주사로 증상이 호전될 수 있지만, 효과가 일시적인 경우가 대부분이고 장기적인 효과는 입증되지 않았으며 오히려 건의 회복을 더디게 하여 자연 치유를 지연시킨다는 보고가 있어 권장되지 않는다. 통증이 완화되면 점차적으로 근육강화 훈련을 한다. 1년 이상의 보존적 치료에도 통증이 심한 경우는 수술을 시행할 수 있는데, 개방적 방법 또는 관절경을 이용하여 변성된 건을 절제한다.

2) 주두 점액낭염(Olecranon Bursitis)

(1) 정의

주두 점액낭염(olecranon bursitis)은 뼈와 연부조직 사이에서 쿠션 역할을 하는 얇은 주머니이며 소량의 점액을 함유하고 있다. 점액낭염은 이 점액낭의 염증성 변화에 의해 주머니 내의 체액이 증가하고 종창, 통증을 일으키는 것으로 주관절에서는 olecranon 아래 점액낭에 흔히 발생한다.

(2) 원인 및 병태 생리

Olecranon에 직접적인 외상, 반복되는 압력, 마찰 또는 감염에 의해 주로 발생하게 되고 때때로 류마티스 관절염 및 통풍과 같은 질환에 동반되어 발생하기도 한다. 조직 손상을 통한 염증 반응에 따라 섬유화, 반흔조직, 그리고 비후가 생길 수 있다.

(3) 증상, 검사소견 및 진단

Olecranon 주위의 국소 종창이 주된 증상이다(그림 13-13). 종창이 커지면 통증을 유발하거나 주관절의 움직임을 제한할 수도 있다. 감염이 의심될 경우는 바늘로 흡입술을 시행하여 세균 검사를 한다.

(4) 치료

대부분의 점액낭염은 보존적으로 치료한다. 과다 사용이나 반복적 마찰과 같은 유발인자를 피하는 것이 좋으며, 압박 드레싱을 하기도 한다. 약물 치료로는 염증과 통증을 줄이기 위해 비스테로이드성 소염제를 투여할 수 있다. 종창과 통증이 계속될 경우 흡입술을 시행하고 국소 스테로이드 주사로 증상이 호전되기도 한다. 보존적 치료로 낫지 않거나 재발이 계속되는 경우에는 외과적 절제술이 필요하다. 감염성 점액낭염에는 적절한 항생제를 투여하여야 하며 외과적 배농 및 절제술이 필요한 경우가 많다.

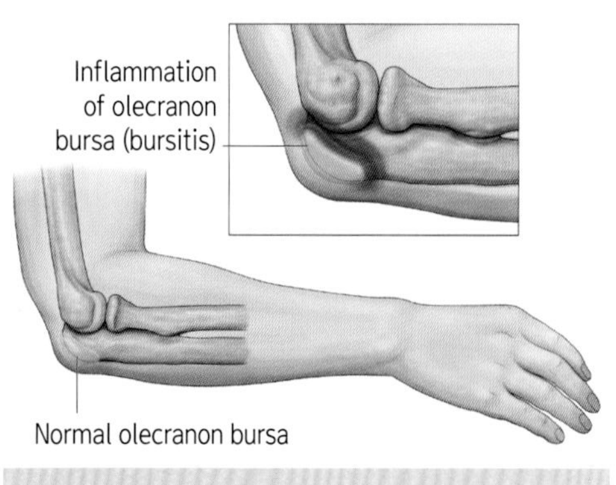

그림 13-13
주두 점액낭염

3. 주관 증후군 (cubital tunnel syndrome)

Ulnar nerve가 elbow joint 부위의 cubital tunnel에서 압박되어 발생하는 신경병증(compressive neuropathy 또는 nerve entrapment syndrome)으로 상지에서 발생하는 압박성 신경병증 중에서 손목에서 median nerve가 눌려 발생하는 수근관 증후군(carpal tunnel syndrome) 다음으로 흔한 질환이다(그림 13-14).

1) 원인 및 병태생리

원인은 대부분 특발성(idiopathic)이나 반복적인 elbow joint의 굴곡이나 직접적인 압박에 의한 허혈, 기계적 압박 등으로 인해 발생한다고 생각된다. Elbow joint flexion 시 주관 내의 압력이 증가하고 주관의 단면적이 감소하여 ulnar nerve에 대한 압력이 증가하며, ulnar nerve는 elbow joint의 후방으로 주행하기 때문에 flexion할 때 견인력(traction)에 의하여 신장(stretching)되는 손상을 받을 수 있

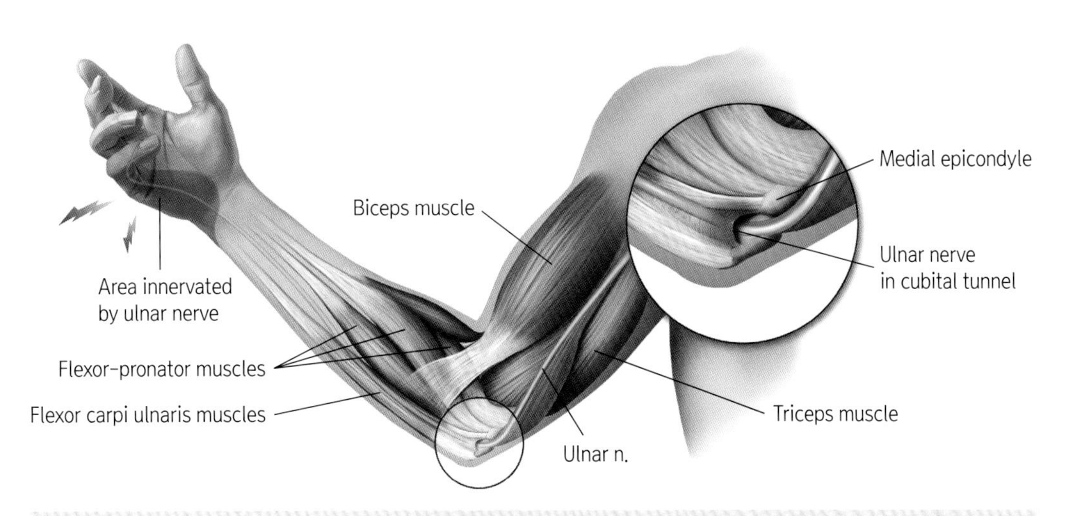

그림 13-14
주관(cubital tunnel)의 해부학

다. 또한 척골 신경의 아탈구, 외상에 의한 외반주(cubitus valgus) 변형 및 주관 내의 이소성 골화(heterotropic ossification), 결절종과 같은 연부 조직 종양, 골관절염으로 생긴 골극(osteophyte), 류마티스 관절염에서 synovitis 등과 같은 공간 점유 병소(space occupying lesion) 등이 원인이 될 수 있다.

2) 증상

감각 증상이 운동 증상에 선행하고 ulnar nerve가 지배하는 제4, 5수지의 저린감, 감각 변화, 이상 감각(paresthesia)이 첫 증상인 경우가 많다. 또한 elbow 및 forearm ulnar side로 방사되는 통증을 호소하기도 한다. 신경 압박이 오랜 기간 지속되면 감각 소실로 인해 저린감 및 통증은 오히려 줄어들고, 척골 신경이 지배하는 근육의 마비로 인하여 제4, 5수지의 갈퀴지 변형(ulnar claw hand), interosseous muscle 및 hypothenar muscle의 위축 소견을 보인다(그림 13-15, 16).

3) 검사소견 및 진단

Medial epicondyle의 후방에 위치하고 있는 주관 부위를 경하게 두드리거나 누를 때, 제5수지 쪽으로 방사되는 통증이나 이상 감각

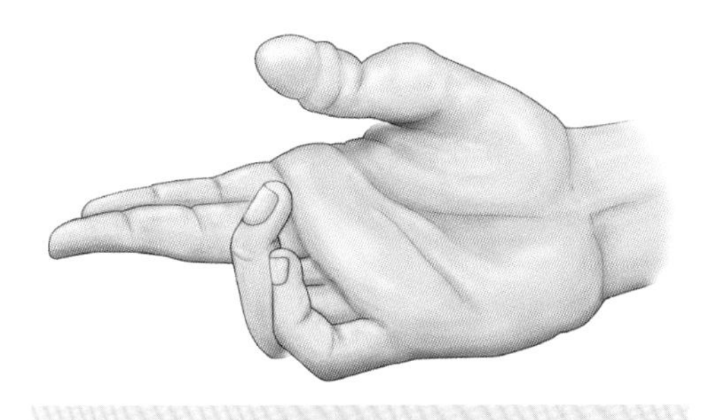

그림 13-15
제4, 5수지의 갈퀴지 변형(ulnar claw hand)

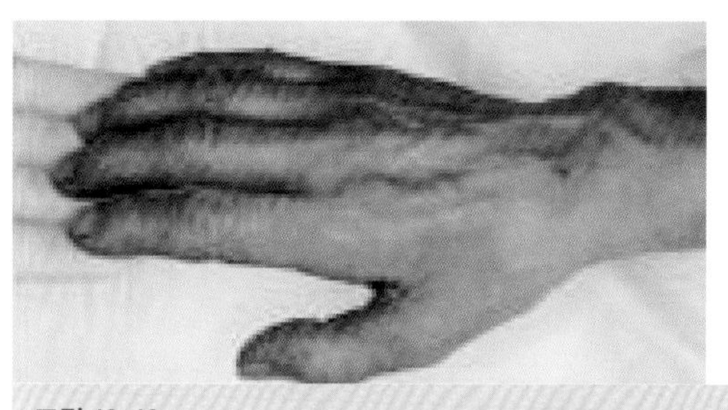
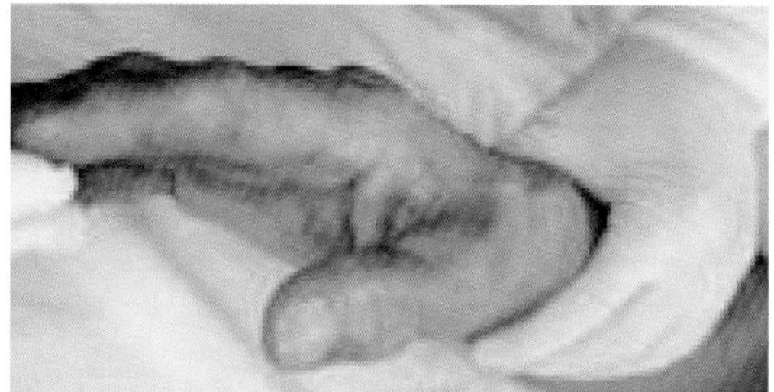

그림 13-16
엄지와 검지 사이의 1st dorsal Interossei (제1배측 골간근)의 atrophy 소견

이 나타나는 티넬 징후(Tinel sign)를 확인할 수 있다. 유발 검사인 elbow flexion test는 elbw joint를 1~2분 정도 최대한 굴곡 시켜, 통증이 유발되는지 여부를 관찰하는 것으로, 주관 증후군에서 비교적 민감하고 특이한 검사법이다. 근육의 마비가 진행하여 1st dorsal interossei muscle 및 adductor pollicis의 마비로 thumb과 index finger로 물건을 잡을 때(pinch motion) flexor policis longus (FPL)가 작용하여 thumb interphalangeal joint의 과굴곡 현상을 보이는 Froment's sign이 나타나기도 한다(그림 13-17).

단순 방사선 검사로 elbow joint의 변형, 주관내로 형성된 osteophyte 등을 확인할 수 있다. 주관에 space occupying lesion이 의심될 때에는 초음파 검사나 MRI가 유용하다. 진단을 위하여 근전도(electromyography, EMG) 및 신경전도 검사(nerve conduction study, NCS) 시행해 볼 수 있는데, ulnar nerve의 신경 전도 속도가 감소하는 소견을 확인할 수 있다.

4) 치료

보존적인 치료로 ulnar nerve를 압박할 수 있는 반복적인 elbow joint flexion을 피하고, 소염 진통제를 투여해 볼 수 있다. Elbow joint를 약 40° 정도만 굴곡한 상태에서 장상지 부목을 밤에만 착용하는 것도 도움이 되고 증상이 심한 경우에는 낮에도 착용을 권할 수 있다.

보존적 치료를 6~9개월 이상 지속해도 증상 호전이 없거나 근 위축이나 마비를 보이는 경우, 외반주와 같은 해부학적 변형이 동반되거나 공간 점유 병소가 있는 경우 등에서는 수술적 치료를 고려한다.

수술적 치료는 단순 감압술(simple decompression), 단순 감압술과 내상과 절제술(medial epicondylectomy), 척골 신경 전방 전위술(anterior transposition of ulnar nerve) 등이 있다.

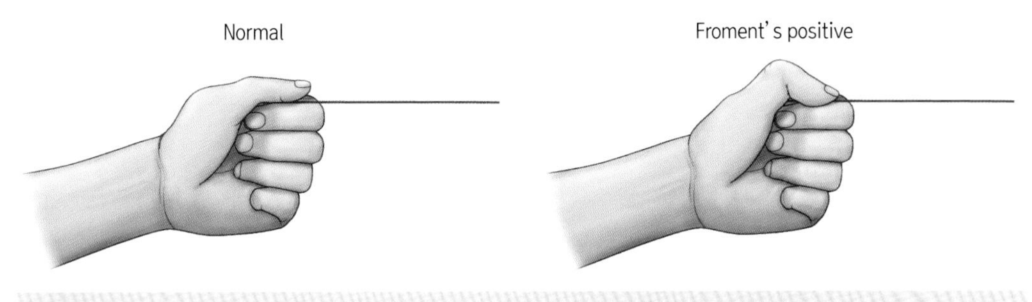

그림 13-17
Froment's sign

참고문헌

1. 정문상, 백구현. 손외과학. 군자출판사. 2005.
2. 대한정형외과학회. 정형외과학 제8판. 최신의학사. 2020.
3. Scott Wolfe, William Pederson, Scott Kozin, Mark Cohen. Green's Operative Hand Surgery 8th Edition. 2021.
4. Calfee RP, Patel A, DaSilva MF, Akelman E. Management of lateral epicondylitis: current concepts. J Am Acad Orthop Surg. 2008 Jan;16(1):19-29.
5. Faro F, Wolf JM. Lateral epicondylitis: review and current concepts. J Hand Surg Am. 2007 Oct;32(8):1271-9.
6. Bennett JB. Lateral and medial epicondylitis. Hand Clin. 1994 Feb;10(1):157-63.
7. Amin NH, Kumar NS, Schickendantz MS. Medial epicondylitis: evaluation and management. J Am Acad Orthop Surg. 2015 Jun;23(6):348-55.
8. Ahmad Z, Siddiqui N, Malik SS, Abdus-Samee M, Tytherleigh-Strong G, Rushton N. Lateral epicondylitis: a review of pathology and management. Bone Joint J. 2013 Sep;95-B(9):1158-64
9. Vaquero-Picado A, Barco R, Antuña SA. Lateral epicondylitis of the elbow. EFORT Open Rev. 2017 Mar 13;1(11):391-397.
10. Nakashian MN, Ireland D, Kane PM. Cubital Tunnel Syndrome: Current Concepts. Curr Rev Musculoskelet Med. 2020 Aug;13(4):520-524.
11. Staples JR, Calfee R. Cubital Tunnel Syndrome: Current Concepts. J Am Acad Orthop Surg. 2017 Oct;25(10):e215-e224.
12. Boone S, Gelberman RH, Calfee RP. The Management of Cubital Tunnel Syndrome. J Hand Surg Am. 2015 Sep;40(9):1897-904.
13. Palmer BA, Hughes TB. Cubital tunnel syndrome. J Hand Surg Am. 2010 Jan;35(1):153-63.
14. Thakker A, Gupta VK, Gupta KK. The Anatomy, Presentation and Management Options of Cubital Tunnel Syndrome. J Hand Surg Asian Pac Vol. 2020 Dec;25(4):393-401
15. Burahee AS, Sanders AD, Shirley C, Power DM. Cubital tunnel syndrome. EFORT Open Rev. 2021 Sep 14;6(9):743-750.

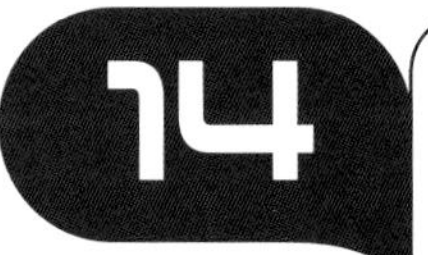

Hand와 Wrist의 병변

Affections of Hand and Wrist

1. Hand와 Wrist의 신체 검사

1) 수근 관절의 검사

(1) 시진

요골(radius) 및 척골(ulna)의 경상돌기(styloid process)는 수근 관절(wrist)의 가장 외측 및 내측에서 융기되어 보인다. 반복적인 주사 치료를 받은 de Quervain 병 환자의 경우 요골 경상돌기 부위의 피하 조직 위축 및 피부 착색을 관찰할 수 있다. 수근 관절의 요측 후면에는 척측으로 장무지 신전건(extensor pollicis longus), 요측으로 장무지 외전건(abductor pollicis longus) 및 단무지 신전건(extensor pollicis brevis), 근위부로 요골(radius) 원위부로 경계지어지는 삼각 공간이 있는데, 이 부위를 anatomical snuff box라고 하며, 이 공간의 아래에는 주상골(scaphoid)이 존재하는데, 외상력이 있고 압통이 있는 경우에는 주상골 골절을 의심할 수 있다. 수근 관절의 종창은 수근 관절의 관절염, 건염 및 활액막염에 의해 발생할 수 있으며, 손목의 후방에서 종괴(mass)가 관찰된다면, 결절종일 가능성이 높다. 수근부의 변형은 내반(varus), 외반(valgus), 전방 변위 및 후방 변위 그리고 복합된 변형이 있을 수 있다. 수근부의 외반 변형은 요골(radius)의 선천성 결손이나 요골의 성장판 손상에 의해 발생할 수 있으며, 내반 변형은 척골(ulna)의 선천성 결손에 의해 나타날 수 있다. 원위 요골 골절 시 원위 골편이 후방으로 전위되어 부정 유합(malunion)되면, 은 포크 변형(silver fork deformity)이 발생할 수 있다.

(2) 촉진

요골 경상돌기(radial styloid process) 부위에 압통이 있다면, 장무지 외전건(abductor pollicis longus) 및 단무지 신전건(extensor pollicis brevis)이 제1신전 구획의 건막 내부를 지나면서, 협착성 건초염(stenosing tenosynovitis)이 발생하게 되는 de Quervain 병을 의심할 수 있다. 척골 경상돌기 원위부의 척-수근 관절의 압통이 있는 경우, 척측 충돌 증후군 및 삼각 섬유 인대 복합체 파열을 의심할 수 있다. 요골 후방에는 리스터 결절(Lister's tubercle)이 촉지되는데, 이 결절의 요측에서는 수근 관절을 신전시키는 장요수근 신건(extensor carpi radialis longus) 및 단요수근 신건(extensor carpi radialis brevis)이 만져진다.

척골 경상돌기(ulnar styloid process)는 요골 경상돌기만큼 원위부로 뻗어 있지는 않으나, 손목의 내측에서 더 뾰족하고 두툼하게 만져진다. 손목의 후방을 잘 촉진하면, 대부분의 수근골들을 만질 수 있는데, 주상골(scaphoid) 및 대다각골(trapezium)은 anatomical snuffbox 내에서 촉진할 수 있으며, 유두골(capitate)은 손등에서 제3중수골 기저부의 근위부에서 촉진할 수 있으며, 월상골(lunate)은 리스터 결절(Lister's tubercle) 바로 원위부에서, 삼각골(triquetrum)은 척골 경상돌기 원위부에서 촉진할 수 있다. 손목의 전방 척측에서는 두상골(pisiform)을 촉진할 수 있으며, 두상골의 원위 요측에서 유구골 구(hook of hamate)를 촉진할 수 있다. 손목의 전방 요측에서는 주상골 결절을 촉진할 수 있다. 대다각골(trapezium)과 제1중수골 사이 관절을 무지의 기저 관절(basal joint)이라고 하며, 이 부위에 압통이 있는 경우, 무지 기저 관절염(basal joint arthritis)을 의심할 수 있다. 수근 관절의 전면에서는 요측에는 요수근 굴건(flexor carpi radialis)이, 중앙에서는 장 수장건(palmaris longus)이, 척측에서는 척수근 굴건(flexor carpi ulnaris)이 만져진다. 손목을 약간 굴곡시킨 상태에서 무지와 소지(little finger)를 마주 대게 하고, 환자에게 손목 관절을 굴곡 시켜보라고 한 후, 검사자가 수동적으로 손목을 후방 굴곡하면, 이 힘줄들이 활줄 현상을 보이면서, 앞으로 튀어나오게 된다. 요수근 굴건의 요측에서는 요골 동맥(radial artery)이 촉지되고, 척수근 굴건 바로 밑에서 척골 동맥이 촉지될 수 있다.

(3) 운동 범위 검사

수근 관절의 운동은 굴곡과 신전, 그리고 요측 변위(radial deviation) 및 척측 변위(ulnar deviation)가 가능하다. 수근 관절은 정상적으로 0° 중립 위치로부터, 약 80~90°의 굴곡 운동과, 약 70~80°의 신전 운동이 가능하며, 척측 변위는 30~60° 정도이며, 요측 변위는 15~25° 정도이다.

(4) 근력 검사

손목의 신전 운동은 장요수근 신근 및 단요수근 신근에 의해 일어나게 되는데, 환자의 전완부(forearm)를 고정하고 손목을 신전시키라고 한 뒤, 검사자가 환자의 손목을 굴곡하는 방향으로 힘을 가하여 검사한다. 손목의 굴곡 운동은 요수근 굴근(flexor carpi radialis) 및 척수근 굴근(flexor carpi ulnaris)에 의해 일어나게 되며, 환자로 하여금 주먹을 쥐게 하여, 수지 굴근으로 인한 수근 굴곡력을 배제한 뒤 검사한다(그림 14-1A, B).

(5) 특수 검사

① 팔렌 검사(Phalen test)

수근관 증후군(carpal tunnel syndrome)이 의심될 때 시행하는 검사로, 수근 관절을 최대한 굴곡한 채로 1분 이상 유지하면 손가락이 저리게 되고, 신전하면 증상이 없어진다면 양성으로 판정할 수 있다(그림 14-2).

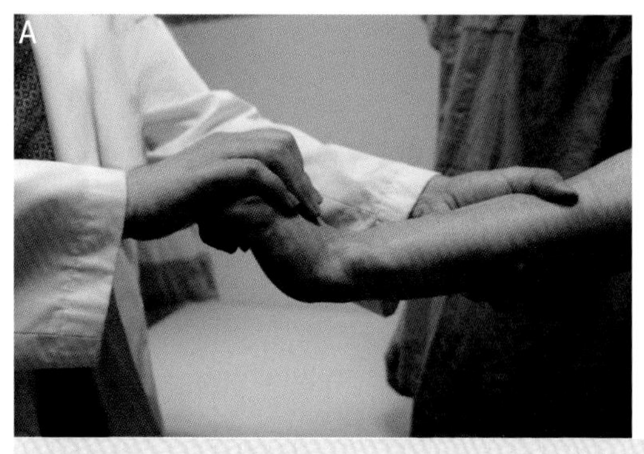

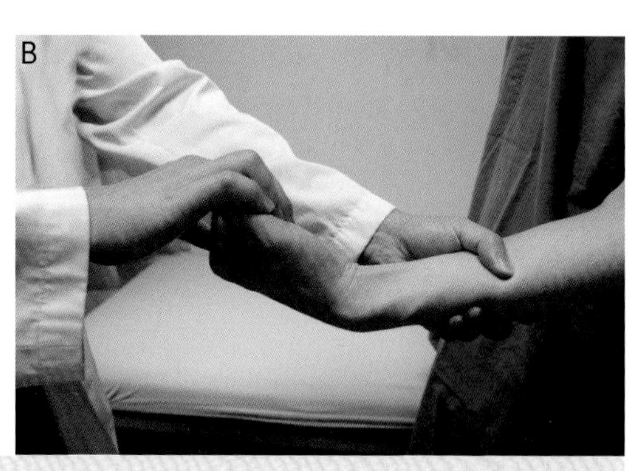

그림 14-1
손목 신전근(A) 및 굴곡건(B)의 근력 검사

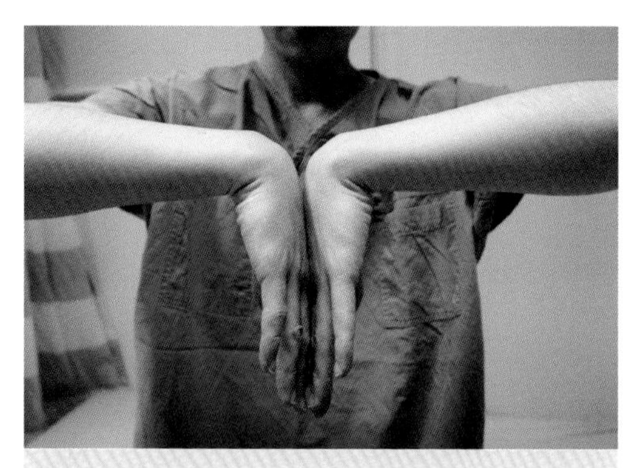

그림 14-2
수근관 증후군이 의심될 때 시행하는 팔렌 검사(Phalen test)

그림 14-3
Finkelstein 검사

② Finkelstein 검사

De Quervain 병이 의심될 때 시행하는 증상 유발 검사로, 환자의 무지를 굴곡한 상태에서 수근부를 척측으로 굴곡, 내전 시키면 침범된 건이 긴장되므로 요골 경상돌기(radial styloid process) 부위에 동통이 발생하게 된다(그림 14-3).

③ 알렌 검사(Allen test)

요골 동맥(radial artery) 및 척골 동맥(ulnar artery)의 개통성(patency)을 알아보는 검사로 수근 관절 부위에서 요골 동맥과 척골 동맥을 검사자의 양측 무지로 압박하여 동맥혈을 차단한 후, 환자에게 주먹을 몇 번 쥐었다 폈다 하게 한 다음, 손을 펴라고 하며 검사자가 한쪽 무지의 압박을 풀어준다. 정상에서는 환자의 손이 즉시 붉게 돌아오나, 동맥에 문제가 있으면 붉게 되는 시간이 지연되거나 허혈 상태가 지속되게 된다. 반대쪽에서도 같은 방법을 이용하여 요골 동맥과 척골 동맥의 폐쇄 여부를 알 수 있다(그림 14-4).

2) 손의 검사

(1) 시진

손(hand)에 대해 시진할 때 손의 색깔, 변형, 근육 위축, 땀 혹은 털이 나는 형태, 부종, 상처 및 수술 반흔 여부 등에 대해 세밀하게 살펴보아야 한다. 손의 색깔이 붉게 변했다면, 봉와직염(cellulitis)의 가능성이 있으며, 하얗다면 동맥이 폐색되었을 가능성이 있으며, 푸르게 변하였다면 정맥이 충혈(congestion)되었을 가능성이 높다. 손의 변형은 건측과 비교할 때, 비대칭적인 소견은 없는지 살펴보아야 하며, 각변형, 회전 변형 및 외상에 의해 떨어져 나간 부분은 없는지 살펴보아야 한다. 수지의 근위 지간 관절의 굴곡 구축은 진행된 방아쇠 수지에서 발생할 수 있으며, 듀피트렌씨 병(Dupuytren's disease)에서는 약지 및 소지의 중수수지 관절 및 근위 지간 관절의 굴곡 구축이 발생할 수 있다. 손가락의 회전 정렬을 평가하는 방법으로는 손가락을 편 상태에서 손가락의 손톱들이 같은 평면에 위치하고 있는지를 확인하는 방법과, 손가락을 굽힌 상태에서 인지부터 소지까지 4개의 손가락이 주상골(scaphoid)의 결절(tubercle) 부위를 가리키는 것을 확인하는 방법이 있는데, 중수골(metacarpal bone) 골절 시 손가락의 회전 정렬에 대한 검사는 필수적이다(그림 14-5).

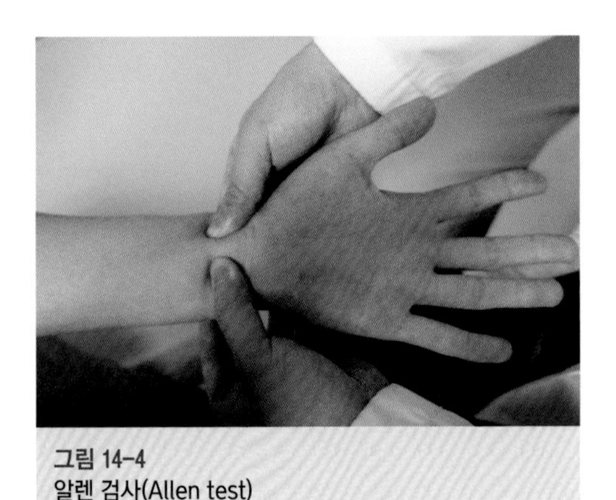

그림 14-4
알렌 검사(Allen test)

근위 지간 관절이 굴곡되면서 원위 지간 관절이 과신전되는 단추 구멍 변형(button hole deformity)은 류마티스 관절염이나 외상에 의해 발생할 수 있으며, 수지 신건의 종말 부착부가 파열되거나, 원위 지골 기저부 후면이 건과 함께 떨어지게 되면 망치 수지(mallet finger)가 발생할 수 있다. 망치 수지를 방치하게 되면 근위 지간 관절이 과신전되고, 원위 지간 관절이 굴곡되는 백조목 변형(swan neck deformity)이 발생할 수 있다. 손의 근육이 전반적으로 위축되어 있다면 불용성 위축(disuse atrophy)에 의한 것일 가능성이 높으며, 특정 근육 군이 위축되었다면 신경 병변과 관련성이 있다. 무지구(thenar area)가 위축되었다면 수근관 증후군(carpal tunnel syndrome)에 의해 발생했을 가능성이 높으며, 골간근(interosseous muscle)이 위축되었다면 주관 증후군(cubital tunnel syndrome) 혹은 경추 질환에 의해 발생했을 가능성이 높다.

또한 털이 많이 나거나, 땀이 많이 발생하

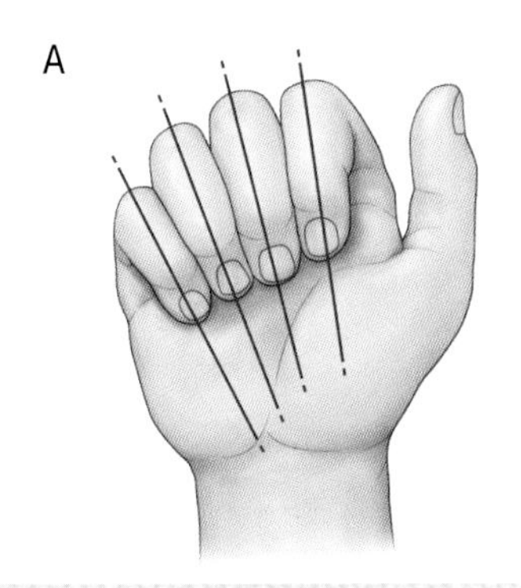

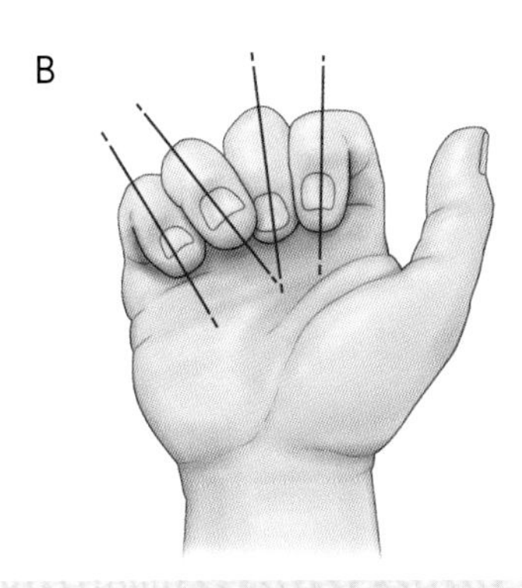

그림 14-5
A. 손가락을 굽힌 상태에서 4개의 손가락은 주상골을 향하게 된다.
B. 중수골 골절 부정 유합 등으로 인해 회전 정렬에 문제가 있는 경우 손가락을 굽힐 경우 손가락이 교차하게 된다.

는 것과 같은 영양 변화(trophic changes)가 관찰된다면, 교감 신경과 관련된 통증 증후군일 가능성이 높다. 손이 부었는지 여부를 살펴볼 때는 항상 건측과 비교를 통해 관찰해야 하는데, 손의 특정 부위가 부었다면 외상 혹은 염증에 의해 발생했을 가능성이 높으며, 손이 전반적으로 부어 있다면, 해당 상지의 감염, 정맥 혹은 림프관 폐색 및 상지 근위부의 골절 등을 의심할 수 있다. 일반적으로 손이 부을 경우 손 후면의 피하 공간이 가장 먼저 붓게 된다.

(2) 촉진

손에 대해 촉진을 시행할 때에는 만져지는 혹의 유무, 손의 온도 변화, 압통 부위, 염발음(crepitus), 클릭음(clicking) 혹은 탄발음(snapping) 및 관절액 증가 여부 등에 대해 살펴보아야 한다. 수부에서 발생하는 혹에는 결절종(ganglion)이 가장 흔하며, 건막의 거대 세포종(giant cell tumor)도 발생할 수 있다. 원위 지간 관절의 후방에 생기는 통증이 적은 결절은 퇴행성 관절염에서 나타나는 경우가 많으며, 이를 Heberden's node라고 부른다. 손의 온도가 상승한 경우에는 감염성 질환 혹은 염증성 질환의 가능성이 있으며, 온도가 내려간 경우에는 혈류 장애에 의한 것일 가능성이 있다. 손의 특정 부위에 압통이 있으며, 염발음(crepitus)이 느껴진다면, 골절이 있을 가능성이 있으며, 클릭음(click)이나 탄발음(snapping)이 들린다면 건질환(tendinosis)에 의해 발생했을 가능성이 있다. 제1, 2, 3수지의 전방 및 제4수지의 요측 전방 부위는 정중 신경의 지배를 받기 때문에, 이 부위에 감각 이상이 초래되었다면, 정중 신경에 문제가 있을 가능성이 높다. 경추 방사통(cervical radiculopathy)에 의해서도 제1, 2, 3수지의 감각 이상이 초래될 수 있지만, 이 경우에는 손의 전방과 후방 모두에서 감각 이상이 초래되기 때문에 감별 진단이 가능하다. 한편, 제4수지의 척측 전방과 제5수지 전방의 감각 이상이 발생하였다면 척골 신경에 이상이 있을 가능성이 높다. 제4수지의 척측과 요측의 감각이 다르다면, 정중 신경 혹은 척골 신경과 같은 말초 신경 장애의 가능성이 높지만, 제4, 5수지 전체의 감각 이상이 초래되었다면, 흔하지는 않지만 경추 방사통(cervical radiculopathy)에 의한 증상일 가능성이 높다.

(3) 운동 범위 검사

손의 각 관절의 운동은 능동적 및 수동적 운동 범위를 모두 측정하여야 하며, 양측을 비교하는 것이 운동 제한 여부를 확인하는데 도움이 된다. 엄지를 제외한 수지의 수근중수 관절 중, 제2, 3수지의 것은 거의 움직임이 없으며, 제4, 5 수근중수 관절은 각각 15°와 30° 정도의 움직임이 있다. 중수수지 관절에서는 정상적으로 굴곡 90°, 신전 30~40°가 가능하며, 신전 상태에서는 약 20° 정도 좌우 움직임이 가능하다. 근위 지간 관절은 정상적으로 굴곡이 약 90~100°, 신전이 0° 정도 일어나며, 원위 지간 관절에서는 80~90°의 굴곡과 0~20°의 정도의 신전이 가능하다. 엄지의 수근중수 관절은 넓은 운동 범위를 가지고 있으며, 중수수지 관절은 50~60° 정도의 굴곡 운동과 0°까지의 신전 운동이 가능하며, 엄지가 검지에 완전히 붙은 내전 0° 상태로부터 70° 정도의 외전이 가능하다. 엄지의 대립 운동(opposition)은 대부분 엄지의 수근중수 관절에서 일어나는데, 이는 엄지가 외전, 굴곡 및 내회전되는 복합 운동이다.

(4) 근력 검사

① 수지 굴곡근 전체 근력 검사

수지 굴곡근의 힘을 전체적으로 알아보기 위해서는 환자의 모든 손가락을 구부려 주먹을 쥔 상태에서 손가락이 펴지도록 밖으로 잡아당겨 보면 된다(그림 14-6A).

② 천수지 굴근(flexor digitorum superficialis)의 근력 검사

천수지 굴근의 기능을 확인하려면 인접 수지를 신전 상태에서 고정하고, 검사하고자 하는 수지를 구부리게 하면 된다. 심수지 굴근은 공통적으로 작용하는 근육이기 때문에, 인접 수지를 신전상태로 고정하면, 수지의 굴곡에 대한 심수지 굴근의 역할을 없앨 수 있다(그림 14-6B).

③ 심수지 굴근(flexor digitorum profundus)의 근력 검사

심수지 굴근의 기능을 확인하려면 환자에게 해당 수지의 원위 지간 관절을 구부리게 하면서, 검사자가 중위지골을 후방으로 잡아당겨 보면 된다(그림 14-6C).

④ 외인 신근의 근력 검사

수근 관절을 중립위에 고정시키고, 근위 지간 관절을 굴곡시킨 상태에서, 중수수지 관절을 신전시키는 힘을 평가하여 측정한다(그림 14-7)

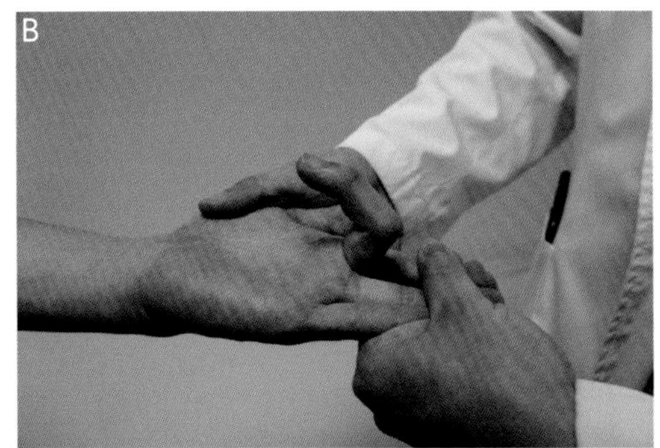

그림 14-6
A. 수지 굴곡근 전체 근력 검사
B. 천수지 굴근 근력 검사
C. 심수지 굴근 근력 검사

그림 14-7
외인 신근의 근력 검사

⑤ 수지 내전력 및 외전력 근력 검사

수지 내전력은 환자의 모든 손가락을 쫙 벌리고 펴서 힘을 주라고 한 다음, 검사자가 손가락을 두 개씩 잡고 환자에게 붙이도록 시켜보면 되며, 외전력은 환자의 수지를 신전하여 모두 함께 꼭 붙이도록 검사자가 잡고, 환자가 손가락을 벌리도록 시켜보면 된다(그림 14-8A, B).

⑥ 무지 굴곡력 검사

장무지 굴근의 힘은 검사자가 신전된 엄지의 근위 지골을 잡은 상태에서, 환자에게 지간 관절을 힘껏 굴곡하도록 시키고, 지간 관절을 수동적으로 신전시켜 보면 평가가 가능하며, 단무지 굴근의 힘은 지간 관절을 신전시킨 상태에서 환자의 무지를 소지 기저부에

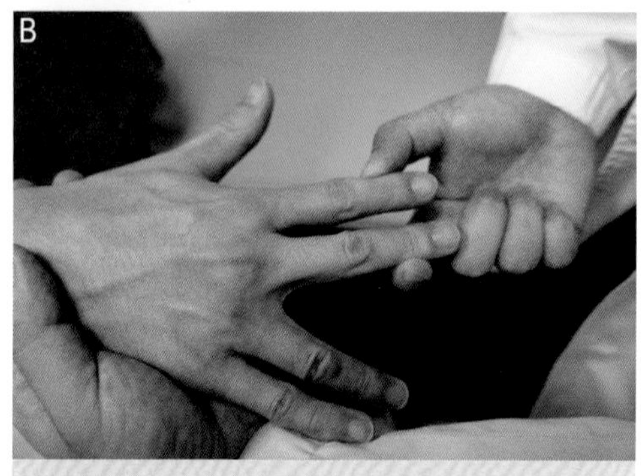

그림 14-8
수지 내전력(A) 및 수지 외전력(B) 근력 검사

그림 14-9
장무지 굴곡력 검사

대라고 하고, 근위 지골을 후방으로 잡아당기는 힘을 가해보면 된다(그림 14-9).

(5) 특수 검사

① Egawa's test

척골 신경의 운동 기능을 보는 검사로 손을 펴서 손바닥을 검사대에 평평하게 댄 후, 중지의 중수수지 관절을 약간 과신전하여 검사대로부터 들게 한 다음, 이를 척측 또는 요측으로 움직이도록 하면 되며, 내재근이 마비된 경우 이 운동이 불가능하다.

② Froment's sign

척골 신경의 운동 기능을 보는 검사로, 환자의 무지와 인지 사이에 종이를 끼워 꽉 잡고 있게 하고, 검사자는 종이를 뽑으려고 하면, 무지의 내전근과 인지의 외전근이 마비된 경우 종이가 쉽게 빠지게 된다. 종이가 빠져나가지 않도록 하기 위하여, 환자는 마비된 무지 내전근 대신 장무지 굴근과 심수지 굴근을 수축시키므로, 무지의 지간 관절 및 인지의 원위 지간 관절이 굴곡되게 된다.

③ Wartenberg's sign

척골 신경의 운동 기능을 보는 또 다른 검사로 환자에게 중수수지 관절, 근위 지간 관절 및 원위 지간 관절을 모두 신전시킨 상태에서 모든 손가락을 붙이라고 하게 되면, 척골 신경에 이상이 있을 경우 소지를 내전시키는 3번째 수장 골간 근육(3rd palmar interosseous muscle)은 약해지고, 소지를 외전시키는 소지 신전근(extensor digiti quinti)은 정상적으로 작용하기 때문에 소지가 다른 손가락으로부터 떨어져 외전되게 되는데, 이 경우를 양성으로 판정한다.

2. 수근 관절의 병변

1) 수근골의 무혈성 골괴사

무혈성 골괴사(avascular osteonecrosis)는 해당 뼈를 공급하는 혈류가 차단되면서, 골조직의 괴사가 발생하고, 치유 능력이 떨어지면서 함몰(collapse) 및 파편화(fragmentation) 등이 발생하는 질환이다. 수근골에 발생하는 무혈성 골괴사는 원인이 분명하지 않은 특발성인 경우가 대부분이며, 주로 lunate, scaphoid, capitate 등에서 발생한다. 이 중, 특발성 무혈성 골괴사가 lunate에 발생한 경우를 Kienböck's disease이라고 부르며, scaphoid에 발생한 경우를 Preiser's disease라고 부른다. 골절 등 외상 이후에도 무혈성 골괴사가 발생할 수 있는데, 특히 scaphoid 골절 이후에 근위 골편의 무혈성 골괴사가 임상에서 가장 흔하게 관찰될 수 있다. 이러한 무혈성 골괴사는 통증, 관절 운동 범위의 감소, 파악력 감소 등의 증상을 나타내고, 병변이 진행할 경우 손목 관절의 전반적인 골관절염을 초래하여 만성 통증과 기능의 현저한 저하가 초래될 수 있기 때문에 조기에 발견하여 진행을 막는 것이 매우 중요하다.

(1) Lunate의 무혈성 괴사 (Kienböck's disease)

Kienböck's disease는 특별한 선행 원인 없이 특발성으로 lunate에 발생하는 무혈성 골괴사이다. Lunate는 전면이 연골로 덮여 있어서 주된 혈관 이외에 혈류 공급을 기대할 수 없는 해부학적 구조를 가지고 있다. Lunate는 그 혈류 공급이 전방 및 후방에서 모두 이루어지는 경우가 80%이나, 나머지 20%에서는 혈류 공급이 전방 한쪽에서만 이루어진다. 전방만의 단일 방향 혈류공급이나, 분지가 없는 일직선 형의 I형의 혈류공급 형태는 lunate의 무혈성 괴사를 일으킬 수 있는 위험인자로 알려져 있다(그림 14-10). Lunate와 capitate의 관계도 영향을 미친다. Lunate는 midcarpal joint의 형태에 따라 두 가지 타입으로 나눌 수 있는데 hamate와 연접한 관절면이 없는 I형은 물리적 압력과 불안정성이 높아 골괴사의 위험인자로 보고된다(그림 14-11). 또한 capitate가 lunate와 닿는 곳의 형태는 flat형(64%), spherical형(21%)과 V-shape형(14%)으로 나뉘는데 V-shape이 I형 lunate와 연관성이 있는 것으로 알려져 있다. 무혈성 골괴사가 발생하는 정확한 기전은 아직 밝혀져 있지 않지만, lunate로의 혈류 공급이 취약한 상태에서 외상(골절이나 혹은 반복적인 미세 손상)이나 물리적 스트레스에 의해 발생하는 것으로 이해되고 있다. 과거에는 ulnar minus variance (수근 관절에서 척골이 요골보다 짧은 경우)가 lunate로의 부하증가로 골괴사를 일으킨다는 주장이 있었지만, 최근 연구상으로는 ulnar

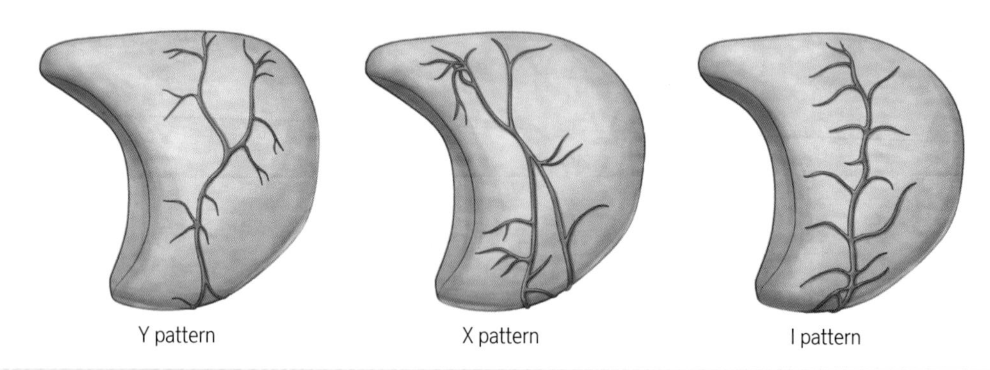

그림 14-10
Lunate로의 혈류 공급 형태에는 Y형, X형, I형이 있는데, I형의 경우 무혈성 골괴사 발생 위험이 높다.

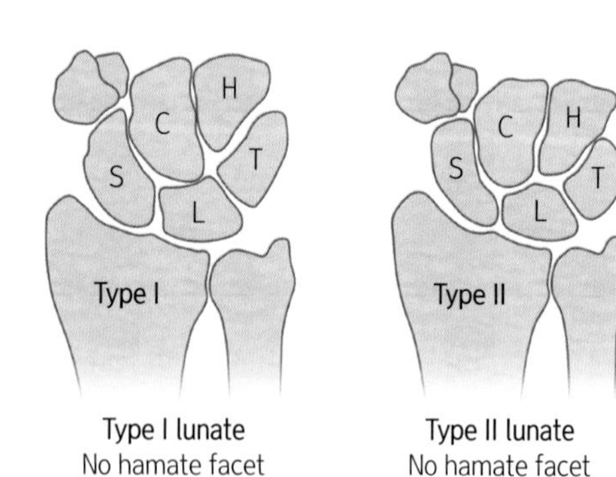

그림 14-11
Midcarpal joint의 형태에 따른 월상골 분류
I형은 V-shape의 capitate와 연관이 있고, II형은 capitate가 더 평편하거나 둥글고 Hamate와의 관절면을 가지고 있다. II형이 물리적으로 더 안정적이다.

minus variance는 병의 발병과는 상관이 없고 발병 후 병의 진행을 촉진시킨다고 알려져 있다.

Kienböck's disease의 증상으로는 손목 관절 부위의 통증, 압통, 관절 운동 범위의 감소(특히 손목 관절의 신전 제한), 파악력 감소 등이 있다. 비교적 젊은 20~40세 사이의 환자가 특별한 외상력 없이 편측 손목의 증상을 호소하는 경우에는 Kienböck's disease을 의심해봐야 한다. 진단을 위해서는 먼저 단순 방사선 촬영을 시행하는데, lunate의 방사선학적 경화(sclerosis), 함몰(collapse) 및 파편화(fragmentation) 등의 소견이 관찰될 수 있다. 하지만, Kienböck's disease 초기에는 단순 방사선 촬영에서 이상 소견이 관찰되지 않을 수 있다. Bone scan, CT, MRI 검사가 진단에 도움이 될 수 있는데, CT 검사는 연골선의 붕괴 및 골절 소견을 평가하는 데 도움이 되며, MRI 검사는 단순 방사선 검사에서 이상 소견이 관찰되지 않는 초기 Kienböck's disease의 진단에 도움이 된다. MRI 검사상 T1 영상에서는 월상 골로의 혈류 감소로 인하여, low signal intensity를 보이며, T2 영상에서도 일반적으로 low signal intensity를 보이지만, 재혈류화가 진행되면 high signal intensity를 나타낼 수도 있다(그림 14-12).

Kienböck's disease의 치료는 증상이 심하

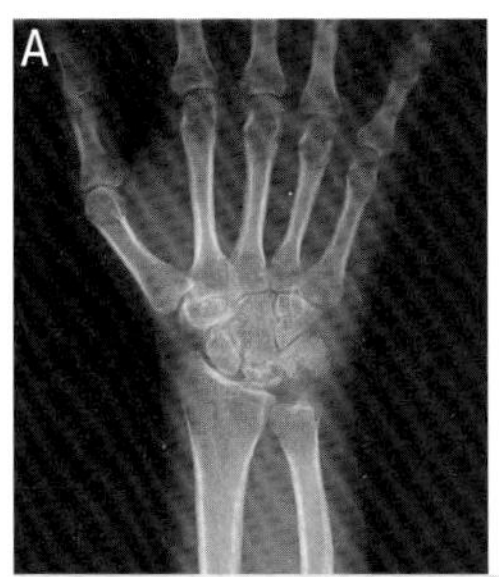

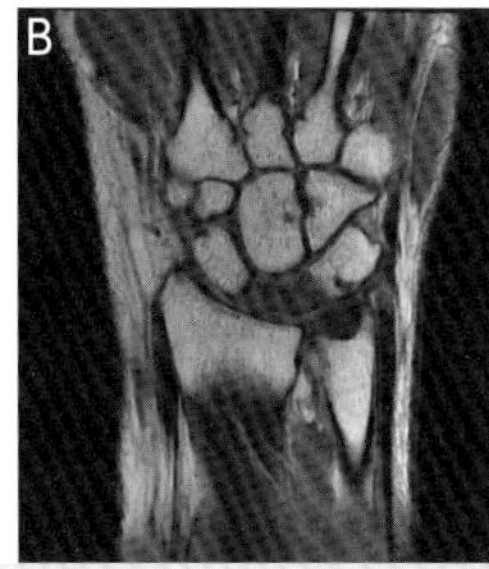

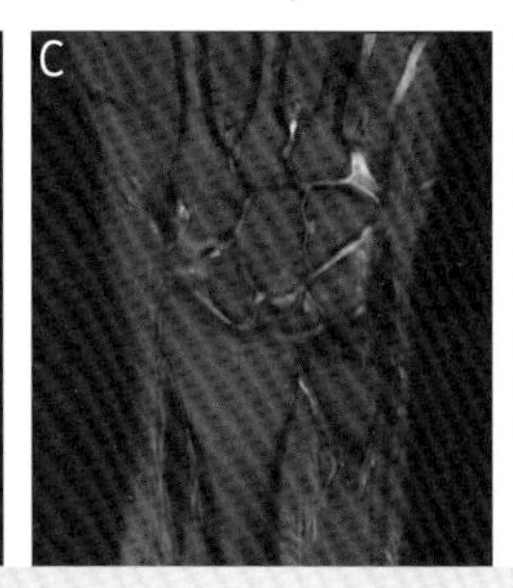

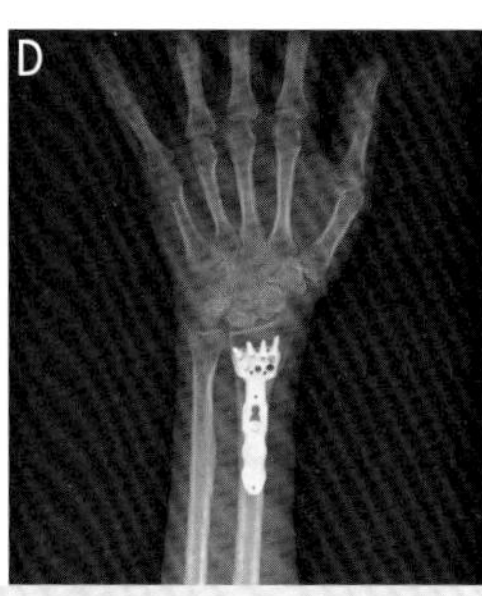

그림 14-12
A. 좌측 lunate의 함몰(collapse) 소견이 관찰된다.
B. MRI T1 영상에서 lunate의 low signal intensity가 관찰된다.
C. MRI T2 영상에서도 lunate의 low signal intensity가 관찰된다.
D. Lunate에 걸리는 부하를 감소시키기 위해 요골을 단축시키는 joint leveling procedure를 시행한다.

지 않은 초기 단계에서는 단순 고정이나 생활 습관 교정과 같은 보존적 치료를 시도해 볼 수 있다. 하지만, 증상이 지속되는 경우에는 요골과 척골 사이의 관절면을 맞추는 joint leveling procedure와 혈관화 골 이식술(vascularized bone graft)이 있다. Joint leveling procedure는 척골이 요골보다 짧은 경우, 요골을 단축하거나 요골 경사를 낮추는 수술을 통해 lunate에 걸리는 부하를 줄여 lunate의 재생을 시도하는 방법이다. Lunate의 붕괴가 심하거나 요수근 관절(radiocarpal joint) 및 중수근 관절(midcarpal joint)의 관절염이 발생한 경우에는 통상적으로 구제술(salvage procedure)이 필요하다. 이 경우 시행할 수 있는 구제술에는 수근골간 관절 유합술(intercarpal arthrodesis), 근위 수근열 절제술(proximal row carpectomy) 및 손목 관절 고정술(wrist arthrodesis) 등이 있다.

2) 척측 충돌 증후군

(1) 정의 및 병태 생리

척측 충돌 증후군(ulnar impaction syndrome)은 손목의 척측에 과도한 하중이 가해질 경우, 척측 손목 관절의 통증이 발생하는 질환이다. 척측 충돌 증후군은 모든 손목에서 나타날 수 있으나 수근 관절에서 척골이 요골에 비해 긴 양성 척골 변이(ulnar positive variance)가 있을 경우 호발한다(그림 14-13). 척골 양성 변이의 원인으로는 특발성인 경우가 가장 흔하며, 마데렁 변형(Madelung's deformity), 원위 요골 골절 후 요골 길이의 단축 혹은 각형성이 발생한 경우, Essex-Lopresti 손상, 원위 요골의 외상성 성장판 손상 등이 있다. 중립 척골 변이(neutral ulnar variance), 심지어는 척골이 상대적으로 짧은 음성 척골 변이(negative ulnar variance)인 경우에도 척측 충돌 증후군이 발생할 수 있는데, 이는 전완부를 회내전(pronation)한 상태에서 주먹을 꽉 쥐는

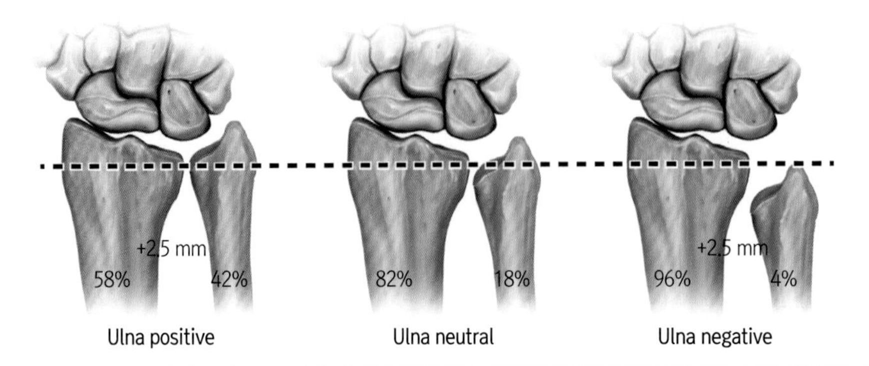

그림 14-13
척골 변이는 원위 요골에 대한 원위 척골의 위치를 보는 척도이다. 중립에서 손목 전체 하중의 요골은 82%, 척골은 18%의 하중을 받는 반면, 2.5 mm 척골양성변이에서는 척골의 하중이 42%로 늘어나고, 2.5 mm 음성에서는 4%로 줄어든다.

강력 파악(power grip)을 할 경우, 척골 변위가 증가하기 때문이다. 전완부를 회내(pronation) 및 척측 굴곡(ulnar deviation)시키는 동작(예를 들면, 문고리를 돌리거나, 병을 따거나, 걸레를 짜는 동작)을 할 경우 척골이 월상골(lunate) 및 삼각골(triquetrum)과 충돌하여 통증을 유발한다(그림 14-14). 척골이 월상골 및 삼각골과 반복적으로 충돌하게 되면, 이들 뼈의 연골에 퇴행성 변화가 발생하며, 척골 원위부에 있는 삼각 섬유 연골 복합체(triangular fibrocartilage complex)가 마모되어 천공 및 파열이 발생한다. 비록 양성 척골 변이가 있지 않더라도 삼각 섬유 연골 복합체가 비정상적으로 두꺼운 경우 척측 충돌 증후군이 발생할 수 있는 것으로 알려져 있다.

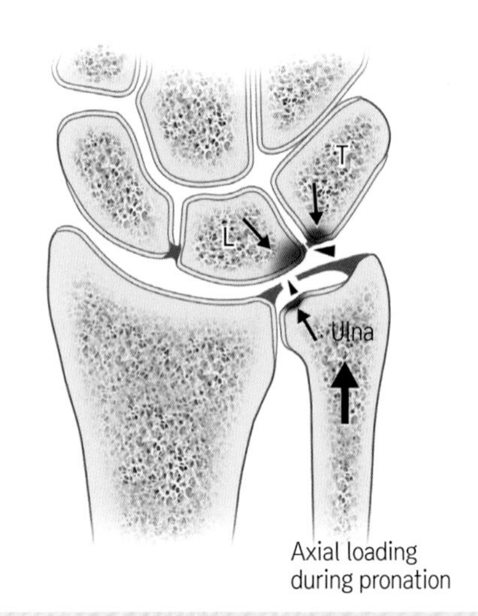

그림 14-14
원위 척골의 과도한 부하는 삼각 섬유 연골 복합체의 퇴행성 파열과 월상골, 삼각골, 척골 두의 마모를 일으킨다.

(2) 감별 진단 및 이학적 검사

척측 충돌 증후군의 가장 흔한 증상으로는 서서히 발생하는 척측 손목 관절의 통증이며, 때로는 부종이나 관절 운동 제한이 동반될 수 있다. 통증은 손목을 회내(pronation) 및 척측 굴곡(ulnar deviation)시켰을 때 악화된다. 척측 손목 관절의 통증은 외상이나 다른 질환에서도 나타날 수 있기 때문에 감별 진단

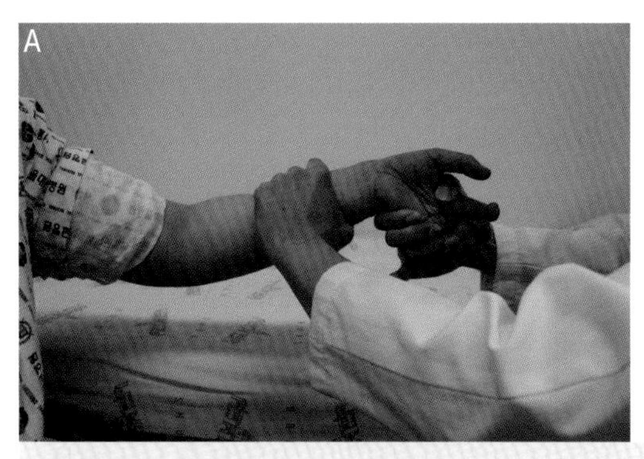
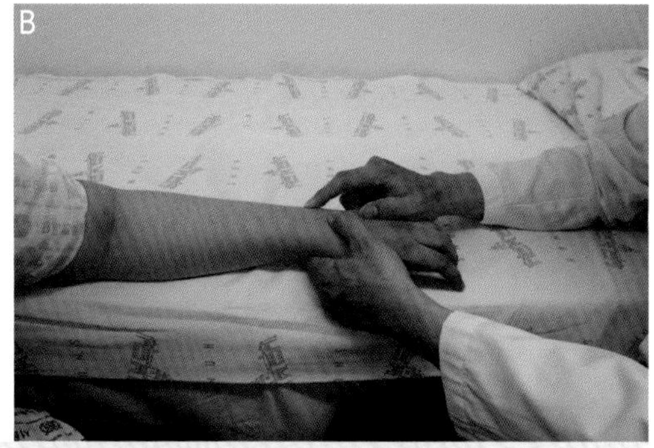

그림 14-15
A. 척수근 부하 검사(ulnocarpal stress test)
B. 피아노 키 검사(piano key test)

에 주의해야 한다. 척측 충돌 증후군을 진단할 수 있는 이학적 검사로는 척수근 부하 검사(ulnocarpal stress test), 피아노 키 검사(piano key test) 등이 있다(그림 14-15). 척수근 부하 검사는 손목 관절을 최대한 척측 변위 시킨 상태에서 종축 부하를 주면서 회내전(pronation) 및 회외전(supination)시켜 통증을 유발시키는 검사이다. 피아노 키 검사는 두상골을 후방으로 척골 두를 전방으로 동시에 밀면서 통증이나 불안정성이 발생하는지 여부를 검사하는 방법이다.

(3) 영상학적 진단

수근 관절의 후전면 단순 방사선 영상은 환자가 의자에 앉은 상태로 견관절을 90° 외전, 주관절을 90° 굴곡한 위치에서 수부를 파악하지 않은 상태로 촬영한다. 회내-강력 파악 후전면 방사선 영상(pronation-power grip view)은 견관절을 내전시켜 상완부를 몸통에 붙이고, 전완부를 회내 시키고 수부를 파악한 상태에서 촬영한다(그림 14-16). 후전면 단순 방사선 영상에서는 양성 척골 변위, 월상골의 낭성 병변, 척측 수근 관절의 관절염 여부를 관찰할 수 있다(그림 14-17A). 측면 단순 방사선 영상에서는 척골의 후방 아탈구 여부를 확인할 수 있다. MRI는 월상골, 삼각골, 척골 두의 퇴행성 변화를 조기에 진단할 수 있으며, MR arthrography는 삼각 섬유 연골 복합체의 파열을 진단하는데 용이하다(그림 14-17B). 손목 관절경(wrist arthroscopy)은 손목 관절 내부의 병변을 직접 관찰할 수 있는 가장 정확한 진단 방법이며, 수술적 치료를 함께 시행할 수 있는 장점이 있다.

(4) 치료

① 보존적 치료

환자로 하여금 통증을 유발하는 자세나 동작을 피하도록 하는 것이 가장 중요하다. 증상

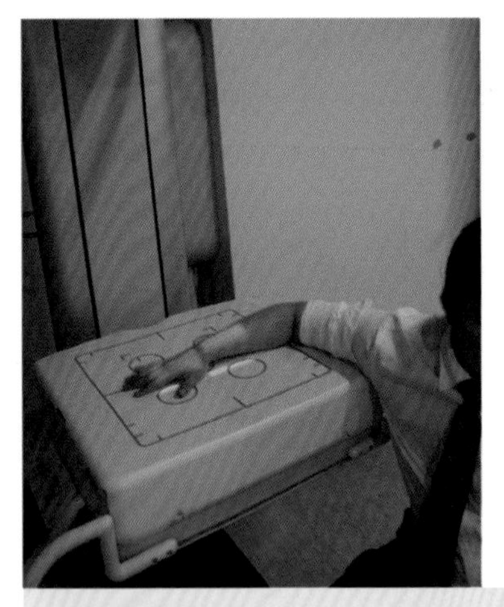
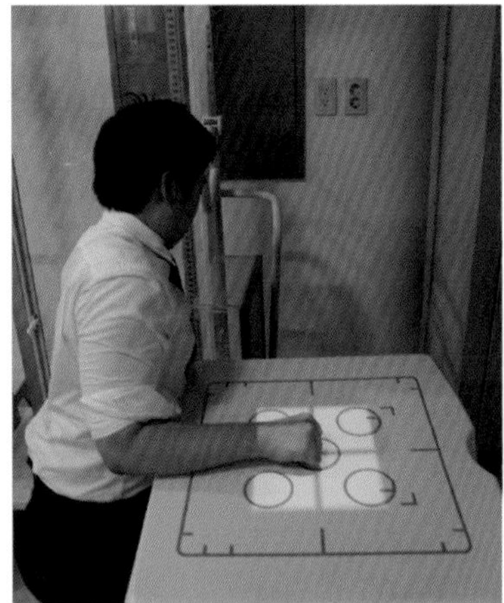

그림 14-16
A. 수근 관절의 후전면 단순 방사선 촬영법
B. 회내-강력 파악 후전면 방사선 영상(pronationpower grip view) 촬영법

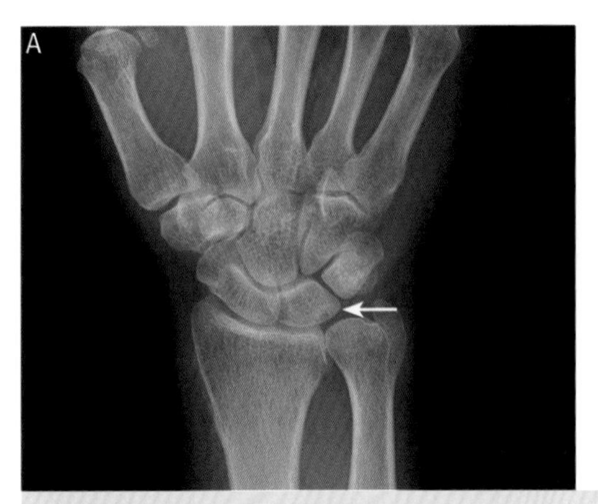

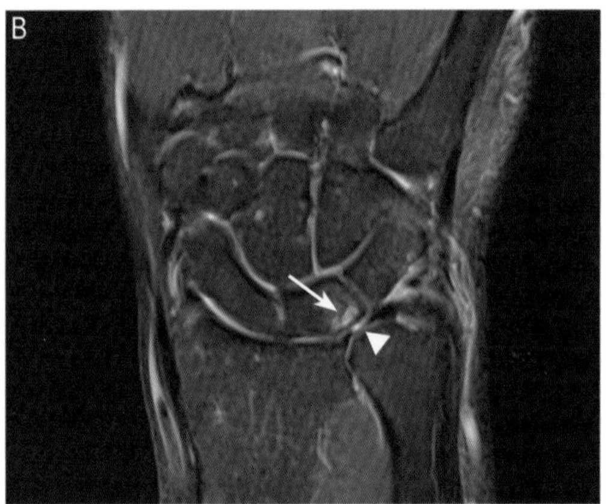

그림 14-17
척측 충돌 증후군의 영상학적 소견
A. 방사선 영상상 척골 양성 변이와 월상골의 낭성병변(화살표)을 확인할 수 있다.
B. MRI상 월상골의 퇴행성 변화 및 골낭종(화살표) 및 삼각 섬유 연골 복합체의 퇴행성 파열 소견(화살표 머리) 관찰된다.

이 심한 경우에는 부목 고정을 시행할 수 있으며, 비스테로이드성 소염 진통제(nonsteroidal anti-inflammatory drugs, NSAIDs)를 복용하거나 국소 패치를 이용할 수 있다.

② 수술적 치료

수개월간의 보존적 치료에도 반응하지 않는 척측 충돌 증후군은 수술적 치료의 적응증이 된다. 수술적 치료의 목표는 척측 수근

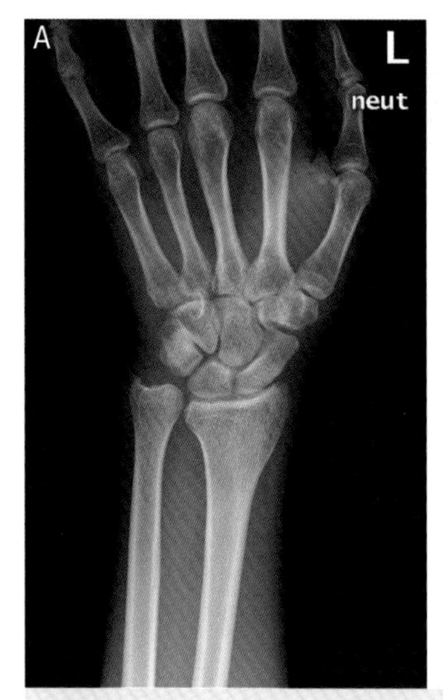

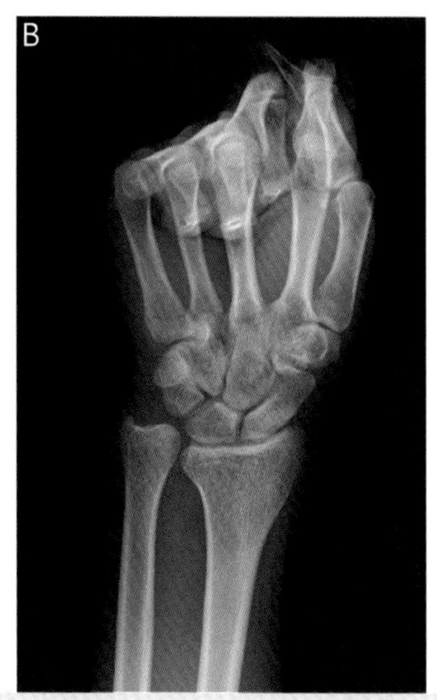

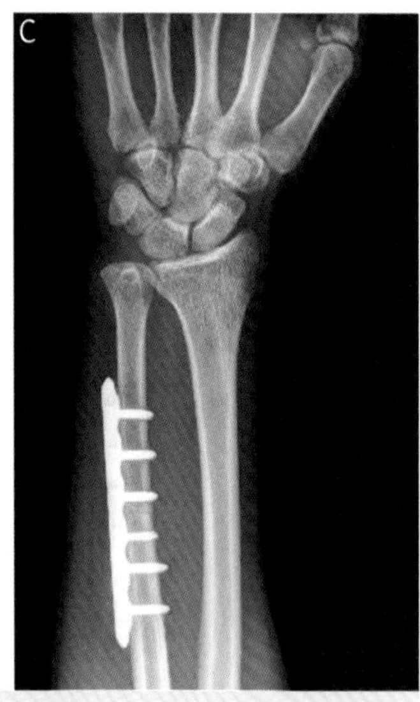

그림 14-18
22세 남자 환자로 좌측 수근 관절의 후전면 영상(A), 회내-강력 파악 후전면 영상(B)에서 양성 척골 변이 소견 관찰되며, 회내 및 척측 굴곡 동작 시 척측 손목 관절 통증 소견 있어서, 좌측 척골 단축술(C)을 시행하였다.

관절의 부하를 감소시키는 것이다. 대표적인 수술법에는 척골 단축술(ulnar shortening osteotomy)과 원위 척골 부분 절제술(wafer procedure)이 있다. 척골 단축술은 척골 원위 1/3 부위에서 절골술을 시행하고 단축하여 손목 관절에서 척골과 요골의 원위 관절면을 맞추는 수술이다(그림 14-18). 척골 단축술은 척측 수근 관절에 가해지는 부하를 직접적으로 감소시킬 수 있으며, 삼각 섬유 연골 복합체의 긴장 완화를 통해 증상을 개선시킬 수 있다. 원위 척골 부분 절제술은 척골의 양성 변이만큼을 원위 척골에서 절제해 내는 방법으로, 금속 내고정물을 사용하지 않기 때문에 2차 수술이 필요하지 않다는 장점이 있다.

3. 수근관 증후군

1) 정의

Median nerve가 손목의 전방에 위치하는 수근관(carpal tunnel)을 통과하는 도중에 눌려서 손가락의 저린감과 통증, median nerve 지배 영역의 감각 변화나 무지구 근의 약화(thenar muscle atrophy)를 초래하는 경우를 수근관 증후군 또는 손목 터널 증후군(carpal tunnel syndrome, CTS)이라고 한다(그림 14-19). 이는 상지에 발생하는 신경 질환 중 가장 흔하며, 불완전한 마비를 일으키는 경우가 대부분이다. 중년 이후의 여성에서 호발하며, 발병률은 매년 1,000명당 약 5명이다.

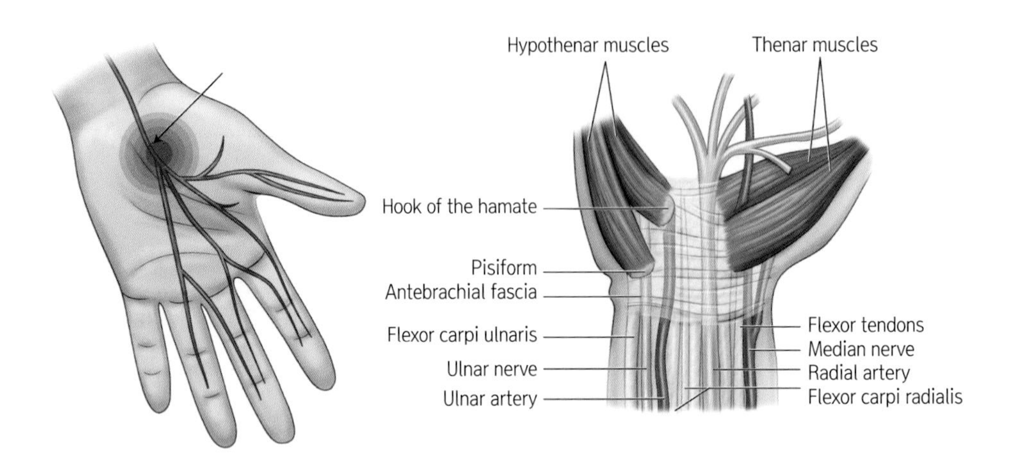

그림 14-19
수근관 증후군에서는 정중 신경이 손목의 수근관에서 transverse carpal ligament에 눌려서 증상이 발생한다.

2) 원인 및 병태 생리

수근관은 손목 전방에 위치하는 fibro-osseous tunnel로, transverse carpal ligament가 손목 전방을 연결하고 있다. 수근관 내로는 9개의 수지 굴곡 건들과 median nerve가 통과하고 있다. 원인이 발견되지 않는 일차성 CTS의 경우 수근관의 단면적이 줄고, 수근관 내부의 압력은 증가되어 있으며, transverse carpal ligament는 비후되어 있는 경우가 많다. 원인이 잘 알려진 경우로는 수근 관절 주위의 골절이나 탈구 및 그 후유증, 감염이나 염증성 질환 또는 외상으로 인한 부종이나 synovium의 증식, 그리고 수근관 내에 발생한 종양 등이 있다. 갑상선 기능 저하증이나 말단거대증 및 폐경기과 같은 내분비 변화가 있는 경우에도 CTS가 흔히 발생하며, 임신 중에 나타나는 경우도 있는데, 이는 조직의 부종과 관계가 있다. 기타 당뇨병이나 만성신부전, 유전분증(amyloidosis) 등에서도 호발한다.

3) 증상

여자는 50~60세 사이에서 가장 흔히 발생하며, 남자는 연령이 증가할수록 빈도가 증가한다. 여자에서 남자보다 3배 정도 더 흔하다. 증세는 정중신경 dermatome에 해당하는 1, 2, 3수지 및 4수지 요측부의 저린감, 감각 저하, 이상 감각(paresthesia), 손목의 통증 및 엄지의 운동 장애(motor disturbance)로, 통증은 팔로의 방사통(radiating pain)의 형태로 나타나기도 하며, 손목을 많이 쓰는 작업 후나 손을 올리거나 손목을 구부리고 있으면 더 심해진다. 수면 도중 손이 타는 듯한 통증을 느껴 깨어나서 손을 털면 통증이 가라앉는 경우가 흔한데, 이를 야간 통증(night pain) 또는 야간

통곡(night cry)이라고 하며 가장 전형적으로 CTS를 시사하는 증상이다. 병이 어느 정도 진행하면 median nerve 영역의 감각이 저하되며, 무지의 힘이 약해지는 운동 신경 증세가 발생한다.

4) 검사 소견 및 진단

상기 특징적인 임상 증상에 대한 병력 청취로 보통 진단이 가능하다. 임상 검사로는 감각 검사와 운동 검사, 그리고 몇 가지 유발 검사를 시행한다. 감각 검사는 무지, 인지, 중지와 약지의 요측(radial side)에 감각 저하 또는 이상감각(paresthesia)이 있는지 확인하며, 운동 검사는 median nerve의 지배를 받는 thenar eminence 근육의 약화를 보는데, 이는 엄지와 소지를 맞닿게 하는 대립(opposition) 기능이 가능한지 확인하거나, thenar muscle의 위축(atrophy)이 있는지 확인한다(그림 14-20).

유발 검사(provocation test)로는 신경 타진 검사(nerve percussion test)와 손목 굴곡 검사(wrist flexion test)가 대표적이다. 신경 타진 검사는 티넬 징후(Tinel sign)라고도 하며, median nerve가 지나가는 손목의 전방에서 신경을 손가락으로 눌러 median nerve 지배 영역에 이상 감각이나 통증을 유발시키는 검사이다(그림 14-21). 손목 굴곡 검사는 Phalen test라고도 하며, 손목을 약 1분 동안 굴곡시켜서 median nerve 지배 영역에 통증이나 저린감을 유발시키는 검사이다(그림 14-22). 단순 방사선 검사는 일반적으로 손목의 정면과 측면 및 수근관 view를 촬영하여 다른 질환을 감별하고

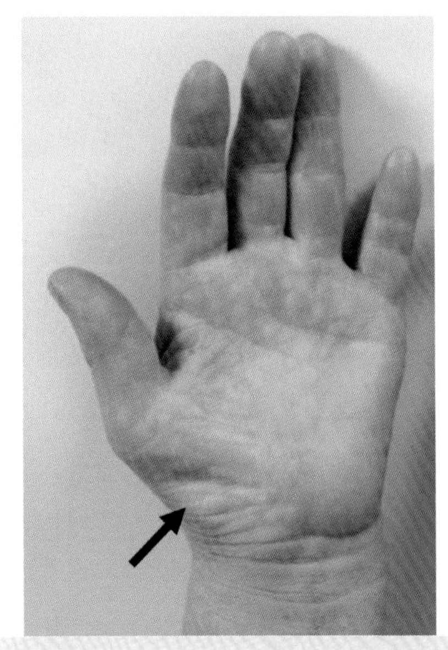

그림 14-20
무지구 근육의 위축

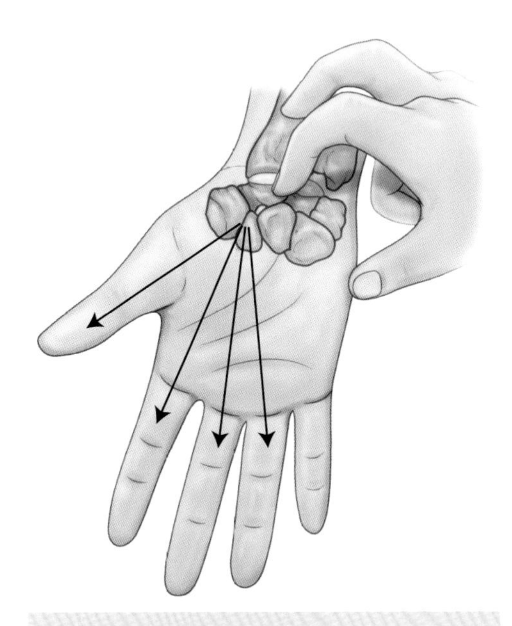

그림 14-21
티넬 징후(Tinel sign)

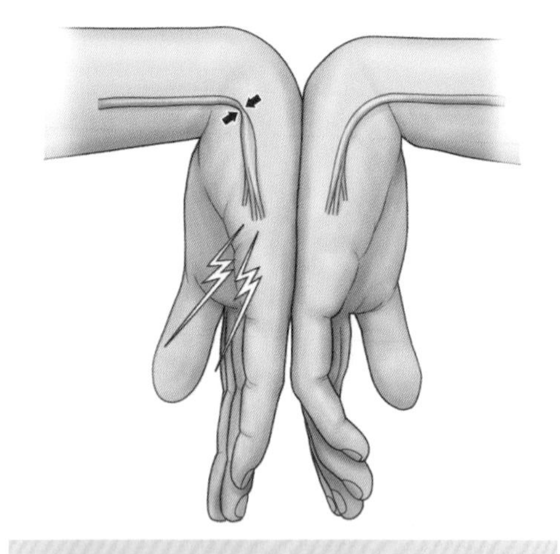

그림 14-22
Phalen test

자 하나 대부분의 경우 음성이다. 초음파 검사로는 transverse carpal ligament 바로 근위부에서 압박에 의해 신경이 굵어진 소견 또는 수근관 단면적이 감소한 소견을 관찰할 수 있고, 수근관 내에 종양, 활막염에 의한 부종 등이 있는지 보는 데 도움이 된다.

신경근전도 검사(NCS/EMG)에서는 median nerve의 신경 전달 속도가 지연되어 있고, 진행된 경우 thenar muscle에서 근전도의 이상을 확인할 수 있는 경우가 대부분이나, 10~20%에서는 위양성 또는 위음성의 결과를 나타낼 수도 있다. 신경근전도 검사가 CTS의 진단에 반드시 필요한 것은 아니지만, 수술이 필요한 경우는 전기생리학적인 신경 손상의 정도를 확인해 두는 것이 좋다.

5) 치료

보존적 치료로는 손 사용을 줄이고 부목으로 고정하는 방법, 비스테로이드성 소염제(NSAIDs) 복용, 수근관 내에 스테로이드 주사 등이 있다. 그러나 이미 근위축(muscle atrophy)이 동반되거나 심한 감각 저하가 동반된 환자에서 보존적 치료를 계속할 경우 신경 손상이 진행하여 나중에 수술하더라도 회복이 어려울 수 있으므로 적절하지 않다. 스테로이드 주사는 증상이 경미한 환자에서는 지속적인 효과를 볼 수도 있으나 중등도 이상의 경우 일시적인 효과만을 보는 경우가 대부분이다.

수술적 치료는 근위축이 분명한 경우, 축색 손상(axonal injury)이나 심한 신경 전달 지연 소견이 신경근전도 검사에서 나타나는 경우, 보존적인 치료로 증상이 좋아지지 않는 경우에 시행한다. CTS의 수술은 근본적으로는 transverse carpal ligament를 세로로 잘라주어 신경이 눌리지 않도록 하는 신경 감압 수술로 수근관 유리술(carpal tunnel release)이라 하며, 개방적(open) 수술과 내시경(endoscopic) 수술로 나눌 수 있다. 수술의 결과는 일반적으로 양호하여 대부분 증상이 호전되지만, 수술 후에 일시적으로 악력이 떨어지거나 손목 주위로 통증이 발생할 수 있다. Thenar muscle atrophy가 심하고 오래되어 무지의 대립 기능에 장애가 있을 경우는 신경 감압 후에도 근육이 정상적으로 회복되지 않는 경우가 흔한데, 이 경우 다른 근육을 이용하여 건 부착부를 옮겨서 대립 기능을 하도록 하는 일종의 건 이전술(tendon transfer)인 대립근성형술(opponensplasty)을 동시에 시행할 수 있다.

4. 수부의 건막염

수부의 건막염(tenosynovitis of the hand) 또는 건초염은 건(tendon)을 둘러싸고 있는 tendon sheath나 그 위를 덮고 있는 synovium에 국소 염증 소견을 보이는 것을 말하며, tendinitis, tenosynovitis라고도 부른다. 이환된 건을 따라 통증과 압통(tenderness), 열감 및 운동 제한의 증상을 보이는 것이 일반적이다. 손에는 건이 활줄 현상을 일으키지 않고 뼈와 관절에 가깝게 위치하여 효과적으로 작용하도록 하는 pulley (활차)가 여러 개 있는데, 건막염의 가장 흔한 원인은 건과 pulley가 반복적인 마찰을 하여 건이 비후되거나 pulley가 좁아져서 발생하는 협착성 혹은 포착성 건막염(stenosing or entrapment tenosynovitis)이다. Trigger finger, trigger thumb, de Quervain's disease 등이 이에 해당한다. 류마티스 관절염(rheumatoid arthritis), 통풍(gout), 칼슘 침착성 건질환(calcium deposit tendon disease)에서도 건막염이 나타날 수 있으며, 감염에 의한 화농성(suppurative) 건막염이나 결핵성(tuberculous) 건막염도 있다.

1) 협착성 건막염(stenosing tenosynovitis)

(1) 방아쇠 수지 혹은 무지 (trigger finger or thumb)

수지의 flexor tendon은 metacarpal head의 전방에 위치한 A1 pulley를 통과하는데, tendon이 비후되거나 pulley가 좁아지면 tendon이 마찰되면서 pulley를 힘겹게 통과하게 되어 손가락의 뻣뻣함과 통증이 발생한다. Flexor tendon이 A1 pulley에 눌려서 통과하지 못하다가 더 힘을 주어 펴면 어느 순간 갑자기 '딱'하면서 pulley를 통과하게 되는 현상이 마치 방아쇠를 격발하는 현상과 비슷하여 방아쇠 수지(trigger finger)라고 한다. 이러한 현상이 thumb에서 발생하면, 방아쇠 무지(trigger thumb)라고 한다(그림 14-23).

매우 흔한 질환으로 중년 이상 성인의 엄지, 중지, 약지에 흔하다. Tendon이 걸렸다가 풀리는 증상, 동통, 이환된 metacarpal head의 전방에 압통이 있거나 비후된 pulley나 nodule이 촉지되면 쉽게 진단이 가능하다. 원인은 대부분 특발성이지만 손을 많이 사용하거나 골프, 테니스 등 그립을 쥐는 운동을 한 병력이 많고, 당뇨병, 신질환, 류마티스 관절염 등과 동반되는 경우가 있다.

소아에서는 주로 무지에 잘 생기며 tendon이 걸렸다 풀리는 trigger 현상보다는 tendon이 걸려서 무지 지간 관절이 굴곡되어 펴지지 않는 변형으로 나타나는 경우가 대부분이다. 소아 방아쇠 무지는 저절로 좋아지는 경우가

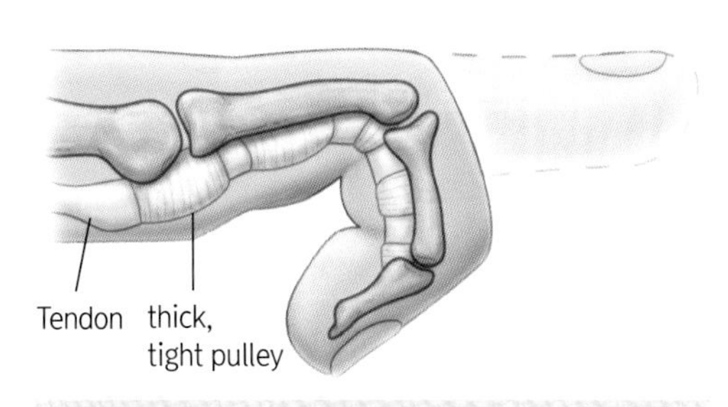

그림 14-23
방아쇠 수지에서는 tendon이 두꺼워진 pulley를 통과하면서 걸려서 증상이 나타난다.

많아 5세까지 경과 관찰 후 호전이 없을 시에 수술을 시행한다.

성인에서 대부분의 경우는 비수술적 치료로 치료가 가능하다. 단기간 부목 고정을 하면서 손을 쓰는 활동을 줄이면서 비스테로이드성 소염제를 투여할 수 있다. 굴곡건 건막 내로의 국소 스테로이드 주사는 매우 효과적이며, 극적인 증상의 호전과 동시에 약 절반의 환자에서는 완치를 기대할 수 있다. 그러나 효과를 보았다가 재발한 경우에는 국소 스테로이드 주사를 재투여하였을 때 완치보다는 일시적인 효과만을 볼 경우가 많다. 주사가 건막 내로 들어가지 않고 피하에 주사될 경우 지방이 위축되거나 피부가 탈색되는 경우가 있고, 건 내로 주사할 경우 건이 약해져서 파열되는 경우도 발생한다. 비수술적 치료에 효과가 없거나, 지속적으로 재발하는 경우에는 A1 pulley를 절개하는 수술을 시행한다.

(2) De Quervain 병

손목의 요측에서 요골과 extensor retinaculum에 의해 형성되는 6개의 extensor compartment 중 1st extensor compartment에는 abductor pollicis longus와 extensor pollicis brevis가 통과한다. 이 compartment에 발생하는 stenosing tenosynovitis를 de Quervain disease이라 한다. 손목을 갑자기 많이 사용한 경우, 특히 아기를 많이 안은 아기 엄마나 할머니에게서 흔히 발생한다. Radial styloid process 주변부에 통증과 압통이 있으며, 무지를 움직일 때 악화되는 통증을 호소한다. 환자의 무지를 굴곡시키고, 손목을 척측으로 돌리면 심한 통증을 호소하는데 이를 Finkelstein test라 한다 (그림 14-24).

치료는 방아쇠 수지와 비슷하게 비스테로이드성 소염제 투여, 부목 고정, 국소 스테로이드 주사 등을 시행하면 효과적이며, 증상의 호전이 없을 시에는 수술적 치료로 1st extensor retinaculum release를 시행한다.

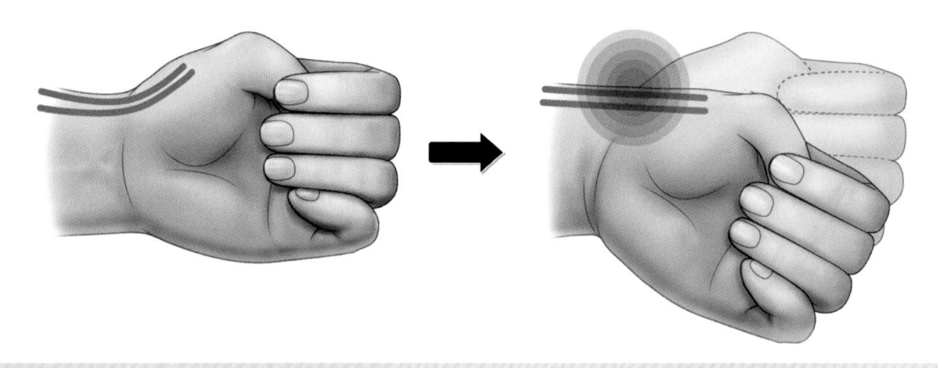

그림 14-24
Finkelstein 검사

2) 감염성 건막염

수부의 건에 발생하는 감염성 건막염(infectious tenosynovitis)에는 포도구균(Staphylococcus) 등에 의해 발생하는 화농성 건막염 및 결핵균에 의한 건막염이 있다.

(1) 화농성 건막염(suppurative or pyogenic tenosynovitis)

대부분의 경우 관통상(penetrating injury) 이후에 발생하며, 손의 건막은 서로 연결되어 있기 때문에 짧은 시간에 건막 전장에 걸쳐 파급될 수 있다. 전형적인 증상은 Kanavel의 4 cardinal sign이라고도 하며, 이는 건의 주행과 일치하는 극심한 압통, 이환된 수지의 굴곡 자세, 이환 수지의 종창, 이환된 수지를 수동적으로 신전 시킬 때 발생하는 극심한 동통이다. 치료는 진단 즉시 수부를 고정하여 안정시키고, 항생제를 투여해야 하며, 증상 호전이 없거나 발병한지 48시간이 지났을 때는 수술적 치료로 절개 및 배농(incision and drainage)을 시행한다.

(2) 결핵성 건막염 (tuberculous tenosynovitis)

수부에서 가장 흔한 감염은 Mycobacterium tuberculosis이다. 일반적인 치료에 잘 듣지 않는 건막염이 있을 경우 결핵을 의심하여 조직 배양과 생검을 시행해야 하며, 치료는 항결핵제의 투여가 필수적이다.

5. 결절종

1) 정의

결절종은 수부에서 발생하는 가장 흔한 연부 조직 종양이다. 결절종 내부에는 약간 노랗고 젤라틴 같이 끈적이는 액체를 함유하고 있으며, 보통 인접한 관절막, 건 및 건막과 붙어 있다. 결절종은 여성에서 2~3배 많이 발생하며, 20대에서 40대 사이의 연령대에서 흔히 발생한다. 양쪽 손에 비슷한 빈도로 발생하며, 손목의 후면에 가장 잘 생긴다. 결절종의 크기는 매우 다양하며, 시간에 따라 크기가 변화하는 경향이 있으며, 저절로 사라지기도 한다.

2) 원인 및 병태생리

결절종의 발생 원인 및 병리 기전은 아직 확립되지 않았지만, 연부 조직의 점액성 변성에 의해 발생된다는 가설이 가장 널리 받아들여지고 있다. 즉 이 가설은 교원 섬유의 변성, 세포 내 및 세포 외 뮤신의 축적과 교원 섬유 및 기질 세포의 감소에 의해 병변이 진행한다는 것이다. 또한 외상으로 인해 관절액이나 힘줄막 내의 관절액이 연부 조직으로 새어 나와 결절종이 발생한다는 가설도 있다.

3) 증상 및 소견

가장 흔한 증상은 통증을 동반하지 않는 단단한 혹이 만져지는 것이다. 결절종은 한 개의 둥근 혹으로 나타나기도 하며, 다엽성 혹으로 나타나기도 한다. 손목 주위에서 발생하는 결절종의 2/3는 손등 쪽에서 발생한다(그림 14-25). 이 경우 결절종은 주로 주상-월상 인대 위에 위치하게 되며, 손목을 굴곡할 경우 그 윤곽이 뚜렷해진다. 만약 결절종이 인접한 신경을 누르고 있다면, 저린 증상이나 근육 위축과 같은 증상이 동반될 수 있으며, 결절종이 인접한 힘줄이나 관절을 누르고 있는 경우에는 묵직한 통증이 발생하기도 한다. 관절에 붙어 있는 결절종은 손가락을 구부리거나 펼 때, 그 위치가 바뀌지 않으며, 힘줄과 붙어 있지도 않다. 신전건에 발생한 결절종은 덜 딱딱하며, 여러 개가 함께 생기고, 불규칙한 경향이 있다.

4) 검사 소견 및 진단

결절종은 대개 간단한 임상적 검사를 통해 쉽게 진단할 수 있다. 작은 손전등을 피부에 대고 혹에 비추어 보면, 혹이 붉은 색으로 변하는 것을 보고 쉽게 진단할 수 있다(transillumination test). 또한 결절종 내부의 액체를 흡인하여, 그 성상을 확인하는 것이 진단에 도움이 되기도 한다. 결절종 내부의 액체는 점성이 높으며, 투명하고, 끈적거리는 젤리 같은 성상을 나타내며, 글루코사민, 알부민, 글로불린과 고농도의 히알루론산(hyaluronic acid)이 함유되어 있고, 일반적인 관절액보다는 점성이 높다. 또한 결절종이 심부에 위치한 경우에는 초음파 검사 혹은 자기공명영상(MRI) 검사를 시행하기도 한다.

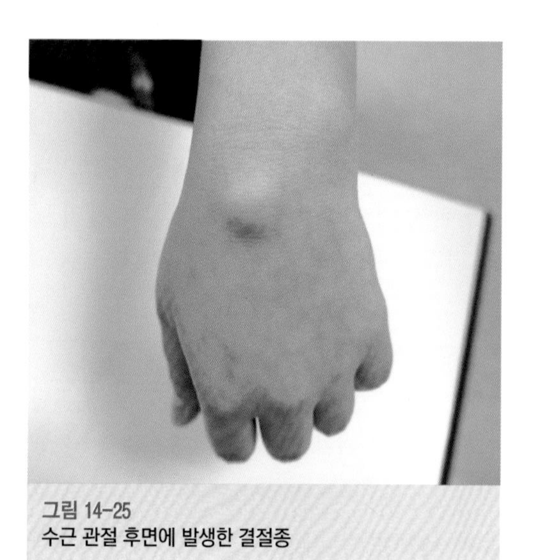

그림 14-25
수근 관절 후면에 발생한 결절종

5) 치료

결절종은 대부분 크게 불편하지 않고, 자연적으로 없어지기도 하기 때문에, 환자에게 질병의 자연 경과에 대해 충분한 설명을 한 후 경과 관찰을 하는 것이 일반적이다. 하지만 결절종에 의한 신경 압박 증상이 있거나, 통증이 동반되어 환자가 많이 불편해하는 경우 혹은 미용상의 이유로 환자가 치료를 원하는 경우에는 치료를 시행하기도 한다. 치료 방법은 결절종 부위를 외부에서 압박하여 피막을 파열시키는 방법, 주사기로 내부의 액체를 흡인하는 방법, betamethasone과 같은 스테로이드를 인접 관절 혹은 힘줄 부위에 주사하는 방법, 그리고 관절경이나 개방적 절개를 이용하는 방법 등이 있다. 하지만 주사기로 흡인하여 치료한 경우에는 재발률이 60% 정도 되며, 수술적인 절제를 시행한 경우에도 재발률이 40% 정도로 보고되고 있기 때문에, 치료 전 환자에게 재발률이 높다는 사실에 대해 충분히 교육할 필요가 있다.

참고문헌

1. 대한정형외과학회. 정형외과학 제 8판. 최신의학사 2006;513-526, 566-567.
2. 정문상, 백구현. 손외과학. 군자출판사 2005;1-79, 1502-1503.
3. Baek GH, Chung MS, Lee YH, Gong HS, Lee S, Kim HH. Ulnar shortening osteotomy in idiopathic ulnar impaction syndrome: surgical technique. J Bone Joint Surg Am 2006;88.1; 212-220.
4. Eathorne SW. The wrist: clinical anatomy and physical examination--an update. Prim Care 2005; 32(1):17-33.
5. Freedman DM, Botte MJ, Gelberman RH. Vascularity of the carpus. Clin Orthop Relat Res 2001;383:47-59.
6. Gant J, Ruff M, Janz BA. Wrist ganglions. J Hand Surg Am 2011;36(3):510-512.
7. Haase SC, Berger RA, Shin AY. Association between lunate morphology and carpal collapse patterns in scaphoid nonunions. J Hand Surg Am 2007; 32:1009-1012..
8. Nahra ME, Bucchieri JS. Ganglion cysts and other tumor related conditions of the hand and wrist. Hand Clin 2004;20(3):249-260.
9. Oberlin C, Teboul F. Functional anatomy and evaluation of hand function. Joint Bone Spine 2001;68(4):294-303.
10. Palmer AK, Werner FW. Biomechanics of the distal radioulnar joint. Clin Orthop Relat Res 1984;187: 26–35.
11. Rioux-Forker D, Alexander YS. Osteonecrosis of the Lunate: Kienböck Disease, J Am Acad Orthop Surg 2020;28(14);570-584.
12. Sammer, Douglas M., and Marco Rizzo. Ulnar impaction. Hand clin 2010;549-557.
13. Schuind FA, Mouraux D, Robert C, Brassinne E, Remy P, Salvia P et al. Functional and coutcome evaluation of the hand and wrist. Hand Clin 2003; 19(3):361-369.
14. Thornburg LE. Ganglions of the hand and wrist. J Am Acad Orthop Surg 1999;7(4):231-238.
15. Tsai P, Beredjiklian PK. Physical diagnosis and radiographic examination of the thumb. Hand Clin 2008;24(3):231-237.
16. Viegas SF, Wagner K, Patterson R, Peterson P. Medial (hamate) facet of the lunate. J Hand Surg Am 1990;15:564-571
17. Watson HK, Weinzweig J. Physical examination of the wrist. Hand Clin 1997;13(1):17-34.
18. Yazaki N, Burns ST, Morris RP, Andersen CR, Patterson RM, Viegas SF. Variations of capitate morphology in the wrist. J Hand Surg Am 2008;33:660-666.

Spine의 병변

Affections of Spine

1. 척추의 임상해부학

척주(spinal column)는 모든 척추 동물(vertebrate)들이 공통적으로 가지고 있는 해부학적 구조로 총 33개의 척추체(vertebra)가 이어진 기둥 형태 구조물이다. 척주는 사람을 포함하는 기타 척추 동물의 근골격 계통(musculoskeletal system) 중 가장 크고 복잡한 구조물로서, 체간(trunk)의 중심에서 몸을 지탱하고 균형을 유지하는 기둥의 역할을 하고, 동시에 그 내부의 중추 및 말초 신경 계통인 척수(spinal cord)와 척추 신경근(spinal nerve root)을 보호하는 역할을 한다. 일반적으로 사람에서는 7개의 경추체(cervical vertebra), 12개의 흉추체(thoracic vertebra), 5개의 요추체(lumbar vertebra), 천추(sacrum, 5개의 천추체가 유합되어 하나의 뼈를 이룸) 및 4개 정도의 미추(coccyx)가 있으며, 각 추체들은 전방에서는 일종의 섬유연골관절(fibrocartilagenous joint)인 추간판(intervertebral disc)에 의해 연결되고 후방에서는 활액막관절(synovial joint)인 후관절(facet joint)에 의해 연결된다. 그리고 추체 전방과 후방의 종인대(anterior and posterior longitudinal ligament)가 두개골부터 천추까지 이어져 있다(그림 15-1). 주로 경추, 드물게 흉추에서 이 후종인대의 비후 및 석회화로 인해 척추관 내부의 척수를 압박하는 질환이 발생하는 경우가 있는데 이를 후종인대골화증(ossification of posterior longitudinal ligament, OPLL)이라 한다. 전면 또는 후면에 보았을 때 척추는 곧은 일직선상에 정렬하며, 측면에서 볼 때는 경추와 요추에서는 전만(lordosis), 흉추와 천추에서는 후만(kyphosis) 만곡 상태로 정렬되어 있고, 직립 상태에서 제7경추체 중심에서 내린 수선이 제1천추 후상방의 중심에 위치하도록 균형을 유지하고 있다(그림 15-2). 척주의 균형이 유지되어야 직립 및 보행 시 자세 유지를 위한 근육의 에너지 소모가 적다. 후만 변형 등으로 척주의 시상면 균형이 무너질 경우, 즉 시상면 불균형(sagittal imbalance)이 발생하면 자세 유지를 위해 보다 많은 에너지가 필요하고, 근육 피로 등이 쉽게 발생한다.

1) 추체(vertebra)

C1, 2를 제외한 경추, 흉추, 요추는 공통적인 구조를 가지고 있는데, 앞쪽에 척추체(vertebral body)와 뒤쪽의 척추궁(spinal arch)

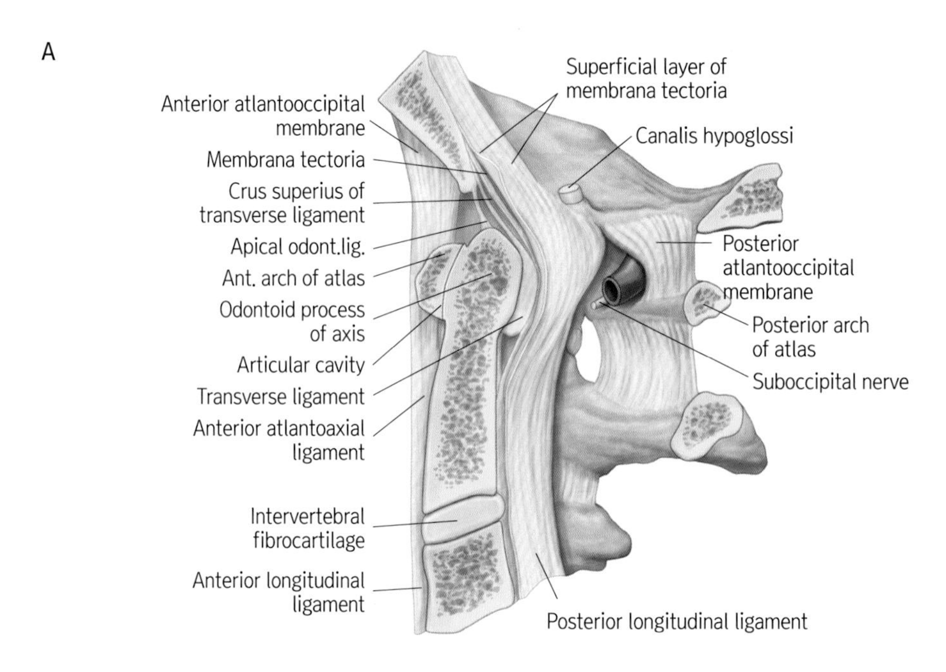

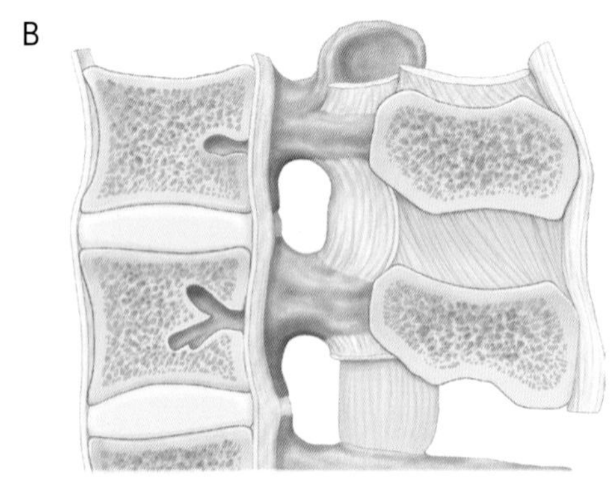

그림 15-1
척주의 인대
A. 상부 경추, B. 흉요추

에 둘러싸인 척추관(spinal canal)이라는 공간을 형성하고 있다(그림 15-3~5). 척추관 내에는 dural sac이 있고 그 내부에 척수(spinal cord) 또는 마미(cauda equina)가 들어 있다. 척추궁은 좌우 양측으로 2개의 후궁(lamina)과 이를 척추체와 연결하는 2개의 척추경(pedicle)으로 구성되어 있고, 좌우 후궁이 만나는 가운데에는 후방으로 극돌기(spinous process)가 돌출해 있다. 척추경 후방으로 연결되어 있는 상관절돌기(superior articular process)가 근위부 척추의 하관절돌기(inferior articular process)와 만나 후관절(facet joint)을 이루게 된다. 후관절은 활액막 관절로 요추에서는 흔히 이 후관절의 퇴행성 변화 또는 골관절염 변화로 인한 비후

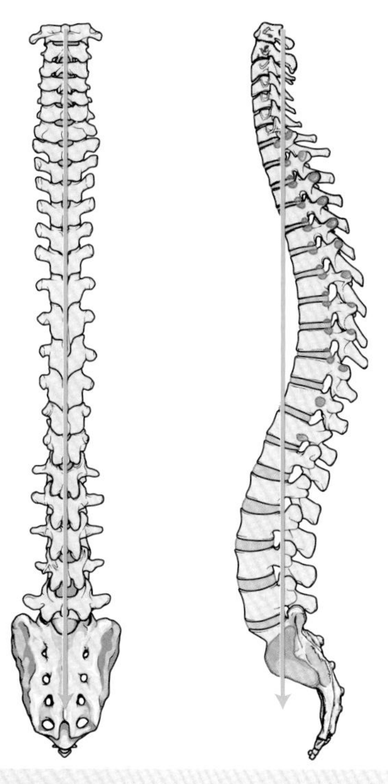

그림 15-2
기립위 제7경추의 중심에서 내린 수선이 제1천추의 후상방의 중심에 위치

등으로 신경근을 압박하는 경우가 있다. 경추에서만 특징적으로 나타나며 출생 시에는 관찰되지 않지만 10대가 되면서 나타나는 구조로, 구추관절(uncovertebral joint) 또는 joint of Luschka가 있다. 이는 경추의 후측부 상연의 융기된 구추돌기(uncinate process)와 닿는 상부 척추체의 가장자리 사이에서 생긴 섬유륜(annulus fibrosus)의 균열에 hyaline cartilage과 synovial membrane이 생기면서 형성되는데, 중년 이후 퇴행성 변화에 의한 골극을 형성하여 경추 신경근병증(cervical radiculopathy)을 일으키기도 한다. 또 다른 경추의 특징으로 좌우 양측에서 척추경과 횡돌기(transverse process)로 둘러싸인 횡돌기공(foramen transversarium)이 있는데 그 내부로 척추동맥(vertebral artery)이 통과한다. 요추에서 횡돌기(transverse process)는 후궁과 척추경이 만나는

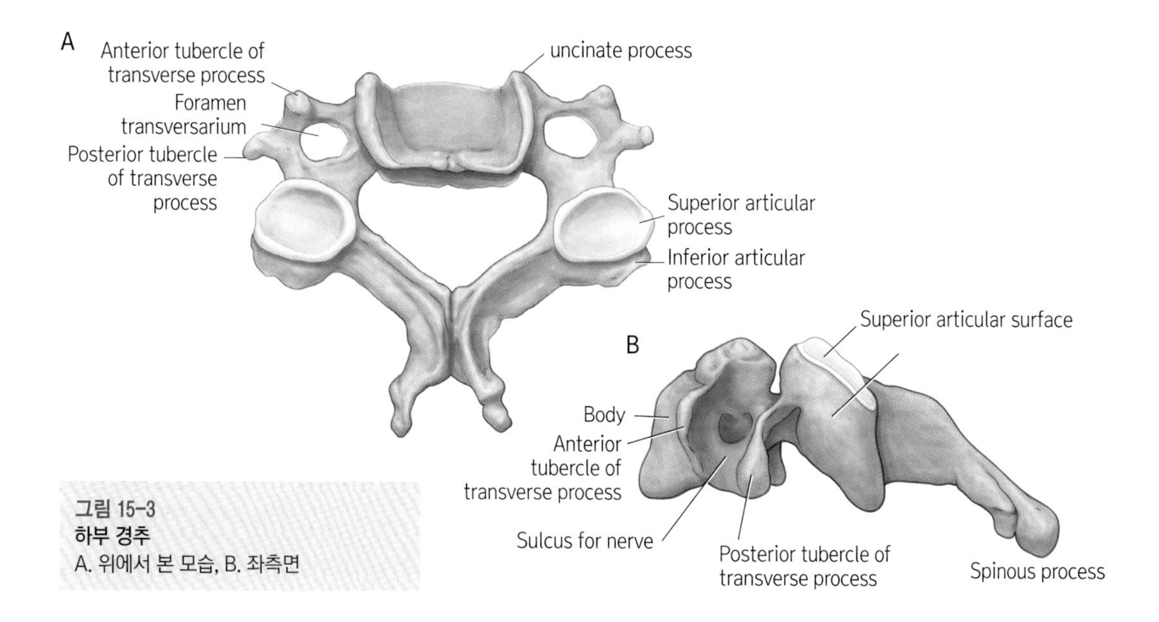

그림 15-3
하부 경추
A. 위에서 본 모습, B. 좌측면

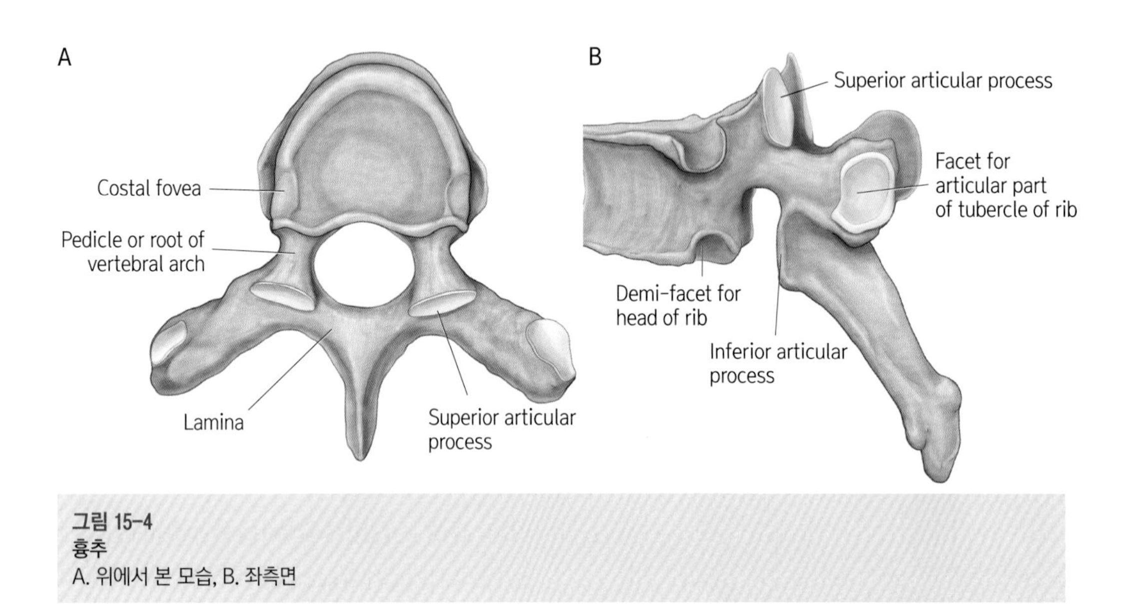

그림 15-4
흉추
A. 위에서 본 모습, B. 좌측면

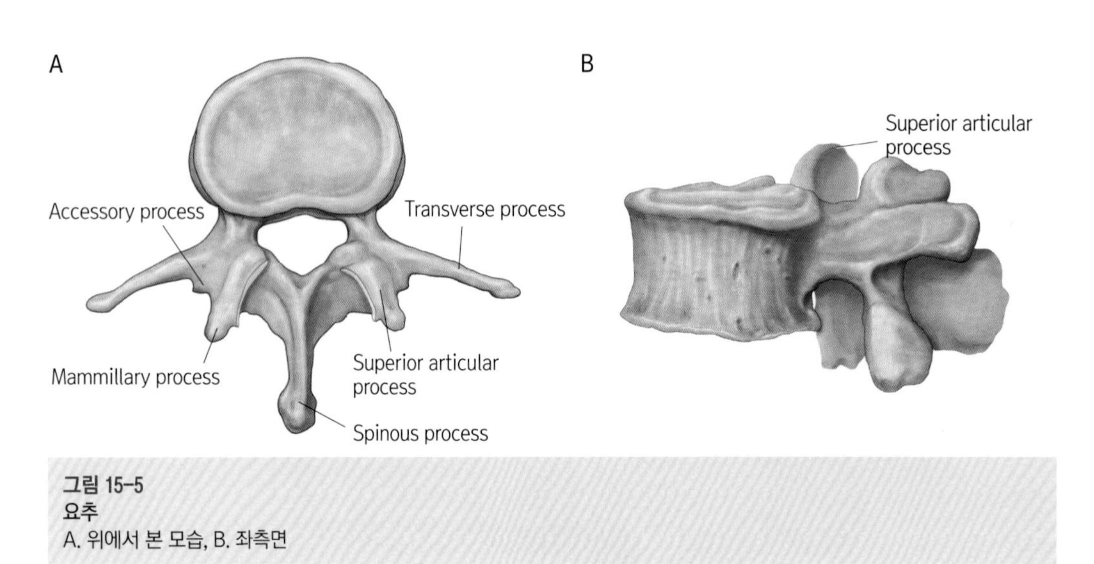

그림 15-5
요추
A. 위에서 본 모습, B. 좌측면

위치에서 양측 외측 방향으로 돌출해 있고 흉추에서는 후, 외측 방향으로 돌출해 있다. 흉추의 척추체 후외측 상부와 횡돌기 전면에는 늑골과 관절을 이루는 자리(costoverteral facet)가 있다(그림 15-6).

머리를 받치고 있는 C1 척추체는 환추(atlas)라고도 하며 척추체와 극돌기가 없는 고리(ring) 모양 구조로 anterior 및 posterior arch

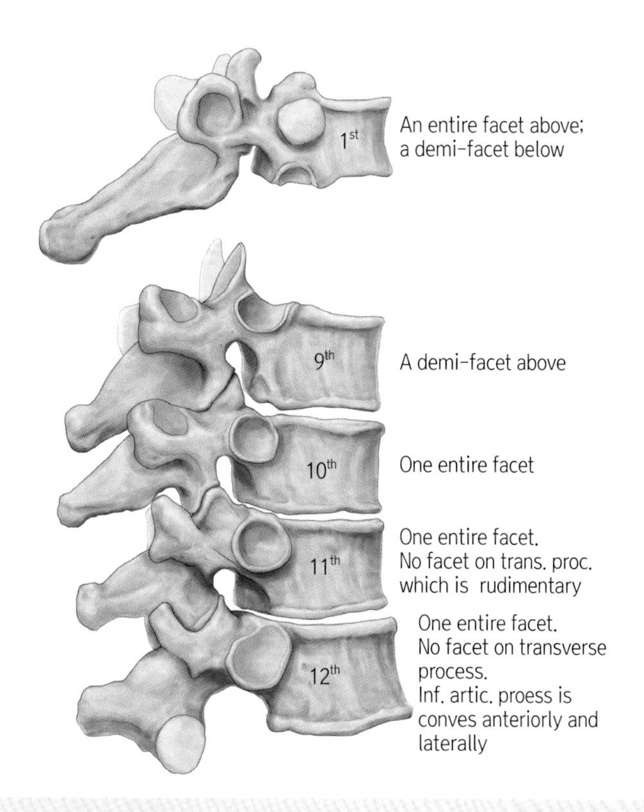

그림 15-6
흉추의 늑척추관절면(costoverterbal joint)

와 2개의 외측괴(lateral mass)로 구성되어 있다. 제2경추는 머리와 연결되어 회전하는 축을 이루기 때문에 축추(axis)라고도 하며 경추 중에서 제일 강하고 또한 단단하다. 가장 두드러진 특징은 이(tooth) 모양의 돌기 즉 치돌기(dens, odontoid process)가 척추체로부터 위로 돌출한 것이다. 이러한 해부학적 특징으로 인해 C1- 2 척추체 사이에서 경추의 회전 움직임의 50%를 담당한다(그림 15-7, 8).

2) 추간판 및 후관절

척추체의 각 동작 분절(motion segment)은 한 개의 추간판(intervertebral disc)과 좌우 양측에 위치한 후관절(facet joint)로 이루어진다. 추간판은 주로 척추 분절의 일정 운동 및 안정화를 담당하고 충격을 흡수하고 압력을 분산하는 역할을 한다. 그 구조는 질긴 섬유조직인 섬유륜이 바깥을 둘러싸고 내부에는 젤라틴처럼 연하고 탄성이 높은 수핵(nucleus pulposus)이 들어 있으며 전만(lordosis)이 있는 경추와 요추에서는 앞쪽이 더 두껍고, 흉

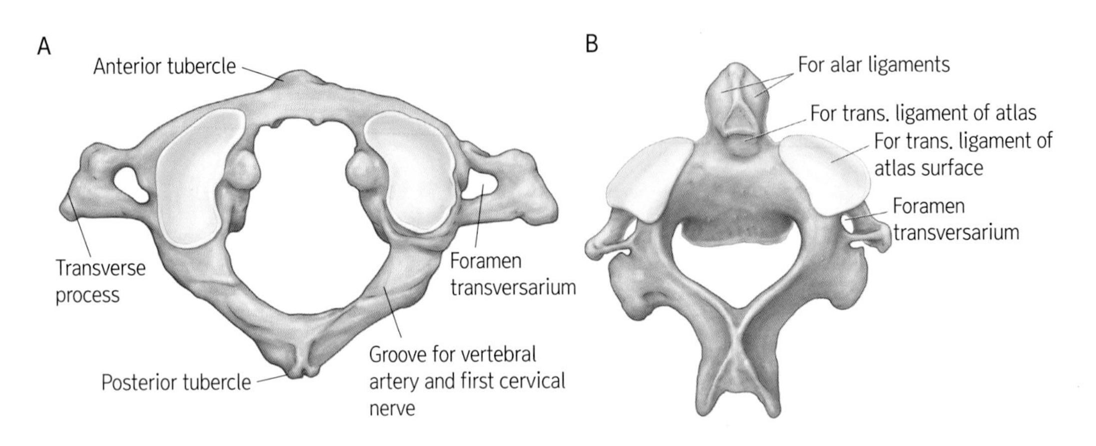

그림 15-7
A. 제1경추(위에서 본 모습), B. 제2경추(위에서 본 모습)

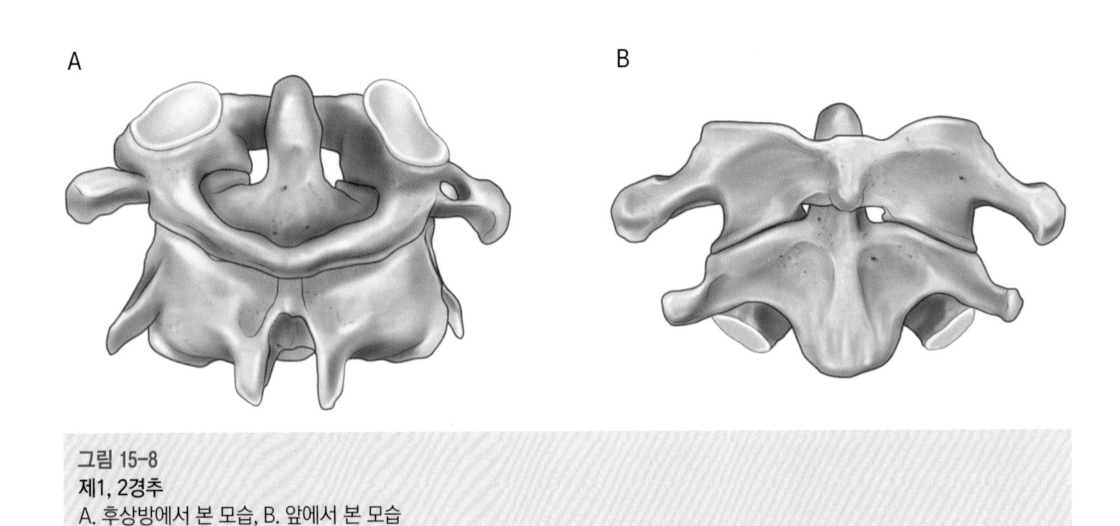

그림 15-8
제1, 2경추
A. 후상방에서 본 모습, B. 앞에서 본 모습

추에서는 앞뒤의 두께가 거의 같다. 축추(C2)에서 천골까지의 추간판이 차지하는 길이는 척주 전체 길이의 약 1/4 정도이다. 연골종판(cartilagenous endplate)은 hyaline cartilage로 구성되어 있으며, 성장 기간 중 섬유륜과 함께 추체의 높이 성장을 담당한다. 성인의 추간판에는 혈액 공급이 없고 확산 기전(diffusion mechanism)에 의하여 영양분을 공급받는다. 섬유륜의 바깥 부분 뒤쪽은 spinal nerve의 recurrent branch인 sinuvertebral nerve, 앞쪽은 주로 sympathetic nerve의 분지로부터 지배를 받는데 이러한 신경 지배로 인해 추간판에서 기인하는 통증은 somatic pain뿐만 아니라 내장성 통증(visceral pain)의 특징도 함께 나타나 통증의 국소화(localization)가 어려운 경우가 많다.

후관절(facet joint)은 인접 분절의 상하 관절 돌기가 만나 이루는 synovial joint로 그 관절면(articular surface)의 방향에 따라 척추 운동의 방향과 정도가 결정된다. 경추의 후관절면은 편평한 전상방에서 후하방으로 약간 기울어진 수평면(horizontal plane)에 가까워 굴곡, 신전, 측굴(lateral bending), 회전 운동이 일어날 수 있지만, 흉추에서는 관상면(coronal plane)에서 약간 앞으로 기울어져 있어 굴곡, 신전, 회전 운동은 가능하나 측굴 운동에 제한을 받는다. 하지만 흉추는 rib cage에 의해 안정화되어 실질적 움직임은 매우 제한적이다. 요추에서는 후관절면이 시상면(sagittal plane)에 가깝게 이루어져 있으므로 이루어져 굴곡, 신전, 측굴 운동은 용이하나 회전 운동에 제한을 받는다. 이외에도 척추 분절은 ligamentum flavum과 supraspinous ligament, ligamentum nuchae (경추의 경우), interspinous ligament 및 intertransverse ligament 등으로 연결되어 있는데 이들 구조물들은 주로 척주의 후방 안정성에 기여하며, 특히 골절 탈구 등의 외상 환자에 있어 이들 후방인대복합체(posterior ligament complex)의 손상 정도에 따라 치료 방침을 결정하는데 중요하다.

3) 척수 및 척추 신경

척수(spinal cord)는 medulla oblongata의 연장으로 foramen magnum을 지나 spinal canal을 따라 L1-2 추간판 높이까지 내려가고 그 이하에서는 척추신경(spinal nerve)의 다발인 마미(cauda equina)로 이어진다. Descending motor tract와 ascending sensory tract를 포함

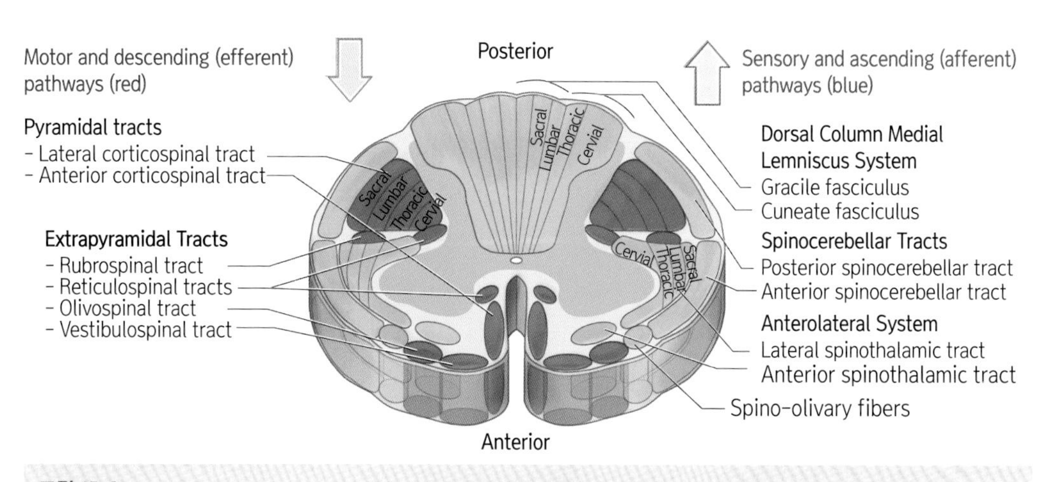

그림 15-9
척수의 상 · 하행 경로

하며 척수의 anterior column는 주로 상행성으로 가벼운 촉각을 전달하고 하행성으로 수의근(voluntary muscle)의 운동에 작용하며 균형 반사에도 작용한다. Lateral column은 상행성으로 고유감각의 반사 작용과 신체의 반대 측으로부터 thalamus까지 통각과 온도 감각을 전달하는 역할을 하며 하행성으로 수의 운동을 담당한다. Posterior column은 촉각, 압각 및 고유 감각(proprioception)의 감각 신호를 전달하며 운동에는 관여하지 않는다. 상행 및 하행의 신경 다발은 중심부에서 외측방향으로 cervical, thoracic, lumbar 및 sacrum nerve 순서로 위치한다(그림 15-9). 척수의 신경줄기는 spinal cord의 전측면에서 나오는 anterior root와 posterior central sulcus의 외측으로 들어가는 posterior root로 이루어진다. C1 spinal nerve root는 skull과 atlas 사이에서 나오며 나머지 cervical nerve root는 해당 vertebra의 위에 있는 intervertebral neural foramen에서 나오고 C8 spinal nerve root는 C7 vertebra 와 T1 vertebra 사이에서 나오게 된다(그림 15-10). 각 분절의 cervical spinal nerve root는 anterior root과 posterior root가 합하여 articular process의 앞과 uncinate process 사이를 지나 intervertebral neural foramen을 통과하여 척추동맥이 있는 foramen transversarium의 뒤를 지나게 된다. Spinal nerve root가 나오는 spinal cord 분절은 상응하는 추체보다 한 추체 상방에 있고, spinal nerve root의 출현 수준은 추간 공을 통하여 빠져나오는 수준보다 높으며, 이런 차이는 lumbosacrum 부에서 심하여 L5 spinal nerve root는 L4-5 intervertebral disc 수준에서 시작되지만 한 분절 아래의 L5-S1 intervertebral neural foramen을 통과한다. 8쌍의 cervical spinal nerve root, 12쌍의 thoracic spinal nerve root, 5쌍의 lumbar spinal nerve root, 5쌍의 sacral nerve root와 1쌍의 coccygeal nerve root이 있으며, 상지로 가는 말초 신경은 C5, 6, 7, 8 및 T1 spinal nerve

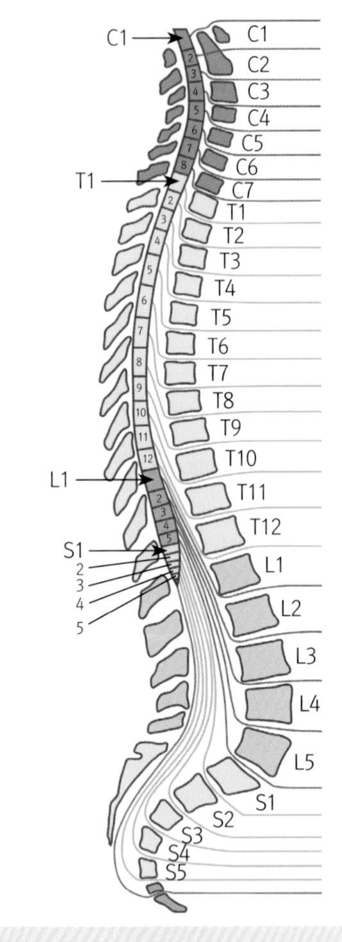

그림 15-10
척수 분절과 척추 분절의 차이

root가 intervertebral neural foramen을 빠져나와 형성한 brachial plexus에서 기인하고, 하지로 가는 말초 신경은 L1, 2, 3, 4, spinal nerve root가 이루는 lumbar plexus 및 L4, 5 및 S1, 2, 3 spinal nerve root가 이루는 sacral plexus에서 기인한다. 자율 신경계의 출구는 spinal cord의 경부, 흉부 및 요부 분절에서 나오는 sympathetic nerve system과 S2, 3, 4분절에서 나오는 parasympathetic nerve system이 있으며, 특히 sacrum의 parasympathetic nerve는 해당 sacral spinal nerve root와 동행하며 배뇨와 배변의 조절에 중요하다. 횡경막을 지배하는 신경 세포는 spinal cord의 제3, 4, 5경추부에 있어 이 부분이 손상을 입으면 호흡 곤란이 발생하며 conus medullaris 또는 cauda equina의 손상은 방광과 내장 기능에 장애를 일으킨다.

2. 척추 질환의 신체 검진

환자의 증상에 대한 충분한 병력 청취 이후 척추 질환을 감별하고자 하는 경우, 척추가 우리 몸에서 매우 큰 구조물이고 전신으로 이어지는 신경 계통의 통로임을 염두에 두고 신체 검진을 시행하여, 환자가 호소하는 증상과 관련된 척추의 분절을 국소화(localization)하는 것이 중요하다.

신체 검진은 환자의 자세(posture), gait 등을 관찰하는 데서 시작하는데 측만증(scoliosis)이나 후만증(kyphosis), 요추 및 경추의 전만(lordosis) 정도 및 체간 균형과 머리의 위치 및 경부 변형 등 척추와 관련된 정렬 상태(alignment)뿐만 아니라 슬관절과 고관절의 굴곡 구축이나 내반 변형 등의 정렬도 함께 살펴본다.

Foot drop (족하수)을 동반한 steppage gait (계상보행, 족하수보행), 고관절 외전근 약화와 관련된 Trendelenberg gait, 압박성 척수증(compressive myelopathy)에 의한 proprioception 장애와 경직성 마비와 관련된 myelopathic gait의 특징 등을 잘 이해하고 있는 것이 중요하다. Steppage gait의 경우 L4,5 spinal nerve root palsy 또는 peroneal nerve palsy 등으로 인해 ankle dorsiflexion이 안 돼서 보행 시 발끝이 바닥에 끌리는 경향이 있고 이를 피하기 위해 무릎을 높이 들어 올리면서 걷는 것을 관찰할 수 있으며 후방에서 보면 발이 바닥에서 떠 있을 때 peroneal muscle 약화로 발이 내전(inversion)되는 것을 관찰할 수 있다(그림 15-11).

Trendelenburg gait의 경우 고관절 외전근 약화 및 기타 고관절 질환에서 볼 수 있으며 척추 질환과 관련된 경우는 특히 gluteus medius muscle을 지배하는 L5 spinal nerve root palsy와 관련 있다. 이때 환자가 환측 하지로 지탱할 경우 골반이 반대측으로 기울어지는 것을 관찰할 수 있고 이를 보상하기 위하여 체간을 환측으로 기울이는 것을 관찰할 수 있다(그림 15-12).

Compressive myelopathy로 보행장애가 있는 경우 좌우로 휘청거리고 불안정한 균형을 보상하기 위해 wide-based gait를 보이고 경직성 마비가 동반되어 spastic gait 특성도 함께 보

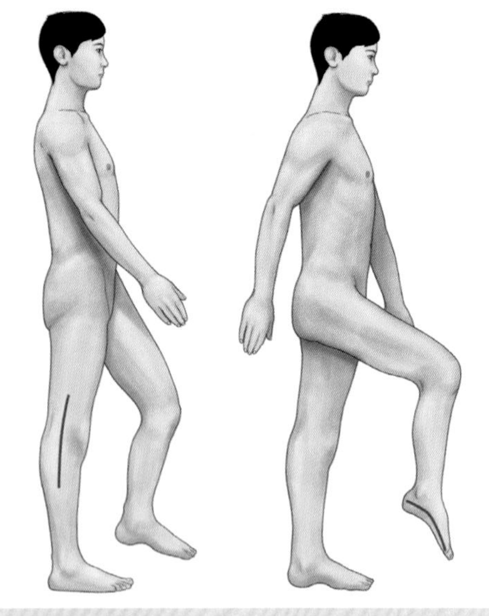

그림 15-11
Steppage gait의 특징

이는 경우도 많다. Tandem gait (heel-to-toe walking)나 한쪽 다리를 들고 서 있게 해서 균형을 유지하는데 문제가 없는지 살펴보는 것도 도움이 된다. 척추 질환으로 오인되거나 동반될 수 있는 파킨슨 증상의 특징적인 자세 및 보행 양상(cogwheel rigidity, camptocormia, shuffling gait) 등이 없는지도 확인하고 antalgic gait (shortened stance phase)가 있거나 short limb gait가 나타날 경우 하지 문제가 없는지 확인할 필요가 있다.

척추의 운동 범위 제한(limitation in range of motion)이 있는지, 운동 시 동통이 동반되는지 확인을 하는데 경흉추 병변을 감별하고

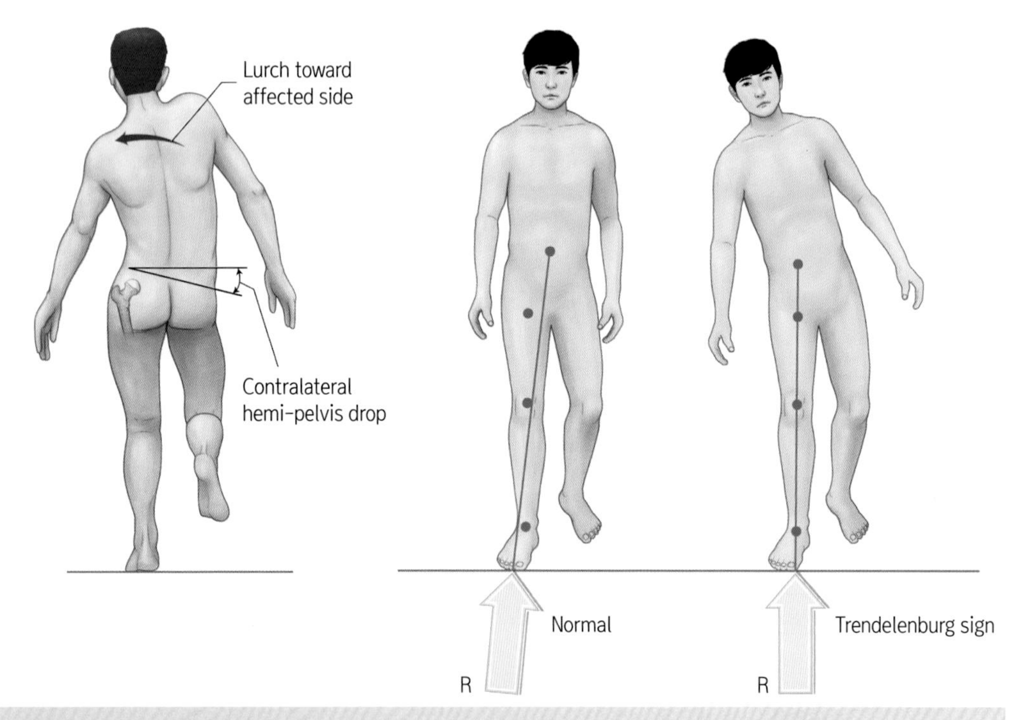

그림 15-12
Trendelenberg gait의 특징

자 할 때는 견관절 및 견갑골 또는 상완신경총, 또 요추 병변을 감별할 때는 고관절 및 천장관절의 병변을 시사하는 소견이 없는지 확인하는 것이 중요하다. 제1-2경추에 문제가 있는 경우 특징적으로 경부 회전 장애로 인한 사경(torticollis) 또는 cock-robin position을 나타나기도 하고, spinal cord 병변이 있는 경우 경부 또는 흉부 굴곡 시 팔 또는 다리로 전기 충격 같은 통증이 유발되는 경우(Lhermitte's sign)도 있다. Intervertebral disc 기원 요통(discogenic low back pain)의 경우 요추 굴곡, 복압 증가, Valsalva maneuver 등 척주 전방에 압력이 증가하는 경우 증상이 악화되고, facet 기원 요통의 경우 신전 등 척추 후방에 압력이 증가하는 경우 통증이 악화된다.

척추에서 촉진 시에는 압통의 유발에 의하여 연관통(referred pain)이 환자가 평상시 느끼는 양상으로 나타나는지, 또 압통(tenderness) 유발점의 위치가 spinous process를 따라 중심선(midline)에 존재하는지 아니면 척추주위근육(paravertebral muscle)이나 facet 등에 있는지 확인하고, 압통이 심부 촉진(deep palpation)에 의해 나타나는지 피하조직에서 기인하는지(superficial tenderness) 구별하는 것이 도움이 된다.

그리고 척추 질환 또는 손상 환자에서는 신경학적 상태를 평가하는 것이 진단 및 치료의 결정에 있어서 매우 중요하다. 감각 신경 기능은 보통 신경근 피부 분포(dermatome)를 고려하여 가벼운 자극(light touch)과 통각(pin prick)에 대해 확인하고, spinal cord 등의 중추 신경 병변 또는 spinal nerve root 등의 말초 신경 병변과의 감별이 필요한 경우 고유 감각 및 진동에 대한 감각도 확인하는 것이 도움이 된다. 그리고 감각 이상이 신경근 피부 분포를 따라 나타나는 경우(dermatomal distribution)는 관련 신경근을 이환하는 병변을 의심할 수 있으나, 그렇지 않은 경우(stocking-and-glove distribution)는 다발성 말초신경병변(peripheral polyneuropathy) 등을 생각할 수 있다. Hoffmann's sign, inverted radial reflex, ankle clonus, Babinski's sign, 심부건반사(deep tendon reflex, DTR) 항진 등 상부 운동신경 문제를 시사하는 병적 반사를 활용하면 compressive myelopathy 등 spinal cord 병변을 감별하는데 도움이 된다. Shoulder abduction relief test, femoral nerve stretch test, straight leg raise test 등 경추 및 요추의 특징적인 신경근 긴장 검사(nerve root tension test)를 통해 방사통이 호전 또는 유발되는지 확인하는 것이 신경근 압박 여부를 감별하는 데 도움이 된다. 운동 기능은 근육의 긴장도(tone), 근력(muscle strength), 조화(coordination), 근육량(muscle bulk) 및 불수의 운동(involuntary movement) 유무 등을 확인하는 것이 필요하다. 경추 및 흉요추의 질환과 외상 환자에서 확인할 신체 검진 소견은 각론에서 자세히 살펴보기로 한다.

3. 요추 염좌

1) 정의

요추부의 연부 조직 손상으로 요통(low back pain, LBP), 연관통(referred pain), 운동 제한 등이 발생하는 질환이다. 요통은 80~90%의 사람이 일생 중 경험하는 매우 흔한 증상이며, 요통의 대부분은 척추 질환에 의하여 생기고, 요추 염좌(lumbar sprain)는 요통의 가장 흔한 원인 중 하나이다.

2) 원인 및 병태생리

발생 시기에 따라 급성과 만성으로 구분한다. 급성 염좌는 요추에 직접적인 외상을 받거나, 운동이나 일 등으로 요추부의 연부 조직에 손상을 주어 발생한다. 요추부의 골성 조직은 이상이 없으나 인대, 근육 및 건 조직의 출혈, 신연 또는 파열에 의해 발생한다.

만성 염좌는 급성 염좌가 반복되면서 만성화되거나, 뚜렷하지 않은 여러 요인이 복합적으로 작용하여 요추부에 지속적인 스트레스가 가해져서 발생한다. 즉 과도한 체중, 좋지 않은 자세를 장시간 계속적으로 취하는 경우, 요추의 전만에 변화가 생겨 생리적인 만곡을 유지할 수 없는 경우, 척추의 선천적인 이상으로 주위 조직의 이상이 있는 경우에 발생할 수 있다. 상당 부분은 퇴행성 변화와 동반되므로 정확한 원인을 알기가 어렵다.

척추에서는 여러 조직 중 annulus fibrosus, 후관절막 등이 통증에 민감한 것으로 알려져 있다. 이 중 intervertebral disc의 손상 및 퇴행성 변화로 만성적인 요통이 생기는 경우를 discogenic pain이라 한다.

3) 증상, 신체 검사 소견

요추부의 연부 조직에 손상을 받게 되면 급성기에는 부종과 근육의 경련을 일으켜 주로 국소적인 심한 통증이 발생하고 몸을 움직이기 힘들어진다. 둔부나 허벅지 등으로 referred pain이 발생할 수 있으나, 무릎 밑으로 방사되지는 않는다. 하지의 약화나 감각의 둔화와 같은 신경 증상은 발생하지 않는다. 만성 염좌에서는 급성기와 같은 극심한 통증은 덜 할 수 있으나, 불규칙적으로 자주 재발하고 오래 지속되며 피곤감을 느끼게 되는 경우가 많다. 자세 변화에 의해 통증이 악화되기도 하며, 광범위하게 통증이 분포한다. 요추부 근육 경련으로 척추 측만이 나타날 수 있으며, 심한 운동 제한, 요추부 근육의 압통을 보일 수 있다. 요추부 근육 및 hamstring 근육의 경련으로 하지 직거상 검사(straight leg raising test, SLRT)상 제한이 있을 수 있는데, 이 경우 다리 통증이 아닌 요통으로 인해 제한이 되는 점이 추간판 탈출증과는 다르다. 하지의 신경학적 검사에서는 이상이 없다.

4) 검사 소견 및 진단

단순 방사선 사진에서는 특별한 이상을 보이지 않는 경우가 대부분이며, 일부 퇴행성 관절염 변화와 근육 경련으로 요추의 lordosis 감소나 측만증 소견을 보일 수 있다(그림 15-13). 일반적으로 급성 요추 염좌에서 MRI (magnetic

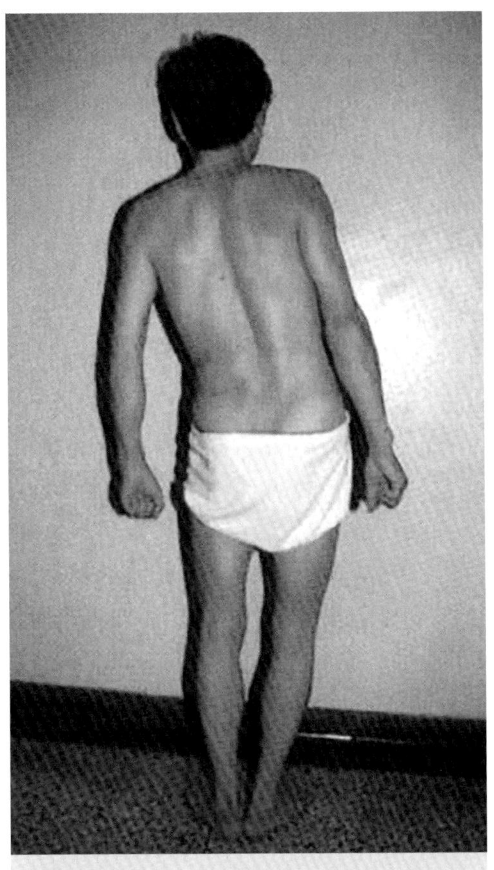

그림 15-13
급성 요추 염좌로 심한 요통과 근육 경련으로 척추 측만증이 발생하였다.

resonance imaging)와 같은 정밀 검사는 필요하지 않으나 다른 질환과의 감별이 필요한 경우 시행하기도 한다. 급성 요추 염좌에서 MRI 검사상 인대나 근육 손상 및 출혈이 확인되는 경우도 있지만 특이 소견이 없는 경우도 많다. 만성 요추 염좌 환자는 다양한 척추의 퇴행성 변화를 동반하고 있는 경우가 많은데 영상의학적 검사로는 무증상의 퇴행성 변화와 감별이 어렵다.

5) 치료

보존적 치료가 원칙이다. 급성기에는 단단한 매트리스를 이용하여 단기간 안정(24시간 이내)을 시키고, 진통소염제, 근이완제를 투여한다. 호전이 없으면 국소마취제로 압통이 있는 부위에 주사할 수도 있다. 급성 통증이 호전되면 온열 요법을 포함한 물리치료, 운동요법을 시작하는 것이 좋다. 만성기에는 체중을 줄이고, 금연하며, 일상 생활 중 바른 자세를 유지하도록 교육하는 것이 중요하다. 이때도 약물이나 물리 치료도 도움이 될 수 있다. 허리 주변 근육을 강화시키도록 꾸준히 운동하며, 허리를 많이 비틀거나 구부리고 충격을 주는 자세나 일, 운동은 피하는 것이 좋다. 일을 하는 경우 일시적으로 허리 보조대를 착용하는 것이 도움이 될 수 있다. 보존적인 치료에도 반응하지 않는 심한 만성 요통은 좀 더 적극적인 치료 방법도 고려한다. 통증의 원인으로 가장 의심되는 곳의 통증을 유발(provocation)하여 병소를 확인하고 이를 차단하기 위한 시술을 하기도 한다.

4. 추간판 탈출증

1) 정의

추간판 탈출증(herniated intervertebral disc, herniated nucleus pulposus, HIVD, HNP)은 추간판의 퇴행성 변화(degeneration)에 의해서 발생한다. 섬유륜(annulus fibrosus)의 내측 또는 외측 섬유가 파열된 틈으로 탈출된 수핵

(nucleus pulposus)이 척수의 경막(dura mater of spinal cord)이나 신경근(nerve root)을 압박하여 신경 증상을 유발하는 질환이다.

2) 원인 및 병태생리

성인의 추간판은 무혈성 조직으로 영양과 산소 공급에 취약한 상태이다. 종판의 모세혈관으로부터 확산으로 영양 공급을 받게 되는데 나이가 들면서 모세혈관이 좁아진다. 산소공급이 줄어들면서 퇴행성 변화가 시작된다. 수핵은 세포의 노화로 인하여 단백다당(proteoglycan)과 이것이 함유하고 있는 수분이 감소하고 결국 섬유화된다. 수핵을 싸고 있던 섬유륜은 탄력을 잃고 균열이 생겨 이곳을 통해서 수핵이 탈출된다. 이때 추간판 후방의 가운데 부분은 후종인대(posterior longitudinal ligament)에 덮여 있어 수핵은 주로 후외방으로 빠져나오게 된다. 젊은 사람의 수핵은 수분을 많이 함유 하고 있어 수핵이 흘러 나오기 쉬운 반면, 고령의 경우 수핵내의 퇴행성 변화로 수분 함량이 감소하여 수핵이 흘러나오기 쉽지않아 추간판 탈출증의 빈도는 줄어든다.

추간판 탈출증은 흔히 탈출된 모양을 기준으로 세 단계로 구분할 수 있다. 먼저 돌출 또는 팽윤된 추간판(protruded or bulging disc)은 수핵이 파열된 섬유륜의 내부섬유 틈을 밀고 나온 상태로 외측 섬유륜은 온전한 경우를 말하며, 두 번째로 탈출된 추간판(extruded disc)은 외측 섬유륜까지 파열되어 수핵이 섬유륜의 전층을 뚫고 빠져나왔으나 아직 탈출된 수핵과 남은 수핵의 연결이 끊어지지는 않은 상태를 말한다. 세 번째로 분리된 추간판(sequestrated disc)은 이 연결마저 끊어져 탈출된 수핵이 척수강 내에서 상하좌우로 이동된 상태이다(그림 15-14).

3) 증상 및 신체 검사

초기 증상은 요통이 요천추부를 중심으로 생기고, 자세 변경이나 복압이 증가하는 경우에 증상이 악화되는 것이다. 통증이 천장 관절(sacroiliac joint) 부위, 둔부, 서혜부(inguinal area) 혹은 대퇴부(thigh)까지 옮겨가는 연관통으로 나타나는 경우도 있지만, 대부분은 신경근이 자극을 받게 되어 무릎 밑으로, 심하게는 발가락 끝까지 저린 느낌으로 나타나는 방사통이 가장 특징적인 임상 증상이다. 압박되는 신경근에 따라 근력이 떨어지거나 피부 감각이 저하된 부위, 저하된 건반사가 다른데, **표 15-1**과 **그림 15-15**와 같다. 추간판 탈출증을 진단할 수 있는 가장 유용한 유발검사로는 하지 직거상 검사(straight leg raising test)가 있다(그림 15-16A). 환자를 앙와위(supine) 자세로 눕힌 후 발뒤꿈치를 잡고 무릎의 신전상태를 유지하면서 다리를 들어올린다. 30~70° 사이에서 환자가 들어 올리는 다리의 방사통을 느끼게 되면 양성으로 간주한다. 제4, 5요추, 제1천추 신경근을 검사하는게 좋은 검사이며, 제2, 3요추 신경근은 좌골 신경이 아닌 앞쪽의 대퇴신경으로 주행하기 때문에, 복와위(prone) 자세에서 슬관절을 굴곡 시킨 후 다리를 후방으로 당겨 검사하는 대퇴신경 신전

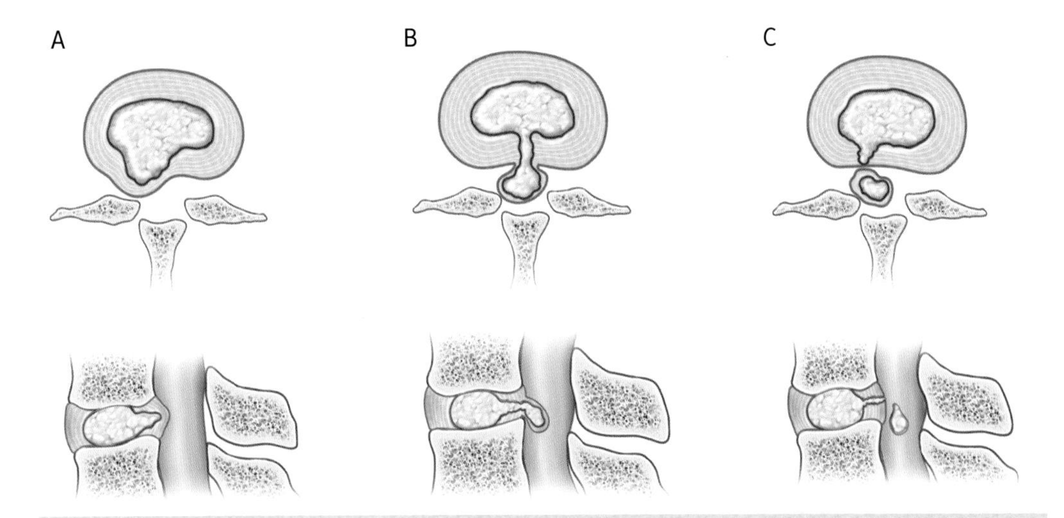

그림 15-14
A. 추간판 돌출. 추간판이 원추간판에 연결되어 있는 상태이며, 아직 외부 섬유륜의 일부가 파열되지 않아 수핵이 외부로 노출되지 않은 상태이다.
B. 추간판 탈출. 추간판 섬유륜의 전층이 파열되어 수핵의 일부가 섬유륜의 균열을 통해 완전히 빠져나온 상태이다.
C. 추간판 격리(유리). 탈출된 추간판 혹은 수핵이 모체와 연결이 단절되어 유리된 상태를 말한다.

표 15-1
일반적인 요추 intervertebral disc 탈출증의 임상 양상

이환	이환 신경근	감각 이상	근력 약화	건반사 약화
L3-4	L4	하퇴부 내측 슬부 전측	고관절내전근(hip adductors) 대퇴사두근(quadriceps femoris) 전방경골근(tibialis anterior)	슬개건반사 (knee jerk)
L4-5	L5	대퇴부 후외방 하퇴부 전외측 족배부 제1족지 배부	전방경골근(tibialis anterior) 중둔근(gluteus medius) 장족무지신근(extensor hallucis longus) 장족지신근(extensor digitorum longus)	
L5-S1	S1	족관절 외과 족부 외측 발 뒤꿈치 제4-5족지간	대둔근(gluteus maximus) 하퇴삼두근(triceps surae) 장비골근 및 단비골근(peroneus longus & brevis)	족근반사 (ankle jerk)

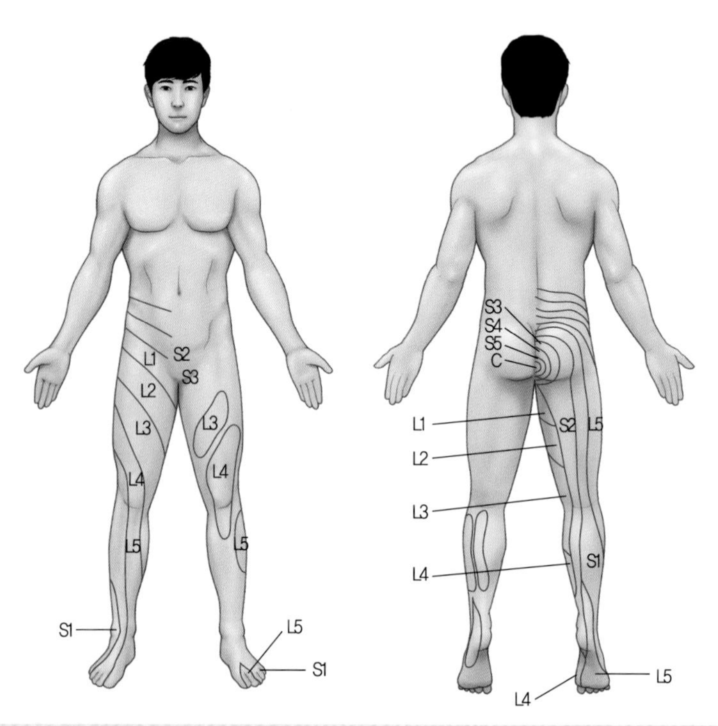

그림 15-15
하지의 피부고유감각영역(dermatome)

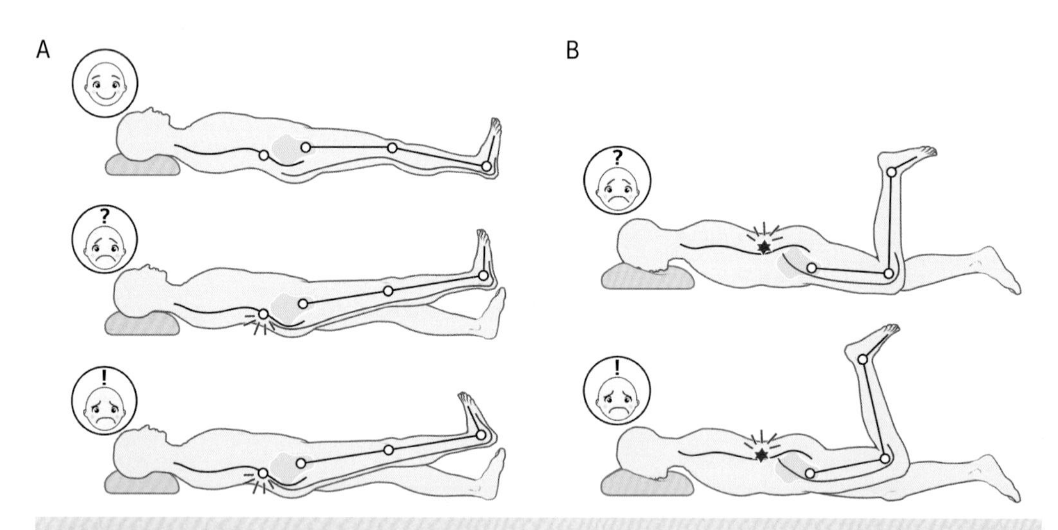

그림 15-16
A. Straight leg raising test
B. Femoral nerve stretching test

검사(femoral nerve stretching test)에서 양성으로 나타난다(그림 15-16B).

4) 검사소견 및 진단

단순 방사선 검사로는 추체간 간격 감소(intervertebral disc space narrowing) 등의 간접적인 소견만을 관찰할 수 있으며, 요천추부의 전후면 및 측면 사진과 함께 골반 사진을 촬영하는 것이 좋다. 측면 사진에서는 추간판 간격이 좁아지거나 척추의 전만곡(lordosis)이 소실되기도 하고, 전후면 사진에서는 통증으로 인한 측만(scoliosis)이 나타나기도 한다(그림 15-17). MRI는 추간판 탈출증을 진단하는 데 있어 가장 유용한 영상검사로, 특히 신경조직의 관찰이 우수하며, 척추강 내, 추간공 내, 혹은 극외측 의 추간판 탈출증을 관찰하는데 유용하다(그림 15-18).

5) 치료

대부분의 추간판 탈출증 환자는 대부분 침상 안정, 약물 요법, 그리고 물리 치료 등의 보존적 치료로 증상이 호전되며, 보존적 치료에도 증상의 회복이 없고 일상생활에 장애가 있는 경우 수술적 치료를 시행할 수 있다. 수술은 1) 신경증상이 매우 심하거나 점차 증가하는 경우, 2) 참을 수 없는 동통이나 재발한 동통, 장기간의 보존적 치료로 호전되지 않는 동통, 활동에 심한 장애를 초래하는 동통, 3) 대소변 장애가 초래된 경우 시행을 고려한다. 마미증후군이 초래된 때에는 응급으로 수술을 시행하는 것이 좋다. 추간판 탈출증의 기본적인 수술적 치료법은 추간판 절제술(discectomy)이며, 수술은 황색인대(ligamentum flavum) 제거 및 추궁판 절제술(laminectomy) 또는 부분 추궁판 부분 절제술

A

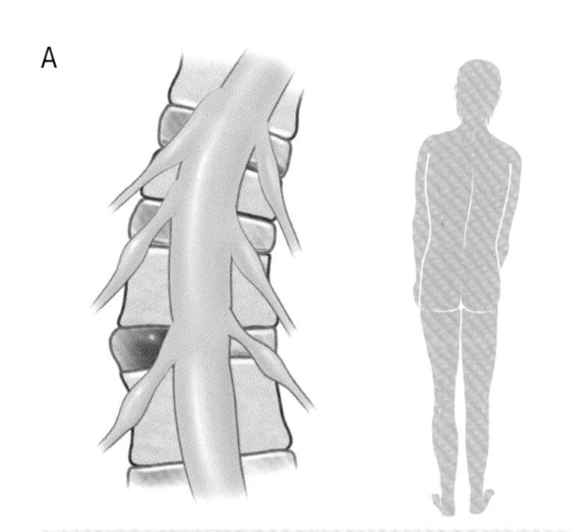

B

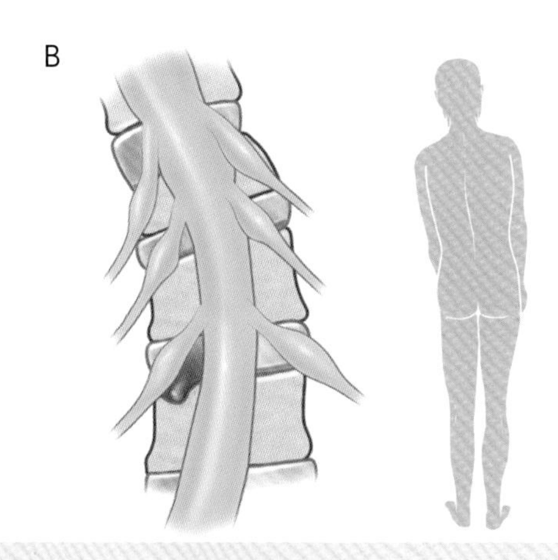

그림 15-17
추간판 탈출의 위치에 따른 척추 측만의 방향
A. 신경근의 외측으로 돌출되면 반대편으로 편향된다.
B. 신경근의 내측으로 돌출되면 같은 쪽으로 편향된다.

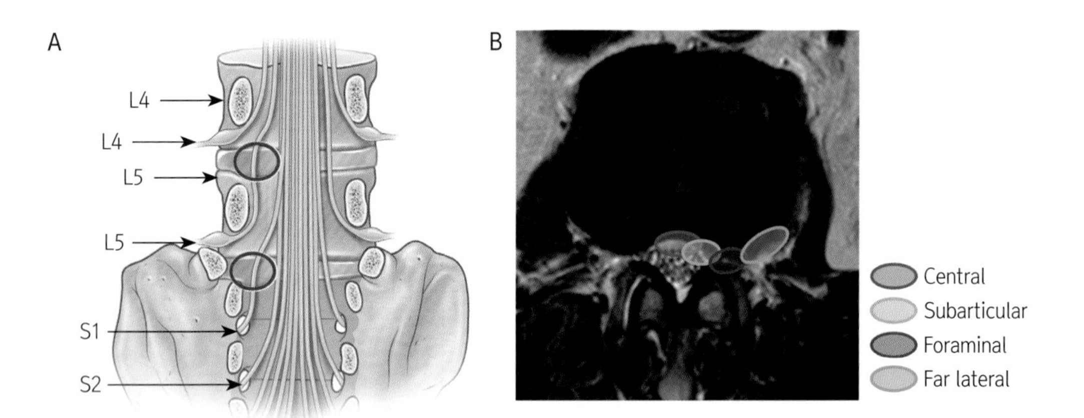

그림 15-18
A. 일반적으로 요추 추간판 탈출증에서 중심성, 혹은 후외측으로 탈출된 추간판은 추간판을 가로지르는 신경(제4-5요추간 탈출 시 제5신경근)을 압박한다. 하지만 극외측 추간판 탈출증은 한 분절 위의 신경(제4-5요추간 탈출 시 제4신경근)을 압박한다.
B. 추간판 탈출증의 위치에 따른 분류

을 시행하고 신경근을 손상되지 않게 조심스럽게 내측으로 견인하여 탈출된 추간판을 노출시켜 추간판을 제거한다.

5. 요추 척추관 협착증

요추 척추관 협착증(lumbar spinal stenosis)은 요추부에서 척추 신경(spinal nerve)이 지나는 공간이 좁아져서 신경을 압박하여 요통, 다리로의 방사통, 간헐적인 파행(intermittent claudication), 보행 장애, 배뇨 및 배변 장애 등의 다양한 신경 증상을 일으키는 질환이다.

1) 원인 및 병태생리

Achondroplasia 같은 왜소증에서 선천적인 spinal canal 협착증이 생기기는 하나, 대부분은 후천적으로 발생하며, 노화 현상에 의한 퇴행성 변화가 주원인이다. 퇴행성 척추관 협착증은 그 증상이 50~60대에 시작되며, 중심부 협착 외에 lateral recess 및 intervertebral foramen과 같은 외측부의 협착 또한 흔한 소견이다. 제4–5요추간에 가장 흔히 발생하며, 제3–4요추간 및 제5요추–제1천추간에도 호발한다.

퇴행성 척추관 협착증은 만성적이고 지속적인 골조직과 연부 조직의 변화에 의해 신경이 지나는 공간이 좁아져서, 중앙부 및 외측부에서 신경이 눌리게 된다. 중심부 협착증은 주로 척추체간(intervertebral) 부위에서 나타나며, 비후된 facet joint, 두껍고 겹쳐진 ligamentum flavum, intervertebral disc 돌출 및 퇴행성 척추전방전위증(spondylolisthesis) 등에 의해 발생한다. 앉아 있을 때보다 서게 되면 요추의 전만(lordosis)이 증가하게 되고 ligamentum flavum이 겹쳐지고 신경을 더 압박하게 되면서 서서히 증상을 일으키게 되어 전형적인 간헐적인 파행이 생기게 된다. 외측부 협착증은 dural sac에서 신경근이 기시하여 intervertebral foramen으로 빠져나가는 길목에서 intervertebral disc, facet, ligamentum flavum, 척추분리증(spondylolysis)에서의 비후된 섬유 연골조직 등에 의해 신경근이 압박되어 증상이 생긴다. 이러한 신경근증은 해당 신경근의 분포 부위에 통증을 유발하고 감각 및 운동 능력을 저하시킬 수 있다.

척추관 협착증에서 증상의 발생은 기계적 압박, 혈행 장애, 화학적 자극 등의 기전으로 설명된다. 안정 시에는 증상이 없다가 보행 또는 기립 시 증상이 나타나는 점은, 요추가 신전되면서 spinal canal이 더 좁아져 신경이 눌리게 되며, 하지의 운동에 의하여 신경근의 대사율이 증가하는데 비해 상대적으로 신경근에 대한 혈류 증가가 충분치 못하기 때문이다. 두 분절 이상의 spinal canal 협착증에서 정맥의 congestion이 병인에 기여할 수 있다. 신경근이 손상을 입으면 sensitization이 되어 만성적인 신경근 통증이 생긴다. 그 외에도 척추 구조물들로부터 염증 물질이 유리되어 신경근 통증을 일으킨다고 보고되고 있다.

자연 경과상 일반적으로 증상의 악화와 호전이 반복되며 서서히 나빠질 수 있으나, 증상이 완전히 호전되거나 반대로 갑자기 악화되는 경우는 흔하지 않다. 협착증이 심해도 intervertebral disc 탈출증으로 갑자기 악화되지 않는다면 급성으로 하반신 마비가 생기는 경우는 매우 드물다.

2) 증상, 신체 검사 소견

Intervertebral disc 및 facet joint의 퇴행성 변화가 있으므로 요통이 있으나, 평상시 다리로의 방사통은 심하지 않다. 그러나 똑바로 서거나 걷게 되면 엉덩이 및 다리로 당기고, 쥐어짜고, 터질 것 같은 통증이 서서히 발생하여, 점차 힘도 빠지는 것 같아서 걷기가 힘들어진다. 걸을 때 허리를 구부리면 요추의 전만이 줄어 ligamentum flavum 중첩이 줄면서 협착이 호전되어 다리가 덜 아프므로 허리를 구부린 채 걷기도 한다. 보행 시 통증이 심할 때는 잠시 앉거나 서서 허리를 구부려 주면 증상이 호전되어 다시 걸을 수 있게 되는 경험을 하는 경우가 많다. 이를 intermittent claudication이라 하며 주로 중심부 협착증에서 많이 볼 수 있는 증상이다. 이와 같은 neurogenic claudication과 비슷한 경우로 하지로 가는 혈관이 막혀서 파행(vascular claudication)이 올 수 있는데, 이때는 가만히 서있기만 해도 증상이 좋아지고, 다리의 운동량에 비례하여 증상이 악화되어 계단 오르기 같은 경우 더 심해지는 것이 다른 점이다.

동통의 호소가 신경근에 의한 방사통의 형태와 유사함에도 하지 직거상 검사는 통상 음성이다. 신경학적 검사에서 근력 약화 등의 다양한 증상에도 불구하고 운동 신경 장애의 소견은 드물다. 감각 신경에 대한 검사에서도 이상 감각의 증상 호소에도 불구하고 그

양성 소견은 드물다. 운동 신경 이상이 있다면 extensor hallucis longus muscle의 약화가 가장 흔히 보는 소견이다. 감각 신경에 이상이 있으면 말초 신경 이상이 아닌지 의심해야 한다. 양측 하지의 맥박을 dorsalis pedis artery와 popliteal artery에서 촉지하고 그 이상 유무를 살펴 혈행 장애에 의한 질환들을 감별해야 한다. 고관절 주위에 통증이 있는 경우 고관절 자체에 의한 통증이 아닌지 감별을 요한다.

3) 검사 소견 및 진단

기본적 검사인 단순 방사선 사진으로는 주로 standing AP, Lat 사진과 굴곡 및 신전 Lat 사진을 찍는다. Intervertebral disc 간격 감소, facet 비후, spur 등이 보이며, 특히 degenerative spondylolisthesis나 degenerative lumbar scoliosis가 있는 경우, 척추 협착증이 있을 확률이 높다. 굴곡-신전 촬영은 분절간 불안정성을 확인하는데 유용하다(그림 15-19). CT는 골조직으로 인한 협착증의 진단에 유용하지만, intradural 병변에 대한 진단율이 떨어지고, 연부 조직의 감별이 어렵다는 단점이 있다. 최근 3차원 기법을 이용한 sagittal reconstruction으로 MRI와 비슷한 영상을 얻을 수 있어서, MRI를 찍을 수 없는 환자에서는 차선의 검사로서 선택될 수 있다.

MRI는 일반적으로 협착증을 진단하는데 제일 정밀한 검사이나 비용을 고려하여 필요한 경우에만 시행한다. 비침습적이며, 방사선 피폭이 없고, T1 강조 영상에서는 신경 조직과 주위 구조와의 관계를 정확히 볼 수 있으며, T2 강조 영상에서는 intervertebral disc의 퇴행성 정도와 병변 부위를 관찰하는 장점이 있고, myelography와 비슷한 영상을 볼 수 있다(그림 15-20).

근전도(electromyography) 검사 시 radiculo-

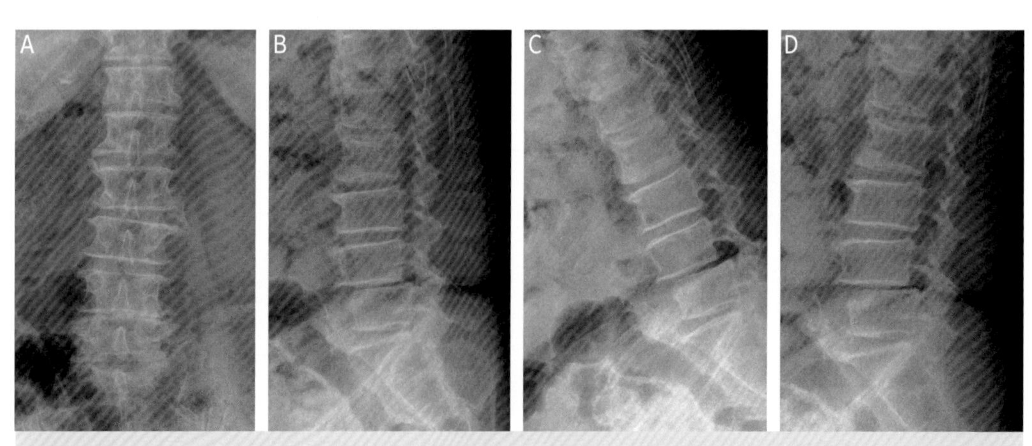

그림 15-19
A, B. 단순 방사선 AP, Lat 사진. 요추 전반에 spur 형성, intervertebral disc 간격 협소, lordosis의 감소 등 퇴행성 변화를 보이며, 특히 제4-5요추간 척추의 퇴행성 전방전위증도 보인다.
C, D. 굴곡-신전 Lat 사진. 굴곡 시 전위가 심해지며, 신전 시 제4-5요추간 신경공의 크기가 작아진다.

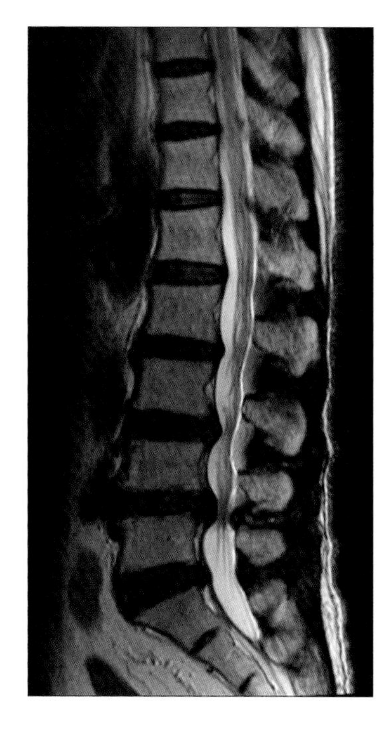

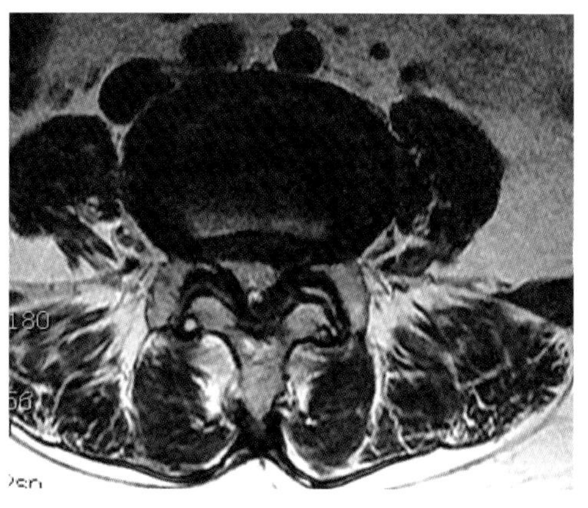

그림 15-20
T2 강조 영상 MRI 사진
여러 부위의 협착증이 있으나 특히 제4-5요추간 협착이 심하며, 중앙부뿐만 아니라 신경공도 좁아져 있다.

pathy 소견을 보일 수 있으며 양측 하지에서 여러 신경 분절의 이상이 관찰될 수 있으나 정상인 경우가 더 많다.

4) 치료

(1) 보존적 치료

선천성 협착증은 젊은 연령에서 점진적인 마비를 유발할 수 있기 때문에 적극적인 대처가 요구되지만 대부분의 척추관 협착증 환자에서는 심각한 신경 마비가 드물고 노년에 기능적 소실이 서서히 오기 때문에, 비록 심한 협착이 있더라도 일차적으로 보존적 치료를 시행하는 것이 원칙이다. 보존적 치료 적응증은 첫째, 신경 마비 증상이 없고 경도 및 중증도 증상이 있는 경우, 둘째, 전신 상태가 불량한 경우, 셋째, 수술을 거부한 경우이다. 치료의 목표는 통증의 완화와 기능의 향상이다.

가장 기본적인 치료는 환자 스스로가 평소에 허리에 무리가 가지 않게 조심하는 것이다. 무거운 것을 들고, 허리를 숙이고, 바닥에 자주 앉는 것 등은 퇴행성 변화를 더욱 조장하여 증상을 악화시키기 쉬우므로 피해야 하고, 금연과 체중 감량이 추천된다.

약물 치료로서 소염제는 신경근 주위의 염증이 사라지게 하여, 급성 동통이 감소될 수 있으나 만성적인 경우는 효과가 의문시된다. 경구용 부신피질 호르몬제는 가장 효과적인 소염제 중 하나이나 합병증을 초래할 수 있으므로 적절한 용량을 단기간 사용하여야 하고 용량도 서서히 감량하여야 한다. 이외에도 단순 진통제나 신경 주위 혈관의 혈류 개선을 통해 증상을 완화시키는 약제가 있다. 저린감으로 대표되는 신경병성 통증에 대해서는 항우울제, 항경련제 등도 사용된다.

국소 마취제와 함께 주입하는 스테로이드 요법의 효용성에 대해서는 다양한 보고가 있으나, 심한 급성 방사통 및 파행성 동통을 경감하여 조기에 적극적인 보존적 처치를 유도하는데 도움이 된다. 이외에 각종 catheter 기구를 이용하는 시술들은 보존적 치료와 수술적 치료의 중간적 치료 형태로 간주되나 아직 임상적 결과는 충분하지 않다.

물리 치료는 단일 치료 방법으로서는 효과가 떨어지나, 투약 및 주사 요법과 더불어 보다 적극적으로 환자를 움직이게 하는 데에 도움이 된다. 일반적으로 권장되는 운동 요법으로 isometric flexion exercise이 있다. 자전거를 타게 하거나, 경사된 treadmill을 걷게 하는 것도 도움이 된다.

(2) 수술적 치료

수술은 영상 결과가 심해서 하는 것이 아니라, 허리와 다리의 증상으로 인하여 환자 스스로 영위하는 삶이 만족스럽지 못하다고 판단될 때 행하여진다. 척추관 협착증은 고령의 환자에서 주로 발생하여 내과적 문제를 동반하는 경우가 많기 때문에 수술 전 심폐 기능 검사 등의 충분한 내과적 검사는 필수적이다. 수술을 권유하는 데는 다음의 세 가지 지침이 적용될 수 있다. 첫째로, 지속적인 다리의 통증이 환자의 삶의 질(quality of life)에 장애가 될 때이다. 둘째로, 최소한 2~3개월간의 여러 가지 보존적 요법에 실패하였을 때이다. 셋째로 CT 혹은 MRI 상의 소견이 환자가 가지는 증상과 부합되어야 한다. 드물지만 비교적 급격히 진행되는 신경 장애나 대소변 기능의 상실은 조기에 감압술을 요한다.

단순한 퇴행성 척추관 협착증은 불안정성이 없는 경우가 많아서 감압술(decompression) 단독으로 만족할 만한 결과를 얻을 수 있다. 척추관 협착증에 대한 수술에서 경막과 신경근을 압박하는 구조물(골성 및 연부 조직)을 제거하는 감압술은 하지 증상의 즉각적인 소실과 직접 관계되는 중요한 수기라 할 수 있다. 직접 감압 방법은 감압 범위에 따라 lamina 확장술(laminotomy), lamina 절제술(laminectomy), lamina 성형술(laminoplasty) 등이 있다. 충분한 감압을 하면서 가능한 facet을 보호하고 남겨야 하는데, 최근에는 근육의 골 부착 부위를 보존하거나 원형의 견인기(tubular retractor), 내시경(endoscope) 등을 통한 최소침습적인 수술 방법이 적용되기도 한다. 골 유합술(fusion)의 가장 중요한 적응증은 첫째, 척추의 불안정성이 있거나 수술로 불안정성이 발생할 경우, 둘째, 요추부의 측만증이나 후만증과 같은 변형이 동반된 경우 이를 교정할 필요가 있을 때, 셋째, 재수술로 보다 광범위 감압술이 필요한 경우를 들 수 있다. 유합술(fusion)을 시행하는 경우 후방에서 직접 감압술을 하는 경우, 후외방 혹은 후방 추체간 유합술을 시행하고 있다. 환자의 조기 거동 및 재활, 골유합률의 증가, 기형의

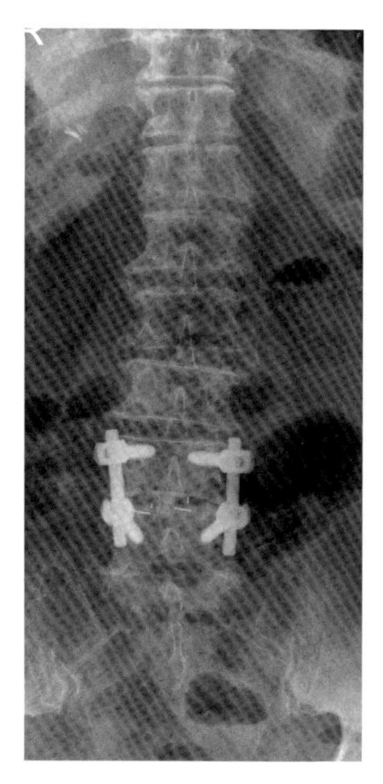
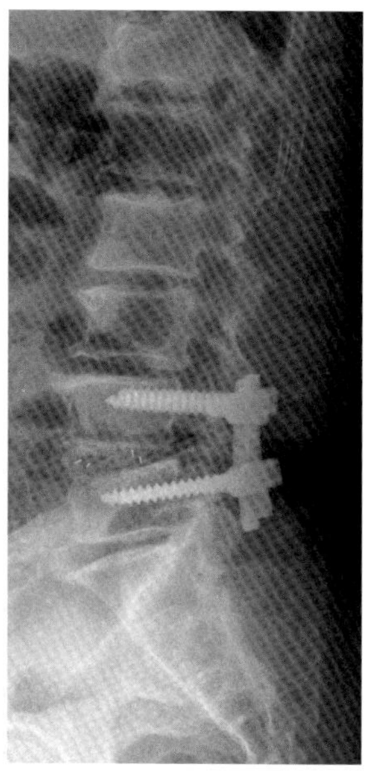

그림 15-21
수술 후 단순 방사선 AP, Lat 사진
다른 보존적 치료에도 호전 없어 수술을 시행하였다. 제4-5요추간 광범위 감압술 후 추체간 cage를 이용해 유합술을 하였고, pedicle 나사를 이용하여 고정하였다.

교정과 체간 균형 복구 등의 목적으로 고정기기들이 사용되기도 하며, cage와 pedicle 나사못 등을 이용한 고정이 주로 시도되고 있다(그림 15-21). 최근에는 전방에서 추체간 유합술을 통해 간접적으로 spinal canal을 확장시키고 후방에서는 경피적으로 고정술을 시행하는 방법도 적용되고 있다.

6. 척추 전방전위증

1) 정의

상부의 추체(vertebral body)가 하부의 추체에 대해 전방으로 이동된 상태를 척추 전방전위증(spondylolisthesis)이라고 하며, 척추 후궁(lamina)의 협부(pars interarticularis, isthmus)에 한쪽 혹은 양쪽 결손이 있는 경우를 척추분리증(spondylolysis)이라고 한다. 척추분리증은 7~8세 이후부터 주로 발생하며 11~15세 사이에 주로 이루어진다. 반복적인 신전스트레스나 신전-회전 스트레스가 가해질 때 발생할 수 있고, 20세가 되면 발병률은 더 이상 증가하지 않는다고 알려져 있다.

2) 원인 및 분류

국내에서 가장 널리 사용되는 분류법은 Wiltse 등의 분류로 원인에 따라 6가지로 분류한다.

(1) 선천형(congenital or dysplastic)

전위된 추체의 추궁판과 관절돌기의 이형성 등 요천추부에 선천적인 이상이 있어서 지지 기전이 손상되어 상부 추체가 전위된다.

(2) 협부형(isthmic)

협부에 스트레스 골절에 의한 결손이 생기거나, 미세한 골절이 반복되고 치유되면서 협부가 길어지거나 혹은 발생한 골절이 유합되지 않고 추체가 전위된다.

(3) 퇴행성(degenerative)

연령이 증가하면서 척추에 퇴행성 병변으로 인해 분절 간의 불안정성이 장기간 지속되면서 발생한다. 주로 40대 이후에 발생하고 여자에서 약 6배의 빈도를 보이며, 제4요추가 다른 부위에 비해 6~9배 호발한다.

(4) 외상성(traumatic)

급성 외상으로 지지 부분에 골절이 발생하여 2차적으로 추체가 전위되며, 대부분 심한 외상에 의한 골절로 동반 골절과 손상이 흔하고 서서히 전위가 진행한다.

(5) 병적형(pathologic)

국소적 또는 전신적인 골질환으로 척추경, 협부, 상하 관절돌기 등의 병변으로 체중을 지탱하지 못해 추체가 전방으로 전위되는 것으로 페제트병(Paget's disease), 알버스-숀버그병(Albers-Schönberg disease), 골형성부전증(osteogenesis imperfecta), 관절 구축증(arthrogryposis), 매독 등이 있고 국소 질환으로 골종양과 감염 등이 있다.

(6) 수술후형(post-surgical)

빈도는 약 3~5%이며, 후방감압술을 시행할 때 척추의 지지 조직(특히 협부)을 과도하게 제거하거나 인접 후관절에 손상을 준 경우에 발생한다.

3) 임상 소견 및 진단

(1) 임상적 소견

대부분의 척추 분리증 및 협부형 전방전위증은 증상이 없고 진행하지 않는 경우가 많다. 그러나, 선천성 혹은 발육성 소인이 있거나 지속적인 생화학적 이상이 있는 경우 전위가 진행되고 시상만곡의 변화가 발생한다. 소아에서는 주로 하요추부 강직과 통증 및 둔부와 허벅지로의 방사통, 자세 이상 등의 증상이 발생한다. 고도로 전위될 경우 마미(cauda equina)의 압박으로 방사통과 배변 및 배뇨장애가 발생할 수 있다. 성인에서는 다양한 형태의 요통과 하지 방사통이 발생하며, 요통과 방사통은 주로 상체를 신전할 때 악화되고 굴곡할 때 완화된다.

(2) 방사선 검사

단순방사선 검사, 전산화단층촬영, 자기공명영상검사 등을 시행하며, 청소년기 운동선수에서 척추분리증의 조기 진단을 위해 골주사검사나 SPECT (single-photon emission computed tomography) 검사를 시행하기도 한다.

단순방사선 검사상 전후면 촬영은 전위가 적은 경우 특이 소견이 발견되지 않을 수 있으나 전위가 심할 경우 reverse Napoleon hat sign이 보일 수 있고, 사면(oblique) 사진에서는 협부의 결손(Scotty dog 음영)이나 신연(grey hound dog 음영)을 확인할 수 있다. 전위의 정도는 기립 상태에서 측면 촬영을 하여 위, 아래 척추에 대한 전위 정도를 평가할 수 있고, 분절 불안정성은 측면 굴곡 및 신전 촬영을 하여 전위 정도의 변화로 평가한다(그림 15-22).

전산화 단층촬영은 협부 결손 진단, 섬유연골 종괴의 진단에 유용하며 최근에는 3차원 재구성을 통해 추간공 협착을 진단할 수 있어 유용한 진단방법이다.

자기공명영상검사는 추간판 상태를 판단하고 신경근의 압박이나 추간공의 상태를 관찰할 수 있어 신경증상을 유발하는 구조물을 확인함으로써 수술적 치료의 계획을 세우는데 도움이 된다.

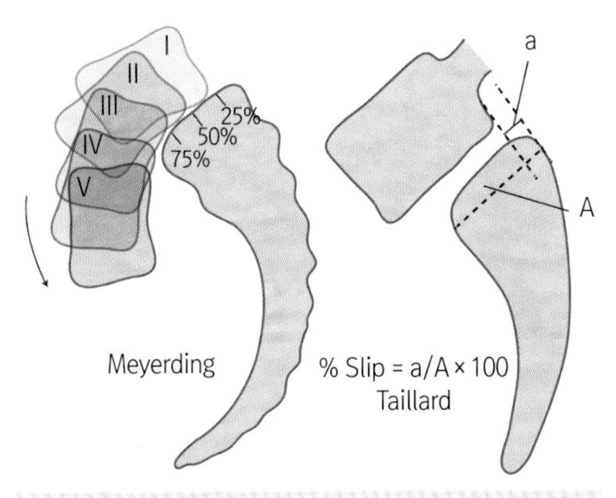

그림 15-22
전방 전위증의 전위 정도는 Meyerding법과 Taillard법을 이용해 주로 측정한다.

4) 치료

병인, 전위 및 시상 만곡의 변화 정도 및 증상에 따라 경과 관찰, 보존적 치료 및 수술적 치료 여부를 결정한다. 치료의 목적은 통증을 제거하고 근력을 강화시키거나 유합술 등을 통해 척추의 안정을 얻으며 활동을 용이하게 하는 것이다.

(1) 보존적 치료

지속적으로 증상이 있는 척추분리증이나 50% 이하로 전위된 전방전위증에서 시행할 수 있고, 근력강화운동이나 약물요법 등의 대증적 치료, 활동 정도의 변경, 물리치료 및 보조기 치료를 고려할 수 있다. 근력운동 중 굴곡운동이 신전운동에 비해 동통감소와 직업복귀 결과가 좋다고 알려져 있으며, 보조기 치료는 협부형 결손이나 급성 골절에 의한 협부 결손 등에서 신전을 제한하는 보조기가 고려될 수 있다.

(2) 수술적 치료

보존적 치료를 적절하게 시행했음에도 불구하고 증상이 심해 일상생활에 지장이 있는 경우는 수술적 치료의 적응이 된다. 그리고, 증상이 없더라도 성장 중인 소아에서 50% 이상 전위가 되거나 성숙된 청소년기에 75% 이상 전위된 경우 등은 수술을 시행하는 것이 좋다. 수술방법으로는 협부 결손을 복원하거나 신경 압박 부위에 감압술을 시행하고 척추 유합술을 시행할 수 있다(그림 15-23).

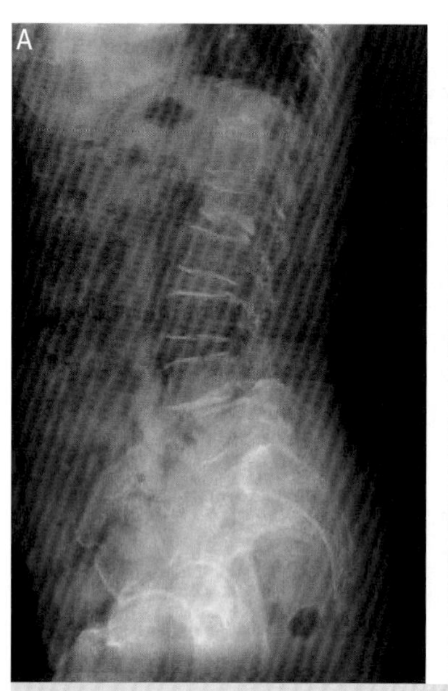

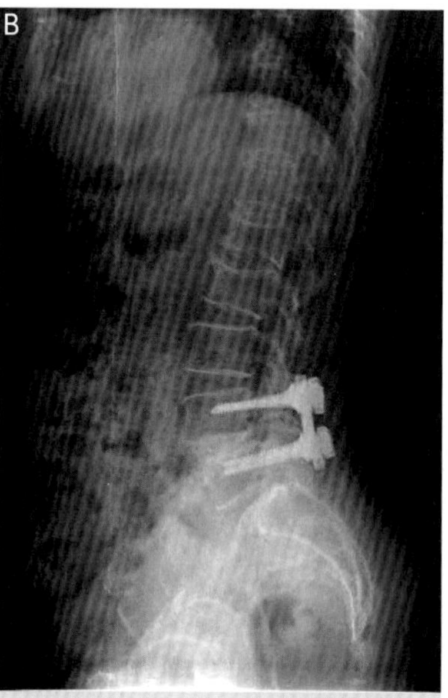

그림 15-23
A. 퇴행성 전방 전위증 환자로 요통 및 하지 방사통을 호소하였다.
B. 후방 감압술 및 후방 추체간 유합술로 신경 감압과 함께 전위된 추체를 정복하여 증상 호전을 얻었다.

7. 경추의 병변

1) 경추추간판질환

(1) 원인 및 분류

Cervical intervertebral disc는 나이가 들어감에 따라서 그 조직이 생화학적, 형태학적인 변화를 겪게 된다. 이러한 변화가 동통이나 신경학적 증상과 같은 임상증상을 유발하는 상태를 경추추간판질환(cervical disc disease)이라고 한다.

경추추간판질환은 해부학적 원인에 따라 1) disc 자체가 탈출 되어 증상이 유발되는 연성추간판탈출증(soft disc herniation)과 2) 뼈의 퇴행성 변화(degeneration)에 의해 형성되는 골극(osteophyte, spur)이 신경을 눌러서 증상을 유발하는 경성추간판탈출증(hard disc 또는 cervical spondylosis)으로 나눌 수 있다.

또한 탈출 위치에 따라서 1) central (그림 15- 24), 2) paracentral (그림 15-25), 3) foraminal herniation (그림 15-26)으로 구분할 수도 있는데, 환자의 신경학적 증상이 탈출 위치와 밀접한 연관을 가지기 때문이다. Vertebral body와 disc의 posterior margin의 중앙부에 단단히 부착된 posterior longitudinal ligament가 central herniation의 발생을 막아주기 때문에, central herniation은 빈도가 낮다(약 10~15%).

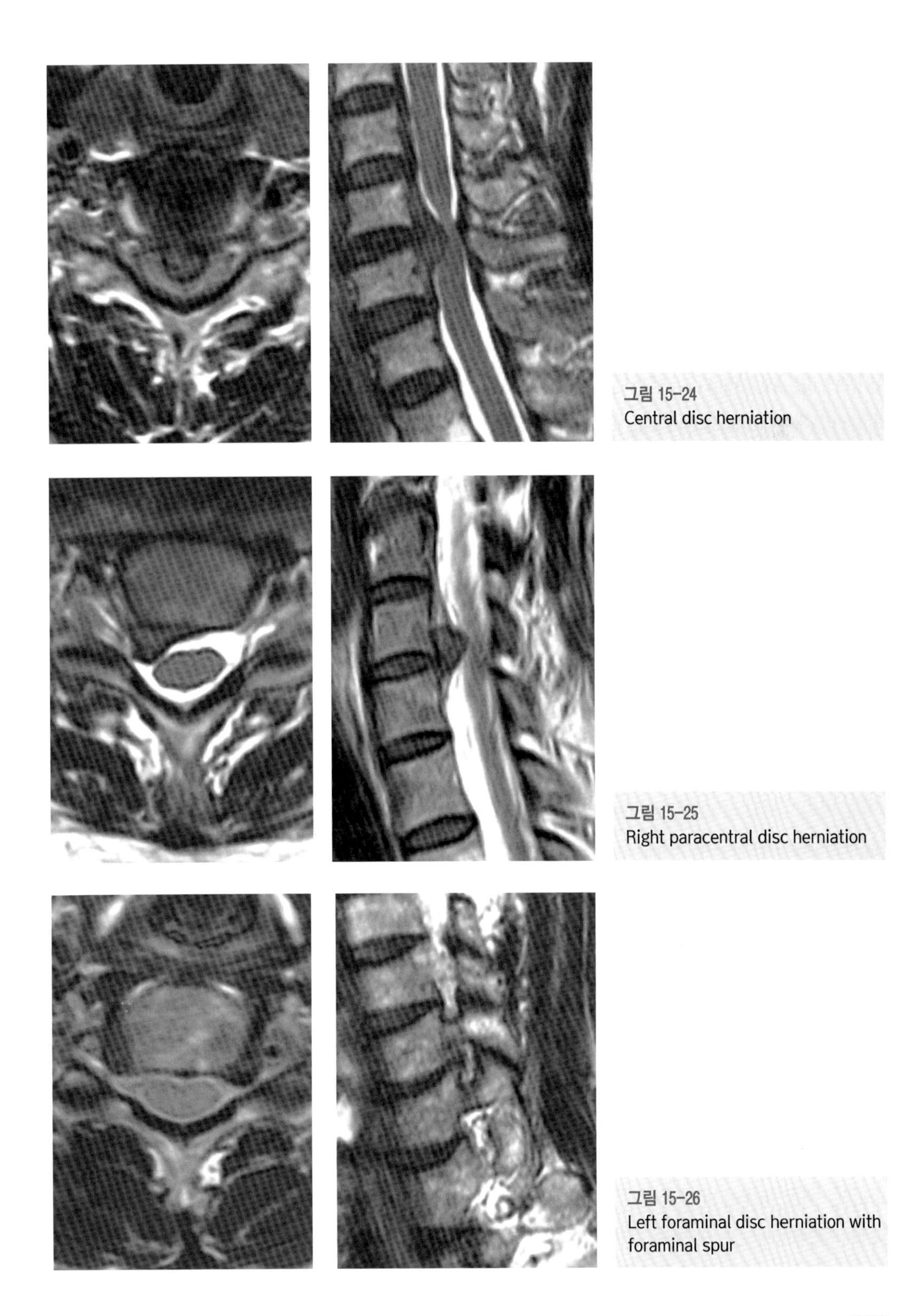

그림 15-24
Central disc herniation

그림 15-25
Right paracentral disc herniation

그림 15-26
Left foraminal disc herniation with foraminal spur

Paracentral herniation은 중앙의 posterior longitudinal ligament와 외측의 uncinate process 사이의 공간으로 탈출되는 것으로 경추추간판질환의 약 70%를 차지하는 가장 흔한 탈출 위치이다. Foraminal disc herniation은 전체 경추추간판질환의 약 15%를 차지하며, 호발 연령은 40~60세로 paracentral disc herniation보다 고령의 환자에서 발생하는 경우가 많으며, 퇴행성 병변과 동반되는 경우가 많다.

(2) 임상증상과 이학적 소견

연성추간판탈출증은 주로 30~40대에 호발하며, 경성추간판탈출증은 대개 50세 이후에 호발한다. 주증상은 1) 경부통 및 연관통(referred pain), 2) 신경학적 증상으로 나눌 수 있으며, 신경학적 증상에는 1) 척수증(myelopathy), 2) 신경근증(radiculopathy), 3) 척수신경근증(myeloradiculopathy)이 있다. 신경학적 증상은 탈출 부위, 즉 압박되는 신경 조직에 따라 다르다. 첫째, central disc herniation이나 central spur에 의해 spinal cord가 심하게 압박되면 척수증이 발생하며, 이 중에서 후자를 cervical spondylotic myelopathy (CSM)라고 부른다. 둘째, paracentral disc herniation이나 paracentral spur는 spinal cord와 해당 분절의 nerve root (신경근)를 모두 압박할 수 있는데, 그 위치와 압박 정도에 따라서 척수증, 신경근증, 척수신경근증이 발생할 수 있다. 셋째, foraminal disc herniation이나 foraminal spur는 해당 nerve root를 압박하여 신경근증을 유발한다. 이 중에서 후자를 foraminal stenosis라고 부른다. Paracentral 또는 foraminal spur가 신경근증을 유발하는 경우를 cervical spondylotic radiculopathy (CSR)라고 부른다.

① 경부통과 연관통 (neck pain and referred pain)

경추추간판질환에서 가장 흔하게 나타나는 임상증상이다. 환자는 뒷목과 견갑부(scapular area)에 경계가 불분명한 둔통을 호소한다. 심부 조직인 경추 및 disc에서 기인한 자극이 원인 병소 부위와 멀리 떨어진 부위(견갑부)에서 통증을 유발할 때, 이를 연관통이라고 한다. 방사통(radiating pain)은 경추신경근증이 있을 때 해당 nerve root가 지배하는 감각 신경 분포 영역(dermatome)을 따라 발생하는 통증을 말한다는 점에서 연관통과 차이가 있다. 또한 경추추간판질환은 경부 근육의 동통성 경련이나 강직을 일으킬 수 있고, 두통도 비교적 흔히 동반되는데 경부 통증 환자의 약 1/3 정도에서 경험한다.

② 경추신경근증(cervical radiculopathy)

Nerve root의 압박으로 인하여 발생하는 신경학적 증상을 말하는데, paracentral 또는 foraminal disc herniation이나 spur에 의하여 발생한다. 1) 압박된 nerve root가 지배하는 dermatome을 따라 발생하는 방사통 및 저림 등의 감각 증상(sensory symptoms)과 2) 근력의 약화(motor weakness)가 나타날 수 있는데, 경추신경근증에서는 근력 약화는 드물며, 주로 감각 증상이 나타난다. 경추신경근증의 특징적인 이학적 소견은 다음과 같다.

A. Spurling sign

경추신경근증의 가장 특징적인 이학적 소견이다. 목을 뒤로 젖히고 환측으로 회전시키면 환자가 평소 호소하던 상지 방사통이 유발 또는 악화되는 현상으로, 이 자세에서 neural foramen의 크기가 감소하기 때문에 나타나는 현상이다.

B. Shoulder abduction pain relief sign

환측의 손을 위로 올려 머리에 얹거나 뒤통수에 대면 상지 방사통이 완화되는 것으로, 이는 어깨를 외전(abduction)하면 nerve root의 tension이 감소되기 때문에 나타나는 현상이다. 요추와는 달리, 경추의 nerve root는 spinal cord에서 기시하여 보다 수평에 가깝게 원위부로 주행한다(그림 15-27). 따라서, 경추에서는 nerve root compression이 paracentral area에 있든 foraminal area에 있든 상관 없이, 같은 레벨의 nerve root가 압박된다. 예컨대, C4-5 disc herniation 시에는 C5 nerve root가 압박되어 C5 radiculopathy가 발생한다. 이환된 nerve root에 따라서 1) 감각신경 증상의 위치, 2) 근력의 약화, 3) 심부 건 반사(deep tendon reflex)의 감소가 달리 나타날 수 있는데, 이는 표 15-2와 그림 15-28에 요약하였다.

③ **경추척수증**(cervical myelopathy)

경추척수증은 경추신경근증보다 심각한 상태이나, 다행히 그 빈도는 경추신경근증보다 낮다. 하지만 cervical spondylotic myelopathy의 증상은 서서히 시작되고 장기간에 걸쳐 진행하는 경우가 많아, 질환 발생 후 경과가 상당

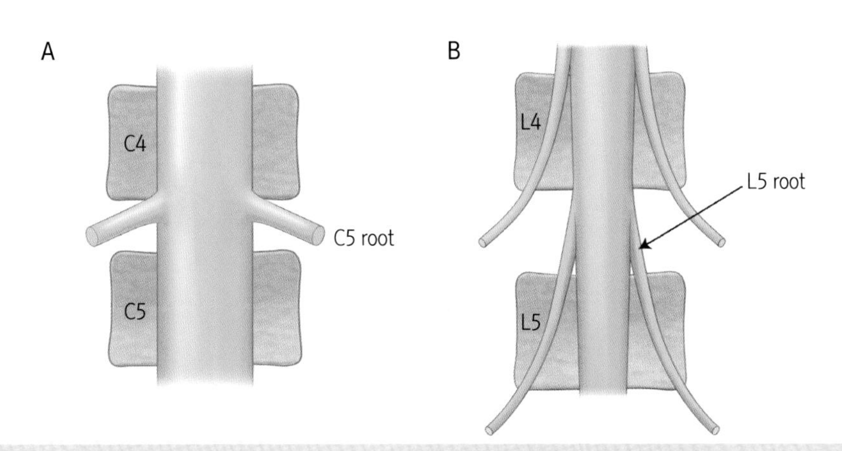

그림 15-27
추간판탈출증 시 압박되는 nerve root
A. 경추에서는 C4-5 disc herniation 시에는 C5 nerve root가 압박되어 C5 radiculopathy가 발생한다.
B. 요추에서는 L4-5의 paracentral disc herniation 시 다음 레벨인 L5 nerve root가 압박되어 L5 radiculopathy가 발생한다.

표 15-2
경추신경근증의 임상 양상

이환 추간판	신경근증	감각 이상	근력 약화	건반사 약화
C4–5	C5	Deltoid area, Lateral arm	Deltoid, Biceps brachii	Biceps jerk (BJ)
C5–6	C6	Thumb & index finger Radial forearm	Biceps brachii, Wrist extensor	Biceps jerk (BJ) Brachioradialis jerk (BRJ)
C6–7	C7	Long finger	Triceps brachii, Flexor carpi radialis	Triceps jerk (TJ)
C7–T1	C8	Ring & little fingers, Ulnar forearm	Finger flexors, Hand intrinsics (Interossei, lumbricals)	–
T1–T2	T1	Medial arm, Proximal ulnar forearm	Hand intrinsics (Interossei, lumbricals)	–

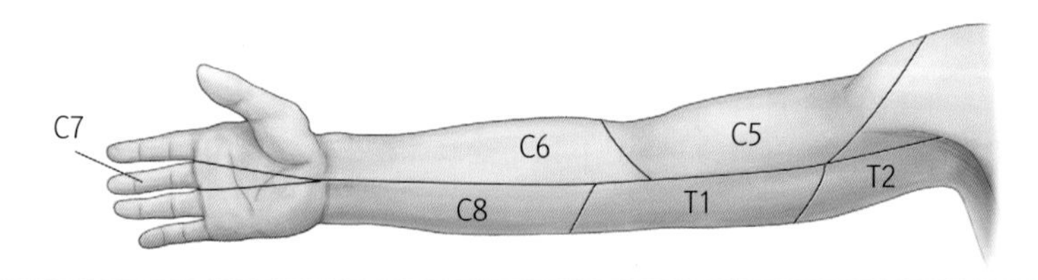

그림 15-28
상지의 감각 신경 분포 영역

히 진행된 뒤에야 병원을 찾는 경우가 많다. 또한, 1) central osteophyte가 별다른 증상이 없이 존재하던 상태에서 가벼운 외상으로 인해 척수가 갑작스러운 손상을 받거나 2) 갑작스러운 central soft disc herniation이 발생하는 경우에는 급성 증상이 발생할 수도 있다.

A. 증상

경추척수증의 증상은 경추신경근증과는 달리 감각신경증상(통증, 저림 등)보다는 주로 운동신경증상, 즉 강직성 마비(spastic paralysis)의 형태로 나타난다. 말기에는 방광 기능이나 anal sphincter의 기능 장애가 나타나기도 한다. 경추 척수증의 가장 흔한 양대 증상은 다음과 같다.

a. Clumsy hand: 손놀림이 어눌해지고 부자연스러워져 정교한 수작업을 잘 하지 못하게 되는 것으로, 환자는 젓가락질, 글씨 쓰기, 단추 채우기, 타이핑 등의 미세하고 정교한 손동작이 필요한 수작업을 수행하는 것이 이전보다 어려워졌다고 호소한다. Myelopathic hand라고

부르기도 한다.

b. 보행 장애(gait disturbance): 걸음이 비틀거리거나, 술 취한 듯한 걸음걸이(ataxic gait)를 보이기도 한다. 심해지면, 가만히 선 자세로 몸의 균형을 유지하는 것도 힘들어진다. 보행 시에는 좌우로 휘청거리고 불안정한 균형 감각을 보상하기 위해 wide-based gait를 보인다. 이러한 증상은 하지의 근력약화, 척수의 자극으로 인한 근육의 비정상적인 경직, 그리고 proprioception 기능의 장애 등에 의하여 발생한다.

B. 이학적 소견

a. Grip and release test: 주먹을 '완전히 쥐었다, 완전히 폈다.' 하는 동작의 속도가 10초에 20회 이하로 저하된다.

b. Finger escape sign: 손가락을 완전히 신전 및 내전한 상태, 즉 경례를 할 때와 같이 손가락을 모두 펴서 모은 자세를 30초 동안 유지하지 못한다. 흔히 제4, 5수지의 굴곡이나 외전이 발생한다.

c. Hoffmann's sign: wrist를 과신전한 상태에서 제3수지의 distal interphalangeal joint를 튕겨서 순간적으로 신전시킬 때(sudden extension), 제1, 2수지가 반사적으로 굴곡되는 병적 반사가 발생한다.

d. Impaired tandem gait: 좌우의 발끝을 앞뒤로 붙이면서 선 위를 일자로 걷는 동작을 시키면, 균형을 잡지 못하고 비틀거리거나 쓰러지려고 한다.

e. Pyramidal tract signs: 심부 건반사(deep tendon reflex)가 항진되고, Babinski sign, ankle clonus와 같은 pyramidal tract sign이 나타날 수 있다.

(3) 진단 검사

① 단순 방사선 검사

경추 측면 영상(lateral view)이 가장 유용하며, disc height의 감소나 spur 형성 등을 관찰하는데 유용하다. 경추 사면 영상(oblique view)에서는 foraminal spur를 잘 관찰할 수 있다.

② CT

Axial, coronal, sagittal, oblique views 등과 삼차원 영상을 얻을 수 있으며, 뼈의 모양을 직관적으로 파악하는 데에 큰 도움이 된다. 특히 osteophyte를 비롯한 골성 병변을 확인하는 데에는 CT가 MRI보다 훨씬 우수하다.

③ MRI

신경 조직(spinal cord와 nerve root)과 herniated disc와 같은 연부 조직을 확인하는 데 CT보다 훨씬 유용하다. 또한, 경추척수증 환자에서 종종 발생하는 spinal cord의 변화, 즉 T2-weighted image 상에서 spinal cord 내의 high signal intensity area를 관찰할 수 있다.

(4) 감별진단

① 경추신경근증

Frozen shoulder, rotator cuff tear 등의 견관절 질환과는 환자의 통증 양상이나 근력 저하와 같은 임상 증상에 비슷한 점이 많아 감별을 요한다. 또한 thoracic outlet syndrome, cubital tunnel syndrome, carpal tunnel syndrome 등의 peripheral nerve entrapment syndrome 역시 상지 동통이나 근력 저하를 일으킬 수 있으므로 감별을 요한다. 특히 C6 radiculopathy는 carpal tunnel syndrome과 임상양상이 비슷하고 C8 radiculopathy는 cubital tunnel syndrome과 임상 양상이 유사하므로, 감별에 있어 주의를 요한다. 또한 경추신경근증과 peripheral nerve compression이 동시에 존재하는 경우를 double crush phenomenon이라고 하는데, 이와 같이 두 원인 부위 중에서 한 부위만 발견하여 수술하는 경우에는 증상이 잔존할 수 있으므로 주의하여야 한다.

② 경추척수증

경추척수증은 후종인대골화증에 의한 cord compression으로 인해 발생할 수도 있으므로 감별하여야 한다. 이밖에 spinal cord 및 central nervous system을 침범하는 질환인 multiple sclerosis, amyotrophic lateral sclerosis, acute transverse myelitis, spinal cord tumor, syringomyelia 등과의 감별이 필요하다.

③ 대상포진(shingles)

상지의 통증으로 내원한 환자에서 Herpes zoster virus에 의한 대상포진은 경추신경근증과 반드시 감별해야 할 질환이다. 대상포진의 증상도 이환된 신경절의 피부분절을 따라 발생하는 경우가 많고 통증의 양상이 경추신경근증과 비슷한 경우가 많기 때문이다. 초진 시 특징적인 피부 병변이 발생한 경우라면 문제가 없지만, 그렇지 않은 경우 감별에 어려움이 있을 수 있다. 대상포진의 진단은 특징정인 임상 양상과 피부 병변의 확인을 통해 이루어지므로, 환자가 내원하였을 때 통증을 호소하는 부위에 피부 병변이 있는지 육안으로 확인하는 것이 중요하다고 할 수 있다. 대상포진을 조기에 진단하지 못하고 치료시기가 늦어지는 경우 신경병성 통증(postherpetic neuralgia)이 발생할 수 있기 때문에 주의하여야 한다.

(5) 치료

① 경추신경근증

A. 보존적 치료

경추신경근증은 대부분의 경우 보존적 치료로 증상이 호전된다. 침상 안정, 경부 견인, 소염진통제의 사용, 온 찜질(hot pack) 등으로 통증을 경감시킬 수 있다. 또한 보조기를 착용하여 경추의 운동을 제한함으로써 신경 조직의 자극을 줄이는 동시에 신경 주위 연부조직의 부종 및 염증을 감소시킬 수 있다. 만족할 만한 증상 경감 효과를 얻지 못하거나 증상이 심한 경우에는 steroid injection (epidural nerve root block)을 시도해 볼 수 있다.

B. 수술적 치료

통증이 너무 심하여 보존적 치료가 불가능할 때, 보존적 치료의 결과가 만족스럽지 않거나, 증상이 재발하는 경우, 근력 저하가 동반된 경우에는 수술적 치료를 고려한다. 일반적으로 경추신경근증의 수술 결과는 요추신경근증의 수술 결과보다 우수하다. 경부 전방으로 접근하는 수술법이 가장 흔히 사용되며, anterior cervical discectomy and fusion (ACDF) (그림 15-29)이라고 불리는 술식이 가장 많이 사용된다. 최근에는 fusion surgery (유합술) 대신 경추의 움직임을 보존하는 artificial disc replacement가 도입되어 일부에서 시행 중에 있으나, 그 적응증이 제한적이고 아직 장기적인 추시 결과가 밝혀지지 않은 상태이다. 이 외에도 anterior 또는 posterior foraminotomy가 있으나, 흔히 사용되지는 않는다.

② 경추척수증

경추척수증은 경추신경근증과는 달리 대부분의 경우에서 수술적 치료를 하는 것이 원칙이다. 그 이유는 일단 증상이 발생하면 자연적인 회복을 기대하기 힘들고, 시간이 지남에 따라 증상이 악화되는 경우가 많으며, 보존적 치료로 증상의 호전을 기대하기 힘들고, spinal cord의 압박이 심한 경우에는 가벼운 외상으로도 사지 마비가 발생할 위험성이 있기 때문이다.

경추척수증의 수술적 치료에는 anterior surgery와 posterior surgery가 있다. Anterior surgery는 cord compression의 원인을 직접 제거할 수 있고, 척추에 안정성을 부여하는 동

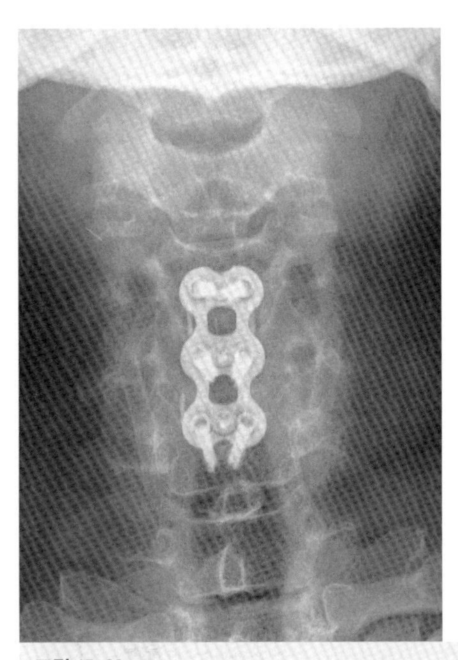
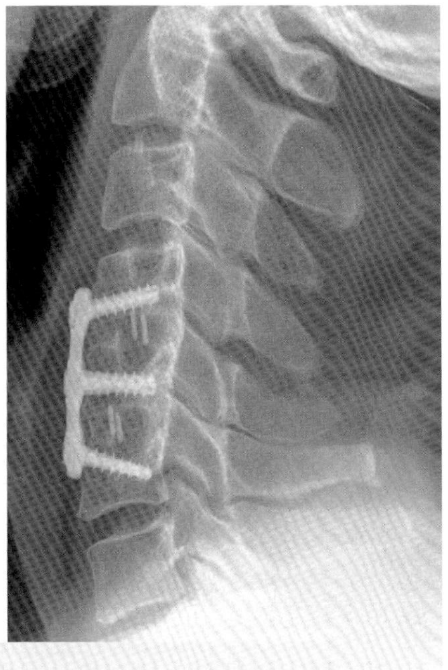

그림 15-29
Anterior cervical discectomy and fusion (ACDF) 후의 방사선 소견

시에 kyphotic deformity의 교정이 가능하다. 대표적인 술식으로는 ACDF와 anterior cervical corpectomy and fusion (ACCF)가 있다. Anterior surgery가 선호되는 경우는 1) 1~2 level에 국한된 cord compression이 있는 경우, 2) kyphotic deformity가 동반된 경우, 3) radiculopathy 증상이 동반된 경우 (myeloradiculopathy)이다. Posterior surgery는 laminoplasty (그림 15-30)가 대표적인 방법으로, spinal canal을 넓혀주는 동시에 spinal cord

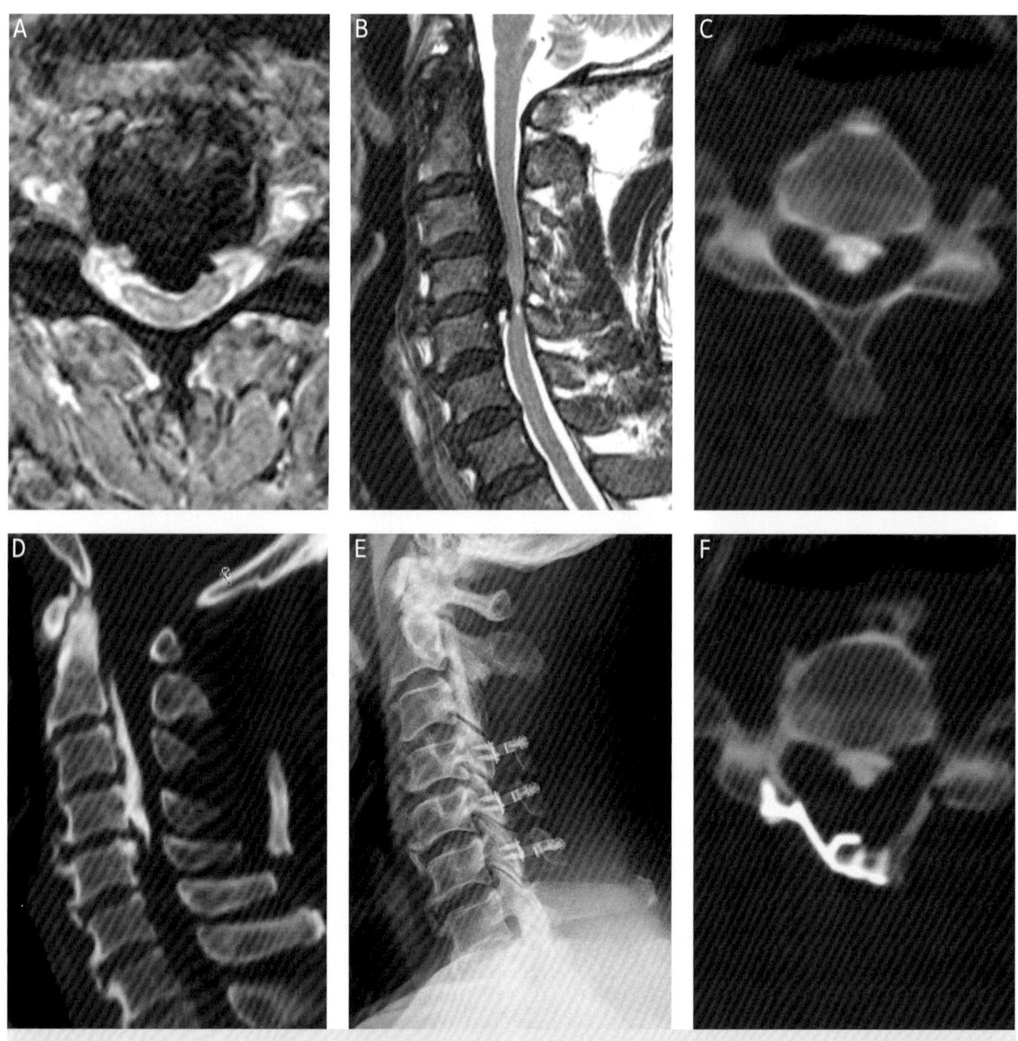

그림 15-30
Ossification of posterior longitudinal ligament
A, B. MRI 소견, C, D. CT 소견, E. Laminoplasty 후 방사선 소견, F. Laminoplasty 후 CT 소견

의 posterior migration을 유도함으로서 indirect decompression을 얻을 수 있는 방법이다. 1) 3분절 이상의 cord compression이 있고, 2) cervical lordosis가 유지되어 있는 경우에 주로 사용된다.

2) 후종인대골화증

후종인대골화증(ossification of posterior longitudinal ligament, OPLL)은 vertebral body 및 disc의 후면을 따라 종 방향으로 주행하는 후종인대(posterior longitudinal ligament)가 비정상적으로 골화되면서 두꺼워지는 질환이다. 국내의 정확한 역학 조사는 아직 없으나, 약 2~3%의 유병률로 추정하고 있으며, 경추 추간판질환보다는 드문 질환이다.

증상은 spinal cord가 서서히 압박되어 가면서 경추척수증이 발생하여 내원하는 경우가 대부분이다. 흔하지는 않지만, paracentral area에 발생한 후종인대 골화증으로 인하여 신경근증(radiculopathy) 또는 척수신경근증(myeloradiculopathy)이 나타나기도 한다.

경추 측면 방사선 영상(lateral view)에서 spinal canal의 전방 부위에서 골화된 부위가 관찰될 수 있으나, 질환의 초기에는 그 양상이 불분명하여 진단을 놓칠 수가 있다. CT나 MRI를 촬영하면 후종인대골화증의 진단, 골화 형태, spinal cord의 압박 정도 및 cord signal change 등의 소견을 확인할 수 있다(그림 15-30). 경추척수증 증상이 발생하거나 심한 cord compression이 있는 경우 수술적 치료를 시행하며 가장 흔히 시행되는 수술은 laminoplasty이다. 수술 방법의 선택에 대해서는 경추척수증의 치료 부분을 참고하기 바란다.

8. 척추 변형

척추 변형(spinal deformity)은 척추의 기능 중, 체간의 중심 또는 기둥으로서 자세와 균형을 유지하는 기능의 장애를 일으킬 수 있고, 미용상의 문제가 되기도 하며, 고도의 변형이 있을 시에는 척수 및 내장 기관(visceral organ)의 기능에도 영향을 미칠 수 있다. 척추 변형은 측만(scoliosis), 후만(kyphosis)과 전만(lordosis)의 형태로 나타날 수 있고 이들이 함께 복합적으로 나타날 수도 있다.

1) 척추측만증

척추측만증(scoliosis)은 척추가 관상면(coronal plane) 상에서 좌우로 10° 이상 휘어지는 변형으로 구조적 측만증이 있을 경우 흔히 축상면(axial plane)의 회전 변형을 동반한다. 원인에는 여러 가지가 있으나(표 15-3), 그 원인을 알 수 없는 대다수의 경우는 특발성 측만증으로 분류된다.

(1) 특발성 척추측만증(idiopathic scoliosis)

원인이 밝혀지지 않은 척추측만증을 통칭하며, 발생 연령대에 따라 다음과 같이 분류한다.

a. 청소년기 형(adolescent idiopathic scoliosis): 가장 흔하며, 10세부터 성장이 완료되는

표 15-3
척추측만증의 분류

1. 특발성 척추측만증(idiopathic scoliosis)	2. 선천성 척추측만증(congenital scoliosis)
가. 유아기(infantile) 나. 연소기(juvenile) 다. 청소년기(adolescent)	가. 형성 부전(failure of formation) 나. 분절 부전(failure of segmentation)
3. 신경근육성 척추측만증(neuromuscular scoliosis)	4. 신경섬유종(neurofibroma)에 의한 척추측만증
가. 신경성(neuropathic) 나. 근육성(myopathic)	5. 기타-종양, 감염, 대사성 질환, 관절염, 방사선 조사 등

시기 사이에 나타나는 형태로서, 여자에 많으며, 우측 흉부 만곡의 형태로서 가장 많이 나타난다.

b. 유아기 형(infantile idiopathic scoliosis): 3세 이전에 나타나는 것으로 남아에게 더욱 많고, 대개 좌측 흉요부 만곡으로 나타나며 70~90%에서 저절로 좋아진다.

c. 연소기 형(juvenile idiopathic scoliosis): 4~9세 말 사이에 발생하는 측만증으로, 남녀의 호발비는 비슷하고, 만곡이 저절로 없어지지는 않으며 많은 경우에 꾸준히 증가한다.

① 임상 소견

서서히 진행되고 통증 및 기능의 장애도 대개 동반하지 않아서 변형이 상당히 진행되어 발견되는 경우가 많다. 신체 검진상, 환자를 전방으로 구부리게 함으로써 척추의 회전 변형에 의한 체간(trunk)의 비대칭을 더욱 분명히 알 수 있다. 청소년기에는 측만증과 관련하여 요통 및 기타 신경학적 증상이 발생하는 경우가 없는 것으로 알려져 있으며, 성장 이후 퇴행성 변화가 진행되는 중년 이후에는 측만증이 있는 환자에서 요통 발생 빈도가 다소 높은 것으로 알려져 있으나 통증의 정도나 장해가 정상인에 비하여 더 심하지는 않은 것으로 알려져 있다.

② 예후

대개 척추의 성장이 끝나는 시기인 남자 17세, 여자 15세가 되면 만곡의 진행이 정지된다. 따라서 성장이 거의 끝난 청소년기에 발견되는 비교적 크지 않은 만곡은, 이후 많이 진행되지 않으리라 예상할 수 있다. 반면에 성장 종료까지 아직 수년이 남아 있는 아이에 발견된 20~30° 이상의 만곡은 더 커질 가능성이 있다. Iliac crest의 골단(apophysis)과 척추 환 골단(vertebral ring apophysis)의 유합 여부(risser sign)는 척추의 성숙 정도와 관련된 징후로 알려져 있다. 여자일 경우 남자보다 나쁜 예후를 보이며, 흉부 만곡이 요부 만곡보다 더 잘 진행되고, 각도가 클수록 진행이 잘

된다. 이러한 만곡의 진행에 대한 예측은 치료 방법의 결정을 결정하는데 중요한 역할을 한다. 성장이 끝난 후에도 만곡이 1년에 1~2° 정도로 아주 느리게 진행할 수도 있으며, 특히 만곡의 각도가 40° 이상이거나 흉요부 혹은 요부 만곡인 경우에 일어날 수 있다. 특발성 및 기타 다양한 원인에 의한 이차성 측만증이 5세 이전에 발생하여 진행하는 경우, 흉곽 성장에도 영향을 미치고, 이차적으로 호흡기계통의 기능 장애(thoracic insufficiency syndrome)를 유발할 수도 있다.

③ 유병률

청소년기형의 경우 남자보다 여자에서 3~5배 정도 많이 발생하는데 일반적으로 10° 이상의 척추측만증의 유병률은 1.5~5%로 보고되고 있다.

④ 치료

치료 목적은 경도의 만곡은 더 이상 진행되지 않도록 하고, 중등도 이상의 만곡인 경우 변형을 교정하고 유지하여 신체의 균형을 얻어 기능 및 미용을 호전 시키려는 것이다. 만곡 각도가 크지 않을 경우 관찰 및 보조기 착용 등의 보존적 치료를 시행한다. 수술적 치료해야 할 경우는 만곡이 이미 상당한 정도로 진행되어 외관상 용납될 수 없을 정도로 변형이 심하고 보존적 치료로 교정이 되지 않거나 교정이 되어도 유지되지 못하는 경우, 성장기의 아동에게서 보존적 치료를 하였음에도 불구하고 계속 진행하는 만곡, 성인에서 체간의 불균형이 심한 경우와 이차적으로 통증을 호소하는 경우 등이다(그림 15-31).

(2) 신경근육성 척추측만증

근이영양증, 뇌성 마비 등의 신경근육성 질환이 있는 경우 체간 근육의 불균형에서 기인하는 척추측만증이 발생한다. 이런 경우 측만증은 진행이 빨라 조기에 더 심한 변형을 초래하며, 앉은 자세를 유지할 수 없는 등 환자의 일상 생활에 지장을 주며, 늑간 신경 마비(intercostal nerve palsy) 및 흉곽 변형에 의한 심폐 기능 장애를 가져오는 경우가 자주 발생한다. 신경근육성 척추측만증(neuromuscular scoliosis)은 성장이 완료된 이후에도 진행하는 경우가 많고, 고도의 변형이 진행된 이후에는 만곡이 경직되고 골다공증을 동반하여 수술적 치료가 더욱 어렵고 위험 부담도 커지므로 최근에는 척추의 변형이 시작되는 조기에 수술적 치료를 시행하여 척추의 균형을 유지하고 변형의 진행을 예방하는 추세이다(그림 15-32). 수술적 치료의 여부 및 시기 결정과 수술 전후 위험도의 관리 및 평가를 위해서는 심폐 기능 및 생존 여명, 영양상태 등 다양한 관점에서 환자를 평가하고 접근하여야 한다.

(3) 퇴행성 척추측만증, 성인척추측만증

Intervertebral disc, facet 등의 비대칭적 퇴행성 변화 등의 원인으로 나타나는 것으로 생각되며, 주로 50세 이상의 연령에서 나타나며 여자에서 1~2배 호발하는 것으로 알려져 있다. 관절염과 협착증에 따른 요통 및 하지 방

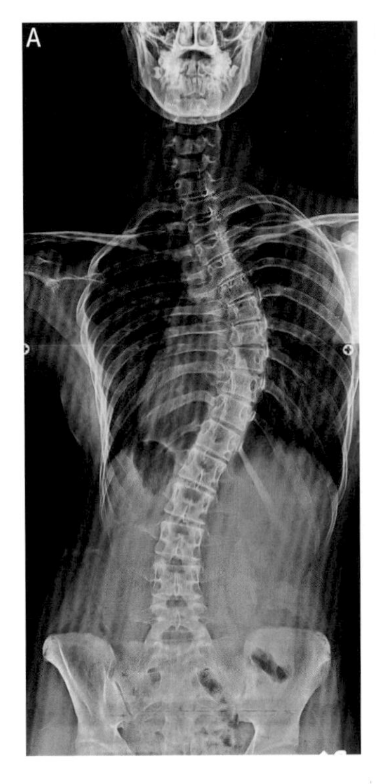

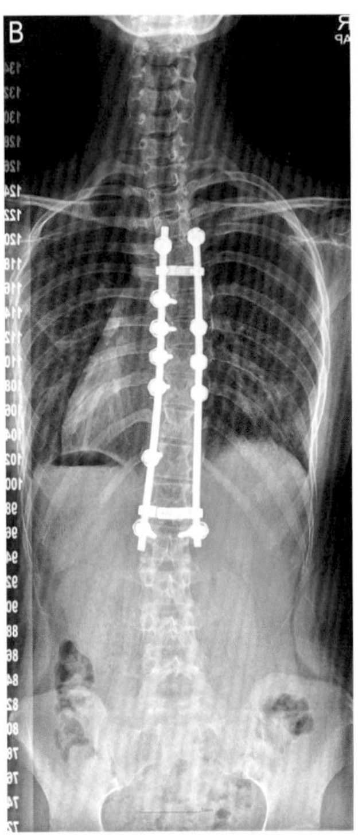

그림 15-31
청소년기 특발성 척추측만증 환자의 수술 전(A)과 수술 후 2년째 방사선 소견(B)

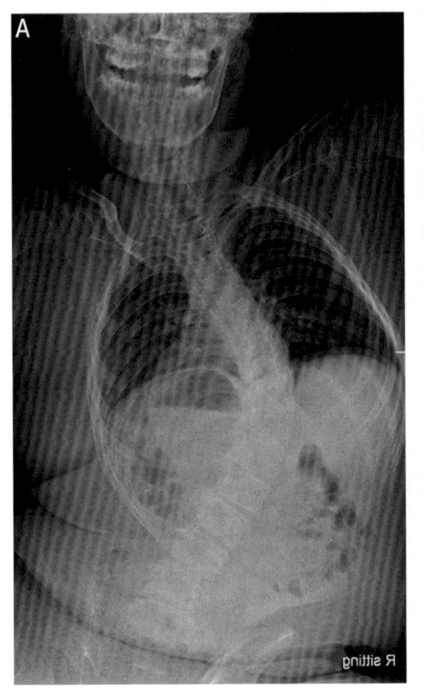

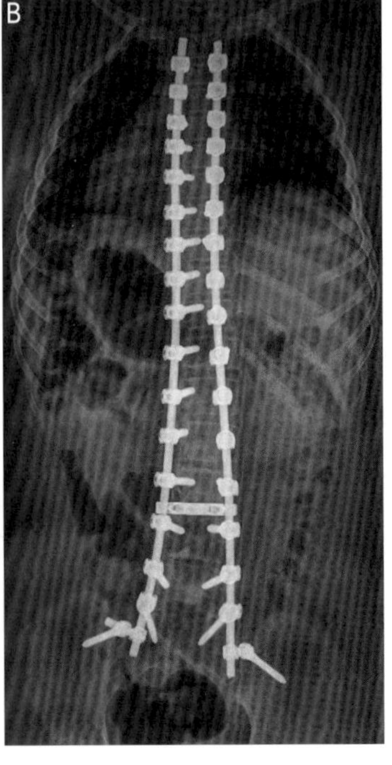

그림 15-32
듀센근이영양증 환자에서 발생한 척추측만증을 수술적으로 치료한 예

사통을 주로 호소하며 변형이 심하게 나타날 경우 관상면 및 시상면 척추 불균형의 문제가 생기기도 한다. 하지만 대개 20~30° 이내의 만곡을 보이며 그 이상은 흔치 않다. 환자가 호소하는 증상에 대한 대증적 보존적 치료가 주가 되며 수술적 치료는 그 목표가 뚜렷할 때 가능한 최소한의 범위에서 시행하는 것이 바람직하다(그림 15-33).

2) 척추후만증

정상 척추에서 흉부와 천추부는 후만을 보이며 경추와 요추부는 전만을 보인다. 추체, 추간판 및 척추 주위 근육의 이상 등을 원인으로 병적으로 심한 후만 변형을 보이거나 전만이 있어야 할 부위에 후만이 있는 경우를 척추후만증(kyphosis)이라고 한다. 후만 변형이 나타나면 무게 중심이 앞으로 이동해 시상면에서 척추의 균형이 무너지게 되므로 기

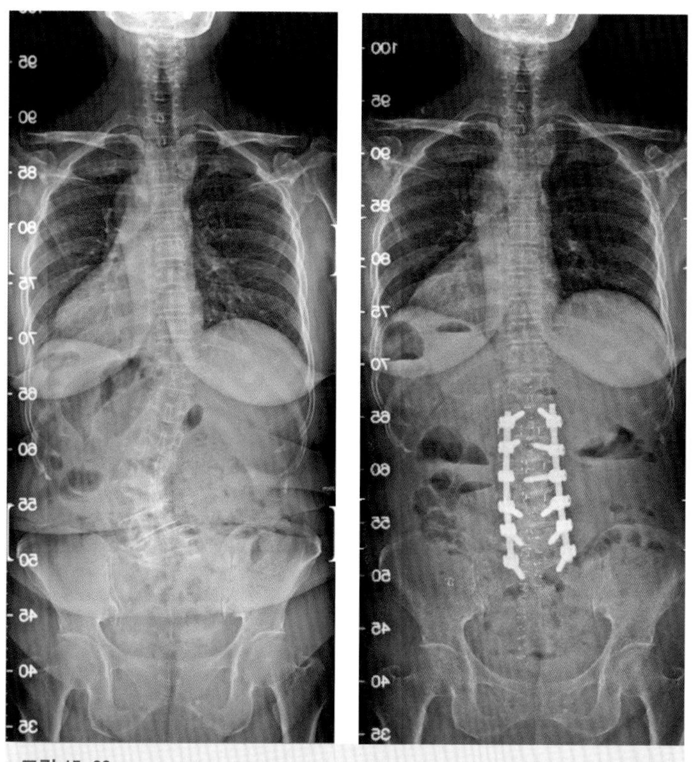

그림 15-33
퇴행성 측만증 환자의 수술적 치료의 예
여자 70세 환자로 40° 이상의 퇴행성 측만증과 이와 동반된 추간공 협착증으로 인한 요통 및 하지 방사통을 호소하던 환자로 수술적 치료(전후방유합술)을 통하여 만족할 만한 변형교정 및 통증 해소를 얻은 예

립 및 보행 시 에너지 소모가 많아지며 근육의 피로성 통증이 발생하게 된다. 자세 및 습관에 의한 경우 외에도 Scheuermann병, 선천성, 종양, 노인성, 결핵성, 강직성 척추염, 외상이나 광범위한 lamina 절제술 후에도 올 수 있다.

(1) 청소년기 척추 후만증 (Scheuermann kyphosis)

청소년기에 흉추부의 중간 혹은 그 이하 부위에 후만곡이 발생하는 질병으로서, 인구의 약 10% 정도에서 발견될 정도로 흔하다. 이를 발견한 의사의 이름을 따서 Scheuermann병이라고도 하며, 조직학적으로는 추체 골단판의 불규칙과 함께 천공에 의해 수핵이 추체 내로 돌출(Schmorl's node)된 모습을 볼 수 있다. 대개의 환자는 동통보다는 변형을 호소한다. 경한 후만증의 경우에는 등 운동 특히 신전 운동만을 시키나, 중등도에서는 보조기를 착용시킨다. 수술적 치료는 드물게 변형이 아주 심할 때 시행한다.

(2) 노인성 척추후만증(senile kyphosis)

노년기나 폐경기 후에 골다공증이 일어나 작은 충격으로도 쉽게 척추의 압박 골절이 유발되며, 또한 intervertebral disc에 퇴행성 변화가 일어나 두께가 얇아지게 되는데, 이러한 변화는 후방보다 전방에 더 심하여 척추 후만을 일으키게 된다. 증세로는 척추 후만과 동시에 통증과 배부 근육의 피로감이 나타날 수 있다. 치료로는 자세를 바로잡도록 노력하며 동시에 근육 강화 운동을 해야 한다. 심한 동통을 호소할 때에는 칼슘 제제와 Vit D 제제, 불소 화합물, 여성 호르몬 제제 등 골다공증의 내과적 치료와 더불어 안정 가료, 소염 진통제의 사용, 보조기 착용 등으로 증세의 호전을 기대할 수 있다. 안정 가료 시 장기 안정은 골다공증을 악화시키므로 가능한 한 빠른 시간 내에 침상을 벗어나야 한다. 변형의 진행이 계속되고, 이로 인해 환자가 매우 불편해하며, 동통이 심해 고식적 가료로 호전되지 않으며, 척추관내로 돌출된 골편에 신경을 압박하여 증상이 있을 때에는 수술적 치료를 고려하기도 하는데, 이때 뼈가 약해서 내고정물이 충분한 고정력을 유지하지 못하는 것이 문제가 되는 경우가 많으므로 주의를 요한다.

(3) 강직성 척추염(ankylosing spondylitis)

강직성 척추염 환자에서 발생하는 척추 변형은 그 정도가 매우 다양한데, 질병이 진행될수록 정상적인 자세를 취하기 어려워져 요추부 전만곡이 소실되고 흉추는 후만증을 보이며 경추 역시 전만곡이 소실되며 후두부에서부터 sacrum까지 모두 굳어져 심한 경우 경추부터 흉요추까지 후만 변형으로 강직되어 앞을 보지 못하고 바닥밖에 볼 수 없어지지만 일반적인 예후는 양호한 편이다. 그리고 척추의 강직된 부위가 길어지면 스트레스 골절이 나타나고 이 부위의 불안정성에 의해서 통증, spinal cord 압박 증상 등이 나타날 수 있는 데 이런 경우 수술적 치료가 필요한 경우가 많다. 변형 교정 목적의 수술적 치료의 경우 절골술에 의한 요추 전만의 회복 등으로 수평 주시를 가능하게 해주는 치료가 가능하다. 심한 변형이 동반되지 않은 대부분의 환자에서는 통증에 대한 치료가 우선되며, 환자가 일상 생활을 영위하고 레크리에이션과 스포츠 등에 참가하여 관절의 유연성을 최대한 유지시켜 주고 강직이 발생하더라도 심하게 변형된 자세로 강직되지 않도록 하기 위함이다.

(4) 결핵성 후만증(tuberculous kyphosis)

척추 결핵을 제대로 치료하지 않으면 후만이 증가하게 되고 심해지면 심폐 기능 저하 및 하반신 마비의 위험성이 높아지게 된다. 척추 후만이 60~70° 이상인 경우는, 치료에 의해 병소 자체는 나았다 하더라도, 중력에 의하여 후만이 점점 증가할 수 있으므로 계속적인 관찰이 요구된다. 변형의 진행으로 척수 기능 이상이 발생한 경우 변형 교정을 위한 수술적 치료는 척수 기능의 악화를 초래하는 경우가 많으므로 신경 기능 유지를 위한 감압과 변형 진행의 예방을 위한 고정 및 유합이 수술적 치료의 목표가 된다.

(5) 요부 변성 후만증 (lumbar degenerative kyphosis)

요부 신전 근육의 심한 퇴행성 변화와 함께 요추 전만이 소실되면서 후만으로 진행하는 질환으로 우리 나라와 일본 등에서 주로 많은 것으로 보고되고 있다. 이는 쭈그리고 앉아 일하는 생활 습관과 관계가 있는 것으로 추정한다. 직립자세에서 허리가 앞으로 구부러지면서 몸의 중심이 전방으로 이동하는 것을 보상하기 위해(무게중심을 뒤로 보내기 위해), 가슴은 앞으로 내민 채 어깨를 뒤로 젖히고 고관절을 골반에 대하여 신전하고 슬관절을 굴곡한 자세를 취한다. 임상적으로 1) 걸을 때 몸이 앞으로 구부러지고, 2) 무거운 물건을 몸 앞으로 들지 못하고, 3) 내리막길을 내려가는 것이 불편해지고, 4) 팔꿈치로 지탱하는 습관에 의해 팔꿈치 굳은살이 박히게 되는 4가지 특징이 있다. 척추관 협착증 또는 퇴행성 척추 측만증을 동반하고 있는 경우도 흔하다. 근육의 신전 기능이 남아 있지 않는 경우 수술적 치료에 의한 교정을 하더라도 척추 시상면 균형이 유지되지 못하는 경우도 많으며, 수술 시 장분절 유합술을 피할 수 없는데, 수술 이후 시상면 균형이 회복되었다 하더라도 환자가 장분절 요추 유합에 따르는 불편함을 호소하는 경우도 많으므로 수술의 결정에는 신중을 요한다(그림 15-34).

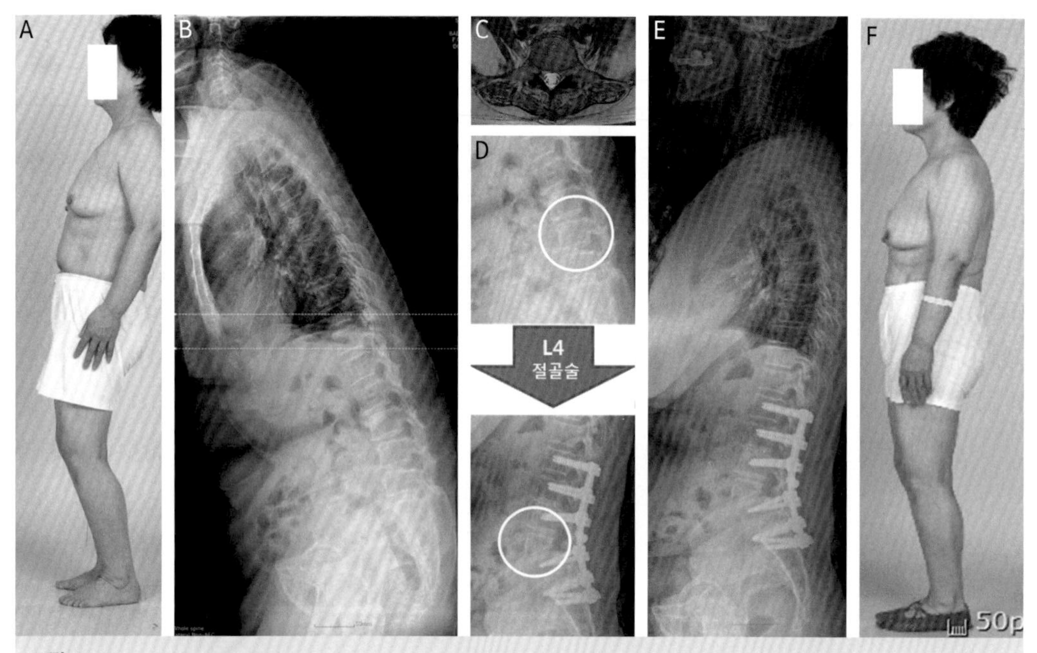

그림 15-34
환자가 무릎을 굽혀 후만변형을 보상하고 있다(A). 수술 전 방사선 소견(B)과 요부 신전근의 위축 및 변성의 MRI 소견(C), 제4요추 절골술(D)을 통해 수술적 치료 후 2년째 시상면 균형이 잘 유지되는 방사선 소견(E)과 의학 사진(F)

참고문헌

1. American Academy of Orthpedic Surgeons: Joint Motion: Method of Measuring and Recording. American Academy of Orthopedic Surgeons, 1965.
2. Amrita RJ, David H. Herpes Zoster in the Older Adult,Infectious Disease Clinics of North America, Volume 31, Issue 4, 2017, 811-826
3. Andry N: Orthopaedia or the Art of Correcting and Preventing Deformities in Children. J.B. Lippincott Co., 1961.
4. Chuanyong Lu, Jenni M. Buckley: Basic research in orthopedic surgery. Indian J Orthop, 2009.
5. Hoppenfeld S: Physical Examination of the Spine and Extremities. Appleton-Century-Ceidra, 1976.
6. Jeseph A. Buckwalter, Thomas A. Einhorn, and Sheldon R. Simon : Orthopaedic Basic Science. 2nd ed. American Academy of Orthopedic Surgeons., 2000.
7. John A. McCulloch and Ensor E. Transfeldt: Macnab's Backache. 3rd ed. Williams & Wilkins Co., 1997.
8. Juhl JH and Andrew B: Essentials of radiologic imaging. 6th ed. Philadelphia, J. B. Lippincott Co., 1993.
9. Keith H. Bridwell and Ronald L. Dewald: The textbook of Spinal Surgery. 2nd ed. Philadelphia, J. B. Lippincott Co., 1997.

10. Macrae RK: Clinical Orthopedic Examination. Churchill Livingstone, 1976.
11. Matsunaga S, Sakou T. Ossification of the posterior longitudinal ligaments: prevalence, presentation and natural history. In: Benzel EC. The cervical spine. 5th ed. Philadelphia: Lippincott Williams & Wilkins; 2012. 1022-30.
12. Michael W. Chapman: Chapman's orthopaedic surgery. 3rd ed. Lippincott Williams & Wilkins Co., 2001.
13. Morrissy RT and Weinstein SL: Lovell and Winter's Pediatric Orthopaedics. 5th ed. Williams & Wilkins Co., 2001.
14. Rechtine II GR. Cervical radiculopathy and myelopathy. In: Benzel EC. The cervical spine. 5th ed. Philadelphia: Lippincott Williams & Wilkins; 2012. 934-40.
15. S. Terry Canale: Campbell's Operative Orthopaedics. 13th ed. Mosby., 2003.
16. Turek, SL: Orthopaedics-Principles and Their Application. 4th ed. Philadelphia, J. B. Lippincott Co., 1984.
17. Weinstein SL and Joseph A: Turek' s Orthopedics. 5th ed. Philadelphia, J. B. Lippincott Co., 1994.

Hip Joint의 병변

Affections of Hip Joint

1. 고관절의 평가

1) 해부학

고관절은 우리 몸에서 견관절 다음으로 운동 범위가 큰 관절로써 골반골과 대퇴골이 만나는 구와 소켓(ball and socket joint) 형태의 활막 관절(synovial joint)이다. 다양한 방향으로 관절 운동이 가능하나 관절의 가동운동범위보다는 관절의 안정성이 더 중요하며, 체중의 3~5배에 이르는 하중에도 평형을 유지하는 비교적 안정된 관절이다(그림 16-1).

골반뼈는 3가지 뼈(장골, 좌골, 치골)로 이루어져 있으며 어릴 때는 분리되어 있으나 성장하면서 하나의 뼈로 합쳐지게 된다. 골반뼈는 척추의 천골과 강한 결합조직으로 연결되며, 외측으로는 소켓 역할을 하는 반구형의 공간(비구)으로 이루어져 있다. 상방은 장골, 하외측은 좌골, 하측은 치골로 구성되며 비구의 입구는 전방으로 약 15°, 외측 하방으로 약 45° 기울어져 있다. 비구 입구의 둘레에는 치밀한 섬유연골조직인 비구순(labrum)이 있어 비구와(acetabular fossa)를 보다 더 깊게 만들어 안정적인 관절로 만들어주는 역할을 한다. 비구의 체중부하 부위는 말발굽 형태이며, 연골은 중앙부분이 가장 얇고 가장자리로 갈수록 두꺼워진다. 체중이 부하되지 않는 중

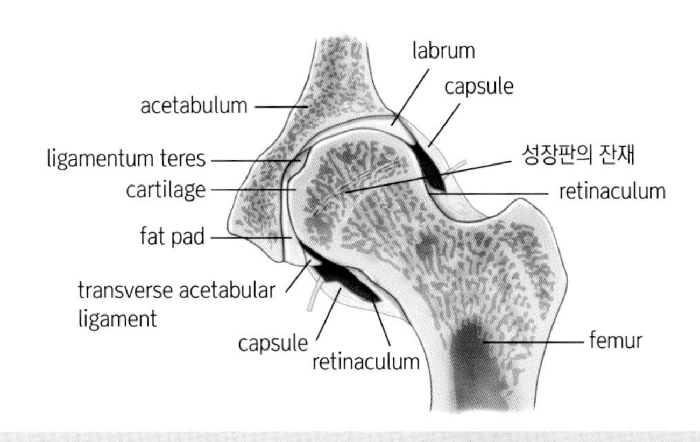

그림 16-1
고관절의 단면

앙에는 대퇴 골두와(fovea capitis)에 연결되는 원형인대(ligamentum teres)가 위치한다.

대퇴골 근위부는 공모양의 대퇴 골두, 대퇴 골두에서 전자간부를 잇는 대퇴 경부, 대전자와 소전자 사이를 잇는 부위로 여러 근육들이 부착하는 전자간부로 이루어져 있다. 대퇴 골두와 대전자 및 소전자는 각각 생후 4~6개월, 4세, 13~14세에 이차골화 중심이 나타나며, 사춘기 이후에 대퇴 간부 및 경부와 소전자, 대전자, 골두 순으로 유합이 진행되며, 골두는 20세 이후에 유합이 끝난다. 대퇴 경부와 대퇴 간부가 이루는 경간 각(neck shaft angle)은 성인에서는 평균 125° 정도이고(그림 16-2A), 대퇴 골두부가 전방으로 기울어진 전염각(anteversion)은 대개 15° 내외이며(그림 16-2B), 대퇴 골두의 크기는 40~60 mm 정도이다.

대퇴 근위부 골수강 내의 해면골은 독특한 구조를 하고 있다(그림 16-3). 대퇴거(calca femorale)는 1874년 Merkel에 의해 처음 기술되었는데, 소전자 바로 전방의 대퇴골 내측 피질골로부터 시작하여 대퇴골 경부 후방 피질골로 향하여 관상면으로 뻗쳐 있는 피질 골판을 말한다(그림 16-4).

대퇴 골두와 비구부는 관절 연골로 덮여 있고, 비구 외측부에는 관절와순이 비구와 함께 대퇴 골두를 덮고 있으며(그림 16-5A) 그 외측으로는 고관절의 관절막이 비구부와 대퇴 경부을 함께 감싸고 있다. 대퇴골 부착 부위에서는 일부 관절막 섬유가 다시 상방으로 연결되어 경부를 감싸고 있는데 이를 지대(retinaculum)라 하며 대퇴 경부의 골막에 해

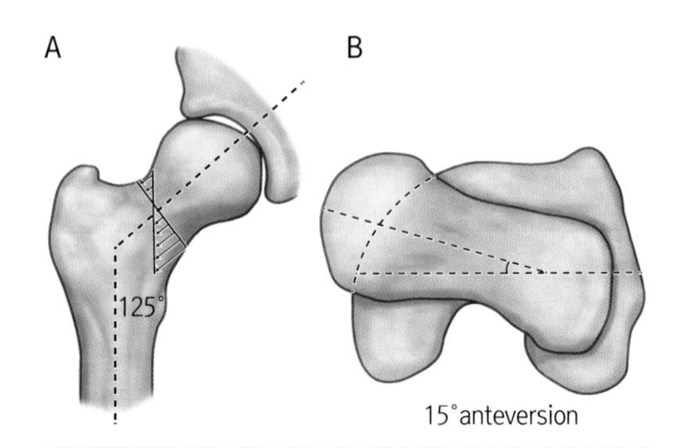

그림 16-2
A. 대퇴골의 경간각(neck shaft angle)
B. 대퇴골의 전염각(anteversion)

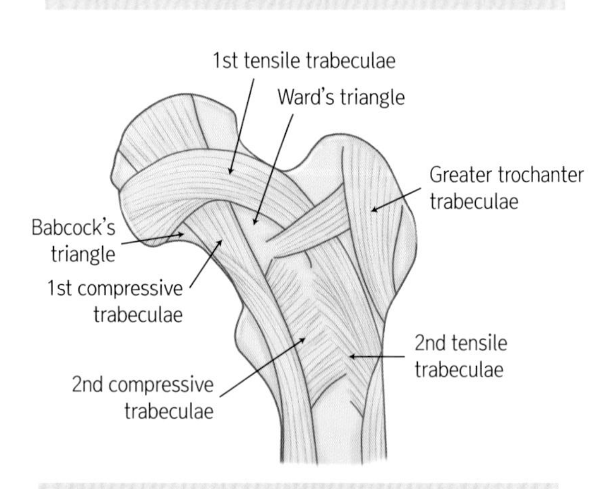

그림 16-3
대퇴골의 골소주

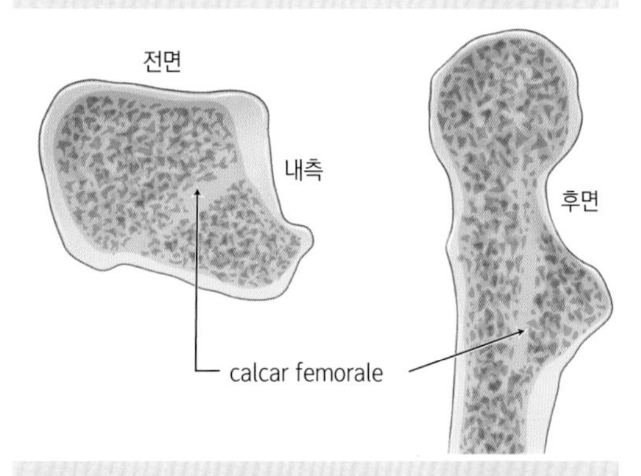

그림 16-4
대퇴골의 대퇴거(Calcar femorale)

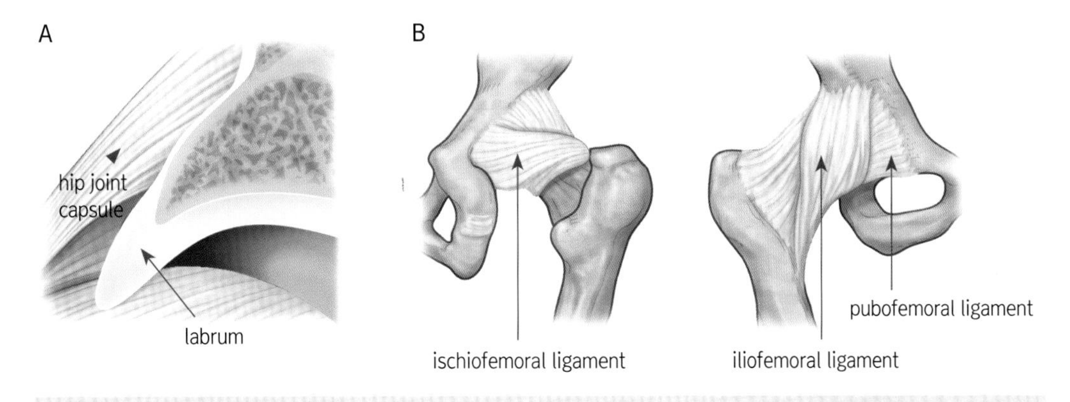

그림 16-5
A. 관절 와순(labrum)
B. 고관절 주위 인대

당되나 형성층(cambium layer)이 없는 것이 특징이다. 관절막은 장대퇴 인대(iliofemoral ligament), 좌대퇴 인대(ischiofemoral ligament), 원형 인대(ligamentum teres)에 의해 보강되며 이 중에서 Y자를 거꾸로 세워 놓은 모양을 하고 있는 장대퇴 인대가 가장 강하여 선 자세에서 굴곡 근육들과 함께 과신전을 제한하고 고관절의 안정성에 기여한다(그림 16-5B).

대퇴 골두의 주된 혈액 공급은 지대 동맥(retinacular arterty)에 의하며, 대퇴 경부 기저부에서 관절막외 동맥 고리(extracapsular arterial ring)를 이루고 있다. 이 고리의 후방 및 내외측 부위는 내측 대퇴 회선 동맥(medial femoral circumflex artery)의 분지에 의해, 전방 부위는 외측 대퇴 회선 동맥(lateral femoral circumflex artery)의 분지에 의해 주로 공급된다. 지대 속에서 경부를 따라 올라가면서 골간단(metaphyseal) 및 골단 분지(epiphyseal branch)로 나뉘어 각각 골두 및 경부에 혈액을 공급한다. 대퇴 골두의 가장 중요한 혈액 공급원은 후상방에 있는 지대 동맥이다. 대퇴 골두는 이외에도 원형 인대 동맥(ligamentum teres artery)나 대퇴간부에서 들어오는 영양 동맥(nutrient artery)으로부터 약간의 혈액을 공급받는다(그림 16-6).

주요 고관절 굴곡근은 장요근(iliopsoas), 대퇴직근(rectus femoris) 및 봉공근(sartorius)이고, 신전근은 대둔근(gluteus maximus) 및 슬와부 근육근(hamstring muscle)이다(그림 16-7A). 외전근은 중둔근(gluteus medius) 및 소둔근(gluteus minimus)이며 대퇴 근막 장근(tensor fascia lata)도 일부 외전근 기능을 담당하고 있으며 모두 상둔 신경(superior gluteal nerve)의 지배를 받는다(그림 16-7B). 내전은 주로 장, 단 및 대내전근(adductor longus, brevis, magnus), 박근(garcilis), 즐상근(pectineus)에

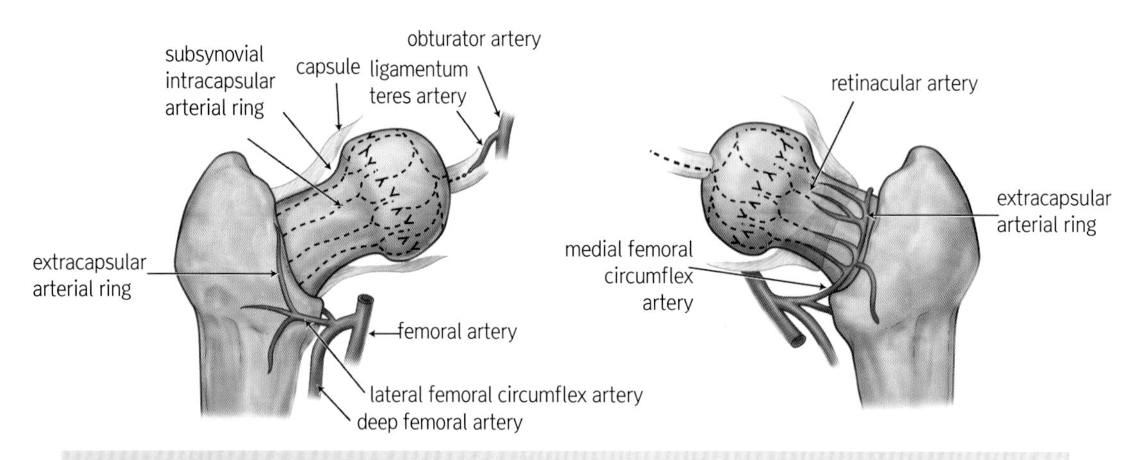

그림 16-6
대퇴 골두로의 혈행

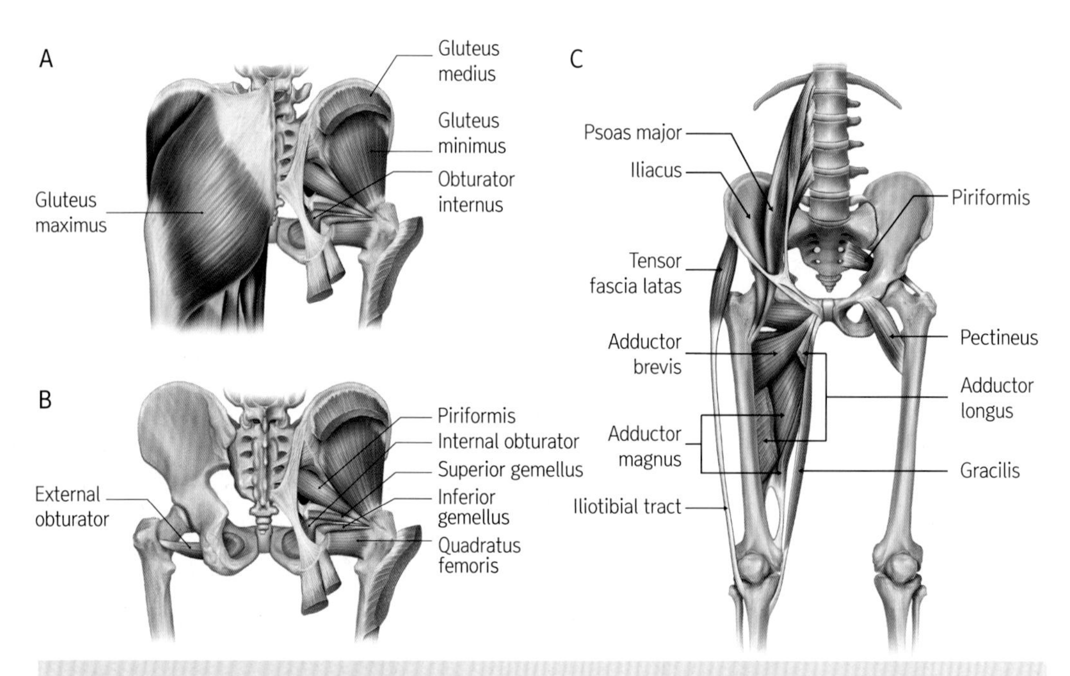

그림 16-7
A. 고관절의 외전근, B. 단외회전근, C. 신전근 및 내전근

의한다. 주된 외 회전근으로는 대둔근과 이상근(piriformis), 내폐쇄근(obturator internus) 등의 단외회전 근군(short external rotator)이 있으며(그림 16-7C), 내회전에는 중둔근과 소둔근의 전방 부분과 대퇴 근막 장근이 주로 작용하는데, 특히 고관절의 굴곡 시, 내회전 근으로서의 작용이 크다.

2) 이학적 검사

대개 앙와위(supine position)에서 검사를 시행하며, 통증의 원인이 천장관절 또는 요추 부위에서 야기된 관련통 인지를 고려하여 폭넓게, 양쪽을 서로 비교하여 검사하는 것이 중요하다.

고관절의 운동범위(range of motion)는 굴곡과 신전, 외전과 내전, 외회전과 내회전을 평가할 수 있다(그림 16-8). 먼저 굴곡과 신전은 앙와위로 눕히고 반대측 고관절을 고정하고 요추를 편평하게 한다. 정상 성인의 고관절 굴곡 각도는 110~130° 정도이다. 신전운동은 복와위(prone position)에서 검사하며 정상적으로 0~15° 범위로 움직인다. 이때 척추의 굴곡 또는 신전 상태를 확인하여야 한다. 외전과 내전은 앙와위에서 환자의 하지와 골반의 전상장골극 간 횡선이 이루는 각도가 직각이 되도록 한다. 외전 시 전상장골극이 움직이기 시작하면 멈춘다. 정상 성인의 고관절 외전 각도는 35~50°이다. 내전 범위는 검

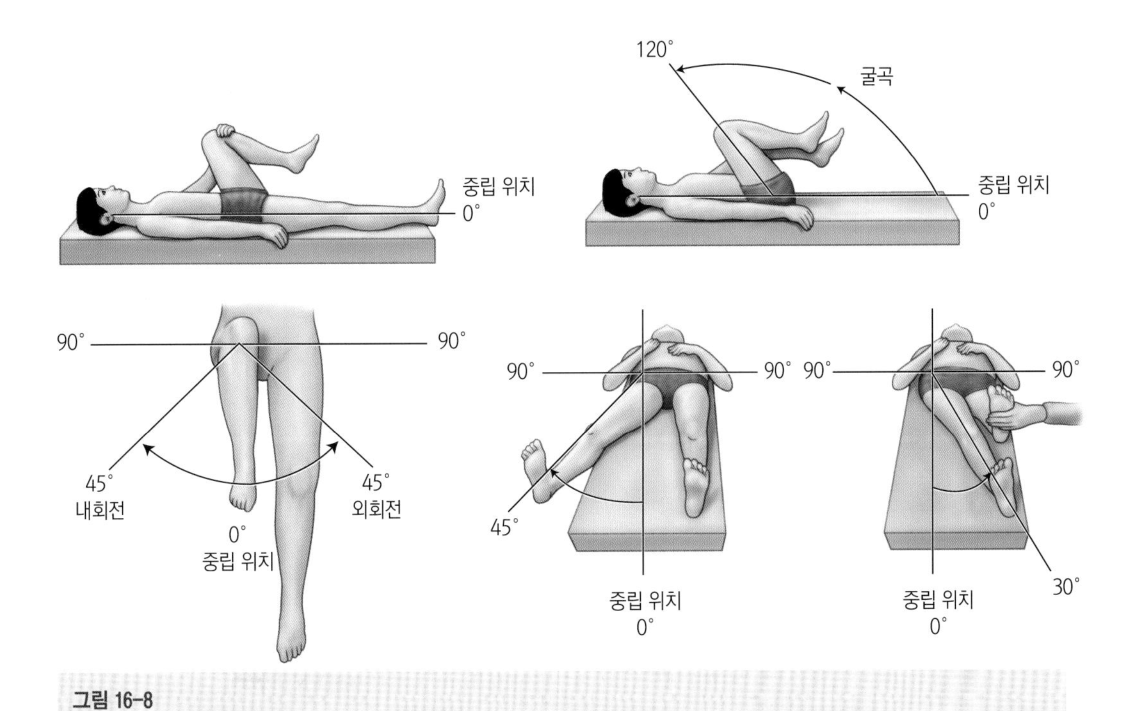

그림 16-8
고관절의 운동 범위(range of motion)

사하고자 하는 고관절의 반대측 하지를 위 혹은 아래로 이동시켜 검사 부위 고관절을 내전시킨다. 정상 성인의 고관절 내전 각도는 25~35°이다. 외회전과 내회전은 앙와위에서 하퇴를 회전하거나, 고관절과 무릎을 직각으로 굴곡시킨 후 측정하며, 복와위에서 무릎을 직각으로 굴곡시켜 측정하기도 한다. 장골극간 횡선과 양하지는 직각을 이루어야 한다. 정상 성인의 내회전은 30~40°, 외회전은 40~60°이다.

고관절의 병변을 확인하기 위한 대표적인 이학적 검사로는 Patrick test, Thomas test, Trendelenburg test, Impingement 검사 등이 있다.

Patrick test는 앙와위에서 고관절을 굴곡, 외전, 외회전 시켜 환측 족부를 반대측 무릎 위에 올려 놓고, 손바닥으로 환측 무릎을 아래쪽으로 누르면서 고관절 부위에 통증을 호소하는지 확인한다. 반대쪽과의 비교가 중요하고, 고관절내의 압력 증가로 인한 자극으로 발생하며 장요근 경련, 고관절 질환에서 양성이다(그림 16-9).

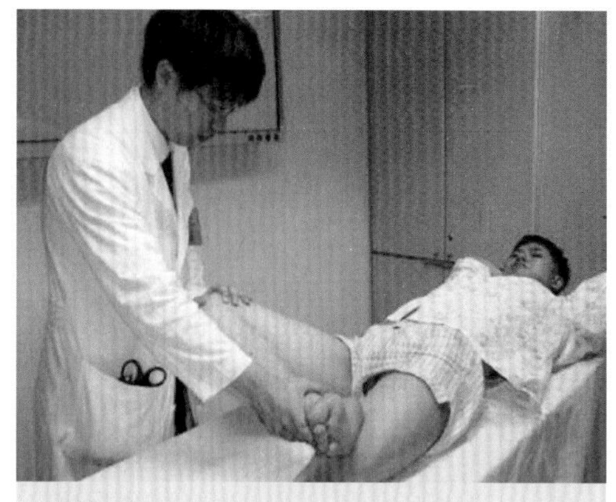
그림 16-9
Patrick test

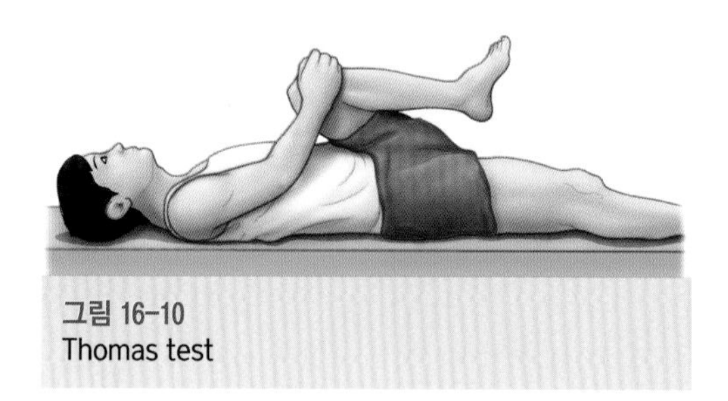
그림 16-10
Thomas test

Thomas test는 고관절에 굴곡 구축이 있는지를 평가하는 방법 중 하나로 앙와위에서 반대쪽 고관절을 충분히 굴곡시켜 요추 전만이 없어지도록 한 다음, 고관절의 굴곡 구축을 측정하게 된다. 만약 굴곡 구축이 있을 경우 하지가 거상되며, 하지가 들리지 않고 외전되는 경우에는 장경대(iliotibial band)의 단축을 의미한다(그림 16-10).

Trendelenburg test는 고관절 외전근인 중둔근 및 소둔근의 기능 부전을 평가하는 검사로 일측 하지로 체중 부하를 하였을 경우, 정상의 경우에는 외전근의 작용에 의해 반대측 골반이 올라가게 되지만, 고관절 외전근에 문제가 있을 경우에는 반대측 골반이 내려가게 된다. 이 검사 방법을 Trendelenburg test라 하며, 이런 증상을 Trendelenburg sign이라고 한다. 검사 시 건측부터 시행하여야 환자에게 검사 방법을 이해시킬 수 있다(그림 16-11).

Impingement 검사는 고관절을 굴곡, 내전, 내회전할 때 동통을 호소하는 경우로 대퇴-비구 충돌 증후군(femoroacetabular impingement syndrome, FAI)을 의심할 수 있으나, 특이도가 높지 않음을 고려해야 한다(그림 16-12).

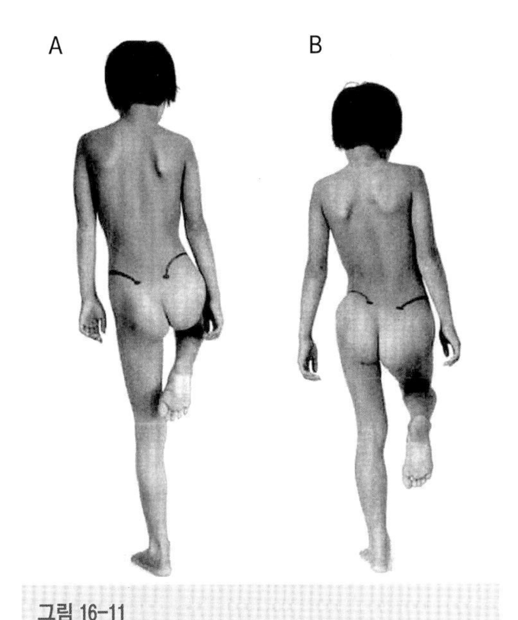

그림 16-11
Trendelenburg 징후
A. 정상, B. 비정상

이외에도 고관절 주변 근육의 근력을 다음과 같이 평가할 수 있다. 고관절 굴곡근은 환자를 의자에 앉힌 자세에서 고관절을 굽히게 함으로써 측정하며, 신전근은 환자를 복와위로 눕히고 무릎을 90° 굽힌 상태에서 고관절을 신전케하고 대퇴부에 저항을 주어 근력을 측정한다. 고관절 외전근은 환자의 건측을 아래로 하여 측방으로 눕히고 저항을 준 상태에서 고관절을 외전하도록 한다. 기립상태에서 Trendelenburg test로도 확인할 수 있다. 고관절 내전근은 환자를 앙와위로 눕히고 대퇴부의 내측에 저항을 주고 고관절을 내전하도록 하여 측정한다.

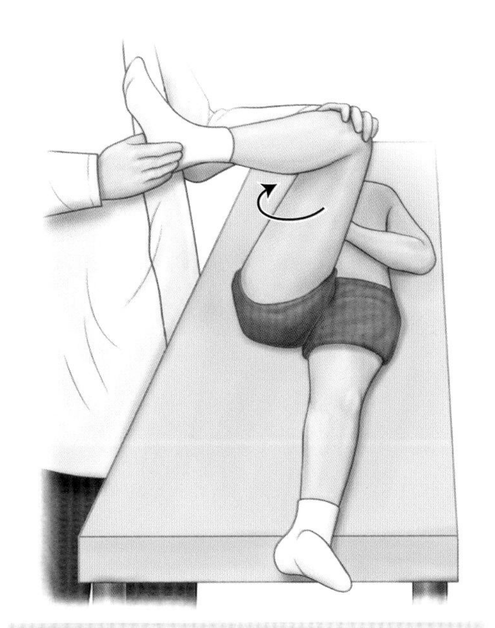
그림 16-12
Impingement 검사

2. 대퇴골두 골괴사

아직 발생 원인과 기전이 밝혀지지 못하고 있는 골괴사는, 다른 조직의 경색(infarct)과 비슷하여 한때 무혈성 괴사(avascular necrosis)라 불리기도 했다. 주로 장골의 epiphysis (골단), 특히 관절면 근처에 발생하나 광범위하게 발생하는 경우에는 metaphysis (골간단)나 diaphysis (골간)도 이환된다. 관절을 이루는 epiphysis에 발생한 경우와 달리 metaphysis나 diaphysis에 발생한 경우에는 증상을 초래하지 않는다. Epiphysis의 경우 femoral head에 가장 흔히 발생하나 femoral condyle (대퇴골 과부), tibial condyle (경골 과부), humeral head (상완골두) 등에도 드물지 않게 발생하며 여러 부위에 다발성으로 발생하기도 한다. 관절을 이루는 epiphysis에 발생하면 대부분 괴사부가 골절 및 함몰되면서 통증과 기능장애가 발생하고 이차적인 관절 파괴로 이어진다(그림 16-13).

대퇴골두 골괴사(osteonecrosis of the femoral head)는 대부분 30대에서 50대의 비교적 젊은 연령에서 발생하며, 남자에서 더 호발한다. 괴사는 체중이 부하되는 femoral head의 전상방부에 주로 발생하는데, 양측성으로 발생하는 경우가 일측성보다 흔하다. 일단 발생하면 많은 경우 괴사부의 골절 및 함몰이 발생하고 이어서 hip joint의 파괴로 진행하여 관절 치환술(arthroplasty)을 필요로 하는 상황으로 발전하게 된다. 괴사가 발생하여도 상당히 진행하기 전에는 단순 방사선 사진에서 정상으로 보일 수 있다. 그러므로 성인에서 특별한 이유 없이 갑자기 hip joint 통증이 발생하여 지속되는 경우, 특히 뒤에 설명할 위험 인자를 가진 경우에는 비록 방사선 사진에 이상이 없더라도 대퇴골두 골괴사의 가능성을 염두에 두어야 한다.

1) 원인 및 병태생리

명확한 원인이 밝혀져 있지는 않으나 괴사의 발생을 증가시키는 위험 인자는 여러 가지가 알려져 있다. 크게 외상성 위험 인자로는 femoral neck fracture, traumatic hip dislocation, developmental dysplasia of the hip (DDH) 치료 후유증, slipped capital femoral epiphysis (SCFE) 치료 후유증 등이 있다. 비외상성 위험 인자로는 과다한 음주, 부신피질호르몬 치료, 전신성 홍반성 낭창 등의 결체조직질환, 장기이식, 혈청지질이상, 만성 신질환, 잠수병, 방사선조사, 겸상구 빈혈, Gaucher씨 병 등이 있다. 그러나 특별한 위험 인자를 발견할 수 없는 경우도 자주 있다.

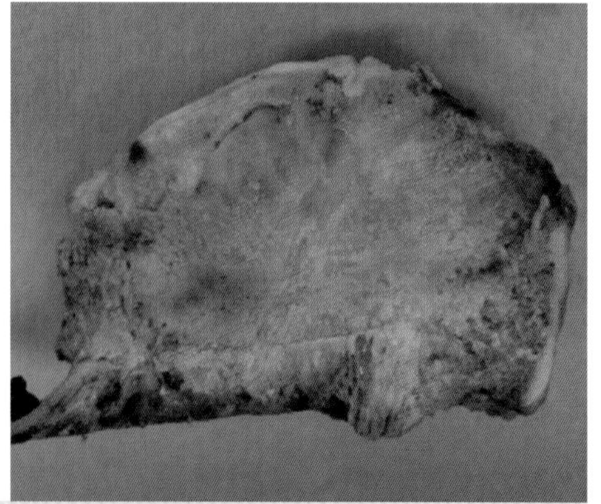

그림 16-13
Osteonecrosis of femoral head의 육안 소견
Femoral head 함몰과 연골 파괴, subchondral bone과 괴사 부위에 연하여 발생한 골절을 볼 수 있다.

외상성 위험 인자가 있는 경우는 femoral head의 주된 혈류 공급원인 lateral epiphyseal artery로의 혈류가 물리적으로 차단되어 발생하는 것으로 판단되고 있다(그림 16-6). 그러나 비외상성의 경우는 혈류의 장애로 혈관 폐색이 호발하는 겸상구 빈혈을 제외하고는 괴사의 발생 기전이 명확치 않아 여러 가지 가설들만이 제시되어 있을 뿐인데, 단단한 피질골에 둘러싸여 있는 femoral head 내에 압력이 높아지는 상황이 발생할 때 혈관이 압박되어 혈류 감소를 초래하고 괴사에 이르게 된다는 '점진적 허혈' 이론도 그 중 하나이다.

골조직은 끊임없이 골흡수와 골형성이 어우러져 일어나는 역동적인 조직이다. 골괴사가 발생하면 괴사부에는 정상적인 골조직 재생이 이루어지지 않아서 하중의 누적으로 인해 골절과 함몰이 발생하고 이에 따른 femoral head의 변형으로 이차적인 관절 파괴로 진행된다.

2) 증상과 신체검사 소견

심근이나 폐조직의 경색과는 달리 골괴사는 괴사의 발생에 따른 통증이 없다. 괴사가 발생된 후 상당기간 경과 후 괴사부에 골절이 발생하면서 급작스럽게 통증이 시작된다. 통증은 주로 inguinal area (서혜부)에서 느끼나 buttock이나 thigh, knee joint 부위도 아플 수 있다. 통증은 체중부하를 하는 보행 시 심하고 앉거나 누우면 없거나 덜하다.

신체검사 시 이환된 쪽을 절면서 걷는 모습을 볼 수 있고 Patrick 검사가 대부분 양성이며 관절 운동 범위가 제한되기도 한다. Head의 함몰이 심할 경우에는 환측 하지가 짧아지기도 한다.

3) 검사소견 및 진단

대부분의 혈액검사 소견은 정상으로 이 질환에 특징적인 것은 없다. 다만 위험 인자가 있었던 경우에는 그에 해당하는 이상 소견을 관찰할 수도 있다.

단순 방사선 사진에서, 초기에는 이상 소견이 없으나 시간이 경과됨에 따라 괴사된 부위의 외연으로 골음영이 증가되어 괴사 부위가 보다 명확하게 구분되게 된다. 이때 괴사 병변 내에는 골음영이 감소된 부분과 증가된 부분이 섞여 있다. 초기에는 head의 변형이 보이지 않으나 진행하면서 head 내, 특히 전상방 부위 subchondral bone에 골절로 인한 음영감소 선이 보이는데 이를 crescent 징후라고 한다. 이어 괴사 부위가 함몰되기 시작하면 이환된 head가 납작하게 변형된다. 이들 골절선과 함몰변형은 frog leg 측면사진에서 잘 볼 수 있다(그림 16-14).

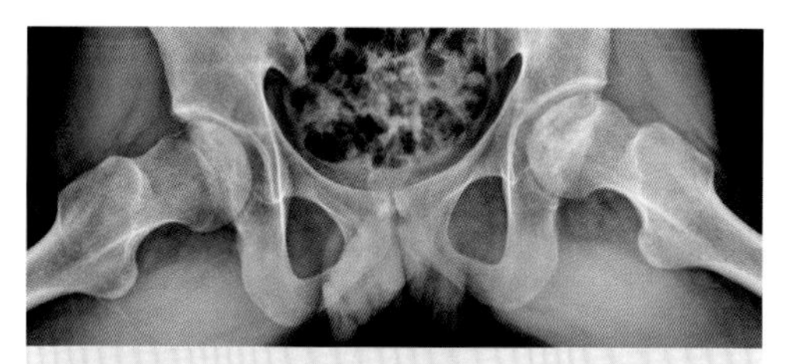

그림 16-14
Femoral head의 전상방부 병변을 잘 확인할 수 있는 frog leg 측면 사진

Head가 변형되고 더 시기가 진행하면 hip joint의 퇴행성 변화가 초래되어 관절 간격이 좁아지고 acetabulum에도 subchondral cyst나 subchondral sclerosis가 발생하고 osteophyte도 관절 주변에 보이게 된다(그림 16-15). Ficat와 Arlet은 단순 방사선 사진 소견으로 병의 진행 시기를 4단계로 나누었다(표 16-1).

$Tc^{99}m$을 이용한 뼈스캔은 단순 방사선 사진보다 조기에 이상 소견을 보이기 때문에 조기 진단에 도움이 될 수 있다. 질병이 진행된 정도에 따라 다른 소견을 보일 수 있는데, 초기에는 흡수 감소된 괴사부가 흡수 증가 띠로 둘러 싸여진 cold in hot의 소견을 보인다. 점차 femoral head 함몰이 진행되면서 흡수 감소 부위는 작아지고 괴사부 주위의 흡수 증가 부위가 증가하게 되며, 또한 hip joint의 이차적 퇴행성 변화가 진행되면서 전체적으로 흡수 증가 소견만이 관찰되게 된다. 단순 방사선 사진보다 조기 진단이 가능하기는 하나 괴사의 크기나 위치를 명확히 평가할 수 없어 최근에는 널리 시행되지 않는다.

MRI는 높은 감수성과 정확성으로 조기 진단을 할 수 있으며 괴사된 병변의 위치와 크기 등 해부학적 평가도 정확히 할 수 있어 예후 판정과 치료 방침 선정에 큰 도움을 준다. 병력 청취, 신체검사, 단순 방사선 검사에서 대퇴골두 골괴사가 강력히 의심이 된다면 고려할 수 있는 최종 진단 방법이다. 전형적인

표 16-1
Ficat와 Arlet의 분류

I	정상 단순 방사선 사진
II	femoral head에 sclerotic line이나 cystic change는 있으나 subchondral fracture는 없음
III	subchondral fracture로 femoral head가 함몰됨
IV	hip joint에 이차적인 퇴행성 관절염 소견이 확인됨

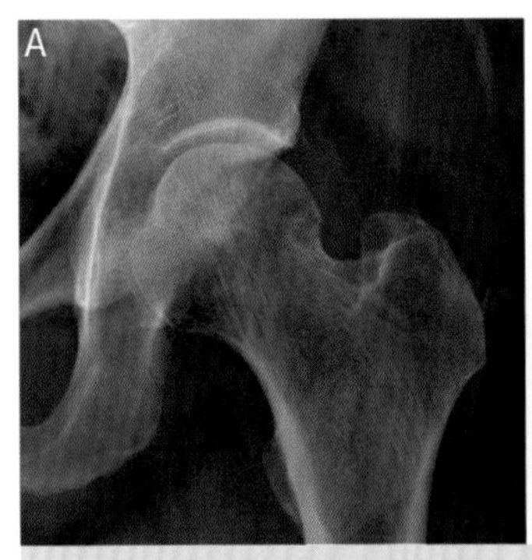

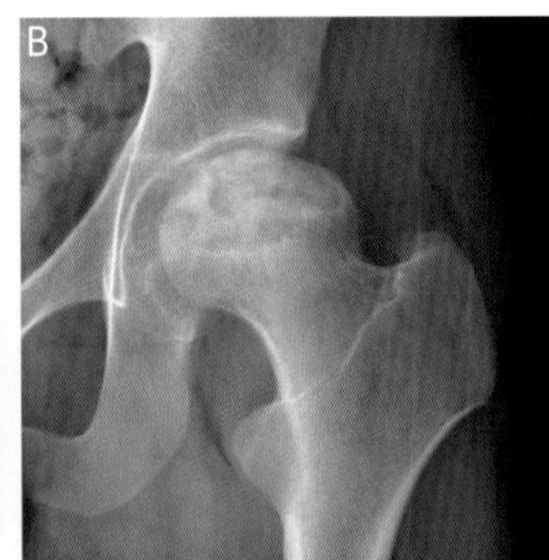

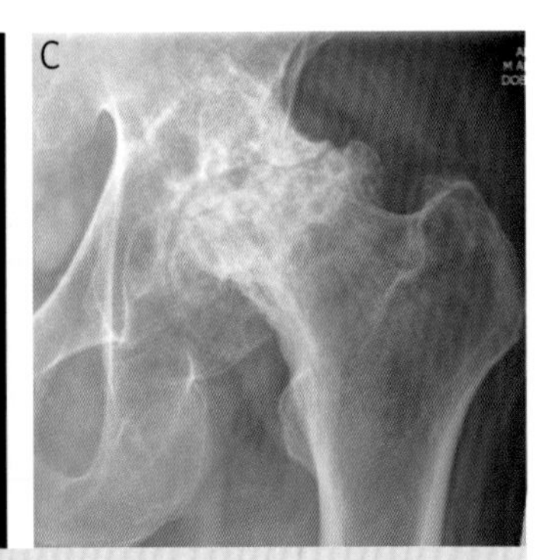

그림 16-15
Osteonecrosis of femoral head의 Ficat와 Arlet 병기 예
A. Femoral head 내에 골음영이 증가된 선이 보이나 함몰되지는 않은 2기
B. femoral head의 함몰이 있으나 관절 변화는 없는 3기
C. femoral head의 함몰이 극심하고 관절 간격도 소실되어 있으며 acetabulum에도 퇴행성 변화가 발생한 4기

소견은 T1 영상에서 괴사 부위와 정상 부위 사이에 low signal intensity band가 나타나고 T2 영상에서는 경계 부위에 double line (이중 경계선) 징후가 보이는데, 이때 괴사 쪽은 high signal intensity, 정상 쪽은 low signal intensity로 보인다. 괴사 부위는 상황에 따라 high signal 또는 low signal intensity가 혼재되어 보인다. 또한, bone marrow edema가 동반되어서 괴사 부위에 인접한 정상 부위부터 proximal femur에 걸쳐 T1 영상에서 low signal, T2 영상에서는 high signal intensity가 광범위하게 보일 수도 있다(그림 16-16).

4) 치료

가장 이상적인 치료는 괴사부를 재생시키는 것이겠으나, 현재까지 골괴사를 재생시키는 약제나 수술 방법이 개발되어 있지 않다.

(1) 보존적 치료

괴사의 크기와 대퇴골두 내 위치로 대퇴골두 골괴사로 인해 골두가 함몰되거나 증상이 악화되는 것을 예측할 수 있다. 괴사의 크기는 ischemic attack 때 결정되며 시간이 흐르면서 점차 괴사 범위가 커지는 것은 아니다. 일단 괴사가 발생하면 많은 경우 괴사부의 골절과 함몰이 생기고 이후 이어지는 이차적 관절 파괴로 인공고관절 전치환술(total hip arthroplasty)을 필요로 하게 된다. 그러나 괴사의 크기가 작거나, 크더라도 직접적인 체중부하를 하지 않는 부위에 있는 경우에는 골절이 발생하지 않아 무증상으로 유지되는 경우가 많기 때문에 특별한 치료를 요하지 않는다. 또 괴사부가 골절되어 통증이 발생한 경우에도 드물게는 시간이 지남에 따라 통증이 감소하고 잘 적응되어 특별한 치료가 필요치 않게 될 수도 있다. 따라서 통증이 시작되면 우선은 활동을 줄이고 비스테로이드성 소염진통제와 물리요법 등의 보존적 치료를 하면서 경과 관찰을 한다.

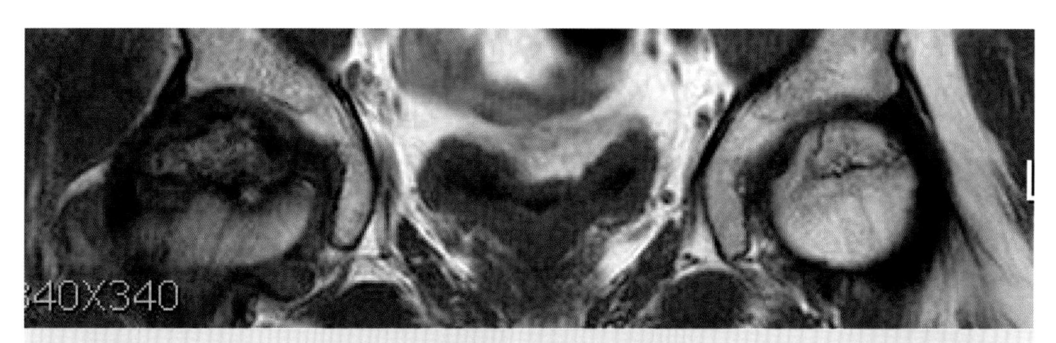

그림 16-16
양측 femoral head에 발생한 osteonecrosis의 T1강조 MRI 사진. 괴사 부위와 정상 부위 사이에 low signal intensity line이 잘 관찰된다. 우측은 femoral head subchondral bone에 골절선이 보이며 head가 함몰되었으나 좌측은 femoral head의 모양은 유지되어 있다.

(2) 관절 보존 수술

그 동안 여러 가지 관절을 보존하는 수술 방법들이 소개된 바 있고 현재도 여러 가지 수술이 시행되고 있다. 이는 어느 방법도 뚜렷하게 결과가 좋지 않기 때문으로 비교적 젊은 환자들에서 인공관절 치환술을 늦추거나 막기 위해서 시도되고 있다. 재생 수술은 괴사부를 살려내고자 하는 수술로 이론적으로 femoral head 함몰이 생기기 이전에 시행한다. 현재 시행되고 있는 것으로 중심 감압술(core decompression)과 다발성 천공술(multiple drilling)과 같은 감압술과 골 이식술(bone grafting)이 있다(그림 16-17).

(3) 관절 치환술

충분한 기간 동안 보존적 치료를 해도 일상생활에 지장을 줄 정도로 통증이 지속되는 경우 가장 널리 시행되고 결과가 확실한 치료방법은 인공고관절 전치환술이다(그림 16-18).

3. Hip joint 주위 연부조직 질환

1) 일과성 고관절 활액막염 (Transient Synovitis of the Hip)

(제4장 선천성 및 발달성 질환 참조)

2) Hip joint 주위 석회화 건염

(1) 임상소견

Shoulder joint에서 발생하는 석회화 건염(calcific tendinitis)과 유사하게 hip joint 주위에서 근육이 뼈에 부착되는 부위에도 석회화 건염(calcific tendinitis)이 발생할 수 있다. 증상은 대개 갑자기 발생하는 경우가 많은데, 건

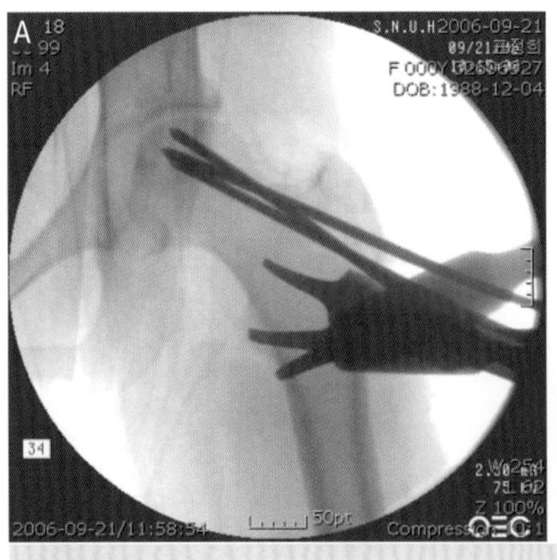

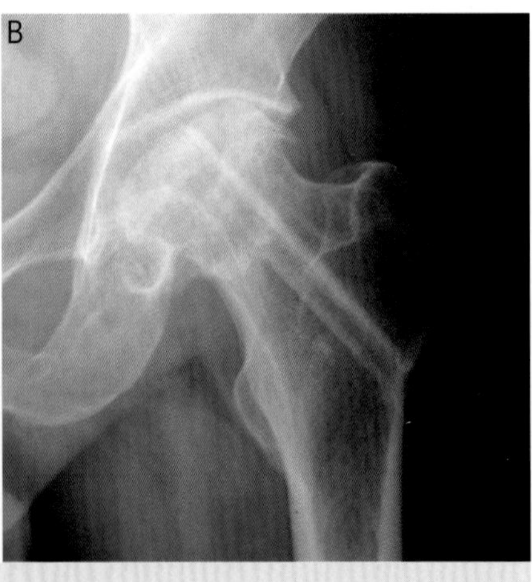

그림 16-17
Osteonecrosis of femoral head에 대해 시행하는 관절 보존 수술들
A. Multiple drilling을 시행하고 있는 수술 사진, B. vascularized fibular bone graft를 이식한 모습

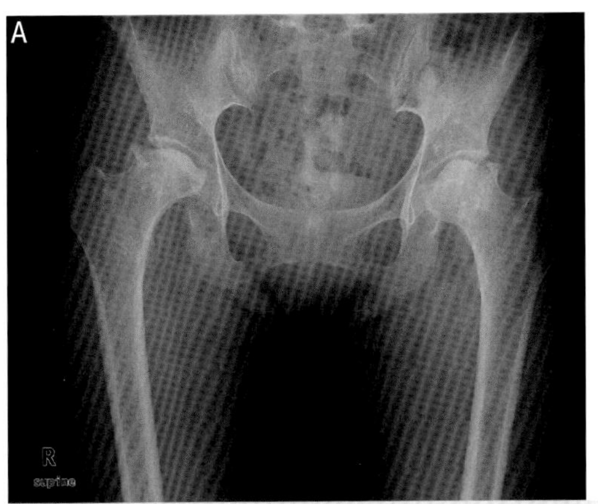

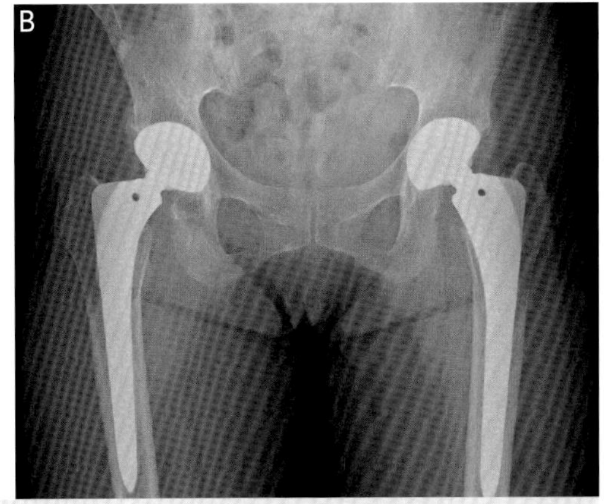

그림 16-18
A. 양측 osteonecrosis of femoral head의 단순 방사선 사진
B. 양측 인공고관절 전치환술 후 17년 경과된 사진

염이 발생한 부위의 통증과 압통(tenderness)이 극심해서 hip joint 운동 범위가 제한되기도 한다. 발생 부위 주변이 국소적으로 붓거나 열감이 생기기도 한다. 석회화 건염은 gluteus medius가 greater trochanter에 부착되는 부위(그림 16-19)나 gluteus maximus가 femur에 부착되는 부위(gluteal sling)에 주로 발생한다. 이 외에 rectus femoris 기시부(origin) 등 다른 여러 부위에 발생할 수 있다.

(2) 진단

단순 방사선 검사만으로도 근육이 뼈에 부착하는 부위 주변에서 관찰되는 전형적인 석회 침착 소견으로 진단할 수 있다. 하지만 석회 침착이 있어도 증상이 없는 경우도 많기 때문에 임상 증상과 신체검사 소견을 같이 고려하여 진단해야 한다. 석회화 건염의 진단만을 위해 MRI를 시행하는 경우는 드물지만, 감염, 골절이나 종양성 질환과의 감별을 위해 시행하기도 하는데, 대개 T2 강조 영상에서 주변 연부조직의 신호 증가 소견이 관찰되고, 골수 부종(bone marrow edema) 소견이 관찰되기도 한다(그림 16-20).

(3) 임상경과

급성인 경우 통증은 대개 2주 이내에 없어지고, 단순 방사선 사진상 석회 침착 소견은 4주에서 8개월 사이에 없어진다. 대부분 저절로 치유되지만, 만성인 경우에는 경도 및 중등도의 통증이 2개월에서 24개월까지 지속되는 경우도 있다.

(4) 치료

대부분 안정을 취하게 하거나 약물 복용을 하게 하는 보존적인 치료만으로도 증상이 호전된다. 약물 치료로는 NSAIDs를 경구 복용

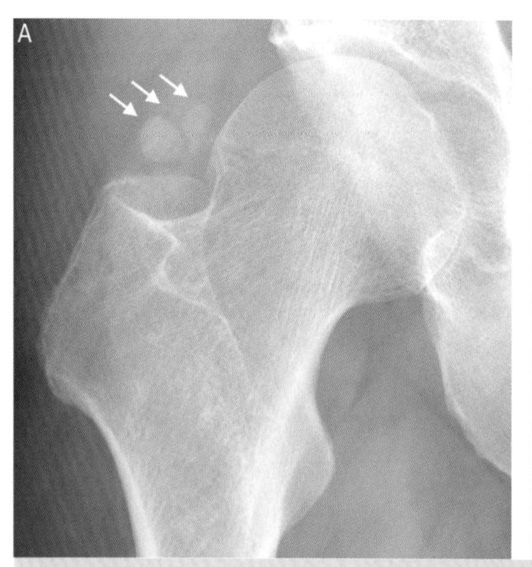

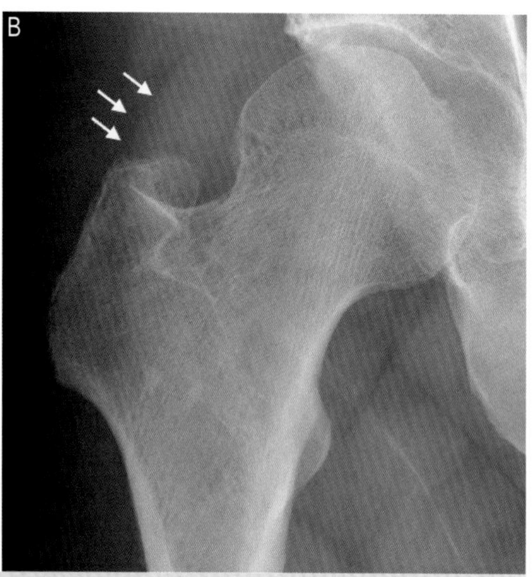

그림 16-19
A. 단순 방사선 사진상 증가된 골음영의 석회 침착 소견(화살표)이 gluteus medius의 greater trochanter 부착부 주변에 관찰된다.
B. 4개월 후 추시 방사선 사진상 희미한 골음영(화살표)만 관찰되고 대부분 흡수되어 없어졌다.

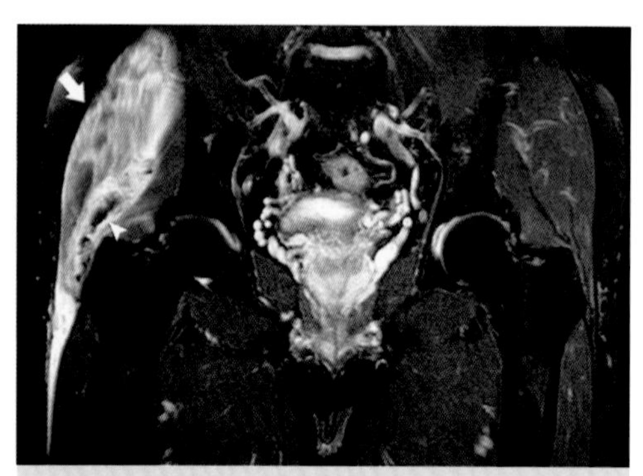

그림 16-20
석회화 건염의 MRI. T2 강조 영상에서 우측 gluteus medius 주변에 신호 증가 소견이 관찰된다(화살표).

하거나, 초음파 및 방사선 사진을 실시간으로 보면서 석회화 건염이 발생한 부위에 국소적으로 스테로이드제제를 주사하기도 한다. 고관절 주변 석회성 건염의 경우 수술적 치료를 통하여 병소를 제거하는 경우는 드물다.

3) Hip joint 주위의 점액낭염

Bursa (점액낭)란 뼈와 근육 및 건 사이의 마찰을 감소시키기 위해 우리 몸에 정상적으로 존재하는 구조물로, hip joint 주위에는 약 18개의 bursa가 존재한다. 이중에서 통증의 흔한 원인이 되는 대표적인 것은 trochanteric bursa (전자부 점액낭), ischial bursa (좌둔 점액낭), iliopsoas bursa (장요 점액낭)이다(그림 16-21).

(1) 전자부 점액낭염

전자부 점액낭염(trochanteric bursitis)의 증상은 원인에 따라 차이가 있지만, 특징 없이

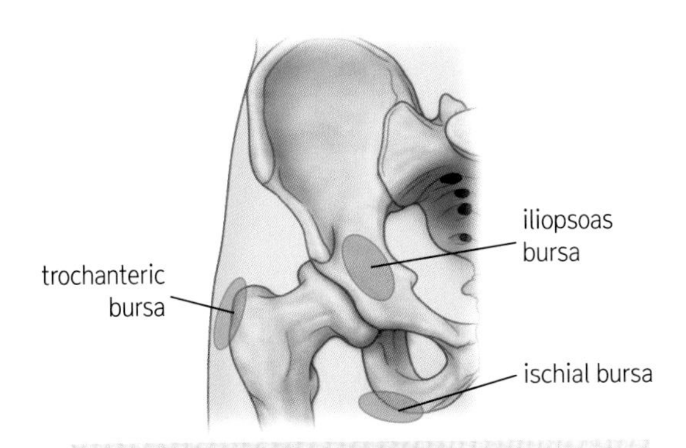

그림 16-21
Hip joint 주위의 대표적인 bursa

불명확한 통증을 호소하는 경우가 많고 때로는 하지로 뻗치는 통증이 동반되기도 하기 때문에 다른 질환으로 오인되기도 한다. 활동 후에 통증이 악화되고, 진찰할 때 bursa이 있는 위치인 greater trochanter 후방을 누르면 통증을 호소한다. 대부분 NSAIDs를 복용하고 물리 요법 등의 보존적 치료로 호전되는 경우가 많은데, 필요한 경우에는 bursa 부위에 스테로이드를 국소 주사하는 치료를 할 수도 있다. 단순 방사선 사진상 석회 침착이 발견되는 경우가 있는데, 대부분 치유되면서 침착이 사라지며 석회 침착이 남아있다고 하더라도 증상이 없는 경우가 많아 수술적 제거가 필요한 경우는 드물다. 하지만, 세균 감염으로 인한 화농성 점액낭염(pyogenic bursitis)이 발생한 경우에는 수술적으로 치료한 후에 항생제 치료를 시행한다.

(2) 좌둔 점액낭염

장시간 앉아서 일하는 직업을 가진 사람들에서 많이 발생하여 과거에는 재단사(tailor) 또는 직공 둔부(weaver's bottom)라고 불렸던 질환이다. 보통 딱딱한 바닥에 앉았을 때 통증이 생기고 두툼한 방석을 깔고 앉으면 완화되는 경우가 많다. 커진 bursa가 sciatic nerve를 압박하여 하지 방사통과 유사한 증상이 생기기도 한다. 진찰 시 바닥에 앉을 때 닿는 ischial tuberosity (좌둔 조골면) 부위를 누르면 통증을 호소하고 종괴(mass)가 만져지기도 하며, 무릎을 곧게 뻗은 채로 다리를 들어 올리면(straight leg raising test) 통증이 유발되기도 한다. 유사한 증상을 일으킬 수 있는 질환이 많기 때문에, 추간판 탈출증과 같은 허리 질환과 다른 hip joint 질환 여부를 주의 깊게 감별해야 한다. 치료는 딱딱한 바닥에 앉는 것을 피하고 두툼한 방석을 깔고 앉는 것과 같은 보존적인 치료만으로도 호전될 수 있고, 드물게 커진 bursa를 제거하는 수술적 치료를 시행하기도 한다.

(3) 장요 점액낭염

Hip joint 주위 bursa 중에서 가장 크고 항상 존재하는 것으로 일부에서는 hip joint와 연결되어있는 경우도 있다. 염증이 있는 경우에는 hip을 움직이면 통증이 심해지는데, 특히 신전 시 증상이 악화되는 양상을 보인다. Bursa가 있는 부위에 압통이 있고, knee joint 부위의 통증을 호소하기도 한다. 대부분 보존적인 치료로 호전이 된다. 다른 hip joint 질환과의 감별이 필요하다.

4) 발음성 고관절

발음성 고관절(snapping hip, coxa saltans)은 hip joint를 움직일 때 근육 및 건이 뼈가 튀어나온 부분을 지나거나, 관절 내부의 이상 병변으로 인해 탄발성 음이 발생하는 일련의 상태이다.

(1) 원인

① 관절 외부의 원인(extra-articular type)

- 외부형(external or lateral type): iliotibial band나 gluteus maximus tendon이 greater trochanter 위에서 미끄러져 움직일 때 탄발음이 발생한다(그림 16-22).
- 내부형(internal or medial type): iliopsoas tendon이 femoral head 앞쪽과 관절낭 또는 iliopectineal eminence (장치융기) 위를 지나가면서 탄발음이 발생한다(그림 16-23).

② 관절 내부의 원인(intra-articular type)

관절강 내 유리체(loose body)가 있거나 acetabular labrum에 파열(tear)이나 낭종(cyst)과 같은 병변이 있어 관절을 움직일 때 탄발음이 발생하는 경우이다.

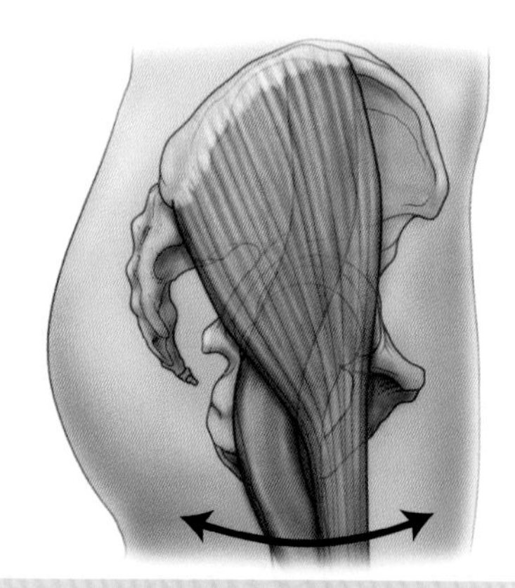

그림 16-22
외부형 발음성 고관절에서 iliotibial band나 gluteus maximus tendon이 greater trochanter 위에서 미끄러져 움직일 때 탄발음이 발생한다.

(2) 임상소견

탄발음은 곁에 있는 사람이 들을 수 있을 정도로 소리가 크거나 본인만 인지할 정도로 작은 경우까지 다양하다. 통증은 없거나 간헐적으로 발생할 수도 있고, 만성적으로 지속되는 경우도 있다. Iliotibial band의 구축(contracture)이 심한 경우에는 hip joint의 내전이 제한되어 심한 경우 다리를 벌리고 걷게 되거나 정상적인 보행이 어려울 수도 있다. 관절 내부의 문제가 원인인 경우에는 hip joint를 움직일 때나 걸을 때 잠김(locking) 증상을 호소는 경우가 있다.

(3) 진단

① 신체검사

- 외부형인 경우: Trochanter 외측의 압통을 호소할 수 있고, 탄발이 유발되는 동작에서 청진, 시진, 촉진을 통해 인지할 수도 있다. 구축이 심한 경우에는 앉은 자세에서 반대쪽 무릎 위로 다리를 교차시키지 못하는 경우도 있다.
- 내부형인 경우: Pectineal eminence (치융기) 부위의 압통을 호소할 수 있고, 그림 16-23과 같이 hip joint를 굴곡, 외전, 외회전 시킨 상태에서 내회전, 신전시켜 탄발음을 유발시킬 수 있다.

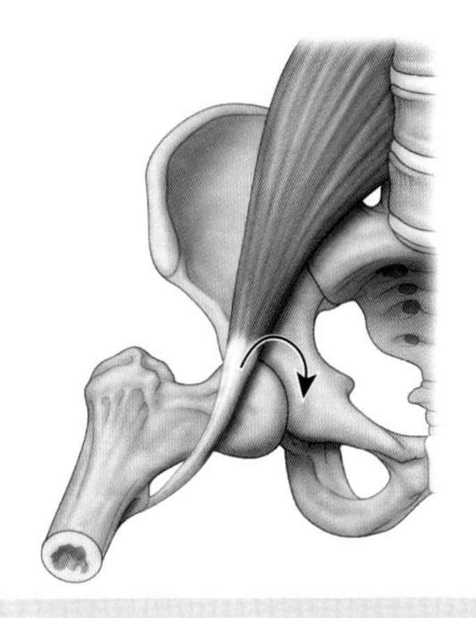
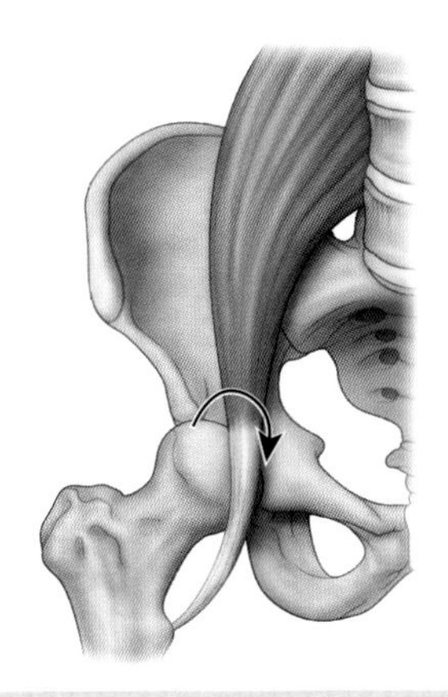

그림 16-23
Hip joint가 굴곡, 외전, 외회전된 상태에서 내회전, 신전하게 되는 경우 iliopsoas tendon이 femoral head 앞쪽과 관절낭 또는 iliopectineal eminence 위를 지나가면서 탄발음이 발생하게 된다.

② 영상검사

단순 방사선 검사에서는 대부분 별다른 이상 소견이 없는 경우가 많은데, 비정상적으로 뼈가 튀어나왔거나 증상이 만성적인 경우에는 탄발이 발생하는 주변 부위에 석회화 소견이 관찰되기도 한다. 초음파검사(dynamic sonography)를 통해 검사자가 탄발이 유발되는 동작을 시키면서 동시에 초음파상에서 두꺼워진 tendon을 관찰하거나, tendon이 뼈가 튀어나온 부위 위를 지나가면서 탄발음이 발생하는 것으로 진단할 수 있다.

(4) 치료

① 비수술적 치료

대부분의 환자에서는 병에 대해 정확하게 인지시키고 안심시키면서 탄발을 유발하는 동작을 피하게 하는 것만으로 증상을 개선시킬 수 있다. 보존적 치료로 활동 제한, 온열 치료, 물리 치료를 시행할 수 있고, NSAID 복용 및 스테로이드 제제의 국소 주사 등 약물적 치료를 시행할 수도 있다.

② 수술적 치료

일반적으로 수술적 치료가 필요한 경우는 매우 드무나 보존적 치료에도 불구하고 탄발음이 지속적으로 발생하면서 통증으로 인해 일상생활에 제한이 있거나, 심한 구축으로 인하여 보행이 어려운 경우에 시행할 수 있다. 구축된 근육 및 tendon을 찾아 release하거나 길이를 연장시키는(lengthening) 등 다양한 수술적 치료 방법이 있다. 최근에는 관절경적으로 수술을 시행하는 방법도 보고되고 있다.

참고문헌

1. 대한고관절학회. 고관절학. 2nd ed.
2. Iyer, K. Mohan, and Pan Stanford Publishing. Hip Joint in Adults : Advances and Developments / Edited by K. Mohan Iyer. First ed. 2018.
3. Koo, Kyung-Hoi, Michael A Mont, and Lynne C Jones. Osteonecrosis. 2014 ed. Berlin, Heidelberg: Springer Berlin / Heidelberg, 2014.
4. Magee DJ: Orthopedic Physical Assessment. 3rded.
5. Philadelphia,WBSaundersCo: 460-505. 1997.
6. Redmond JM, Chen AW, Domb BG. Greater Trochanteric Pain Syndrome. J Am Acad Orthop Surg. 2016 Apr;24(4):231-40.
7. Rees HW. Management of Osteoarthritis of the Hip. J Am Acad Orthop Surg. 2020 Apr 1;28(7):e288-e291.
8. Sankar WN, Nevitt M, Parvizi J, Felson DT, Agricola R, Leunig M. Femoroacetabular impingement: defining the condition and its role in the pathophysiology of osteoarthritis. J Am Acad Orthop Surg. 2013;21 Suppl 1:S7-S15.

Knee Joint의 병변

Affections of Knee Joint

1. 슬관절의 구조와 기능

1) 해부학

슬관절은 인체 내에서 가장 큰 관절이지만, 골구조로 보아 매우 불안정한 해부학적 특성과 외력에 손상 받기 쉬운 위치 등으로 인해서 병변 발생이 빈번한 관절이다. 고관절은 움푹 파인 비구 속으로 대퇴골두가 삽입되어 있는 구상관절(ball and socket joint)로 골구조상 매우 안정되어 있으나 슬관절은 비교적 편평한 경골상단 관절면에 둥근 모양의 대퇴 과 관절면이 접촉하므로 골구조상 매우 불안정하다. 따라서 슬관절의 안정성은 주위의 인대나 근육들에 의하여 유지되고 있다. 슬관절의 해부학적 구성은 골구조(osseous structure), 관절 외 구조(extraarticular structure)와 관절 내 구조(intraarticular structure)로 구분할 수 있다(그림 17-1).

(1) 골구조

슬관절은 대퇴골, 경골, 슬개골로 구성되어 있으며, 경대퇴관절(tibiofemoral joint)과 슬개

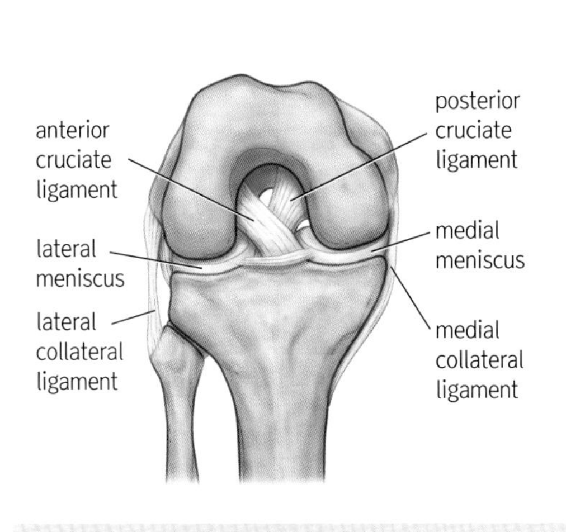

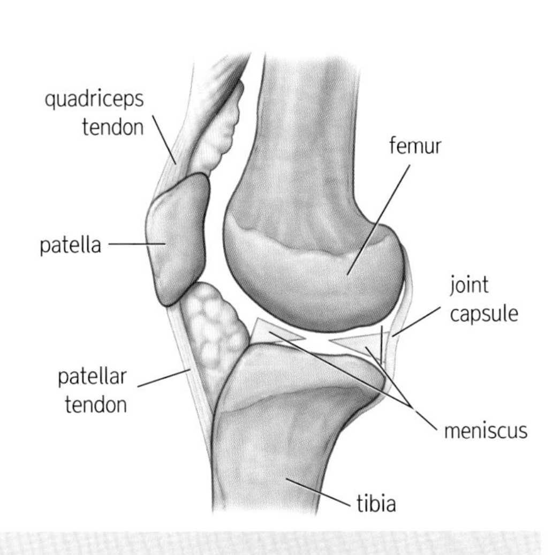

그림 17-1
슬관절의 전면과 측면

대퇴관절(patellofemoral joint)로 구분할 수 있다. 경대퇴관절은 대퇴 과(femoral condyle)와 경골 과(tibial condyle)의 관절면으로 이루어져 있고, 내측과 외측으로 나누어진다. 대퇴 내과(medial femoral condyle)의 관절면의 길이는 대퇴 외과(lateral femoral condyle)보다 길지만 관절면의 넓이는 대퇴 외과가 넓다. 경골 상단의 관절면은 편평하며, 그 중심부의 과간융기(intercondylar eminence)에 의하여 경골 내과(medial tibial condyle)와 외과(lateral tibial condyle)로 구분된다. 경골 상단의 중심에는 여러 관절 내 구조물의 경골 부착부가 있는데, 전방으로부터 후방으로 내측 반월상연골판 전각부(medial meniscus anterior horn), 전방십자인대(anterior cruciate ligament), 외측 반월상연골판 전각부(lateral meniscus anterior horn), 외측 반월상연골판 후각부(lateral meniscus posterior horn), 내측 반월상연골판 후각부(medial meniscus posterior horn), 후방십자인대(posterior cruciate ligament)의 부착부가 순서대로 위치한다(**그림 17-2**). Patella는 삼각형의 종자골(sesamoid bone)이며, 대퇴골과 만나 슬개대퇴관절을 형성한다. 이는 대퇴사두근(quadriceps muscle)과 슬개건(patellar tendon)을 연결하여 슬관절의 신전 기전(extensor mechanism)에 관여하며, 또한 슬관절의 전면을 보호한다(**그림 17-1**).

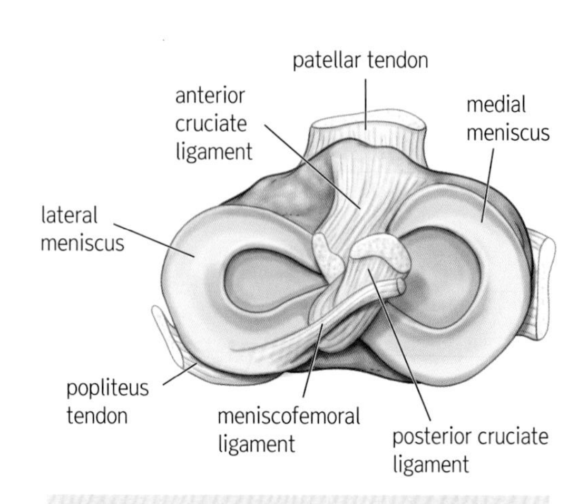

그림 17-2
슬관절의 단면 모식도

(2) 관절 외 구조

슬관절은 골구조상 불안정한 관절이므로, 근육, 인대, 관절막 등의 관절 외 연부조직이 안정도에 기여하는 역할이 크다. 슬관절 주위의 근육과 건들은 대퇴사두근, 비복근(gastrocnemius), 슬건(hamstring tendon), 슬와근(popliteus), 장경대(iliotibial band) 등이며 각각 슬관절의 안정성에 역동적으로 기여하는 구조물이다. 내측측부인대(medial collateral ligament)는 슬관절 내측을 보강하는 대표적인 구조물이다. 이는 천부(superficial)와 심부(deep) 내측측부인대로 구분된다. 천부 내측측부인대는 대퇴골 내상과(medial epicondyle)에서 기시하여, 내측 관절막의 표면을 지나, 관절면 하방 7~10 cm에서 경골에 직접 부착한다. 심부 내측측부인대는 내측 관절낭이 강화되어 두터워진 부분으로, 관절낭과 구분이 불가능한 관절낭인대(capsular ligament)이며, 대퇴골 내상과에서 기시하여 경골 관절면의 가장자리에 부착한다. 내측측부인대는 외반력(valgus stress)에 대한 주된 안정성을 제공하는 중요한 구조물이다. 외측측부인대(lateral collateral ligament)는 외측 안정성을 담당하는 중요한 구조물로 대퇴골 외상과(lateral epicondyle)에서 기시하여 비골 골두(fibular head)에 부착한다. 내측측부인대는 넓은 인대 모양이지만 외측측부인대는 둥근 건 모양으로 슬관절이 신전된 상태에서 내반력(varus stress)에 대하여 주된 안정성을 제공한다.

(3) 관절 내 구조물

슬관절 내의 중요한 구조물은 전/후방십자인대와 내/외측 반월상연골판이다. 전/후방십자인대는 관절 내에 존재하나 활막(synovium)에 싸여있는, 활막 외 조직(extrasy-novial tissue)으로 관절의 안정성에 매우 중요한 역할을 하며, 특히 대퇴골에 대하여 경골이 전후방으로 이동되는 것을 방지한다. 전/후방십자인대는 서로 십자 모양으로 배열하고 있으며, 경골이 내회전하면 서로 꼬인다. 전방십자인대는 대퇴 외과 내측면에서 기시하여, 경골 과간부(intercondylar area)에 부착한다. 주기능은 대퇴골에 대하여 경골이 전방 이동되는 것을 방지하는 것이며, 과신전의 방지 및 경골의 회전을 제한하는 기능도 있다. 후방십자인대는 대퇴 내과 외측면에서 넓게 기시하여, 경골 후면에 부착한다. 후방십자인대는 전방십자인대보다 강도가 2배 강하며 경골이 대퇴골에 대하여 후방 이동되는 것을 방지한다. 연골판은 대퇴골과 경골의 관절면 사이에 위치하며, 슬관절의 정상 기능을 유지하는데 필수적인 구조물이다. 내측 반월상 연골판은 외측보다 그 반경이 큰 "C"자 모양이며, 후각(posterior horn)이 전각(anterior horn)보다 넓다. 내측 반월상연골판의 전장은 내측관절낭(medial joint capsule)과 관상인대(coronary ligament)를 통하여 경골 상단 가장자리에 단단하게 부착되어 있어 가동성이 적다. 외측 반월상연골판은 내측보다 크기가 작고, 그 모양은 원형에 가깝다. 외측 반월상연골판은 관절낭과 경골에 느슨하게 부착되어 있고, 후외측에서 슬와건(popliteus tendon)에 의하여 관절낭으로부터 분리되어 있어, 내측에 비하여 가동성이 크다. 반월상연골판은 체중 전달, 외력의 분산, 관절 연골 보호, 관절의 안정성 및 윤활 기능 등의 중요한 기능을 가지고 있다. 직립 시 슬관절에 부하되는 체중의 40~60%는 반월상연골판을 통하여 전달되며, 반월상연골판은 대퇴골과 경골의 접촉면을 증가시켜 관절면에 가해지는 스트레스를 분산, 감소시켜 관절 연골을 보호한다. 또한 활액을 관절에 고르게 분산시켜 윤활기능을 촉진시키고, 관절 운동 시 활막이 관절 사이에 끼이는 것을 방지한다.

2) 생역학

슬관절의 굴곡-신전 운동의 기본 역학은 대퇴골과 경골의 관절면 사이에서 조화되어 일어나는 구르기(rolling)와 미끄러짐(gliding)이다(그림 17-3). 구르기는 굴렁쇠가 평면을 굴러가는 것과 같이 접촉점이 지속적으로 변하는 운동이며, 미끄러짐은 굴렁쇠가 평면의 일정한 고정점과 항상 접촉하면서 제자리에서

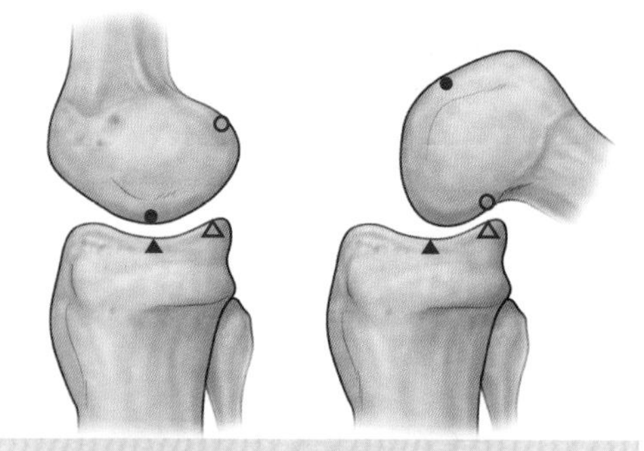

그림 17-3
슬관절의 굴곡 운동에서 대퇴과와 경골과의 접촉점의 변화
굴곡 운동이 구르기와 미끄러짐의 복합작용에 의해서 이루어짐을 나타낸다.

회전하는 것과 같은 운동이다. 경골 외과 위에서 대퇴 외과의 구르기가 일어날 때 회전축은 후방으로 전위되며 이를 대퇴후방굴림(posterior roll back)이라고 한다. 반면 경골 내과와 대퇴 내과 사이에는 주로 미끄러짐이 일어나 후방전위가 크지 않다. 이로 인해 결과적으로 굴곡-신전 시 대퇴골과 경골 사이에는 축회전 운동(axial rotation movement)이 일어나는데 마치 내측은 제자리에서 움직이지 않고 외측은 전후로 움직이는 것 같다고 하여 이를 내측 선회축(medial pivot) 운동이라고 한다. 굴곡 시 경골은 대퇴골에 대해 상대적으로 내회전하고 신전 시 외회전하는 회전 운동이 일어나는 것을 나사회전 운동(screw home movement)이라고 표현하였는데 그 바탕은 medial pivoting이 기전이라고 할 수 있다.

3) 하지정렬의 평가

(1) 정상정렬

고관절의 중심과 족관절의 중심을 연결하는 것으로 정의되는 하지의 역학적 축(mechanical axis)은 정상적으로 슬관절에서 관절의 중앙 또는 약간 내측으로 치우쳐 지나 지면과 직각인 선과 약 3°를 이루게 된다(그림 17-4). 대퇴골 간부의 축으로 정의되는 대퇴골의 해부학적 축(anatomical axis of the femur)은 대퇴골두 중앙(center of femoral head)과 원위 대퇴골 과간 중앙을 연결하는 선으로 정의되는 대퇴골의 역학적 축(mechanical axis of the femur)과 약 5~7°의 내반 관계를 보인다. 그러나, 경골에서는 내외측 경골극(medial and lateral tibial spine)의 중심점과 거골(talus) 근위 관절면의 중앙을 연결하는 경골의 역학적 축(mechanical axis of the tibia)이 경골 간부의 축으로 정의되는 경골의 해부학적 축(anatomical axis of the tibia)과 거의 일치하게 된다. 한편, 근위 경골의 관절면은 경골의 역학적축에 대해서 3° 내반으로 기울어져있고, 원위 대퇴골의 관절면은 대퇴골의 역학적 축에 비해서 3° 외반으로 기울어져 있다. 이러한 하지의 해부학적 특성은 체중 부하가 슬관절의 내-외측 관절 면에 고르게 이루어지게 함으로써 연골 마모를 방지한다.

내측 근위 경골각(medial proximal tibial angle, MPTA)과 역학적 외측 원위 대퇴각(mechanical lateral distal femoral angle, mLDFA)은 하지 정렬 이상의 원인을 판정하는데 중요한 기준이 된다. 내측 근위 경골각은 근위 경골의 고평부선(관절 방향선)과 경골의 역학적 축(anatomical axis)이 이루는 각이며 평균 87°이며 정상 범위는 85~90°가

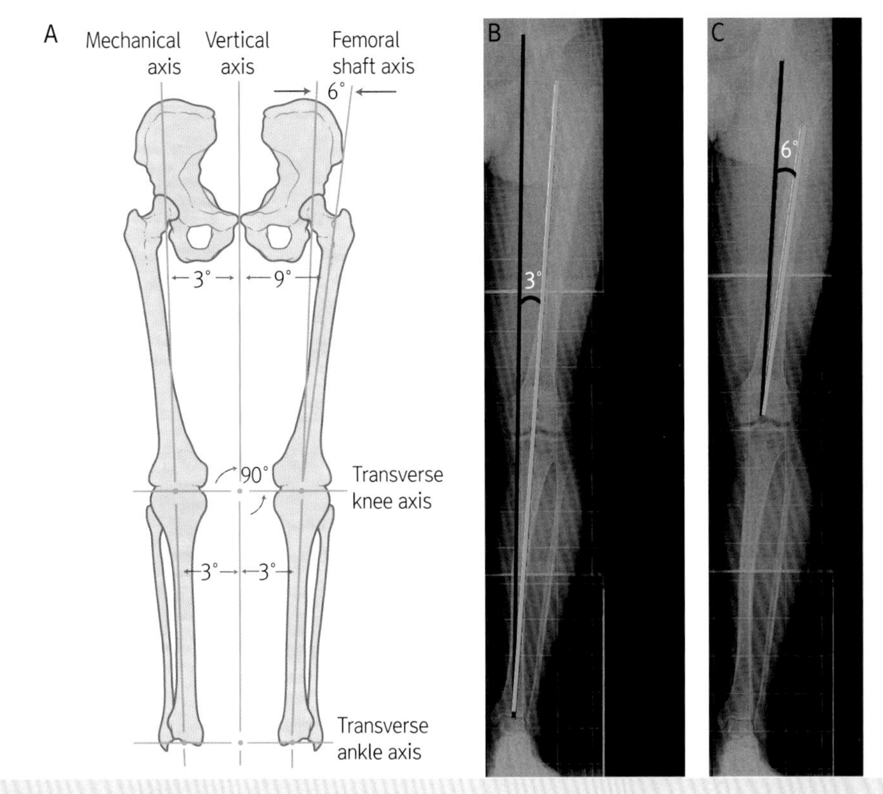

그림 17-4
A. 하지의 정상 정렬 모식도
B. 하지의 역학적 축(파란선)은 슬관절의 중앙을 지나며 지면에서 수직인 선(검은선)을 기준으로 3° 기울어져 있다.
C. 대퇴골의 역학적 축(검은선)은 해부학적 축(파란선)과 약 5~7° 관계를 보인다.

량이고 이보다 작으면 경골의 내반 변형, 크면 외반 변형이 있다고 판정한다. 역학적 외측 원위 대퇴각은 원위 대퇴골의 내과와 외과의 관절면을 이은 선과 대퇴골의 역학적 축이 이루는 각이다. 평균 88°이며 정상범위는 85~90°이다. 이보다 작은 경우 원위 대퇴골의 외반 변형, 큰 경우 내반 변형을 의미한다(그림 17-5).

(2) 내반슬

내반슬(genu varum)은 하지의 역학적 축이 슬관절 중심에서 내측으로 치우쳐서 지나가는 상태를 의미하며 흔히 "O자 다리"로 알려져 있다. 매우 심한 내반슬이 발생하는 원인은 선천적인 원인, 성장기의 성장장애 및 질환, 감염 및 골절의 후유증으로 발생할 수 있다. 정상 관절에서도 경미한 내반슬은 종종 관찰되며 외형이나 기능면에서 문제가 되지

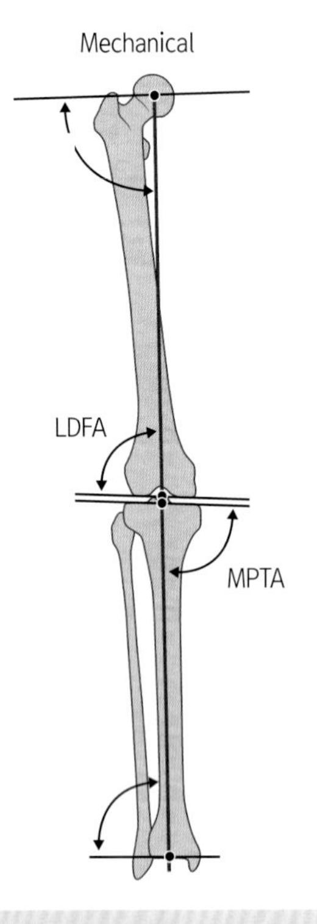

그림 17-5
하지 관절 정렬의 개념도
붉은 선은 체중부하선(weight bearing line)을 의미한다. LDFA (lateral distal femoral angle)은 원위대퇴 관절면과 대퇴 역학축이 이루는 각도를 의미한다. MPTA (medial proximal tibial angle)은 근위 경골 관절면과 경골 역학축이 이루는 각도를 의미한다. 이런 각도들의 상대적 차이를 갖고 관절 변형을 진단할 수 있다.

않는다. 그러나, 내측 구획에 퇴행성 관절염이 동반된 경우나 인대 손상에 의한 관절불안정성이 동반된 경우에는 내반슬에 의해서 관절염 또는 관절불안정성이 빠르게 나빠질 수 있으므로 수술적 교정을 고려할 수 있다. 퇴행성 관절염으로 악화된 내반슬에서는 근위경골절골술(high tibial osteotomy)이 시행될 수 있다(그림 17-6).

(3) 외반슬

하지의 역학적 축이 슬관절의 중심에서 외측으로 벗어난 위치를 지나는 외반슬(genu valgum)은 다리가 무릎에서 "X자 변형"을 보이는 것으로 내반슬보다 드물게 발생한다(그림 17-7). 선천적인 이상, 성장기의 질환으로도 올 수 있으나 성인에서 발생하는 외반슬은 골절 후 부정유합, 연골판 또는 인대 손상에 속발하는 후외상성 관절염, 그리고 류마티스 관절염이 원인이 되는 경우가 많다. 외반슬의 정도가 경미한 경우에는 외형적으로나 기능적으로 문제가 되지 않는다. 그러나 외측 관절면에 국한된 관절염이 동반된 경우에는 외반슬에 의해서 관절염이 더욱 빠르게 진행될 수 있으므로 수술적 치료를 고려할 수 있다. 외반슬을 교정하기 위한 절골술은 내반슬의 경우와는 다르게 대부분 대퇴골 원위부에서 시행된다.

(4) 전반슬

하퇴부가 슬관절에서 앞으로 젖혀지는 변형인전반슬(genu recurvatum)은 골절 또는 감염 후유증으로 대퇴골 또는 경골에서 신전 변형이 발생하여 나타날 수 있다. 또한, 대퇴사두근의 약화를 초래하는 질환과 연계되어서 나타나는 경우도 많다. 일단 전반슬이 나타나면 시간이 경과함에 더욱 악화되는 경우가 많은데 이는 체중을 디딜 때마다 후방 관절낭이 더욱 이완되어 변형이 더욱 심해지기 때문이다. 따라서 증상을 유발할 정도의 전반슬이 있는 경우에는 조기에 적극적인 치료를 시행

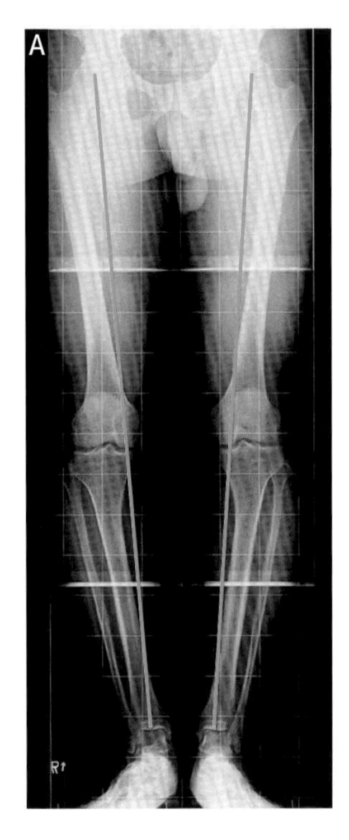

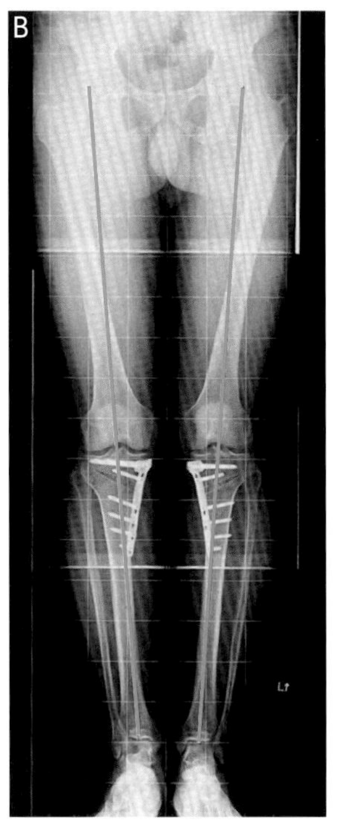

그림 17-6
퇴행성 관절염이 동반된 내반슬의 교정 전후 사진
A. 교정 전. 하지의 역학적 축(파란선)이 슬관절의 내측 구획을 지난다.
B. 교정 후. 하지의 역학적축(파란선)이 슬관절의 외측 구획을 지난다.

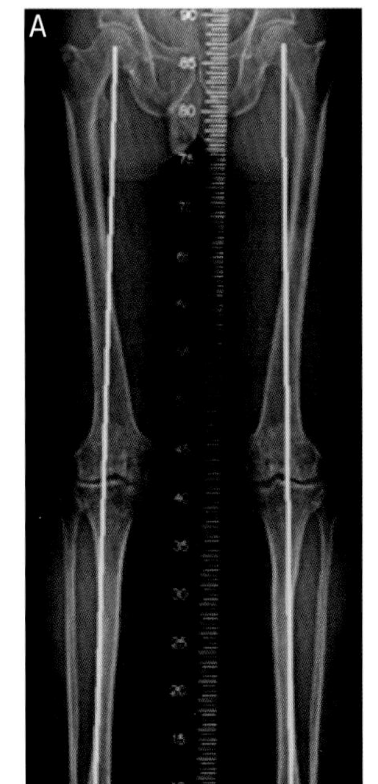

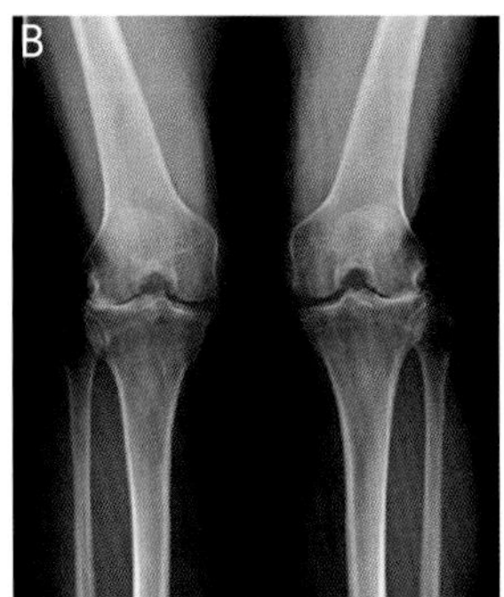

그림 17-7
외측 구획에 발생한 관절염으로 나타난 외반슬 변형
A. 하지의 역학적 축(파란선)이 슬관절의 외측 구획을 지난다.
B. 전후면 방사선 사진에서 내측 관절 간격은 유지가 되고 있으나 외측구획의 관절 간격은 소실되어 있다.

하는 것이 권장된다. 수술적 치료는 경골 근위부에서 후방 경사각을 증가시키는 굴곡 절골술을 시행할 수 있다.

2. 반월상 연골판(Meniscus) 병변

1) 반월상 연골판 손상

반월상 연골판 손상은 여성보다 남성에서 흔하며 외상으로 인한 손상은 20~30대에, 퇴행성 병변은 50세 이상의 골관절염 환자에서 흔히 관찰된다. 젊은 연령에 발생하는 외상성 파열의 1/3에서 전방 십자인대 손상이 동반된다고 보고되어 있고, 이때는 외측 반월상 연골판의 손상 빈도가 더 높다고 알려져 있다. 경골 고평부 골절에서도 흔히 동반되며, 대퇴 간부 골절에서 혈관절증 소견을 보일 경우에도 고려해야 한다. 반면 퇴행성 파열에서는 내측 반월상 연골판 파열의 빈도가 더 높으며, 40~50대 이후의 중년에서 사소한 일상생활이나 경미한 부상에 의해서도 발생할 수 있다.

(1) 손상 기전

반월상 연골판 파열은 뒤틀림이나 과굴곡 시 발생하기 쉬우며, 지면에 고정된 하퇴부(leg)에 대퇴부(thigh)의 회전이 가해지면 파열이 발생한다. 고도의 굴곡 위에서는, 내측 반월상 연골판의 후각부가 경골대퇴 관절 사이에서 압박되며, 이 상태에서 대퇴부의 내회전이 가해지면 관절 중앙부로 밀리게 되고, 이 상태에서 일어나는 신전으로 후각부는 압박외상을 받아 종파열(longitudinal tear)이 발생한다. 방사 파열(radial tear)의 경우 압박력(compressive force)에서 기인한 전후방향 부하에 의해 발생하게 되며, 수평파열(Horizontal tear)은 수평으로 배열된 반월상 연골판의 원주 섬유를 따라 축성 압박력(axial compressive force)에 이은 전단력(shearing force)에 의해 발생한다고 알려져 있다. 내측 반월상 연골판은 외측 반월상 연골판에 비해 가동성이 적어 손상이 더 빈발하게 발생된다.

(2) 손상 형태

반월상 연골판 파열은 관절경이나 자기공명영상상 보이는 양상에 따라 종파열(longitudinal tear), 방사파열(radial tear, transverse), 횡파열(horizontal tear)의 기본형으로 분류할 수 있으며, 여기에 변연부 박리(peripheral detachment), 사파열(oblique tear), 복합 파열(complex tear), 판상파열(flap tear), 양동이 손잡이형 파열(bucket handle tear) 등 여러 가지 복잡형이 있다. 반월상 연골판의 혈관 분포에 근거하여 3개의 구역(red–red, red–white, white–white)으로 나누는 것은 봉합 후 치유가 가능한가, 절제를 해야 하는가와 같은 치료 방법과 연관된다. 나이가 증가함에 따라 퇴행성 횡파열(degenerative horizontal tear) 및 복합 파열(complex tear)이 보다 흔해지고 후각부에서 주로 발생한다.

(3) 진단

① 증상

수상 후 급성 부종이 있는 경우 인대손상도 의심해야 한다. 나이 많은 환자에서의 퇴행성 파열은 특별한 외상의 병력 없이 발생할 수 있으며, 만성적인 관절 부종, 관절선 동통 등의 증상을 보인다.

- 통증 및 운동 제한(limitation of motion): 수상 직후에는 동통과 종창으로 파행을 보일 수 있고, 운동 장애는 이상음을 동반하기도 한다. 신전 시의 관절운동제한은 양동이 손잡이형 파열(bucket handle tear)에서 흔히 보이며, 수술적 치료의 적응증이 된다.
- 잠김(locking): 슬관절 운동 중 어느 굴곡 위에서 갑자기 굴신(flexion−extension)에 장애가 오는 증상을 잠김이라 한다. 파열된 반월상 연골판 조각이 이차적으로 전위되어 관절면 사이에 끼어 당겨지는 것이 원인이다. 그러나 잠김 증상은 관절연골의 손상(cartilage lesion)이나 관절 내 유리체(loose body) 등에서도 나타날 수 있다.
- 무력감(giving way): 특정 동작에서 슬관절이 안정성을 잃고 힘이 빠지면서 꺾이는 증상으로, 반월상 연골판 손상에서도 나타날 수 있으며 관절 내 유리체, 인대 손상 후 관절 불안정성이 있는 경우에도 나타날 수 있다.

② 신체검사

삼출액과 대퇴 사두근의 위축, 관절운동범위의 제한, 관절선의 압통과 동반 손상 확인을 위한 인대 안정성 검사를 시행한다.

- 관절선 압통(joint line tenderness): 압통은 관절선을 따라 손상부에 일치하여 나타난다. 관절선에 일치하여 나타나는 압통은 반월상 연골판 손상에서 가장 중요한 신체 검사 소견이다.
- McMurray 검사(McMurray test): 반월상 연골판 파열 부위의 통증 및 전위를 유발하는 검사로, 앙와위에서 슬관절을 최대한 굴곡시키고 한 손으로 하퇴를 내회전 혹은 외회전 한 후 서서히 신전시켜 통증이나 탄발음(click)이 발생하면 양성으로 간주하고 반월상 연골판 파열을 의심할 수 있다.
- Apley 압박 검사(Apley grind test): 복와위에서 슬관절을 90° 굴곡한 상태로 슬관절에 압박을 가하며 경골을 회전시켜 통증이나 마찰음이 발생하면 반월상 연골판 손상을 의심할 수 있다.

③ 영상 진단

- 단순 방사선 검사: 반월상 연골판 파열을 확진할 수는 없지만, 이와 유사한 증상을 보이는 관절내 유리체, 박리성 골연골염, 그 밖에 다른 원인들을 배제하기 위하여 필요하다.
- 자기공명영상: 비침습적이고 다양한 평

면의 촬영이 가능하며, 반월상 연골판 파열 및 변성 등 해부학적 변화를 자세히 볼 수 있으며, 높은 정확도를 보인다(그림 17-8).

④ **관절경(arthroscopy) 검사**

관절 절개를 시행하지 않고 정확한 진단을 내려 적절한 치료를 하기 위한 관절경 검사는 슬관절 내부 질환 및 손상 부위와 범위를 직접 관찰하고, 동시에 치료도 할 수 있다. 주의 깊고 체계적인 접근이 필요하며, 관절낭과의 경계 부위, 연골의 상하 면을 탐침(probe)으로 살피고, 과가동성이 없는지 확인해야 하며, 자기공명영상에서 후각부나 변연부 파열이 의심되는 경우 후방 구획에도 관절경을 위치시켜 이를 확인해야 한다.

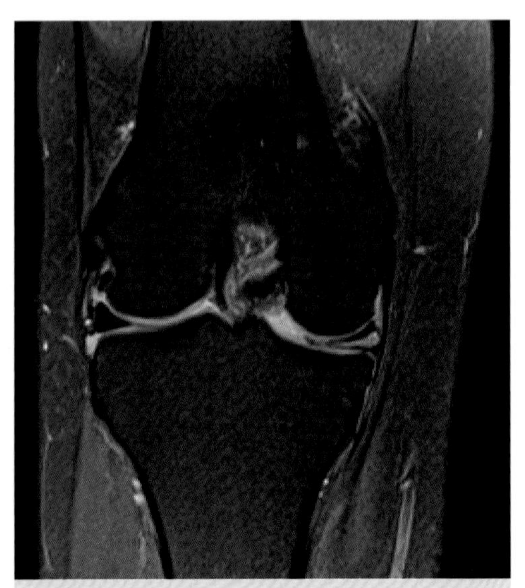

그림 17-8
자기공명영상(MRI)에서 내측 반월상 연골판의 수평파열이 관찰된다.

(4) 치료

① **보존적 치료**

반월상 연골판 파열부의 안정성 및 통증 여부가 치료 방법을 결정하는 중요한 요소가 된다. 인대 손상과 같은 동반 병변이 없는 경우, 슬관절이 안정되어 있다면 많은 불완전 파열이 완전 파열로 진행하지 않고 치유되며, 3~6주간의 보존적 치료도 좋은 결과를 기대할 수 있다. 급성 증상이 사라진 후에는 점진적 관절 운동으로 기능 회복을 돕는다. 근위축을 예방하기 위한 근수축 훈련은 수상 직후부터 적극적으로 실시한다. 만성 파열의 경우는 자연 치유를 기대하기 힘들고, 파열의 크기가 커서 잠김(locking)이나 무력감(giving way) 증상을 보이는 환자 또는 양동이 손잡이형 파열(bucket-handle tear)의 경우 수술적 치료를, 퇴행성 변화가 심한 경우 대개 보존적 치료를 시행한다.

② **수술적 치료**

관절경 수술의 발달로 관절 절개 없이 반월상 연골판 손상의 진단과 치료가 가능하다. 관절경적 치료의 적응증으로는 증상이 일상생활이나 직업, 스포츠 활동에 지장을 주며, 관절면 압통, 삼출액, 관절 운동 제한, 임상 검사상 양성 소견을 보이고, 보존적 치료에 호전을 보이지 않고, 영상 검사에서 증상의 다른 원인을 배제한 경우이다. 반월상 연골판 절제술은 봉합이 어렵고 불안정한 연골편을 부분적으로 제거하는 술식으로, 이후 퇴행성 변화를 막기 위하여 연골판을 가능한 많이 보존하려고 노력해야 한다(그림 17-9). 반월상 연골판 봉합술은 혈관 분포가 많은 활액막 경계로부터 3 mm 이내(red-red zone)의 변연부 파열에서의 결과가 양호하며 십자인대 손상과 동반되어 인대재건술과 동시에 시행한 경우 좋은 결과를 보인다(그림 17-10). 변연부 5 mm 이하의 전층 종파열(longitudinal tear)이나 10 mm 이하의 부분 파열은 안정된 파열로 간주하여 보존적 치료를 시행할 수 있다. 반월상 연골판 동종 이식술은 반월상 연골판 전절제술이나 아전절제술을 시행 받은 환자에서 지속적인 관절면 동통을 호소하고, 말기 연골 변화를 보이지 않으며(Grade III 이하), 정상적인 해부학적 정렬을 가진 안정된 슬관절에 시행할 수 있다. 해부학적 부정렬(malalignment)이 있는 경우 교정 절골술(corrective osteotomy)을 고려해야 하며, 인대 불안정성을 보이는 경우 인대 재건술 등을 같이 시행하는 것이 중요하다.

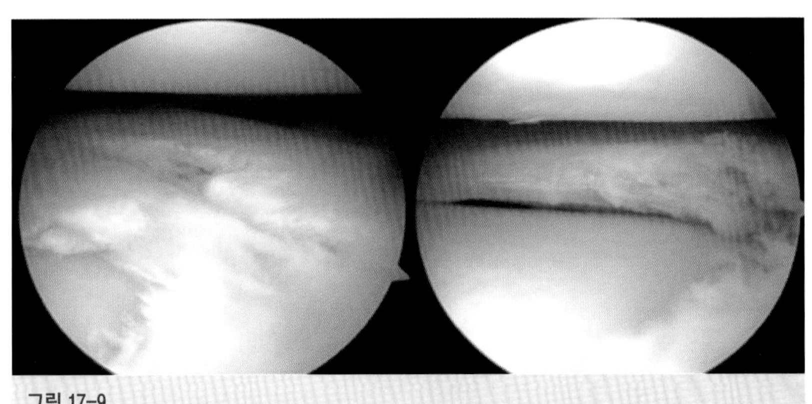

그림 17-9
반월상 연골판 절제술 후

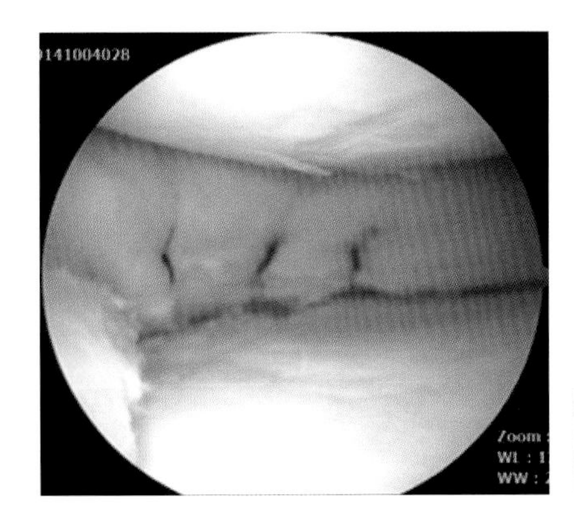

그림 17-10
반월상 연골판 봉합술 후

2) 원판형 연골판

소아에서 발견되는 가장 흔한 해부학적 기형으로 주로 외측 반월상 연골판에 나타나며, 서양에서는 5% 이내의 비교적 드문 질환으로 보고되는 것과는 달리 한국이나 일본에서는 12.5~16.6%의 높은 빈도로 보고되었다(그림 17-11). 많은 저자들이 원판형 연골판(discoid meniscus)은 선천성 기형이며 반복적 전단응력(shear stress)에 의한 이차적인 반월상 연골판 변연부의 분리로 인해 과운동성이 발생하는 것으로 보고 있다.

(1) 분류

Watanabe 분류가 가장 많이 사용되는데 이는 외측 경골 관절면을 완전히 덮고 있는 완전형 원반형 연골판과, 관절면을 부분적으로 덮지 못하는 불완전형 원반형 연골판, 그리고 정상 모양 반월 연골판 또는 원반형 연골판에서 후각부가 골부착부 없이 Wrisberg 인대에만 부착된 형태의 Wrisberg 형을 포함한다.

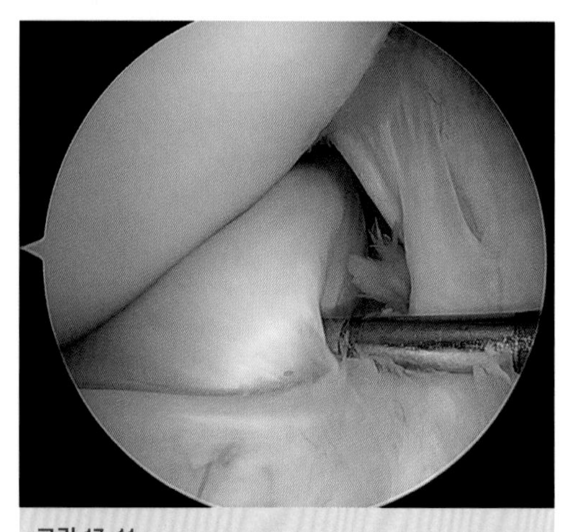

그림 17-11
관절경 소견상 외측 경골 관절면을 완전히 덮고 있는 외측 원판형 연골판 소견이 관찰된다.

(2) 진단

① 증상 및 신체검사

소아의 경우 슬관절 신전 제한이 가장 흔하며 큰 탄발음 및 잠김 증상을 호소할 수 있다. 완전형 원반형 연골판은 소아 때부터 변연부 파열이 흔히 유발될 수 있으며 적절한 치료를 시행하지 않으면 성인이 되면서 대퇴 외과의 변형과 퇴행성 관절염이 초래될 수 있으므로 증상이 있는 원반형 연골판을 소아에서 발견하면 적극적인 치료가 필요하다. 성인의 경우 외측 관절면 통증, 잠김 및 신전 제한, click 등의 다양한 증상을 호소할 수 있으며 파열이 진행된 경우에도 증상이 경미한 경우가 있어 신체검사상 의심될 경우 자세한 병력 조사와 함께 영상 검사를 시행하는 것이 바람직하다.

② 영상 검사

단순 방사선 검사에서 고위 비골두 및 외측 관절간격의 증가 소견이 가장 유용한 소견으로 보고되었다. 자기공명영상 소견에서 가장 흔히 볼 수 있는 파열의 하나는 원반형 연골판의 퇴행성 변화 및 수평 파열로 이는 관절경 소견상에서도 관찰되지 않는 경우가 많으므로 주의를 요한다. 증상 및 신체검사 상 의심되는 경우 자기공명영상을 통한 면밀한 진단이 필요하며 이를 통해 치료계획을 세울 수 있다.

(3) 치료

증상이 있는 원반형 연골판의 고전적인 치료로는 반원연골판 전절제술이 주로 시행되었으나 장기 추시 결과에서 불량한 예후를 보이고 있어 현재는 부분절제술 및 봉합술을 통한 반월연골판 보존술식이 추천되고 있다.

3) 반월상 연골판 낭포

반월상 연골판 낭포(meniscus cyst)는 반월상 연골판 병변의 1~10%에서 관찰되며, 여성에서 보다 흔하고, 대부분 연골판의 파열과 동반되어 있다. 외측에 보다 흔하며, 반월상 연골판과 직접 연결되어 있고 낭포 안에는 활액과 비슷한 성분의 물질로 채워져 있다. 관절면의 동통을 보이기도 하고, 관절면이나 그 아래에서 만져질 수 있다. 반월상 연골판 파열이 동반된 경우 이에 의한 click, popping, giving way 등이 나타날 수 있다. 슬관절 신전 시 뚜렷이 관찰되며 굴곡 시 크기가 작아지거나 사라지는 현상을 관찰할 수 있는데 이를 'Pisani 징후'라 한다. 자기 공명영상은 낭종의 크기와 위치, 반월상 연골판 파열의 확인 및 관절 연골 마모 등을 평가하는데 있어 필수적인 검사이다. 많은 경우 수술적 치료를 요하며 낭종을 절제함과 동시에 최대한 반월상 연골판을 보존할 수 있는 수술 방법들이 제시되어 시행되고 있다. 관절경적 감압술로 좋은 결과를 보이며, 관절경으로 감압되지 않은 경우 개방적 절제술을 고려할 수 있다(그림 17-12).

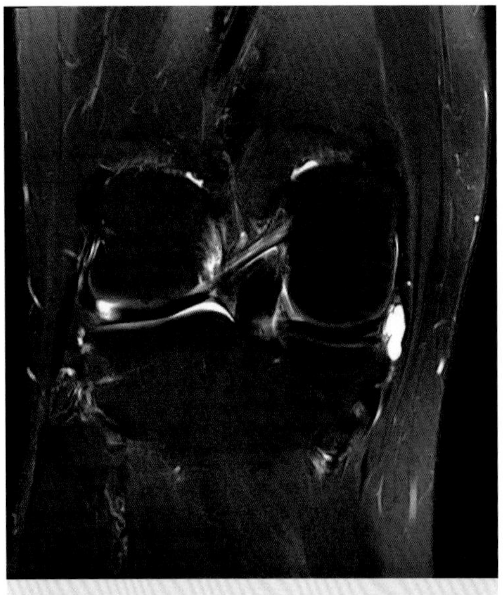

그림 17-12
반월상연골낭포의 MRI 소견

3. 건과 인대 병변

슬관절의 골구조는 테이블 위에 공이 올려져 있는 모양이어서 매우 불안정하다. 따라서 많은 연부 조직들에 의해 슬관절의 안정성이 유지되고 있으며, 인대(ligament)와 건(tendon) 등이 관절의 안정성을 유지하는 주요 구조물들이다. 이 중 인대는 정적 안정성(static stability)를 주로 담당하며, 건은 근육 수축의 정도에 의해 변하게 되는 동적 안정성(dynamic stability)을 담당한다. 전방십자인대(anterior cruciate ligament, ACL), 후방십자인대(posterior cruciate ligament, PCL), 내측측부인대(medial collateral ligament, MCL), 외측측부인대(lateral collateral ligament, LCL) 등이 슬관절의 안정성을 담당하는 주요 인대들이며, 그 외 후외측 인대복합체(posterolateral ligament complex), 후내측 인대복합체(posteromedial ligament complex) 등도 안정성에 중요한 역할을 한다. 슬관절 주변의 건 중 대퇴사두근(quadriceps muscle)과 슬와부 근육들(hamstring muscles)의 건이 슬관절의 주요 기능과 안정성을 담당하며, 슬와건(popliteus tendon)은 특히 슬관절의 후외측 안정성을 담당한다.

불안정한 골구조와 하지의 중앙부에 위치한 특징 때문에 슬관절 주변의 연부조직 손상은 흔하며, 이들 중 특히 내측측부인대 손상과 전방십자인대 손상은 매우 흔하게 발생한다.

1) 내측측부인대 손상

내측측부인대 손상은 슬관절 인대 손상 중 가장 흔하다. 내측측부인대는 해부학적으로 표층(superficial) 내측측부인대와 심층(deep) 내측측부인대로 크게 나눌 수 있으며 이 중 표층 인대가 외반력(valgus force)에 저항하는 주된 구조물이다.

(1) 손상 기전

내측측부인대 손상은 전형적으로 슬관절에 과도한 외반력이 가해질 때 발생하며, 스키, 축구와 같이 외반력이 발생할 가능성이 높은 스포츠에 참여하는 젊은 층에서 흔하다. 파열의 대부분은 대퇴골 부착부에서 일어나며, 외반력에 더하여 경골에 과도한 회전력이 추가적으로 가해지는 경우 전방십자 인대 파열이 동반될 수 있다(그림 17-13).

(2) 검사 및 진단

내측측부인대 손상 시 통증, 종창과 파열부위 압통이 발생하며, 대부분 대퇴부 부착부인 내상과(medial epicondyle)에 압통이 있다. 파열의 정도를 예측할 수 있는 가장 유용한 신체검사는 외반 부하 검사(valgus stress test)로 슬관절의 완전 신전과 30° 굴곡 시 외반력을 가하여 내측 관절 간격의 증가를 관찰하는 것이다. 내측측부인대 단독 손상에서는 30° 굴곡 외반 부하 검사의 민감도가 더 높으며, 완전 신전할 경우 손상 받지 않은 후방 관절낭이나 후내측 인대복합체들이 외반력에 저항하여 검사 양성이 잘 나타나지 않을 수 있다. 따라서 완전신전에서의 외반 부하 검사에서 뚜렷한 양성이 나오는 경우 내측측부인대 외에 후내측 구조물 손상 등이 동반된 보다 심각한 손상을 의미한다.

외반 부하 검사에서는 내측 관절 간격을 측정하고, 이를 건측과 비교하여 손상 정도를 3등급으로 분류한다. 30° 굴곡 외반 부하 검사에서 5 mm 미만의 불안정성을 1도 손상, 5 mm 이상 10 mm 미만일 때 2도 손상, 10 mm 이상의 불안정성을 보일 때 3도 손상으로 간주한다. 이러한 외반 부하 검사는 방사선 스트레스 영상으로 객관화할 수 있다(그림 17-14).

내측측부인대 손상은 병력과 신체검사 등으로 비교적 쉽게 진단할 수 있지만, 보다 확실한 진단과 십자인대 및 연골판 손상 등 동반손상의 진단을 위해 자기공명영상(magnetic

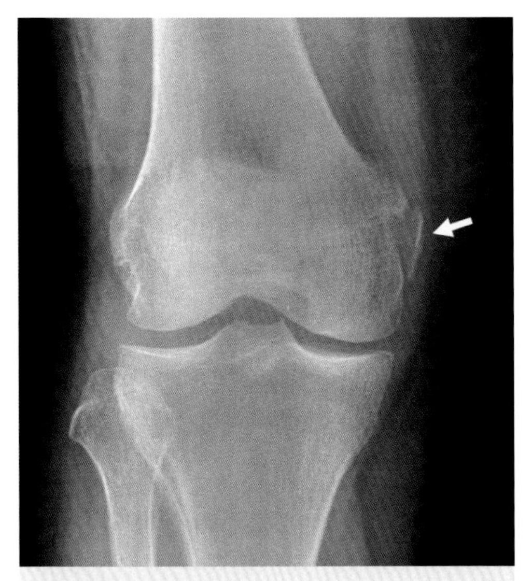

그림 17-13
내측측부인대 대퇴부착부의 견열 골절 형태의 손상이 발생하였다(화살표).

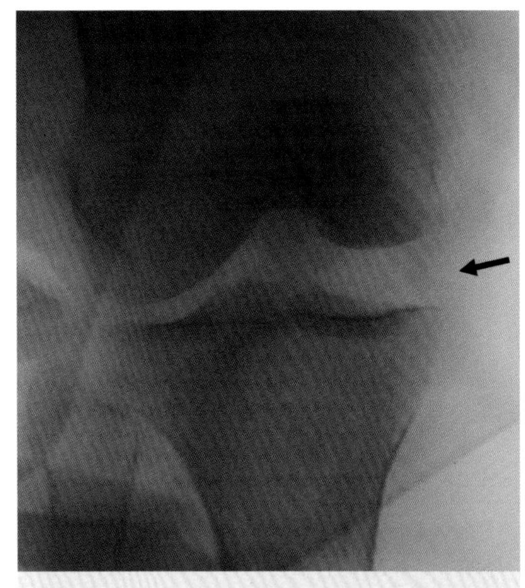

그림 17-14
수술장에서 마취하에 촬영한 외반 부하 방사선 검사에서 10 mm 이상의 불안정성을 보인다(화살표).

resonance imaging, MRI) 촬영이 필요할 수도 있다.

(3) 치료

내측측부인대 손상은 손상 부위에 혈관이 풍부하게 분포하고 치유 능력이 뛰어나서 대부분 비수술적 방법으로 치료할 수 있다. 1, 2도 손상의 경우 환자의 불편함의 정도에 따라 무릎 슬리브(knee sleeve)나 구속력이 많지 않은 경첩 보조기(hinged brace) 정도로 고정한다. 수상 직후에는 목발 등을 이용하여 체중부하를 부분적으로 제한할 수 있지만, 환자가 가능한 범위에서 체중부하를 빠르게 허용할 수 있다. 내측측부인대의 완전 파열인 3도 손상도 비수술적 치료를 우선적으로 시행한다. 불안정성(instability)으로 인해 인대가 이완상태로 치유되는 것을 막기 위해 수상 직후 석고붕대(cast)나 관절운동범위 제한이 가능한 경첩 보조기로 약 2~3주간 고정한다. 이 기간 동안에는 목발을 이용하여 체중부하를 제한하게 되지만, 고정기간 동안 대퇴사두근력 등 슬관절 주변 근육의 근력 저하를 최소화하기 위하여 근력 운동은 지속적으로 시행한다. 이후 고정을 해제하고 관절운동범위 회복을 위한 재활을 시행하면서 환자가 가능한 범위 내에서 빠르게 체중부하를 증가시켜 수상 후 약 4~6주 이내에 목발 없는 전 체중부하 보행을 허용한다. 보조기는 2~3주 이후에는 관절운동범위 제한을 해제하여 착용하고, 수상 후 약 6주까지 착용한다.

내측측부인대 손상은 비수술적 치료로 대부분 만족스러운 결과를 얻을 수 있다. 하지만 보존적 치료에도 불안정성이 지속되는 경우, 견열골절(avulsion fracture)(그림 17-15), 경골부착부에서 완전 파열되어 파열 부위가 거위발건(pes anserinus) 위로 전위된 경우 등에서는 수술적 치료가 필요하다. 십자인대 완전 파열이나 후내측 인대복합체 손상 등이 동반된 복합인대 손상(multiple ligament injury)의 경우도 수술적 치료를 고려할 수 있다.

2) 전방십자인대 손상

슬관절 인대 손상 중 가장 흔한 것은 내측측부인대 손상이지만, 수술을 요하는 가장 흔한 인대 손상은 전방십자인대 손상이다. 실제로 전방십자 인대 손상은 인체의 인대 손상 중 가장 흔하게 수술적 치료를 시행하는 인대 손상이며, 미국에서는 연간 10만 건 이상의 전방십자인대 수술이 시행되고 있다. 전방십자인대는 대퇴골(femur)에 대한 경골(tibia)의 전방전위와, 대퇴골에 대하여 경골이 과도하게 회전되는 회전 불안정성을 막아주는 중요한 역할을 하는 구조물이다.

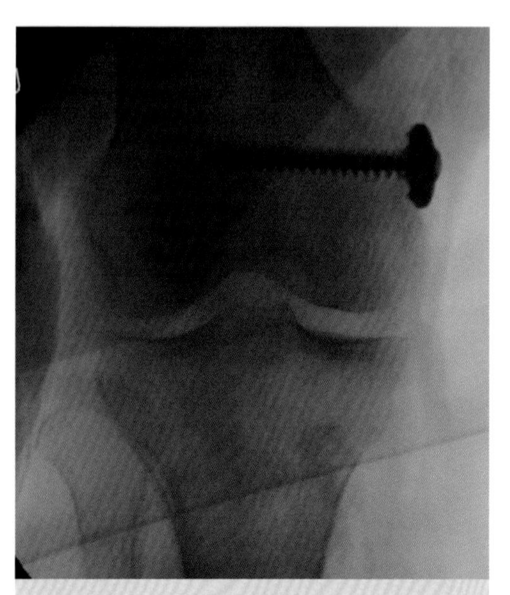

그림 17-15
그림 17-13, 17-14와 동일한 환자로 내측측부인대 견열골절에 대하여 고정술을 시행하였으며 외반 부하에서 불안정성이 소실되었다.

(1) 손상 기전

전방십자인대의 가장 흔한 손상 기전(injury mechanism)은 굴곡된 슬관절에 과도한 외반력(valgus force)과 회전력이 가해지는 것으로, 이러한 손상 기전은 축구, 스키, 농구 등의 스포츠 활동에서 방향전환을 위한 급정거 시 흔히 발생하며, 감속 및 점프 후 착지 등의 동작에서도 발생할 수 있다. 따라서 전방십자인대 손상은 직접 접촉에 의한 손상보다는 비접촉 손상(non-contact injury)이 더 흔하며, 약 70%의 손상이 비접촉 손상에 의하여 발생한다.

전방십자인대 손상은 슬관절의 불안정성을 유발하여 운동능력을 저하시킬 수 있고, 반월상연골판 손상이나 관절연골손상 등의 이차적인 손상이 동반될 수 있으며, 적절한 기능이 회복되지 않으면 장기적으로 퇴행성 관절염을 유발할 수 있다고 알려져, 수상 초기부터 정확한 진단 및 치료 지침을 적용하는 것이 중요하다.

(2) 검사 및 진단

① 병력 청취

전방십자인대 파열 시 환자는 특징적인 병력을 보이는 경우가 많아 병력 청취만으로도 진단에 큰 도움이 된다. 전형적인 경우 환자는 갑작스러운 멈춤, 방향 전환 등에서 무릎이 순간적으로 어긋나는 느낌과 함께 “뚝”(popping sound)하는 소리를 듣게 되며, 곧바로 극심한 통증을 경험하게 된다. 수상 직후 자발적인 보행이 힘들 정도로 기능 장애가 생기며 1~2시간 이내에 무릎에 심한 종창이 발생한다. 이때 관절 천자를 하게 되면 검붉은 혈액이 다량 배액된다. 하지만 부분 손상의 경우 이러한 전형적인 병력이 발생하지 않을 수 있으며, 부종이 심하지 않거나 어느 정도의 운동이나 보행이 가능할 수 있어, 추가적인 검사를 통하여 감별 진단을 해야 한다. 전방십자인대 파열과 동반된 반월상연골판 파열에 의한 무릎의 신전제한을 호소하는 경우도 있다.

② 신체검사(physical examination)

손상 후 급성기에는 통증과 염증 반응, 근육의 불충분한 이완으로 신체검사를 시행하기 어렵거나, 위음성으로 나타날 수 있으므로 주의가 필요하다. 또한 측정 시 건측과의 비교가 필요하다.

A. 전방전위 검사(anterior drawer test)

슬관절을 90° 굴곡시킨 상태에서 근위경골을 전방으로 견인하여 대퇴골에 대한 경골의 전방전위를 측정하여 전방불안정성을 평가한다. 전방불안정성은 3~5 mm는 1도, 5~10 mm는 2도, 10 mm 이상은 3도로 정의한다. 또한 KT-1,000, 2,000 등과 같은 관절이완도 측정계나 전방부하 방사선 사진 등으로 이 완정도를 수치화할 수도 있다.

B. Lachman 검사(Lachman test)

슬관절을 20~30° 굴곡하여 전방전위검사와 마찬가지로 하퇴부를 당겨 전방전위 정도를 평가한다(그림 17-16). 슬관절을 20~30° 굴곡하므로, 90° 굴곡의 전방전위검사 시 반월상연골판 후각부에 의해 전방전위가 억제되는 door-stopper 효과를 배제할 수 있어(그림 17-17), 급성기 전방불안정성을 평가하는 가장 유용한 검사로 알려져 있다.

C. 축 이동 검사(pivot shift test)

슬관절의 회전불안정성을 평가하는데 유용한 검사이며, 고관절 외전, 슬관절 신전-내회전 상태에서 외반력을 주면서

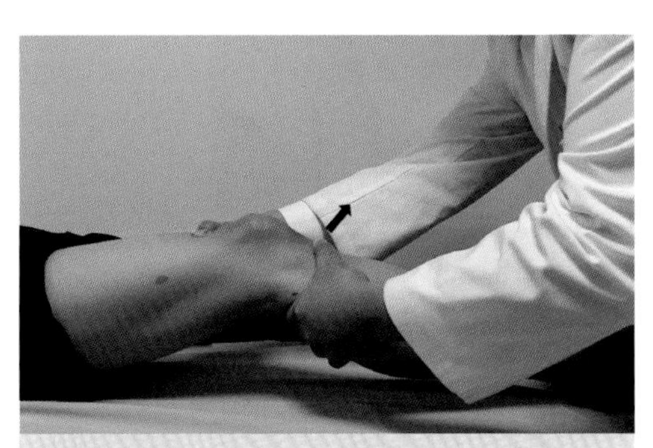

그림 17-16
Lachmann검사
전방십자인대손상에 의한 급성기 전방불안정성을 평가하는 가장 유용한 검사방법이다.

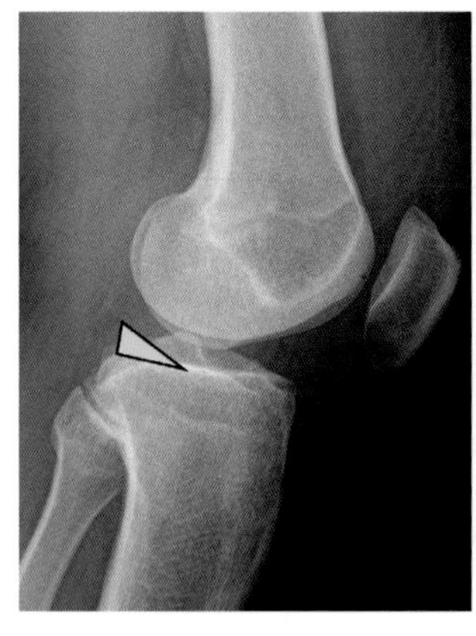
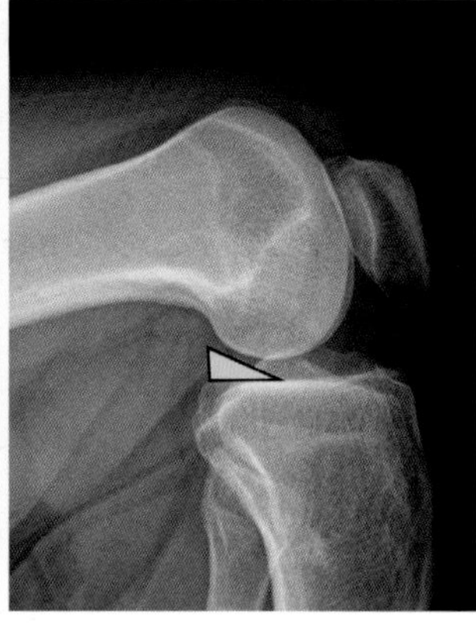

그림 17-17
Door-stopper효과
90° 굴곡 시 반월상연골판 후각부(노란색 삼각형)에 의해 전방전위가 억제될 수 있다.

천천히 무릎을 굴곡시켜 경골이 정복될 때 느껴지는 덜컹거림(clunk)을 양성으로 정의한다(그림 17-18). 하지만 손상 후 급성기에는 통증과 염증 반응, 근육의 불충분한 이완으로 시행하기 어렵다.

③ 영상 진단

전방십자인대 손상의 임상적 중요성과 상대적으로 빈번한 동반 손상을 고려하면, 자기공명영상을 시행하여 진단을 좀 더 명확히 하고 동반 손상 유무를 확인하는 것이 보편적이고 추천되는 방법이다. 자기공명영상은 전방

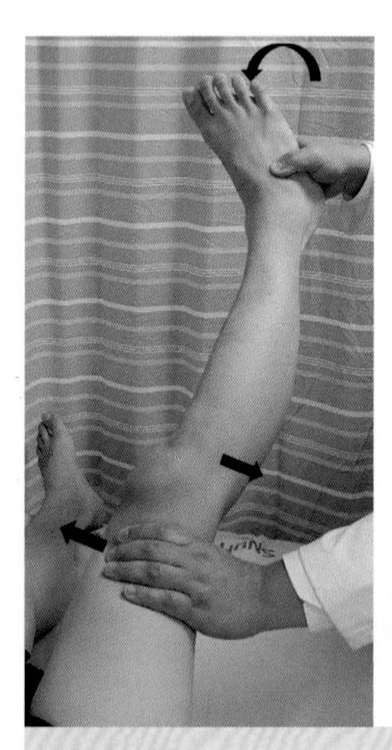
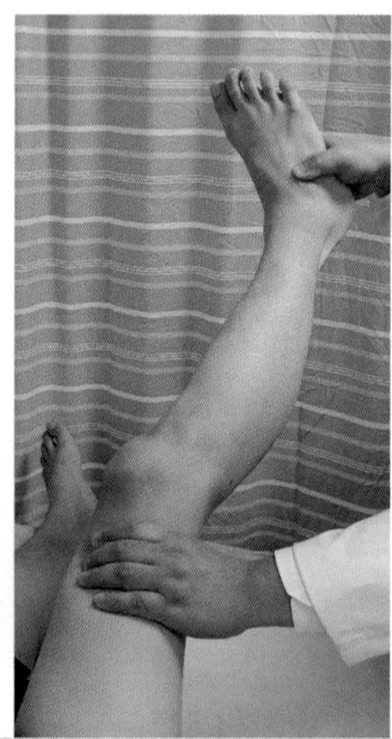
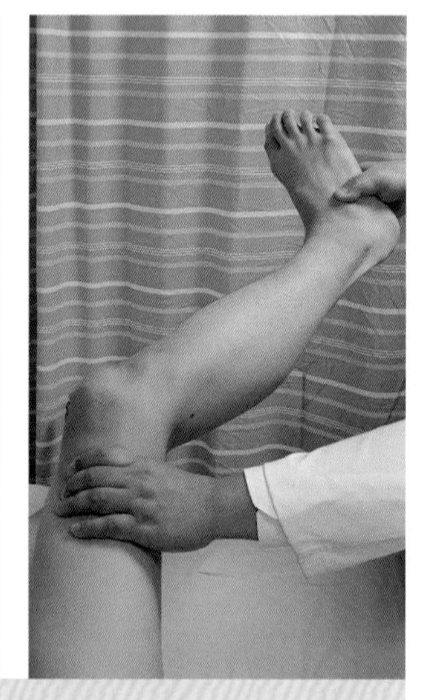

그림 17-18
축 이동 검사
전방십자인대시 발생하는 회전불안정성을 평가하는데 유용한 검사방법이다.

십자인대 손상의 객관적인 진단뿐 아니라 손상의 정도와 양상을 평가할 수 있고, 동반 손상을 진단하는데 매우 유용하여, 치료방침 결정에 도움을 줄 수 있다. 자기공명영상에서는 인대연결의 소실(discontinuity of ACL fiber), 비정상적인 인대경사(abnormal ACL slope) 등의 직접적인 소견 외에, 특징적인 외측 대퇴과 전방과 외측 경골과 후방의 골좌상(bone contusion, kissing contusion) 등 간접적인 소견이 특징적이다(그림 17-19, 20).

(3) 치료

전방십자인대 손상 시 초기 치료는 슬관절의 혈관절증(hemarthrosis)의 최소화, 관절 운동 범위의 회복, 대퇴사두근의 조절 능력 회복, 위치 감각(proprioception)의 회복, 그리고 정상적 보행 양상의 회복에 중점을 두고 시행한다. 수상 후 48시간 이내의 급성기에는 스포츠 손상의 급성기 치료 원칙인 RICE (Rest, Ice, Compression, Elevation) 원칙에 따라 급성 염증 및 조직의 이차적인 손상을 최소화하는 것이 중요하다.

전방십자인대는 손상 이후 치유의 첫 단계인 섬유소 응고(fibrin clot)가 잘 이루어지지 않아 자연치유능력이 매우 제한되어 있는 것으로 알려져 있다. 따라서 완전 단절된 전방십자인대 손상은 충분한 시간이 경과하여도 치유되는 경우가 드물며, 많은 경우 고도의 불안정성이 발생하게 되어 수술적 치료를 필요로 하게 된다. 만성기가 되면 회전 불안정성 때문에 스포츠 활동에 제한이 생기고, 연

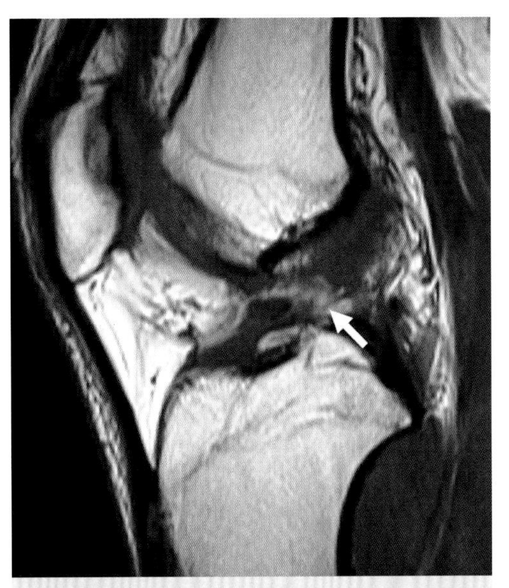

그림 17-19
자기공명영상에서 전방십자인대의 완전 파열의 소견인 연결 소실이 관찰된다(화살표).

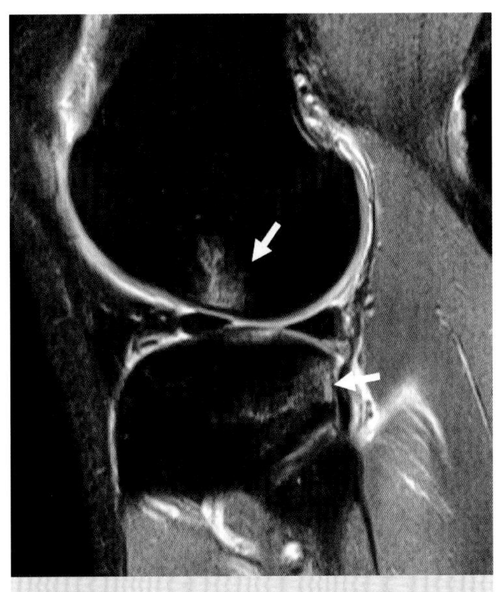

그림 17-20
자기공명영상에서 전방십자인대 손상의 특징적인 간접적 소견인 외측 대퇴과 전방과 외측 경골과 후방의 골좌상이 관찰된다(화살표).

골판 혹은 관절 연골 손상이 발생할 가능성이 높아지며, 시간이 경과함에 따라 퇴행성 관절염의 위험이 높아진다. 그러나 부분 파열이나 완전 파열이라도 불안정성이 심하지 않은 선별된 일부의 환자에서는 보존적 치료도 좋은 임상 결과를 보일 수 있다.

전방십자인대 손상의 수술 적응증은 불안정성의 정도, 동반 손상의 종류, 환자의 나이와 수상 전 관절염의 정도, 환자의 수상 전 활동의 정도와 회복 이후 활동에 대한 기대치 등을 종합적으로 고려하여 결정한다. 전방십자인대 손상의 표준적 수술 치료법은 봉합술(repair)이 아닌 건을 이용한 재건술(reconstruction)이다. 봉합술은 전방십자인대의 견열 골절의 경우 시행할 수 있으나, 대부분의 파열을 차지하는 인대 실질에서의 파열에는 결과가 만족스럽지 않다.

재건술의 개요는 역학적, 생물학적으로 적절한 이식건을 경골과 대퇴골의 전방십자인대 해부학적 부착부에 골 터널을 만든 후 통과시켜 견고한 고정을 하는 것이다. 이식건으로는 환자 자신의 건을 채취하거나 타인(기증자)의 건을 이용하게 되며 슬건(hamstring tendon), 골-슬개건-골(bone-patellar tendon-bone), 대퇴사두근-골(quadriceps tendon-bone) 등이 대표적인 자가건이고, 아킬레스 동종건(Achilles tendon allograft) 등이 대표적인 동종건이다(그림 17-21, 22).

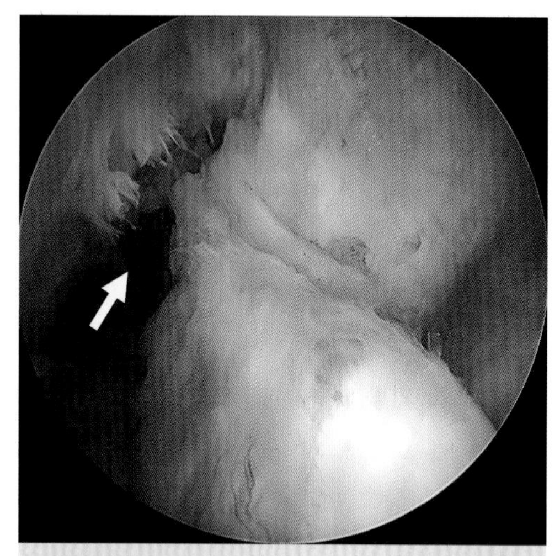

그림 17-21
관절경에서 전방십자인대의 연결이 소실된 완전 파열의 소견이다(화살표).

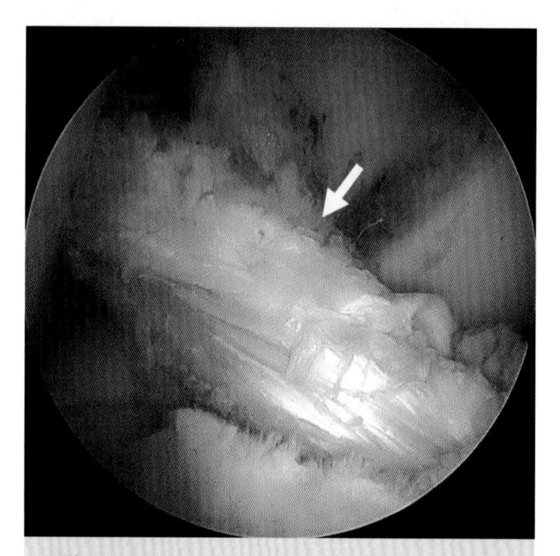

그림 17-22
아킬레스 동종건을 이용하여 전방십자인대 재건술을 시행하였다(화살표).

4. 연골 및 골연골 병변

슬관절의 연골병변은 연골이 부분적 또는 전층 소실된 연골 손상, 연골하골과 그 위의 관절연골이 같이 소실된 골연골 손상(또는 골연골 골절), 혹은 원인이 불명확한 박리성 골연골염(osteochondritis dissecans), 크게 세 가지로 나눌 수 있다. 성인에서 연골 및 골연골 손상은 종종 퇴행성 변화가 진행하여 이미 진행된 퇴행성 연골 병변으로서 나타나 그 원인을 알기 어려운 경우가 많다.

1) 연골 손상

연골은 성질과 구조에 따라 초자 연골(hyaline cartilage), 탄성 연골(elastic cartilage), 섬유연골(fibrous cartilage)로 분류된다. 이 중 관절 연골은 초자 연골이며 연골세포와 이를 둘러싼 세포 외 기질로 구성되어 있다. 표면에서 피질골까지 4개의 층으로 구성되어 있어 이를 순서대로 표재층(superficial zone 혹은 gliding zone), 중간층(middle zone), 심층(deep zone), 석회층(calcified layer)으로 나눈다.

관절 연골은 반복적인 외력에 잘 견디지만, 무혈관성 구조와 교원질, proteoglycan의 세포 외 기질 때문에 손상 후 치료 능력에 한계가 있다. 연골 기질내 혈류 부족은 연골 결손 부위로 염증 매개체의 이동을 방해하여 내재적 치유 과정을 제한하게 되고, 세포 외 기질은 연골 손상 부위로 세포 이동을 막게 된다. 연골 세포가 첫 손상에 반응하더라도 연골 결손 부위를 채우며 재생되지 못하고, 결국 손상된 연골 부위의 치료 반응은 멈추게 되어 결손된 채로 남아있게 된다. 이러한 병변은 통증이나, 잠김 등의 증상으로 나타날 수 있고, 시간이 지나면서 연골 미란(erosion)과 골관절염을 일으킬 수 있다.

연골 손상은 그 원인에 따라 국소성 병변과 미만성 병변으로 구분할 수 있으며, 국소성 병변은 연골 결손 부위의 경계가 분명하며 외상, 골연골염이나 골괴사 등에 의하여 발생한다. 미만성 병변은 퇴행성 병변과 같이 연골 결손 부위의 경계가 불분명한 경우로 인대 불안정성, 반월연골판 손상, 하지 부정정렬, 골관절염 등과 관련이 있다.

연골의 일부가 소실되고 조직학적, 생화학적 구조에 변화가 오게되면 연축(fibrillation), 쪼개짐(cracking), 박리(delamination) 등의 퇴행성 변화가 진행하게 된다. 처음 부분층(partial thickness)의 부분적인(localized) 손상이라도 시간이 지나면서 미만성(diffuse)의 전층(full thickness) 손상으로 진행할 수 있으며 이는 노령의 환자에서 관찰되는 퇴행성 관절염으로 발전할 수 있다(그림 17-23, 24).

연골 손상은 자기공명영상 검사, 관절경 검사 등으로 비교적 초기에 발견할 수 있고, 퇴행성 변화가 진행되면 단순 방사선 사진에 나타나게 된다. 연골의 재생 및 치유는 비교적 어려운데 희박한 혈관분포, 단단한 기질 및 적은 세포 수 등에 기인한다. 골수를 자극하여 자연치유를 도모하는 미세골절술(microfracture), 자가 골연골이식술(autologous osteochondral graft; mosaicplasty), 그리고 자

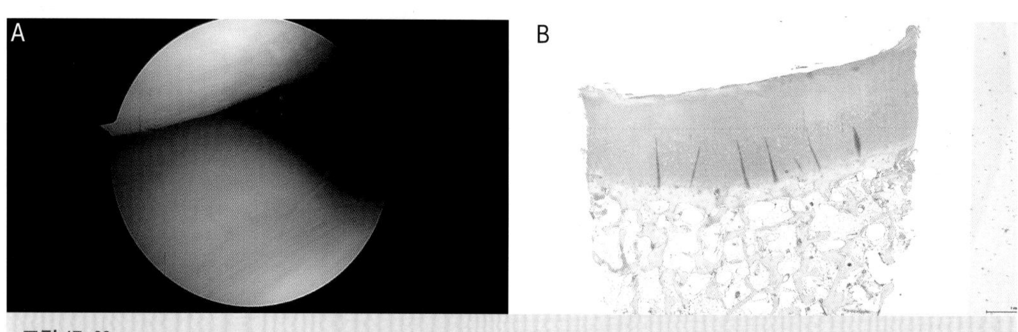

그림 17-23
초기 연골 손상을 관절경으로 관찰한 사진(A)과 조직 생검 모습(B)으로 표면(gliding zone)의 파괴가 관찰된다.

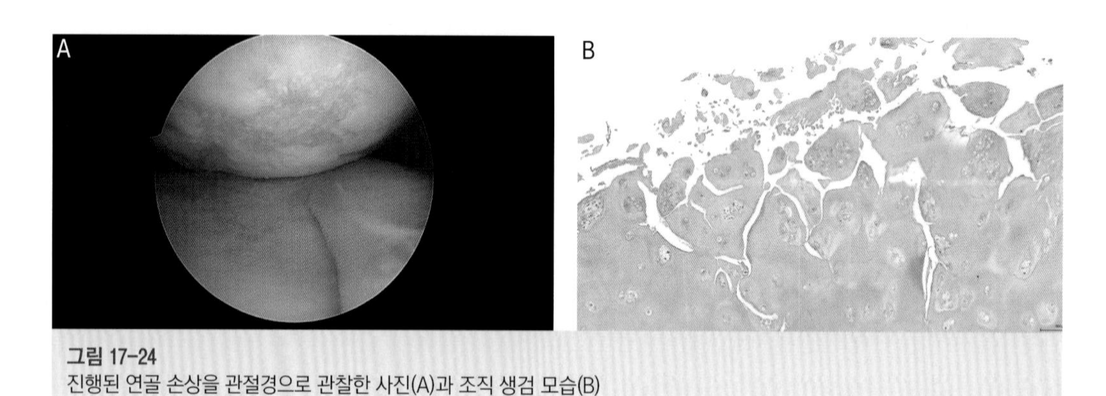

그림 17-24
진행된 연골 손상을 관절경으로 관찰한 사진(A)과 조직 생검 모습(B)

가 연골세포 이식술(autologous chondrocyte transplantation) 등이 사용될 수 있으나 각 수술의 장단점들이 있어 수술의 적응증을 엄격하게 지켜야 하며 어떤 방법으로도 아직까지 완벽한 복구는 어렵다.

2) 외상성 골연골 손상(골연골 골절)

골연골 손상(osteochondral injury)도 사고나 운동으로 인한 부상으로 인하여 발생한다. 슬개골의 경우 급성 슬개골 탈구 환자의 약 20%에서 골연골 골절이 동반되는 것으로 알려져 있고, 이와 같은 경우 병변은 대부분 슬개골의 내측 관절면(medial facet of the patella)에서 발생한다. 골연골 손상이 연골 손상과 다른 점은 용어 그대로 손상의 범위가 연골 외에 연골하골(subchondral bone)까지 포함하는 것이며, 따라서 종종 단순 방사선에서 손상된 골음영을 볼 수 있어 연골 손상보다 진단이 용이할 수 있다. 단순 방사선 사진에는 연골 조각이 보이지 않으므로 골음영의 크기보다 전체 손상의 범위가 더 큰 경우가 많으며(그림 17-25), 정확한 손상의 범위를 확인하기 위해서는 자가공명영상 검사가 필요할 수 있다. 전위되지 않은 안정적인 골연골 골절은 석고 고정 등 비수술적 치료를 시행할 수 있으며, 전위되거나 유리체화된 골연골 골절 중 골편의 크기가 충분하고 연골 손상이 미미한 경우에는 직접 고정하는 수술적 치료를 시행할 수 있다(그림 17-26). 하지만 크기가 작고, 골절편의 연골 손상이 심한 경우에는 단순 제거하거나, 제거한 후 손상 부위에 연골 재생술 등을 시도해 볼 수 있다.

3) 박리성 골연골염

박리성 골연골염(osteochondritis dissecans)은 연골 및 연골하골이 관절로부터 함께 점진적으로 분리되는 질환으로, 단순한 골연골 손상 또는 골절과 혼동되어서는 안된다.

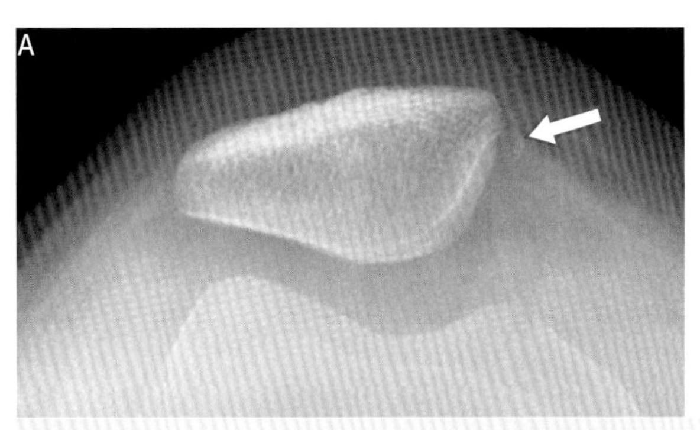
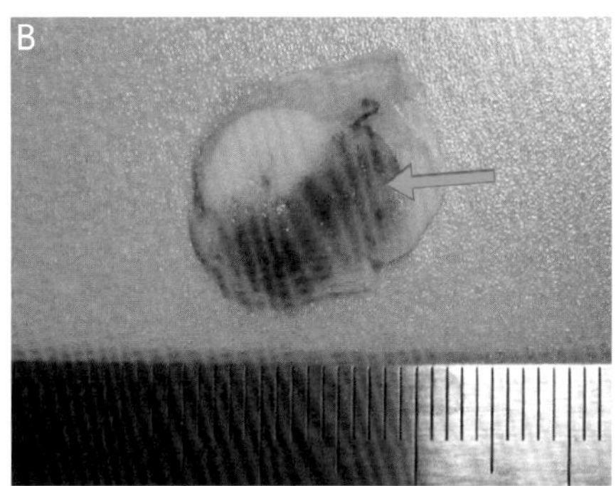

그림 17-25
A. 급성 슬개골탈구 환자의 골연골 골절. Patella의 내측 관절면에 작은 분리된 골편이 관찰된다(화살표).
B. 골편(화살표)에 비하여 더 큰 연골손상이 동반되어 있다.

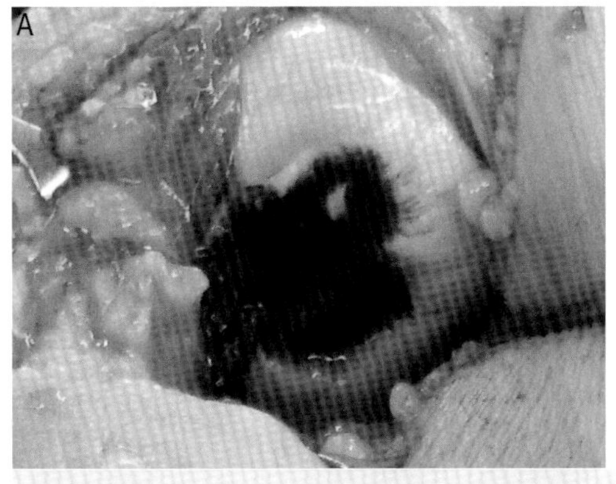
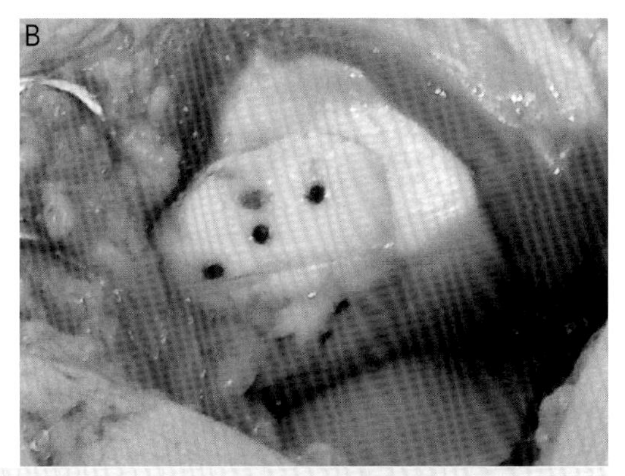

그림 17-26
A. 급성 슬개골탈구에 동반된 골연골 골절. 광범위한 결손이 관찰된다.
B. 여러 개의 흡수성 핀으로 골연골 골절편을 고정하였다.

(1) 병인 및 역학적 특징

정확한 원인은 명확히 밝혀져 있지 않으며, 외상이나 반복적인 충격, 연골하골의 혈액 순환 장애, 유전적 소인 등이 원인으로 거론되고 있다. 병리학적으로 연골하골은 무혈성 괴사의 소견이며, 이에 대한 치유 반응으로 미세 혈관의 증식, 괴사골의 흡수, 신생 골로의 치환이 일어나게 된다. 하지만 관절 운동에 의하여 병변 부위에 움직임이 생기게 되어 주변골로부터 완전히 분리되면, 치유 반응이 일어나지 않게 되고 결국 떨어져 나와 유리체가 될 수 있다. 여성에 비하여 남성에서 약 두 배 정도 호발하고, 10대에 많이 발생한다. 가장 많이 발생하는 부위는 슬관절로 약 75~85%를 차지하며, 그 외 팔꿈치, 발목관절 등에서도 발생한다. 슬관절에서 가장 많이 발생하는 부위는 내측 대퇴과(medial femoral condyle)이며 약 80%를 차지한다. 그 외 약 15%는 외측 대퇴과(lateral femoral condyle)에, 5% 정도는 슬개골에 발생한다.

(2) 진단과 치료

박리성 골연골염은 이환된 환자의 성장판이 열려 있는가의 유무에 따라 juvenile form과 adult form으로 나누게 된다.

① 환자의 증상

병변의 진행 정도에 따라 다양할 수 있으며 활동하면 심해지는 슬관절 통증과 부종이 만성적으로 지속되는 경우가 있고 유리체화된 경우 관절의 잠김현상(locking)이 발생한다. 그러나 진행 초기에는 증상이 거의 없고 단순 방사선 사진도 음성으로 나타나는 경우가 많다. 괴사가 진행되거나 골편이 분리되면 관절면의 반달형 결손으로 관찰된다(그림 17-27). MRI는 골편의 분리 정도와 괴사 여부를 판단할 수 있어 치료 방침 결정에 도움이 된다.

② Juvenile form

성장판이 확연히 열려있는 사춘기 이전의 어린 환자에 발생한 경우로 자연 치유의 경과를 거치는 경우가 많은 것으로 알려져 있다. 이미 유리체화 된 경우를 제외하고 비수술적 치료를 우선적으로 시행하게 되며, 약 6~8주간 knee joint에 충격이 가해질 수 있는 달리기나 점프 등의 활동을 제한하면서 증상을 관찰하는 것이 추천된다. 보조기나 목발을 사용할 수 있다. Cast는 추가적인 장점이 없고, 관절

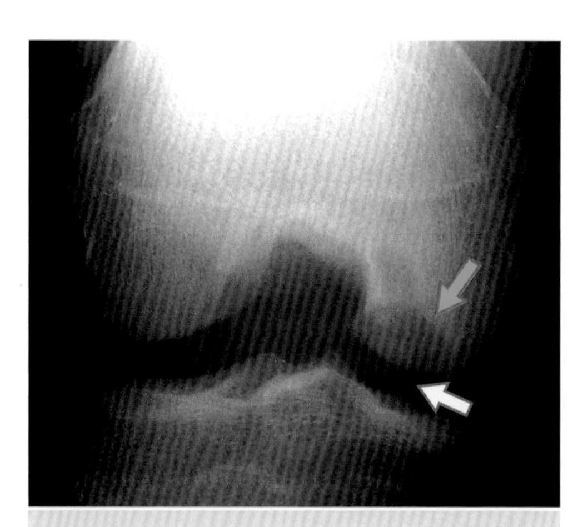

그림 17-27
분리된 박리성 골연골염
Medial femoral condyle 외측 관절면에 반달형 결손이 관찰되고(파란 화살표), 분리된 골연골편이 관찰된다(흰 화살표).

강직 등의 문제가 생길 수 있어 추천되지 않지만, 환자가 협조가 안될 때 고려할 수 있다. 6개월의 보존적 치료로 약 60%에서 치유가 진행될 수 있었다고 보고되었다. 충분한 보존적 치료에 반응하지 않으며 방사선 사진상 진행하는 양상을 보이거나 분리되어 유리체가 되면 수술적 치료를 한다. 이 경우에도 드릴링으로 혈류 형성을 도모하여 치유를 돕거나 유리체를 원위치에 정복하고 고정하는 것을 우선 시도하며, 가능하지 않거나 실패하면 골연골의 재생술을 시행한다(그림 17-28).

③ Adult form

드물지만 대개 괴사가 진행되고 골편이 분리되는 경우가 많아 수술적 치료를 해야 하는 경우가 많다. 수술적 치료는 이미 유리체화된 경우 증상과 상태에 따라 단순 골연골편 제거술, 고정술, 골연골편 제거 후 연골 재생술 등을 시행할 수 있다.

5. 슬관절 관절염

슬관절의 관절염은 퇴행성 관절염(degenerative arthritis) 및 류마티스성 관절염(rheumatoid arthritis), 통풍성 관절염(gouty arthritis) 등 염증성 관절염(inflammatory arthritis), 그리고 외상후성 관절염(posttraumatic arthritis) 등 종류가 다양하며, 빈도 면에서 퇴행성 관절염이 대부분을 차지한다. 본 장에서는 퇴행성

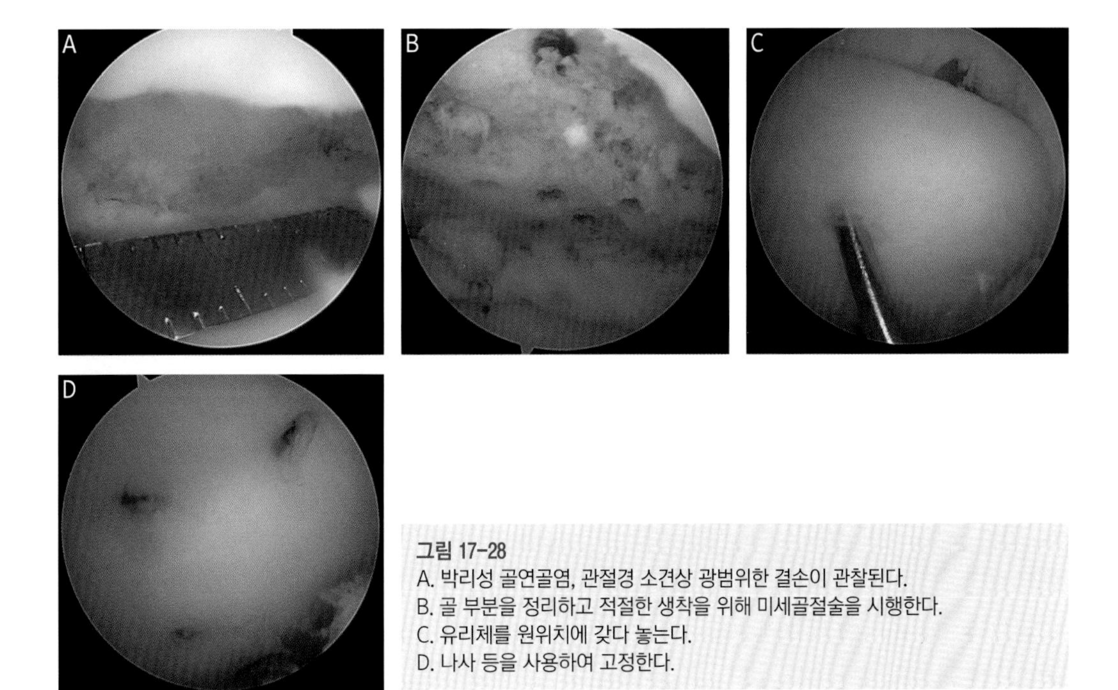

그림 17-28
A. 박리성 골연골염, 관절경 소견상 광범위한 결손이 관찰된다.
B. 골 부분을 정리하고 적절한 생착을 위해 미세골절술을 시행한다.
C. 유리체를 원위치에 갖다 놓는다.
D. 나사 등을 사용하여 고정한다.

관절염을 중점적으로 다루기로 한다.

1) 역학

슬관절 퇴행성 관절염은 유병률이 높고, 단일 관절의 퇴행성 관절염으로는 가장 심한 통증과 기능 장애를 일으키는 것으로 알려져 있다. 50세 이후 유병률이 급격히 증가하여 중년 및 그 이후의 기능 장애를 일으키는 가장 중요한 근골격계 질환이며, 관련된 의료 비용 및 사회적 비용이 막대하고 지속적으로 증가하고 있다. 국내의 슬관절 퇴행성 관절염은 다른 국가들과 비교할 때 높은 유병률을 보이며, 국민건강영양조사 자료를 바탕으로 50세 이상의 12,287명을 분석한 연구에서 국내의 방사선학적 슬관절 퇴행성 관절염 유병률은 35.1%로 보고되었다. 더불어 평균 수명의 증가, 빠른 경제력 향상 등과 맞물려 중증 슬관절 퇴행성 관절염의 주요 수술적 치료인 슬관절 전치환술(total knee arthroplasty)의 사용량도 빠른 속도로 증가하고 있으며, 대수술임에도 불구하고 대표적인 다빈도 수술이 되었다.

2) 위험 인자

슬관절 퇴행성 관절염의 위험 인자는 전신적인 위험 인자와 국소적인 위험 인자로 분류할 수 있다. 전신적인 위험 인자는 인종, 연령, 성별, 비만, 호르몬의 변화, 유전적인 영향, 영양 상태 등이 있고, 국소적인 위험 인자는 관절 손상, 직업 및 스포츠와 연관된 슬관절에 과도한 부하가 반복되는 육체적 활동, 발달성 이상 등이 제시되고 있다. 즉, 슬관절 퇴행성 관절염의 발생 및 진행 기전에는 다양한 위험 인자가 복합적으로 작용한다.

3) 진단

슬관절 퇴행성 관절염의 환자는 슬관절의 통증(pain)과 강직(stiffness), 그리고 보행 장애 등 기능 장애를 호소하게 되며, 이학적 검사 소견에서 부종(swelling), 삼출액(effusion), 관절면 압통(joint line tenderness), 관절운동범위의 감소(덜 펴지거나, 덜 구부러짐), 탄발음(crepitus) 등이 나타난다.

슬관절 퇴행성 관절염의 객관적 진단에 가장 중요하고 흔하게 사용되는 방법은 단순 방사선 사진이며 골극(osteophyte), 관절 간격 감소(joint space narrowing)의 정도, 연골하골의 경화(subchondral bone sclerosis) 등의 소견을 이용하여 방사선학적 관절염 등급을 정한다(그림 17-29). 현재까지 가장 많이 사용되는 등급 분류 방법인 켈그렌-로렌스[Kellgren-Lawrence (KL)] 등급은 관절염을 0~4 등급까지 총 5단계로 분류한다. 1) KL 0은 관절염의 소견이 없는 정상, 2) KL 1은 골극 형성이 의심되나 다른 소견은 없는 경우, 3) KL 2는 뚜렷한 골극이 관찰되나 관절 간격의 감소가 거의 없는 경우, 4) KL 3은 뚜렷한 관절 간격의 감소가 있으나 소실되지는 않은 경우이며, 평가에 필수 요소는 아니지만 골극 및 연골하골 경화 등이 동반된 경우, 5) KL 4는 관절간격이 거의 다 소실된 경우이며, 필수 요소는 아니지만 다른 관절염 소견들이 관찰되고 변형이 동반된 경우이다. 역학적으로 KL 2등급

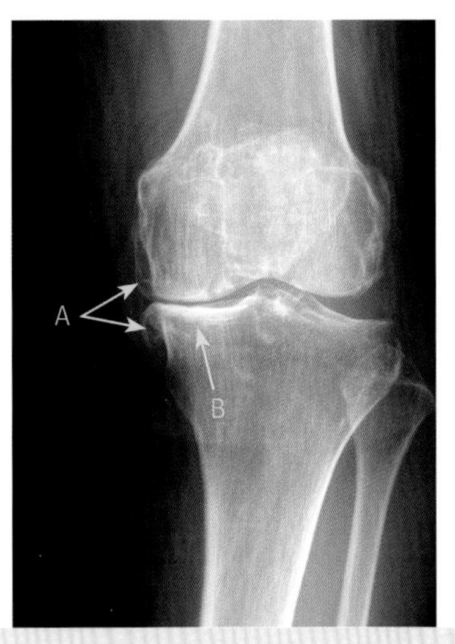

그림 17-29
74세 여자 환자로 좌측 슬관절 내측 구획의 관절간격이 감소되어 거의 소실된 소견과 골극(A) 및 연골하골의 경화(B) 소견이 관찰된다.

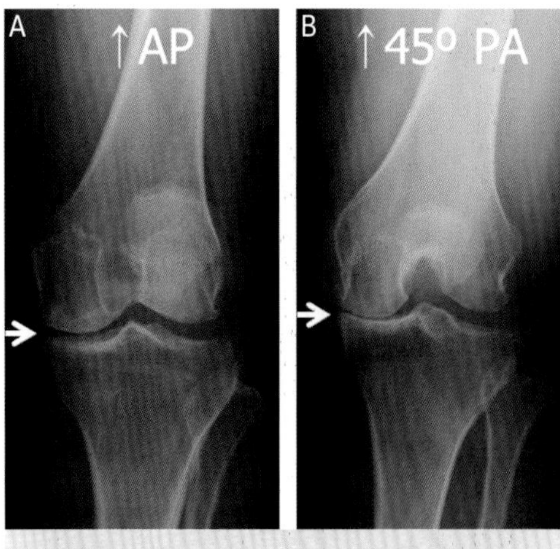

그림 17-30
기립 전후면 영상과 45° 굴곡 기립 후전면 영상(Rosenberg 영상)의 비교
동일한 환자에서 기립 전후면 영상(A)에 비하여 Rosenberg 영상(B)에서 관절 간격의 감소가 더 뚜렷하다(화살표).

부터 의미 있는 방사선학적 관절염으로 간주한다.

슬관절 퇴행성 관절염의 진단과 등급 판정을 위해 일반적으로 4종류의 슬관절 영상을 촬영하게 되며, 대퇴-경골 관절을 평가하기 위한 기립 전후면(standing anteroposterior) 영상과, 45° 굴곡 기립 후전면 영상(Rosenberg 영상), 그리고 슬개-대퇴 관절을 평가하기 위한 측면 영상 및 축상(axial) 영상을 촬영한다. 기립 전후면 영상 외에 추가적인 Rosenberg 영상은 관절염 등급을 결정하는데 중요하며, 이는 관절 연골의 소실이 무릎이 다소 굴곡된 접촉면에서 더 많이 발생할 수 있기 때문이다. 따라서 슬관절 퇴행성 관절염이 있는 경우 Rosenberg 영상이 기립 전후면 영상보다 관절 간격의 감소가 더 심한 경우가 많다(그림 17-30).

또한 가능하다면 하지 전장 기립 전후면(standing full-limb anteroposterior) 방사선 사진을 촬영하여 관상면(coronal plane)에서의 하지 정렬(limb alignment)을 평가한다. 하지 정렬은 관절염의 진행, 증상의 정도와 연관이 있으며, 내반(varus) 및 외반(valgus) 변형의 정도는 치료 방침의 결정에 매우 중요하다(그림 17-31).

일반적으로 퇴행성 관절염 진단을 위하여 자기공명영상이 필요하지는 않으며, 연골하골 부전골절(subchondral bone insufficiency fracture), 연골하골 부종(subchondral bone edema) 및 국소적 골괴사(osteonecrosis) 등

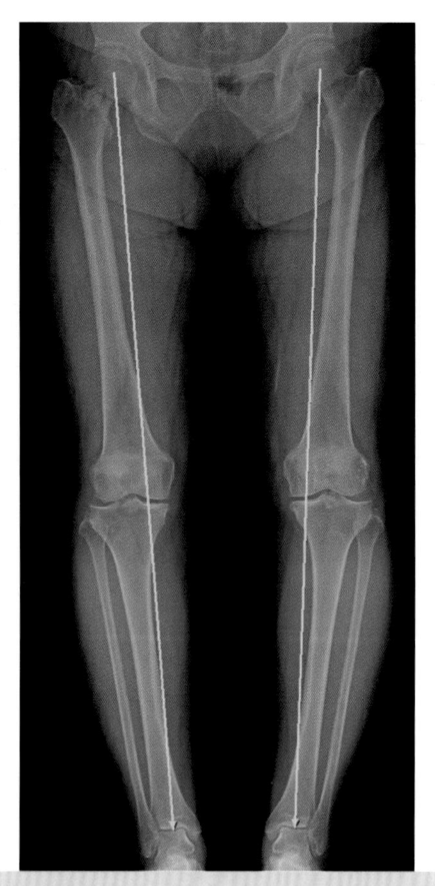

그림 17-31
관상면 하지 전장 기립 전후면 방사선 사진
양측 하지 모두 고관절의 중심에서 족관절의 중심을 연결하는 역학적 축이 슬관절의 내측 구획을 지나가는 내반 변형을 보인다.

이 동반되었는지를 확인하거나, 초기 관절염에서 국소적 연골 손상의 정도, 반월상연골(meniscus) 및 건, 인대 손상 여부를 평가할 목적으로 사용될 수 있다. 임상 소견에서 퇴행성 관절염이 확실시되는 경우 류마티스 관절염 등 염증성 관절염을 감별하기 위한 모든 혈액 검사를 해야 할 필요는 없지만, 전혈구수(complete blood count, CBC)나 간기능 및 신기능을 보기 위한 일반화학검사(chemistry panel) 등의 기본적인 혈액 검사를 시행하여야 한다. 이는 동반 질환 유무와 더불어 적절한 약물 치료를 결정하는데 도움이 된다.

4) 치료

퇴행성 관절염은 관절 연골의 퇴행성 변화와 소실이 특징이지만, 관절 연골 자체는 통증 신경이 없는 조직이며, 통증과 연관이 있는 활액막염(synovitis)의 정도와 연골하골 부종의 정도 역시 퇴행성 관절염의 정도와 비례하여 증가되지 않는다. 실제로 많은 연구를 통해 슬관절 퇴행성 관절염의 방사선학적 등급과 환자 개개인이 느끼는 증상의 정도 간의 상관관계는 높지 않다는 것이 잘 알려져 있다. 따라서 많은 환자들은 상당한 방사선학적 관절염이 있어도 증상이 미미하며, 반대로 방사선학적 관절염이 심하지 않아도 상당한 증상을 호소하는 경우가 빈번하다. 실제로 방사선 사진에서 관절 간격이 전부 소실된 KL 4등급의 슬관절 퇴행성 관절염이 있는 경우, 수술적 치료가 필요할 정도의 증상이 동반된 경우는 50% 미만인 것으로 알려져 있다. 따라서 방사선학적 소견만을 기준으로 슬관절 퇴행성 관절염의 치료 방침을 결정하는 것은 옳지 않으며, 환자의 증상을 면밀히 관찰하여야 한다. 또한, 특별한 경우가 아니라면 수술적 치료를 시행하기 전에 충분한 기간의 비수술적 치료가 선행되어야 한다.

(1) 비수술적, 비약물적 치료

슬관절 퇴행성 관절염의 대표적인 비수술적, 비약물적 치료방법은 체중 조절과 생활 습관 변화, 적절한 운동이다. 비만한 환자에서 체중의 약 5%를 감량하는 것은 유의미한 통증 감소와 기능 향상을 기대할 수 있다. 또한, 우리나라와 같이 바닥에 앉는 생활 습관에서 쪼그려 앉기, 무릎 꿇기 등의 동작은 슬관절에 과도한 하중이 가해지며, 통증 신경이 많은 관절막과 지방체(fat pad)를 자극할 수 있어 피하는 것이 좋다. 운동 요법은 유산소 운동과 근력 강화 운동 모두 효과적인 것으로 알려져 있다. 유산소 운동 중 평지 걷기, 수영, 실내 자전거 등이 일반적으로 추천되지만 개개인의 관절 및 신체적 특성과 관절염의 정도, 관절염이 주로 발생한 구획(compartment)이 모두 다르기 때문에 통증을 유발시키는 운동이 있다면 피해야 한다. 증상의 정도 및 관절염의 진행과 연관이 있다고 알려진 대퇴사두근의 약화가 있다면 대퇴사두근 근력 강화 운동이 증상을 완화시키는데 효과가 있는 것으로 알려져 있으며, 슬관절의 슬개-대퇴 관절(patella-femoral joint)의 부하를 증가를 초래할 수 있는 고관절 외전근(abductor)의 약화가 있다면 이에 대한 강화 운동도 효과가 있다.

(2) 약물 치료

퇴행성 슬관절의 증상 완화를 위한 약물 치료 중 다양한 종류의 경구용 비스테로이드성 소염제(nonsteroidal anti-inflammatory drugs, NSAIDs)가 가장 많이 사용되며, 그 외 acetaminophen, 일부 심한 급성기 통증 환자에서 tramadol 등의 약한 마약성 진통제를 단기간 사용할 수 있다. NSAIDs의 대표적인 합병증은 위장관 출혈이며, 고령의 환자나 스테로이드, 항혈소판 제제 복용자, 이전에 위장관 궤양 등의 병력이 있는 등 고위험군에서는 위장관 출혈이 적은 약제를 선택하거나, 예방요법을 병행해야 한다. 염증이 동반된 급성기 통증에는 관절 내 스테로이드 주사를 사용할 수 있다.

(3) 수술적 치료

① 관절경 수술

일반적으로 퇴행성 관절염을 치료하는데 관절경 수술은 큰 효용성이 없지만, 관절내 유리체(loose body)나 기계적인 통증을 일으키는 반월상연골 파열 등이 있는 경우 증상 완화를 위하여 제한적으로 사용할 수 있다.

② 절골술

대퇴-경골 관절의 한쪽 구획에 국한된 퇴행성 관절염과 더불어, 해당 구획에 하중을 증가시키는 하지 정렬의 이상이 있는 경우 절골술을 통해 정렬을 교정하여 증상을 호전시키는 방법이다. 대부분 내반 변형이 동반되고 증상이 심한 내측 구획(medial compartment)의 퇴행성 관절염에 대하여 근위 경골 절골술(high tibial osteotomy)을 시행하게 되며, 상대적으로 젊은 연령의 환자에서 자기 관절을 보존하며 증상을 호전시키기 위한 방법이다. 내측 구획에 가해지는 하중을 효과적으로 감소시키기 위해 다소 과교정하여 하지 정렬을 2~5° 정도의 외반 변형을 만드는 것을 목표로 절골술을 시행하는 것이 일반적인 원칙이다(그림 17-32).

③ 슬관절 전치환술

심한 퇴행성 관절염이 있고, 충분한 기간의 보존적 치료에 반응하지 않는 경우 매우 효과적인 치료법이다. 한쪽 구획에만 관절염이 있는 경우 단구획 치환술(unicompartmental knee arthroplasty)을 시행할 수 있지만, 모든 구획을 치환하는 슬관절 전치환술을 시행해야 하는 경우가 대부분이다. 매우 효과적인 치료법이며, 치환물 재질 및 디자인 개선으로 마모(wear)로 인해 재수술의 위험성이 많이 감소하였지만, 대수술이며 치환물의 수명이 영구적이지 않기 때문에 가급적 고령(60~65세 이상)에서 신중하게 시행되어야 한다(그림 17-33).

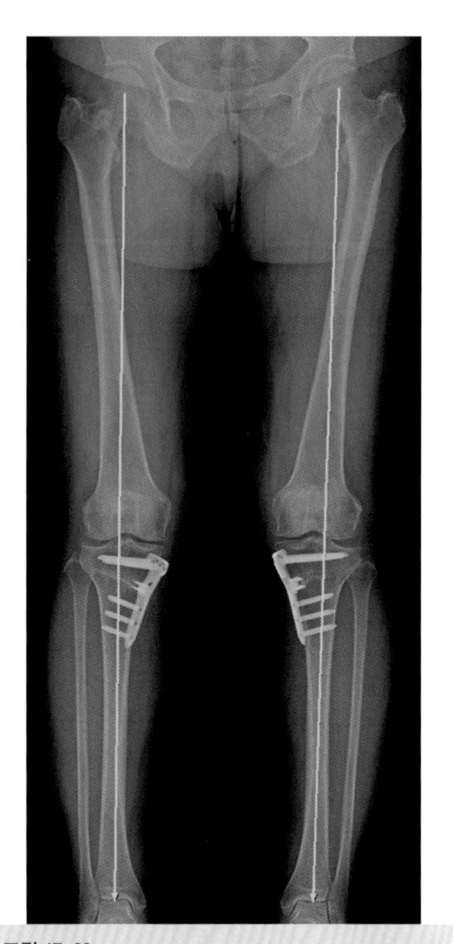

그림 17-32
그림 17-31의 환자로 근위 경골 절골술을 통해 양측 하지 모두 내반 변형을 다소 과교정된 외반 변형으로 교정하였다.

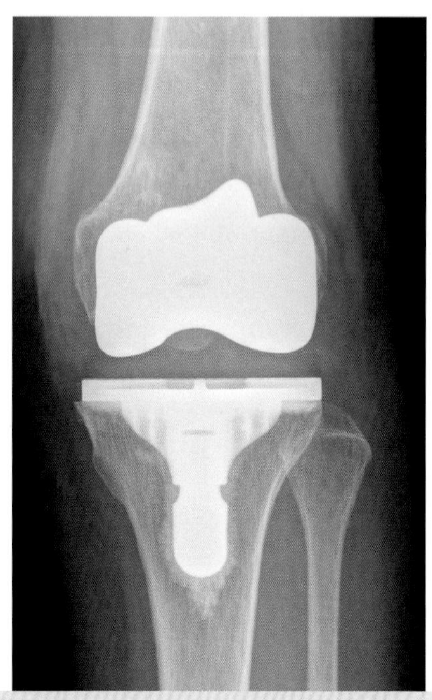

그림 17-33
그림 17-29의 환자로 슬관절 전치환술을 시행하였다.

6. 대퇴슬개 관절 병변

Anterior knee pain은 매우 흔한 증상으로 젊은 여성에서는 슬개골 연골연화증(chondromalacia patellae), 외측압박증후군 등을 생각할 수 있다. 주로 언덕길이나 계단을 오르내릴 때 통증이 있으며, 보행이나 운동 시에는 어긋나는 불편감을 호소한다. 이러한 문제들은 patellofemoral joint가 semiconstrained 형태로서 femoral sulcus angle, patella alta, 전신적 인대 이완 정도, femoral anteversion, Q angle 등 많은 인자들이 안정성에 영향을 주기 때문이다(표 17-1).

1) 슬개골 연골연화증

Anterior knee pain을 호소하고, 이학적 검사상 슬개골 압박검사에서 양성 소견을 보이나 방사선 촬영상 특이 소견을 보이지 않는다. MRI상 슬개골 관절 연골의 부종이나 표면 이상 소견이 관찰될 수 있으나 보존적 치료에 반응을 잘 하므로 이러한 치료에도 호전이 없을 경우에 시행해야 한다. 치료는 quadriceps femoris muscle 근력을 강화시켜 patellofemoral joint을 안정화시키는 운동을 하며, 체중을 줄이고 쪼그리는 자세, 계단 사용을 피하여 관절에 가해지는 stress를 줄이는 것이다.

표 17-1
급성 혹은 반복적 슬개골 탈구의 위험인자

- Patella alta
- Increased Q angle
- Femoral anteversion
- Systemic hypermobility
- Trochlear dysplasia or hypoplasia
- Lateralized tibial tubercle
- Lateral patellar tilt
- External tibial torsion
- Genu valgum
- Vastus medialis obliquus hypoplasia

2) 슬개골 불안정성

슬개골 불안정성(patellar instability)은 아탈구(subluxation) 또는 재발성 탈구(recurrent dislocation)로 나눌 수 있다. Patellofemoral subluxation을 보이는 환자에서 특이한 이학적 소견은 많지 않다. 관절 운동 시에 crepitus나 click이 있고, quadriceps femoris muscle이 위축되어 있으며, patellar gliding test에서 apprehension sign을 보인다. 슬개골 재발성 탈구는 탈구와 동반된 무력감 또는 갑작스런 허탈감(giving way or sudden collapse)이 특징이다.

방사선 검사 중 전후방 촬영에서 외반 변형을 보이는 경우가 흔하며, 측면 촬영에서 patella alta가 보이기도 한다. 축성 촬영에서 patella의 medial facet이 femur trochlear groove와 만나지 못하고, patella가 외측으로 subluxation 되는 소견을 볼 수 있다(그림 17-34).

초기 치료는 quadriceps femoris muscle 근력을 강화시켜 patellofemoral joint을 안정화시키는 운동을 하며, 체중을 줄여 관절에 가해지는 stress를 줄이는 것이다. Subluxation에 관하여 보조기를 사용하는 것은 불안정한 느낌과 탈구에 대한 우려를 줄여줄 수 있으나 원인적 치료가 되는 것은 아니다. 비수술적 치료에

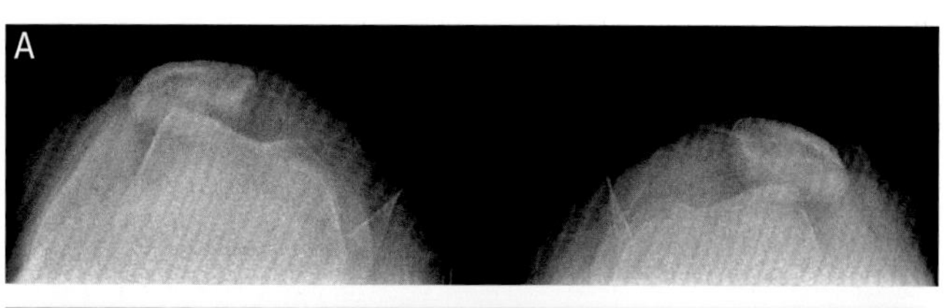

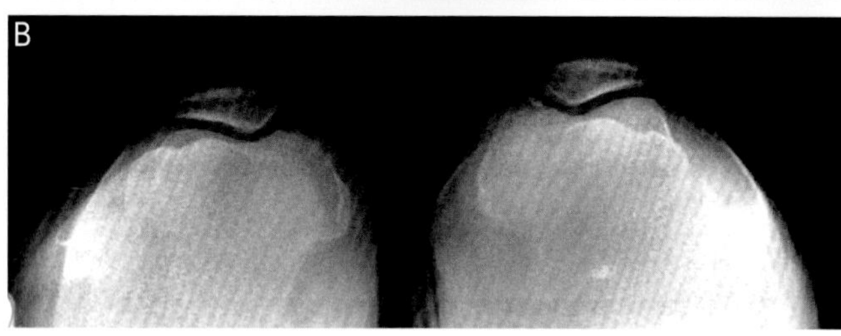

그림 17-34
축성촬영에서 patella의 medial facet이 femur trochlear groove와 만나지 못하고, patella가 외측으로 아탈구되는 소견을 볼 수 있으며(A), 90° 이상 굴곡 시 reduction된다(B).

반응하지 않을 경우 원인 및 정도에 따라 수술적 치료를 고려할 수 있다.

3) 슬개건염

슬개건염(patellar tendinopathy)은 Jumper's knee라고도 하며 농구나 배구 선수와 같이 점핑을 많이 하는 경우 발생한다. 슬개골의 inferior pole에 압통이 있고, 이러한 동작을 피하고 휴식을 취하면 대부분의 경우 보존적 요법으로 좋아지는 것으로 되어 있다. NSAIDs와 같은 약물을 사용할 수 있으며, 이에 반응하지 않는 경우 인대의 mucinous degeneration을 MRI 등으로 확인하여 부분적으로 절제해내는 수술적 치료가 필요할 수도 있다.

4) 슬개대퇴 동통증후군

Anterior knee pain을 호소하는 젊고 활동적인 사람에서 슬개대퇴 관절의 구조적 문제(연골이나 정렬 이상)가 발견되지 않을 경우를 슬개대퇴 동통증후군(Patellofemoral Pain Syndrome)이라고 진단한다. 대퇴사두근/건, 슬개골 및 주변 지지대, 슬개건, 슬개건하 지방대(infrapatellar fat pad) 등을 통칭하는 신전기전(extensor mechanism)의 기능적 이상이 원인이라고 생각되고, 고관절과 대퇴부 근육의 조절장애도 원인이 될 수 있다. 스트레칭, 근력 강화 및 생역학, 운동 교정 치료 등이 시도되고 있으나 아직 정확한 원인을 찾기 위한 진단법과 그에 따른 치료법이 확립되지 않아 많은 연구가 진행되고 있다.

참고문헌

1. Cui A, Li H, Wang D, et al. Global, regional prevalence, incidence and risk factors of knee osteoarthritis in population-based studies. EClinicalMedicine. 2020;29-30.
2. Hong JW, Noh JH, Kim DJ. The prevalence of and demographic factors associated with radiographic knee osteoarthritis in Korean adults aged >/= 50 years: The 2010-2013 Korea National Health and Nutrition Examination Survey. PLoS One. 2020; 15:e0230613.
3. Hunter DJ, Bierma-Zeinstra S. Osteoarthritis. Lancet. 2019;393:1745-59.
4. Hunter DJ, March L, Chew M. Osteoarthritis in 2020 and beyond: a Lancet Commission. Lancet. 2020;396:1711-2.
5. Kellgren JH, Lawrence JS. Radiological assessment of osteo-arthrosis. Ann Rheum Dis. 1957;16:494-502.
6. Kohn MD, Sassoon AA, Fernando ND. Classifications in Brief: Kellgren-Lawrence Classification of Osteoarthritis. Clin Orthop Relat Res. 2016;474:1886-93.

Foot과 Ankle Joint의 병변

Lesions of Foot and Ankle Joint

1. Foot과 Ankle joint의 평가

1) 족부와 발목 관절의 표면 해부학

족부(foot)와 발목 관절(ankle joint)은 좁은 부위에 많은 골, 인대 등의 구조물이 몰려 있기 때문에 정확한 진단을 위해서는 세심한 시진, 촉진, 타진이 매우 중요하며, 따라서 이를 위한 표면 해부학(topographic anatomy)을 숙지할 필요가 있다.

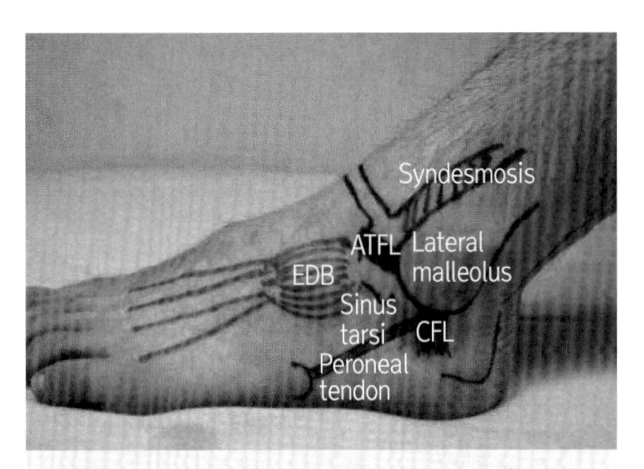

그림 18-1
Ankle joint 및 hindfoot 외측의 국소해부학

(1) Ankle joint 및 hindfoot (후족부)

① 외측(lateral)

Lateral malleolus of fibula (외과) 및 fibular tip (외과의 원위단)을 쉽게 촉진할 수 있다. 외측의 주요 인대로는 비골단 전면에 anterior talofibular ligament (ATFL, 전거비인대)가 있고, 비골단 하방에서 후하방을 향해 calcaneus에 부착하는 calcaneofibular ligament (CFL, 종비인대)가 있다. 비골단 전방에 움푹 들어간 sinus tarsi (족근동)가 있으며, 외과의 후방에서 5th metatarsal base (제5중족골 기저부)를 향해 주행하는 2개의 peroneal tendon (비골건)을 촉진할 수 있다(그림 18-1).

② 내측(medial)

Medial malleolus of tibia (내과)의 원위단을 쉽게 촉지할 수 있다. 내과로부터 넓게 펼쳐지는 모양의 superficial deltoid ligament (천삼각인대)는 medial malleolus의 전방 및 원위부에서 잘 만져지지만, deep deltoid ligament (심삼각인대)는 직접적으로 촉진할 수 없다. 내과 원위단으로부터 원위 족저측에 후경골근건(tibialis posterior, TP))이 붙는 navicular bone의 tuberosity를 촉지할 수 있다. 후경골근건은 전체 주행에 걸쳐 잘 촉진할 수 있으며, posterior tibial artery (후경골 동맥)는 내과의 내측연으로부터 1~2 cm 후방 및 내측에서 맥박을 촉진할 수 있다(그림 18-2).

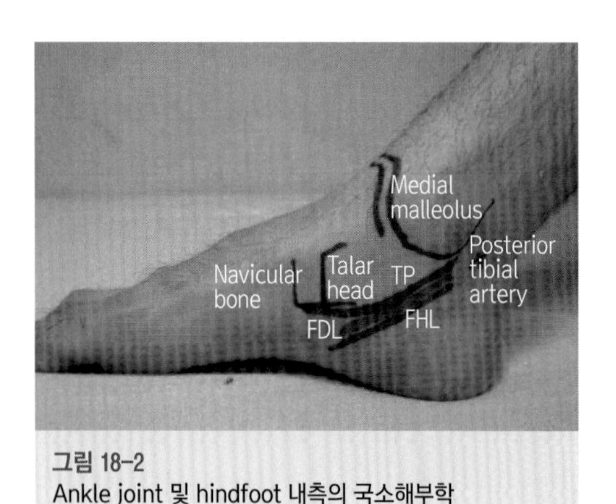

그림 18-2
Ankle joint 및 hindfoot 내측의 국소해부학

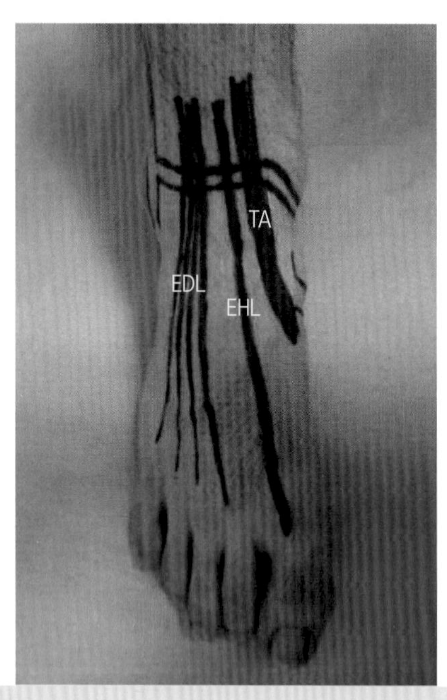

그림 18-3
Ankle joint 및 hindfoot 전면의 국소해부학

③ 전면(anterior)

족관절의 전면에서는 tibialis anterior tendon (TA tendon, 전경골근건)을 촉진할 수 있는데, 이는 가장 센 dorsiflexion (족배 굴곡) 건이므로 환자에게 발목을 족배 굴곡하라고 하면 쉽게 관찰할 수 있다. Dorsalis pedis artery (족배 동맥)는 족배부(dorsum of foot) 중심부에서 촉진된다. Ankle joint 전방부의 건들은 TA tendon의 외측에서 만져지며, 내측부터 extensor hallucis longus (EHL, 장족무지신건), extensor digitorum longus (EDL, 장족지신건), peroneus tertius (제3비골건)이 있다. 이들 건들은 toe 및 ankle joint을 능동적 족배 굴곡하거나 수동적 족저 굴곡(plantarflexion)하게 되면 쉽게 만져진다(그림 18-3).

(2) Midfoot (중족부)

Midfoot의 뼈와 관절들은 족배부에서 쉽게 촉진된다. 내측에서는 가장 움직임이 많은 talonavicular joint (거주상 관절)을 촉진할 수 있다. Midfoot 외측은 내측에 비해 움직임이 많고, 제5중족골 기저부가 제일 쉽게 만져진다. Calcaneocuboid joint (종입방 관절)는 후족부를 고정한 상태로 중족부를 족배 굴곡 및 족저 굴곡하면 쉽게 촉진할 수 있다. Plantar fascia (족저 근막)는 엄지발가락을 수동적으로 족배 굴곡하면 쉽게 관찰할 수 있다(그림 18-4).

(3) Forefoot (전족부)

Forefoot (전족부)에 대한 검진은 hallux (족무지)와 주변 구조물에 대한 검사부터 진행하게 된다. 제1중족골은 전족부 내측에서 쉽게 촉진되며, 제1중족골의 원위 족저부에 2개의 sesamoid bones (종자골)이 있는데, 1st

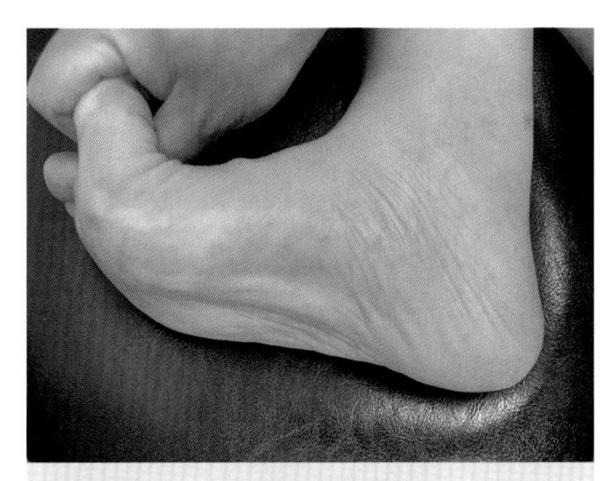

그림 18-4
Plantar fascia (족저근막)는 엄지발가락을 수동적으로 족배 굴곡하면 쉽게 관찰할 수 있다.

MTP joint를 수동적으로 족배 굴곡하면 만져진다. Hallux의 proximal phalanx (근위 지골), interphalangeal joint (IP joint, 지간 관절) 및 distal phalanx (원위 지골)도 쉽게 촉진된다. 중족골들은 족배부에서 잘 촉진되며, metatarsal head (중족골 골두) 부분은 족저부에서 촉진이 가능하다. MTP joint, proximal IP joint 및 distal IP joint와 extensor digitorum longus (EDL, 장족지신건), flexor digitorum longus (FDL, 장족지굴건) 역시 distal phalanx base에서 족지를 능동적으로 족배 굴곡 혹은 족저 굴곡하면서 촉지할 수 있다.

2) Foot과 ankle joint의 검진

기본적인 관절 운동 범위, 통증 부위, 변형 여부 등의 확인은 다른 근골격계 기관의 검진과 동일하나 기립, 보행 기능과 관련하여 추가적인 검진을 요한다. 일반적으로 환자를 먼저 세워놓고 검진한 후, 앉은 상태로 검진한다. 때에 따라 누워있거나 엎드려 있는 상태로 추가로 평가할 수 있다. 예를 들어, 아킬레스건 파열 의심 시 엎드린 상태로 평가한다. 필요시 보행이나 환자의 신발 상태를 관찰하는 것도 도움이 된다.

(1) 기립 상태 검진: 정렬 상태 평가

서있는 상태는 검사자에게 많은 정보를 준다. 양측 하지 길이는 적절한지, 대퇴부와 하퇴부의 두께는 괜찮은지, 족저 내측의 아치는 어떤지 등을 평가할 수 있다. 전면에서는 발가락의 정렬, 모양 등을 확인한다. 환자 뒤에서 바라보았을 때 후족부(hindfoot)의 하퇴부에 대한 정렬이 어떤지(그림 18-5), 아킬레스건이 짧아서 뒤꿈치가 들리지는 않는지, 뒤꿈치를 올려볼 수 있는지를 알아본다.

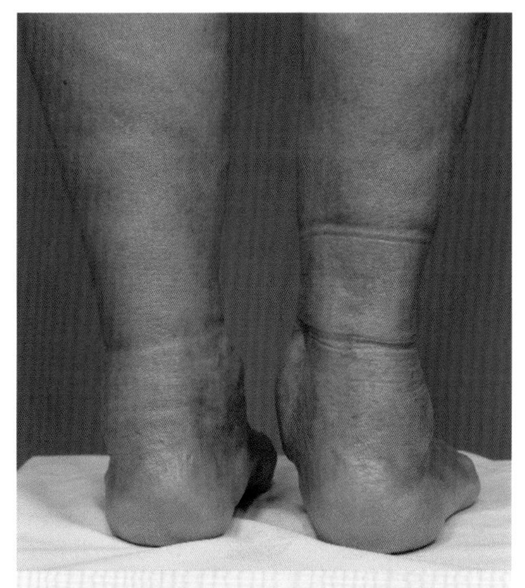

그림 18-5
기립 상태에서 후족부의 정렬상태를 평가한다. 좌측에 비해서 우측의 후족부가 외반되어 있다.

(2) 앉은 상태 검진

환자를 테이블에 걸터앉아 다리를 바깥으로 떨어뜨리도록 한 상태에서 검사자는 작은 의자에 앉아 검진한다. 이 자세는 환자의 하지 후방 근육을 이완시켜 관절 평가를 더 정확하게 해주고 양측 하지를 조작하고 시진, 촉진하는데 용이하다. 이때가 바로 앞서 기술된 표면 해부학을 적용할 타이밍이다. 피부 상태나 굳은살 여부, 돌출 부위, 압통, 관절 운동 범위, 피부 감각 등을 확인해본다(그림 18-6).

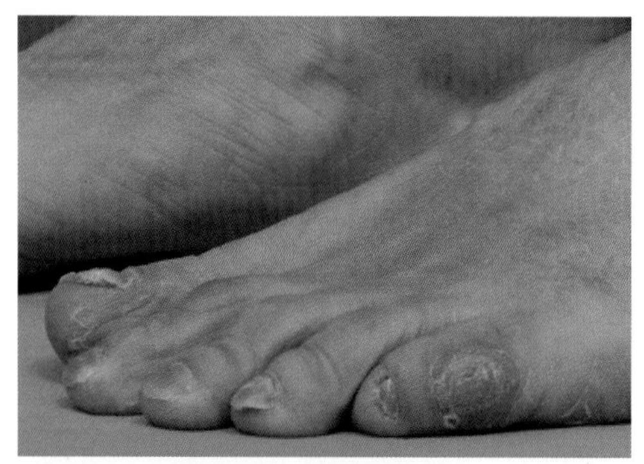

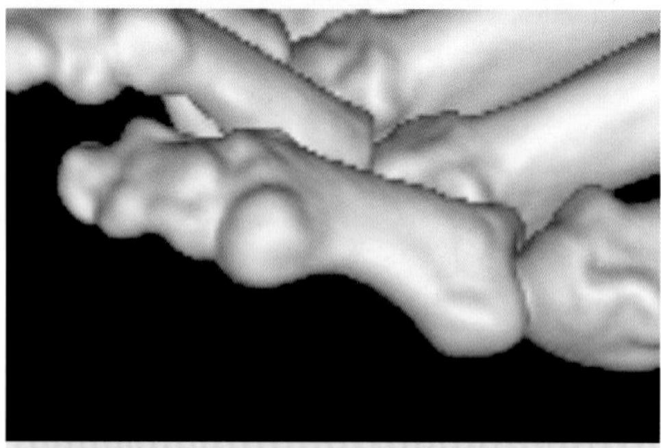

그림 18-6
기립 자세에서 좌측 5족지 외측의 외회전 변형과 그에 동반된 굳은살을 관찰할 수 있다. 3D CT 영상에서 해당 부위의 골 돌출 소견이 보인다.

(3) 신발 검사

신발의 바닥에서 닳은 부위를 살펴봐야 하는데, 후족부 및 중족부의 외측이 조기에 닳았다면 발의 회외전(supination) 변형이 있을 가능성이 높으며, 내측이 닳았다면 회내전(pronation) 변형이 있을 가능성이 높다(그림 18-7). 또한 신발에 arch support, heel pad, heel wedge 등의 보조 기구를 사용하고 있지는 않은 지 살펴본다. 신발의 모양을 발의 모양과 비교하며, 신발이 발에 적당한 크기인지 신발의 폭은 좁거나 넓지는 않은 지 확인한다.

그림 18-7
신발 검사. 신발 뒷축 바닥의 외측이 주로 닳은 모습에서 발의 회외전(supination) 변형을 의심해 볼 수 있다.

(4) 보행

보행(gait) 시에는 입각기(stance phase)와 유각기(swing phase)가 번갈아 나타나는데, 발뒤축 닿음(heel strike)에서 발가락 들림(toe off)까지를 입각기라고 하며, 동일 족부의 발가락 들림(toe off)에 이어서 발생하는 발뒤축 닿음(heel strike)까지를 유각기라고 한다(그림 18-8). 보폭의 정도는 양측이 적당한지, 몸통의 회

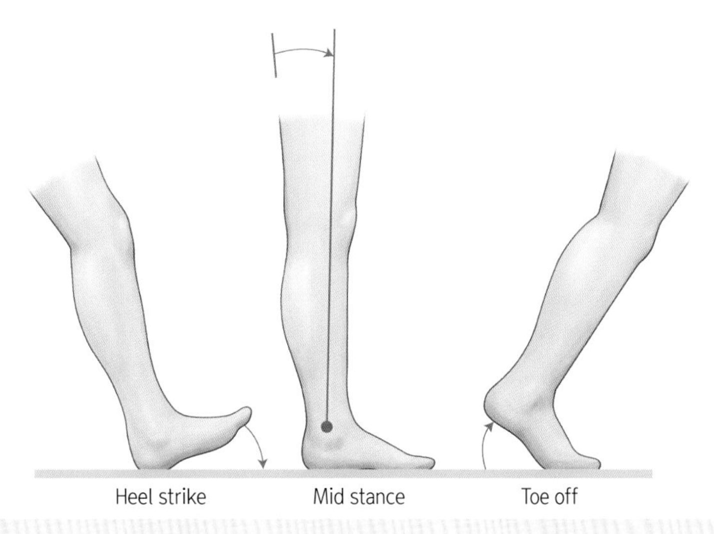

그림 18-8
입각기에서 발의 지면에 위치

전, 팔의 swing 동작 및 편측 다리의 보행 이상은 없는지 살펴보아야 한다. 서있는 상태 및 걸어가는 상태에서 patella (슬개골) 및 tibial tuberosity (경골 결절)의 위치가 내측 혹은 외측으로 돌아가있을 경우 다리의 근위부에서 문제가 있을 가능성이 높다. 또한 보행의 방향과 발의 종축이 이루는 족부 진행각(foot progression angle)을 통해 발이 안쪽을 향하며 걷는 내족지 보행(intoeing gait)이나 바깥쪽을 향하며 걷는 외족지 보행(outtoeing gait)은 없는지 확인할 수 있다.

2. 발목 관절 염좌

발목 관절의 주요 인대는 tibiofibular syndesmosis, 내측 인대, 외측 인대 등이 있다. 발목 관절 염좌(ankle sprain)는 해당 부위의 외상 중 가장 흔한 손상이며 대개는 특별한 문제없이 치유된다. 다만 때에 따라 동통이나 불편감이 지속되거나 만성 불안정 등의 질환으로 이행할 수 있기 때문에, 조기 진단과 적절한 치료를 함으로써 치유기간을 단축시키고 후유증을 예방할 수 있다.

1) 외측 인대 손상

족근 관절 염좌 중 가장 흔한 손상이다. 외측 인대는 anterior talofibular ligament (ATFL, 전거비 인대), calcaneofibular ligament (CFL, 종비인대), posterior talofibular ligament (PTFL, 후거비 인대)로 구성된다. 그중 ATFL이 가장 짧고 약하며, CFL은 가장 길고 탄력성이 좋고, PTFL은 가장 두껍고 강하다. 가장 흔한 손상 기전은 족저 굴곡(plantar flexion)과

내번(inversion)이며 ATFL이 가장 먼저 손상되고, CFL, PTFL로 순차적인 손상이 발생한다. PTFL의 단독 파열은 드물다.

(1) 분류

외측 인대 손상은 제1, 2, 3도 손상으로 나눌 수 있다. 제1도 손상은 ATFL의 부분 파열로 경미한 부종과 압통이 있으며 관절의 불안정성은 없다. 제2도 손상은 ATFL의 부분 내지 완전 파열과 CFL의 부분 파열이며, 부분적인 불안정성이 있을 수 있고, 부종과 압통이 더 광범위하다. 제3도 손상은 ATFL과 CFL의 완전 파열이며 심한 동통, 부종 및 압통이 있다.

(2) 초기 치료

급성 염좌의 초기 치료는 보존적 요법으로 PRICE (protection, rest, ice, compression, elevation)를 시행하여 더 이상의 손상을 제한하고 부종 및 동통을 줄인다. 이 시기에는 진통소염제의 사용도 효과적이다. 제1, 2도 손상에서는 동통 없는 체중부하가 가능할 때까지 압박붕대, 보조기 또는 단기간의 석고 고정으로 치료한다. 제3도 손상에서는 3~4주 동안 석고 고정을 한다.

2) 내측 인대 손상

내측 인대(medial or deltoid ligament)는 표층과 심층 인대로 구성되며, 심층 인대가 더 강하다. 발목 관절의 외전 또는 외회전으로 손상이 발생하며, 단독 손상은 매우 드물기 때문에 동반될 수 있는 비골 근위부 골절이나 tibiofibular syndesmosis의 손상 여부를 확인해야 한다. Talus와 medial malleolus 관절면 사이의 간격이 잘 유지되면 석고붕대 고정 등의 보존적인 치료로 시행하는데 치유 기간은 외측 손상보다 더 오래 걸리나 양호한 결과를 얻을 수 있다.

3) 원위 경비 인대 결합 손상

원위 경비 인대 결합(distal tibiofibular syndesmosis)은 anterior inferior, posterior inferior tibiofibular ligament (AITFL, PITFL, 전후방 하단 경비 인대)와 interosseous ligament (골간 인대) 등으로 구성되어, tibia와 fibula를 분리하려는 힘에 저항하는 역할을 한다. 흔히 고위 족관절 염좌(high ankle sprain)로 불리는데 이는 원위 경비 인대 결합 부위가 흔한 손상 부위인 전거비인대, 종비인대보다 근위부에 위치하기 때문이다. 경비 인대 결합 손상은 치료하기도 어렵고 특히 운동을 하는 사람에게는 지속적인 운동장애의 원인이 된다. 발목 염좌 내원 환자 중 1~18%가 경비 인대 결합 손상이며 만성적인 증세를 일으킬 가능성이 높다. 외회전이 주된 손상 기전이며 AITFL이 먼저 파열되고 이후 interosseous ligament (골간인대)가 파열되고 그 다음에 interosseous membrane (골간막)이 파열되는데 PITFL까지 파열되는 경우는 드물다. 급성기의 치료는 다른 염좌와 같고, 경비골이 벌어지지 않는 안정적인 손상이면 보존적 치료를, 명백한 벌어짐이 있는 경우에는 수술적 치료를 시행한다.

4) 발목 관절 염좌 후 만성 불안정성

급성 외측인대 손상의 약 10~40%에서 불안정으로 진행된다고 알려져 있다. 기능적 불안정(functional instability)과 기계적 불안정(mechanical instability)로 나누기도 하며 두 요소가 같이 있을 수도 있다. 기능적 불안정은 발목 관절의 구조적 이상은 없지만 고유감각 기능 저하나 신경근육 부조화로 움직임 제어가 안되는 불안정이고, 기계적 불안정은 인대 같은 해부학적 구조물의 결함이나 이완으로 관절 움직임이 과도해진 상태이다.

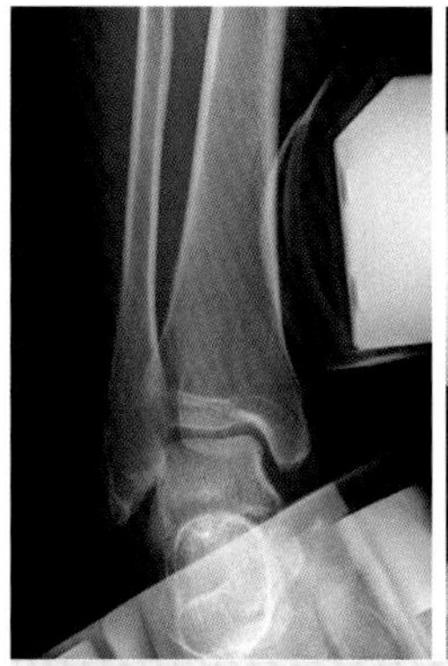
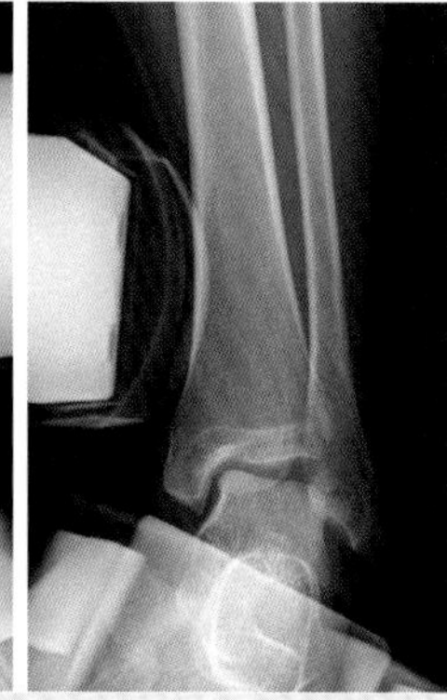

그림 18-9
내반 스트레스 검사로 확인되는 좌측 발목의 불안정성

(1) 진단

주로 외측부 인대 파열 후 치유과정에서 인대의 이완(laxity)으로 인해 불안정성이 나타난다. 확실한 진단 및 손상 정도를 파악하기 위해 내 · 외반 스트레스 검사(varus/valgus stress test), 전후방 스트레스 검사(anterior/posterior draw test), MRI를 시행할 수 있다. 전후방 스트레스 방사선검사 상 건측과 비교하여 3 mm 이상 전위되거나, 전위의 절대치가 10 mm 이상인 경우 불안정성이 있다고 하며, 내외반 스트레스 검사상 건측과 비교하여 3° 이상 차이가 나거나, 절대치가 9° 이상 일 때 유의한 불안정성의 가능성이 있다고 판단하는 경우가 많다. 환자가 느끼는 기능적 불안정성(울퉁불퉁한 표면에서 자주 접질리거나, 접질릴 것 같은 불안감)도 진단에 중요하다(그림 18-9).

(2) 치료

우선 보존적 치료로 peroneal muscle (비골근)의 강화운동을 시행하고, 고유감각(proprioception) 훈련을 시행해 볼 수 있으며, 호전이 없을 경우 수술적인 치료를 한다. 운동선수 등 젊고 활동적인 환자에서는 수상 후 바로 수술적 치료를 고려하기도 한다. 수술적 치료는 기존의 인대나 구조물을 봉합하는 봉합술(repair)과, 인공건 혹은 자가건을 이식해 주는 재건술(reconstruction)이 있다. 재건술에는 해부학적 재건 방법과 비해부학적 재건 방법이 있다. 전자는 손상된 인대를 최대한 비슷한 위치에 복원하는 것이며, 후자는 인대를 기존의 인대와 다른 새로운 위치에 대치하는 것이다. extensor retinaculum (신전지대)를 이용하여 보강하는 변형 Brostrom 봉합 술식이 현재 널리 이용되며, 결과도 양호하게 보고되고 있다. 해부학적 재건술의 장점은 동적 안정(dynamic stabilizer) 구조물인 peroneus tendon (비골건)이 보존되고 인대의 해부학적 부착점이 유지되는 것이다. 비해부학적 재건술은 족근 관절의 운동범위를 제한하며 이는 건과 인대의 생역학적 차이에 기인하는 것으로 생각된다. 비해부학적 재건술 중 가장 많이 이용되는 것은 Chrisman-Snook 변형술식으로 peroneus brevis tendon (단비골건)의 반을 이용하여 시행한다.

3. 족부 변형

족부에 발생한 변형은 위치에 따라 forefoot의 변형과 midfoot 및 hindfoot의 변형으로 나눌 수 있다. Forefoot 변형에는 무지 외반증(hallux valgus), 무지 강직증(hallux rigidus), 망치 족지(hammer toe), 갈퀴 족지(claw toe), 소건막류(bunionette) 등이 속한다. 중족부와 후족부에 발생한 변형은 외반(valgus), 내반(varus), 첨족(equinus) 및 종족(calcaneus)의 4가지 기본적 변형과 이들의 조합으로 이루어지는 변형으로 분류된다. Hindfoot과 midfoot에는 tibia와 fibula, 7개의 tarsal bones, 그리고 5개의 metatarsal bones이 많은 관절을 이루기 때문에, 단일한 변형에도 대개 여러 관절이 문제가 되며, 일반적으로 첨족 변형은 내반과 동반되며 종족 변형은 외반과 동반되기 쉽다.

1) 편평족

편평족(pes planus, flatfoot)은 질환이 아니라 발의 모양을 묘사한 용어로 족저부의 내측 세로궁(longitudinal arch)이 소실되어 족저부가 편평하게 되는 모든 변형을 총괄하여 지칭하는 것이다(그림 18-10). 이는 어른에서도 흔히 발견되며, 후족부의 외반, 전족부 외전 등이 흔히 동반될 수 있다. 인체가 정상으로 발육하는 과정 중, 세로궁은 유아에게 나타나지 않으며, 대개 5~6세가 되어 나타나고, 실제 이보다 늦게 나타나는 경우도 많다.

(1) 원인

편평족은 원인 불명이 대부분이며, 관련이 있는 요소들로는 ① 외상성(종골 골절, 족근 중족 관절 손상, 발목 관절 골절의 후유증), ② 류마토이드 관절염, ③ tibialis posterior tendon의 기능 장애, ④ 아킬레스 건 긴장(tight heel cord), ⑤ 신경 마비성 질환(예: 소아 마비, 뇌성 마비), ⑥ 당뇨와 같은 신경병성 질환, ⑦ subtalar joint의 기능 장애, ⑧ 중족 관절에 발생한 퇴행성 관절염, ⑨ accessory navicular, ⑩ 족근골결합(tarsal coalition) 등이 알려져 있다.

(2) 진단

내측 세로궁이 소실된 임상 소견과 방사선 사진에 의거하고 있다. 유연성인 경우에서 족부의 침강도를 정확히 알기 위해서는 비체중 부하 사진 뿐만 아니라 체중 부하 시의 전후면 및 측면 방사선 촬영이 필요하다. 강직성인 경우, 동반 변형 및 관절의 퇴행성 변화를 보기 위해 전후면과 측면뿐만 아니라, 몇개의 사면 상(oblique view)이나 축상(axial view) 등이

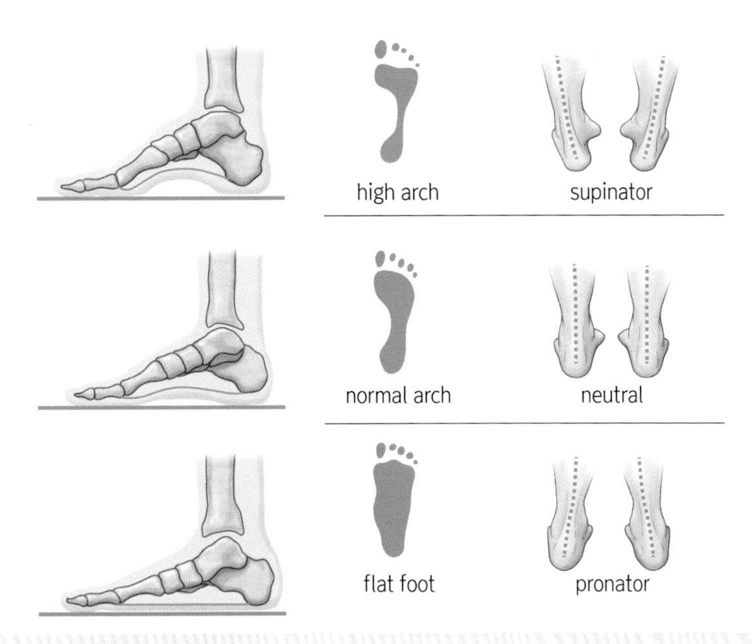

그림 18-10
족저부의 내측 세로궁의 모양에 따른 발의 분류

필요할 수 있다. 골과 관절의 상태를 정확히 파악할 필요가 있다면 CT를 시행하게 된다.

(3) 분류 및 치료

체중을 부하할 때는 족저부가 편평해지고, 체중을 없애면 내측 세로궁이 나타나는 유연성 편평족(flexible foot)과 체중 부하와 관계없이 편평한 강직성 편평족(rigid flatfoot)으로 나눌 수 있는데, 처음에는 유연성이었던 것도 시간이 경과함에 따라 점차 강직성으로 변할 수 있다.

① 유연성 편평족(flexible flatfoot)

소아에서는 증상이 없는 것이 보통이지만 청년기가 지나서 동통을 호소하는 경우가 있다(소아기 편형족은 제4장 선천성 및 발달성 질환 참조). 사춘기 이후에까지 변형은 남아 있지만, 동통이 경미한 경우는 치료 대상이 되지 않는다. 하지만, 체중부하가 없어져도 평발이 유지되면서 장기간 보존적 치료로 증상의 호전 없이 실패한 경우와 인대나 건의 이상으로 midtarsal joint (중족근 관절)의 변형이 발생하는 경우는 수술의 적응증이 될 수 있는데, 관절 유합술(arthrodesis)이나 절골 교정술(corrective osteotomy)을 이용하여 내측 세로궁을 재건하는 수술을 시행하게 된다.

② 강직성 편평족(rigid flatfoot)

강직성 편평족의 원인은 다양한데, 선천성 기형에 의한 경우는 선천성 수직 거골, 선천성 족근골결합 등이 있다. 유연성 편평족이 오랜 시간 경과되면 조기 퇴행성 변화로 강직성으로 바뀌는 경우가 많다. 골연골 골절(osteochondral fracture) 등 후족부의 골절과 탈구는 그 합병증으로 강직성 편평족을 야기할 수 있다. 또한 류마토이드 관절염, subtalar joint 감염, talus나 calcaneus의 종양 등 hindfoot joint를 손상시키는 어떠한 질환도 원인이 될 수 있다. 강직성 편평족에서도 동통은 경미한 경우가 많지만, 반면 동통이 매우 심하여 잘 걸을 수 없는 환자도 많다. 이때 동통은 변형된 관절 자체에서 기인될 수도 있고, peroneus, anterior, posterior tibialis tendons 등 근육의 경련에서 유발될 수도 있다. 이 중 peroneus의 경직이 가장 빈도가 높다. 역시 동통이 경미한 경우에는 비스테로이드성 소염제의 투여, 등산이나 장거리 보행의 금지, hot pack 및 longitudinal arch support를 구두 속에 부착시킴으로써 호전되는 경우가 많다. 그러나 증세가 심하고 오래 지속되는 환자에서는 수술적 처치가 필요하다. 수술의 방식은 유연성 편평족과 마찬가지로 관절 고정술이나 절골 교정술을 통해 내측 세로궁을 재건하게 된다. 유연성에 비해 강직성 편평족에서는 수술을 요하는 경우가 많다.

2) 요족

요족(pes cavus)은 편평족의 반대 변형이다. hindfoot에 대하여 forefoot이 첨족 변형(equinus deformity)을 일으켜서 세로궁이 비정상으로 높아지는 변형이다. forefoot의 첨족 때문에 이를 보상하기 위해 이차적으로 metatarso-phalangeal joint가 과신전되며, interphalangeal joint은 굴곡되어 발가락이 갈퀴처럼 되려는 경향을 나타낸다. 변형이 오래되면 연부 조직에 이차적 변화로 plantar aponeurosis (족저 건막)의 구축(contracture)이나, 아킬레스건의 단축을 보이기도 한다. 원인은 대개 불명인 경우가 많고, 선천성과 신경근육성 질환으로 생길 수 있다. 증상은 없는 경우도 있으나, 대개 보행으로 쉽게 피곤을 느끼거나 metatarsal head의 하방과 proximal interphalangeal joint의 배측에 피부 못(corn) 또는 경절(callus)이 잘 생겨 이곳에 압통을 호소하기도 한다(그림 18-11). Metatarsal head 부위를 밑부분 근위부에서 받쳐 주는 중족골 패드(metatarsal pad)나 중족골 지지대(metatarsal bar)로 증상이 호전될 수 있으며, 전족부에 압력이 가해지지 않도록 적절한 넓이를 가진 편한 구두를 신도록 해야 한다. 변형이 심한 경우에는 수술적 방법으로 교정할 수 있다. 수술 방법은 환자의 연령과 변형의 심한 정도 및 강직성을 고려하여 족저근막 등의 구축된 연부 조직 유리술, 건 이전술에 의한 근력 부조화의 개선을 도모할 수 있고, 골 성장이 끝난 경우 종골 절골술, 중족골 절골술 등을 시행하여 요족 형태를 교정할 수 있다. 퇴행성 관절염이 심한 경우 관절고정술을 고려할 수도 있다.

3) 무지 외반증

무지 외반증은 엄지 발가락이 1st meta-

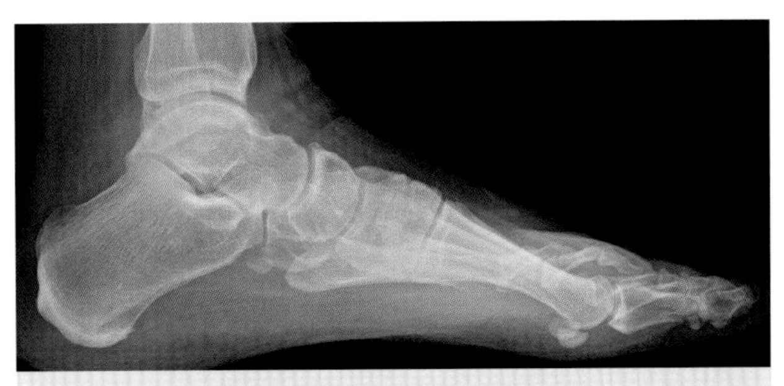
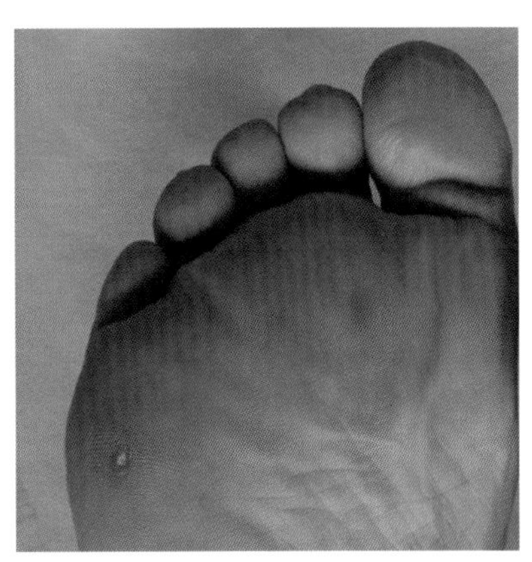

그림 18-11
내측 세로궁이 높은 요족 환자, 이로 인해 제5중족골두 밑의 압력으로 생긴 피부못(corn)이 관찰된다.

tarsophalangeal joint에서 발의 외측으로 치우치는 변형으로 1st metatarsal bone은 내측으로, proximal phalanx는 외측으로 전위되며, 1st metatarsophalangeal joint의 점액낭(bursa)에 염증이 발생하는 발의 대표적인 질환으로 회내(pronation) 변형 및 다른 족지들의 변형을 동반한 3차원적인 변형이다(그림 18-12).

(1) 역학(epidemiology)과 원인(etiology)

인구의 약 4~10%에서 방사선학적 정의에 부합하는 무지 외반증이 있다고 추정되며, 발생에는 선천적 요인과 후천적 요인이 복합적으로 작용한다. 선천적 원인으로는 편평족과 넓적한 발(splay foot), 원발성 중족 내전증(metatarsus primus varus), 내회전된 발, 원위 중족 관절면각(distal metatarsal articular surface angle, DMAA)이 과다한 경우, 제1열이 과다하게 유연한 발(hypermobility) 등이 있다. 후천적 요인으로는 하이힐 등의 신발 앞이 뾰족하고 굽이 높은 신발을 많이 사용하는 경우와 류마토이드 관절염 등에 의한 2차적 변화 등이 있다. 흔히 가족력이 있고, 양측성이며, 중년이나 노년 여성에게서 많이 볼 수 있다. 청소년기에 발생하는 경우 원위 중족 관절면 각의 증가와 중족골 내전, 과운동성, 인대 이완과 같은 인자를 고려해야 한다.

(2) 해부학적 구조(anatomy)

1st metatarsophalangeal joint의 안정성을 유지시켜주는 구조물은 크게 정적 구조물과 동적 구조물로 나눌 수 있으며, 정적 구조물로는 1st metatarsophalangeal joint을 이루는 metatarsal head와 proximal phalanx의 base 관절면, sesamoid, 각종 인대들로 구성되어 있고, 동적 구조물로는 각종 내재근 및 주위의 건이 있다. Proximal phalanx의 base에는 flexor hallucis brevis, adductor hallucis (무지 내전근), abductor hallucis (무지 외전근), plantar aponeurosis가 부착된다. Sesamoid bone의 기능은 flexor hallucis brevis (단 족무지 굴근건)

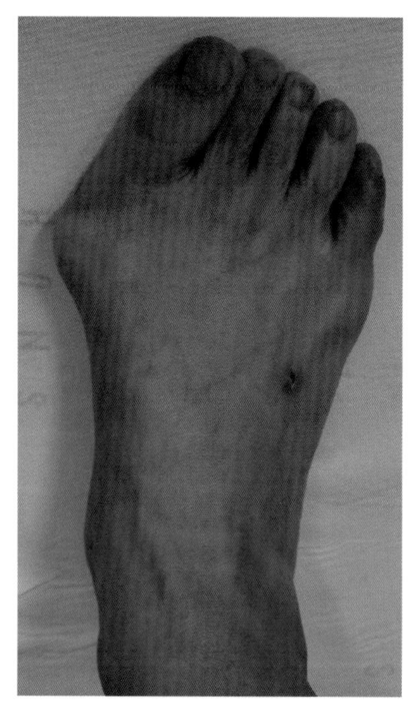

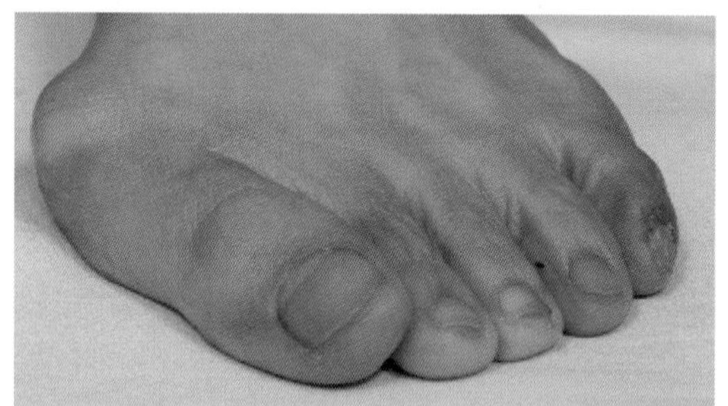

그림 18-12
무지외반증 환자의 발모양. 제1중족골두가 내측으로 튀어나와 있고, 1족지가 2족지를 누르고 있으며 2족지가 외측으로 밀려나있다. 전면에서 보았을 때 1족지의 회내전 변형이 관찰된다.

의 지렛대 역할을 함으로써 건의 물리적 이득을 얻는 것이다. 정상에서 제1, 2중족골 간 각은 9° 이하, 제1중족지와 근위지골이 이루는 각은 15° 이하이나, 무지 외반증에서는 이보다 크게 된다.

(3) 증상

증상이 전혀 없는 경우가 많다. 통증은 나이에 따라 증가하는데, 1st metatarsal head의 내측 돌출부가 지속적으로 신발 내측에 접촉되면서 피부가 두꺼워지고, 피부와 골 사이에 점액낭염(bursitis)이 발생하는데 이를 건막류(bunion)라 한다. 동통이 발생하는 원인에는 1st metatarsophalangeal joint의 퇴행성 관절염, hallux에 분포하는 신경의 압박, 제1중족골의 체중부하 능력이 감소하여 외측으로 힘이 전이 되어 발생한 2nd, 3rd metatarsal head의 피부 경결(callosity) 등이 있다. 변형이 점차 진행됨에 따라, 족무지의 외반때문에 다른 발가락들이 metatarsal bone에 대해 외측으로 밀려나가 제2족지가 hallux 위로 올라가는 망치 족지(hammer toe)의 변형을 초래할 수 있다.

(4) 치료

경증의 경우는 부드럽고 볼이 넓은 신발을 신게 하여 동통을 완화시킬 수 있다. 때에 따라 깔창이나 보조기를 사용하는 경우도 있다. 그러나 보조기를 사용한다고 해서 영구적 교정 효과가 있거나 변형의 진행이 멈추는 것은 아니다. 점액낭이 급성 염증을 일으켰을 경우는 안정과 소염제 투약이 효과적이다. 하지만 시간이 경과함에 따라 변형이 진행하여 수술적 치료를 하게 되는 경우도 발생할 수 있다. 수술을 할 때는 환자의 주소가 건막류의 돌출에 의한 통증인지, 이차적으로 발생한 소족지(lesser toe)의 문제인지를 구분하는 것이 필요하다. 또한 신체검사 상 hallux의 건막류 유무, 압통이 있는 부위와 소족지의 신경통, 체중 전이 소견(weight transfer lesion)으로 인한 굳은 살 등이 있는지도 수술 방법을 결정하는데 중요하다. 수술을 시행하게 되는 경우 단순 방사선촬영을 통해 1st metatarsophalangeal joint의 상합성(congruency) 여부, 무지 외반각, 제1, 2중족골간각, sesamoid의 전이 정도를 파악해야 한다. 일반적으로 무지 외반각은 15° 이하, 제1, 2중족골간각은 9° 이하를 정상 범위로 보지만, 이 각도를 넘어도 통증이 생기지 않는 경우가 많다. 수술은 metatarsal bone의 근위부나 원위부에서 교정 절골술 및 내측 돌출부 절제술, proximal phalanx의 교정 절골술, 외측 연부조직 유리술 및 내측 관절막 단축술을 필요에 따라 조합, 선택하여 시행하게 되고 관절염이 이미 심하게 와 있는 경우에는 관절 고정술이나 관절 절제술을 시행할 수 있다.

4. 당뇨발

당뇨발(diabetic foot)은 당뇨병 환자에서 생기는 피부궤양, 농양이나 골수염을 포함한 염증, 괴사, 그리고 병적 골절을 모두 통틀어 일컫는다. 당뇨병성 족부궤양(diabetic foot ulcer)는 인류의 가장 오래된 질환 중 하나이지만, 근대에까지 치료 방법을 잘 알지 못하여 절단을 하거나 사망을 하는 경우가 많았다. 하지만 근래에 당뇨병성 족부궤양에 대한 지식이 늘어남으로 인해 절단(amputation)의 비율이 점차 감소하고 있는 추세이다.

1) 당뇨병성 족부궤양 발생빈도

모든 당뇨환자 중 45%에서 일생 동안에 적어도 한번 당뇨병성 족부궤양(diabetic foot ulcer)이 발생한다. 세계적으로 30초마다 1명의 빈도로 하지 절단이 이루어지고 있는데, 당뇨병성 족부궤양이 있는 경우 하지절단 위험이 20~40배 증가하며, 하지 절단(lower limb amputation)의 85%가 선행된 당뇨병성 족부궤양이 원인으로 알려져 있다. 이러한 당뇨병성 족부궤양은 합병증 중 85%까지 예방이 가능한 것으로 보고되고 있어 이에 대한 환자의 이해와 교육이 매우 중요하다.

2) 병인(pathophysiology)

일반적으로 당 조절이 안 되거나 자율신경계(autonomic nervous system)의 신경병증, 감각 신경병증(sensory neuropathy), 불안정성 및 골절, 운동 신경병증(motor neuropathy)으로 인한 변형, 체중과다, 시력저하, 과거의 궤양, 혈액순환 문제, 좋지 못한 신발을 신는 것 등으로 인해 족부의 특정 부위에 오랜 충격이 가해지면 궤양이 생기고 상처 치유의 지연 등이 반복되면서 심해진다. 조직 손상의 원인은 크게 혈관성 원인과 신경병성 원인으로 구분할 수 있는데, 섞여있는 경우도 많다. 혈관의 문제로는 대개 말초 동맥 질환이 발생하여 피부로 가는 혈류가 감소하고, 이로 인한 피부의 위축으로 궤양이 발생하게 된다. 신경병성 궤양(neuropathic ulcers)은 감각신경, 운동신경, 자율신경을 침범하여 증상을 나타내는데, 감각 신경병증은 궤양을 일으키는 데 가장 큰 역할을 하며, 이러한 원인은 피부 보호 감각의 소실이다. 피부 감각이 소실되면 계속 반복되는 외상을 인지하지 못하고 신발이 들어있는 이물질을 느끼지 못해 발생한 상처가 궤양이 된다거나, 이로 인해서 피부 조직 내 변화가 온다.

3) 임상 양상(clinical manifestation)

신경병성 궤양(neuropathic ulcer)은 압력과 연관이 있는데, 호발 부위는 중족골두(metatarsal head), 외과(lateral malleollus), 발뒤꿈치(heel)와 같이 뼈가 돌출된 부위이다. 궤양의 전단계로 굳은살이 있는 경우가 일반적이며, 굳은살의 딱딱한 부분이 부드러운 주변 조직에 압력을 주면서 주위 점상 출혈 및 피부의 파열을 일으킨다. 혈관성 궤양(angiopathic ulcer)은 혈관의 말단이 혈액공급에 취약하기 때문에 발가락의 원위부에 발생하며, 발이 차고 맥박을 촉지하기 힘들며 심한 동통을 동반한다. 병변은 처음에 동통이 있는 어둡고 차가운 부위가 점차 검은색으로 변하고, 궤양의 중앙에 괴사된 조직이 있고 주변 조직과 경계가 명확한 궤양의 형태를 보이게 된다(그림 18-13). 환자의 발에 열감이 있고 발적(redness)과 부종(swelling)이 있는 경우 농양(abscess), 봉와직염(cellulitis) 등의 감염과 신경원성 관절병증(neurogenic arthropathy: Charcot joints 등)을 감별해야 한다. 이때 도움되는 신체검진으로 환자를 눕힌 채 일정시간 동안 발을 심장보다 높게 올려놓으면 신경원성 관절병증에 의한 부종은 가라앉는 반면, 감염에 의한 부종은 변화가 거의 없다. 당뇨발의 경우 감염이 있더라도 전신 증세가 거의 없고 CBC 등 혈액검사에서도 정상인 경우가 많으므로 진단에 주의를 기울여야 한다.

4) 검사

앞서 이야기하였듯이 감각 신경병증(sensory neuropathy)은 궤양을 일으키는 데 가장 큰 역할을 하기 때문에 나일론 단일 세섬유 감각 검사, 진동 검사, 온도검사, 신경 전달 속도 검사 등의 신경학적 검사 및 평가 가 중요하다. 또한 족관절 상박지수(ankle brachial

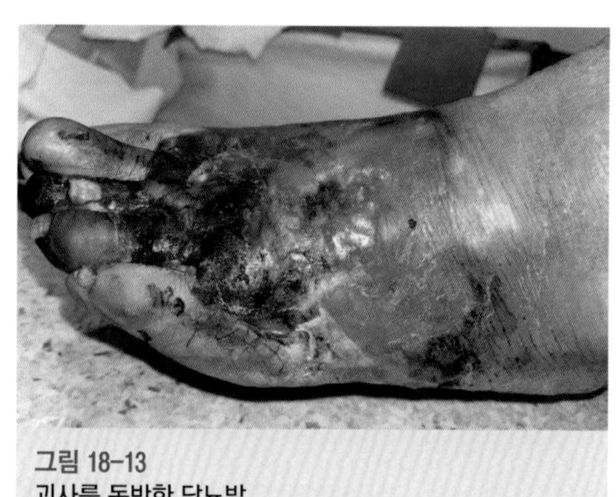

그림 18-13
괴사를 동반한 당뇨발

index, ABI), 혈관 도플러 초음파 검사, 전산화 단층 혈관 조영술(CT angiography) 등 혈관에 대한 평가 역시 당뇨발을 평가하고 치료하는데 고려해야 할 중요한 검사이다.

5) 치료

당뇨병성 족부궤양은 다른 원인에 의한 궤양에 비해 치료에 상당히 오랜 기간이 걸린다는 사실을 미리 환자에게 주의시켜야 한다. 치료를 결정하는 가장 중요한 요소는 감염 여부와 궤양의 크기, 주위 조직의 혈액순환이다. 궤양이 발생하였거나 발생할 위험성이 있는 부위의 압력을 경감시키고, 허혈이 동반된 경우는 혈행 개선을 우선시해야한다. 이를 위해 혈관성형술(angioplasty)나 혈관이식술(vessel graft) 등을 시행할 수도 있다. 염증이나 농양 형성 소견이 있으면 먼저 배농과 괴사 조직의 완전한 절제술을 시행하고, 균의 배양과 항생제 내성검사를 진행하고 초기 광범위 항생제로 염증을 조절한다. 대개 통상적인 치료에는 단순한 치료 즉 소독약과 항생제 투여가 주를 이루게 되는데, 이 경우에도 발가락 사이 등 짓무르기 쉬운 부위나 외과(lateral malleolus) 등 압력에 취약한 부위를 잘 보호하는 것이 중요하다. 치료약물 중 포비돈(povidone iodine), 네오마이신(neomycin), 클로르헥시딘(chlorhexidine), 과산화수소(hydrogen peroxide) 등은 모두 창상치료를 저해하는 효과가 있으므로 변연 절제술(debridement)을 철저히 하고 감염이 제거되면 사용하지 말아야 한다. 창상치료가 끝난 후에는 예방책을 수립해야 하는데 창상이 발생한 이유가 족저부에 이상 압력 때문이었다면 반드시 신발 안창과 신발 및 AFO 보조기(Ankle foot orthosis) 등을 처방하여 재발을 방지한다. 일반적인 창상 치료로 잘 낫지 않는 전족부(forefoot)의 족저부 창상(plantar wound)에 대해서는 비이상적인 하중을 고르게 분산시켜주는 전 접촉 석고붕대(total contact cast)가 좋은 치료 방법이다. 당뇨병성 족부궤양은 예방이 중요하며 발생 시 철저한 상처관리가 중요하지만 위와 같은 보존적 치료에 실패하여 감염 조절이 되지 않는 경우 절단술(amputation)을 시행하기도 하며, 변형이 심한 경우 변형 교정술을 시행한다.

5. 기타 족부 질환

1) 동통성 후족부 증후군

동통성 후족부 증후군(painful heel syndrome)의 통증은 크게 종골하(subcalcaneal pain syndrome)와 종골 상부 통증(superior heel pain)의 두 부위로 나눌 수 있다. 종골하 동통을 일으키는 대표적인 질환은 족저근막염(plantar fasciitis)이고 종골 상부 통증을 일으키는 대표적인 질환은 후종골 점액낭염(retrocalcaneal bursitis)이다.

(1) 족저근막염

임상에서 흔히 볼 수 있는 질환으로, 발뒤꿈치의 내측 조면에 통증이 있으며, 이러한 통증은 plantar fascia가 당겨짐으로서 발생한다.

① 원인

Plantar fascia의 부착부 주위에 미세손상(microtrauma)으로 인한 것으로 생각되고 있으며, 이로 인해 만성적 염증이 발생한다. 비만, 중년, 편평족, 요족 등에서 호발하는 것으로 알려져 있다. 종골 돌기(calcaneal spur)가 종골하 통증을 일으키는지에 대하여는 많은 논란이 있어 왔으나, 그 관계가 아직 확실히 입증된 바는 없다. 종골 돌기는 종골하 통증 증후군 환자의 약 50%에서 나타난다고 알려져 있다. 종골 돌기는 flexor digitorm brevis의 기시부에 위치하고 있으며, 족저근막이 위치하는 곳은 아니다(그림 18-14).

② 증상 및 신체검사 소견

대개 뒤꿈치 내측에서 통증이 시작되며, 발 뒤꿈치의 바닥에서 족부의 내연을 따라 발생된다. 특징적으로 아침에 일어났을 때 처음 몇 걸음 동안 더 심하게 느끼며, 활동함에 따라 수 분이 경과하면 약간 경감되나, 활동을 계속하게 되면 통증이 더 악화될 수 있다. 통증이 아주 심하면, 환자는 걸을 때 뒤꿈치로 체중부하를 할 수 없게 된다. 족부의 감각저하는 대개 없다. 이학적 검사상 압통은 종골의 족저 내측 조면에 있으며, 족지를 신전시켜서 족저 근막을 긴장하게 하면 압통을 느낄 수 있다.

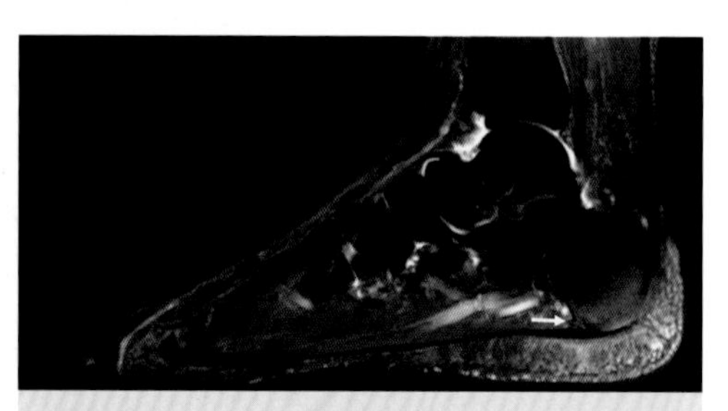

그림 18-14
족저근막염에 흔하게 동반되는 종골 돌기

③ 치료

보조기, 아킬레스 건 신전운동, 소염제, 석고 고정, 스테로이드 주사 등의 보존적 방법이 사용된다. 그러나 6개월 이상 보존적 치료에도 호전이 없는 경우 수술적 치료를 시행할 수 있으나, 실제 시행하는 경우는 매우 드물다. 수술적 처치로는 부분 족저 근막 절개술(fasciotomy), 건막의 이완(release of aponeurosis), 족저 근막 절개술과 함께 내측, 외측 족저 신경, 내측 종골 신경의 이완(release) 등을 시행할 수 있으나 수술 결과에 대하여는 아직 논란이 많다.

(2) 후종골 점액낭염 (retrocalcaneal bursitis)

후종골 점액낭(retrocalcaneal bursa)은 아킬레스건과 종골의 상조면 사이에 있는데, 족부와 족관절의 족배굴곡은 후종골 점액낭의 압력을 증가시키고, 반대로 족저굴곡은 압력을 감소시킨다. 이 후종골 점액낭과 종골의 상조면의 기능은 족관절의 축과 아킬레스건의 부착부 사이에 일정한 간격을 유지하는 것으로 생각하고 있다(그림 18-15).

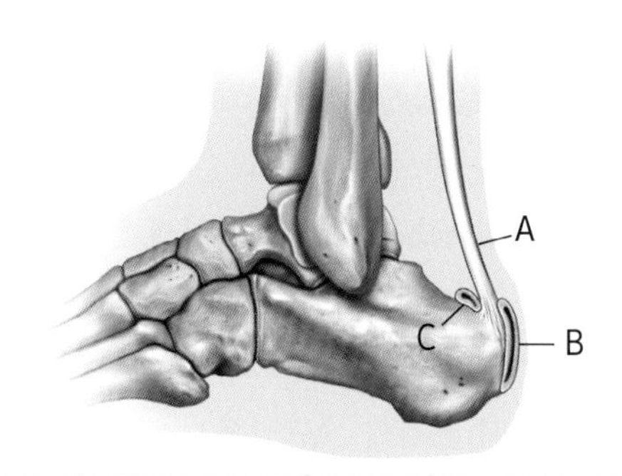

그림 18-15
후종골 점액낭 주변의 구조물
A. 아킬레스건, B. 피하 점액낭, C. 후종골 점액낭

① 원인

외상 및 마찰에 의해 발생할 수 있으나 대개 원인을 알 수 없는 경우가 많다.

② 증상 및 신체 검사 소견

대개 외견상 종골의 상방 점액낭 돌출부(superior bursal prominence)의 비대로 인하여 정상측보다 환측의 종골 후방이 돌출된 것을 볼 수 있다. 압통은 종골의 후상방에 있으며, 이러한 압통은 후종골 점액낭염(retrocalcaneal bursitis), 이외에도 종골 상방 점액낭 돌출부(superior bursal prominence)에 비대, 부착부 아킬레스 건염, 아킬레스 건 주위 점액낭염 등으로 인해 유발될 수 있다.

③ 방사선적 평가

측면 족관절 사진에서 종골의 후상방 부분이 돌출된 Haglund 변형이 동반되기도 한다. 이 변형은 아킬레스건 및 후종골 점액낭에 손상 및 자극을 줄 수 있어서 후종골 점액낭염의 한 원인으로 생각된다(그림 18-16). 모든 후종골 점액낭염은 전신 관절염 또는 통풍 같은 다른 질환 상태의 일부로서 나타날 수 있다는 것을 항상 주의해야 한다.

④ 치료

일반적으로 소염제, 활동 제한, 뒤축없는 신발 착용, 발뒤꿈치 올림, 스트레칭 또는 근육 강화 운동 또는 단기간의 석고고정 등의 보존 치료를 시행한다. 스테로이드 국소 주사는 논란의 여지가 있으며 인접한 아킬레스 건 파열을 유발하지 않도록 매우 주의하여야 한다. 이러한 방법에 반응이 없는 경우는 수술을 고려하는데, 수술방법으로는 돌출된 골편의 제거, 후종골 점액낭 제거, 외막성 점액낭의 제거, 아킬레스건의 교정 등이다.

2) 거골의 골연골 병변

(1) 정의

거골의 골연골 병변(osteochondral lesion of talus, OLT)은 가능한 발생 기전에 따라 여러 이름으로 불려왔으나, 최근에는 방사선 소견

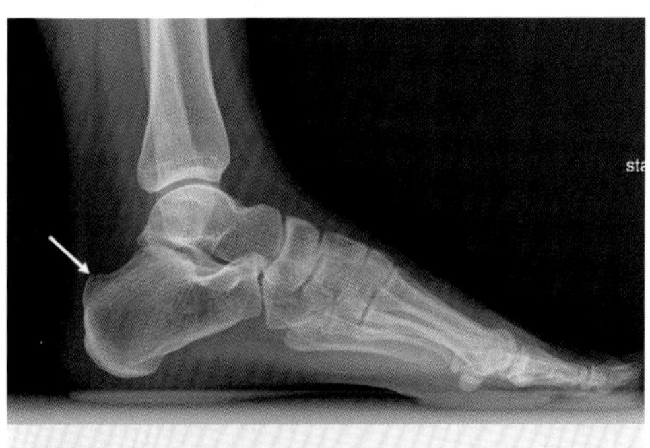

그림 18-16
종골의 후상방이 돌출된 Haglund 변형

은 비슷하지만 서로 다른 원인에 의해 발생한 병변일 가능성과, talar dome (거골 원개)의 국소 허혈 요인이 있는 환자에서 외상이나 반복적 미세 외상에 의한 거골 골절의 만성 병변일 가능성 모두를 고려하여 거골의 골연골 병변(osteochondral lesion of talus, OLT)이라는 명칭이 주로 사용되고 있다.

(2) 원인 및 병태생리

거골의 골연골 병변의 유발 요인으로 가장 확실하게 받아들여지는 것은 외상이며, 그 외에 무혈성 괴사나 내분비질환 등도 중요한 원인으로 알려진다.

(3) 증상 및 신체검사 소견

거골의 골연골 병변 발생 평균 연령은 20~30대이며, 남성에서 여성보다 2배 이상 호발하며, 양측성으로 보고되는 경우도 10% 정도 된다고 한다. 환자는 보통 족관절의 내반 손상의 과거력이 있는 지속적인 만성 족관절 통증을 호소하며, 통증은 보통 골연골 병변이 있는 특정 위치에서 발생한다. 이 외에 반복적인 부종, 강직, catching 혹은 족관절 불안정성을 호소할 수도 있다. 부분 압통(point tenderness)이 유발되는 경우가 많으므로, 병변이 의심되는 경우에는 족관절 족저 굴곡(plantar flexion)후 talar dome의 전외측 부위를, 족관절 족배 굴곡(dorsiflexion) 후 내과 후방 부위에서 talar dome의 후내측 부위를 촉진해 보아야 한다. 그러나 부분 압통이 없는 경우에도 골연골 병변을 배제할 수는 없다.

(4) 방사선적 검사 소견

표준 족관절 방사선 사진(체중부하 전후방, 측면, mortise)에서는 전방 혹은 중심부 골연골 병변이 talar shoulder (거골 어깨) 부위에서 방사선 투과성(radiolucent patch)의 형태로 보이며, 골의 연속성이 소실된 형태로 보이기도 한다. 병변이 시간이 지나면서 커지는 경향이 있으므로 시간 차를 두고 일반 방사선 사진을 찍는 것은 의미가 있다. CT는 병변의 위치, 크기, 형태, 그리고 골연골편의 전위 정도를 결정하는데 유용한 검사이지만, 관절 연골, 골 타박(bone bruise), 비전위 병변을 관찰하는 데는 한계가 있다. 뼈스캔은 일반 방사선 사진 상에서 병변을 확인할 수 없는 경우 선별검사로 이용할 수 있으며, 음성 예측치(negative predictive value)가 94%로 보고되어, 뼈스캔 상 음성일 때 골연골 병변을 배제할 수 있고 추가적인 검사의 필요성을 줄여주는 장점이 있다. MRI에서는 관절 연골, 연골하골 병변 모두를 확인할 수 있으며, 주변 연부조직의 이상 소견까지도 확인할 수 있는 장점이 있으며, 초기의 연골하 손상을 감별할 수 있다.

(5) 분류

MRI staging for OLT

Stage I: 연골하 압박골절
(Subchondral compression fracture)

Stage II: 골연골편의 부분 분리
(Incomplete separation of fragment)

Stage IIa: 연골하골의 낭종화
(Subchondral cyst formation)

Stage III: 골연골편의 완전 분리, 비전위
(Complete avulsion, nondisplaced)

Stage IV: 골연골편의 전위
(Displaced fragment)

(6) 치료

① 비수술적 치료

일반적으로 제시되고 있는 비수술적 치료는 휴식, 스포츠 활동 제한, 비스테로이드성 진통 소염제 사용과 최소 3주 이상의 cast immobilization 등이 있다. 비수술적 치료를 시행 시에는 반복적 방사선 사진을 통한 병변의 변화 추시가 필요하다.

② 수술적 치료

일반적으로 관절경을 이용한 치료가 관절 개방적 치료법보다 재활 기간이 짧고, 관절의 강직이 덜 발생하며, 내과 절골술 등의 추가 술식에 의한 합병증을 줄일 수 있는 장점이 있다. 수술적 치료의 목적은 골 결손 부위를 재혈류화 시키는 것이다. Articular hyaline cartilage (관절 초자 연골)은 무혈관 조직이고 따라서 재생 능력이 매우 약하다. 따라서 subchondral plate (연골하판)를 통과하지 못하는 손상은 염증 반응이나 치유반응을 유도할 수가 없다. 그러나 손상의 깊이가 subchondral bone까지 들어가게 되면 골수 세포들이 자극을 받게 되어서 새로운 조직을 형성하여, 결손 부위를 채우게 된다. 이러한 과정은 fibrous cartilage (섬유연골)의 형성을 유도하게 되고, 섬유 연골은 hyaline cartilage보다 생역학적 성질이 다소 부족한 문제가 발생하게 된다. 작은 결손 부위에는 fibrous cartilage이 어느 정도 hyaline cartilage을 대체할 수 있으므로, debridement, drilling, microfracture 등의 시술이 가능하게 된다. 하지만 결손 부위가 클 경우에는 fibrous cartilage 만으로는 기능을 다 할 수 없으므로, hyaline cartilage을 형성해주는 시술–즉 자가 연골이식, 동종연골이식, 연골세포 이식 등의 방법이 제시되고 있다.

3) 족부의 무혈성 괴사

족부에도 무혈성 괴사(avascular necrosis, AVN)가 간혹 일어나는데, navicular (Köhler's Disease)나 2nd metatarsal head (Freiberg's Disease)에 주로 발생한다. 국소의 동통, 압통, 종창을 나타내며, 방사선 검사에서 뼈의 모양이 불규칙하고 진행되면 음영이 진해지는 경화(sclerosis) 소견을 보인다. 치료는 증상 완화를 목표로 하며, 이 부위에 더 이상의 외력이 가해지지 않도록 한다. 대개 1~2년 내에 저절로 정상 회복되며, 수술이 필요한 경우는 매우 드물다.

4) 중족골 통증

정상적으로 다섯 개의 중족골두들은 체중 부하가 없을 때에는 횡궁을 형성하고 있으나, 체중 부하 시에는 지면과 평행하게 되어 궁(arch) 모양을 만들지 않는다. 이러한 중족골두 부위에 동통을 일으키는 질환을 총칭하여 중족골 통증(metatarsalgia)이라 한다.

(1) 원인

전족부의 골절, 탈구 또는 염좌로 인해 중족골의 형태에 변화가 생겨, 압력이 어떤 한 곳으로 모여 통증을 일으키거나, 류마토이드 관절염 혹은 퇴행성 관절염 등에서도 유발될 수 있다. 그 밖에 체중의 증가, 골간 근육이 마비되어 생기는 갈퀴족지(claw toe), 첨족변형, Freiberg 병(Freiberg's disease), 중족골 간부의 긴장 골절(stress fracture) 그리고 전족부가 넓어진 경우에도 중족골 통증의 원인으로 알려져 있다.

(2) 치료

비스테로이드성 소염제를 투여하거나 신발 속에 중족골 패드(metatarsal pad)를 넣거나, 신발 밖에 중족골 지지대를 붙여준다. 증상이 심하고 오래가면 그 원인에 따라 수술을 할 수 있다.

5) 족지간 신경종

족지간 신경종(interdigital neuroma, Morton's neuroma)은 족지에 분포하는 내측 또는 외측 족저 신경(plantar nerve)의 분지에 신경종(neuroma)이 생겨 이 분지가 지배하는 족지에 갑자기 심한 동통을 일으키는 질환이다. 주로 한쪽 발에만 발생하고 4~50대의 여자에게서 흔하다. 제3~4족지 사이에 많이 발생한다.

(1) 원인

확실하지 않으나 신경이 metatarsal heads 사이에서 반복된 압박을 받아 발생하는 것으로 생각 된다.

(2) 증상 및 신체검사 소견

심한 통증이 특히 3rd, 4th metatarsal head 부위에서 발생하며, 볼이 좁은 신발을 신었을 때 심해진다. 인위적으로 제3-4족지간 지간 간격(web space)을 압박하거나, 발을 내외측에서 동시에 압착하면, 족지에 동통이 유발된다. 족지에 지각 이상 또는 지각 소실을 나타낼 수도 있다.

(3) 치료

보존적 치료로 전족부가 넓고 굽이 낮은 신발을 사용하거나, 또는 중족골에 패드를 대어 중족 골간의 거리를 넓혀주며, 증상의 호전이 없으면, 신경종을 절제하는 수술을 고려할 수 있다.

외상

19. 외상의 개괄
20. 외상의 평가와 응급처치
21. 골절의 치유기전
22. 장골 골절의 치료
23. 관절내 골절의 치료
24. 척추 골절의 치료
25. 개방성 골절의 치료
26. 소아 골절의 치료
27. 고령 환자의 골절
28. 복합 손상
29. 근육, 건, 인대 손상

외상의 개괄

Introduction to Trauma

1. 서론

외상은 40세 이하의 연령대에서 주된 사망 원인이다. 사지의 손상은 가장 흔하지만, 두부 손상이나 내부 장기의 손상은 가장 치명적이다. 이런 간단한 관찰의 결과로 손상 환자 처치의 우선순위가 결정된다. 외상의 mortality는 trimodal distribution을 보인다(그림 19-1). 1) 첫 번째 peak는 손상 후 최초 1시간 이내, 병원 도착 전에 대부분 사망한다. 2) 두 번째 peak는 손상 후 1시간에서 4시간 사이이다. 보통 주된 사망 원인은 blood loss이며, 이를 'golden hour'라 부르며 적절한 처치로서 생명을 구할 수 있고, 또한 구해야 하는 시간대이다. 3) 세 번째 peak는 후기 합병증과 multiple organ failure로 사망할 수 있는 손상 후 3~4주의 시간대이다. 중증 손상의 처치는 다음의 순서에 따라 이루어진다.

1. 사고 후 즉시 emergency treatment
2. 병원 응급실에서의 소생술과 환자 평가
3. 내부 장기 손상과 심폐기 합병증의 조기 치료
4. 근골격계 손상의 치료
5. 장기 재활

이러한 외상 환자들의 상태를 보다 객관적으로 평가하기 위한 scoring 기법이 발달하였다. 특히, 다발성 장기 손상을 당한 환자들의 경우는 손상의 중증도를 평가하며 치료자들 사이의 공통 언어로 사용되기도 한다. 해부학에 근거한 scale과 scoring system, 생리적 지표에 근거한 scale, 그리고 이들을 통합한 형태의 scoring system이 있다.

2. Major injury에 대한 수술적 전략: 조기 확정 치료(Early total care) vs. Damage control surgery

다발성 손상 환자들에서 골절 고정을 일률적으로 시행하기 전에는 많은 환자들이 fat embolism syndrome이나 organ failure에 의한 사망률이 높았다. 골절 고정 후 이런 합병증으로 인한 사망률이 줄었다는 보고가 이어졌고, 조기 골절 고정의 장점이 인정되었다. 현재 이런 외상 환자의 골절 치료의 개념은 early total care (ETC)라고 불린다. ETC의 필수적인 요구 조건은 환자가 일찍 수술을 받을

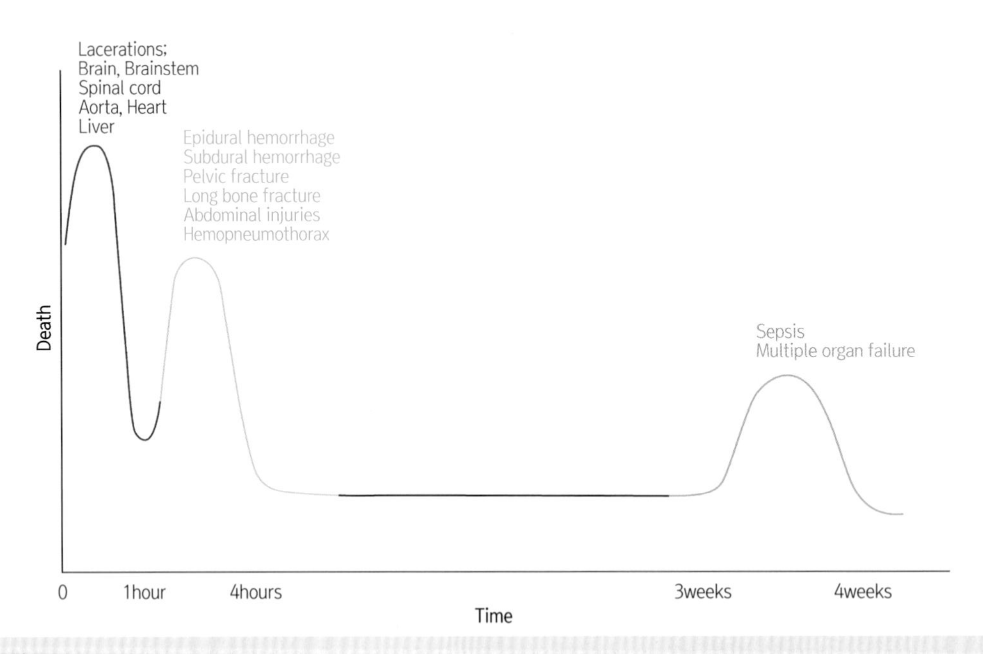

그림 19-1
Trimodal distribution of trauma deaths

수 있도록 만드는 것이다. 현재의 중환자 치료 의학(intensive care medicine)과 심혈관 감시 기법(cardiovascular monitoring)의 발전은 좀 더 적극적인 수술 치료를 가능하게 해주고 있다. 하지만 이런 ETC로 이익을 얻은 수 없는 애매한 환자군들이 존재하는데, 이들은 ETC로 치료하여도 후기 치료 성적이 나빴다. 'Damage control orthopedics (DCO)'란 개념은 이들을 위해 탄생하였다. Damage control surgery라는 것은 외상에 의해 유발된 손상을 완전히 치료하는 것이 아니라 조절하는 것이 목적인 수술 방법이다. DCO 이후 환자가 정상 상태(중심 체온, 혈액 응고, 혈역학, 호흡 상태)로 회복한 후 확정 치료를 시행한다. DCO의 개념은 다음의 3가지 요소로 나뉜다. 급성 출혈 조절(rapid hemorrhage control)을 위한 소생 수술, 정상 생리 지표의 회복, 확정적 수술 처치(그림 19-2)가 그것이다. 첫 단계에서는 불안정한 골절 부위를 '조기 잠정 고정(early temporary stabilization)'하여 출혈을 조절한다. 이때 많이 쓰이는 방법이 외고정 장치이다. 두 번째 단계는 중환자실 관리를 받는 것이다. 세 번째 단계는 골절에 대한 내고정을 시행하는 것이다. 최근의 연구들에서 DCO의 개념을 기본으로 한 치료 기법의 안정성이 보고되고 있다.

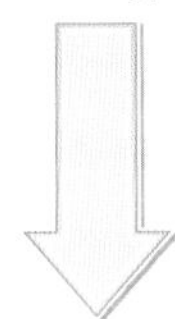

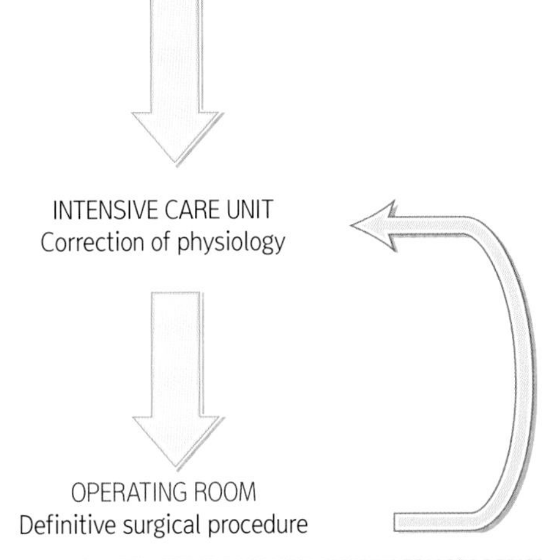

그림 19-2
3 components of damage control orthopedics

참고문헌

1. D'Alleyrand JC, O'Toole RV. The evolution of damage control orthopedics: current evidence and practical applications of early appropriate care. Orthop Clin North Am. 2013;44(4):499-507.
2. Sobrino J, Shafi S. Timing and causes of death after injuries. Proc (Bayl Univ Med Cent). 2013; 26(2):120-3

외상의 평가와 응급처치

Evaluation of Traumatic Patient and Emergency Care

1. 의식 상태가 정상이고, 활력징후가 안정적인 환자에 대한 초기 평가 및 처치

우선 시진(inspection)을 통하여 환자가 통증을 호소하는 부위의 변형 및 상처를 관찰하여 변형을 보이는 경우, 해당 부위의 전위된 골절이나 관절 탈구를 의심할 수 있으며, 개방성 상처가 있는 경우에는, 동반된 골절 여부가 확인되기 전까지는 개방성골절(open fracture)로 간주하고 치료해야 한다.

시진을 통하여 특별한 이상이 없는 경우에는 촉진(palpation)을 통하여 해당 부위의 압통(tenderness), 골절 부위의 움직임으로 인한 염발음(crepitus), 관절의 부종(swelling) 여부를 파악한다. 압통은 정형외과적 검진에서 가장 중요한 요소라 할 수 있는데, 대부분 압통을 느끼는 부위의 손상을 의미하며, 관절 주위 부위에서 압통을 호소하는 경우에는 인대 손상을 의미할 수 있다. 관절의 부종은 관절 내 골절이나 관절 내 구조물의 손상으로 인하여 발생할 수 있다. 환자가 자발적으로 움직일 수 있는 경우에는 해당 부위의 자발적 움직임을 시켜보게 되는데, 이때 움직임을 담당하는 건의 손상이 있다면 근력이 약화된 양상으로 나타날 수 있으며, 대부분에서 해당 힘줄의 압통을 동반하며, 아킬레스건의 파열과 같은 경우에는 힘줄의 간극(gap)을 촉지할 수 있다. 해당 관절의 인대 손상이 있는 경우에는 관절을 움직일 때 관절의 불안정성을 호소할 수 있으며, 이러한 경우 여러 가지 부하 시험(stress test)으로 관절의 불안정성을 평가한다. 마지막으로 가장 원위부의 감각(sensory), 움직임(motor) 및 혈액순환(circulation)을 평가하여, 골절이나 탈구와 동반된 신경 및 혈관 손상을 진단해야 한다.

손상이 의심되는 부위에 대한 기본적인 영상 검사로 단순 방사선 촬영을 실시하게 되는데, 원칙적으로 전후/측면상을 보여주는 2개 면에서의 방사선 촬영을 실시하며, 전완부나 하퇴부처럼 두 개 이상의 뼈가 겹쳐 보일 수 있는 부위에서는 사면 촬영(oblique view)을 추가로 시행하는 것이 좋다. 장골 골절이 의심되는 경우에는 위, 아래 관절을 포함하는 영상을 얻는 것이 중요하다. 단순 방사선 촬영에서 비전위성(nondisplaced) 골절 등이 있을 가능성이 있으므로 주의를 요한다. 특수한 경우에 CT, MRI 등을 촬영할 수 있다.

골절이나 인대의 손상이 확인된 경우, 부목(splint)을 이용해 고정시킨다. 부목 고정의 효과는 통증의 호전, 연부 조직의 이차적 손상 예방, 부종의 감소 등이며, 전신적으로는 골절 부위에서의 염증 매개체의 유리를 줄여 전신적인 합병증을 줄이는 것으로 알려져 있다. 부목 고정의 방법은 각 부위마다 고유한 방법이 있는데, 일반적으로 골절부 상하의 관절을 포함하여 고정하는 것을 원칙으로 한다.

피부를 포함한 연부 조직의 손상이 있는 경우에는 상처에 대한 소독과 함께 초기 상처에 대한 보호가 중요하다. 특히 골절 부위에 연부 조직 손상이 있는 경우에는, 초기에는 단순 폐쇄성 손상이라도, 감염이 발생하거나, 괴사가 발생하면, 개방성 골절에 준해서 치료해야 하므로 각별한 주의가 필요하다. 수부(hand)에 개방성 상처가 있는 경우에는 작은 상처라도 반드시 손가락을 움직이는 힘줄의 동반 손상 여부를 확인해야 하며, 수술적 탐색의 필요성을 고려한다. 개방성 상처의 감염이 급속히 진행하는 경우에는 가스 괴저(gas gangrene)를 의심하고, 응급 수술이 필요하다.

2. 의식 상태가 불량하거나 활력 징후가 불안정한 환자에 대한 초기 평가 및 처치

의식 상태가 불량하거나 활력 징후가 불안정한 환자에서의 초기 평가는 정해진 형식에 따라 실시하여야 하는데, 일반적으로 ATLS (Advanced Trauma Life Support)의 방법으로 사용하고 "save life, save limb, and functional recovery"로 치료 원칙과 순서를 정리할 수 있다. ATLS에서 1차 평가는 A (Airway with cervical spine protection)–B (Breathing)–C (Circulation and hemorrhage control)–D (Disability/Neurologic Status)–E (Expose)의 순서에 따라 실시하는데, 1차 평가와 동시에 촬영하는 영상을 trauma series라고 한다. 이는 C–spine lateral, chest AP, pelvis AP로 구성된다. C–spine lateral 사진으로는 경추 손상 여부를 관찰하며, chest AP로는 기흉, 혈흉 등의 폐 손상 및 흉추 손상의 가능성을 판단하고, pelvis AP로는 골반환의 손상 및 하부 요추의 골절을 관찰한다. 이러한 단순 영상을 판독함에 있어 영상의 적절성을 평가하는 것이 가장 우선되어야 하며, 특히 C–spine lateral의 경우에는 경추의 일부만 보이는 경우가 있어, 이러한 영상을 토대로 손상 여부를 판단해서는 안되며, 경추 손상이 의심되는 경우에는 반드시 CT 등 추가적인 검사로 경추에 손상이 없음이 확인되기 전까지 philadelphia brace와 같은 high cervical brace를 사용하여 경추를 보호해야 한다. 또한 경추의 손상이 있는 경우에는 비연속적 척추 손상(skipped spinal injury)의 가능성이 있으므로 척추 전장에 대한 평가가 필요하며 이는 다른 분절의 척추 손상에도 동일하게 적용되는 원칙이다. FAST (Focused Abdominal Sonography for Trauma)는 흉부 및 복부의 중대한 출혈 존재 유무를 초음파를 사용하여 확인하는 방법으로, 매우 불안정한 환자의 초기 평가에 매우 중요한 역할을 하는 것으로 알려져 있다. 이러한 환자에 대한 파악과 함께, 동맥압을 포함한 환자에 대한 감시, 혈액 검사, 요 검사 등을 실시하면서 수액 주입을 시작하게 된다. 수액 치료는 2개의 직경이 굵은 정맥관을 확보하고, 이 경로를 통하여 2리터 정도의 수액을 급속으로 주입을 하며, 수액에 대한 활력 징후의 반응을 평가하여 환자의 치료 방침을 결정한다. 이러한 환자에서 정형외과적 평가는 극히 제한적일 수밖에 없으며, 특히 환자가 통증을 호소하는 부위 및 압통의 위치를 파악할 수 없고, 자발적인 움직임을 평가할 수 없기 때문에 전체적인 사지의 정렬을 파악하고, 직접 사지를 만져 보아 염발음을 느끼고, 수동적 관절 운동을 실시하여 비정상적인 관절의 움직임을 파악하며, 손상이 의심이 되는 부위에 대해서는 영상의학적 검사를 실시해야 한다. 개방성 상처가 있는 경우에는 반드시 해당 부위의 단순 방사선 촬영을 실시하도록 한다.

3. 정형외과적 응급 처치 및 수술

정형외과적 손상 중 응급 처치 및 수술을 요하는 경우는, 심각한 출혈을 유발하는 불안정성 골반 골절(unstable pelvic fracture), 사지의 혈관 손상, 급성 구획 증후군(acute compartment syndrome), 외상성 절단(mangled extremity), 신경학적 악화를 보이는 척추의 골절 및 탈구, 대퇴 경부 골절 및 고관절 탈구, 개방성 골절 등이며, 이들에 대한 응급 처치에 대하여 논하고자 한다.

1) 불안정성 골반 골절

심각한 출혈을 유발하는 불안정성 골반 골절은 생명을 위협할 수 있을 정도의 심한 내출혈을 일으킬 수 있다. 따라서 골절 부위를 조기에 고정하는 것이 가장 중요하며, 응급실에서는 상용화된 pelvic binder를 사용하거나, 침대 덮개 등을 이용하여 가능한 빨리 불안정한 골반을 고정한다. 이러한 방법은 후복막강(retroperitoneal space)의 용적을 줄여주어 정맥에서의 출혈을 줄여 주고, 골절부를 안정화시켜 골절면에서의 지혈을 촉진시킨다. 환자의 상태에 따라 CT를 촬영할 수 있을 정도로 안정적인 경우에는 CT angiogram을 실시하여 동맥에서의 출혈 여부를 판단하고, 동맥 출혈이 있는 경우 응급 혈관 조영술을 이용하여 지혈을 시도할 수 있으며, 환자의 상태가 극도로 불안정한 경우에는 수술적 개복 및 충전술을 실시할 수 있다.

2) 사지의 신경혈관 손상

사지의 신경혈관 손상에 대한 조기 진단 및 치료는 사지의 절단을 예방하기 위하여 매우 중요하다. 골절이나 탈구 시 도수정복 전, 후에 신경혈관 손상 확인이 필수적이다. 신경 평가의 경우 움직임(motor), 가벼운 촉지(light touch), 두 점 식별 검사(two-point discrimination) 등의 검사 방법으로 말초신경 검사를 할 수 있다. 동맥 손상을 의심할 수 있는 대표적인 소견을 "hard sign"으로 부르며, 외부로 보이는 박동성 출혈, 점점 커지는 혈종, 촉진되는 떨림(thrill)이나 청진되는 잡음(bruit), 사지의 맥박이 없는 경우 등을 말한다. 이러한 소견이 있는 경우에는 즉각 수술적으로 탐색하고 치료를 해야 한다. 신체 검진만으로 동맥의 손상을 확신할 수 없는 경우에는 동맥조영술 등으로 진단하도록 한다. 또한 슬관절 탈구와 같이 동맥의 손상을 흔히 동반하는 손상이 있는 경우에는 상기한 소견들이 없는 경우에도 혈관에 대한 검사를 실시하도록 한다.

3) 급성 구획 증후군

급성 구획 증후군(acute compartment syndrome)은 외상으로 인한 내부 출혈 등으로 인해 해당 구획의 압력이 증가하여 미세 순환에 장애를 초래하고, 결과적으로 근육 및 연부조직의 괴사를 일으키는 것을 구획 증후군이라고 한다. 구획 증후군이 진행하여 광범위한 근육의 괴사를 유발하는 경우에는 심각한 장애를 남기게 되므로, 적극적인 의심 및 의심이 되는 환자에 대한 신속한 진단 및 신속한 치료가 중요하다고 하겠다. 전형적인 증상은, "5P 징후"라고 하여 통증(pain), 창백(pallor), 이상감각(paresthesia), 마비(paralysis), 무맥(pulselessness)이 있다. 손상에 비하여 심한 국소적 통증을 호소하며, 해당 구획을 수동적으로 신전시켰을 때 심한 통증을 호소하는 것이 특징적인 징후이다. 구획압을 측정하여 구획압이 30 mmHg 이상이거나, 이완기 혈압과의 차이가 30 mmHg 이하인 경우 진단할 수 있다. 초기 처치로, 손상 부위를 싸고 있는 부목 등을 제거하여 심장 높이로 거상시키는데, 이러한 조치로 통증이 호전되지 않는 경우에는 근막 절개술을 통한 해당 구획에 압력을 줄여주는 치료를 고려한다(그림 20-1).

4) 외상성 절단

외상성 절단(mangled extremity)이란 사지의 심각한 외상으로 손상 부위의 생존이 어렵다고 판단되는 손상을 이야기하며, 이러한 손상에 대해서는 개방성 골절에 대한 기본 처치와 함께 원위부의 신경 및 혈관 상태에 대한 평가가 중요하다. 사지 절단의 경우에는 절단 근위부에 대하여는 생리 식염수를 이용하여 상처를 씻어 내고, 압박을 통하여 지혈을 실시하고, 절단된 사지에 대해서는 상처에 대한 세척과 함께, 즉각적인 냉각을 실시하여 사지의 생존 확률을 높이는 것이 중요하다.

5) 신경학적 악화를 보이는 척추의 골절 및 탈구

신경학적 악화를 보이는 척추의 골절 및 탈구는 가장 빠른 시간 내에 신경에 대한 감압을 실시하는 것이 치료의 원칙인데, 특히 cervical spine (경추)의 골절/탈구와 같은 경우에는 응급실에서 견인기를 이용하여 즉시 견인하여 정복을 하여 신경감압을 얻도록 하며, thoraco-lumbar spine (흉요추부) 골절 및 탈구에서 신경학적 악화가 진행되는 경우에는 즉각적인 수술적 감압을 실시하는 것이 원칙이다.

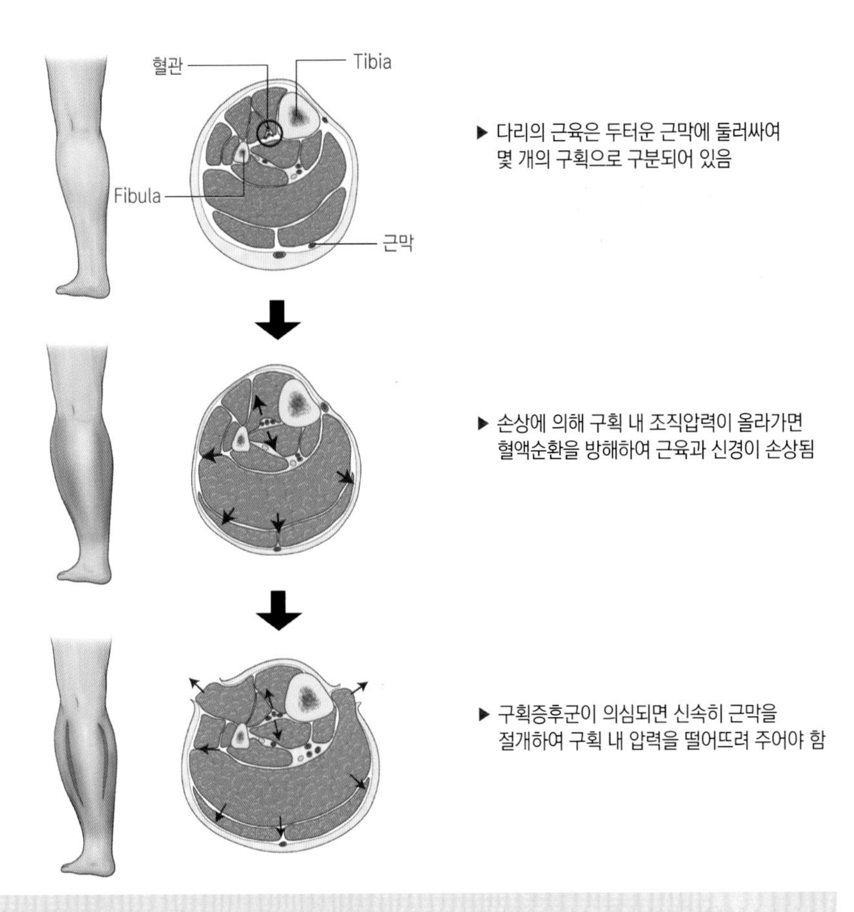

그림 20-1
급성 구획 증후군에서의 근막 절개술

6) 대퇴 경부 골절 및 고관절 탈구

젊은 연령에서 대퇴 경부 골절(femur neck fracture)이나 고관절 탈구(hip dislocation)가 발생한 경우에는 치료가 지연되는 경우 대퇴 골두 무혈성 괴사(osteonecrosis of femoral head)를 일으켜 심각한 후유증을 남길 수 있다. 따라서 젊은 연령에서 발생한 대퇴 경부 골절은 최대한 빠른 시간 내에 골절의 정복 및 고정이 필요하며, hip joint (고관절) 탈구는 즉각적인 정복을 해야 한다.

7) 개방성 골절

개방성 골절이란, 골절 부위가 개방창(open wound)을 통하여 외부 환경과 연결되어 있는 골절을 말하며 이때는 반드시 뼈 주위의 연부조직과 피부의 손상이 동반된다(그림 20-2). 개방성 골절은 폐쇄성 골절보다 더 큰 외력에 의해 발생하는 경향이 있으므로 대부분에

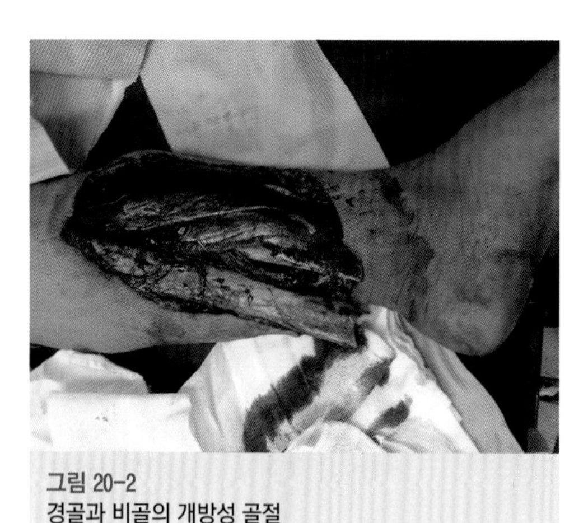

그림 20-2
경골과 비골의 개방성 골절

서 골절 자체도 더 심한 경향을 보인다. 피부와 연부조직의 손상과 골절 형태에 기초를 두고 손상의 정도에 따라 분류된다. 응급실에서의 개방성 골절에 대한 처치는 적절한 양의 생리 식염수를 이용하여 상처 부위를 씻어 내고, 습윤 드레싱을 실시하고, 부목을 이용하여 고정하는 처치와 함께, 항생제를 투여하고, 파상풍에 대한 예방 조치를 실시하는 것이다. 개방성 골절에서의 모든 개방창은 어느 정도는 이미 오염이 되어 있어 감염의 위험성이 크다고 볼 수 있다. 개방창을 통해 외부의 오염 물질로 인해 감염이 심부로 퍼질 수 있으므로, 응급실에서 개방성 창상을 통한 심부 구조물에 대한 탐색술은 시행하지 않는 것이 좋다.

참고문헌

1. 대한골절학회. 골절학 제 2판. 범문에듀케이션. 2018.
2. 대한정형외과학회. 정형외과학 제8판. 최신의학사. 2020.
3. P Tornetta, WM Ricci, RF Ostrum, MM McQueen, MD McKee, CM Court-Brown. Rockwood and Green's Fractures in Adults. 9th ed, Wolters Kluwer, 2019.
4. Y Chang, SA Kennedy, M Bhandari, LC Lopes, CC Bergamaschi et al. Effects of antibiotic prophylaxis in patients with open fracture of the extremities: a systematic review of randomized controlled trials. J Bone Joint Surg, 3(6):1-12, 2015.
5. H Hayakawa, DJ Aldington, RA Moore. Acute traumatic compartment syndrome: a systematic review of results of fasciotomy. Trauma, 11:5-35, 2009.
6. A Mohammad, F Branicki, FM Abu-Zidan. Educational and Clinical Impact of Advanced Trauma Life Support (ATLS) Courses: A Systematic Review. World J Surg, 38:322-329, 2014.
7. JG Penn-Barwell, Outcomes in lower limb amputation following trauma: A systematic review and meta-analysis. Injury, 42(1):1471-1479, 2001.
8. P Patka. Damage control and intramedullary nailing for long bone fractures in polytrauma patients. Injury, 48(1): S7-S9, 2017.

골절의 치유기전

Fracture Healing Mechanism

1. 장관골 골절의 치유 과정

골절조직의 치유 과정(healing process of fracture in long tubular bone)은 크게 두 가지로 나누는데 일차 골 치유(primary bone healing) 또는 직접 치유(direct bone healing)와 이차 골 치유(secondary bone healing) 또는 간접 치유(indirect bone healing)가 있다. 이는 골절 부위의 안정성 및 골절 부위의 미세한 움직임 정도에 따라 결정되는데, 골절을 해부학적으로 견고하게 내고정하여 골절부가 절대적으로 안정되었을 때는 일차 골 치유가 일어난다. 반면 골절부에 약간의 움직임이 있을 때는 연골로 구성된 가골이 형성되고 이것이 골조직으로 변화하는 이차 골 치유가 일어나는데, 이것이 바로 석고 고정 등의 보존적 요법이나 수술을 하더라도 골절부의 움직임 약간 있을 때 치유가 되는 과정이다. 물론 자연 상태에서 치료 없이 두면 골절부의 과도한 움직임이 생겨 골유합이 일어날 수 없다. 전체적인 치유 과정은 시기 별로 염증기(inflammatory phase), 복원기(reparative phase), 재형성기(remodeling phase)로 나누어지며, 이러한 치유 과정은 명확하게 구분되지 않고 일정 부분 중첩되어 진행된다(그림 21-1).

1) 염증기

장관골의 골절 치유 과정을 살펴보면, 염증기(inflammatory phase)는 수상 시 시작하여, 연골이나 골이 형성될 때까지 지속되는 과정으로 이는 수 일에서 수 주까지 지속되며 염증 반응은 수상 후 48시간 무렵에 절정을 이루고 이후 점점 감소되어 1주까지 지속된다. 외상에 의해 골, 골막, 근육 등의 연부조직이 손상되면 혈종이 차게 되고 여기에서 분비된 성장인자 및 사이토카인(cytokine)에 의해 염증 세포가 침윤되고 혈관 형성이 촉진된다.

2) 복원기

복원기(reparative phase)는 수상 후 첫 4~5일에서부터 활성화되어 몇 달 동안 이루어지는 과정으로, 치유과정은 대개 일정하나 치유되는 속도 및 복원되는 조직의 양과 구성 성분은 골절된 부위와 손상 정도, 골절 부위의 안정성에 의해 좌우된다. 치유과정은 염증반응이 가라앉으면서 섬유모세포(fibroblast)와 연골세포(chondrocyte)에 의해 가골이 형성되고 점진적으로 골화가 일어나는 과정이다. 가

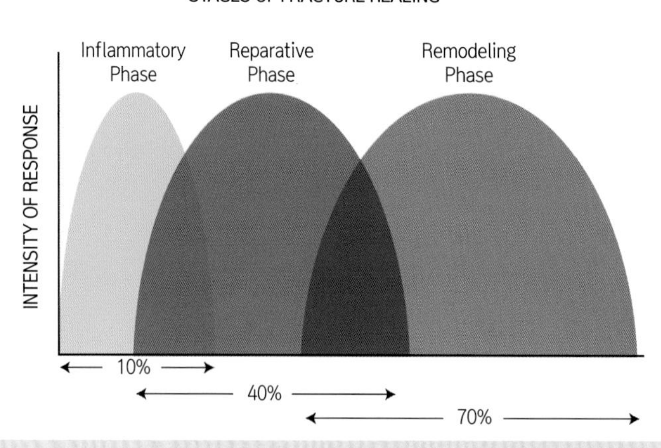

그림 21-1
골절의 치유 단계

골은 연골(cartilage), 섬유조직(fibrous tissue), 유골(osteoid), 직골(woven bone), 혈관 등으로 구성되어 있다.

(1) 견고하게 고정되지 않은 골절의 복원기 (그림 21-2)

수상 시 발생한 혈종이 기질화(organization)되는 것이 골절 복원의 첫 단계이다. 혈종은 섬유소 골격(fibrin scaffold)을 제공하여 복원세포(repair cell)들의 이동을 촉진시킨다. 혈종의 혈소판과 복원세포에서 성장인자(growth factors)와 단백질들이 분비되며, 이들은 복원조직 기질 합성에 관여한다. 이후 골절부의 끝은 혈관 공급이 부족해지고 점점 괴사된 후 재흡수된다. 이 시기가 수상 후 몇 주 이후로 단순 방사선 음영 간격(radiologically apparent gap)이 나타나며 파골세포(osteoclast)가 기능을 하는 시기이다. 또한 골절부의 간엽세포(mesenchymal cell)가 증식되고 분화되어 섬유조직과 연골(cartilage), 직골(woven bone)로 구성된 골절 가골(fracture callus)을 생성한다. 이 골절 가골이 골절부를 채우고 주위를 둘러싼다. 치유 초기 단계에서 가골은 경 가골(hard or bony callus)과 연 가골(softer fibrous and cartilaginous callus)로 나누어지는데, 경 가골은 초기 염증 반응 부위의 주변부에서 막내 골화(intramembranous bone formation)로 생성되는 반면, 연 가골은 중심부의 저산소 압력층에서 주로 연골과 섬유조직으로 구성된 가골로 만들어지며 연골내 골화(enchondral ossification)를 통해 점차 골로 대체된다. 복원기에는 방사선 사진상 골절을 가로지르는 골소주와 피질골에 가골이 형성되어 방사선적 유합이 보이지만, 골유합이 완성된 단계는 아니며, 미숙한 가골은 정상 골조직보다 약하여, 재형성기 동안 강해지게 된다.

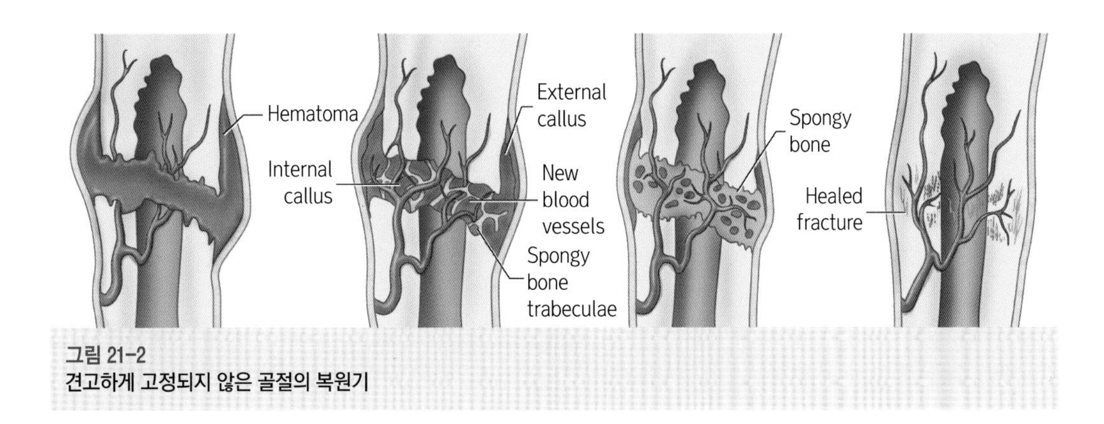

그림 21-2
견고하게 고정되지 않은 골절의 복원기

(2) 견고하게 고정된 골절의 복원기

일차 골 치유(primary bone healing)란 골절 부위가 해부학적으로 완전하게 정복이 되고 견고하게 내고정되어 골절부의 절대적 안정성이 얻어진 경우의 골절 치유과정이다. 피질골 외부의 가골 형성 없이 "cutting cone"에 의해 직접 재형성이 일어나는 일차 골치유에는 "gap healing"과 "contact healing"이 있다. 골절부에서 피질골끼리 직접 접촉된 부분에서는 Haversian canal을 따라 이동하는 파골세포(osteoclast)가 골절부의 괴사된 뼈를 흡수하고, 이를 뒤따라 이동하는 조골세포(osteoblast)가 새로운 뼈를 만들어냄으로써 골절부의 유합을 얻게 된다(contact healing).

골절부에 1 mm 이내의 골간 간격이 있는 경우에는 막내골화에 의해 층판골이나 직골이 생성이 되고, 이후 재형성 과정을 통해 뼈의 종축 방향에 따라 재배열된다(gap healing).

3) 재형성기

재형성기(remodeling phase)는 복원기가 끝나가는 시점에서부터 수개월~수년간에 걸쳐서 진행되는 과정으로 불필요한 가골이 흡수되고, 가골 내의 직골이 성숙한 층판골(mature lamellar bone)으로 대치되어가며 골수강이 재형성된다. 이때 부하가 가해질 때 긴장력을 받는 부위(convex side)는 전기적 양성을 띠고, 압력이 가해지는 부위(concave side)는 전기적 음성을 띠게 되어 전기적 양성을 띠는 부위에서는 파골세포의 작용이 활발해져서 골 흡수가 촉진되고, 전기적 음성을 띠는 부위에서는 골모세포의 활동이 두드러져서 골형성이 촉진되어 골 구조의 변화가 일어나게 되며, 이를 Wolff의 법칙이라 한다. 생역학적으로는 골절 치유과정 중 초기 일정 기간에는 골절 부위가 가장 취약하여, 재골절이 원래 골절 부위에서 일어나게 되지만, 나중에 가골이 충분히 성숙되면 주위 골조직보다 더 강해지게 되어 골절을 유도하면 원래 골절 부위가 아닌 부위에서 재골절이 발생하게 된다. 재형성기가 충분히 지나면 가골이 재형성되면서 결국 골절 이전 상태로 복귀하게 된다.

2. 해면골 골절의 치유 과정

해면골과 피질골의 골절 치유는 골절 접촉면, 세포수, 혈행 등의 차이로 다르게 나타난다. 해면골은 단위 면적당 접촉면이 넓고, 골 소주의 망상 구조(trabecular structure)가 개방되어 골원성 조직이 쉽게 들어갈 수 있다. 또 세포 수와 혈행이 풍부하여, 기존 골 소주의 골 모세포에서 직접 일차성 가골(primary callus)이 형성되어 치유된다. 따라서 해면골에 생긴 비전위된 안정성 골절에서는 가골은 거의 육안으로 보기 어려우며 불유합되는 경우가 드물다. 이때 과도한 움직임이 골절부에 일어나면, 연골을 포함한 외부 가골이 형성될 수 있다. 해면골도 골절 후 첫 유합 단계에서 혈종이 형성되고, 이 혈종 사이로 혈관이 새로 자라 들어가 골원성 세포의 증식 및 연이은 석회화로 직골이 형성된다.

3. 관절 내 골절의 치유 과정

관절 내의 활액(synovial fluid)에는 교원질 분해 효소(collagenase)가 함유되어, 초기 골절 치유 시에 형성되는 가골 기질(callus matrix)을 변화시켜, 골절 치유 첫 단계가 지연된다. 관절면은 초자 연골(hyaline cartilage)로 덮여 있으며, 이들의 재생 능력은 극히 제한적이어서 대부분 섬유 연골(fibrous cartilage)로 대체된다.

4. 골절 치유에 영향을 미치는 인자

때때로 지연유합 또는 불유합이 발생하기도 한다. 골절 유합에 불리하게 작용하는 것들은 심한 연부조직 손상이 있는 개방성 골절이나, 고 에너지 폐쇄성 골절, 감염, 분절골절, 병적 골절, 연부 조직이 포함된 골절, 국소 부위 혈류 감소, 전신성 질환, 영양결핍, 부신피질 호르몬 복용, 치유의 의원성 방해(iatrogenic interference) 등이 있는데, 이를 구분하면 다음과 같다.

1) 손상 인자(injury variables)

(1) 개방성 골절

연부조직에 손상을 주고 골절을 전위 시키며 심한 경우 명백한 골 결손도 만든다. 연부조직 광범위 파열이나 연부조직 압궤(crushing)는 골절부의 혈류 공급에 차질을 주어 괴사된 골과 연부 조직을 남기고, 이 때문에 골절 혈종의 형성이 방해, 지연되어 조직 복원 또한 늦어진다. 개방성 골절은 연부조직에 손상을 주고, 이때 노출된 골 및 연부조직은 건조해져서 괴사 및 감염의 위험을 높인다. 이러한 감염의 치료를 위해 해당 부위를 변연 절제하고, 항생제를 사용한다.

(2) 손상 정도

심한 골절의 경우 개방성 여부와 무관하게 큰 연부조직 상처를 갖거나 연부조직 결손, 골 결손, 골편의 전위와 분쇄, 골절부의 혈액 감소 등이 생길 수 있다. 골절편의 전위나 심한 연부조직 손상은 골절의 치유를 늦어지게 하는데, 이러한 광범위한 연부 조직 손상은 조직의 괴사 정도를 증가시키고, 간엽세포의 이동과 혈관 침투를 지연시킬 뿐 아니라, 살아있는 간엽 세포수를 감소시키며, 국소 혈류 공급을 단절시킨다. 비교적 손상이 덜 심한 경우 골절 혈종을 싸고 있는 연부조직이 손상되지 않은 채로 남아 있어 간엽세포의 기원이 된다.

(3) 관절내 골절

대부분의 관절내 골절(intraarticular fracture)이 치유되어도 관절면의 조화나 정열은 복원되지 않는다. 관절내 골절의 경우 골절의 정복과 불안정한 관절내 골절을 안정되게 고정시키는 것을 시도한다. 이것은 관절의 정렬(alignment)과 관절면의 일치성(congruency)을 복원하고 골절이 치유되는 동안 어느 정도의 관절 운동을 가능케 한다.

(4) 분절 골절

장골의 분절 골절(segmental fracture)은 중간 분절 골절부의 혈액 공급을 감소시키거나 단절시킨다. 심한 연부 조직 손상에서도 중간 분절 골절부에 혈액을 공급하는 골막 혈류를 감소시킨다. 이는 불유합이나 지연유합을 일으킬 수 있으며, 특히 장골의 근위부나 원위부에서 많이 발생한다.

(5) 골절 편 간에 연부조직 삽입

근육, 근막, 인대 등 연부 조직이 골절 편간에 삽입되기도 하며, 드물게는 신경, 혈관 등도 삽입되어, 골절의 치유를 방해한다. 만약 도수정복으로 골절편의 적절한 부가(apposition)가 불가능하고, 적절한 정렬(alignment)을 얻을 수 없다면 연부 조직이 골절편 사이에 삽입되어 있음을 의심할 수 있다. 이 경우 관혈적 정복술을 시행하여야 한다.

(6) 혈액 공급의 장애

혈액 공급의 부족은 골절 치유를 지연시키거나 골절치유를 방해한다. 일부 골에서는 정상적으로 제한된 혈액 공급으로 심한 조직 손상 없이도 골절치유가 방해된다. 예를 들면 대퇴골두(femoral head), 주상골(scaphoid), 거골(talus) 등은 본래 혈류 공급이 취약하여 심한 조직 손상이나 골절의 전위 없이도 지연유합이나 불유합이 되기 쉽다. 과도한 수술적 박리도 골절부의 혈류 공급을 감소시키므로 주의가 필요하다.

2) 환자 요인

(1) 나이

환자의 나이(age)는 명백하게 골절 치유 속도에 영향을 준다. 영아기 때 골절 치유 속도가 가장 빠르며, 골격이 성숙할 때까지는 나이가 들어감에 따라 점점 감소한다. 그러나 골의 성장이 끝난 뒤까지 골절 치유 속도가 감소하는 것은 아니며, 불유합의 위험이 명백히 증가하진 않는다. 소아에서는 치유 조직(repair tissue)을 생산하는 세포의 활동이 증가되어 있다. 즉 세포는 나이가 어릴수록 간엽

세포 근원(mesenchymal pool)에서부터 더 빠르게 분화되기 때문에, 소아에서 빠른 골 재형성이 일어난다.

(2) 영양상태(nutrition)

골절 치유를 위해 수행되는 세포의 이동, 증식, 기질 합성은 충분한 에너지를 필요로 한다. 장골 골절 시 일시적으로 대사요구량이 20~25% 증가되며, 다발성 손상이나 감염의 경우 50% 이상 증가한다. 이렇게 증가된 영양 필요를 공급하지 못할 경우 감염, 상처 열림(wound dehiscence), 치유 장애 등이 생기며, 재활 치료에도 어려움이 발생하고, 사망의 위험도 증가될 수 있다. 섭식 단백질의 부족은 가골의 강도와 에너지 저장 능력을 감소시킨다. 따라서 손상받은 환자에서는 적절한 영양평가와 공급이 필요하다.

(3) 전신 호르몬

다양한 호르몬은 골절 치유에 영향을 준다. 부신 피질호르몬은 간엽세포로부터 골모세포가 분화되는 것을 억제하고, 치유를 위해 필요한 골 유기질 성분의 합성을 저해하여 골절 치유를 억제한다. 성장 호르몬 결핍은 골절 치유에 역효과를 주므로 성장 호르몬의 보충은 치유에 도움이 된다. 그러나 과도한 성장 호르몬의 증가는 효과가 작거나 없으며, 혈액 내 순환 중인 성장 호르몬 정상치의 변화가 있는 경우, 호르몬의 골절치유 효과는 미미하거나 없다. 갑상선 호르몬, 칼시토닌, 인슐린, 동화 부신피질호르몬은 골절치유를 촉진시킨다.

(4) 니코틴

흡연은 골절 치유를 방해하는데, 혈관 수축 등 다양한 기전이 관여하는 것으로 생각된다. 이는 동물 실험이나 다양한 임상 연구에서도 니코틴은 골절 치유를 느리게 할 뿐만 아니라 불유합의 비율을 높이는 것으로 드러났다.

3) 조직 인자

(1) 골의 형태(해면골, 피질골)

표면 넓이, 세포의 충실성(cellularity), 혈관 발달도(vascularity)의 차이로 골절의 치유가 다르게 나타난다. 해면골은 빨리 유합되며 치유의 실패가 드문데, 이는 단위 면적당 표면적이 넓기 때문이다. 반면 피질골은 단위 용적당 표면적이 매우 작아 골 내부의 혈류공급이 덜 광범위하고, 신생골이 형성되기 전에 피질골의 괴사된 부분은 제거된다.

(2) 골의 괴사(bone necrosis)

정상적으로 골절 치유는 골절부의 양측 단에서 치유과정이 진행되는데, 만약 골절 절편 중 하나가 혈액 공급을 받지 못하면, 양쪽에서 정상적으로 혈류공급을 받는 골보다 치유되는 속도가 느리고 치유되는 비율도 낮다. 외상성이거나 수술로 인한 혈관파열, 감염, 지속적인 부신피질호르몬의 복용, 방사선 치료 등은 골을 괴사시킨다. 방사선이 조사된 골은 정상 골보다 더 천천히 치유되며, 불유합이 발생할 확률도 높아진다. 방사선 조사로 인한 세포 사멸, 혈전증, 골수의 섬유화 등이 원인으로 생각된다.

(3) 골의 질병(bone disease)

병적 골절(pathologic fracture)은 질병이 있는 골에서 발생하는 골절이다. 이는 정상골의 골절에 필요한 힘보다 적은 힘에서도 골절이 발생하는데, 주로 골다공증, 골연화증(osteomalacia), 원발성 악성 골종양, 전이성 골종양, 양성 골종양, 골낭종, 골형성부전증(osteogenesis imperfecta), 섬유성 골이형성증(fibrous dysplasia), 파제트 병(Paget's disease), 부갑상선 기능 항진증, 감염 등이 원인으로 알려져 있다. 골 질환 중 가장 유병률이 높은 골다공증은 골절 치유를 방해하진 않으나 골 질량이 줄어들어, 피질 골면이나 해면 골면의 접촉을 감소시키기 때문에, 정상 골의 기계적 강도를 얻는데 시간이 많이 걸린다. 또한 감소된 골 양은 내고정에 사용된 나사못과 골 사이의 강도와 안정성을 감소시켜 내고정 실패, 지연유합, 불유합 등을 초래할 수도 있다.

(4) 감염

감염(infection)은 골절 치유를 방해하거나 느리게 한다. 골절부에 감염이 되면 많은 세포들이 감염을 제거하는 일에 에너지를 많이 소비하게 되어 골절 치유를 둔화시킨다. 또 감염은 정상 조직을 괴사시키고 부종과 혈전증의 원인이 되어, 치유를 방해하거나 둔화시킬 수 있다. 감염된 골절부의 변연 절제는 조직에 더 많은 손상을 줄 수 있다.

4) 치료 인자(treatment variables)

(1) 골절편의 부가

골절간의 간격이 줄어들면 골절 치유에 필요한 치유조직(repair tissue)의 양을 감소시킨다. 골절편 사이에 연부조직이 끼어 있어 골절 치유가 어렵거나, 골절 주위의 연부조직의 파열이 있는 경우, 골절편의 부가(apposition of fracture fragment) 복원이 특히 중요하다.

(2) 부하와 미세 움직임

치유 조직의 부하는 골절 치유의 중요한 조건 중 하나이다. 골절부의 적절한 부하는 골 형성을 촉진시키며, 장골 골절부의 미세한 움직임은 골절 치유를 향상시킨다. 물론 적절한 강도, 시간, 부하 방법 등은 환자 상태에 따라 다르게 결정해야 할 것이다.

(3) 골절의 고정

견인, 석고붕대의 고정, 외고정, 내고정 등에 의한 골절의 고정은 치유 조직의 반복되는 파열을 막아 골절 치유를 촉진시킨다. 골절 부위의 안정적인 고정은 연부조직 손상이 광범위한 경우와 골절부의 혈액 공급이 부족할 때, 그리고 관절내 골절일 때 특히 중요하다. 효과적으로 안정화되지 못한 골절 부위는 초기 골절 혈종 또는 육아 조직이 파괴될 가능성이 있어 골절 가골의 형성이 지연되거나 불유합을 초래할 수 있다.

참고문헌

1. 대한골절학회. 골절학 제2판. 범문에듀케이션. 2018.
2. 대한정형외과학회. 정형외과학 제8판. 최신의학사. 2020.
3. P Tornetta, WM Ricci, RF Ostrum, MM McQueen, MD McKee, CM Court-Brown. Rockwood and Green's Fractures in Adults. 9th ed, Wolters Kluwer, 2019.
4. R Marsell, TA Einhorn. The biology of fracture healing. Injury. 42(6):551-555. 2011.
5. MS Ghiasi, J Chen, A Vaziri, EK Rodriguez, A Nazarian. Bone fracture healing in mechanobiological modeling: A review of principles and methods. Bone Reports, 6:87-100, 2017.
6. L Claes, S Recknagel, A Ignatius. Fracture healing under healthy and inflammatory conditions. Nature Reviews Rheumatology, 8:133-143, 2012.
7. R Tian, F Zheng, W Zhao, Y Zhang, J Yuan et al. Prevalence and influencing factors of nonunion in patients with tibial fracture: Systematic review and meta-analysis. J Orthop Surg and Res, 15: 1-16, 2020.

장골 골절의 치료

Treatment of Long Bone Fracture

1. 장골 골절의 일반적 특징

우리 몸에서 대표적인 long bone은 humerus, femur, tibia 등이 있다. 이들은 근위부와 원위부 양쪽 관절을 연결하고 일정하게 정렬시키는 역할을 하는 동시에, 여러 근육들이 부착되는 공간을 제공한다. 따라서 long bone의 골절이 잘못 치유되면, 뼈의 단축, 각형성, 또는 회전 변형 등이 생기기 쉽다. 보통 소아 골절이거나, 관절 운동 범위가 넓을수록 허용 변형 정도가 크게 된다. 하지만 작은 변형이어도 삶의 질이 낮아지는 경우에는, 수술적 교정이 필요해진다(그림 22-1).

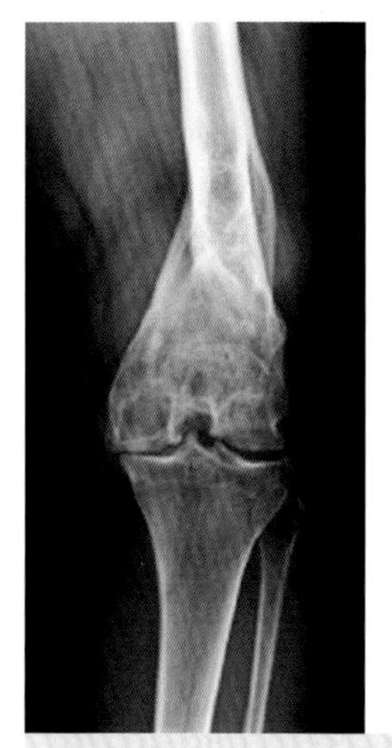

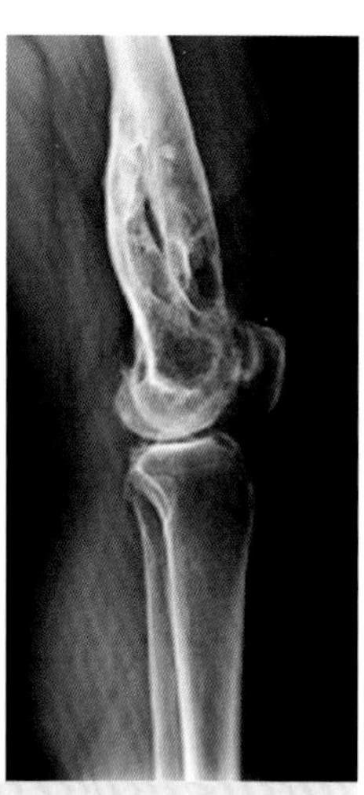

그림 22-1
대퇴 간부 골절 치료 후 부정유합으로 varus deformity가 생겼고, 그로 인해 이차적으로 슬관절에 퇴행성 관절염이 발생하였다.

2. 장골 골절의 발생 기전

Long bone fracture는 주로 교통사고나 추락사고와 같이 큰 힘이 가해질 경우에 발생한다. 뼈의 측면에 직접적인 큰 충격이 전해지면 분쇄 골절과 연부조직 손상이 동반되거나 골절편이 크게 전위되는 경우가 많다. 회전력이나 굴곡력이 뼈에 작용하면 spiral 골절 및 oblique 골절이 잘 생기는데 비교적 연부조직 손상이 적고, 골절편이 적게 전위되어 연부조직 손상 가능성은 적다. 최근에는 내분비 문제나 약물의 영향에 의해 long bone의 bone quality가 나빠져서 골절이 발생하는 atypical insufficiency fracture 발생 빈도가 높아지고 있다.

피로 골절은 반복적 자극에 의해 발생하는 뼈의 미세골절로, 정상 뼈가 반복적인 부하를 견디지 못하여 발생되는 불완전 골절이며 일종의 과사용 손상이다. 드물게 완전 골절로도 이행되며, 스트레스 골절(stress fracture)이라고도 불린다. 피로 골절의 정확한 병리 기전은 알려져 있지 않지만, 신체 활동의 빈도나 강도, 지속시간이 급격히 증가하여, 미세 손상이 누적되면, 골 흡수가 골 형성에 비해 증가하여, 피로 골절이 발생한다고 추정하고 있다. 피로 골절이 흔하게 일어나는 부위는 대퇴 경부, 대퇴 간부, 경골 간부, 주상골, 중족골, 대퇴 골두, 슬개골, 원위 비골 등이 있다.

3. 진단

1) 환자 상태의 평가

정확한 병력 청취를 통해 골절이 발생한 원인과 mechanism을 정확히 알면 치료에 많은 도움이 된다. High energy injury인 경우, 골절뿐 아니라, 신경 혈관 손상, 인접 관절 손상이 동반될 수 있기 때문에, 이들에 대한 상태 확인이 필수적이다.

2) 방사선 검사

인접 관절을 모두 포함한 골절 부위의 단순 방사선 사진을 촬영하여야 long bone fracture를 진단할 수 있다. 골절 부위를 움직이게 되면 환자는 통증을 심하게 느낄 수 있기 때문에, 검사를 진행하는 과정에서 환자의 통증을 줄이기 위해 측면 사진을 찍을 때에는 다친 부위를 움직이지 않도록 방사선 사진 촬영을 하기도 한다. Humerus인 경우는 upper arm를 몸통에 붙인 채 촬영하는 trans-thoracic lateral view를 찍기도 한다. 정상인 반대쪽을 미리 촬영하면, 다친 부위의 손상 전 상태를 추측할 수 있고, 적절한 수술 기구를 선택하는 데 도움이 된다. CT나 MRI 는 골절의 진단에는 큰 도움이 되지는 않지만, 정밀한 수술 계획 수립과 골절 주위 구조의 동반 손상 여부 파악에 도움이 되기도 한다. 고령의 환자에서는 항상 기저 질환으로 골다공증의 가능성이 있으므로 DXA와 같은 골다공증 검사를 하여 골절 치료 후, 환자의 골절 예방에 도움이 되도록 한다.

3) 동반 손상의 평가

Long bone 골절에서는 동반된 주변 연부 조직의 손상 정도에 따라 치료 방법이 달라질 수 있다. 연부 조직손상이 심하지 않은 단순 골절인 경우에는 intramedullary nail 등을 이용한 내고정을 주로 시행한다. 개방성 골절인 경우에는 상처 부위 감염이나 골수염이 생길 위험이 있기 때문에 골절 치료에 앞서 상처 치료를 먼저 시행하거나 외고정을 사용하여 일시적으로 골절을 안정시킨 다음, 연부조직 치료를 하고 골절에 대한 치료를 시행하는 것이 바람직하다. 동맥 출혈이 동반되어 수상 부위 이하의 허혈성 괴사가 발생할 가능성이 있는 경우에는 즉시 혈류 재개를 위한 수술이 필요하다. 또한 신경이 손상되어 수상부 원위의 마비나 감각 저하 소견이 발생한 경우는 MRI 나 신경전도 검사를 통한 손상 부위 상태 확인이 필요하다.

4. 치료

1) 비수술적 치료(그림 22-2)

성인에서 전위가 거의 없는 long bone 골절인 경우에는 정복의 시도 없이, cast 고정만으로 치료할 수 있다. 전위된 골절에서, 도수 정복 후 석고 고정을 하거나, 골격 견인(skeletal traction)을 시행한 후 골절부 안정화되면 cast 고정을 시행하는 방법이 있다. 하지만, 함부로 도수 정복을 시도하다가 인근 신경-혈관의 손상이 발생할 우려가 있어 주의를 요한다. 그러나 골절 치유까지의 소요 시간과 결과를 예측하기가 어렵고, 거추장스러운 고정 기구를 차고 있어야 하며, 개인 위생을 챙길 수 없다. 또한, 부정유합 및 불유합의 위험성이 있으며, 장기간의 고정으로 인해 인접 관절이 강직될 수 있다는 단점이 있다.

2) 수술적 치료

(1) 수술 시기

혈관 손상이 있거나 개방성 골절인 경우에는 응급으로 수술을 시행해야 하지만, 일반적으로 환자의 전신적인 상태가 정확히 평가하고 수술을 하는 것이 좋다. 만일 환자가 수술을 받을 수 있는 상태라면 주변 연부조직에 부종이 생기거나 구축이 생기기 전에 가능한 신속하게 시행하는 것이 좋다. 이미 부종이 너무 심해서 피부 상태가 좋지 않거나 골절의

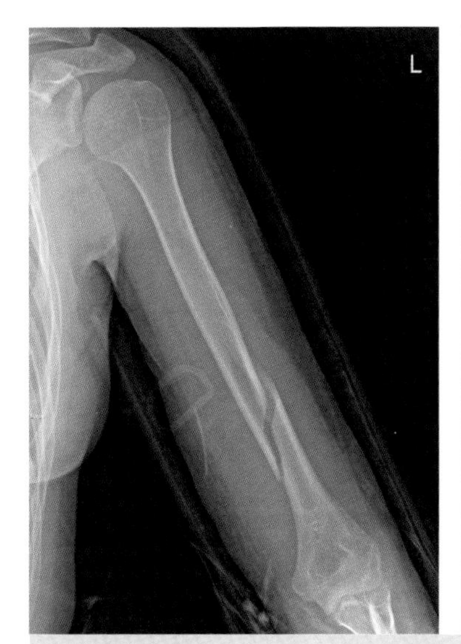

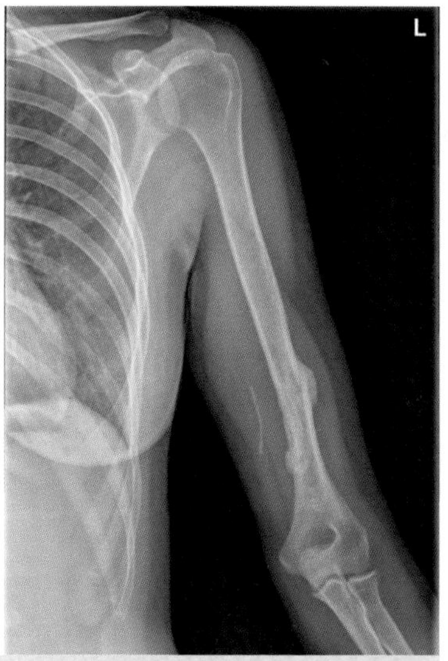

그림 22-2
32세 여성 Humerus shaft spiral fracture 환자로 약간의 골절 전위 소견을 보이고 있다. 내측의 작은 선 모양은 contraceptive이며, 이런 경우, 골절 유합에 방해가 될 수 있다. 하지만 석고 고정과 같은 비수술적 방법을 이용하였고, 수상 후 3개월 째 X-ray image에서 골유합을 확인하였다.

정복이 어렵다고 판단되는 경우에는 부종 감소 후, 수술을 한다.

(2) 수술 방법

골절을 정복할 때에는 주변 연부조직의 손상을 최소화하고 혈관 손상이 생기지 않도록 가능한 부드럽게 시행해야 한다. 정복된 장골을 고정하는 방법은 크게 골수강내정과 금속판 고정을 이용한 내고정과 외고정기를 이용한 방법이 있다(그림 22-3).

장골 골절에 대한 내고정 기구로써 모두 만족스럽게 골유합을 얻을 수 있지만, 그중에서 수술 후 회복이 비교적 빠른 골수강내정을 이용한 고정이 흔히 사용된다. 장골 골절에서 diaphysis 골절이 metaphysis까지 연장된 경우에는 금속판을 이용한 방법이 쓰이기도 한다(그림22-4).

골절 부위 피부 및 연부 조직 상태가 불량하거나 개방성 골절인 경우에는 연부 조직 손상을 최소화하기 위해 외고정을 한다. 하지만, 골유합이 지연될 수 있고, 고정 기간이 길어질수록 외고정에 사용된 핀을 따라 감염이 될 위험이 높기 때문에 초기에 일시적인 고정 방법으로 사용하는 경우가 많다.

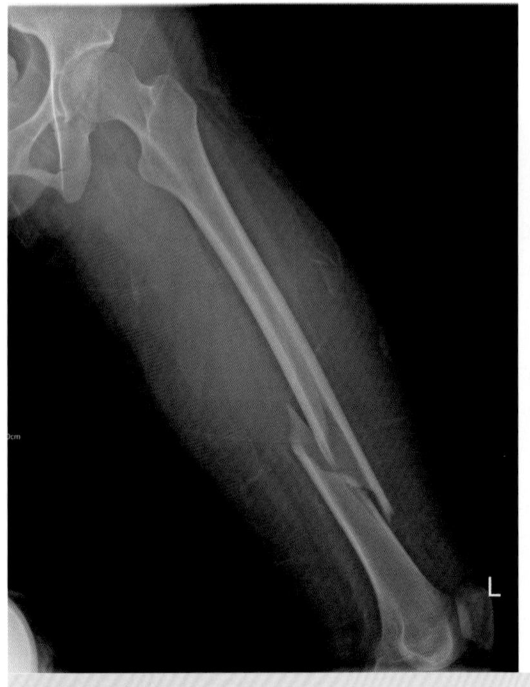

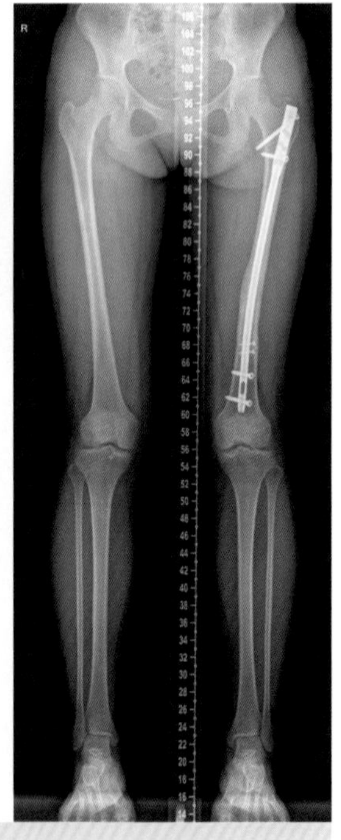

그림 22-3
골수강내정을 이용하여 대퇴골 원위 간부 골절을 치료하였고 유합을 얻었다. 다리의 골절에서는 유합만이 중요한 것이 아니라, 길이, 정렬 상태의 회복이 중요하다. 사진에서는 골절 고정 후 비교적 만족스러운 골 정렬 상태를 확인할 수 있다.

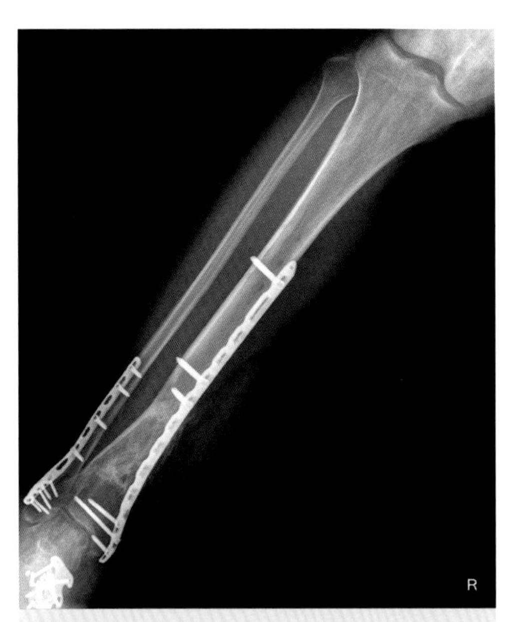

그림 22-4
Tibia 골간단부 골절에 대하여 금속판을 이용한 내고정를 시행하였다.

(3) 수술 후 처치

수술 후에는 피부 절개 부위나 상처 부위에 대한 정기적인 소독을 시행하고, 적절한 항생제를 사용하여 감염을 예방하여야 한다. 골절의 상태와 고정 방법에 따라 다르지만, 가능한 조기에 인접 관절의 움직임을 시작하여야 관절이 강직되는 것을 예방한다. 또한 목발이나 보행기를 사용하여 체중 부하를 조절하면서 가능한 빨리 보행 연습을 시작해서 장기적인 침상 안정으로 인한 합병증을 예방하고 정상적인 기능을 회복할 수 있도록 한다.

5. 합병증

1) 신경손상

장골을 따라서 주행하는 신경은 손상 과정 및 수술적 치료 중에 손상받기 쉽다. 골절의 정복 전후에 철저한 신경학적 검사를 해서 신경 손상의 발생 시점 및 부위를 평가할 수 있어야 한다. 주로 골절 부위 원위부의 감각 및 마비 증상이 발생한다.

2) 근육 손상

골절 당시에 손상받기도 하지만 금속판을 이용한 내고정을 위해 시행하는 광범위한 근육 박리도 원인이 된다. 이후 손상받은 근육은 흉터 조직으로 변화하면서 운동성이 감소하고, 인접 관절의 강직을 초래할 수 있으므로 수술 시 근육 손상을 최소화해야 한다. 최근에는 광범위한 근육의 박리 없이 근육의 일부에만 금속판이 들어갈 통로를 만들고 근육 밑으로 넣어 금속판 고정을 하는 방법도 사용되고 있다.

3) Nail 삽입 부위 통증

Intramedullary nail은 골절 부위와 떨어진 부위를 통하여 삽입된다. 통상적으로 관절 주위에 입구가 형성되므로 관절 손상에 주의해야 한다. 또한 intramedullary nail의 끝이 뼈 밖으로 과도하게 튀어나오는 경우, 해당 long bone이 움직일 때 관절에 자극 증상을 유발할 수 있어 적절한 길이의 intramedullary nail을 적절한 위치에 삽입하는 것이 중요하다.

4) 불유합 및 부정유합

불유합은 수술적 치료와 보존적 치료에서 모두 발생할 수 있다. 불유합이 골절 부위 안정성의 부족으로 발생하였다면 안정성을 보강하기 위한 수술적 치료를 해야 하면 골이식이 필요할 수 있다. 부정유합은 각각의 장골마다 허용범위가 있으나, 단순 변형에 대한 치료는 신중히 결정해야 하며, 기능 장애나 관절염의 위험 증가와 같은 명확한 이유가 있을 때에 수술적 치료를 고려한다.

5) 인접 관절의 강직

장골의 말단은 대부분 관절을 이루고 있으며 장골 고절의 치료 중 부목 고정이나 석고 고정이 장시간 이루어지면 관절 강직을 초래한다. 수술적 치료 중 발생하는 연부조직 손상도 관절 강직의 한 원인이 된다. 적절한 고정 기간이 지난 후에는 환자에게 적극적인 관절운동을 하게 하여 기능적 손실을 최소화해야 한다.

6) Deep vein thrombosis

골절로 인한 부종, 정맥 혈류 순환 저하 등의 이유로 하지 deep vein의 혈전이 발생하는 현상이다. 하지 거상, 혈전 방지 약물 등을 이용하여 처치가 필요하며, 대정맥을 통해 혈전이 이동하면 embolism으로 악화되어 사망할 수도 있게 된다(그림 22-5).

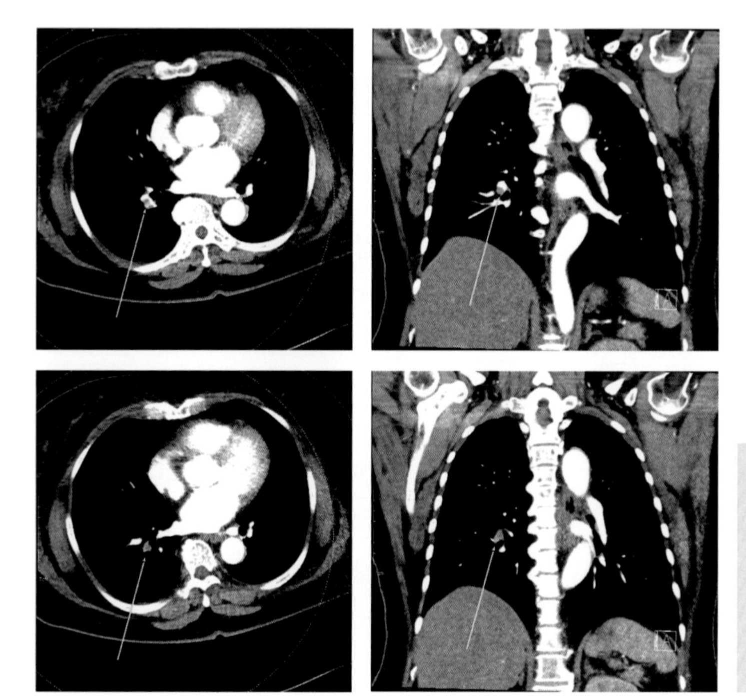

그림 22-5
65세 여성으로 femur shaft fracture로 수술을 위해 입원 중이었으나 환측 대퇴부 둘레가 증가하고, 해당 부위의 dull pain 이 증가하여 DVT 를 의심하였고, CT venogram 을 이용하여 폐혈관의 혈전을 확인하였다.

참고문헌

1. 대한골절학회. 골절학 제2판. 범문에듀케이션. 2018.
2. 대한정형외과학회. 정형외과학 제8판. 최신의학사. 2020.
3. P Tornetta, WM Ricci, RF Ostrum, MM McQueen, MD McKee, CM Court-Brown. Rockwood and Green's Fractures in Adults. 9th ed, Wolters Kluwer, 2019.
4. P Patka. Damage control and intramedullary nailing for long bone fractures in polytrauma patients. Injury, 48(1): S7-S9, 2017.
5. A Chitnis, B Ray, C Sparks, Y Grebenyuk, Grebenyuk Y, Vanderkarr M et al. Long bone fractures: treatment patterns and factors contributing to use of intramedullary nailing. Expert Review of Medical Devices, 17(7): 731-737, 2020.
6. J Westgeest, D Weber, SK Dulai, B Joseph, B Richard. Factors Associated With Development of Nonunion or Delayed Healing After an Open Long Bone Fracture. A Prospective Cohort Study of 736 Subjects. J Orthop Trauma, 30(3): 149-155, 2016.
7. H Wang, U Kandemir, P Liu, H Zhang, P Wang. Perioperative incidence and locations of deep vein thrombosis following specific isolated lower extremity fractures. Injury, 49(7): 1353-1357, 2018.

관절내 골절의 치료

Treatment of Intraarticular Fracture

1. 관절내 골절의 특징

관절 내의 활액(synovial fluid)에는 교원질 분해효소(collagenase)가 함유되어, 초기 골절 치유 시에 형성되는 가골 기질(callus matrix)을 변화시켜, 골절 치유 첫 단계의 지연이 일어난다. 관절면은 초자연골(hyaline cartilage)로 덮여 있으며, 이들의 재생능력은 극히 한정되어, 대부분이 섬유연골(fibrocartilage)로 치유된다. 이러한 생물학적 환경이 관절내 골절의 치료를 더욱 어렵게 한다. 또한 두 뼈의 끝부분이 만나서 이루는 관절은 그 모양이 서로 상합적이어야 원활한 관절 운동이 가능한데, 관절내 골절로 인해 이러한 상합성이 깨진다면 관절연골의 마모가 가속화되어 2차적으로 골관절염을 유발할 수 있다. 관절내 골절 및 주변 연부조직이 치유되면서 발생하는 관절 섬유화는 관절 운동의 소실을 일으켜서 관절 기능을 일부 상실하게 되는 원인이 되기도 한다. 특히 견고한 고정이 어려워서 골편이 불안정한 경우 관절 운동의 시작이 늦어지는데, 이러한 경우 관절 연골의 치유도 방해를 받을 뿐 아니라 관절 섬유화로 인해 관절이 굳어서 뻣뻣해지는 문제를 초래한다. 대개의 관절내 골절은 정확한 정복을 요하는 전위 골절인 경우가 많으며, 이를 위해 수술이 필요한 경우가 많다.

관절내 골절에 동반된 관절 주변의 관절막 및 인대 손상은 관절의 불안정성을 초래하여 관절 기능을 저해하고 향후 골관절염 발생에 기여할 수 있다. 관절내 골절로 인해 어긋난 두 뼈 사이의 정렬(alignment)이 정확하게 복원되지 않으면 역학적 축이 바뀌어 생역학적 불균형을 초래하고, 이는 하중의 불균형한 분포를 초래하면서 통증을 발생시키고, 관절 연골의 마모를 초래하여 골관절염을 일으킨다. 따라서 관절외 골절보다 더 정확한 정복을 요하는 특성상 더 좋은 수술 시야를 확보하기 위해 연부조직 박리가 더 광범위해질 가능성이 많으며, 이는 골편으로 가는 혈액 순환을 저해하고, 골절 치유를 지연시킬 가능성이 있다.

뼈의 끝부분에서 발생하는 관절내 골절은 간부에서 발생하는 골절보다 골편의 크기가 작을 수밖에 없다. 작은 골편의 크기는 수술 시에 다루기가 더 어렵고, 강도도 약하기 때문에 골편의 정복과 내고정을 더 어렵게 한다. 따라서 견고한 고정이 필요한 골절임에도 불구하고, 실제로는 견고한 고정이 어려운 경우도 많다.

2. 관절내 골절의 손상 기전 및 치료 원칙

관절내 골절의 손상 기전은 크게 두 가지로 나뉜다. 첫 번째는 가장 흔한 기전으로 손상을 일으키는 외력이 간접적으로 전달되어 관절에 굴곡 모멘트를 전달하는데 이때 인접한 하나의 뼈가 다른 뼈의 일부에 힘을 가하면서 골절을 일으킨다. 이때 외력에 저항하는 인대의 작용이 굴곡력을 축성(axial) 압박력으로 변화시키기도 한다. 대개 이러한 골절은 부분 관절내 골절을 일으킨다. 두 번째 기전은 힘의 축성(axial) 전달이 뼈에 압박력을 가하면서 폭발하듯이 뼈와 연부조직 손상이 일어나는데 이러한 관절내 골절은 대개 분쇄골절의 형태로 나타나며, 심한 연부조직 손상을 동반한다. 실제로 골절의 형태는 손상 기전뿐 아니라 뼈의 강도, 몸에서의 위치 및 실제로 힘이 가해지는 정확한 벡터 등 다양한 요인에 의해서 영향을 받는다.

Schatzker는 1987년에 관절내 골절시 기억해야할 원칙을 제시하였다. 1) 관절내 골절 후 고정은 관절 강직을 초래한다. 2) 관절내 골절에 대해서 수술 후 고정은 더 심한 관절 강직을 초래한다. 3) 도수 정복 및 견인으로 정복되지 않는 함몰된 관절편(articular fragment)은 비수술적 방법으로 정복되지 않는다. 4) 심하게 함몰된 관절편으로 인한 결손 부위는 섬유연골(fibrocartilage)로 채워지지 않으며, 골절편의 전위로 인해 발생한 불안정성(instability)은 영구적이다. 5) 관절내 골절의 해부학적 정복과 견고한 고정이 관절 상합성 회복에 중요하다. 6) 관절편에 인접한 골간단부 결손은 골절의 재전위를 막기 위해 골이식으로 채워넣어야 한다. 7) 골간부와 골간단부의 정렬을 잘 맞추어야 관절에 가해지는 과부하를 피할 수 있다. 8) 빠른 관절 운동을 시키는 것이 관절 강직 예방 및 관절 연골의 치유에 중요하다.

Schatzker가 제시한 원칙과 관절내 골절의 합병증을 고려할 때, 관절내 골절의 치료 원칙을 간략히 정리하자면 골절의 정확한 정복 및 견고한 고정과 조기 관절 운동이라고 할 수 있다.

3. 관절내 골절의 수술적 치료

관절내 골절은 가능한 빨리 정확한 정복과 견고한 고정 후 관절운동을 시작하면 좋지만, 주변 연부조직에 심한 손상이 있거나 부종이 심한 경우 이 부위에 수술 절개를 하게 되면 연부조직 괴사 및 감염 등 수술 후 합병증의 발생이 증가하게 된다. 따라서 수술 시기는 연부조직 상태에 의해 결정이 되는데, 대개 부종이 감소하면서 관절 운동 시 피부 주름이 나타나는 시기로 결정한다. 단 개방성 골절에서 오염이 심하고 감염을 피하기 위해 세척이 필요한 경우는 가능한 빨리 수술을 시행한다.

수술 절개는 대개의 경우 상지 혹은 하지의 장축을 따라서 시행하며, 이는 관절 운동 방향과 수직이다. 관절 골절을 노출시킨 후 관절면을 정확히 정복하고 고정을 시행한다. 관절편 사이의 틈이 생기지 않도록 골편 간에 압박 고정을 하면 좋지만 이는 골편 크기가 작고 뼈 강도가 약하면 가능하지 않을 수 있으므로 이를 고려해서 가능한 견고한 고정을 시행한다. 관절 골편과 골 간부 사이의 정렬을 잘 맞추어서 고정을 시행하고 골간단부의 뼈 결손이 발생한 경우 골이식을 시행한다. 간혹 내고정만으로 견고한 고정을 얻지 못하는 경우는 추가적으로 관절을 포함한 외고정을 하기도 하는데 이런 경우 관절 운동 시작이 지연되어 연골의 치유에 불리하고 관절 강직이 발생한 위험성이 있다. 피부 봉합 시 가능한 장력을 받지 않도록 조심하면서 상처를 닫는다.

수술 후 부드러운 압박드레싱을 유지해서 연부조직 치유에 도움을 주고, 관절내 골절이 충분히 견고한 고정을 얻었다고 판단되면, 가능한 조기에 능동 관절 운동을 시행한다. 정기적으로 단순 방사선 검사를 촬영하면서 정복이 소실되지는 않는지, 골유합이 정상적으로 이루어지는지를 관찰하고, 하지의 경우 적절한 시점에 목발을 이용한 부분 체중부하를 시작해서 점차 전 체중부하할 수 있도록 하중을 증가시킨다.

참고문헌

1. 대한골절학회. 골절학 제2판. 범문에듀케이션. 2018.
2. 대한정형외과학회. 정형외과학 제8판. 최신의학사. 2020.
3. P Tornetta, WM Ricci, RF Ostrum, MM McQueen, MD McKee, CM Court-Brown. Rockwood and Green's Fractures in Adults. 9th ed, Wolters Kluwer, 2019.
4. MN Doral, J Karlsson, J Nyland, KP Benedetto. Intraarticular Fractures. Springer. 2019.
5. S Singh, PR Patel, AK Joshi, RN Naik, C Nagaraj. Biological approach to treatment of intra-articular proximal tibial fractures with double osteosynthesis. Int Orhop, 33:271-274, 2009.
6. S Sharma, R John, MS Dhillon, K Kishore. Surgical approaches for open reduction and internal fixation of intra-articular distal humerus fractures in adults: A systematic review and meta-analysis. Injury, 49(8): 1381-1391, 2018.
7. B Zhang, H Chang, K Yu, J Bai, D Tian et al. Intramedullary nail versus volar locking plate fixation for the treatment of extra-articular or simple intra-articular distal radius fractures: systematic review and meta-analysis. Inter Orhop, 41: 2161-2169. 2017.

척추 골절의 치료

Treatment of Spine Fracture

척추의 골절 및 탈구는 주로 교통사고, 추락 또는 낙상, 운동 경기 등에 의하여 발생하며 최근 빈도가 증가하는 추세이다. 특히 경추부는 내부에 척수가 포함되어 있으므로 골절과 탈구가 일어날 때 척수가 손상되면 그 이하부의 기능이 부분 또는 완전히 상실되는 사지 마비가 발생할 수 있어 매우 위험하다. 또한 장기간의 입원 및 영구 장애 등으로 인한 개인, 가족 및 사회에 미치는 영향이 지대하여 그 치료 및 재활의 중요성이 강조된다.

주로 활동 연령층인 20~40대에 많으며, 남자에서 여자보다 4배 호발한다. 척추의 골절 및 탈구는 경추부와 흉요추 이행부에서 빈발하며, 척수 손상은 10~25%에서 동반된다.

척추의 수상 환자는 많은 경우에 있어서 고속(high velocity) 손상에 의하므로 신체의 다른 부위에 동반 수상이 있을 수 있다. 따라서 척추 수상 환자에 있어서는 동반 수상의 유무를 면밀히 검사해야 하며, 치료 또한 이런 모든 수상을 고려해야만 한다. 두개골 골절로 인한 의식 혼탁, 알코올 중독 또는 불완전한 방사선 촬영 등에 의해 척추 골절의 진단이 안 되거나 늦어지는 경우가 있을 수 있어 주의를 요한다. 척추의 손상이 의심되는 환자에 있어서는 철저한 문진, 신경학적 검사를 포함한 이학적 검사와 방사선 촬영 등이 진단에 중요하다.

1. 신경학적 검사

척추 손상 환자에서 정확하고 세밀한 신경 검사는 매우 중요하다. 의식의 평가, 동공의 크기와 반사 등으로 대뇌 기능의 이상 여부를 판단해야 한다. 골절이 발생한 위치에 따라 척수(spinal cord), 신경근(nerve root), 혹은 마미(cauda equina) 등이 손상될 수 있으며, 손상의 해부학적 위치에 따라 다양한 정도의 마비가 발생하게 된다. 신경학적 검사는 사지의 감각, 운동 및 반사 기능에 대한 평가뿐만 아니라 배뇨, 배변 기능의 평가도 포함되어야 한다. 척수(spinal cord)의 손상인지 신경근(nerve root)의 손상인지 감별해야 하며, 척수 손상의 경우 회복이 불가능한 완전 손상인지 회복이 가능한 불완전 손상인지를 감별해야 한다.

1) 척수성 쇼크

척수 수상 부위 이하의 반사(reflex)를 비롯한 모든 척수의 기능이 일시적으로 억제되는 현상을 척수성 쇼크라 한다. 척수의 손상 정도는 척수성 쇼크(spinal shock)가 회복된 후에야 비로소 정확히 판정될 수 있는데, 보통은 24시간 이내에 회복이 되며 구해면체반사(bulbocavernous reflex)와 항문 반사(anal wink) 등이 나타나면 척수성 쇼크에서 회복되었음을 의미한다(그림 24-1). 이때 운동 및 감각 신경 기능의 회복이 없는 상태에서 이러한 반사작용이 나타나면 이는 척수의 완전 손상을 의미하며 마비에서의 회복의 가능성은 희박하다. 불완전한 척수 손상인 경우는 척수의 기능이 점차 회복될 수 있으나 완전 척수 손상을 입었으면 더 이상의 신경 회복이 어렵다. 척수성 쇼크 환자에서 반사의 소실과 혈관 긴장도(vascular tone)의 감소로 인한 저혈압이 나타날 수 있는데, 실혈에 의한 저혈압과 감별하는 것이 중요하다. 중요한 감별점으로는 맥박으로서, 맥박의 횟수가 증가한 경우에는 척수성 쇼크보다는 복부, 흉부, 또는 장골로부터 실혈에 의한 저혈량증(hypovolemia)을 의심해야 하며, 혈압은 저하되어 있으나 맥박이 증가되지 않으면 척수성 쇼크를 생각해야 한다.

2) 척수 증후군

척수 증후군(spinal cord syndrome)은 척수의 불완전한 손상으로 인한 것이다. 일반적으로 척수 손상 환자에서 운동 및 감각 신경이 많이 보존되고 빠른 회복을 보일수록 많은 회복이 기대되는 반면, 새로운 회복이 나타나지 않고 정체 상태이면 더 이상의 회복은 기대하

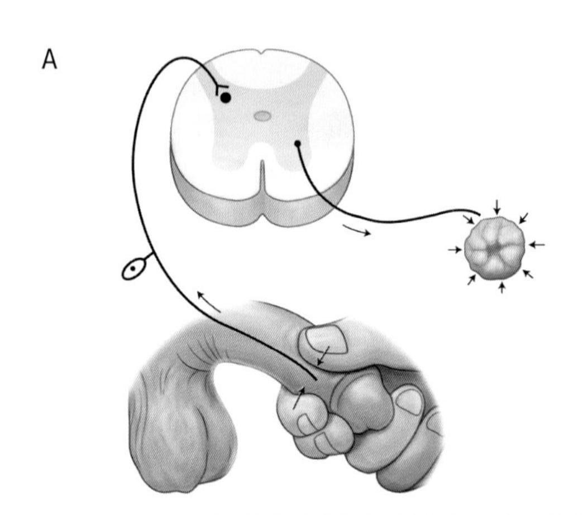

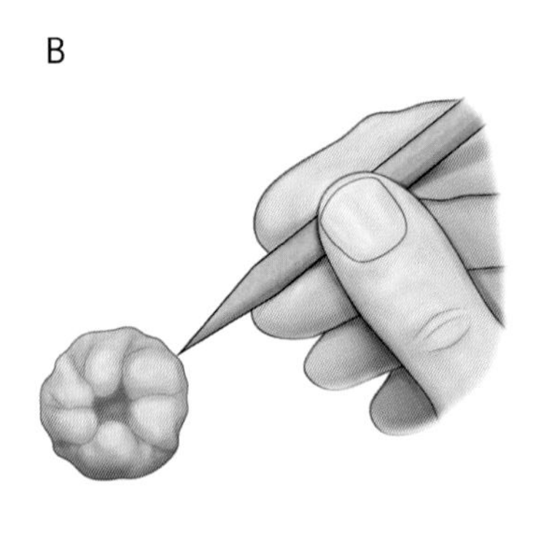

그림 24-1
구해면체 반사(bulbocavernous reflex)와 항문 반사(anal wink)
A. 구해면체 반사 - 귀두 부분을 누르면 항문 괄약근이 수축된다.
B. 항문 반사 - 뾰족한 것으로 찌르면 항문 괄약근의 수축이 유발된다.

기 어렵다. 척수 증후군에는 다음과 같은 네 가지 증후군이 있다.

(1) 전척수 증후군(anterior cord syndrome)

척추의 과굴곡 손상에 의한 골편이나 추간판의 후방 전이로 인해 척수의 앞부분이 직접 압박되어 발생한다. 전각 세포의 기능 상실로 완전한 운동 마비 및 통각, 온도 감각의 소실을 특징으로 하며, 척수의 후주(dorsal column)가 보존되어 체간과 하지의 심부 감각, 가벼운 촉각, 고유 감각(proprioception)은 보존된다. 보통 약한 심부 압박 감각(deep pressure sense)만 남아 있게 되며 운동 신경은 보통 영구적인 마비가 되기 때문에, 척수의 불완전 손상 중 가장 예후가 나쁘다.

(2) 중심성 척수 증후군 (central cord syndrome)

경추부에서 가장 흔한 척수 손상으로 경추의 전방 탈구나 과신전손상(hyperextension injury)으로 발생하며, 특히 퇴행성 변화와 골극이 있는 경추부에 신전 손상이 가해짐으로써 발생한다. 상지로 가는 피질 척수로(corticospinal tract)는 중심부에 위치하므로 상지의 기능장애가 심하고 상대적으로 하지의 기능장애는 심하지 않다. 환자는 사지 마비를 나타내나 항문 주위 감각과 항문 괄약근의 수의 조절 기능은 남아 있게 된다. 예후는 50%의 환자에서 배변 및 배뇨 기능이 회복되고 보행이 가능하며 손의 기능도 일부 회복된다.

(3) 후척수 증후군(posterior cord syndrome)

아주 드물며 신전 손상으로 발생된다. 심부 압박, 심부통, 고유 수용 감각이 소실되나 운동 신경과 동통과 온도 감각은 유지된다. 예후는 좋아서 많은 경우에서 완전한 회복을 기대할 수 있다.

(4) 브라운-세카드 증후군 (Brown-Sequard syndrome)

척수의 한쪽 절반이 손상된 것으로 일명 hemi-cord syndrome이라고도 한다. 손상받은 동측의 근육 마비와 반대측의 통각과 온도 감각의 소실을 특징으로 한다. 예후는 좋아서 90% 이상의 환자에서 배뇨, 배변 기능이 회복되고 보행이 가능하다.

3) 척수 원추 증후군

원추부(conus medullaris)는 제1요추체 후방에 위치하며, S3 분절 이하의 기능과 연관이 되어 있다(그림 24-2). 이 부위의 손상은 하지 근육을 지배하는 척수분절을 포함하지 않으므로 주변 신경근 손상이 없는 한 하지 운동장애는 나타나지 않는다. 회음부에 감각 장애, 구해면체 반사나 항문 반사의 감소 등이 나타나지만, 심부건 반사의 이상은 수반하지 않는다. 말초형의 배뇨 배변 장애나 성기능 장애가 나타날 수 있다.

4) 마미 증후군

척수의 하단은 대개 제1, 2요추 추간판에 위치한다. 마미(cauda equina)는 L2 이하의

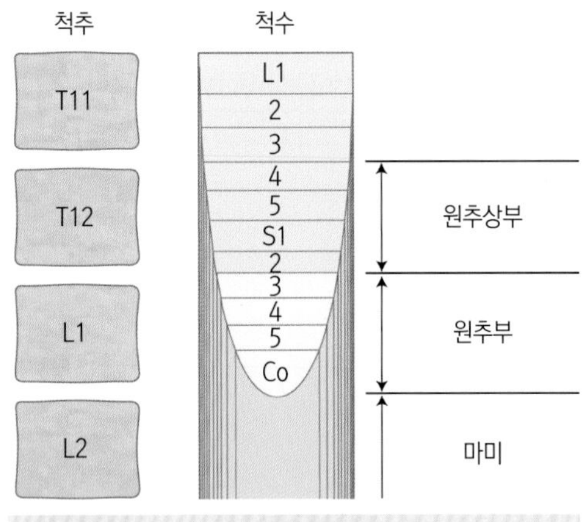

그림 24-2
척수 원추(conus medullaris)와 척추체의 위치 관계

신경근으로 이루어지며, 마미 증후군은 요통, 하지통 및 저림이 특징이다. 족하수(foot drop) 등의 근력 저하가 나타나는 경우가 있고, 만성인 경우에는 종아리나 족부의 근위축이 나타나는 경우도 있다. 감각 장애는 회음부, 종아리, 족부 등에 주로 나타나며, 심한 손상 시에는 말의 안장에 앉았을 때 우리 몸이 닿는 부위의 감각이 소실되는 말안장마비(saddle anesthesia)가 나타난다. 심부건 반사는 아킬레스건 반사의 저하 또는 소실이 나타날 수 있다.

2. 방사선 검사

척추 손상이 의심되는 환자가 오면 방사선 사진 촬영 시에 의사가 반드시 참여하여야 한다. 환자를 움직이지 않고 들것에서 먼저 단순 측면 및 전후면 사진을 찍어서 골절 및 탈구의 여부 및 위치와 안정성을 판별해야 한다. 경추부에서는 개구 전후방 촬영(open mouth view), 사위(oblique) 촬영을 추가로 시행하여야 한다. 단순 방사선 사진에서 척추 골절이 확인되는 경우, 특히 그 골절이 불안정하다고 생각되는 경우에는 굴곡-신전 방사선 사진을 촬영하는 것은, 골절 및 신경학적 상태를 악화시킬 수 있으므로 금기이다.

단순 방사선 사진에서 반드시 확인해야 할 것은 다음과 같다. 1) 전후면 사진에서 척추경과 극돌기의 배열을 꼭 확인해야 한다. 이것들이 일직선상에 위치하지 않으면 불안정한 회전 탈구 및 골절 등을 생각할 수 있다. 2) 측면 사진에서는 척추체의 압박 골절의 여부 및 정도를 확인해야 하며, 골절선의 형태도 확인한다. 아울러 측면 사진에서 극돌기의 간격이 벌어져 있는지를 확인해야 하는데, 이러한 소견은 후방 인대군의 파열로 인한 불안정 손상을 의미하기 때문이다. 3) 사위 사진에서는 후관절(facet joint)의 탈구 또는 골절을 확인할 수 있으며, 안정 손상인지 불안정 손상인지를 판별하는 중요한 감별점이 된다.

단순 방사선 사진 이외에도 전산화 단층 촬영(CT)과 자기공명영상(MRI)이 필요한 경우도 있다. 전산화 단층 촬영으로는 골절편이 척수강 내로 돌출된 것을 잘 확인할 수 있으며, 골절의 양상을 보다 정확하게 파악할 수 있다. 자기공명영상은 신경 구조물과 인대 등을 보다 잘 보여주어, 척수가 경막내 또는 경막내에서 혈종, 골편 등에 의해 눌렸는지 확인할 수 있으며, 후방인대복합체(posterior ligamentous complex, PLC)의 손상 여부도 파악할 수 있다. 후방인대복합체 인대 손상이 있는 경우 골절이 불안정한 경우가 많다.

3. 척추 불안정성

척추의 손상이 불안정한지, 안정한 지를 판정하는 것은 치료의 방침을 결정하는 데 매우 중요하다. 안정한 손상은 보존적 치료로 충분할 수 있으나 불안정한 손상은 대부분 수술 등의 보다 적극적인 치료를 요하게 된다. 척추 손상에 있어서 불안정이란 골절 부위에서 변형이 진행되는 것을 의미하는데, 보통은 수상 후 몇 주 이내에 일어난다. 불안정한 골절이나 탈구의 경우에는 치료 중에도 골편의 전위가 일어나 신경 손상이 일어날 수 있다. 데니스(Denis) 등은 전산화 단층 촬영을 이용하여 흉요추의 골절의 분류에 삼지주설(three column theory)을 발표하였다. 척추의 안정에 있어서 중간 지주(middle spinal coumn)의 상태가 매우 중요하다는 것이 삼지주설의 기본적인 개념이다. 전방 지주(anterior column)에는 전방 종인대, 척추체의 앞쪽의 절반, 섬유륜의 앞쪽이 중간 지주에는 척추체, 섬유륜의 뒤쪽 절반이, 후주(posterior column)에는 척추궁, 황색 인대(ligamentum flavum)와 후관절, 극돌기간 인대 등이 속한다(그림 24-3).

4. 치료

척추 손상 환자의 응급 치료의 첫 순서는 신속한 진단과 환자 상태 파악이다. 무엇보다 생명에 위협이 될 수 있는 호흡기계 및 순환기계 손상을 먼저 파악하고 필요한 조치를 시행한다. 경추 손상 환자에 있어 생명에 가장 위험이 되는 것은 불완전한 기도 유지이

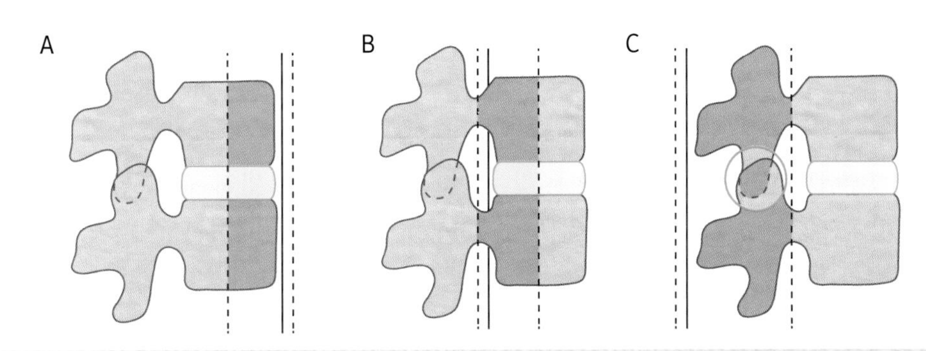

그림 24-3
Denis 삼주설(three column theory)
A. 전주, B. 중주, C. 후주. 전주만 압박되어 있는 경우 압박골절(compression fracture), 전주와 중주가 압박되어 있는 경우 방출성(burst) 골절이라 하며 삼주 모두 손상이 있는 경우는 불안정 골절-탈구(unstable fracture-dislocation)라 한다.

며, 흉부 손상이 동반된 환자에서는 특히 조심해야 한다. 기도가 확보되지 않는 환자에서 기관지 절개술을 시행하여야 하는데, 이때 경부가 과신전되지 않도록 조심해야 한다. 또한 동요 흉부(flail chest), 혈흉(hemothorax), 기흉(pneumothorax)의 여부를 판단하고 저혈량증(hypovolemia)의 징후는 없는지 확인한다. 이러한 조치를 시행하는 동시에 간단한 신경학적 검사를 시행하여 척수 손상 여부를 알아내야 한다. 의식이 있으면 손, 발을 움직이라고 명령을 하여 마비의 여부를 알아내며, 의식이 없으면 동통 자극을 주어서 마비를 알아낼 수 있다. 경추 손상이 의심되는 경우 방사선 촬영을 하기 전까지는 모래주머니를 경부의 양옆에 놓아 고정하고 이후에 사지의 수상에 따라 필요하면 부목을 댈 수 있다. 이후 흡인(aspiration)과 마비성 장폐쇄을 예방하기 위해 비위장관(nasogastric tube)을 삽입하며 방광에 요도관(foley catheter)을 삽입한다.

척추 골절 및 탈구의 치료 목적은 골절 및 탈구를 정복(reduction)한 후 안정성(stability)을 얻는 데 있다. 치료의 원칙으로는 척수와 신경근의 감압을 시도하고, 척추의 안정성을 유지하여 변형을 줄이며, 척수의 추가 손상을 방지하며, 마비로 인한 합병증을 방지하는 것 등이다. 일반적으로 수상 시에 이미 척수의 손상은 와 있으며, 어떤 감압술을 시행하더라도 척수의 출혈성 괴사(hemorrhagic necrosis)는 막지 못하므로, 후방에서 감압술만 단독으로 시행하는 것은 오히려 척추의 불안정성을 증가시켜 신경 증세를 악화시키고, 척수로 가는 혈행(vascular supply)의 차단을 가져올 우려가 있기 때문에 매우 제한적으로 시행되어야 한다. 골절 및 탈구의 정복이 감압의 가장 좋은 방법이며 안정성 또한 얻을 수 있으므로 치료 시 정복을 얻을 수 있도록 노력해야 한다.

1) 경추 골절-탈구의 치료

경추부의 손상에는 해부학적 구조 때문에 특이한 양상을 보이는 골절 형태가 많이 있다. 제퍼슨 골절(Jefferson's fracture, 환추 방출 골절, burst fracture, 환축추 회전 아탈구(atlantoaxial rotatory subluxation), 치돌기 골절(dens fracture), 축추 외상성 전위증(traumatic spondylolisthesis of axis, hangman's fracture) 등이다. 또한 이 부위의 척수 손상은 생명과 직접적인 연관이 있으므로, 경추의 골절 치료에는 특별한 주의를 요한다. 골편의 정복과 탈구된 관절의 정복을 얻기 위해서 halo 견인 등 여러 가지 골견인(skeletal traction) 장치가 있다. 골견인으로 신경 증세가 진행되거나 후관절의 탈구가 정복되지 않을 때에는 관혈적 정복술을 시행하여야 하며 이때 내고정술도 동시에 시행한다. 일단 비관혈적 정복술이 이루어지면 환자를 눕힌 상태로 골유합과 인대의 치유가 이루어질 때까지 계속 골격 견인을 시행하거나 halo vest를 이용하여 경추가 정복된 상태로 유지하는 방법과 조기에 수술적 안정화(operative stabilization)를 시도하는 방법이 있다. 수술적 치료는 조기에 활동이 가능케 하여 장기간의 침상 안정에 의해 발생하는 합병증을 감소시키며, 탈구가 재발되는 것을 방지할 수 있고 골유합의 확률을 높이게 된다. 내고정 및 유합술 없이 후방감압술만 단독으로 시행하는 경우에는 신경 기능 장애의 회복 없이 오히려 척추의 불안정만 증가시킬 수 있으므로 주의를 요한다.

2) 흉요추 골절-탈구의 치료

(1) 보존적 치료

안정성 골절의 치료는 약 6~8주간 보조기를 착용하며 보존적으로 치료할 수 있다. 이후, 가벼운 배근 신전 운동 및 물리 치료를 시행하여 수상 후 약 3개월이면 가벼운 일상 업무를 할 수 있다. 보조기의 경우 lumbar corset 이나 TLSO (thoracolumbarsacral orthosis) 보조기를 사용할 수 있으며, 치료가 종료된 이후에는 점차 코어 운동을 시행하여 골다공증과 척추 근육의 약화를 방지하도록 해야 한다. 흉요추 골절 및 탈구로 인해 침상 안정 시는 조심스러운 간호를 요하며, 특히 신경 손상이 있는 환자에서는 최소한 두 시간 이내에 체위 변경을 하여 욕창을 방지해야 하며, 요로의 감염, 폐렴 등의 예방에도 주의를 해야 한다.

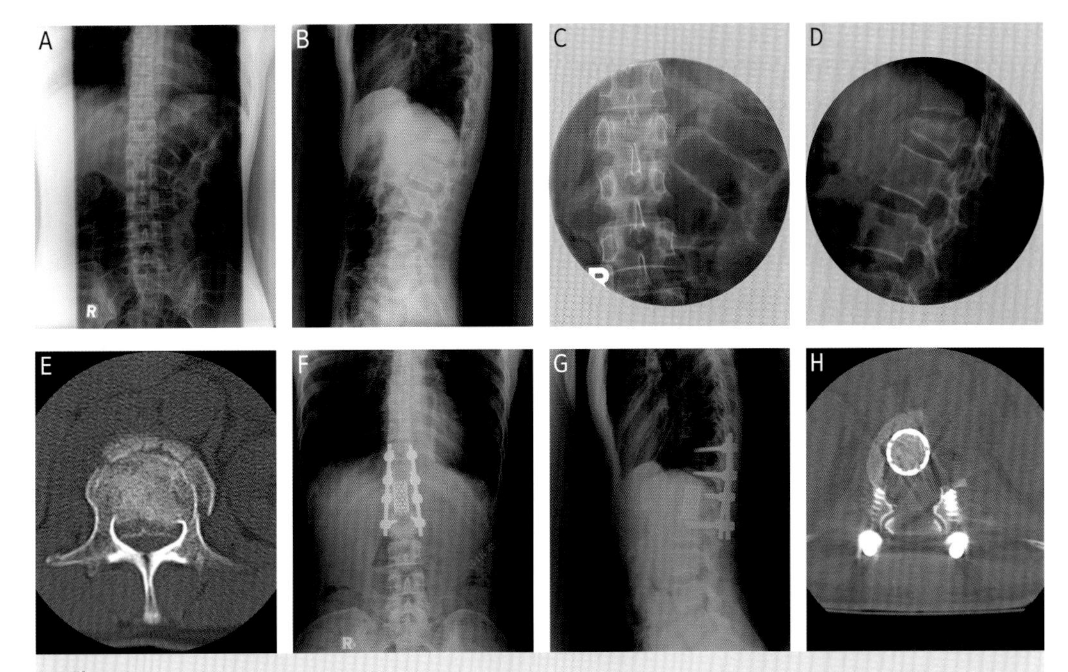

그림 24-4
제1요추 방출성 골절(burst fracture)의 수술 전 방사선 소견(A, B, C, D) 및 CT 소견(E). 후방 및 전방 수술 후 방사선 소견(F, G) 및 CT 소견(H). 수술 전 CT상 중주의 손상으로 인한 골절편이 척추관 내로 침입하여 신경 압박 소견을 보인다. 전후방 수술 후 CT 소견상 신경을 누르는 골편이 제거되었음을 보여준다.

(2) 수술적 치료

조기에 관혈적 정복 및 내고정술을 시행하는 경우, 변형 악화의 우려 없이 조기에 활동시킬 수 있어 회복이 용이한 장점이 있다. 수술의 방법으로는 후방 정복술 및 척추경 나사 등의 내고정 기기를 이용한 고정술과 유합술, 전방 감압술 및 기기고정술과 유합술, 마지막으로 전후방 도달법에 의한 감압술 및 기기고정술과 유합술 등의 방법이 있다(그림 24-4).

참고문헌

1. 대한골절학회. 골절학 제2판. 범문에듀케이션. 2018.
2. 대한정형외과학회. 정형외과학 제8판. 최신의학사. 2020.
3. 석세일. 척추외과학 제4판. 최신의학사. 2017.
4. O Keynan, CG Fisher, A Vaccaro, MG Fehlings, G Michael. Radiographic Measurement Parameters in Thoracolumbar Fractures: A Systematic Review and Consensus Statement of the Spine Trauma Study Group. Spine, 31(5): E156-E165, 2006.
5. JJ Verlaan, CH Diekerhof, E Buskens, I Van der Tweel, AJ Verbout. Surgical Treatment of Traumatic Fractures of the Thoracic and Lumbar Spine. A Systematic Review of the Literature on Techniques, Complications, and Outcome. Spine, 29(7): 803-814, 2004
6. CD Pannu, K Farooque, V Sharma, D Singal. Minimally invasive spine surgeries for treatment of thoracolumbar fractures of spine: A systematic review. J Clin Orthop and Trauma, 10(1): S147-S155, 2019.
7. DW Cadotte, MG Fehlings. Spinal cord injury: a systematic review of current treatment options. Clin Orthop and Relat Res, 469: 732-741, 2011.

개방성 골절의 치료

Treatment of Open Fracture

1. 개방성 골절의 소개

1) 의학적 정의

개방성 골절이란, 골절된 뼈가 피부를 뚫고 외부로 나와 개방성 창상을 만든 것을 말한다 (그림 25-1). 하지만, 그 모양을 영상의학적 진단 방법으로는 알 수가 없기 때문에, 단순 방사선 사진만 보고 환자를 평가하면 놓칠 수 있다. 이 경우 심각한 후유증을 야기할 수 있으므로, 일차 평가자는 반드시 환자를 진찰할 때, 직접 환부를 가리는 모든 것을 제거하고 손상 부위 피부를 직접 보아야 한다.

2) 일반적인 후유증

뼈를 감싸고 있는 연부 조직이 손상되어 뼈가 외부로 노출되는 경우, 흔히 발생하는 심각한 합병증은 골수염(osteomyelitis)이다. 개방성 골절이 모두 골수염이 되는 것이 아니라, 노출된 뼈가 병원균에 오염 contamination이 되고 병원균-숙주 간의 상호 작용 등의 여러 요인에 따라 감염(infection)으로 발전하게 된다. 과거에 항생제가 개발되어 있지 않은 경우에는, 사지에 개방성 골절이 발생하게 되면, 환자를 살리기 위해서는 손상 부위를 절단해야 했다. 그렇지 않은 경우, sepsis에 의해 사망하는 경우가 대부분이었다.

그림 25-1
경골의 개방성 골절이 있는 환자로 lower leg의 anterior aspect에 soft tissue defect가 있으며 단순 봉합으로는 골의 노출을 막을 수 없는 상황이다. Gustilo-Anderson type IIIB인 환자이다. 현재 골절은 외고정기로 고정되어 있다.

연부조직은 혈액 순환이 좋기 때문에 연부 조직에만 감염이 국한된 경우에는 적절한 항생제의 투여와 wound care로 비교적 쉽게 치유가 가능하다. 하지만, 뼈 조직 자체는 혈액 순환이 잘 되는 조직이 아니기 때문에 일단 여기에 감염이 발생하면 감염 부위를 완전히 절제하지 않는 한, 항생제 치료를 해도 치유가 되지 않고 계속 재발하는 특성이 있다. 따라서, 개방성 골절 손상 발생 초기에 적절한 조치가 되지 않으면, 환자의 예후는 매우 나빠진다.

3) Gustilo-Anderson 분류(표 25-1)

개방성 골절의 예후를 결정하는 것은 골수염의 발생 여부이다. 골수염의 발생률과 개방성 골절의 손상 정도와 범위가 상관 관계가 있다는 것이 밝혀졌다. 골절된 뼈의 외부 노출 시간과 감염 발생률도 증가한다. 그러므로, 개방성 골절에서는 되도록 빨리 골절부를 연부조직으로 덮는데 모든 노력을 기울여야 한다. 분류의 중요한 요소는 wound 의 크기(기준, 10 cm), 골절부를 건강한 연부 조직으로 다시 덮을 수 없는지(type IIIB), 주요 동맥의 손상이 있는지(type IIIc)이다. 그래서 type IIIB인 경우는 flap coverage가 필요하며, 주요 동맥의 손상이 있는 경우에는 동맥의 손상에 대한 응급 처치가 필요하다.

2. 개방적 골절의 초기 및 잠정적 처치

정형외과적으로 이 손상은 심각한 후유증을 환자에게 남기고, 치료에서 초기 치료가 가장 중요하기 때문에, 적절한 초기 처치를 숙지하는 것은 아주 중요하다. ABCD의 약어로 필수 처치를 암기하면 좋겠다. A (antibiotics), B (bone manage), C (coverage), D (débridement).

표 25-1
Gustilo-Anderson grading system for open fracture

Grade	Explanation
I	최소한의 연부조직 손상과 오염으로 1 cm 이하의 깨끗한 상처가 존재
II	1 cm 이상의 중등도 연부조직 손상과 골절의 외부 노출 존재. 보통 10 cm 미만이며, 골막의 벗겨짐은 없음
IIIA	10 cm보다 큰 골절 상처이며 오염이 되고, 조직 손상도 심함. 하지만, 남은 피부로 골절 coverage 가능
IIIB	10 cm보다 큰 상처로, 오염과 손상이 심함. 골절을 cover하기 위해 혈액 순환이 좋은 flap coverage procedure가 필요
IIIC	Major artery 손상이 있어, 사지를 살리기 위해 혈관 처치가 필요한 개방성 골절

1) Tetanus 예방

파상풍(tetanus)에 대한 예방적 처치가 필수적이다. 현재의 우리 의료법 체계에서는 파상풍으로 환자가 사망하였을 경우, 예방적 처치를 하지 않은 치료자에게 책임을 물게 되어 있으므로, 주의하여야 한다.

2) 항생제 antibiotics 의 투여 (A)

개방성 골절 환자가 처음 진단을 받는 순간부터 조기에 '정맥' 항생제 투여가 권유된다. Wound에서 균을 동정하여 그에 맞게 투약하는 것이 아니라, 적극적으로 항생제를 투여하여 감염을 막자는 생각이다. 손상 당시 상황에 따라 혐기성 균에 대응하는 항생제가 추가적으로 처방되어야 하며, 이런 경우들은 거름 등을 쓰는 농장 손상(farm-yard injury), 잔디 깎기 손상(lawn-mower injury), human bite (animal bite) injury 등이 대표적이다.

3) 골 bone 고정 (B)

골절 부위를 고정하는 것은 환자의 고통을 줄이고, 수술 후 wound 관리에 있어 필수적인 요소이다. 최초 고정을 임시로 할 것인지, 확정적으로 할 것인지는 손상의 정도와 surgeon preference에 따라 결정할 문제이다. 주로 외고정기를 이용하는 것이 흔히 사용되나, 오염의 정도와 골절 부위의 위치에 따라 intramedullary nail이나 금속판을 이용하기도 한다. 하지만, 전신 상태가 좋지 않은 환자에게는 단순 부목이나 보조기 착용도 가능하다.

4) Wound Coverage (C)

골절된 뼈 단면이 피부 밖에 노출된 경우는, 골수염 발생 위험이 높기 때문에 긴급히 피복하여야 한다. 다행히, 골절 주위 연부 조직을 견인하여 단순 봉합이 가능한 경우에는 débridement과 세척을 하고, 임시 봉합을 응급실에서라도 시행한다. 하지만, 단순 봉합이 불가능한 상황에서는 wound를 깨끗이 하고, aseptic dressing material을 이용하여 상처를 덮어 외부의 더러운 환경으로부터 격리, 보호해야 한다. 이후로 wound dressing을 적절한 시간에 맞춰 교체하여 dressing 자체의 외부 오염균으로 인한 감염이 되지 않도록 주의한다.

5) 변연 절제술 Debridement (D)

오염된 조직과 정상 조직을 구분하여, 감염되고 괴사된 조직을 분리, 제거하여 감염이 발생되지 않도록 하는 아주 중요한 surgical procedure이다. 조직을 정확히 평가하기 위해 조명이 밝고, 깨끗하고, 장비가 구비된 수술실에서 시행하는 것이 좋으나, 너무 심한 오염과 조직 손상이 있는 상황에서는 응급실에서라도 조기에 시행할 필요도 있다. 이때는 조직 제거가 주된 과정이 아니고, 외부 오염물질(흙, 나무, 유리가루)들의 제거를 주로 하면 좋다.

6) 세척(irrigation)

Debridement 이후에 오염 조직들을 깨끗한 액체로 씻어 내는 과정이다. 오염 물질이 남아 있는 상태로 세척을 하게 되면 물의 압력에 의해 오염물이 더 깊은 곳으로 들어가 버릴 수 있기 때문에 철저한 debridement을 시행한 이후에 세척을 하는 것이 좋다. 그러므로, 얼마나 많은 양의 액체로 세척을 시행하였는냐가 중요한 것이 아니고, 얼마나 효율적으로 debridement을 하고 이를 씻어 냈는지가 더 중요하겠다.

3. 개방적 골절의 확정적 치료

1) Debridement와 세척

Debridement은 수술장에서 오랜 시간을 두고, 세심하게 진행하여야 한다. 표층에서 심부의 순서로 진행하며, 모든 손상 부위를 확인하면서, 오염 및 괴사된 조직들을 확인, 분리, 제거하여야 한다. 완벽한 절제에 의심이 되는 경우는 종료하고, 며칠이 경과 후 다시 시행하여, 감염이 없을 때까지 이 과정을 반복할 수도 있다.

2) 연부조직의 피복

단순 봉합으로 골절 부위가 닫히는 경우는 상관이 없지만, 결손된 연부조직으로 골절 부위가 노출된 경우의 손상에서는, 건강한 연부조직을 채취하여 덮어주는 flap procedure가 필요하다. 이 과정이 성공하여야 골 고정 과정으로 진행하기 때문에, 중요한 과정이다(그림 25-2).

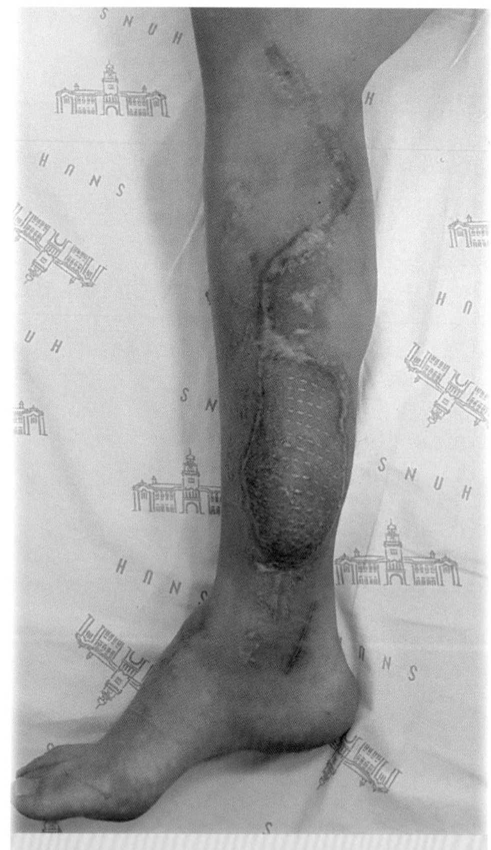

그림 25-2
Open fracture의 상처는 적절한 soft tissue coverage를 하여야 한다. 그림 25-1의 환자로, 근위부 경골의 내측에 있는 연부 조직을 이용하여 상처를 덮을 수 있었다.

3) 골절 고정(그림 25-3)

연부조직이 골절 부위를 잘 덮고 있고, 골절 부위에 감염이 없다고 판단될 때, 골절 고정을 하는 것이 일반적이다. 고정은 일반 골절 손상에서와같이 mechanical stability를 얻도록 시행된다.

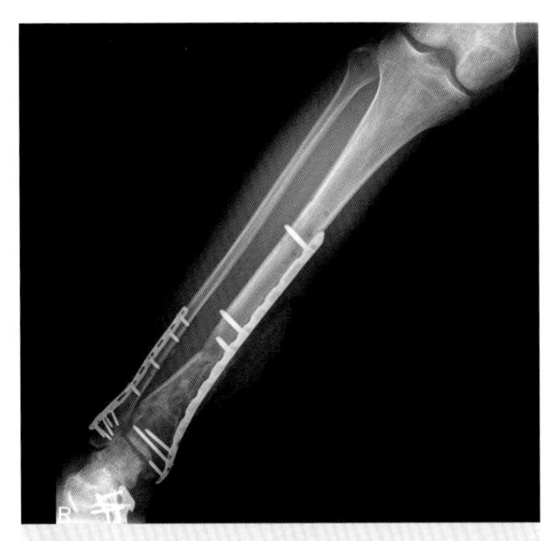

그림 25-3
개방성 골절은 high energy 손상이기 때문에 연부조직 뿐 아니라 골조직의 손실도 발생한다. 이런 경우에는 단순 골 고정뿐만 아니라 결손 골 조직의 복원도 필요해진다. 다양한 방법의 골조직 재건이 가능하나, 흔한 방법으로는 자가골 이식 방법을 사용한다. 그림 25-1의 환자로, 원위 경골의 골 결손에 대해 자가골이식 후 내측 금속판으로 고정하였다.

4) 항생제 처치와 Wound management

모든 처치가 성공적으로 종료하여도, 나중에 감염이 발생할 수 있기 때문에 몇 주에 걸쳐 정맥 항생제를 지속적으로 투약하는 경우가 있다. 또한 수술 후 상처에서 문제가 발생하기 때문에 상처에 대한 관찰, 처치 및 정기적인 치료가 필요하다.

5) 정신과적 처치

개방성 골절은 일반 단순 골절에 비해 high energe injury가 많다. 추락이나, 기계에 의한 손상, 교통 사고 등에서와 같이 피해자가 극심한 고통의 순간을 기억하고 있는 경우가 많기 때문에, 정신적으로 심한 충격을 받는다. 따라서, 외상후 스트레스 질환 post-trauma stress disorder에 대한 정신과적 상담 및 진료가 필요한 경우가 많다.

참고문헌

1. 대한골절학회. 골절학 제2판. 범문에듀케이션. 2018.
2. 대한정형외과학회. 정형외과학 제8판. 최신의학사. 2020.
3. P Tornetta, WM Ricci, RF Ostrum, MM McQueen, MD McKee, CM Court-Brown. Rockwood and Green's Fractures in Adults. 9th ed, Wolters Kluwer, 2019.
4. Y Chang, SA Kennedy, M Bhandari, LC Lopes, CC Bergamaschi et al. Effects of antibiotic prophylaxis in patients with open fracture of the extremities: a systematic review of randomized controlled trials. J Bone Joint Surg, 3(6):1-12, 2015.
5. H Hayakawa, DJ Aldington, RA Moore. Acute traumatic compartment syndrome: a systematic review of results of fasciotomy. Trauma, 11:5-35, 2009.
6. GH Yim, JT Hardwicke. The evolution and interpretation of the Gustilo and Anderson classification. J Bone Joint Surg., 100(24): e152, 2018.
7. JJ Jauregui, SJ Yarmis, J Tsai, KO Onuoha, E Illical et al. Fasciotomy closure techniques: A meta-analysis. J Orhop Surg, 25(1): 1-8, 2017.
8. ML Schenker, S Yannascoli, KD Baldwin, J Ahn, M Samir. Does Timing to Operative Debridement Affect Infectious Complications in Open Long-Bone Fractures? A Systematic Review. J Bone Joint Surg, 94(12): 1057-1064, 2012.

소아 골절의 치료

Treatment of Pediatric Fracture

1. 소아 골절의 특징

소아의 뼈는 형태적, 생역학적 특성이 성인의 골과 상이하며 치료법에도 차이가 있다. 장골의 양단에는 골단판(growth plate, epiphyseal plate)이 존재하며 골단판에서 골절이 일어나면 약 15~20%에서 성장장애(growth disturbance)가 발생할 수 있다. 또한 소아의 뼈는 다공성(porous)이면서 무기질이 적어서 비교적 작은 힘에도 골절이 발생할 수 있으나 두꺼운 골막 때문에 성인에 비해 외력에 대하여 탄성력이 크고 특징적인 골절 양상을 보이게 된다. 또한 재형성 능력이 뛰어나, 골절의 치유기간이 짧다. 이처럼 소아의 해부학적인 구조, 골 성장, 손상 후의 회복이 성인과 어떻게 다른지 이해하는 것은 치료 계획을 세우는데 필수적인 요소이다.

1) 골단판 골절

골단판 골절(physeal fracture)은 전체 소아 골절의 약 15% 정도를 차지한다. 여러 분류 중 Salter–Harris 분류가 가장 널리 사용된다(그림 26-1). 골단의 골화가 없거나 미약하고 골단판의 undulation이 적은 유아기에는 Salter–Harris I형 골절이 상대적으로 더 흔한데, 이 경우 단순 방사선 검사상 관절의 탈구로 오진할 수 있어 주의해야 한다(그림 26-2). I형 골절과 II형 골절의 경우 골절면이 골단판의 비후대(hypertrophic zone)를 지나가는 경우가 많아 이러한 경우에는 성장 장애 후유증이 발생하

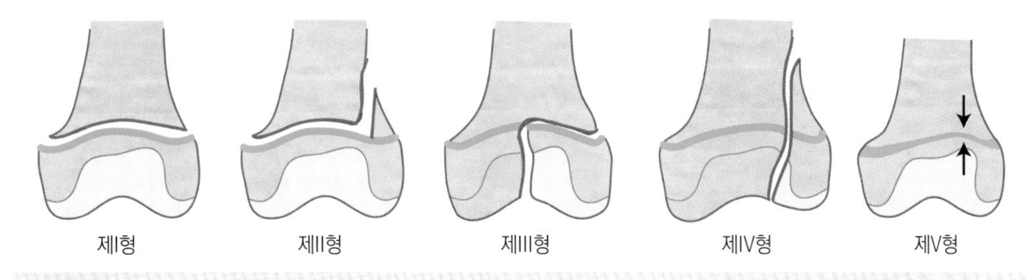

그림 26-1
골단판 골절에 대한 Salter-Harris 분류

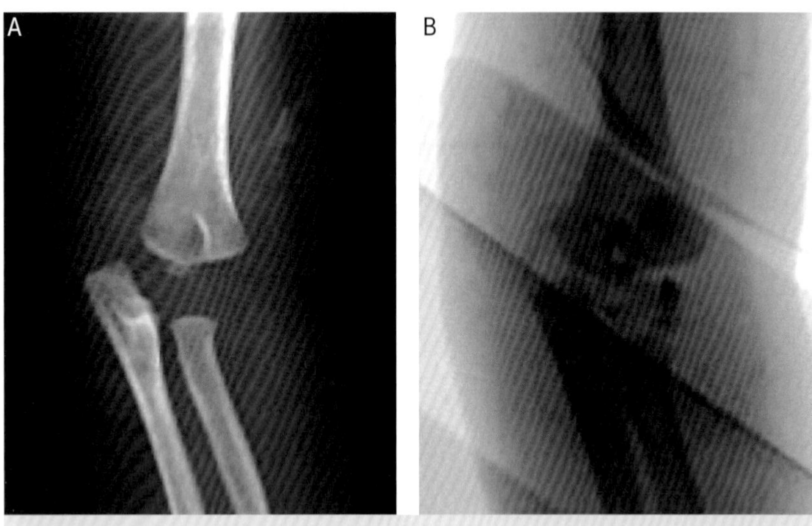

그림 26-2
A. 15개월 여아의 좌측 humerus 원위부의 전위된 Salter-Harris 제I형 골단판 골절. Elbow joint 탈구로 오인될 수 있으나 소두(capitellum)와 radial head의 상관 관계가 유지되고 있어 탈구가 아니며, humerus과 radio-ulna의 정렬이 유지되면서 소두만 전위된 것이 아니므로 상완골 외과 골절이 아님을 알 수 있다.
B. 관절 조영술상 전위된 골단 부위가 잘 관찰된다.

지 않을 수 있다. 하지만 골간단 골편이 골단판에 압궤 손상을 주는 경우나 대퇴골 원위부처럼 골단판의 undulation이 많은 부위에서는 I형 또는 II형 골절에서도 성장 정지가 발생할 수 있다. III형과 IV형 골절은 관절 내 골절인데다가 골편이 전위된 상태로 치유되면 관절면의 부조화가 생기고 부분 성장 정지가 초래될 가능성이 크며 특히 IV형 골절은 골절선이 골단판의 모든 세포층을 통과하여 지나가므로 예후가 좋지 않다. 그러므로, III형과 IV형 골절에서는 정확한 해부학적 정복술을 시행하는 것이 원칙이다. V형 골절은 압궤 손상(crushing injury)으로 인하여 골단판 성장 정지가 발생하는 것으로, 압박력에 의한 물리적 손상보다는 혈행 차단에 의한 골단판 성장 장애로 추정하고 있다. 골단판 골절이 발생한 경우에는 최대한 빠른 시간 내에 도수 정복을 시도하되 추가적인 손상이 가해지지 않도록 부드러운 힘으로 조심스럽게 시행하는 것이 중요하다. 잘 정복된 골절도 시간이 경과하면서 다시 정복이 소실되는 경우가 있는데, 골절 후 7~10일이 경과하면 골절 부위의 치유가 상당한 정도로 진행하여 골절편을 재정복 시키기가 어렵고 무리하게 재정복을 시도하는 것은 오히려 골단판에 의인성 손상을 줄 우려가 있으므로, I형과 II형 골절인 경우에는 정복이 만족스럽지 않더라도 현재의 상태를 받아들이고 추후 재형성이 되기를 기다렸다가 재형성이 만족스럽지 못한 경우에 수술적 교정을 고려하는 것이 더 나은 선택인 경우가 많다(그림 26-3). 그러나, III형과 IV형 골절인 경우에 관절면의 해부학적 정복이 더 중요하다고 판단되는 경우에는 지연된 골절에서도 관혈적 정복을 시도하기도 한다. 골절 부위가 치유되면서 골단과 골간단을 연결하는 골성 조직이 생길 수 있다. 이를 골가교 또는 골교(bone bridge, physeal bar)라고 부르며 주위 정상 골단판의 성장을 방해하고 결박하는 역할을 하여 그 크기와 위치에 따라 여러 후유증을 초래한다. 골단판 전체의 기능이 저하되면 사지 단축이 발생하고 일부분에 골교가 형성되면 약간의 단축과 함께 각변형 또는 관절면 부조화가 발생한다. 특히 관절면 부조화가 발생하는 경우에는 치료하기 어려우므로 조기에 잔여 골단판을 유합하여 변형의 진행을 정지시킨 후 단축과 각변형에 대한 치료를 시행하는 것이 나은 경우가 많다. 골단축에 대해서는 단축된 사지에 대해서 급성 또는 점진적인 신연술을 시행하거나 긴쪽 사지에 대한 단축술 또는 골단판 유합술(epiphysiodesis) 등을 시행하여 치료할 수 있다. 각변형에 대해서는 교정 절골술(corrective osteotomy)을 시행하거나 특히 사지 단축이 동반된 경우 신연골 형성술의 원리를 이용한 점진적 교정술을 시행할 수 있다. 골교의 크기가 크지 않고 성장이 충분히 남은 소아에서는 부분 성장 장애로 인한 합병증이 현저해지기 전에 골교를 절제하고 절제 부위에 골교의 재형성을 막기 위해 지방 조직이나 다른 이식물을 삽입하는 술식을 시행하기도 한다(그림 26-4).

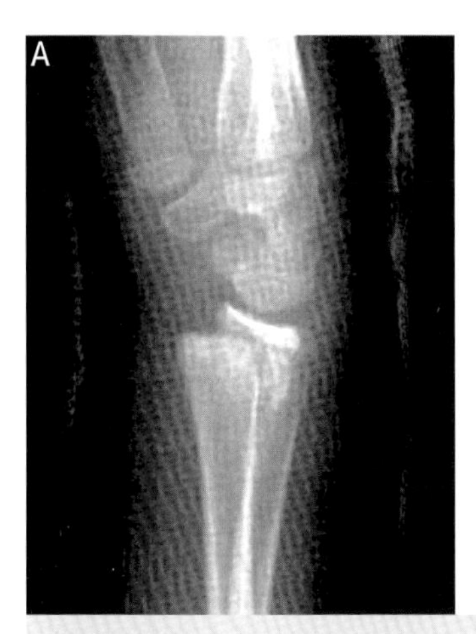

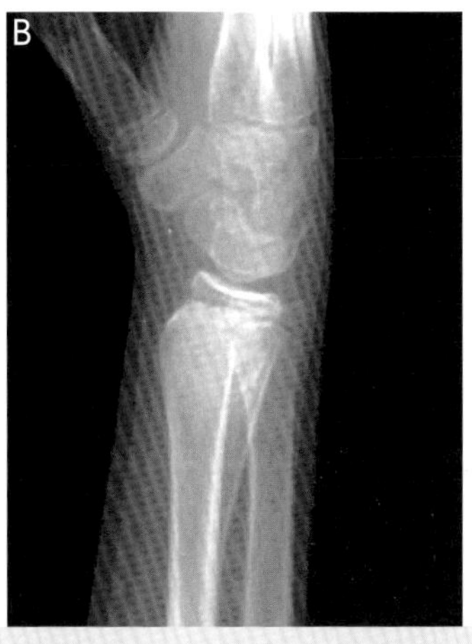

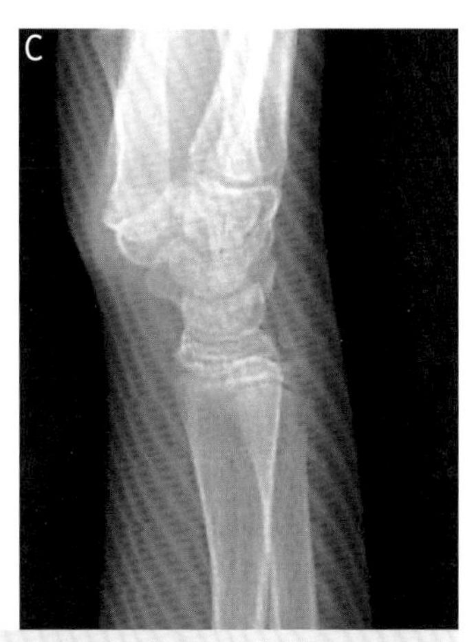

그림 26-3

A. 13세 남아의 원위 요골 Salter-Harris 제II형 골절. 골절 후 정복을 하였으나 2주 후 촬영한 사진에서 후방으로 전위되어 있다.

B. 6주 후 추시 사진으로 재형성이 진행되어 전방의 골간단부가 흡수되고 후방 골막 부위에서 신생골이 형성되고 있다.

C. 2년 3개월 추시 사진으로 완전한 재형성이 이루어졌다.

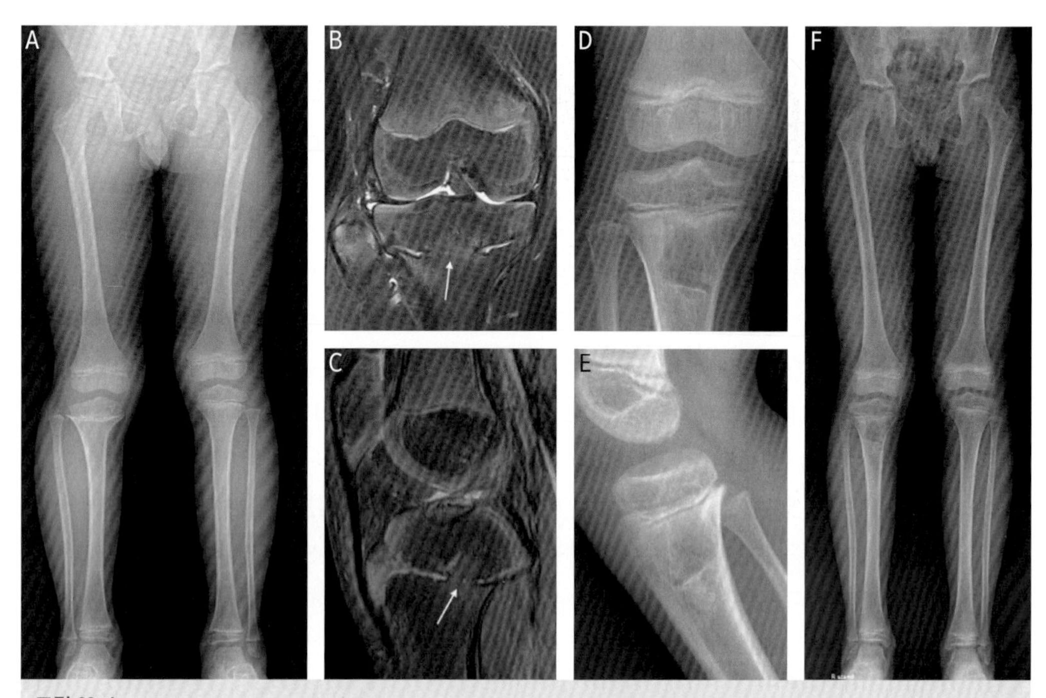

그림 26-4
타 병원에서 근위 경골 골절에 대해 비관혈적 정복술 및 핀고정술 시행 받은 7세 남아. 방사선 사진에서 우측 하지가 1.5 cm 짧은 하지 부동이 있으며(A), MRI에서 근위 경골 골단판의 중심성 골교(화살표)가 관찰된다(B, C). 이에 대해 골가교 절제술 및 골왁스 삽입술을 시행하였다. 수술 3년 후 골가교는 완전히 제거되었으며(D, E) 우측 하지는 정상적으로 성장하고 있다(F).

2) 융기 골절

소아의 골간단 부위는 주로 해면골로 구성되어 있으며 뼈 회전율이 상대적으로 더 높다. 또한 피질은 골 간부에 비하여 더 얇고 다공성이며, 피질을 관통하는 섬유 혈관 연조직이 골수와 골막하 영역을 연결하고 있다. 반면에 골막은 골간에 비해 두껍고 질겨서 이 부위에 압박력이 가해지면 완전히 골절되기보다는 피질골이 융기되는 형태의 불완전 골절인 융기 골절(torus fracture or buckle fracture)이 발생할 수 있다. 이는 가장 흔히 소아의 원위 요골에서 발생하며 기본적으로 압박골절(compression fracture)의 한 형태이기 때문에 안정적이다(그림 26-5).

3) 소성 변형

소아의 골은 탄력성이 크고 골막이 두껍고 질기다. 외력이 작용하면 골절이 발생하기 전에 골의 변형이 진행되다가 골절을 일으킬 정도의 힘이 아닌 경우 외력이 사라지면 변형이 회복되지 못하고 남게 되는데 이를 소성 변형(plastic deformation)이라고 부른다.

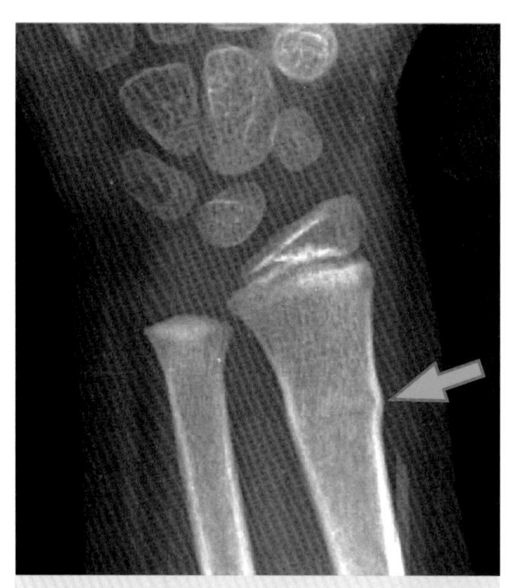

그림 26-5
6세 여아의 원위 요골의 torus 골절

4) 녹색 줄기 골절

골막이 두껍고 질긴 소아 골의 특성으로 인해 신연력이 가해지는 피질골의 한쪽 면만 골절되고 압박력이 가해지는 반대쪽은 남아 불완전 골절이 발생할 수 있다. 이를 녹색 줄기 골절(greenstick fracture)이라고 하며 정복을 위해서는 완전 골절로 전환하여 교정해야 하는 경우도 있다.

5) 견열 골절

나이가 어린 소아는 건과 인대가 관절 주위의 골, 골단판 연골 및 관절 연골보다 상대적으로 강하여 건과 인대의 직접 손상 및 탈구보다 견열 골절(avulsion fracture)이 일어나기 쉽다. 소아 슬관절에서 전방 십자 인대의 파열보다 경골 과간융기 골절(tibial eminence fracture)이 더 흔한 것이 예이다. 연골편만 견열된 경우에는 단순 방사선 검사에서 골절편이 관찰되지 않으므로 주의하여야 한다(그림 26-6).

6) 골절 후 과성장

과성장의 기전은 골절 후 골간단, 골단판, 골단으로의 혈행 증가가 원인인 것으로 알려져 있다. 또한 적어도 실험적으로는, 장골의 성장을 억제하는 골막의 파열도 골절 후 과성장의 가능한 기전으로 추정된다. 이러한 이유로 손상받은 쪽의 뼈의 길이가 반대측에 비해 더 길어질 수 있는데 특히 대퇴골이나 경골 골절 후의 과성장은 다리 길이 차이로 인한 파행을 유발할 수 있다(그림 26-7). 이를 피하기 위해 보존적 치료 시 뼈를 중첩시켜 길이를 짧게 하는 총검형 접촉(bayonet apposition)을 시행하는 경우도 있지만 과성장의 정도를 정확하게 예측하기는 어렵다. 대칭적 과성장과 함께 비대칭적 과성장도 생길 수 있는데, 경골 근위부 골절 후 내측의 과성장이 외상 후 외반슬(post-traumatic genu valgum)의 원인 중 하나로 추정되고 있다.

7) 골절 후 재형성

소아는 골절 후 재형성되는 능력이 성인보다 뛰어나다. 재형성은 나이가 어릴수록, 골절이 골단판에 인접한 경우, 인접한 골단판의 성장기여 정도가 클수록, 그리고 각변형의 방향이 관절 운동 방향과 같은 경우에 더 잘 일어난다.

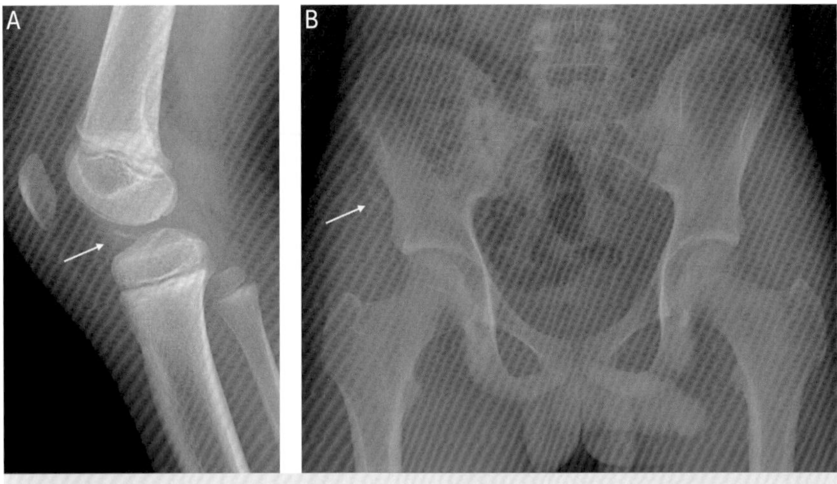

그림 26-6
A. 9세 남아에서 발생한 좌측 슬관절 경골 과간융기 견열 골절
B. 14세 환아에서 발생한 우측 골반의 봉공근(sartorius) 견열 골절

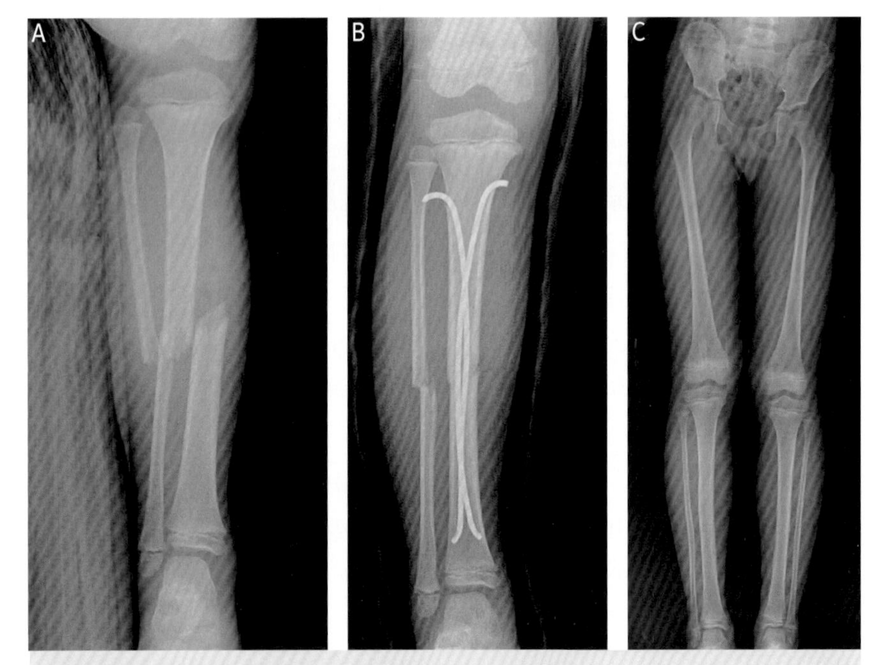

그림 26-7
A. 보행자 교통사고로 7세 남아에서 발생한 경비골 간부 골절
B. 비관혈적 정복술 및 유연성 골수정을 사용한 내고정술을 시행하였다.
C. 수술 후 1년 3개월 째에 과성장으로 인한 하지 부동을 보이고 있다.

2. 상완골 과상부 골절

상완골 과상부 골절(supracondylar fracture of the humerus)은 소아 팔꿈치 주위 골절 중 가장 흔하다. 상완골의 과상부 부위는 앞쪽으로 coronoid fossa, 뒤쪽으로 olecranon fossa로 되어 있어 얇으므로 외력에 취약하여 골절이 발생하기 쉬우며 완전 골절인 경우 비수술적 방법으로 안정적인 정복을 유지하기가 쉽지 않다. 대부분의 골절은 팔을 뻗친 상태에서 넘어지면서 손을 짚어 주관절이 신전 및 회전력을 받아 골절되는 신전형(extension type)이며, 드물게 주관절 굴곡 상태에서 후면을 땅에 부딪치면서 골절되는 굴곡형(flexion type) 골절도 발생한다.

1) 응급 조치

가장 먼저 혈액 순환 상태를 파악하여야 한다. finger와 hand가 창백하고 finger tip의 모세 혈류감소 소견이 나타나면 급히 도수 정복을 시도하고 정복 후에도 호전되지 않으면 탐색술(exploration)을 시행하면서 골절 주위의 혈관 상태에 따라 적절한 치료를 시행하여야 한다. 골절편이 후외방으로 전위된 경우에는 전내방으로 전위된 근위 골절면의 골극이 brachial artery와 함께 median nerve 및 anterior interosseous nerve를 압박할 수 있고, 골절편이 후내방으로 전위된 경우에는 전외방으로 전위된 근위 골절편이 radial nerve를 압박할 수 있다. 굴곡형 골절에서는 ulnar nerve 손상이 동반될 수 있어 이들에 대한 신경학적 검사를 시행하여야 한다. 방사선 사진에서 골절면의 전위가 심하거나 팔꿈치 전면 피부에 반상 출혈 및 감입된 주름이 있으면(pucker sign) 부드럽게 도수 견인하여 전위를 줄인 후 부목 고정을 시행하며, 골절편의 전위가 심하지 않다면 굳이 견인 및 정복 시도를 하지 않고 부목 고정을 시행한다.

2) 수술적 치료

완전 골절로 전이가 있거나 불완전 골절이라도 과도한 elbow flexion position에서만 정복이 유지되는 골절은 수술적 치료를 시행한다. 거의 대부분의 경우에서 도수 정복 및 경피적 핀삽입술(closed reduction and percutaneous pinning)로 치료할 수 있다(그림 26-8). 핀은 외측에서만 삽입하는 방법, 교차 삽입하는 방법 등이 있으며 골절면의 분쇄 여부, 골절선의 방향 등을 고려하여 결정하는 것이 권장된다. 3~4주 후 석고붕대를 제거한 후에는 능동적 주관절 운동을 허용하며 보호자의 부드러운 수동적 보조만으로도 쉽게 운동 범위를 회복하는 경우가 대부분이다.

3) 합병증

교차 삽입 시에 내측으로 삽입한 핀에 의한 의인성 척골 신경 손상(iatrogenic ulnar nerve injury)과 내반주(cubitus varus), 신전 각변형(extension angular deformity) 등의 부정유합이 발생할 수 있다. 다른 드문 합병증으로 brachial artery 손상으로 인한 구획 증후군(compartment syndrome) 또는 Volkmann씨 허혈(ischemia), 신경 손상 및 화골성 근염(myositis ossificans) 등이 있다.

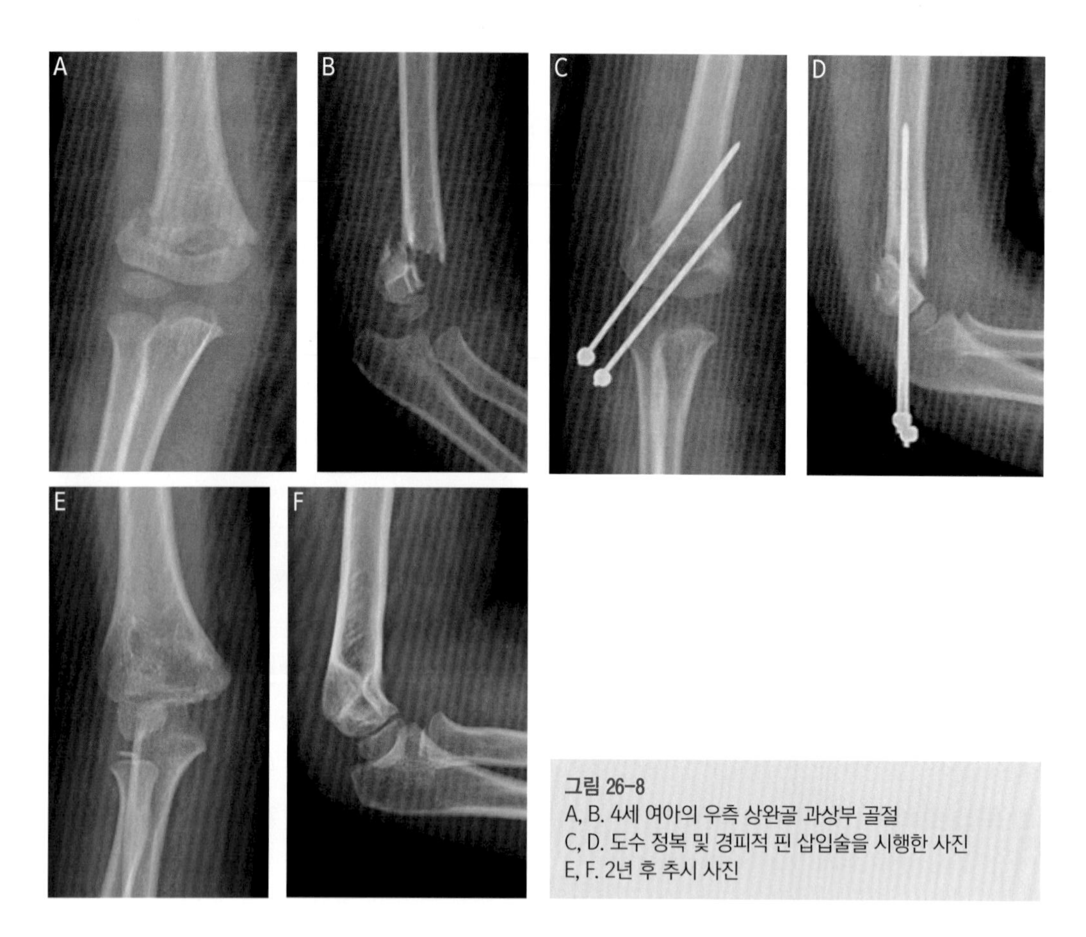

그림 26-8
A, B. 4세 여아의 우측 상완골 과상부 골절
C, D. 도수 정복 및 경피적 핀 삽입술을 시행한 사진
E, F. 2년 후 추시 사진

참고문헌

1. 대한골절학회. 골절학 제2판. 범문에듀케이션. 2018.
2. 대한정형외과학회. 정형외과학 제8판. 최신의학사. 2020.
3. 최인호, 정진엽, 조태준, 유원준, 박문석. 이덕용 소아정형외과학 제4판. 군자출판사. 2014.
4. PM Walters, DL Skaggs, JM Flynn. Rockwood and Wilkins' Fractures in Children. 9th ed, Wolters Kluwer, 2019.
5. RT Migita, EJ Klein, MM Garrison. Sedation and analgesia for pediatric fracture reduction in the emergency department: a systematic review. Arch Pediatr Adolesc Med, 160(1): 46-51, 2006.
6. KE Wilkins. Principles of fracture remodeling in children. Injury, 36(1): S3-S11, 2005.
7. K Mulpuri, K Wilkins. The Treatment of Displaced Supracondylar Humerus Fractures. Evidence-based Guideline. J Pediatr Orthop. 32(2): S143-S152, 2012.
8. XN Zhang, JP Yang, Z Wang, Y Qi, XH Meng et al. A systematic review and meta-analysis of two different managements for supracondylar humeral fractures in children. J Orhop Sur Res, 13: 1-9, 2018.

고령 환자의 골절

Fracture of Old Patients

1. 고령 환자의 특징

의학 발전으로 인한 평균 수명의 연장으로 의학 전반적인 영역에 걸쳐 고령 환자가 증가하고 있다. 고령 환자는 연령의 증가에 따른 노화와 관련된 여러 생리적인 변화가 일어나게 된다. 여성의 경우 나이가 들면서 발생하는 폐경 과정에서 에스트로젠 결핍이 발생하고 이로 인하여 파골세포가 활성화되어 골흡수가 증가하고 골다공증이 발생할 수 있다. 이외에도 남녀 모두 노인의 경우 흡수장애로 인한 영양 결핍, 활동 감소로 인한 불용성(disuse) 변화, 골모세포의 이상으로 골형성이 감소하고 이로 인하여 골다공증이 발생할 수 있다. 이로 인하여 골의 미세 구조에 이상이 생겨 골 자체가 충격에 취약해진다. 또한 연령의 증가에 따라 근육량 및 근력이 감소하여 근감소증(sarcopenia)이 나타나고, 균형 및 평형능력의 장애, 청력 및 시력의 감퇴, 인지기능의 저하 등으로 낙상의 위험이 증가한다. 낙상 위험의 증가와 골의 구조 변화로 인하여 고령 환자에서는 골절의 위험도가 증가한다.

2. 고령 환자에서 발생하는 골절의 특징

이러한 고령 환자에서의 골절은 서있는 정도의 높이에서 살짝 넘어지는 정도의 작은 충격으로도 골절이 생길 수 있다. 이렇게 저에너지 외상(low-energy trauma)으로 발생하는 골절을 취약 골절(fragility fracture)이라고 한다. 또한 대부분 골다공증으로 인해 골량이 감소하고 미세구조에 이상이 생겨 충격에 취약해지면서 발생하게 된다. 이러한 골다공증과 관련된 골절을 골다공증성 골절(osteoporotic fracture)이라고 한다. 이러한 골다공증성 골절은 주로 vertebral body (척추체)나 long bone (장골)의 metaphysis (골간단부)와 같이 해면골의 비율이 높은 뼈에서 발생하며, long bone에서는 proximal femur, distal radius가 대표적이며 proximal humerus 및 distal humerus에도 발생할 수 있다. 이러한 골절은 분쇄(comminution)가 심하고 관절 주변 골절의 경우 관절 내 골절이 많으며 감입(impaction)되어 정복이 어려운 경우가 많다. 척추 골절의 경우 노인성 골다골증 환자에서 가장 많이 발생하며 추가적인 골절 발생에 대한 예측 인자가 된다. 또한 허리의 통증, 척추 후만증(kyphosis) 등을 동반하며 삶의 질을 감소시키고 장기적으로 폐기능 저하를 초래할 수 있어 사망률을 증가시킬 수 있다. 고관절 골절(hip fracture)은 femoral neck fracture (대퇴경부골절) 및 intertrochanteric fracture (전자간 골절)을 일컬으며 내과적, 마취과적으로 수술이 불가능하지 않은 대부분의 경우 반드시 수술을 요한다. 골절 후 침상 안정으로 인한 욕창, 폐색전증, 폐렴, 비뇨기계 감염 등의 합병증이 증가하며 이로 인하여 같은 나이의 정상인에 비하여 사망률이 증가한다. 또한 골절이 치유된다 하여도 수술 전의 보행 능력을 회복하지 못하는 경우가 흔하며 이후 독립적인 보행 및 생활이 어려울 수 있다. 상지의 골절은 적절하게 치료되지 않을 경우에 근력 저하나 만성적인 통증과 같은 기능의 저하를 초래하여 삶의 질을 저하시킬 수 있다.

3. 고령 환자의 골절 예방

고령 환자의 골절의 경우 발생하게 되면 합병증 가능성이 높고 사망률이 증가하기 때문에 이에 대한 예방이 필수적이다. 고령 환자의 골절 예방을 위해서는 우선 골다공증에 대한 진단 및 치료, 예방이 중요하다. 적절한 식이요법을 통하여 비타민 D 및 칼슘을 보충하여야 하며, 적당한 운동으로 골소실을 예방하여야 한다. 또한 골밀도 검사를 통하여 조기에 골다공증을 진단하고 필요시 적절한 약물 치료를 시행하여야 한다. 이외에도 골절의 주요한 원인인 낙상을 예방하는 것이 중요하며, 이를 위하여 적절한 운동을 시행하는 것이 좋다. 또한, 노인들의 경우 동반된 기저질환이 있는 경우가 많은데 이에 대한 치료를 위하여 사용되는 여러 약물 중에서 낙상의 위험성을 증가시킬 수 있는 약물들이 있을 수 있으므로 처방시에 유의가 필요하다.

4. 고령 환자에서 발생하는 골절의 치료

고령 환자의 골다공증과 관련된 골절의 경우, 골다공증으로 인하여 골절의 정복이 어려우며, 견고한 금속 내고정을 얻기가 어려운 특징을 가지고 있으며 수술 후에도 안정적인 고정을 얻기 어려워 골절 부위의 붕괴 및 고정의 소실 등으로 인한 재수술의 가능성이 높다. 이를 예방하기 위하여 적절한 삽입물의 선택 및 수술 술기가 매우 중요하다. Locking plate의 경우 screw의 head가 plate에 locking되므로 골질이 좋지 않은 골에서 screw가 빠져나오는 것을 예방할 수 있으며 수술 후 압박과 각변형에 안정성을 줄 수 있어 골다공증성 골절의 치료에 유리하다(그림 27-1). 골다공증성 골절이라 하더라도 일차적으로는 골절의 정복 및 내고정이 원칙이나, 전위된 femoral neck fracture나 분쇄 및 전위가 심한 proximal humerus fracture의 경우 일차적인 골유합을 얻기 어렵고 무혈성 괴사의 발생 가능이 있어

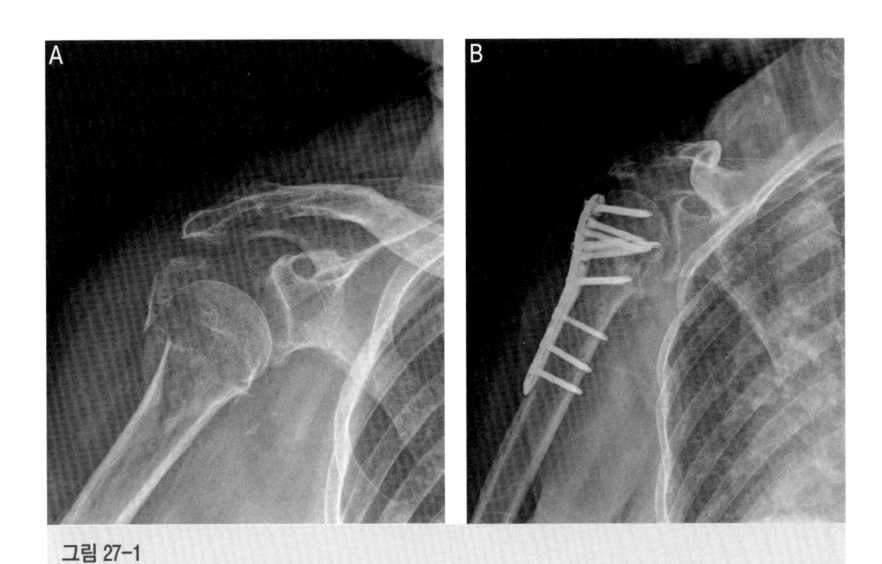

그림 27-1
A. Proximal humerus에 발생한 골절로 골다공증 소견 및 분쇄 골절 소견 관찰된다.
B. Locking plate를 이용한 관혈적 정복술 및 금속 내고정술로 치료 후 골유합을 얻었다.

일차적으로 인공관절수술을 시행하는 경우도 있다(그림 27-2). 분쇄가 심한 distal humerus fracture의 경우에도 일차적인 골유합을 얻기 어려울 것으로 예상되는 경우 인공관절 수술이 시행되기도 한다. 척추 골절의 경우 불안정성 골절은 내고정이 필요하며 신경학적 증상이 있는 경우 감압술을 고려할 수 있다. 신경학적 합병증이 없는 안정성 골절의 경우 보존적 치료가 우선적으로 시행되나 심한 통증이 지속되며 보조기 착용하에도 보행이 어려운 경우는 척추성형술(vertebroplasty) 등 비침습적 치료를 시행하기도 한다. 척추성형술을 통하여 골절 부위에 골시멘트를 주입하여 골절을 안정화시켜 통증을 감소시킬 수 있다(그림 27-3).

5. 고령 환자의 수술 전후 관리

노인 환자의 경우 신체 각 기관의 기능이 저하되어 있으며 만성적인 질환이 동반된 경우가 많고, 체내 항상성 유지 기능이 떨어지기 때문에 수술 및 마취 시에 사망률 및 합병증의 발생이 증가할 수 있다. 따라서 수술 전 정확한 병력청취, 적절한 평가 및 필요시 타 진료과와의 협진이 필수적이다. 또한 수술 후에도 혈역학적으로 불안정하여 심혈관계 합병증 발생의 가능성이 높고, 거동 제한으로 인한 호흡기계 및 비뇨기계 합병증의 가능성이 높으며, 또한 뇌졸중 및 섬망 등 신경계 합병증의 발생 가능성이 높으므로 세심한 관리가 필요하다.

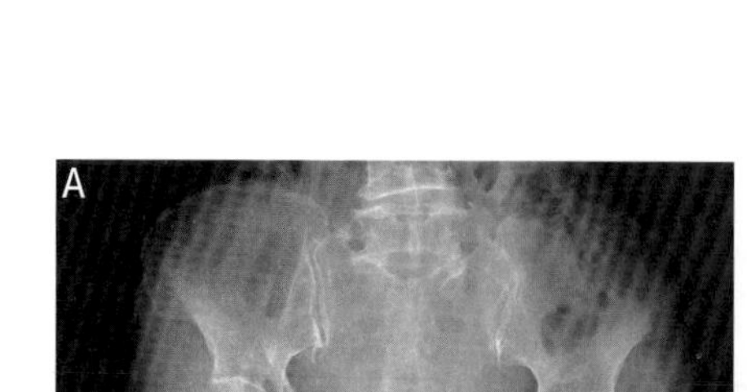

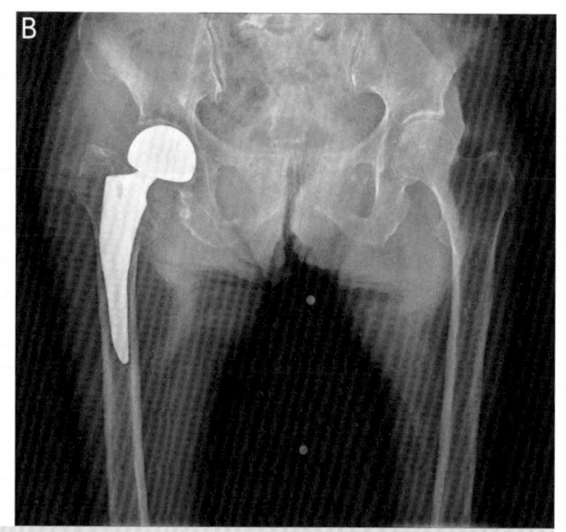

그림 27-2
A. 82세 여자 환자에서 femoral ncek fracture가 발생하였다. 수상 당시 DEXA 검사상 T-score가 -4.6으로 심한 골다공증 소견 관찰되었다.
B. 전위가 심하고 고령이어서 일차적으로 bipolar hemiarthroplasty를 시행하였다.

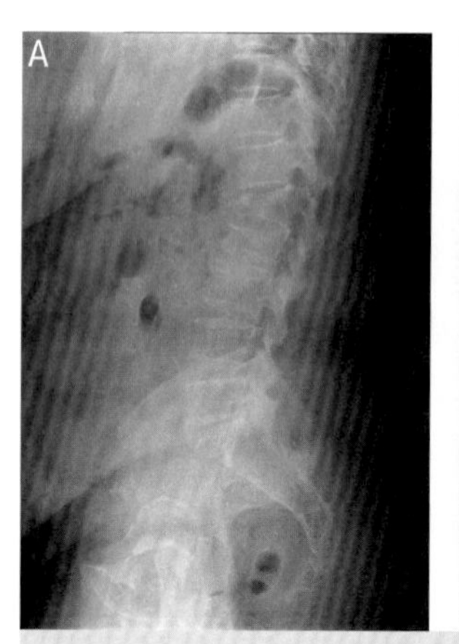

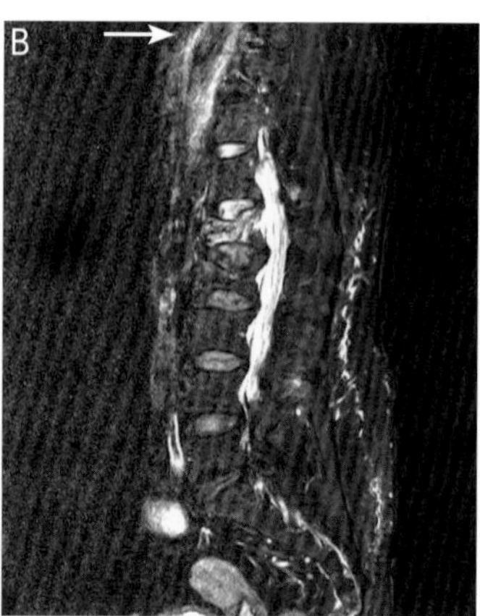

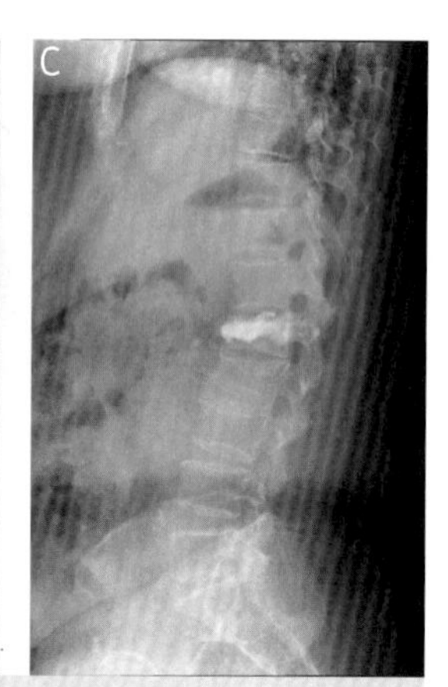

그림 27-3
A. 제1요추체(화살촉)에 발생한 압박 골절의 단순 방사선 사진
B. MRI T2 영상 소견상 높은 신호 강도의 골수 부종 소견(bone marrow edema, 화살표)이 관찰되어 급성 골절임을 확인할 수 있다.
C. 추체성형술(vertebroplasty) 시행 후 단순 방사선 사진

참고문헌

1. 대한골절학회. 골절학 제2판. 범문에듀케이션. 2018.
2. 대한정형외과학회. 정형외과학 제8판. 최신의학사. 2020.
3. P Tornetta, WM Ricci, RF Ostrum, MM McQueen, MD McKee, CM Court-Brown. Rockwood and Green's Fractures in Adults. 9th ed, Wolters Kluwer, 2019.
4. M Butler, ML Forte, SB Joglekar, MF Swiontkowski, R Kane. Evidence Summary: Systematic Review of Surgical Treatments for Geriatric Hip Fractures. J Bone Joint Surg, 93(12): 1104-1115, 2011.
5. JN Patel, DS Klein, S Sreekumar, FA Liporace, RS Yoon, Outcomes in Multidisciplinary Team-based Approach in Geriatric Hip Fracture Care: A Systematic Review. J Am Acad Orthop Surg, 28(3): 128-133, 2020.
6. T Tsuda. Epidemiology of fragility fractures and fall prevention in the elderly: a systematic review of the literature. Curr Orthop Pract, 28(6): 580-585, 2017.
7. CLP van de Ree, MAC De Jongh. CMM Peeters, JA Roukema, T Gosens. Hip fractures in elderly people: surgery or no surgery? A systematic review and meta-analysis. Geriatr Orthop Surg Rehabil, 8(3): 173-180, 2017.
8. TL Janssen, AR Alberts, L Hooft, FUS Mattace-Raso, CA Mosk, L van der Laan. Prevention of postoperative delirium in elderly patients planned for elective surgery: systematic review and meta-analysis. Clin Interv Aging, 14: 1095-1117, 2019.

복합 손상

Multiple Injuries

복합 손상(multiple injury)의 정의는 해부학적으로는 injury severity score (ISS) 15점 이상이거나 두 장기 이상에서 abbreviated injury score (AIS) 2점 이상을 말한다. 생리적으로는 두 장기 이상의 다발성 외상에 의한 tissue hypoxia, acidosis, hypothermia의 lethal triad의 위기에 처한 환자를 말한다.

1. 다발성 손상 환자의 평가 및 치료

환자가 내원하였을 때 의료진은 일차 평가를 통하여 생명을 위협할 수 있는 심각한 손상을 확인하고 이에 대한 소생술을 시행한다. 이 단계에서는 모든 손상을 다 확인하는 것이 아닌, 짧은 시간 내에 생명을 위협할 수 있는 손상의 유무를 A-B-C-D-E의 순서로 확인한다(표 28-1). 정형외과적으로는 환자의 고정대를 풀지 않은 상태에서 C-spine lateral, Chest AP, Pelvis AP를 촬영하여 spine, pelvis의 손상 유무를 확인한다. 최근에는 Trauma CT로 머리부터 골반까지의 영역을 빠르게 확인하는 방법도 있다.

외상 환자의 약 40%는 출혈로 인하여 사망한다. 복합 손상 환자에게서 생명을 위협할 수 있는 출혈에 대한 확인과 대처는 가장 초기에 이루어져야 한다. 다발성 손상 환자가 응급실로 도착하면 즉시 crystalloid fluid를 정주하고 blood matching을 통하여 수혈을 준비한다. 피 검사는 결과가 나오는데 시간이 걸릴 뿐 아니라 실혈량에 대한 반영이 느리므로, 환자의 손상의 메커니즘과 임상 증상에

표 28-1
다발성 손상 환자에 대한 평가 순서 원칙

A	Airway maintenance with cervical spine protection
B	Breathing and ventilation
C	Circulation with hemorrhage control
D	Disability: Brief neurologic evaluation
E	Exposure with environmental control (protection from hypothermia)

맞추어 수액 투여가 신속하게 시작되어야 한다(표 28-2). 저혈량성 외상 환자의 초기 수액 치료로는 crystalloid solution가 좋으며 250 mL 가량의 신속 투여 후 환자의 반응에 따라 출혈에 대한 추가적인 치료를 시행한다(표 28-3). 다발성 손상 환자의 수혈 치료에 있어 Hb 목표 수치는 7~10 g/dl 정도로 하는 것을 추천한다. 또한 손상 후 혈액 응고 장애에 대한 초기 치료로서 신선 동결 혈장(FFP)을 사용할 수 있는데, 신선 동결 혈장과 적혈구 수혈의 비율은 1:2에서 1:3 사이로 하는 것이 이상적이다. 한편 혈소판 수치가 50 × 109 /L 이하인 경우에는 혈소판 수혈을 시행할 수 있으며, 출혈 중인 외상 환자의 경우에는 혈소판

표 28-2
잠정 실혈량에 따른 최초 수액 신속 투여 요법

Parameter	Class I	Class II	Class III	Class IV
Blood volume loss				
Blood loss (ml)	750	750~1,500	1,500~2,000	>2,000
% Blood volume	15	15~30	30~40	>40
Clinical findings	Normal vital sign	Tachycardia Slightly anxious	Tachycardia Hypotension Anxious, agitated and confused	Bradycardia Hypotension Decreased GCS Life threatening
Type of intravenous fluid treatment	Crystalloid	Crystalloid	Crystalloid and blood prepared (type specific)	Crystalloid and immediate transfusion of blood (Type O negative)

표 28-3
최초 250 ml crystalloid 수액 신속 투여 후 반응 패턴

Parameter	Rapid	Transient	Absent
Clinical findings	Normal vital sign	Transient improvement with recurrence of tachycardia and hypotension	Remains abnormal
Extimate blood loss	Small 10~20%	Moderate 20~40%	Severe > 40%
Treatment	• Reduce to maintenance fluids • Operative intervention possible	• Prompt surgcal review • Crystalloids and type-specific blood • Operative intervention likely	• Immediate surgical review • Crystalloids and O-negative blood • Operative intervention highly likely

수치가 100 × 109 /L 이하인 경우에도 혈소판 수혈을 시행할 수 있다.

다발성 손상 환자의 치료는 일차 평가와 소생술 이후의 환자의 상태에 따라 달라진다(그림 28-1). 환자의 상태가 안정적일 경우에는 골절에 대한 조기 내고정술(early total care, ETC)이 가능하지만 생체 징후가 불안정할 경우에는 생명을 위협할만한 손상에 대한 치료

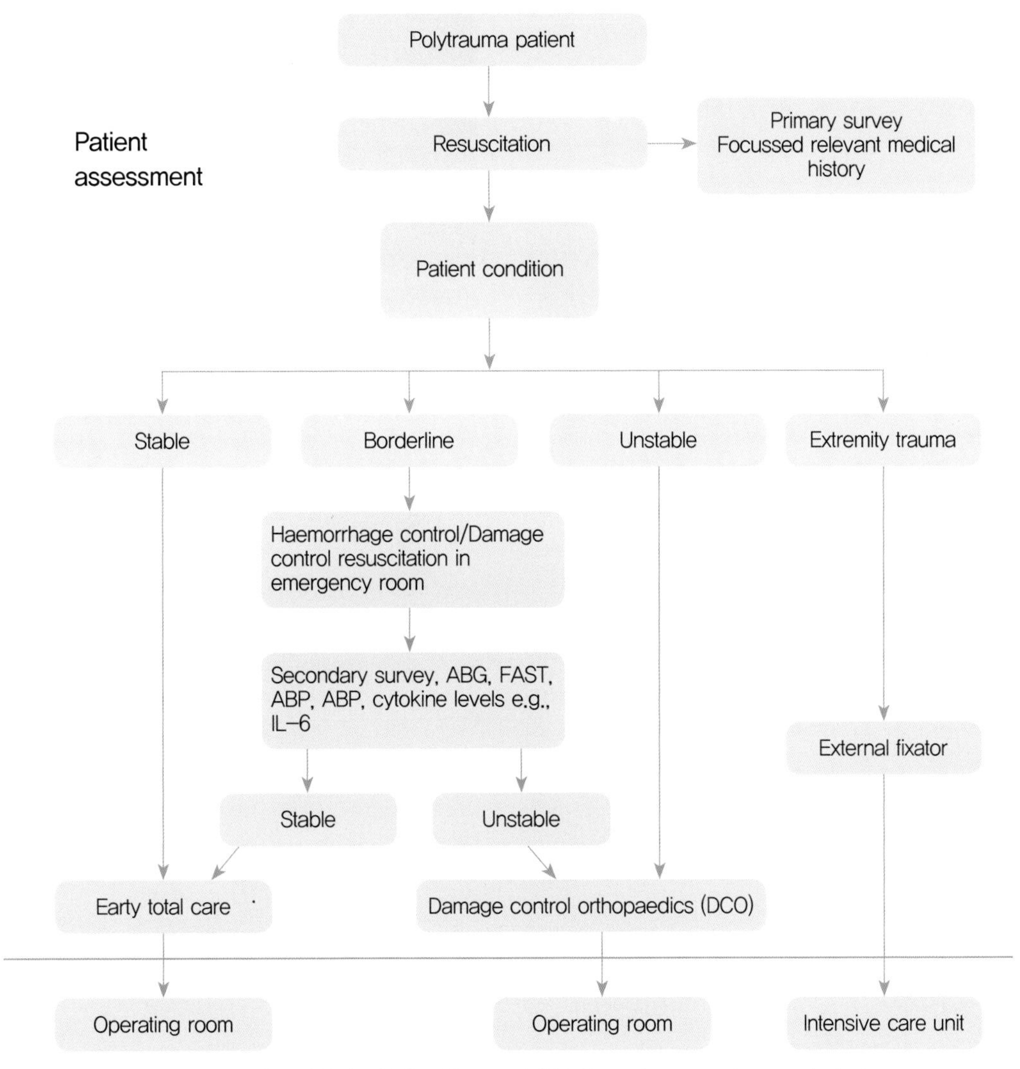

Abbreviations: ABG:Arterial Blood Gas, ABP: Arterial Blood Pressuer, FAST: Focused assessment sonography for trauma, IL-6 = interleukin-6

그림 28-1
Early total care와 damage control orthopaedics의 선택에 대한 순서도

(damage control strategy)를 우선적으로 시행하여야 한다. 가령 혈흉이 관찰된다면, 흉관 삽입술 혹은 개흉술이 필요할 수 있으며, 혈역학적으로 불안정하고, 초음파 검사 혹은 컴퓨터 단층 촬영 검사상 복부 출혈이 관찰된다면, 응급 개복술이 필요할 수 있다. 불안정한 골반 손상과 함께 후복부 출혈이 있는 경우에는 수상 후 24시간 이내에 외고정 장치나 골반 C-clamp를 이용한 고정을 통해, 더 이상의 출혈을 막고, 골반환을 안정화시킬 필요가 있다(그림 28-2). 물론 이 경우 외과 및 비뇨기과와의 협진을 통해 후복부 장기 손상에 대한 평가 및 치료를 병행해야 할 것이다. 정형외과적으로 응급한 골절이 아니면 외고정기 및 부목 고정 중심의 정형외과적 통제 수술(damage control orthopaedics, DCO)로 환자의 안정을 도모한 뒤 급성기의 혈역학적 불안정 상태가 개선되면, 골반 골절에 대한 최종적인 수술을 진행하게 된다. 광범위한 절개가 필요한 골절 치료는 수상 후 2~4일간은 피하는 것이 추천된다(표 28-4).

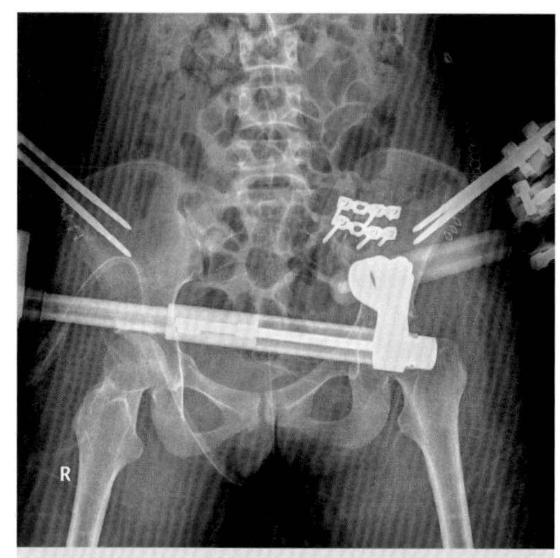

그림 28-2
혈역학적으로 불안정한 골반 골절 환자에 대해 외고정 장치를 이용하여 고정함으로써, 골반환을 안정화시키고, 골반 골절에 의한 출혈을 지혈시킬 수 있다.

ㄹ. 다발성 손상 소아 환자의 평가 및 치료

소아 환자의 경우 골막이 매우 두껍기 때문에, 고에너지 손상에 의해서도 골절의 전위는 심하지 않을 수 있다. 또한 소아 환자의 뼈

표 28-4
다발성 손상 환자의 생리학적 상태에 따른 수술 시기

Physiologic status	Surgical intervention	Timing
Stable Unstable	Early definitive care Damage con	day 1
Hyper-inflammation	“Second looks” and change of packing	day 2-4
“Time-window of opportunity”	Scheduled definitive surgery	day 5-10
Immunosuppression	No surgery!	> day 10
Recovery	Secondary reconstructive surgery	> week 3

에는 성장판이 있기 때문에 외상에 의한 성장판 손상으로 성장 장애가 발생할 수 있다는 사실을 염두에 두어야 한다. 소아 환자는 체질량에 비해 체표면적이 넓기 때문에 자칫하면 저체온증에 빠질 수 있으며, 특히 8세 이하의 소아의 경우에는 상대적으로 머리 둘레가 크기 때문에 편평한 곳에 바로 눕힐 경우에는 목이 굴곡될 수 있으므로 주의가 요구된다. 다발성 손상 소아 환자의 경우 개방성 골절, 구획 증후군, 골반 골절, 다발성 골절, 혈관 손상이 동반된 골절 및 척추 손상이 흔히 발생하기 때문에 이들 질환에 대한 적절한 치료를 통해 기능 회복을 극대화시킬 수 있다.

3. 다발성 손상 노인 환자의 평가 및 치료

다발성 손상 노인 환자는 젊은 연령의 환자에 비해 사망률 및 합병증 발생률이 높다. 노인 환자는 생리적 reserve가 적고, 다양한 내과적 질환을 가지고 있기 때문에, 치료 시 주의가 필요하다. 다발성 손상 노인 환자를 치료할 경우, 적절한 환자 분류를 하여야 하며, 내원 당시 비교적 정상 혈압과 정상 활력 징후를 보인다 하더라도 저혈압 및 저관류 상태가 발생한다면 이를 빨리 찾아내어, 조기에 집중 모니터링과 소생술을 시행해야만 생존율을 높일 수 있다.

참고문헌

1. Upadhyaya, GK, Iyengar, KP, Jain, VK., Garg R. Evolving concepts and strategies in the management of polytrauma patients. J Clin Orthop Trauma 2021;12(1);58-65.
2. McGregor-Riley, J., Hassan, A, Tesfayohannes, B. Initial management of the polytrauma patient. Surgery (Oxford), 2012;30(7);320-325.
3. Abdelqawad AA, Kanlic EM. Orthopedic management of children with multiple injuries. J Trauma 2011;70(6):1568-1574.
4. Grotz MR, Allami MK, Harwood P, Pape HC, Krettek C, Giannoudis PV. Open pelvic fractures: epidemiology, current concepts of management and outcome. Injury 2005;36(1):1-13.
5. Pfeifer R, Tarkin IS, Rocos B, Pape HC. Patterns of mortality and causes of death in polytrauma patients--has anything changed? Injury 2009;40(9): 907-911.
6. Soles GL, Tornetta P 3rd. Multiple trauma in the elderly: new management perspectives. J Orthop Trauma 2011;25:S61-65.
7. Stahel PF, Smith WR, Moore EE. Current trends in resuscitation strategy for the multiply injured patient. Injury 2009;40:S27-35.
8. Tsukamoto T, Chanthaphavong RS, Pape HC. Current theories on the pathophysiology of multiple organ failure after trauma. Injury 2010;41(1):21-26.
9. White CE, Hsu JR, Holcomb JB. Haemodynamically unstable pelvic fractures. Injury 2009;40(10):1023-1030.
10. Yoon W, Kim JK, Jeong YY, S⊠ JJ, Park JG, Kang HK. Pelvic arterial hemorrhage in patients with pelvic fractures: detection with contrastenhanced CT. Radiographics 2004;24(6):1605-1606.

근육, 건, 인대 손상

Injury of Muscle, Tendon, and Ligament

1. 근육

1) 치유 기전

근섬유가 손상을 받으면 손상된 섬유는 macro-phage (거식세포)에 의해 제거되고 myoblast (근모세포)가 분화되고 모여 myotube (근관)를 형성한다. 하지만 동시에 근섬유를 둘러싸고 있는 연부 조직에서 fibroblast (섬유모세포)에 의해 섬유 조직이 증식하여 근섬유의 기능적인 재생을 방해한다. 따라서 근육(muscle)의 손상은 완전한 재생은 드물고 대부분 scar tissue (반흔 조직)로 치유된다.

2) 치료 방법

손상된 근육을 수술적으로 이어주는 것을 근봉합술(myorrhaphy)이라 한다. 근육 자체는 인장력에 매우 약하여 실로 봉합하면 쉽게 찢어진다. 따라서 근육을 근막(fascia)과 함께 봉합하여 근육이 떨어져 나가지 않도록 한다. 수술 후에는 근육이 이완된 상태에서 3~4주간 부목 고정하여 재파열이 되지 않도록 보호한다.

2. 건

1) 치유 기전

건(tendon)의 치유 과정은 크게 염증기(inflammation period), 증식기(proliferative period), 성숙기(maturation period)로 구분된다. 염증기는 손상 후 macrophage가 모여들어 죽은 조직을 제거한다. Macrophage는 혈소판과 더불어 여러 성장인자(growth factor)를 분비하여 신생 혈관과 fibroblast의 증식, collagen의 생성을 촉진한다. 증식기에는 건주위 조직으로 fibroblast가 모여들어 collagen fiber를 만들어서 결손된 부위를 채우게 된다. 성숙기에는 불규칙하게 배열되었던 collagen fiber가 재정렬되면서 tendon fiber와 수평이 되게 배열하여 건의 장력이 증가되는 시기이다. 건의 치유과정에서 건의 외부에 있는 fibrolast에 의한 외적 치유(extrinsic healing)와 건세포(tenocyte)에 의해 직접 치유되는 내적 치유(intrinsic healing)가 있으며, 외적 치유는 fibrous scar에 의해 치유되어 건의 유착이 발생하게 된다. 건 손상으로 연결이 완전히 없어지면 근육의 수축 때문에 손상된 건 사이의 큰 간격이 생겨 치유 후 기능이 소실되므로 수술적 치료가 필요하다.

2) 치료 방법

(1) 건 봉합술(tenorrhaphy)

손상된 건을 수술적으로 이어주는 것을 건 봉합술(tenorrhaphy)이라 한다. 봉합은 치유의 과정 동안 절단단이 서로 붙어 있도록 위치를 유지시켜주는 것이 목적이다. 봉합사는 적당한 인장강도를 가지는 비흡수성 실(nylon, prolene 등)을 사용한다. 흡수성 봉합사는 수술 후 조기에 긴장강도의 약화가 일어나므로 잘 사용되지 않는다. 건은 인장력에 강하나 보통의 바느질 방법으로 봉합하면, 근육이 수축함에 따라 실이 건의 섬유 사이를 찢고 나와(cut-out) 봉합부위가 유지되지 않게 된다. 따라서 특수하게 강한 매듭을 만드는 봉합법이 고안되어 있다(그림 29-1). 봉합 후 건의 인장강도는 10일까지 급격히 약해지며 그 후 서서히 증가하여 건의 굵기에 따라 6~12주가 지나면 능동적 운동이 가능할 정도로 회복된다. 따라서 봉합 후에는 일정한 기간 동안 건 및 근육이 이완된 상태로 고정하여 보호해 주는 것이 좋으나, 장기간의 고정은 건이 주위의 조직과 들러붙는 유착(adhesion)을 초래할 수 있으므로, 이를 피하기 위해 봉합 후 근육의 근위부를 이완시킨 상태로 시행하는 다양한 형태의 조절된 조기 운동이 필요하다.

(2) 건 이식(tendon graft)

손상에 의한 근육의 구축 혹은 건의 소실로 인해 건을 직접 봉합하기 힘든 경우에는 다른 곳에서 채취한 건을 이용하는 건 이식술(tendon graft)을 고려할 수 있다. 건 이식의 공여부 (donor site)로는 palmaris longus tendon (장 수장근건), plantaris tendon (족저근건), long extensors of toe (족지의 장 신근건) 등을 고려할 수 있다(그림 29-2).

(3) 건 이전(tendon transfer)

마비나 손상, 변형 등으로 인해 사용할 수

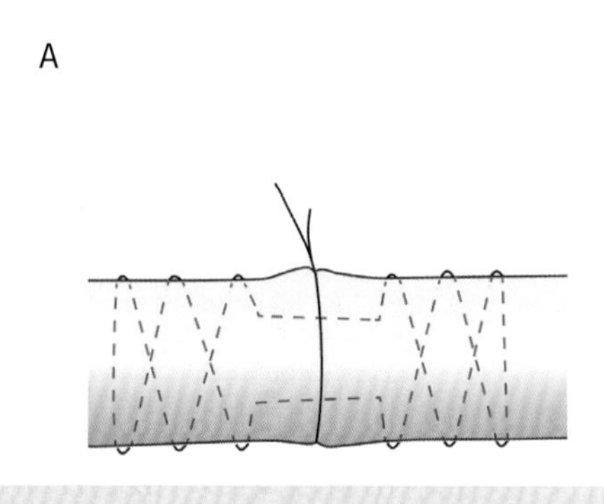

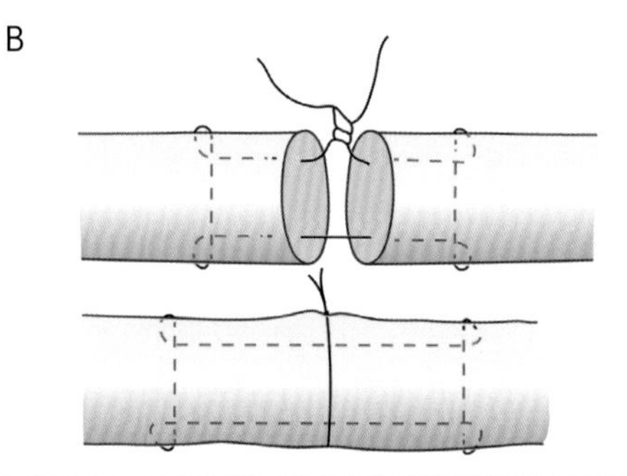

그림 29-1
건봉합 방법
A. Bunnell stitch, B. Modified Kessler stitch

없게 된 근육의 원위부 건에다가 그 주변의 사용 가능한 정상 근육의 건에 이어주어서 그 기능을 대신하게 하는 방법이다(그림 29-3). 건 이전 시에는 공여부와 수혜부 근육의 기능 및 강도, 건의 활주 거리(excursion) 등을 종합적으로 고려하여야 한다.

(4) 건 연장술(tendon lengthening)

근육이 구축되어 변형이 있거나, 뇌성 마비와 같이 신전 반사의 항진에 의한 기능의 소실이 있는 경우 시행할 수 있는 수술로 건에 Z형의 절개를 넣고 길이를 늘인 후 재봉합하거나, 근막에 다수의 절개선을 넣어 길이가 증가하는 효과를 얻는 등의 방식을 사용한다.

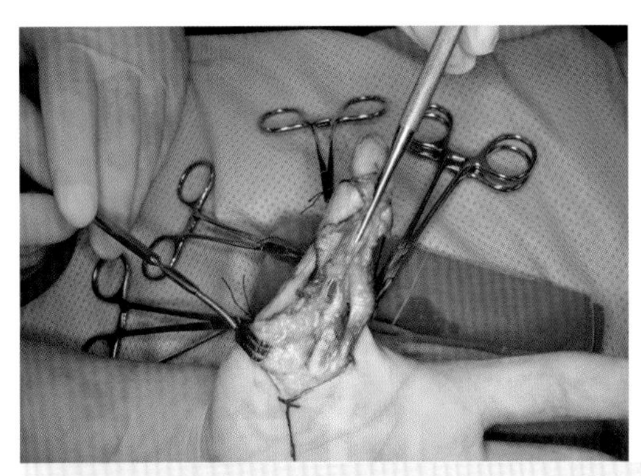
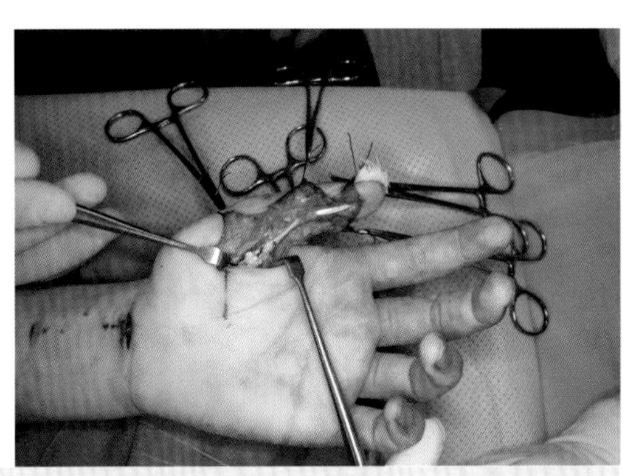

그림 29-2
건 이식
Palmaris longus 이식을 이용하여 flexor pollicis longus의 결손부에 대하여 재건을 시행하였다.

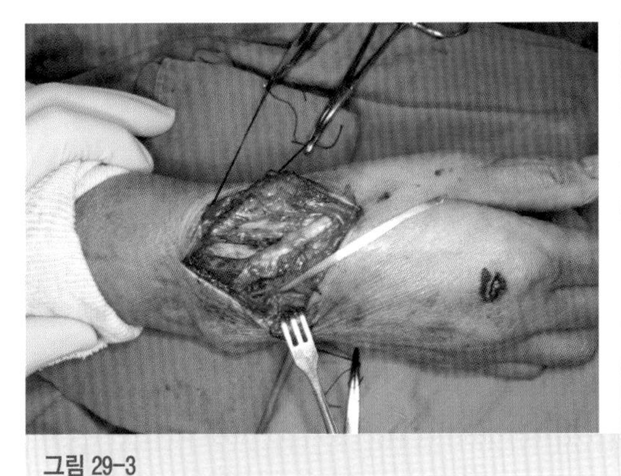
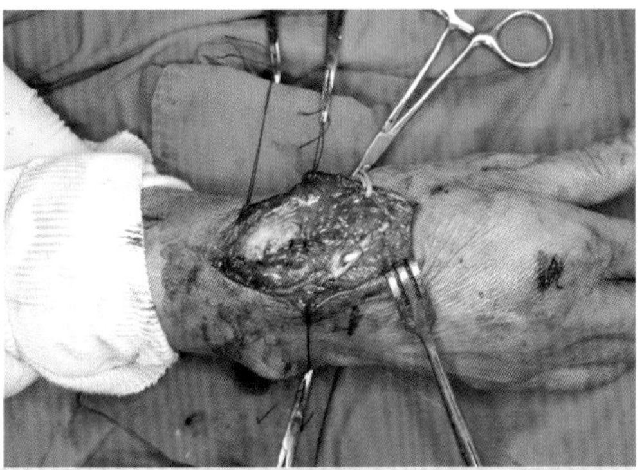

그림 29-3
건 이전
Extensor pollicis longus 파열 후 오랜 시간이 경과된 상태로 extensor indicis proprius를 이전하여 재건을 시행하였다.

3. 인대

1) 치유 기전

인대(ligament)는 주로 type 1 collagen fiber로 이루어진 강한 조직으로 건과 유사한 구조를 가지고 있다. 그러나 인대는 건에 비해 collagen fiber가 적고 배열이 다양한 방향으로 분포한다. 인대손상의 치유 과정은 건과 유사한다. 손상 후 염증기에 여러 성장인자들이 분비되고, fibroblast의 증식에 의해 주로 type 3 collagen과 glycoprotein에 의해 scar를 형성한다. 이후 type 1 collagen이 증가하고, 배열이 규칙적으로 변화하여 그 강도가 증가한다.

2) 치료 방법

인대는 뼈와 뼈를 연결하여 관절의 운동이 허용된 범위 이내에서 이루어지도록 제한하는 역할을 한다. 인대의 손상은 세 단계로 구분한다. 제1도 손상은 경도의 염좌(sprain)로 인대의 손상이 있어 통증은 있으나 관절의 불안정성은 보이지 않는다. 제2도 손상은 인대의 부분 파열로 동통과 함께 약간의 불안정성이 관찰되며, 제3도 손상은 인대의 완전파열로 동통, 압통이 있고 불안정성이 있는 경우이다. 대부분의 1, 2도 손상은 치유 과정 중에 해부학적인 위치와 길이를 유지할 수 있도록 부목(splint) 또는 석고붕대(cast) 고정을 사용하여 비수술적 방법으로 치료할 수 있다. 제3도 손상은 상황에 따라 치료 방법이 달라질 수 있다. 족관절에서는 일시적인 고정과 조기 거동으로 치료하여 더 좋은 결과를 보고한 예도 많지만, 슬관절의 전방 십자 인대 손상과 같이 재건술이 더 권장되는 경우도 있다. 일반적으로 젊은 환자이거나, 운동선수 등의 완전 손상은 수술적인 복원 혹은 재건술이 필요한 경우가 많다.

4. 말초 신경

1) 치유 기전

말초 신경(peripheral nerve)의 치유는 신경세포가 그의 돌기를 치유하는 세포 치유(cell healing)라는 점에서, 세포 수의 증식에 의해 치유되는 다른 조직의 치유와는 다른 면을 가지고 있다. 신경의 치유 과정 중 척수나 신경절 속에 있는 신경 세포의 수는 증가하지 않게 되고, 단지 손상 부위에 있는 근위 축삭(axon)의 원위단에서 새로운 축삭의 싹이 나와서 신경을 치유하게 되는 것이다. 즉, 신생 축삭이 손상 부위를 지나 말단 기관(end organ)까지 자라서, 기능을 회복하는 것을 의미한다. 그러나 신생 축삭에 의해 손상 부위가 연결되었다는 것이 곧 기능의 완전한 회복을 의미하지는 않는다. 기능이 만족스럽게 회복되려면, 충분한 숫자의 축삭이 원래의 말단 기관이나 유사한 기능을 담당하던 말단 기관으로 자라 들어가야 한다.

2) 치료 방법

(1) 신경 봉합술(neurorrhaphy)

말초 신경은 그 손상이 폐쇄성 견인 또는

압박 손상이거나 신경 회복 여부를 판단하기 어려운 경우 등에는 부목 고정이나 보조기 착용 후 신경의 재생을 기다리는 비수술적 방법으로 치료할 수 있다. 그러나 신경의 완전 절단이 확실한 경우나, 개방성 손상인 경우에는 수술적 방법으로 손상 부위를 찾아 봉합하는 것이 필요한 경우가 많으며 이를 신경 봉합술이라고 한다. 신경의 봉합은 대부분 8-0 이하의 가는 봉합사를 사용하여 확대경(loupe)이나, 수술 현미경(surgical microscope)하에서 미세 수술로 시행된다(그림 29-4). 봉합 시에는 신경에 가해지는 긴장력의 크기를 최소화하는 것이 중요하다. 봉합 후에는 치유되는 기간 동안 신경에 최대한 긴장을 줄이는 자세에서 주위 관절을 고정하는 것이 요구된다.

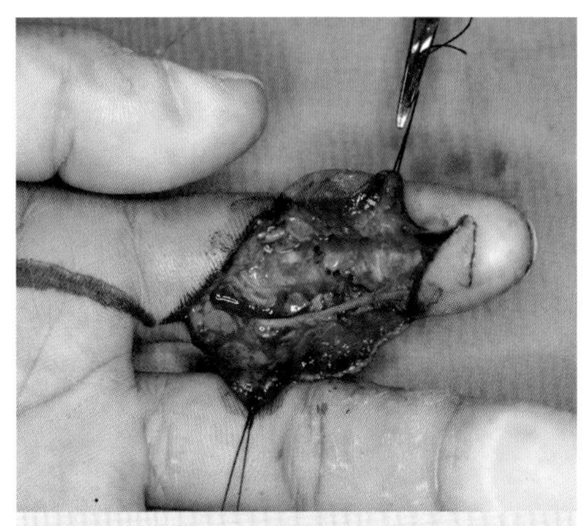

그림 29-4
신경 봉합술
인지(index finger)의 굴곡건 및 척측 수지 신경 손상에 대하여 봉합술을 시행하였다.

(2) 신경 이식(nerve graft)

신경 이식은 신경 절단 단 사이에 간격이 커서 직접 봉합이 불가능하거나 직접 봉합 시 긴장이 심할 것이 예상되는 경우에 시행할 수 있다. 가능한 공여 신경에는 비복 신경(sural nerve), 내측 혹은 외측 전완 피부 신경(medial or lateral cutaneous nerve of forearm), 표재 요골신경(superficial radial nerve) 등이 있다.

(3) 신경 이전술(nerve transfer)

신경 이전술은 말초 신경의 근위부가 완전히 손상되어, 신경을 이어줄 수 없는 경우에 손상으로 기능을 잃은 신경의 원위부에 주변의 사용 가능한 정상적인 신경을 연결하여 근위부로 사용하는 방법이다.

참고문헌

1. 정문상, 백구현. 손외과학. 군자출판사. 2015.
2. 대한정형외과학회. 정형외과학 제8판. 최신의학사. 2020.
3. Scott Wolfe, William Pederson, Scott Kozin, Mark Cohen. Green's Operative Hand Surgery 8th Edition. 2021.
4. Tang JB. Flexor Tendon Injuries. Clin Plast Surg. 2019 Jul;46(3):295-306.
5. Samora JB, Klinefelter RD. Flexor Tendon Reconstruction. J Am Acad Orthop Surg. 2016 Jan;24(1):28-36.
6. Klifto CS, Capo JT, Sapienza A, Yang SS, Paksima N. Flexor Tendon Injuries. J Am Acad Orthop Surg. 2018 Jan 15;26(2):e26-e35.
7. Titan AL, Foster DS, Chang J, Longaker MT. Flexor Tendon: Development, Healing, Adhesion Formation, and Contributing Growth Factors. Plast Reconstr Surg. 2019 Oct;144(4):639e-647e.
8. Myer C, Fowler JR. Flexor Tendon Repair: Healing, Biomechanics, and Suture Configurations. Orthop Clin North Am. 2016 Jan;47(1):219-26.
9. Desai MJ, Wanner JP, Lee DH, Gauger EM. Failed Extensor Tendon Repairs: Extensor Tenolysis and Reconstruction. J Am Acad Orthop Surg. 2019 Aug 1;27(15):563-574.
10. Yoon AP, Chung KC. Management of Acute Extensor Tendon Injuries. Clin Plast Surg. 2019 Jul;46(3):383-391.
11. Griffin JW, Hogan MV, Chhabra AB, Deal DN. Peripheral nerve repair and reconstruction. J Bone Joint Surg Am. 2013 Dec 4;95(23):2144-51.
12. Cheah AE, Etcheson J, Yao J. Radial Nerve Tendon Transfers. Hand Clin. 2016 Aug;32(3):323-38.
13. Lee SK, Wolfe SW. Peripheral nerve injury and repair. J Am Acad Orthop Surg. 2000 Jul-Aug;8(4):243-52.
14. Doi K. Distal Nerve Transfer: Perspective of Reconstructive Microsurgery. J Reconstr Microsurg. 2018 Nov;34(9):675-677.

찾아보기

INDEX

ㄱ

가동관절 ······ 18
가성연골무형성증 ······ 152
가스 괴저 ······ 476
각 회전 중심 ······ 53
갈퀴지 변형 ······ 325
감각저하 ······ 31
강직성 척추염 ······ 191, 392
개방성 골절 ······ 475, 479, 509
거골의 골연골 병변 ······ 465
거대세포종 ······ 213
건 ······ 14
건 봉합술 ······ 536
건 연장술 ······ 537
건 이식 ······ 536
건 이전 ······ 536
건내막 ······ 14
건병증 ······ 275
건외막 ······ 14
건주막 ······ 14
건증 ······ 322
건질환 ······ 333
견갑흉곽 ······ 283
견관절 전치환술 ······ 308
견열 골절 ······ 519
견인 ······ 46
결절종 ······ 223, 325, 329, 333, 349
결핵성 후만증 ······ 393
경간 각 ······ 398
경직 ······ 29
경추 방사통 ······ 333
경추 신경근병증 ······ 355
경추 집게 견인 ······ 47
경피적 전기 신경 자극 치료 ······ 97
계상보행 ······ 361
고립성 골 낭종 ······ 217
고환올림근반사 ······ 31
골 변형 ······ 51
골 이형성증 ······ 145
골가교 ······ 517
골간 ······ 6
골간단 ······ 6
골격 견인 ······ 491
골격근 ······ 15
골결합 ······ 19
골관절 결핵 ······ 245
골관절염 ······ 167, 325
골교 ······ 517
골구 ······ 236
골극 ······ 176
골내막 ······ 7
골다공증 ······ 157, 523
골단 ······ 6
골단판 ······ 6, 19, 515
골단판 골절 ······ 515
골단판 유합술 ······ 57, 517
골막 ······ 7
골모세포 ······ 9
골성 관절염 ······ 301
골세포 ······ 5, 9
골소주 ······ 7
골수강 내 정 ······ 50
골수염 ······ 229, 509
골연골종 ······ 139, 212
골연화증 ······ 164
골원 ······ 6
골육종 ······ 219
골절 가골 ······ 482
골조상세포 ······ 9
골침 ······ 5
골테두리 ······ 5
골표면세포 ······ 8, 9
골형성부전증 ······ 487

골형성부전증 ······ 148, 154
골화 중심 ······ 6
골화석증 ······ 156
과사용 손상 ······ 274
과운동성 ······ 40
과증식성 가골 ······ 155
관절 고정술 ······ 76
관절 구축 ······ 40
관절 성형술 ······ 79
관절 연골 ······ 10
관절 전치환술 ······ 82
관절 탈구 ······ 86
관절강 ······ 19
관절경 수술 ······ 180
관절내 골절 ······ 485, 497
관절순 ······ 283
관절의 운동범위 ······ 29
관절이단 ······ 91
괴사성 근막염 ······ 234
교원섬유 ······ 8
구루병 ······ 164
구추관절 ······ 355
구추돌기 ······ 355
구해면체반사 ······ 502
구획 증후군 ······ 276, 521
굴곡구축 ······ 29
굽힘력 ······ 24
극초단파 ······ 96
근감소증 ······ 523
근내막 ······ 16
근무력 ······ 29
근미세섬유 ······ 16
근섬유분절 ······ 16
근세포막 ······ 16
근속 ······ 16
근외막 ······ 16
근원섬유 ······ 16
근위 경골 절골술 ······ 443
근위 수근열 절제술 ······ 339
근위경골절골술 ······ 420
근이영양증 ······ 260
근전도 검사 ······ 264, 326, 372
근주막 ······ 16
금속판 ······ 50
급성 구획 증후군 ······ 278, 478
긴장대 강선 고정법 ······ 49

ㄴ

나사회전 운동 ······ 418
내반 ······ 40
내연골종 ······ 212
내연골종증 ······ 213
내족지 보행 ······ 254, 453
내측 경골 피로 증후군 ······ 274
내측 대퇴 회선 동맥 ······ 399
내측 측부 인대 복합체 ······ 317
내측측부인대 ······ 416, 427
녹색 줄기 골절 ······ 519
뇌성마비 ······ 250

ㄷ

다발성 골단이형성증 ······ 147, 152
다발성 천공술 ······ 232
다지증 ······ 106
단백다당 ······ 12
단추 구멍 변형 ······ 187, 332
당뇨발 ······ 461
대결절 ······ 289
대립유전자 ······ 144
대퇴 골두 무혈성 괴사 ······ 479
대퇴 골두와 ······ 398
대퇴거 ······ 398

대퇴골 내반절골술 ······ 127
대퇴골-경골간 각 ······ 134
대퇴골두 골괴사 ······ 404
대퇴골두 골단분리증 ······ 128
대퇴-비구 충돌 증후군 ······ 131, 402
대퇴신경 신전검사 ······ 366
돌연변이 ······ 144
돔형 절골술 ······ 53
동결견 ······ 293
동맥류성 골 낭종 ······ 217
동역학 ······ 24
동통성 후족부 증후군 ······ 463
듀피트렌씨 병 ······ 332

ㄹ

랑게르한스 세포 조직구증 ······ 217
레이노드 현상 ······ 39
류마토이드 관절염 ······ 185
류마티스 관절염 ···293, 301, 325, 332, 347, 439
리스터 결절 ······ 329

ㅁ

마미 증후군 ······ 359, 501, 503
막내 골화 ······ 5
만성 골수염 ······ 236
만성 과로성 구획증후군 ······ 274
말안장마비 ······ 504
망치 수지 ······ 332
맥쿤-알브라이트 증후군 ······ 216
무감각 ······ 31
무력감 ······ 423
무지 내전증 ······ 137
무지 외반증 ······ 458
무혈성 골괴사 ······ 293, 337, 467
물리 치료 ······ 94
미분화 다형태 육종 ······ 224
미숙골 ······ 6, 157
미오신 ······ 16

ㅂ

바빈스키 징후 ······ 31
박리성 골연골염 ······ 139, 323, 437
반 관절 ······ 19
반월상 연골판 ······ 422
반치환 성형술 ······ 81
발달성 고관절 이형성증 ······ 117
발목 관절 염좌 ······ 453
발음성 고관절 ······ 412
방사통 ······ 39
방아쇠 무지 ······ 347
방아쇠 수지 ······ 332, 347
백조목 변형 ······ 187, 332
변연 절제술 ······ 88
변형력 ······ 25
보조기 ······ 47
보행주기 ······ 36
복원기 ······ 481
볼크만관 ······ 7
봉와직염 ······ 233, 332
부골 ······ 236
부동관절 ······ 18
부목 ······ 43
부착부병증 ······ 190
분극활성도구역 ······ 105
불완전 합지증 ······ 109
브라운-세카드 증후군 ······ 503
비골화성 섬유종 ······ 215
비구선반술 ······ 128

비구순 ········ 397
비구와 ········ 397
비례한도 ········ 25
비틀림력 ········ 24
비후대 ········ 8, 515
뼈 기질 ········ 9
뼈스캔 ········ 34

ㅅ

사이토카인 ········ 23
사지 길이 부동 ········ 54
사지 마비 ········ 251
사지구제술 ········ 210
사지부동 ········ 40
삼각 섬유 연골 복합체 ········ 340
삼각 섬유 인대 복합체 ········ 329
삼지주설 ········ 505
상과염 ········ 321
상박지수 ········ 462
상부관절순 전후방 ········ 287
상아질형성부전 ········ 156
상완골 과상부 골절 ········ 521
상완신경총 ········ 287
상지아 ········ 104
생검 ········ 208
생리적인 내반슬 ········ 134
석고붕대 ········ 44
석회성 건염 ········ 300
석회화 건염 ········ 408
선천성 경추 결합 ········ 115
선천성 근성 사경 ········ 110
선천성 만곡족 ········ 131
선천성 척추관 협착증 ········ 116
선천성 척추측만증 ········ 112
선천성 측만 후만증 ········ 112
선천성 척추골단 이형성증 ········ 153
선천형 척추분리증 ········ 116
설상척추 ········ 113
섬유 결합 ········ 19
섬유 관절 ········ 19
섬유 연골 ········ 19
섬유성 골 이형성증 ········ 215, 487
성숙골 ········ 6
성장인자 ········ 23
성장판 ········ 6, 8
세균성 관절염 ········ 239
세포 사멸 ········ 171
세포외기질 ········ 14
세포종 ········ 333
소성 변형 ········ 25, 518
소아형 방아쇠 무지 ········ 105
손목 터널 증후군 ········ 343
수근관 증후군 ········ 264, 324, 330, 331, 332, 343
수의근 ········ 15
수치료 ········ 96
수핵 ········ 357
슈반세포 ········ 21
스트레스 골절 ········ 490
슬개건염 ········ 446
슬개골 불안정성 ········ 445
슬관절 전치환술 ········ 440, 444
신경 봉합술 ········ 538
신경 이식 ········ 539
신경 이전술 ········ 539
신경-근육 전기 자극 치료 ········ 97
신경내막 ········ 20
신경단열 ········ 263
신경반사 ········ 31
신경외막 ········ 20
신경전도 검사 ········ 264, 326
신경주막 ········ 20
신경차단 ········ 263

신경초종 ··· 223
신경포착증후군 ··· 264
신성 골이영양증 ··· 128
신연 골형성술 ··· 5, 58
심부열 치료 ··· 96
심부정맥 혈전증 ··· 86

ㅇ

아데노신삼인산 ··· 18
알렌 검사 ··· 331
압박붕대 ··· 43
압박성신경병증 ··· 264
압축력 ··· 24
액틴 ··· 16
야간통 ··· 294
양측 마비 ··· 250
양치기 지팡이 변형 ··· 215
어깨 강직 ··· 290
역행성 견관절 전치환술 ··· 308
연골 결합 ··· 19
연골 관절 ··· 19
연골 용해증 ··· 130
연골기질 ··· 12
연골내 골화 ··· 5, 482
연골모세포종 ··· 213
연골모형 ··· 5
연골무형성증 ··· 151
연골세포 ··· 11
연골원성 응축 ··· 105
연골육종 ··· 220
연골화 ··· 105
연관통 ··· 27, 39
연부조직육종 ··· 204
연소기 특발성 관절염 ··· 194
염증기 ··· 481
엽산 ··· 259
영양동맥 ··· 9
온습포 ··· 95
온열 램프 ··· 95
온열 치료 ··· 94
완전 합지증 ··· 109
외고정기 ··· 51
외반 부하 검사 ··· 40, 428
외반주 ··· 325, 326
외상 후 외반슬 ··· 519
외상성 절단 ··· 478
외족지 보행 ··· 453
외측 대퇴 회선 동맥 ··· 399
외측 체벽 ··· 104
외측 측부 인대 복합체 ··· 317
외측측부인대 ··· 417, 427
외측판 ··· 104
요골 경상돌기 ··· 329, 331
요부 변성 후만증 ··· 393
요산 나트륨 ··· 197
요족 ··· 458
요천추 이행성 척추 ··· 116
요추 염좌 ··· 364
요추 척추관 협착증 ··· 370
요추 코르셋 ··· 48
운동 단위 ··· 16
운동역학 ··· 24
원위 경비 인대 결합 ··· 454
원판형 연골판 ··· 426
원형 인대 동맥 ··· 398, 399
유각기 ··· 36
유골 골종 ··· 9, 211
유아기 경골 내반증 ··· 135
유연성 편평족 ··· 133
유잉 육종 ··· 222
유착성 관절낭염 ··· 290
융기 골절 ··· 518
은 포크 변형 ··· 329
응력 ··· 25

의지 ······ 93
이상감각 ······ 31
이전술 ······ 346
이중 경계선 ······ 407
이중 에너지 방사선 골밀도 측정법 ······ 159
이차 골 치유 ······ 481
인공고관절 전치환술 ······ 407
인대내막 ······ 14
인대외막 ······ 14
인장력 ······ 24
일과성 고관절 활액막염 ······ 123, 408
일차 골 치유 ······ 481
임박골절 ······ 225
임의 피판 ······ 89
입각기 ······ 36

ㅈ

자세성 종외반족 ······ 133
자유 피판 ······ 90
잠재성 척추 이분증 ······ 116
재형성기 ······ 483
저혈량증 ······ 502
전/후방십자인대 ······ 417
전각세포 ······ 16
전거비 인대 ······ 449, 453
전단력 ······ 24, 285, 422
전단응력 ······ 426
전만 ······ 40
전방십자인대 ······ 427
전방전위 검사 ······ 431
전신성 홍반성 낭창 ······ 39
전염각 ······ 398
전자부 점액낭 ······ 410
전척수 증후군 ······ 503
절골술 ······ 52, 180
절단 ······ 91
절제 성형술 ······ 79, 80
절제연 ······ 209
점액섬유육종 ······ 224
정역학 ······ 24
정중신경 ······ 264
정지 길이 ······ 16
정지대 ······ 8
조골세포 ······ 483
조기 내고정술 ······ 531
조기 잠정 고정 ······ 472
조직 공학 ······ 23
조혈세포 ······ 6
족관절 상박지수 ······ 462
족근동 ······ 449
족저근막염 ······ 463
족지간 신경종 ······ 468
족하수 ······ 504
족하수보행 ······ 361
종비인대 ······ 449, 453
좌둔 점액낭염 ······ 411
주관 증후군 ······ 265, 323, 332
주상골 ······ 329, 330
중심성 척수 증후군 ······ 503
중족골 내전증 ······ 132
중족골 통증 ······ 468
증식대 ······ 8
지각이상대퇴신경통 ······ 265
지대 ······ 398
지방육종 ······ 224
지방종 ······ 223
직거상 검사 ······ 366
직공 둔부 ······ 411

ㅊ

척골 경상돌기 ······ 330
척색종 ······ 222

척수 359, 501
척수 원추 증후군 503
척수 증후군 502
척수성 쇼크 502
척추 유합 부전 258
척추 전방전위증 375
척추궁 353
척추성형술 525
척측 충돌 증후군 329
천삼각인대 449
첨부외배엽능선 105
체외충격파 98
초자 연골 19
추간판 357
추간판 탈출증 365
축 이동 검사 431
축삭단열 263
축삭운반 21
충돌 증후군 291
충돌 징후 297
취약 골절 523
측만 40
치유지수 60

ㅋ

칼슘 피로인산염 200

ㅌ

탄성 25
통각과민 31
통풍 197, 347
통풍성 관절염 439
퇴행성 관절염 301, 439
티넬 징후 39, 263, 345

ㅍ

파골세포 9, 482
파상풍 511
파제트 병 487
파행 41
팔렌 검사 330
편평족 456
표재반사 31
표재복벽반사 31
표재열 치료 95
피로 골절 275
피부 이식 89
피질골 6

ㅎ

하버시안계 6
하우십소와 9
하지 염전변형 135
합지증 108
항문 반사 502
항복 응력 25
항복점 25
해면골 7
혈청음성 척추관절염 190
형성층 399
활막관절 18
활막육종 224
활액막 14, 19
활차 347
황산 콘드로이틴 12
회전근 개 285
후거비 인대 453
후만 40
후방십자인대 427
후방인대복합체 359, 504

후종인대골화증 ··· 353, 387
후척수 증후군 ··· 503
흉요추천추 보조기 ··· 48

A

abbreviated injury score (AIS) ··· 529
acetabular fossa ··· 397
achondroplasia ··· 151
actin ··· 16
acute compartment syndrome ··· 278, 478
adducted great toe ··· 137
adenosine triphosphate ··· 18
adhesive capsulitis ··· 290
adolescent idiopathic scoliosis ··· 387
Advanced Trauma Life Support ··· 476
allele ··· 144
Allen test ··· 331
amphiarthrosis ··· 19
amputation ··· 91
anal wink ··· 502
anatomical snuff box ··· 329, 330
aneurysmal bone cyst ··· 217
ankle sprain ··· 453
ankylosing spondylitis ··· 191, 392
antalgic gait ··· 362
anterior cervical discectomy and fusion ··· 385
anterior cord syndrome ··· 503
anterior cruciate ligament ··· 427
anterior drawer test ··· 431
anterior horn cell ··· 16
anterior talofibular ligament ··· 449, 453
anteversion ··· 398
apical ectodermal ridge ··· 105
apoptosis ··· 171
arthrodesis ··· 76
arthroplasty ··· 79
articular cartilage ··· 10
atlantoaxial rotatory subluxation ··· 112
atypical insufficiency fracture ··· 489
avascular necrosis ··· 467
avascular osteonecrosis ··· 337
avulsion fracture ··· 519
axonal transport ··· 21
axonotmesis ··· 263

B

Babinski sign ··· 31
Bankart 병변 ··· 287, 310
bending force ··· 24
biopsy ··· 208
bisphosphonate ··· 161
bone bridge ··· 517
bone collar ··· 5
bone deformity ··· 51
bone matrix ··· 9
bone scan ··· 34
brachial plexus ··· 287, 361
Brown-Sequard syndrome ··· 503
bulbocavernous reflex ··· 502
button hole deformity ··· 187, 332

C

calca femorale ··· 398
calcaneofibular ligament ··· 449, 453
calcific tendinitis ··· 408
calcium pyrophosphate ··· 200
cambium layer ··· 399
canaliculus ··· 6
cancellous bone ··· 7
carpal tunnel syndrome 264, 324, 330, 332, 343

cartilage cell ··· 11
cartilage matrix ··· 12
cartilage model ··· 5
cartilaginous joint ··· 19
cast ··· 44
cauda equina ··· 359, 501
cellulitis ··· 233, 332
center of rotation of angulation ··· 53
central cord syndrome ··· 503
cerebral palsy ··· 250
cervical radiculopathy ··· 333, 355
cervical spondylotic myelopathy ··· 380
cervical spondylotic radiculopathy ··· 380
chondrification ··· 105
chondroblastoma ··· 213
chondrocyte ··· 11
chondroitin sulfate ··· 12
chondrolysis ··· 130
chondrosarcoma ··· 220
chordoma ··· 222
chronic exertional compartment syndrome ··· 274
chronic osteomyelitis ··· 236
clumsy hand ··· 382
cock–robin position ··· 363
collagen fiber ··· 8
collis ··· 110
compartment syndrome ··· 521
complete syndactyly ··· 109
compressing bandage ··· 43
compression ··· 433
compressive dressing ··· 43
compressive force ··· 24
compressive neuropathy ··· 264
congenital clubfoot ··· 131
congenital kyphoscoliosis ··· 112
congenital muscular torticolis ··· 110
congenital spinal stenosis ··· 116
congenital spondylolysis ··· 116
cortical bone ··· 6
coxa saltans ··· 412
cremasteric reflex ··· 31
crepitus ··· 28
cubital tunnel syndrome ··· 265, 323, 324, 332
cubitus valgus ··· 325

D

damage control orthopedics (DCO) ··· 532, 472
de Quervain 병 ··· 329
decreased tone ··· 29
deep deltoid ligament ··· 449
deep vein thrombosis ··· 86, 494
deformation ··· 25
denosumab ··· 161
dentinogenesis imperfecta ··· 156
developmental dysplasia of the hip ··· 117, 404
diabetic foot ··· 461
diaphysis ··· 6
diarthrosis ··· 18
disarticulation ··· 91
discoid meniscus ··· 426
dislocation ··· 86
distal tibiofibular syndesmosis ··· 454
distraction osteogenesis ··· 5, 58
dome osteotomy ··· 53
double line ··· 407
Dual Energy X–Ray Absorptiometry ··· 159
Dupuytren's disease ··· 332
dynamics ··· 24
dysaesthesia ··· 31

E

early temporary stabilization ··· 472

early total care (ETC) ···· 471, 531
Egawa's test ···· 336
elasticity ···· 25
electromyography ···· 326, 372
elevation ···· 433
embolism ···· 494
enchondral ossification ···· 482
enchondroma ···· 212
enchondromatosis ···· 213
endoligament ···· 14
endomysium ···· 16
endoneurium ···· 20
endoosteum ···· 7
endotenon ···· 14
enthesopathy ···· 190
epicondylitis ···· 321
epiligament ···· 14
epimysium ···· 16
epineurium ···· 20
epiphyseal plate ···· 19, 515
epiphysiodesis ···· 517
epiphysis ···· 6
epitenon ···· 14
Ewing's sarcoma ···· 222
external fixator ···· 51
extracellular matrix ···· 14

F

fascia ···· 16
fascicle ···· 16
femoral neck fracture ···· 404
femoral nerve stretching ···· 369
femoral varus osteotomy ···· 127
femoroacetabular impingement syndrome ···· 402
fibrocartilage ···· 19
fibrous cortical defect ···· 215
fibrous dysplasia ···· 215, 487
Finkelstein test ···· 331, 348
flap procedure ···· 512
flatfoot ···· 456
flexible flatfoot ···· 133
Focused Abdominal Sonography for Trauma 476
folic acid ···· 259
foot drop ···· 504
fovea capitis ···· 398
fracture callus ···· 482
fragility fracture ···· 523
free flap ···· 90
Freiberg's Disease ···· 467
Freiberg's infarction ···· 140
Froment's sign ···· 326, 336

G

gait cycle ···· 36
ganglion ···· 223, 333
gas gangrene ···· 476
giant cell tumor ···· 213, 333
giving way ···· 423, 445
glenohumeral joint ···· 283
golfer's elbow ···· 322
gout ···· 197, 347
gouty arthritis ···· 439
greater tuberosity ···· 289
greenstick fracture ···· 519
growth plate ···· 6, 8, 515
Gustilo-Anderson 분류 ···· 510

H

halo vest ···· 506
halter traction ···· 47

hard sign ··· 478
harness ··· 48
Haversian canal ··· 483
Haversian system ··· 6
healing index ··· 60
Heberden's node ··· 333
hematopoietic cell ··· 6
hemiarthroplasty ··· 81
herniated intervertebral disc ··· 365
herniated nucleus pulposus ··· 365
high tibial osteotomy ··· 420, 443
Hill-Sachs 병변 ··· 310
Howship's lacuna ··· 9
hyaline cartilage ··· 19
hydrotherapy ··· 96
hyperalgesia ··· 31
hyperplastic callus ··· 155
hypertrophic zone ··· 8, 515
hypoesthesia ··· 31
hypovolemia ··· 502

I

IL-6 ··· 23
immature bone ··· 6
impending fracture ··· 226
impingement sign ··· 297
impingement syndrome ··· 291
Impingement 검사 ··· 402
incomplete syndactyly ··· 109
infantile tibia vara ··· 135
inflammatory phase ··· 481
injury severity score (ISS) ··· 529
inspection ··· 28
interdigital neuroma ··· 468
Interleukin-1 (IL-1) ··· 23
intermittent claudication ··· 371
intervertebral disc ··· 357
intoeing gait ··· 453
intraarticular fracture ··· 485
intramedullary nail ··· 50, 490
involucrum ··· 236

J

joint capsule ··· 19
joint of Luschka ··· 355
joint space ··· 19
juvenile idiopathic arthritis ··· 192

K

Kienböck's disease ··· 337
kinematics ··· 24
kinetics ··· 24
Köhler's ··· 467
kyphosis ··· 40

L

labrum ··· 283, 397
Lachman test ··· 431
lacuna ··· 6
laminoplasty ··· 386
Langerhans cell histiocytosis ··· 217
lateral collateral ligament ··· 321, 417, 427
lateral collateral ligament complex ··· 317, 318
lateral femoral circumflex artery ··· 399
lateral malleolus ··· 449
lateral plate ··· 104

lateral ulnar collateral ligament ········ 318, 321
Legg–Calvé–Perthes (LCP) ········ 124
lethal triad ········ 529
Lhermitte's sign ········ 363
ligament ········ 14
ligamentum flavum ········ 359
ligamentum teres ········ 398
ligamentum teres artery ········ 399
limb length discrepancy ········ 40, 54
limping gait ········ 41
lipoma ········ 223
liposarcoma ········ 224
Lister's tubercle ········ 329
lordosis ········ 40
lumbar degenerative kyphosis ········ 393
lumbar corset ········ 48
lumbar plexus ········ 361
lumbar spinal stenosis ········ 370
lumbar sprain ········ 364
lumbosacral transitional vertebra ········ 116

M

mallet finger ········ 332
mangled extremity ········ 478
mature bone ········ 6
McMurray test ········ 423
medial collateral ligament ········ 321, 416, 427
medial collateral ligament complex ········ 317, 318
medial femoral circumflex artery ········ 399
medial malleolus ········ 449
median nerve ········ 264
meralgia paresthetica ········ 265
metaphysis ········ 6
metatarsalgia ········ 468
metatarsus adductus ········ 132
monosodium urate ········ 197
motor unit ········ 16
multiple drilling ········ 232
multiple epiphyseal dysplasia ········ 152
muscle bundle ········ 16
muscle fiber ········ 16
muscle flaccidity ········ 29
muscular dystrophy ········ 260
myelopathic hand ········ 382
myofibril ········ 16
myofilament ········ 16
myosin ········ 16
myxofibrosarcoma ········ 224

N

neck shaft angle ········ 398
necrosis ········ 171
necrotizing fascitis ········ 234
nerve conduction study ········ 264, 326
nerve entrapment syndrome ········ 264
nerve graft ········ 539
nerve transfer ········ 539
neurilemmoma ········ 223
neurologic reflex ········ 31
neuromuscular electric stimulation ········ 97
neuropraxia ········ 263
neurorrhaphy ········ 538
neurotmesis ········ 263
nonossifying fibroma ········ 215
nucleus pulposus ········ 357
nutrient artery ········ 9

O

olecranon ········ 316
Ollier's disease ········ 213

open fracture ········· 475
Ortolani sign ········· 120
Osgood–Schlatter ········· 140
ossification center ········· 6
ossification of posterior longitudinal ligament ········· 353, 387
osteoarthritis ········· 167
osteoblast ········· 9, 483
osteochondral lesion of talus ········· 465
osteochondritis dissecans ········· 139, 323, 437
osteochondroma ········· 212
osteoclast ········· 9, 482
osteocyte ········· 5, 9
osteogenesis imperfecta ········· 148, 487
osteoid ········· 9
osteoid osteoma ········· 211
osteomalacia ········· 164
osteomyelitis ········· 509
osteon ········· 6
osteonecrosis of femoral head ········· 404, 479
osteopetrosis ········· 156
osteophyte ········· 176
osteoporotic fracture ········· 523
osteoprogenitor cell ········· 9
osteosarcoma ········· 219
osteotomy ········· 52, 180
outtoeing gait ········· 453
overuse injury ········· 274

P

Paget's disease ········· 487
painful heel syndrome ········· 463
palpation ········· 29
paratenon ········· 14
patellar instability ········· 445
patellar tendinopathy ········· 446
Patrick test ········· 402
pediatric trigger thumb ········· 105
perimysium ········· 16
perineurium ········· 20
periosteum ········· 7
permanent epiphysiodesis ········· 57
pes cavus ········· 458
pes planus ········· 456
Phalen test ········· 330, 345
physeal bar ········· 517
physeal fracture ········· 515
physeal plate ········· 6
physiologic bowing ········· 134
physiotherapy ········· 94
physis ········· 6
pivot shift maneuver ········· 321
pivot shift test ········· 431
plastic ········· 25
plastic deformation ········· 518
polydactyly ········· 106
positional calcaneovalgus ········· 133
posterior cord syndrome ········· 503
posterior cruciate ligament ········· 427
posterior ligament complex ········· 359
posterior ligamentous complex ········· 504
posterior talofibular ligament ········· 453
post–traumatic genu valgum ········· 519
primary bone healing ········· 481
proliferative zone ········· 8
proportional limit ········· 25
proximal row carpectomy ········· 339
pseudoachondroplasia ········· 152
pulley ········· 347

Q

quadriplegia ········· 251

R

radial styloid process ······ 329, 331
radiating pain ······ 39
random flap ······ 89
range of motion ······ 29
Raynaud's phenomenon ······ 39
referred pain ······ 27, 39
remodeling phase ······ 483
renal osteodystrophy ······ 128
reparative phase ······ 481
resection arthroplasty ······ 79, 80
resection margin ······ 209
resting length ······ 16
resting zone ······ 8
retinaculum ······ 398
reverse total shoulder arthroplasty ······ 308
rheumatoid arthritis ······ 185, 347, 439
rickets ······ 164
Romosozumab ······ 161
rotator cuff ······ 285
rotator cuff syndrome ······ 290

S

sacral plexus ······ 361
saddle anesthesia ······ 504
Salter–Harris classification ······ 515
sarcolemma ······ 16
sarcomere ······ 16
sarcopenia ······ 523
scaphoid ······ 329, 330
scapulothoracic ······ 283
scapulothoracic joint ······ 283
Schwann cell ······ 21
scoliosis ······ 40
screw home movement ······ 418
secondary bone healing ······ 481
sequestrum ······ 236
seronegative spondyloarthritis ······ 190
shear force ······ 285
shear stress ······ 426
shearing force ······ 24, 422
shelf acetabuloplasty ······ 128
shepherd's crook deformity ······ 215
shin splint: medial tibial stress syndrome ······ 274
silver fork deformity ······ 329
single chondrogenic condensation ······ 105
sinus tarsi ······ 449
skeletal dysplasia ······ 145
skeletal muscle ······ 15
skeletal traction ······ 491
skull tong traction ······ 47
SLAP lesion ······ 311
slipped capital femoral epiphysis ······ 128, 404
snapping ······ 28
snapping hip ······ 412
soft tissue sarcoma ······ 204
solitary bone cyst ······ 217
spasticity ······ 29
spicule ······ 5
spina bifida occulta ······ 116
spinal arch ······ 353
spinal cord ······ 359, 501
spinal cord syndrome ······ 502
spinal dysraphism ······ 258
spinal shock ······ 502
splint ······ 43
spondyloepiphyseal dysplasia congenita ······ 153
spondylolisthesis ······ 375
Spurling sign ······ 381
statics ······ 24
steppage gait ······ 361
stiff shoulder ······ 289, 290
straight leg raising test ······ 366

stress ························ 25
stress fracture ························ 490
superficial abdominal reflex ························ 31
superficial deltoid ligament ························ 449
superficial reflex ························ 31
superior labral anterior and posterior ························ 287
supracondylar fracture of the humerus ························ 521
surface osteocyte ························ 9
swan neck deformity ························ 187, 332
synchondrosis ························ 19
syndesmosis ························ 19
synostosis ························ 19
synovial joint ························ 18
synovial sarcoma ························ 224
synovial sheath ························ 14
synovium ························ 19

T

tandem gait ························ 362
tendinopathy ························ 275
tendinosis ························ 322, 333
tendon ························ 14
tendon graft ························ 536
tendon lengthening ························ 537
tendon transfer ························ 346, 536
tennis elbow ························ 322
tenorrhaphy ························ 536
tensile force ························ 24
tension band wiring ························ 49
teriparatide ························ 161
tetanus ························ 511
TGF-β ························ 23
Thomas test ························ 402
thoracolumbarsacral orthosis ························ 507
three column theory ························ 505
tibiofemoral angle ························ 134
Tinel sign ························ 39, 263, 326, 345
torsional deformity ························ 135
torsional force ························ 24
torus fracture ························ 518
total arthroplasty ························ 82
total hip arthroplasty ························ 407
total knee arthroplasty ························ 440
trabecula ························ 7
traction ························ 46
transcutaneous electrical nerve stimulation ························ 97
transient synovitis of the hip ························ 123, 408
trauma series ························ 476
Trendelenburg gait ························ 361
Trendelenburg sign ························ 28
Trendelenburg test ························ 402
triangular fibrocartilage complex ························ 340
trigger finger ························ 347
trigger thumb ························ 347
trochanteric bursa ························ 410
trochanteric bursitis ························ 410
tuberculous kyphosis ························ 393
tumor necrosis factor-alpha (TNF-α) ························ 23

U

ulnar claw hand ························ 325
ulnar styloid process ························ 330
uncinate process ························ 355
uncovertebral joint ························ 355
undifferentiated pleomorphic sarcoma ························ 224
unicameral bone cyst ························ 217
upper limb buds ························ 104

V

valgus 40
valgus stress test 428
varus 40
vertebroplasty 525
Volkmann's canal 7
voluntary muscle 15

W

Wartenberg's sign 336
weaver's bottom 411
wedge vertebra 113
woven bone 157

Y

yield point 25
yield stress 25

Z

zone of polarizing activity 105